Sommario

Inhaltsverzeichnis

Contents

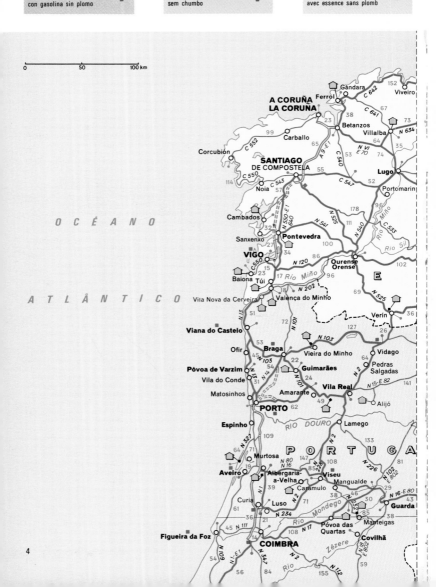

4

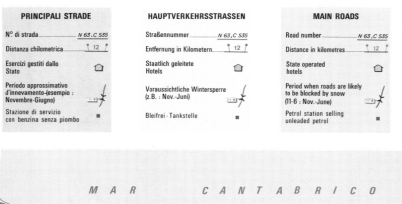

PRINCIPALI STRADE		HAUPTVERKEHRSSTRASSEN		MAIN ROADS	
N° di strada	N 63, C 535	Straßennummer	N 63, C 535	Road number	N 63, C 535
Distanza chilometrica	12	Entfernung in Kilometern	12	Distance in kilometres	12
Esercizi gestiti dallo Stato	⌂	Staatlich geleitete Hotels	⌂	State operated hotels	⌂
Periodo approssimativo d'innevamento (esempio : Novembre-Giugno)		Voraussichtliche Wintersperre (z.B. : Nov.-Juni)		Period when roads are likely to be blocked by snow (11-6 : Nov.-June)	
Stazione di servizio con benzina senza piombo	■	Bleifrei - Tankstelle	■	Petrol station selling unleaded petrol	■

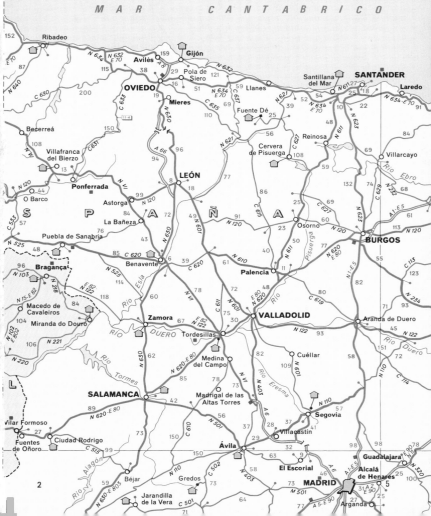

2

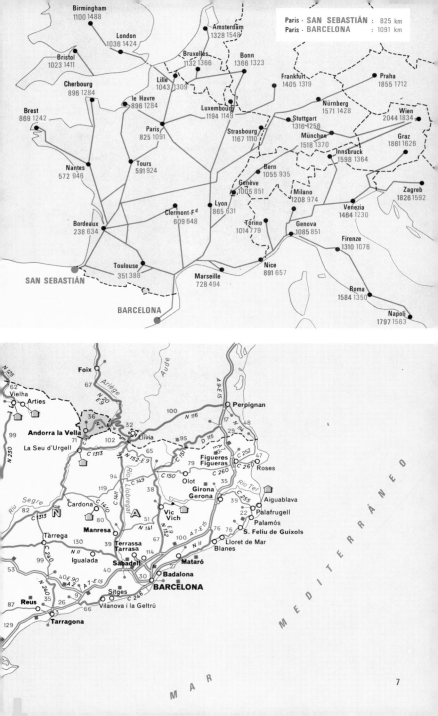

Paris - **SAN SEBASTIÁN** : 825 km
Paris - **BARCELONA** : 1091 km

Birmingham
1100 1488

London
1036 1424

Amsterdam
1328 1548

Bristol
1023 1411

Bruxelles
1132 1366

Bonn
1366 1323

Frankfurt
1405 1319

Praha
1855 1712

Cherbourg
896 1284

Lille
1043 1309

le Havre
896 1284

Luxembourg
1194 1149

Nürnberg
1571 1428

Wien
2044 1834

Brest
869 1242

Paris
825 1091

Strasbourg
1167 1110

Stuttgart
1316 1256

München
1518 1370

Graz
1861 1626

Innsbruck
1598 1364

Nantes
572 946

Tours
591 924

Bern
1055 935

Genève
1005 851

Milano
1208 974

Zagreb
1826 1592

Bordeaux
238 634

Clermont-Fᵈ
609 648

Lyon
865 631

Torino
1014 779

Genova
1085 851

Venezia
1464 1230

Firenze
1310 1076

Toulouse
351 388

SAN SEBASTIÁN

Marseille
728 494

Nice
891 657

Roma
1584 1350

BARCELONA

Napoli
1797 1563

N 125

Foix

67

Aude

A 9-E 15

Perpignan

62
Vielha
Arties

E 9
N 90

100

N 116

17
29 116

48

99

N 230

36

32
Llivia

95

D 115

A 17

252

47

Andorra la Vella
La Seu d'Urgell

71
C 145

102

65

C 151

**Figueres
Figueras**

C 260

C 260
Roses

N 152-E 9

79

C 150

Olot

35

Río Ter

Aiguablava

94

C 149

38

**Girona
Gerona**

C 255

39

Riu Segre

119

C 1410

Cardona

80

A

51

**Vic
Vich**

N 141

22

Palafrugell

Palamós

82
C 1313

Ñ

Manresa

N 152-E 9

76

76

S. Feliu de Guíxols

Tàrrega

130

39

**Terrassa
Tarrassa**

100

A 7-E 15

N II

Lloret de Mar
Blanes

99
N 240

N II
Igualada

40

114

Sabadell

27

Mataró

53

40 E 90
A 42

A 7-E 15

30

Badalona

87
Reus

35

9

Sitges

BARCELONA

26

66

Vilanova i la Geltrú

C 246

129

3

Tarragona

MAR MEDITERRÁNEO

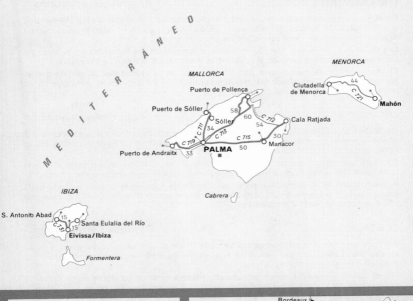

ISLAS BALEARES

MEDITERRÁNEO

MALLORCA

MENORCA

Ciutadella de Menorca

C 721

Mahón

Puerto de Pollença

Puerto de Sóller

Sóller

58

60

C 712

54

Cala Ratjada

C 719

C 711

34

C 715

30

Puerto de Andraitx

33

PALMA

C 715

50

Manacor

Cabrera

IBIZA

S. Antonio Abad

15

C 731

15

Santa Eulalia del Río

Eivissa/Ibiza

Formentera

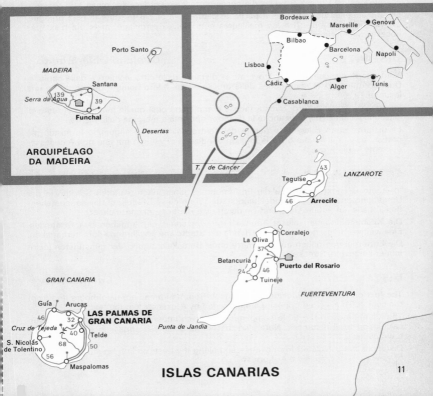

Bordeaux

Marseille

Genova

Bilbao

Barcelona

Napoli

Porto Santo

MADEIRA

Lisboa

Santana

Cádiz

Alger

Túnis

139

Serra da Agua

39

Casablanca

Funchal

Desertas

ARQUIPÉLAGO DA MADEIRA

T. de Cáncer

LANZAROTE

Teguise

43

46

Arrecife

Corralejo

La Oliva

37

Betancuria

46

Puerto del Rosario

24

Tuineje

FUERTEVENTURA

GRAN CANARIA

Guía

Arucas

LAS PALMAS DE GRAN CANARIA

46

32

Cruz de Tejeda

40

Telde

S. Nicolás de Tolentino

68

50

56

Maspalomas

Punta de Jandia

ISLAS CANARIAS

11

DISTANCIAS

Algunas precisiones :

En el texto de cada localidad encontrará la distancia a las ciudades de los alrededores y a la capital de estado. Cuando estas ciudades figuran en el cuadro de la página siguiente, su nombre viene precedido de un rombo negro ◆.

Las distancias entre capitales de este cuadro completan las indicadas en el texto de cada localidad. Utilice también las distancias marcadas al margen de los planos.

El kilometraje está calculado a partir del centro de la ciudad por la carretera más cómoda, o sea la que ofrece las mejores condiciones de circulación, pero que no es necesariamente la más corta.

DISTÂNCIAS

Algumas precisões :

No texto de cada localidade encontrará a distância até às cidades dos arredores e à capital do pais. Quando estas cidades figuram no quadro da página seguinte, o seu nome aparece precedido dum losango preto ◆.

As distâncias deste quadro completam assim as que são dadas no texto de cada localidade. Utilize também as indicações quilométricas inscritas na orla dos planos.

A quilometragem é contada a partir do centro da localidade e pela estrada mais prática, quer dizer, aquela que oferece as melhores condições de condução, mas que não é necessàriamente a mais curta.

DISTANCES

Quelques précisions :

Au texte de chaque localité vous trouverez la distance des villes environnantes et de sa capitale d'état. Lorsque ces villes sont celles du tableau ci-contre, leur nom est précédé d'un losange noir ◆.

Les distances intervilles de ce tableau complètent ainsi celles données au texte de chaque localité. Utilisez aussi les distances portées en bordure des plans.

Les distances sont comptées à partir du centre-ville et par la route la plus pratique, c'est-à-dire celle qui offre les meilleures conditions de roulage, mais qui n'est pas nécessairement la plus courte.

DISTANZE

Qualche chiarimento :

Nel testo di ciascuna località troverete la distanza dalle città viciniori e dalla capitale. Quando queste città sono quelle della tabella a lato, il loro nome è preceduto da una losanga ◆.

Le distanze fra le città di questa tabella completano così quelle indicate nel testo di ciascuna località. Utilizzate anche le distanze riportate a margine delle piante.

Le distanze sono calcolate a partire dal centro delle città e seguendo la strada più pratica, ossia quella che offre le migliori condizioni di viaggio ma che non è necessariamente la più breve.

ENTFERNUNGEN

Einige Erklärungen :

In jedem Ortstext finden Sie die Entfernungsangaben nach weiteren Städten in der Umgebung und nach der Landeshauptstadt. Wenn diese Städte auf der nebenstehenden Tabelle aufgeführt sind, sind sie durch eine Raute ◆ gekennzeichnet.

Die Kilometerangaben dieser Tabelle ergänzen somit die Angaben des Ortstextes. Eine weitere Hilfe sind auch die am Rande der Stadtpläne erwähnten Kilometerangaben.

Die Entfernungen gelten ab Stadtmitte unter Berücksichtigung der günstigsten (nicht immer kürzesten) Strecke.

DISTANCES

Commentary :

The text on each town includes its distance from its immediate neighbours and from the capital. Those cited opposite are preceded by a lozenge ◆ in the text.

The kilometrage in the table completes that given under individual town headings in calculating total distances. Note also that some distances appear in the margins of town plans.

Distances are calculated from centres and along the best roads from a motoring point of view · not necessarily the shortest.

DISTANCIAS ENTRE LAS CIUDADES PRINCIPALES

DISTANCIAS ENTRE AS CIDADES PRINCIPAIS

DISTANCES ENTRE PRINCIPALES VILLES

DISTANZE TRA LE PRINCIPALI CITTÀ

ENTFERNUNGEN ZWISCHEN DEN GRÖSSEREN STÄDTEN

DISTANCES BETWEEN MAJOR TOWNS

Ejemplo Esempio
Exemplo Beispiel
Exemple Example
Madrid* – *Vigo 600 km

	Albacete	Alicante	Almeria	Andorra la Vella	Badajoz	Barcelona	Bayonne	Bilbao	Burgos	Cáceres	Cádiz	Coimbra	Córdoba	La Coruña	Granada	León	Lérida/Lleida	Lisboa	Logroño	Madrid	Málaga	Murcia	Oviedo	Pamplona	Perpignan	Porto	Salamanca	San Sebastián/Donostia	Santander	Segovia	Sevilla	Valencia	Valladolid	Vigo	Vitoria/Gasteiz
Alicante	168
Almeria	368	303
Andorra la Vella	644	635	938
Badajoz	530	698	617	1034
Barcelona	544	535	838	220	1036
Bayonne	708	762	1023	408	848	589
Bilbao	646	780	947	553	706	607	151
Burgos	488	656	789	595	548	597	298	156
Cáceres	490	658	664	932	91	934	757	615	457
Cádiz	597	673	477	1271	341	1139	1145	1003	845	388
Coimbra	778	946	928	1159	311	1161	864	722	564	292	652
Córdoba	358	526	339	1032	278	900	946	804	646	325	239	589
La Coruña	852	1020	1153	1111	740	1113	764	622	516	685	1073	423	1010
Granada	350	367	171	1002	479	902	969	827	669	526	306	790	166	1033
León	576	744	877	787	505	789	490	348	192	414	802	489	734	325	757
Lérida/Lleida	533	524	827	155	879	169	432	450	440	777	1116	1004	877	956	900	632
Lisboa	779	947	849	1283	247	1285	1049	907	749	336	540	200	525	619	678	689	1128
Logroño	536	650	881	475	694	477	216	138	144	603	977	710	738	662	761	336	320	895
Madrid	249	417	550	625	409	627	539	397	239	307	646	529	407	603	430	327	470	658	331
Málaga	468	494	208	1112	435	1012	1087	945	787	482	262	746	175	1151	127	875	1018	634	879	548
Murcia	147	82	222	716	658	617	801	793	635	637	592	925	472	999	286	723	606	907	683	396	413
Oviedo	694	862	995	850	618	903	448	306	313	527	915	634	852	326	875	121	746	819	434	445	993	841
Pamplona	590	644	905	469	754	471	118	157	204	663	1031	770	792	722	815	396	314	955	92	385	933	683	453
Perpignan	715	706	1009	166	1207	187	441	586	768	1105	1310	1332	1071	1284	1073	960	340	1456	648	798	1183	787	883	642
Porto	840	1008	1052	1163	435	1165	868	726	568	410	776	118	713	305	914	427	1008	314	714	591	870	987	548	774	1336
Salamanca	454	622	755	835	308	837	540	398	240	217	605	324	542	468	635	197	680	509	386	205	699	601	310	446	1008	386
San Sebastián/Donostia	684	738	1038	456	797	565	54	100	247	706	1094	813	895	713	918	439	408	998	162	488	1036	777	397	94	489	817	489
Santander	642	886	943	660	673	713	258	116	154	582	970	689	800	519	823	266	556	874	244	393	941	789	203	263	693	693	365	207
Segovia	336	504	637	658	393	660	498	356	198	302	690	489	494	542	517	249	503	638	344	87	635	483	370	366	831	551	165	447	352
Sevilla	501	669	432	1175	218	1043	1022	880	722	265	123	529	143	950	261	679	1020	417	868	550	217	547	792	935	1214	653	482	971	847	567
Valencia	183	174	477	461	675	361	588	606	519	637	778	880	539	954	541	678	350	924	476	351	651	256	796	470	532	942	556	564	712	438	682
Valladolid	437	605	738	720	423	722	425	283	125	332	720	439	595	443	618	139	565	624	271	188	736	584	260	331	893	477	115	374	250	110	597	539
Vigo	849	1017	1156	1126	592	1128	831	689	531	567	933	275	870	156	1030	367	971	471	677	600	1027	996	452	737	1299	157	429	780	645	539	810	951	440
Vitoria/Gasteiz	601	735	902	560	661	562	166	64	111	570	958	677	759	629	782	303	405	862	93	352	900	748	360	93	733	681	353	115	170	311	835	561	238	644
Zaragoza	429	504	765	305	731	307	287	305	295	629	968	859	729	811	752	487	150	980	175	322	870	543	601	169	478	863	535	263	411	361	872	330	420	826	260

ADUANAS

Oficinas abiertas :

● a cualquier hora, día
  y noche
● a ciertas horas solamente
● a ciertas horas solamente,
  pero cerradas en invierno.

ver cuadro

ALFÂNDEGAS

Escritórios abertos :

● a qualquer hora, dia
  e noite
● a certas horas sòmente
● a certas horas sòmente,
  mas fechados no Inverno.

ver o quadro

DOUANES

Bureaux ouverts :

● à toute heure, jour
  et nuit
● à certaines heures seulement
● à certaines heures seulement,
  mais fermés en hiver.

voir tableau

FRANCE	ESPAÑA	Verano - Verão - Été Estate - Sommer - Summer		Invierno - Hiver Inverno - Winter
Behobie	Behobia	1.6-30.9	7 h-24 h	7 h-24 h
Herboure	Vera de Bidasoa	1.6-15.9	8 h-22 h	9 h-21 h
Sare	Vera de Bidasoa	1.6-15.9	8 h-22 h	9 h-21 h
Sare	Echalar	1.6-15.9	8 h-22 h	9 h-21 h
Ainhoa	Dancharinea	1.5-30.9	7 h-24 h	7 h-24 h
St-Étienne-de-Baïgorry	Errazu	1.6-15.9	8 h-22 h	9 h-21 h
Arnéguy	Valcarlos	1.5-30.9	7 h-24 h	7 h-22 h
Urdos	Canfranc	16.6-30.9	0 h-24 h	8 h-21 h
Luchon	Bosost	1.6-30.9	8 h-22 h	8 h-22 h
Melles Pont du Roi	Les	1.5-30.9	0 h-24 h	8 h-24 h
Bourg Madame	Puigcerdá	15.5-15.10	7 h-24 h	7 h-22 h
Prats-de-M. Col d'Ares	Camprodón	1.6-30.9	7 h-20 h	8 h-20 h
Cerbère	Port-Bou	15.6-30.9	0 h-24 h	7 h-24 h
Urepel	Eugui	1.3-31.10	9 h-19 h	—
Larrau	Ochagavia	1.6-31.10	9 h-19 h	—
Arette	Isaba	15.6-31.10	9 h-19 h	—
Les Eaux-Chaudes	Sallent-de-Gàllego	1.5-30.11	8 h-21 h	—
Aragnouet	Bielsa	16.3-15.12	8 h 30-21 h 30	—

Uffici aperti :
- a qualsiasi ora del giorno o della notte
- solo a determinate ore
- solo a determinate ore ma chiusi in inverno.

vedere tabella

Öffnungszeiten der Zoll-stationen :
- Tag und Nacht durchgehend
- nur während einiger Stunden
- nur während einiger Stunden ; im Winter geschlossen.

Siehe Tabelle

Offices open :
- day and night, all year round
- only at certain hours
- only at certain hours, but closed in winter.

See table opposite

ESPAÑA PORTUGAL

Oficinas normalmente abiertas del 1 de marzo al 31 de octubre de 8 h a 1 h ; el resto del año abiertas de 8 h a 22 h.

Servicos aduaneiros normal-mente abertos do 1 de Março ao 31 de outubro das 8 h às 1 h ; no resto do ano, abertos das 8 h às 22 h.

Bureaux normalement ouverts du 1er mars au 31 octobre de 8 h à 1 h ; le reste de l'année ouverts de 8 h à 22 h.

Dal 1º marzo al 31 ottobre uffici regolarmente aperti dalle ore 8 all' 1 ; per il resto dell'anno dalle ore 8 alle 22.

Die Zollstationen sind vom 1. März bis 31. Oktober von 8-1 Uhr geöffnet ; im Winterhalbjahr von 8-22 Uhr.

Customs offices open 1 March to 31 October 8 am to 1 am ; the rest of the year 8 am to 10 pm.

Conozca la guía...

Si sabe utilizarla, le sacará mucho partido. La Guía Michelin no es sólo una lista de buenos restaurantes y hoteles, también es una multitud de informaciones de gran utilidad en sus viajes.

La clave de la Guía

La tiene Vd. en las páginas explicativas siguientes.
Sabrá que un mismo símbolo, que un mismo tipo de letra, en rojo o en negro, en fino o en grueso, no tienen el mismo significado, en absoluto.

La selección de los hoteles y restaurantes

Esta Guía no es una relación completa de los recursos hoteleros de España y de Portugal, sólo presenta una selección voluntariamente limitada. Ésta se establece mediante visitas y encuestas efectuadas regularmente sobre el propio terreno. Es en estas visitas donde se examinan las opiniones y observaciones de nuestros lectores.

Los planos de la ciudad

Indican con precisión : las calles peatonales y comerciales, cómo atravesar o rodear la ciudad, dónde se sitúan los hoteles (en las grandes arterias o en los alredededores), dónde se encuentran correos, la oficina de turismo, los grandes monumentos, los lugares destacados, etc.

Para su vehículo

En el texto de diversas localidades hemos indicado los representantes de las grandes marcas de automóviles, con su dirección y número de teléfono. Así, en ruta, Vd. puede hacer revisar o reparar su coche, si fuera necesario.

Sobre todos estos puntos y también sobre muchos otros, nos gustaría conocer su opinión. No dude en escribirnos. Nosotros le responderemos.

Gracias anticipadas.

Services de Tourisme Michelin
46, avenue de Breteuil, F-75341 PARIS CEDEX 07

Michelin le desea viajes felices.

La elección de un hotel, de un restaurante

Nuestra clasificación ha sido establecida para uso de los automovilistas de paso. Dentro de cada categoría se citan los establecimientos por orden de preferencia.

CLASE Y CONFORT

🏰	Gran lujo y tradición	XXXXX
🏨	Gran confort	XXXX
🏨	Muy confortable	XXX
🏢	Bastante confortable	XX
🏠	Confortable	X
🏠	Sencillo pero decoroso	
M	Dentro de su categoría, hotel con instalaciones modernas	
sin rest	El hotel no dispone de restaurante	sem rest
con hab	El restaurante tiene habitaciones	com qto

LA INSTALACIÓN

Las habitaciones de los hoteles que recomendamos poseen, en general, instalaciones sanitarias completas. No obstante puede suceder que en las categorías 🏢, 🏠 y 🏠 algunas habitaciones carezcan de ellas.

30 hab, 30 qto	Número de habitaciones (ver p. 21 : en el hotel)
🛗	Ascensor
▤	Aire acondicionado
TV	Televisión en la habitación
☏	Teléfono en la habitación, pasando por centralita
☎	Teléfono en la habitación, directo con el exterior
☂	Comidas servidas en el jardín o en terraza
⅃ ⬓	Piscina al aire libre o cubierta
☞	Jardín
⚾	Tenis en el hotel
⛳	Golf y número de hoyos
⚐	Salón de reuniones (mínimo 25 personas)
⛽	Garaje (generalmente de pago)
℗	Aparcamiento reservado a la clientela
⚉	Prohibidos los perros : en todo el establecimiento
⚉ rest	en el restaurante solamente
⚉ hab ⚉ qto	en las habitaciones solamente
Fax	Transmisión de documentos por telecopia (= Telefax)
mayo-octubre	Período de apertura comunicado por el hotelero
temp.	Apertura probable en temporada, sin precisar fechas
	Ninguna mención para los establecimientos abiertos todo el año
✉ 28000, ✉ 1200	Distrito postal

17

EL ATRACTIVO

La estancia en determinados hoteles es, a veces, especialmente agradable o tranquila.

Esto puede deberse a las características del edificio, a la decoración original, al emplazamiento y los servicios ofrecidos, o también a la tranquilidad del lugar.

Estos establecimientos se distinguen en la guía por los símbolos en rojo que indicamos a continuación.

🏨 … 🏠	Hoteles agradables
XXXXX … X	Restaurantes agradables
« Parque »	Elemento particularmente agradable
🦢	Hotel muy tranquilo, o aislado y tranquilo
🦢	Hotel tranquilo
≤ mar	Vista excepcional
≤	Vista interesante o extensa

Consulte los mapas de las pág. 64 a 67, le será más fácil descubrirlos.

No pretendemos haber indicado todos los hoteles agradables, ni siquiera todos los tranquilos o los aislados y tranquilos.

Nuestras averiguaciones continúan. Vd puede ayudarnos enviándonos sus observaciones y sus descubrimientos.

LA MESA

Las estrellas : ver mapa p. 64 a 67.

Entre los numerosos establecimientos recomendados en esta Guía, algunos merecen ser señalados a su atención por la calidad de su cocina. Por eso les otorgamos unas estrellas de buena mesa.

Para la atribución de una ✿, ✿✿ o de ✿✿✿ se han tenido en cuenta las costumbres culinarias de cada país o de cada región.

Indicamos casi siempre, para estos establecimientos, tres especialidades gastronómicas. Pruébelas, a la vez para su placer y también para animar al jefe de cocina en sus esfuerzos.

✿　**Una muy buena mesa en su categoría**

La estrella indica una buena etapa en su itinerario.

Pero no compare la estrella de un establecimiento de lujo, de precios altos, con la estrella de un establecimiento más sencillo, en el que, a precios razonables, se sirve también una cocina de calidad.

✿✿　**Mesa excelente, merece un rodeo**

Especialidades y vinos selectos, precios en consecuencia.

✿✿✿　**Una de las mejores mesas, justifica el viaje**

Mesa exquisita, grandes vinos, servicio impecable, marco elegante... Precios en consecuencia.

Los buenos vinos : ver pág. 68

LOS PRECIOS

Los precios que indicamos en esta guía, fueron calculados a finales de 1988. Pueden producirse modificaciones, debidas a cambios en el coste de la vida o en los precios de bienes y servicios. Por ello deben siempre ser considerados como precios base.

Entre en el hotel o el restaurante con su guía en la mano, demostrando así que ésta le conduce allí con confianza.

Los hoteles y restaurantes figuran con caracteres gruesos cuando los hoteleros nos han señalado todos sus precios, comprometiéndose, bajo su propia responsabilidad, a respetarlos ante los turistas de paso, portadores de nuestra Guía.

Infórmenos de todo recargo que pueda parecerle injustificado. Cuando no figura ningún precio, le aconsejamos se ponga de acuerdo con el hotelero sobre las condiciones.

Los precios indicados en pesetas o en escudos, incluyen el servicio. El I.V.A. se añadira al total de la factura (6 o 12 % en España, 8 % en Portugal).

Comidas

Com 900/1 200 Ref 750/1 000	**Precio fijo** — Mínimo y máximo de las comidas servidas a las horas normales
Carta 1 450 a 2 800 Lista 800 a 1 550	**Comidas a la carta** — El primer precio corresponde a una comida sencilla, pero esmerada, comprendiendo : entrada, plato fuerte del día, postre El segundo precio se refiere a una comida más completa, comprendiendo : entrada, dos platos y postre
⌹ 225	Precio del desayuno

Habitaciones

hab 2 500/3 700 **qto** 2 200/3 100	Precio máximo de una habitación individual y de la mejor habitación o pequeño apartamento ocupada por dos personas
hab ⌹ 2 700/4 100 **qto** ⌹ 2 400/3 300	El precio del desayuno está incluido en el precio de la habitación

Pensión

P 3 350/3 700	Precio mínimo y máximo de la pensión completa por persona y por día, en plena temporada
ᴀᴇ ⓪ Ɛ 𝘝𝘐𝘚𝘈	Principales **tarjetas de crédito** aceptadas por el establecimiento : American Express — Diners Club — Eurocard — Visa.

Para estar inscrito en la Guía Michelin :

— *¡ ninguna recomendación,*
— *ninguna gratificación !*

ALGUNAS INFORMACIONES ÚTILES

Paradores. — Son establecimientos dependientes del Estado. El Parador, a veces instalado en un castillo histórico o en un antiguo monasterio confortablemente amueblado, suele estar situado en poblaciones etapa o en centros de excursión y la estancia no está limitada.

Pousadas y Estalagens en Portugal. — Las Pousadas son establecimientos dependientes de la Direcção Geral do Turismo. Generalmente construidas en un paraje agradable, a veces instaladas en un edificio histórico confortablemente amueblado, suelen estar situadas en poblaciones etapa o centros de excursión y ofrecen un servicio, una cocina y una decoración regionales. No se permite una estancia superior a cinco días. Los Estalagens son albergues que presentan las mismas características y el mismo estilo de construcción y decoración que las Pousadas. Estos albergues son de propiedad particular y la estancia no está limitada.

En el hotel. — El hotelero tiene la obligación de alojarle sin exigir que utilice los servicios de cafetería o restaurante.

Si el hotelero no puede ofrecerle una habitación individual, la doble ocupada por una sola persona debe ser facturada con un descuento del 20 % sobre su precio de base.

En Portugal, en las " pensões" que practican generalmente la modalidad de " pension completa", un aumento del 20 % sobre el precio de la habitación puede ser aplicado si el cliente no toma ninguna comida.

La pensión. — La pensión completa incluye la habitación y la pensión alimenticia (el desayuno y las dos comidas).

Los precios de pensión completa en habitación doble ocupada por una persona son generalmente superiores a los indicados en la guía.

Reserva de plazas. — Es conveniente reservar anticipadamente.

Pida al hotelero confirmación escrita de las condiciones de estancia así como todos los detalles útiles. Por telex, siempre indicar el nombre del hotel.

El hotelero puede exigir un anticipo en concepto de arras. No es pago adelantado sino garantía de que el contrato de reserva se cumplirá.

EL COCHE, LOS NEUMÁTICOS

En el texto de diversas localidades y a continuación de los hoteles y restaurantes, hemos indicado los concesionarios de las principales marcas de automóviles, capacitados para efectuar cualquier clase de reparación en sus propios talleres. Cuando un agente de neumáticos carezca del artículo que Vd necesite, diríjase a la División Comercial Michelin en Madrid, o a cualquiera de sus Sucursales en las poblaciones siguientes : Albacete, Barcelona, Bilbao, Cáceres, Granada, León, Pamplona, Santiago de Compostela, Sevilla, Valencia, Valladolid, Zaragoza. En **Portugal,** diríjase a la Dirección Comercial Michelin en Lisboa o a su Sucursal en Oporto.

La dirección y el número de teléfono figuran en el texto de estas localidades.

Ver también las páginas bordeadas de azul.

Para visitar una población y sus alrededores

LAS CURIOSIDADES

Grado de interés

★★★   Justifica el viaje

★★   Merece un rodeo

★   Interesante

Situación de las curiosidades

Ver :	En la población
Alred. : **Arred. :**	En los alrededores de la población
Excurs. :	Excursión en la región
N, S, E, O	La curiosidad está situada al norte, al sur, al este, al oeste
①, ④	Salir por la salida ① o ④, localizada por el mismo signo en el plano
6 km	Distancia en kilómetros

LAS POBLACIONES

2200	Código postal
✉ 7800 Beja	Código postal y Oficina de Correos distribuidora
✆ 918	Indicativo telefónico provincial (para las llamadas fuera de España, no se debe marcar el 9, tampoco el O para Portugal).
P	Capital de Provincia
445 M 27	Mapa Michelin y cuadrícula
24 000 h.	Población
alt. 175	Altitud de la localidad
3	Número de teleféricos o telecabinas
7	Número de telesquis o telesillas
AX A	Letras para localizar un emplazamiento en el plano
18	Golf y número de hoyos
❋ ≤	Panorama, vista
✈	Aeropuerto
🚗 ✆ 22 98 36	Localidad con servicio Auto-Expreso. Información en el número indicado.
⛴	Transportes marítimos
🛈	Información turística
R.A.C.	Real Automóvil Club
A.C.P.	Automóvil Club de Portugal

Para visitar una población y sus alrededores

LOS PLANOS

Características de las calles

Autopista, carretera con calzadas separadas
   acceso, completo, parcial, número
Vía importante de circulación
Sentido único - Calle impracticable
Calle peatonal - Tranvía
Calle comercial - Aparcamiento
Puerta - Pasaje cubierto - Túnel
Estación y línea férrea
Barcaza para coches - Puente móvil

Curiosidades — Hoteles — Restaurantes

Edificio interesante y entrada principal
Edificio religioso interesante :
Catedral, iglesia o capilla
Curiosidades diversas
Ruinas
Castillo
Molino de viento
Letra que identifica una curiosidad
Hotel, restaurante. Letra de identificación

Signos diversos

Oficina de Información de Turismo - Sucursal Michelin
Hospital - Mercado cubierto - Depósito de agua - Fábrica
Jardín, parque, bosque - Cementerio - Crucero
Estadio - Golf
Mezquita - Sinagoga
Aeropuerto - Hipódromo - Vista - Panorama
Funicular - Teleférico, telecabina
Monumento, estatua - Fuente - Puerto deportivo - Faro
Transporte por barco
   pasajeros y vehículos, pasajeros solamente
Edificio público localizado con letra :
   Diputación - Gobierno civil
   Ayuntamiento
   Palacio de Justicia
   Museo - Teatro
   Policía (en las grandes ciudades : Jefatura)
   Universidad, Escuela Superior
Referencia común a los planos y a los mapas detallados Michelin
Oficina central de lista de correos - Teléfonos
Estación de autobuses - Boca de metro

Descubra
o guia...

e saiba utilizá-lo para tirar dele o melhor proveito. O Guia Michelin não é sòmente um catálogo de bons restaurantes ou hotéis, é também uma imensa gama de informações para facilitar as vossas viagens.

A chave do Guia

É-vos dada pelas páginas explicativas seguintes.
Um mesmo símbolo, um mesmo carácter em encarnado ou em preto, em fino ou em grosso, não tem de modo algum, o mesmo significado.

A selecção dos hotéis e restaurantes

O Guia não é um repertório completo dos recursos hoteleiros da Espanha e de Portugal, ele apresenta sòmente uma selecção voluntáriamente limitada. Esta selecção é estabelecida após visitas e inquéritos efectuados regularmente no local. É no momento destas visitas que as opiniões e observações dos nossos leitores são examinadas.

As plantas de Cidades

Indicam com precisão : as ruas reservadas aos peões e comerciantes, como atravessar ou contornar a aglomeração, onde se situam os hotéis (em grandes artérias ou num lugar isolado), onde se situam os correios, repartição de turismo, os grandes monumentos, os pontos interessantes, etc.

Para o seu carro

No texto de muitas localidades indicamos os representantes das grandes marcas automóveis com o seu endereço e número de telefone. Na estrada, pode assim mandar reparar ou desempanar a sua viatura, se necessário.

Sobre todos estes pontos e ainda sobre muitos outros, nós desejamos vivamente conhecer a sua opinião. Não hesite em nos escrever, nós responder-vos-emos.

Antecipadamente gratos.

Services de Tourisme Michelin
46, avenue de Breteuil, F-75341 PARIS CEDEX 07

Bibendum deseja-vos agradáveis viagens.

A escolha de um hotel, de um restaurante

A nossa classificação está estabelecida para servir os automobilistas de passagem.
Em cada categoria, os estabelecimentos são classificados por ordem de preferência.

CLASSE E CONFORTO

🏨	Grande luxo e tradição	𝖷𝖷𝖷𝖷𝖷
🏨	Grande conforto	𝖷𝖷𝖷𝖷
🏨	Muito confortável	𝖷𝖷𝖷
🏨	Bastante confortável	𝖷𝖷
🏠	Confortável	𝖷
🏠	Simples, mas que convém	
M	Na sua categoria, hotel de instalações modernas	
sin rest	O hotel não tem restaurante	sem rest
con hab	O restaurante tem quartos	com qto

A INSTALAÇÃO

Os quartos dos hotéis que lhes recomendamos têm em geral casa de banho completa.
No entanto pode acontecer que certos quartos, na categoria 🏨, 🏠 e 🏠, a não tenham.

30 hab, 30 qto	Número de quartos (ver p. 29 : no hotel)
🛗	Elevador
🗔	Ar condicionado
📺	Televisão no quarto
☏	Telefone no quarto, a través de central
☎	Telefone no quarto, directo com o exterior
🍽	Refeições servidas no jardim ou no terraço
🏊 🏊	Piscina ao ar livre ou coberta
🌳	Jardim de repouso
🎾	Tenis no hotel
⛳	Golfe e número de buracos
🏛	Salas de conferências (25 lugares mínimo)
🚗	Garagem (geralmente de pago)
P	Parque de estacionamento reservado à clientela
🐕	Proibidos os cães : em todo o estabelecimento
🐕 rest	só no restaurante
🐕 hab 🐕 qto	só nos quartos
Fax	Transmissão por telefone de documentos (= Telefax)
Maio - Outubro	Período de abertura comunicado pelo hoteleiro
temp.	Abertura provável para a estação mas sem datas exactas. Os estabelecimentos abertos todo o ano são os que não têm qualquer menção.
✉ 28 000, ✉ 1 200	Distrito postal

A escolha de um hotel, de um restaurante

ATRACTIVO

A estadia em certos hotéis torna-se por vezes particularmente agradável ou repousante.

Isto pode dar-se, por um lado pelas características do edifício, pela decoração original, pela localização, pelo acolhimento e pelos serviços prestados, e por outro lado pela tranquilidade dos locais.

Tais estabelecimentos distinguem-se no Guia pelos símbolos a vermelho que abaixo se indicam.

🏨 … 🏠	Hotéis agradáveis
🍴🍴🍴🍴 … 🍴	Restaurantes agradáveis
« Parque »	Elemento particularmente agradável
🦢	Hotel muito tranquilo, ou isolado e tranquilo
🦢	Hotel tranquilo
⩽ mar	Vista excepcional
⩽	Vista interessante ou ampla

Consulte os mapas a págs. 64 a 67 que lhe facilitarão as suas pesquisas.

Não pretendemos ter assinalado todos os hotéis agradáveis, nem todos os tranquilos ou isolados e tranquilos.

Os nossos inquéritos continuam. Você pode facilitá-los dando-nos a conhecer as suas observações e descobertas.

A MESA

As estrelas : ver o mapa p. 64 a 67.

Entre os numerosos estabelecimentos recomendados neste guia, alguns merecem ser assinalados à sua atenção pela qualidade de cozinha. É o fim das estrelas de boa mesa.

Pela atribuicão dos símbolos ❀, ❀❀ ou ❀❀❀ nós tivemos em conta os hábitos culinários próprios do País e de cada região.

Indicamos quase sempre, para esses estabelecimentos, três especialidades culinárias. Prove-as para o seu prazer e ao mesmo tempo para estimular o cozinheiro no seu esforço.

❀ **Uma muita boa mesa na sua categoria**

A estrela marca uma boa etapa no seu itinerário.

Mas não compare a estrela dum estabelecimento de luxo com preços elevados com a estrela duma casa mais simples onde, com preços moderados, se serve tambem uma cozinha de qualidade.

❀❀ **Uma mesa excelente, merece um desvio**

Especialidades e vinhos escolhidos ; deve estar preparado para uma despesa em concordância.

❀❀❀ **Uma das melhores mesas, vale a viagem**

Optima mesa, vinhos de marca, serviço impecável, ambiente elegante... Preços em conformidade.

Vinhos de qualidade : ver pág. 68

A escolha de um hotel, de um restaurante

OS PREÇOS

Os preços indicados neste Guia foram estabelecidos em fins de 1988. Podem portanto ser modificados, nomeadamente se se verificarem alterações no custo de vida ou nos preços dos bens e serviços. Devem, em todo o caso, ser considerados como preços base.

Entre no hotel ou no restaurante com o guia na mão e assim mostrará que ele o conduziu com confiança.

Os hóteis e restaurantes figuram em caractéres destacados, quando os hoteleiros nos deram todos os seus preços e comprometeram-se, sob a sua propria responsabilidade, a aplicá-los aos turistas de passagem, portadores do nosso Guia.

Previna-nos de qualquer aumento que pareça injustificado. Quando um preço não está indicado, aconselhamo-lo a pedir as condições.

Os preços indicados em pesetas ou em escudos, incluem o serviço. O I.V.A. sera aplicado á totalidade da factura (6 ou 12 % em Espanha, 8 % em Portugal).

Refeições

Com 900/1 200 Ref 750/1 000	**Preço fixo** — Minimo e máximo das refeições servidas às horas normais (ver p. 29)
Carta 1 450 a 2 800 Lista 800 a 1 550	**Refeições à lista** — O primeiro preço corresponde a uma refeição simples, mas esmerada, compreendendo : entrada, prato do dia guarnecido e sobremesa O segundo preço, refere-se a uma refeição mais completa, compreendendo : entrada, dois pratos e sobremesa
⌣ 225	Preço do pequeno almoço

Quartos

hab. 2 500/3 700 **qto** 2 200/3 100	Preços máximos para um quarto de uma pessoa e para o melhor quarto ou pequeno apartamento ocupado por duas pessoas
hab ⌣ 2 700/4 100 **qto** ⌣ 2 400/3 300	O preço do pequeno almoço está incluído no preço do quarto

Pensão

P 3 350/3 700	Preço mínimo e máximo da pensão completa por pessoa e por dia, em plena estação
AE ⓪ E 𝘝𝘐𝘚𝘈	Principais **cartões de crédito** aceites no estabelecimento : American Express — Diners Club — Eurocard — Visa.

*Para estar inscrito no **Guia Michelin** :*

— nada de cunhas,

— nada de gratificações !

ALGUMAS PRECISÕES ÚTEIS

Paradores em Espanha. — São estabelecimentos dependentes do Estado. O Parador, por vezes instalado num palácio histórico ou num antigo mosteiro confortávelmente arranjado, está situado numa cidade-etapa ou num centro de excursões e pode utilizar-se por periodos de tempo não limitados.

Pousadas e Estalagens. — As Pousadas são estabelecimentos dependentes da Direcção-Geral do Turismo. Frequentemente construídas num local aprasivel, por vezes instaladas num edifício histórico confortávelmente arranjado, estão situadas em cidades-etapa ou centros de excursão ou oferecem um serviço, uma cozinha e também uma decoração típica da região. Não podem utilizar-se por mais de 5 dias consecutivos. As Estalagens são albergues dotados de características similares ás das Pousadas, mas são propriedade privada e a duração da estadia não é limitada.

No restaurante. — Em Espanha, o almoço é geralmente servido a partir das 13 h 30 e o jantar das 21 h 00. Fora deste horário normal, as «Cafeterias» das grandes cidades servem refeições rápidas a qualquer hora do dia, até ás 2 h da manhã.

No hotel. — O hoteleiro é obrigado a alojar-vos sem exigir a utilização dos serviços de « Cafeteria » ou restaurante.

Em Espanha, se o hoteleiro não puder oferecer-vos um quarto individual, o quarto duplo ocupado por uma só pessoa deve beneficiar de um desconto legal de 20 % sobre o preço base.

Em Portugal, nas pensões que praticam a modalidade de « pensão completa », pode ser aplicado um aumento de 20 % sobre os preços do quarto se o cliente não toma nenhuma das refeições principais.

A pensão. — Em Espanha a pensão completa inclui o quarto e a alimentação: pequeno almoço e duas refeições.
Para as pessoas sós que ocupam quartos duplos pode por vezes ser aplicado um aumento sobre os preços indicados.

As reservas. — Sempre que possível, a reserva prévia é recomendável. Peça ao hoteleiro para lhe fornecer na carta de confirmação todos os detalhes úteis sobre a reserva e condições de estadia. A qualquer pedido por escrito é aconselhável juntar um impresso-resposta de modelo internacional. Por telex, indicar sempre o nome do hotel.
Alguns hoteleiros pedem por vezes o envio de um sinal. Trata-se de um depósito de garantia que compromete tanto o hoteleiro como o cliente.

O AUTOMÓVEL, OS PNEUS

No texto de muitas localidades, depois dos hotéis e restaurantes, indicámos os concessionários das principais marcas de viaturas, com possibilidades de reparar automóveis nas suas próprias oficinas. Desde que um agente de pneus não tenha o artigo de que V. tem necessidade, dirija - se : em Espanha, à Divisão Comercial Michelin, em Madrid, ou à Sucursal da Michelin de qualquer das seguintes cidades : Albacete, Barcelona, Bilbao, Cáceres, Granada, León, Pamplona, Santiago de Compostela, Sevilla, Valencia, Valladolid, Zaragoza. Em Portugal : à Direcção Comercial Michelin em Lisboa ou à Sucursal do Porto. A direcções e os números de telefones das agências Michelin figuram no texto das correspondentes localidades.

Ver também as páginas debruadas a azul.

Para visitar uma cidade e seus arredores

AS CURIOSIDADES

Interesses

★★★	Vale a viagem
★★	Merece um desvio
★	Interessante

Situação das curiosidades

Ver :	Na cidade
Alred. Arred. :	Nos arredores da cidade
Excurs. :	Excursão pela região
N, S, E, O	A curiosidade está situada no Norte, no Sul, no Este, no Oeste
①, ④	Lá chegaremos pela saída ① ou ④, assinalada pelo mesmo sinal sobre o plano
6 km	Distância em quilómetros

AS CIDADES

2200	Código postal
✉ 7800 Beja	Código postal e nome do Centro de Distribuição Postal
✆ 918	Indicativo telefónico provincial (para as chamadas fora de Espanha não deve marcar-se o 9, também o O para Portugal
Ⓟ	Capital de distrito
445 M 27	Mapa Michelin e quadrícula
24 000 h.	População
alt. 175	Altitude da localidade
🚠 3	Número de teleféricos ou telecabinas
🚡 7	Número de teleskis e telecadeiras
AX A	Letras determinando um local no plano
⛳18	Golfe e número de buracos
❊ ≼	Panorama, vista
✈	Aeroporto
🚗 ✆ 22 98 36	Localidade com serviço de transporte de viaturas em caminho-de-ferro. Informações pelo número de telefone indicado.
⛴	Transportes marítimos
🛈	Informação turística
R.A.C.	Real Automóvel Clube
A.C.P.	Automóvel Clube de Portugal

Para visitar uma cidade e seus arredores

PLANOS

Vias de circulação

Auto-Estrada, estrada com faixas de rodagem separadas
    acesso : completo, parcial, número
Grande via de circulação
Sentido único - Rua impraticável
Via reservada aos peões - Eléctrico
Rua comercial - Parque de estacionamento
Porta - Passagem sob arco - Túnel
Estação e via férrea
Barcaça para automóveis - Ponte móvel

Curiosidades — Hotéis — Restaurantes

Edifício interessante e entrada principal
Edifício religioso interessante :
Sé, igreja ou capela
Outras curiosidades
Ruínas
Castelo
Moinho de vento
Letra identificando uma curiosidade
Hotel, restaurante. Letra para identificação

Diversos símbolos

Centro de Turismo - Sucursal Michelin
Hospital - Mercado coberto - Mãe de água - Fábrica
Jardim, parque, bosque - Cemitério - Cruzeiro
Estádio - Golfe
Mesquita - Sinagoga
Aeroporto - Hipódromo - Vista - Panorama
Funicular - Teleférico, telecabine
Monumento, estátua - Fonte - Porto de abrigo - Farol
Transporte por barco :
    passageiros e automóveis, só de passageiros
Edifício público indicado por letra :
    Conselho provincial - Governo civil
    Câmara municipal
    Tribunal
    Museu - Teatro
    Polícia (nas cidades principais : comissariado central)
    Universidade, grande escola
Referência comum aos planos e aos mapas Michelin deta-
lhados
Correio com posta-restante principal - Telefone
Estação de autocarros - Estação de métro

Découvrez le guide...

et sachez l'utiliser pour en tirer le meilleur profit. Le Guide Michelin n'est pas seulement une liste de bonnes tables ou d'hôtels, c'est aussi une multitude d'informations pour faciliter vos voyages.

La clé du Guide

Elle vous est donnée par les pages explicatives qui suivent.
Sachez qu'un même symbole, qu'un même caractère, en rouge ou en noir, en maigre ou en gras, n'a pas tout à fait la même signification.

La sélection des hôtels et des restaurants

Ce Guide n'est pas un répertoire complet des ressources hôtelières, il en présente seulement une sélection volontairement limitée. Cette sélection est établie après visites et enquêtes effectuées régulièrement sur place. C'est lors de ces visites que les avis et observations de nos lecteurs sont examinés.

Les plans de ville

Ils indiquent avec précision : les rues piétonnes et commerçantes, comment traverser ou contourner l'agglomération, où se situent les hôtels (sur de grandes artères ou à l'écart), où se trouvent la poste, l'office de tourisme, les grands monuments, les principaux sites, etc.

Pour votre véhicule

Au texte de la plupart des localités figure une liste de représentants des grandes marques automobiles avec leur adresse et leur numéro d'appel téléphonique. En route, vous pouvez ainsi faire entretenir ou dépanner votre voiture, si nécessaire.

Sur tous ces points et aussi sur beaucoup d'autres, nous souhaitons vivement connaître votre avis. N'hésitez pas à nous écrire, nous vous répondrons.

Merci par avance.

Services de Tourisme Michelin
46, avenue de Breteuil, 75341 PARIS CEDEX 07

Bibendum vous souhaite d'agréables voyages.

Le choix d'un hôtel, d'un restaurant

Notre classement est établi à l'usage de l'automobiliste de passage. Dans chaque catégorie les établissements sont cités par ordre de préférence.

CLASSE ET CONFORT

🏨	Grand luxe et tradition	✗✗✗✗✗
🏨	Grand confort	✗✗✗✗
🏨	Très confortable	✗✗✗
🏨	De bon confort	✗✗
🏠	Assez confortable	✗
🏠	Simple mais convenable	
M	Dans sa catégorie, hôtel d'équipement moderne	
sin rest	L'hôtel n'a pas de restaurant	sem rest
con hab	Le restaurant possède des chambres	com qto

L'INSTALLATION

Les chambres des hôtels que nous recommandons possèdent, en général, des installations sanitaires complètes. Il est toutefois possible que dans les catégories 🏨, 🏠 et 🏠 certaines chambres en soient dépourvues.

30 hab, 30 qto	Nombre de chambres (voir p. 37 : à l'hôtel)
🛗	Ascenseur
▤	Air conditionné
TV	Télévision dans la chambre
☏	Téléphone dans la chambre relié par standard
☎	Téléphone dans la chambre, direct avec l'extérieur
🍽	Repas servis au jardin ou en terrasse
⏏ ⏏	Piscine : de plein air ou couverte
🌿	Jardin de repos
⚷	Tennis à l'hôtel
⛳18	Golf et nombre de trous
🏛	Salles de conférences (25 places minimum)
🚗	Garage dans l'hôtel (généralement payant)
Ⓟ	Parc à voitures réservé à la clientèle
🐕	Accès interdit aux chiens : dans tout l'établissement
🐕 rest	au restaurant seulement
🐕 hab 🐕 qto	dans les chambres seulement
Fax	Transmission téléphonique de documents (= Telefax)
mayo-octubre	Période d'ouverture, communiquée par l'hôtelier
temp.	Ouverture probable en saison mais dates non précisées
	Les établissements ouverts toute l'année sont ceux pour lesquels aucune mention n'est indiquée.
✉ 28000, ✉ 1200	Arrondissement postal

L'AGRÉMENT

Le séjour dans certains hôtels se révèle parfois particulièrement agréable ou reposant.

Cela peut tenir d'une part au caractère de l'édifice, au décor original, au site, à l'accueil et aux services qui sont proposés, d'autre part à la tranquillité des lieux.

De tels établissements se distinguent dans le guide par les symboles rouges indiqués ci-après.

🏨🏨🏨 … 🏨	Hôtels agréables
XXXXX … X	Restaurants agréables
« Parque »	Élément particulièrement agréable
🐾	Hôtel très tranquille ou isolé et tranquille
🐾	Hôtel tranquille
≼ mar	Vue exceptionnelle
≼	Vue intéressante ou étendue

Consultez les cartes p. 64 à 67, elles faciliteront vos recherches.

Nous ne prétendons pas avoir signalé tous les hôtels agréables, ni tous ceux qui sont tranquilles ou isolés et tranquilles.

Nos enquêtes continuent. Vous pouvez les faciliter en nous faisant connaître vos observations et vos découvertes.

LA TABLE

Les étoiles : voir la carte p. 64 à 67.

Parmi les nombreux établissements recommandés dans ce guide certains méritent d'être signalés à votre attention pour la qualité de leur cuisine. C'est le but des étoiles de bonne table.

Pour l'attribution de ces ❀, ❀❀ ou ❀❀❀ nous avons tenu compte des habitudes culinaires propres au pays et à chaque région.

Nous indiquons presque toujours, pour ces établissements, trois spécialités culinaires. Essayez-les à la fois pour votre satisfaction et aussi pour encourager le chef dans son effort.

❀ Une très bonne table dans sa catégorie

L'étoile marque une bonne étape sur votre itinéraire.

Mais ne comparez pas l'étoile d'un établissement de luxe à prix élevés avec celle d'une petite maison où à prix raisonnables, on sert également une cuisine de qualité.

❀❀ Table excellente, mérite un détour

Spécialités et vins de choix, attendez-vous à une dépense en rapport.

❀❀❀ Une des meilleures tables, vaut le voyage

Table merveilleuse, grands vins, service impeccable, cadre élégant... Prix en conséquence.

Les bons vins : voir p. 68

LES PRIX

Les prix que nous indiquons dans ce guide ont été établis en fin d'année 1988. Ils sont susceptibles d'être modifiés, notamment en cas de variations du coût de la vie ou des prix des biens et services. Ils doivent, en tout cas, être considérés comme des prix de base.

Entrez à l'hôtel le Guide à la main, vous montrerez ainsi qu'il vous conduit là en confiance.

Les hôtels et restaurants figurent en gros caractères lorsque les hôteliers nous ont donné tous leurs prix et se sont engagés, sous leur propre responsabilité, à les appliquer aux touristes de passage porteurs de notre guide.

Prévenez-nous de toute majoration paraissant injustifiée. Si aucun prix n'est indiqué, nous vous conseillons de demander les conditions.

Les prix indiqués en pesetas ou en escudos s'entendent service compris. La T.V.A. (I.V.A.) sera ajoutée à la note (6 ou 12 % en Espagne, 8 % au Portugal).

Repas

Com 900/1 200 Ref 750/1 000	**Repas à prix fixe** — Minimum et maximum des repas servis aux heures normales (voir page 37)
Carta 1 450 a 2 800 Lista 800 a 1 550	**Repas à la carte** — Le 1er prix correspond à un repas simple mais soigné comprenant : petite entrée, plat du jour garni et dessert. Le 2e prix concerne un repas plus complet comprenant : hors-d'œuvre, deux plats et dessert.
⇌ 225	Prix du petit déjeuner

Chambres

hab 2 500/3 700 **qto** 2 200/3 100	Prix maximum pour une chambre d'une personne et pour la plus belle chambre ou petit appartement occupée par deux personnes.
hab ⇌ 2 700/4 100 **qto** ⇌ 2 400/3 300	Le prix du petit déjeuner est inclus dans le prix de la chambre

Pension

P 3 350/3 700	Prix minimum et maximum de la pension complète par personne et par jour, en saison
AE ⓪ E VISA	Principales **cartes de crédit** acceptées par l'établissement : American Express — Diners Club — Eurocard — Visa (Carte Bleue)

*Pour être inscrit au **guide Michelin***

— pas de piston,

— pas de pot de vin !

Le choix d'un hôtel, d'un restaurant

QUELQUES PRÉCISIONS UTILES

Paradores en Espagne. — Ce sont des établissements dépendant de l'Etat. Le Parador, parfois installé dans un château historique ou un ancien monastère confortablement aménagé, est situé dans une ville-étape ou un centre d'excursions et on peut y séjourner.

Pousadas et Estalagens au Portugal. — Les Pousadas sont des établissements dépendant de la Direcção-Geral do Turismo. Souvent construites dans un site choisi, parfois installées dans un édifice historique confortablement aménagé, elles sont situées dans des villes-étapes ou des centres d'excursion et offrent un service, une cuisine ainsi qu'une décoration propres à la région. On ne peut y rester plus de cinq jours. Les Estalagens sont des auberges dotées de caractéristiques semblables à celles des Pousadas, mais sont propriétés privées et la durée du séjour n'y est pas limitée.

Au restaurant. — En Espagne, le déjeuner est généralement servi à partir de 13 h 30, et le dîner à partir de 21 h. En dehors de ces heures normales, les " cafeterías " des grandes villes servent des repas rapides à toute heure du jour jusqu'à 2 h du matin.

A l'hôtel. — L'hôtelier est tenu de vous loger sans exiger que vous utilisiez les services de la " cafeteria " ou du restaurant.

En Espagne, si l'hôtelier ne peut vous offrir une chambre individuelle, la chambre double occupée par une seule personne doit bénéficier d'une remise légale de 20 % sur son prix de base.

Au Portugal, dans les " pensões " qui pratiquent le régime de la pension complète, une augmentation de 20 % sur le prix de la chambre peut être appliquée si le client ne prend aucun des repas principaux.

La pension. — En Espagne, la pension complète comprend la chambre et la " pensión alimenticia " : le petit déjeuner et deux repas.

Pour les personnes seules occupant une chambre de deux personnes, les prix indiqués peuvent parfois être majorés.

Les réservations. — Chaque fois que possible, la réservation préalable est souhaitable. Demandez à l'hôtelier de vous fournir dans sa lettre d'accord toutes précisions utiles sur la réservation et les conditions de séjour.

A toute demande écrite, il est conseillé de joindre un coupon-réponse international. Par télex, bien préciser le nom de l'hôtel.

Certains hôteliers demandent parfois le versement d'arrhes. Il s'agit d'un dépôt-garantie qui engage l'hôtelier comme le client.

LA VOITURE, LES PNEUS

Dans le texte de beaucoup de localités, après les hôtels et les restaurants, nous avons indiqué les concessionnaires des principales marques de voitures en mesure d'effectuer dépannage et réparations dans leurs propres ateliers. Lorsqu'un agent de pneus n'a pas l'article dont vous avez besoin, adressez-vous : en **Espagne** à la Division Commerciale Michelin à Madrid ou à la Succursale Michelin de l'une des villes suivantes : Albacete, Barcelona, Bilbao, Cáceres, Granada, León, Pamplona, Santiago de Compostela, Sevilla, Valencia, Valladolid, Zaragoza. Au **Portugal**, à la Direction Commerciale à Lisbonne ou à la Succursale de Porto.

Les adresses et les numéros de téléphone des agences Michelin figurent au texte des localités correspondantes.

Voir aussi les pages bordées de bleu.

Pour visiter une ville et ses environs

LES CURIOSITÉS

Intérêt

★★★	Vaut le voyage
★★	Mérite un détour
★	Intéressant

Situation

Ver :	Dans la ville
Alred. : **Arred. :**	Aux environs de la ville
Excurs. :	Excursions dans la région
N, S, E, O	La curiosité est située : au Nord, au Sud, à l'Est, à l'Ouest
①, ④	On s'y rend par la sortie ① ou ④ repérée par le même signe sur le plan du Guide et sur la carte
6 km	Distance en kilomètres

LES VILLES

2200	Numéro de code postal
✉ 7800 Beja	Numéro de code postal et nom du bureau distributeur du courrier
✪ 918	Indicatif téléphonique interprovincial (pour les appels de l'étranger vers l'Espagne, ne pas composer le 9, vers le Portugal le 0).
Ⓟ	Capitale de Province
445 M 27	Numéro de la Carte Michelin et carroyage
24 000 h.	Population
alt. 175	Altitude de la localité
🚠 3	Nombre de téléphériques ou télécabines
🚡 7	Nombre de remonte-pentes et télésièges
AX **A**	Lettres repérant un emplacement sur le plan
🏌18	Golf et nombre de trous
※ ≼	Panorama, point de vue
✈	Aéroport
🚗 ☎ 22 98 36	Localité desservie par train-auto. Renseignements au numéro de téléphone indiqué
🚢	Transports maritimes
🛈	Information touristique
R.A.C.	Royal Automobile-Club
A.C.P.	Automobile-Club du Portugal

Pour visiter une ville et ses environs

LES PLANS

Voirie

Autoroute, route à chaussées séparées
    échangeur : complet, partiel, numéro
Grande voie de circulation
Sens unique - Rue impraticable
Rue piétonne - Tramway
Pasteur   Rue commerçante - Parc de stationnement
Porte - Passage sous voûte - Tunnel
Gare et voie ferrée
Bac pour autos - Pont mobile

Curiosités — Hôtels Restaurants

Bâtiment intéressant et entrée principale
Édifice religieux intéressant :
Cathédrale, église ou chapelle
Moulin à vent
Curiosités diverses
Château - Ruines
Lettre identifiant une curiosité
Hôtel, restaurant. Lettre les identifiant

Signes divers

Information touristique - Agence Michelin
Hôpital - Marché couvert - Château d'eau - Usine
Jardin, parc, bois - Cimetière - Calvaire
Stade - Golf - Mosquée - Synagogue
Aéroport - Hippodrome - Vue - Panorama
Funiculaire - Téléphérique, télécabine
Monument, statue - Fontaine - Port de plaisance - Phare
Transport par bateau :
    passagers et voitures, passagers seulement
Bâtiment public repéré par une lettre :
  D   G   Conseil provincial - Préfecture
      H   Hôtel de ville
      J   Palais de justice
  M   T   Musée - Théâtre
 POL.   U   Police (commissariat central) - Université, grande école
Repère commun aux plans et aux cartes Michelin détaillées
Bureau principal de poste restante - Téléphone
Gare routière - Station de métro

Les noms des principales rues commerçantes
figurent en rouge au début de la liste des rues des plans de villes.

Scoprite
la guida...

e sappiatela utilizzare per trarne il miglior vantaggio. La Guida Michelin è un elenco dei migliori alberghi e ristoranti, naturalmente. Ma contiene anche una serie di utili informazioni per i Vostri viaggi !

La « chiave »

Leggete le pagine che seguono e comprenderete !
Sapete che uno stesso simbolo o una stessa parola in rosso o in nero, in carattere magro o grasso, non ha lo stesso significato ?

La selezione degli alberghi e ristoranti

Attenzione ! La guida non elenca tutte le risorse alberghiere. E' il risultato di una selezione, volontariamente limitata, stabilita in seguito a visite ed inchieste effettuate sul posto. E, durante queste visite, amici lettori, vengono tenute in evidenza le Vs. critiche ed i Vs. apprezzamenti !

Le piante di città

Indicano con precisione : strade pedonali e commerciali, il modo migliore per attraversare od aggirare il centro, l'esatta ubicazione degli alberghi e ristoranti citati, della posta centrale, dell'ufficio informazioni turistiche, dei monumenti più importanti e poi ancora altre utili informazioni per Voi !

Per la Vs. automobile

Nel testo di molte località sono elencati gli indirizzi delle principali marche automobilistiche. Così, in caso di necessità, saprete dove trovare il « medico » per la Vs. vettura.

Su tutti questi punti e su altri ancora, gradiremmo conoscere il Vs. parere. Scriveteci e non mancheremo di risponderVi !

Services de Tourisme Michelin
46, avenue de Breteuil, F-75341 PARIS CEDEX 07

Grazie e buon viaggio.

La scelta di un albergo, di un ristorante

La nostra classificazione è stabilita ad uso dell'automobilista di passaggio. In ogni categoria, gli esercizi vengono citati in ordine di preferenza.

CLASSE E CONFORT

🏨	Gran lusso e tradizione	XXXXX
🏨	Gran confort	XXXX
🏨	Molto confortevole	XXX
🏨	Di buon confort	XX
🏠	Abbastanza confortevole	X
🏡	Semplice ma conveniente	
M	Nella sua categoria, albergo con attrezzatura moderna	
sin rest	L'albergo non ha ristorante	sem rest
con hab	Il ristorante dispone di camere	com qto

INSTALLAZIONI

Le camere degli alberghi che raccomandiamo possiedono, generalmente, delle installazioni sanitarie complete.
E possibile, tuttavia, che nell' ambito delle categorie 🏠, 🏠 e 🏡 alcune camere ne siano sprovviste.

30 hab, 30 qto	Numero di camere (vedere p. 45 : all' albergo)
🛗	Ascensore
▤	Aria condizionata
TV	Televisione in camera
☎	Telefono in camera collegato con il centralino
☎	Telefono in camera comunicante direttamente con l'esterno
☂	Pasti serviti in giardino o in terrazza
🏊 🏊	Piscina : all'aperto, coperta
🌳	Giardino da riposo
🎾	Tennis appartenente all'albergo
⛳18	Golf e numero di buche
🏛	sale per conferenze (minimo 25 posti)
🚗	Garage (generalmente a pagamento)
🅿	Parcheggio
🐕	E'vietato l'accesso ai cani : ovunque
🐕 rest	soltanto al ristorante
🐕 hab 🐕 qto	soltanto nelle camere
Fax	Trasmissione telefonica di documenti (= Telefax)
mayo-octubre	Periodo di apertura comunicato dall'albergatore
temp.	Possibile apertura in stagione, ma periodo non precisato. Gli esercizi senza tali indicazioni sono aperti tutto l'anno.
✉ 28000, ✉ 1200	Quartiere postale

La scelta di un albergo, di un ristorante

AMENITÀ

Il soggiorno in alcuni alberghi si rivela talvolta particolarmente ameno o riposante.

Ciò può dipendere sia dalle caratteristiche dell'edificio, dalle decorazioni non comuni, dalla sua posizione, dall'accoglienza e dai servizi offerti, sia dalla tranquillità dei luoghi.

Questi esercizi sono così contraddistinti :

🏰🏰🏰 ... 🏠	Alberghi ameni
XXXXX ... X	Ristoranti ameni
« Parque »	Un particolare piacevole
ॐ	Albergo molto tranquillo o isolato e tranquillo
ॐ	Albergo tranquillo
⩽ mar	Vista eccezionale
⩽	Vista interessante o estesa

Consultate le carte da p. 64 a 67 : sarete facilitati nelle vostre ricerche.

Non abbiamo la pretesa di aver segnalato tutti gli alberghi ameni, nè tutti quelli molto tranquilli o isolati e tranquilli.

Le nostre ricerche continuano. Le potrete agevolare facendoci conoscere le vostre osservazioni e le vostre scoperte.

LA TAVOLA

Le stelle : vedere la carta da p. 64 a p. 67.

Tra i numerosi esercizi raccomandati in questa guida, alcuni meritano di essere segnalati alla vostra attenzione per la qualità della cucina, di tipo prevalentemente regionale. Questo è lo scopo delle « stelle di ottima tavola ».

Per questi esercizi indichiamo quasi sempre tre specialità culinarie : provatele, tanto per vostra soddisfazione quanto per incoraggiare l'abilità del cuoco.

    ❀   **Un'ottima tavola nella sua categoria**

        La stella indica una tappa gastronomica sul vostro itinerario.

        Non mettete però a confronto la stella di un esercizio di lusso, dai prezzi elevati, con quella di un piccolo esercizio dove, a prezzi ragionevoli, viene offerta una cucina di qualità.

   ❀❀   **Tavola eccellente : merita una deviazione**

        Specialità e vini scelti... Aspettatevi una spesa in proporzione.

 ❀❀❀   **Una delle mígliori tavole : vale il viaggio**

        Tavola meravigliosa, grandi vini, servizio impeccabile, ambientazione accurata... Prezzi conformi.

        I buoni vini : vedere p. 68

I PREZZI

Questi prezzi, redatti alla fine dell'anno 1988 possono venire modificati, soprattutto in caso di variazioni del costo della vita o dei beni e servizi. Essi debbono comunque essere considerati come prezzi base.

Entrate nell'albergo o nel ristorante con la guida alla mano, dimostrando in tal modo la fiducia in chi vi ha indirizzato.

Gli alberghi e ristoranti figurano in carattere grassetto quando gli albergatori ci hanno comunicato tutti i loro prezzi e si sono impegnati, sotto la propria responsabilità, ad applicarli ai turisti di passaggio in possesso della nostra pubblicazione.

Segnalateci eventuali maggiorazioni che vi sembrino ingiustificate. Quando i prezzi non sono indicati, vi consigliamo di chiedere preventivamente le condizioni.

I prezzi indicati nella guida in pesetas o in escudos sono calcolati servizio compreso, ma l'I.V.A. sarà aggiunta al conto (6 o 12 % in Spagna, 8 % in Portogallo).

Pasti

Com 900/1 200 Ref 750/1 000	**Prezzo fisso** — Minimo e massimo per pasti serviti ad ore normali (vedere p. 45)
Carta 1 450 a 2 800 Lista 800 a 1 550	**Pasti alla carta** — Il 1° prezzo corrisponde ad un pasto semplice ma accurato, comprendente : primo piatto, piatto del giorno con contorno e dessert Il 2° prezzo corrisponde ad un pasto più completo comprendente : antipasto, due piatti e dessert
⊊ 225	Prezzo della prima colazione

Camere

hab 2 500/3 700 **qto** 2 200/3 100	Prezzi massimi di una camera per una persona e della più bella camera o appartamentino (compreso il bagno, se c'è) per due persone
hab ⊊ 2 700/4 100 **qto** ⊊ 2 400/3 300	Il prezzo della prima colazione è compreso nel prezzo della camera

Pensione

P 3 350/3 700	Prezzo minimo e massimo della pensione completa, per persona e per giorno, in alta stagione
AE ① E VISA	Principali **carte di credito** accettate da un albergo o ristorante : American Express — Diners Club — Eurocard — Visa.

*Per l'iscrizione nelle sue **Guide***

***Michelin** non accetta*
nè favori, nè denaro !

La scelta di un albergo, di un ristorante

QUALCHE CHIARIMENTO UTILE

Paradores in Spagna. — Sono esercizi dipendenti dallo Stato. Il Parador, talvolta sistemato in un castello storico o in un antico monastero confortevolmente adattati, si trova in una città-tappa o in un centro di escursioni e vi si può soggiornare.

Pousadas ed Estalagens in Portogallo. — Le Pousadas sono esercizi dipendenti dalla Direcção Geral' do Turismo. Costruite in posizione particolarmente interessante, o sistemate in un castello storico o in un antico monastero confortevolmente adattato, nelle città-tappa o nei centri di escursioni, offrono un servizio, una cucina ed un ambiente tipici della regione. Non vi si può soggiornare più di 5 giorni. Gli Estalagens sono alberghi aventi caratteristiche simili alle Pousadas, che adottano lo stesso stile di costruzione e di ambientazione. Sono di proprietà privata ed in essi la durata del soggiorno non è limitata.

Al ristorante. — In Spagna, la colazione è normalmente servita a partire dalle 13,30 ed il pranzo a partire dalle 21. Al di fuori di queste ore normali, le " cafeterías " delle grandi città servono pasti rapidi a tutte le ore del giorno e fino alle 2 di notte.

All'albergo. — L'albergatore accetta di darvi alloggio senza esigere che voi utilizziate i servizi di caffetteria o del ristorante.

In Spagna, se l'albergatore non può darvi una camera singola, la camera doppia occupata da una persona sola deve beneficiare di uno sconto legale del 20 % sul prezzo base della stessa.

In Portogallo, nelle " pensões " che praticano la pensione completa, un aumento del 20 % sul prezzo della camera può venire applicato se il cliente non consuma nessuno dei pasti principali.

La pensione. — In Spagna, la pensione completa comprende la camera e la " pensión alimenticia " : prima colazione e due pasti.
Per le persone sole che occupano una camera da due persone, i prezzi indicati sono suscettibili di maggiorazione.

Le prenotazioni. — Appena possibile è consigliabile prenotare. Chiedete all'albergatore di fornirvi nella sua lettera di conferma ogni dettaglio sulle condizioni che vi saranno praticate.

Ad ogni richiesta scritta, è opportuno allegare un tagliando-risposta internazionale. Per telex, precisare il nome dell'albergo.

Alle volte alcuni albergatori chiedono il versamento di una caparra. E' un deposito-garanzia che impegna tanto l'albergatore che il cliente.

L'AUTOMOBILE, I PNEUMATICI

Nel testo di molte località, dopo gli alberghi ed i ristoranti, abbiamo elencato gli indirizzi dei concessionari delle principali marche di automobili, in grado di effettuare il rimorchio e di eseguire riparazioni nelle proprie officine. Se vi occorre rintracciare un rivenditore di pneumatici potete rivolgervi : in Spagna alla Divisione Commerciale Michelin di Madrid o alla Succursale Michelin di una delle seguenti città : Albacete, Barcelona, Bilbao, Cáceres, Granada, León, Pamplona, Santiago de Compostela, Sevilla, Valencia, Valladolid, Zaragoza. Per il Portogallo, potete rivolgervi alla Direzione Commerciale Michelin di Lisboa o alla Succursale di Porto.

Gli indirizzi ed i numeri telefonici delle Succursali Michelin figurano nel testo delle relative località.

Vedere anche le pagine bordate di blu.

LE CURIOSITÀ

Grado d'interesse

★★★	Vale il viaggio
★★	Merita una deviazione
★	Interessante

Situazione

Ver :	Nella città
Alred. : **Arred. :**	Nei dintorni della città
Excurs. :	Nella regione
N, S, E, O	La curiosità è situata : a Nord, a Sud, a Est, a Ovest
①, ④	Ci si va dall'uscita ① o ④ indicata con lo stesso segno sulla pianta della guida e sulla carta stradale
6 km	Distanza chilometrica

LE CITTÀ

2200	Codice di avviamento postale
✉ 7800 Beja	Numero di codice e sede dell'Ufficio Postale
✆ 918	Prefisso telefonico interprovinciale (per le chiamate dall'estero alla Spagna, non formare il 9, per il Portogallo, lo 0).
ℙ	Capoluogo di Provincia
445 M 27	Numero della carta Michelin e del riquadro
24 000 h.	Popolazione
alt. 175	Altitudine della località
✈ 3	Numero di funivie o cabinovie
✆ 7	Numero di sciovie e seggiovie
AX A	Lettere indicanti l'ubicazione sulla pianta
⛳	Golf e numero di buche
✳ <	Panorama, punto di vista
✈	Aeroporto
🚗 ℰ 22 98 36	Località con servizio auto su treno. Informarsi al numero di telefono indicato
⛴	Trasporti marittimi
🛈	Ufficio informazioni turistiche
R.A.C.	Reale Automobile Club
A.C.P.	Automobile Club del Portogallo

Per visitare una città ed i suoi dintorni

LE PIANTE

Viabilità

Autostrada, strada a carreggiate separate
svincolo : completo, parziale, numero
Grande via di circolazione
Senso unico - Via impraticabile
Via pedonale - Tranvia
Pasteur   Via commerciale - Parcheggio
Porta - Sottopassaggio - Galleria
Stazione e ferrovia
Battello per auto - Ponte mobile

Curiosità — Alberghi — Ristoranti

Edificio interessante ed entrata principale
Costruzione religiosa interessante :
Cattedrale, chiesa o cappella
Mulino a vento - Curiosità varie
Castello - Ruderi
B   Lettera che identifica una curiosità
□   ■   e   Albergo, Ristorante. Lettera di riferimento che li identifica sulla pianta

Simboli vari

MICHELIN   Centro di distribuzione Michelin
Ufficio informazioni turistiche
Ospedale - Mercato coperto - Torre idrica - Fabbrica
Giardino, parco, bosco - Cimitero - Calvario
Stadio - Golf
Moschea - Sinagoga
Aeroporto - Ippodromo - Vista - Panorama
Funicolare - Funivia, Cabinovia
Monumento, statua - Fontana
Porto per imbarcazioni da diporto - Faro
Trasporto con traghetto :
passeggeri ed autovetture, solo passeggeri
Edificio pubblico indicato con lettera :
D   G   Consiglio provinciale - Prefettura
H   Municipio
J   Palazzo di giustizia
M   T   Museo - Teatro
POL.   Polizia (Questura, nelle grandi città)
U   Università, grande scuola
③   Simbolo di riferimento comune alle piante ed alle carte Michelin particolareggiate
Ufficio centrale di fermo posta - Telefono
Autostazione - Stazione della Metropolitana

Der
Michelin-Führer...

Er ist nicht nur ein Verzeichnis guter Restaurants und Hotels, sondern gibt zusätzlich eine Fülle nützlicher Tips für die Reise. Nutzen Sie die zahlreichen Informationen, die er bietet.

Zum Gebrauch dieses Führers

Die Erläuterungen stehen auf den folgenden Seiten.
Beachten Sie dabei, daß das gleiche Zeichen rot oder schwarz, fett oder dünn gedruckt verschiedene Bedeutungen hat.

Zur Auswahl der Hotels und Restaurants

Der Rote Michelin-Führer ist kein vollständiges Verzeichnis aller Hotels und Restaurants. Er bringt nur eine bewußt getroffene, begrenzte Auswahl. Diese basiert auf regelmäßigen Überprüfungen durch unsere Inspektoren an Ort und Stelle. Bei der Beurteilung werden auch die zahlreichen Hinweise unserer Leser berücksichtigt.

Zu den Stadtplänen

Sie informieren über Fußgänger- und Geschäftsstraßen, Durchgangs- oder Umgehungsstraßen, Lage von Hotels und Restaurants (an Hauptverkehrsstraßen oder in ruhiger Gegend), wo sich die Post, das Verkehrsamt, die wichtigsten öffentlichen Gebäude und Sehenswürdigkeiten u. dgl. befinden.

Hinweise für den Autofahrer

Bei den meisten Orten geben wir Adresse und Telefonnummer der Vertragshändler der großen Automobilfirmen an. So können Sie Ihren Wagen im Bedarfsfall unterwegs warten oder reparieren lassen.

Ihre Meinung zu den Angaben des Führers, Ihre Kritik, Ihre Verbesserungsvorschläge interessieren uns sehr. Zögern Sie daher nicht, uns diese mitzuteilen... wir antworten bestimmt.

Services de Tourisme Michelin
46, avenue de Breteuil, F-75341 PARIS CEDEX 07

Vielen Dank im voraus und angenehme Reise !

Wahl eines Hotels, eines Restaurants

Unsere Auswahl ist für Durchreisende gedacht. In jeder Kategorie drückt die Reihenfolge der Betriebe eine weitere Rangordnung aus.

KLASSENEINTEILUNG UND KOMFORT

🏰	Großer Luxus und Tradition	XXXXX
🏯	Großer Komfort	XXXX
🏨	Sehr komfortabel	XXX
🏠	Mit gutem Komfort	XX
🏚	Mit ausreichendem Komfort	X
🏛	Bürgerlich	
M	Moderne Einrichtung	
sin rest	Hotel ohne Restaurant	sem rest
con hab	Restaurant vermietet auch Zimmer	com qto

EINRICHTUNG

Die meisten der empfohlenen Hotels verfügen über Zimmer, die alle oder doch zum größten Teil mit einer Naßzelle ausgestattet sind.
In den Häusern der Kategorien 🏠, 🏚 und 🏛 kann diese jedoch in einigen Zimmern fehlen.

30 hab, 30 qto	Anzahl der Zimmer (siehe S. 53 : im Hotel)
🛗	Fahrstuhl
▤	Klimaanlage
TV	Fernsehen im Zimmer
☏	Zimmertelefon mit Außenverbindung über Telefonzentrale
☎	Zimmertelefon mit direkter Außenverbindung
🍴	Garten-, Terrassenrestaurant
⌁ 🏊	Freibad, Hallenbad
☞	Liegewiese, Garten
🎾	Hoteleigener Tennisplatz
⛳	Golfplatz und Lochzahl
🏛	Konferenzräume (mind. 25 Plätze)
🚗	Hotelgarage (wird gewöhnlich berechnet)
P	Parkplatz reserviert für Gäste des Hauses
🐕	Das Mitführen von Hunden ist unerwünscht : im ganzen Haus
🐕 rest	nur im Restaurant
🐕 hab 🐕 qto	nur im Hotelzimmer
Fax	Telefonische Dokumentenübermittlung (= Telefax)
mayo-octubre	Öffnungszeit, vom Hotelier mitgeteilt
temp.	Unbestimmte Öffnungszeit eines Saisonhotels
	Die Häuser, für die wir keine Schließungszeiten angeben, sind ganzjährig geöffnet
✉ 28000, ✉ 1200	Postzustellbezirk.

ANNEHMLICHKEITEN

In manchen Hotels ist der Aufenthalt wegen der schönen, ruhigen Lage, der nicht alltäglichen Einrichtung und Atmosphäre und dem gebotenen Service besonders angenehm und erholsam.

Solche Häuser und ihre besonderen Annehmlichkeiten sind im Führer durch folgende rote Symbole gekennzeichnet :

🏨🏨🏨 ... 🏛	Angenehme Hotels
XXXXX ... X	Angenehme Restaurants
« Parque »	Besondere Annehmlichkeit
⤳	Sehr ruhiges oder abgelegenes und ruhiges Hotel
⤳	Ruhiges Hotel
⩽ mar	Reizvolle Aussicht
⩽	Interessante oder weite Sicht

Die Übersichtskarten S. 64 bis S. 67 helfen Ihnen bei der Suche nach besonders angenehmen und sehr ruhigen Häusern.

Wir wissen, daß diese Auswahl noch nicht vollständig ist, sind aber laufend bemüht, weitere solche Häuser für Sie zu entdecken ; dabei sind uns Ihre Erfahrungen und Hinweise eine wertvolle Hilfe.

KÜCHE

Die Sterne : Siehe Karten S. 64 bis 67.

Unter den zahlreichen, in diesem Führer empfohlenen Häusern verdienen einige wegen der Qualität ihrer Küche Ihre besondere Aufmerksamkeit. Auf diese Häuser weisen die Sterne hin.

Bei der Vergabe der Sterne haben wir die landesüblichen und regionalen Eß- und Kochgewohnheiten berücksichtigt. Wir geben drei kulinarische Spezialitäten an, die Sie probieren sollten.

❄ **Eine sehr gute Küche : verdient Ihre besondere Beachtung**

Der Stern bedeutet eine angenehme Unterbrechung Ihrer Reise. Vergleichen Sie aber bitte nicht den Stern eines sehr teuren Luxusrestaurants mit dem Stern eines kleineren oder mittleren Hauses, wo man Ihnen zu einem annehmbaren Preis eine ebenfalls vorzügliche Mahlzeit reicht.

❄❄ **Eine hervorragende Küche : verdient einen Umweg**

Ausgesuchte Spezialitäten und Weine... angemessene Preise.

❄❄❄ **Eine der besten Küche : eine Reise wert**

Ein denkwürdiges Essen, edle Weine, tadelloser Service, gepflegte Atmosphäre... entsprechende Preise.

Gute Weine : Siehe S. 68

Wahl eines Hotels, eines Restaurants

PREISE

Die in diesem Führer genannten Preise wurden uns Ende 1988 angegeben. Sie können sich erhöhen, wenn die Dienstleistungs- und Lebenshaltungskosten steigen. Sie können aber in diesem Fall als Richtpreise angesehen werden.

Halten Sie beim Betreten des Hotels den Führer in der Hand. Sie zeigen damit, daß Sie aufgrund dieser Empfehlung gekommen sind.

Die Namen der Hotels und Restaurants, die ihre Preise genannt haben, sind fett gedruckt. Gleichzeitig haben sich diese Häuser verpflichtet, die von den Hoteliers selbst angegebenen Preise den Benutzern des Michelin-Führers zu berechnen.

Informieren Sie uns bitte über jede unangemessen erscheinende Preiserhöhung. Wenn keine Preise angegeben sind, raten wir Ihnen, sich beim Hotelier danach zu erkundigen.

Die in Pesetas oder in Escudos angegebenen Preise enthalten Bedienungsgeld. Die MWSt. (I.V.A.) wird der Rechnung hinzugefügt (6 oder 12 % in Spanien, 8 % in Portugal).

Mahlzeiten

Com 900/1 200 Réf 750/1 000	**Feste Menupreise.** Mindest- und Höchstpreis für die Mahlzeiten, die zu den normalen Tischzeiten serviert werden (s. S. 53)
Carta 1 450 a 2 800 Lista 800 a 1 550	**Mahlzeiten „ à la carte ".** Der 1. Preis entspricht einer einfachen, aber doch mit Sorgfalt zubereiteten Mahlzeit und umfaßt : kleine Vorspeise, Tagesgericht mit Beilage, Nachtisch Der 2. Preis entspricht einer reichlicheren Mahlzeit bestehend aus : Vorgericht, zwei Hauptgängen, Nachtisch
⌧ 225	Frühstückspreis

Zimmer

hab 2 500/3 700 **qto** 2 200/3 100	Höchstpreise für ein Einzelzimmer und für das schönste Doppelzimmer oder ein kleines Appartement
hab ⌧ 2 700/4 100 **qto** ⌧ 2 400/3 300	Übernachtung mit Frühstück

Pension

P 3 350/3 700	Mindest- und Höchstpreis für Vollpension pro Person und Tag in der Hochsaison
AE ⓪ Ⲉ VISA	Von Hotels und Restaurants angenommene **Kreditkarten :** American Express — Diners Club — Eurocard — Visa

Keine Aufnahme in den **Michelin-Führer** *durch*
- *falsche Information oder*
- *Bezahlung !*

EINIGE NÜTZLICHE HINWEISE

Paradores in Spanien. — Diese Gasthäuser werden vom Staat betrieben. Der Parador, der manchmal in einem historischen Schloß oder einem Kloster untergebracht und komfortabel eingerichtet ist, liegt in einem Rastort oder Ausflugszentrum, und man kann dort Unterkunft finden.

Pousadas und Estalagens in Portugal. — Die Pousadas sind Hotels, die vom Direcção-Geral do Turismo betrieben werden. Sie sind komfortabel eingerichtet, an ausgesuchten Plätzen erbaut oder in historischen Gebäuden untergebracht und bieten landesübliche Dekoration, Küche und Service. Man kann in ihnen nicht länger als 5 Tage bleiben. Die Estalagens sind im gleichen Stil erbaut und eingerichtet, sind aber Privateigentum, auch wenn sie staatlich betrieben werden. Die Aufenthaltsdauer in diesen Häusern ist nicht begrenzt.

Im Restaurant. — In Spanien wird das Mittagessen im allgemeinen ab 13.30 Uhr und das Abendessen ab 21 Uhr serviert. Außerdem bieten die „ cafeterías " der großen Städte schnelle Mahlzeiten den ganzen Tag über an - bis 2 Uhr morgens.

Im Hotel. — Der Hotelier ist verpflichtet, Sie zu beherbergen, ohne daß Sie in der hoteleigenen Cafeteria oder im Restaurant speisen müssen.

Falls kein Einzelzimmer mehr frei ist, ist der Hotelier in Spanien gesetzlich verpflichtet, bei Belegung eines Doppelzimmers durch eine Einzelperson einen Nachlaß von 20 % auf den Grundpreis zu gewähren.

In Portugal kann der Zimmerpreis in den „ Pensões ", die fast ausschließlich Vollpension abgeben, um 20 % erhöht werden, wenn der Gast keine Hauptmahlzeit einnimmt.

Die Pension. — In Spanien umfaßt die Vollpension das Zimmer und die „ pensión alimenticia " : Frühstück und zwei Mahlzeiten.
Für Personen, die allein ein Doppelzimmer belegen, werden die angegebenen Pensionspreise manchmal erhöht.

Zimmerreservierung. — Sie sollte, wenn möglich, rechtzeitig vorgenommen werden. Lassen Sie sich dabei vom Hotelier noch einmal die endgültigen Preise und sonstigen Bedingungen nennen.
Bei schriftlichen Zimmerbestellungen empfiehlt es sich, einen internationalen Antwortschein (beim Postamt erhältlich) beizufügen. Auf Telex den Hotelnamen bitte eindeutig angeben.
Einige Hoteliers verlangen gelegentlich eine Anzahlung. Diese ist als Garantie sowohl für den Hotelier als auch für den Gast anzusehen.

DAS AUTO, DIE REIFEN

Bei vielen Orten haben wir nach den Hotels und Restaurants die Vertretungen der wichtigsten Automarken aufgeführt, die einen Abschleppdienst unterhalten bzw. Reparaturen in ihren eigenen Werkstätten ausführen können. Sollte ein Reifenhändler den von Ihnen benötigten Artikel nicht vorrätig haben, wenden Sie sich bitte in Spanien an die Michelin-Hauptverwaltung in Madrid, oder an eine der Michelin-Niederlassungen in den Städten : Albacete, Barcelona, Bilbao, Cáceres, Granada, León, Pamplona, Santiago de Compostela, Sevilla, Valencia, Valladolid, Zaragoza. In Portugal können Sie sich an die Michelin-Hauptverwaltung in Lissabon oder an die Michelin-Niederlassung in Porto wenden. Die Anschriften und Telefonnummern der Michelin-Niederlassungen sind jeweils bei den entsprechenden Orten vermerkt.

Siehe auch die blau umrandeten Seiten.

HAUPTSEHENSWÜRDIGKEITEN

Bewertung

★★★ Eine Reise wert

★★ Verdient einen Umweg

★ Sehenswert

Lage

Ver : In der Stadt

Alred. :
Arred. : In der Umgebung der Stadt

Excurs. : Ausflugsziele

N, S, E, O Im Norden (N), Süden (S), Osten (E), Westen (O) der Stadt.

①, ④ Zu erreichen über Ausfallstraße ①, ④, die auf dem Stadtplan durch das gleiche Zeichen gekennzeichnet ist

6 km Entfernung in Kilometern

STÄDTE

2200 Postleitzahl

⊠ **7800 Beja** Postleitzahl und zuständiges Postamt

✪ **918** Vorwahlnummer (bei Gesprächen vom Ausland aus wird für Spanien die 9, für Portugal die O weggelassen)

ℙ Provinzhauptstadt

445 M 27 Nummer der Michelin-Karte und Koordinaten des Planquadrats

24 000 h. Einwohnerzahl

alt. 175 Höhe

⛷ **3** Anzahl der Kabinenbahnen

⛷ **7** Anzahl der Schlepp- oder Sessellifts

AX **A** Markierung auf dem Stadtplan

⛳ Golfplatz und Lochzahl

⁂ ⇐ Rundblick, Aussichtspunkt

✈ Flughafen

🚗 ℰ **22 98 36** Ladestelle für Autoreisezüge - Nähere Auskünfte unter der angegebenen Telefonnummer

⛴ Autofähre

🗎 Informationsstelle

R.A.C. Royal-Automobil-Club

A.C.P. Automobil-Club von Portugal

STADTPLÄNE

Straßen

Autobahn, Straße mit getrennten Fahrbahnen

Anschlußstelle : Autobahneinfahrt und/oder -ausfahrt, Straßen-Nummer

Hauptverkehrsstraße

Einbahnstraße - nicht befahrbare Straße

Fußgängerzone - Straßenbahn

Einkaufsstraße - Parkplatz

Tor - Passage - Tunnel

Bahnhof und Bahnlinie

Autofähre - Bewegliche Brücke

Sehenswürdigkeiten — Hotels — Restaurants

Sehenswertes Gebäude mit Haupteingang

Sehenswerter Sakralbau :

Kathedrale, Kirche oder Kapelle

Windmühle

Sonstige Sehenswürdigkeiten

Schloß, Burg - Ruine

Referenzbuchstabe einer Sehenswürdigkeit

Hotel, Restaurant - Referenzbuchstabe

Sonstige Zeichen

Informationsstelle - Michelin-Niederlassung

Krankenhaus - Markthalle - Wasserturm - Fabrik

Garten, Park, Wäldchen - Friedhof - Bildstock

Stadion - Golfplatz - Moschee - Synagoge

Flughafen - Pferderennbahn - Aussicht - Rundblick

Standseilbahn - Seilschwebebahn

Denkmal, Statue - Brunnen - Jachthafen - Leuchtturm

Schiffsverbindungen : Autofähre - Personenfähre

Öffentliches Gebäude, durch einen Buchstaben gekennzeichnet :

Provinzrat - Präfektur

Rathaus

Gerichtsgebäude

Museum - Theater

Polizei (in größeren Städten Polizeipräsidium)

Universität, Hochschule

Straßenkennzeichnung (identisch auf Michelin-Stadtplänen und -Abschnittskarten)

Hauptpostamt (postlagernde Sendungen) - Telefon

Autobusbahnhof - U-Bahnstation

Die Stadtpläne sind eingenordet (Norden = oben).

Using the guide...

To make the most of the guide know how to use it. The Michelin Guide offers in addition to the selection of hotels and restaurants a wide range of information to help you on your travels.

The key to the guide

...is the explanatory chapters which follow.
Remember that the same symbol and character whether in red or black or in bold or light type, have different meanings.

The selection of hotels and restaurants

This book is not an exhaustive list of hotels but a selection which has been limited on purpose. The final choice is made only after regular on-the-spot visits during which we examine closely the comments and opinions of our readers.

Town plans

These plans accurately indicate pedestrian and shopping streets ; major through routes in built up areas ; exact location of hotels whether they be on main or side streets ; post offices ; tourist information centres ; the principal historic buildings and other tourist sights.

For your car

The addresses and telephone numbers of dealers for major car manufacturers are to be found in most towns listed so that while away from home you know where you can have your car serviced or repaired.

Your views or comments concerning the above subjects or any others, are always welcome. Your letter will be answered.

Thank you in advance.

Services de Tourisme Michelin
46, avenue de Breteuil, F-75341 PARIS CEDEX 07

Bibendum wishes you a pleasant journey.

Choosing your hotel or restaurant

We have classified the hotels and restaurants with the travelling motorist in mind. In each category they have been listed in order of preference.

CATEGORY, STANDARD OF COMFORT

🏨	Luxury in the traditional style	XXXXX
🏨	Top class comfort	XXXX
🏨	Very comfortable	XXX
🏨	Comfortable	XX
🏠	Quite comfortable	X
🏠	Simple comfort	
M	In its class, hotel with modern amenities	
sin rest	The hotel has no restaurant	sem rest
con hab	The restaurant also offers accommodation	com qto

HOTEL FACILITIES

In general the hotels we recommend have full bathroom and toilet facilities in each room. However, this may not be the case for certain rooms in categories 🏨, 🏠 and 🏠.

30 hab, 30 qto	Number of rooms (see page 61 : hotels)
🛗	Lift (elevator)
🗖	Air conditioning
📺	Television in room
☏	Telephone in room : outside calls connected by the operator
☎	Telephone in room : direct dialling for outside calls
🍽	Meals served in garden or on terrace
🏊 🏊	Outdoor or indoor swimming pool
🌳	Garden
🎾	Hotel tennis court
⛳	Golf course and number of holes
🏛	Equipped conference hall (minimum seating : 25)
🚗	Garage available (usually charged for)
℗	Car park, customers only
🐕	Dogs are not allowed : in any part of the hotel
🐕 rest	in the restaurant
🐕 hab 🐕 qto	in the bedrooms
Fax	Telephone document transmission (= Telefax)
mayo-octubre	Dates when open, as indicated by the hotelier
temp.	Probably open for the season — precise dates not available
	Where no date or season is shown, the establishment is open all year round.
✉ 28000, ✉ 1200	Postal district

57

PEACEFUL ATMOSPHERE AND SETTING

Certain establishments are distinguished in the guide by the red symbol shown below. Your stay in such hotels will be particularly pleasant or restful, owing to the character of the building, the decor, the setting, the welcome and services offered, or simply the peace and quiet to be enjoyed there.

🏨 … 🏠	Pleasant hotels
XXXXX … X	Pleasant restaurants
« Parque »	Particularly attractive feature
🐦	Very quiet or quiet secluded hotel
🐦	Quiet hotel
⩽ mar	Exceptional view
⩽	Interesting or extensive view

By consulting the maps on pp. 64 to 67 you will find it easier to locate them.

We do not claim to have indicated all the pleasant, very quiet or quiet, secluded hotels which exist.

Our enquiries continue. You can help us by letting us know your opinions and discoveries.

CUISINE

The stars : refer to the map on pp. 64 to 67.

Among the numerous establishments recommended in this Guide certain of them merit being brought to your particular attention for the quality of their cooking. That is the aim of the stars for good food.

When awarding the ✿, ✿✿ or ✿✿✿ we have borne in mind the culinary customs particular to the country and its individual regions. We indicate 3 speciality dishes. Try them, both for your own pleasure and to encourage the chef in his work.

✿ **A very good restaurant in its category**

One star indicates a good place to stop on your journey.

But beware of comparing the star given to a " de luxe " establishment with accordingly high prices, with that of a simpler one, where for a lesser sum one can still eat a meal of quality.

✿✿ **Excellent cooking, worth a detour**

Specialities and wines of first class quality... This will be reflected in the price.

✿✿✿ **Exceptional cuisine, worth a journey**

Superb food, fine wines, faultless service, elegant surroundings... One will pay accordingly !

Fine Wines : see p. 68

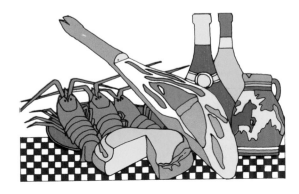

Choosing your hotel or restaurant

PRICES

Prices that we indicate in this guide are those notified to us in Autumn 1988. They are liable to alteration should the cost of living or the price of goods and services vary to any great extent. They should, in any event, be regarded as basic charges.

Your recommendation is self-evident if you always walk into a hotel, Guide in hand.

Hotels and restaurants whose names appear in bold type have supplied us with their charges in detail and undertaken, on their own responsability, to abide by them if the traveller is in possession of this year's Guide.

If you think you have been overcharged, let us know. Where no rates are shown it is best to enquire about terms in advance.

Prices are given in pesetas or in escudos and include a service charge. V.A.T. (I.V.A.) will be added to the bill (6 or 12 % in Spain, 8 % in Portugal).

Meals

Com 900/1 200 Ref 750/1 000	**Set meals** — Lowest price and highest price for set meals served at normal hours (see p. 61)
Carta 1 450 a 2 800 Lista 800 a 1 550	**A la carte meals** — The first figure is for a simple but well prepared meal including : light entrée, main dish of the day with vegetables and dessert The second figure is for a fuller meal and includes : hors-d'œuvre, two main courses and dessert
⊡ 225	Price of continental breakfast

Rooms

hab 2 500/3 700 **qto** 2 200/3 100	Highest prices of a comfortable single room and for the best double room or a small suite for two persons
hab ⊡ 2 700/4 100 **qto** ⊡ 2 400/3 300	Breakfast is included in the price of the room

Full-board

P 3 350/3 700	Lowest and highest full " en pension " rate per person, per day in the high season.
🆎 ⓓ Ⓔ 𝖵𝖨𝖲𝖠	Principal **credit cards** accepted by establishments : American Express — Diners Club — Eurocard — Visa.

Inclusion in the **Michelin Guide**
cannot be achieved
by pulling strings or by offering favours.

A FEW USEFUL DETAILS

Paradores in Spain. — These are establishments operated by the Spanish State. The Paradores, sometimes comfortably established in an historic castle or an old monastery, are to be found in towns, on main routes or in touring centres. One may stay in them for several days.

Pousadas and Estalagens in Portugal. — The "Pousadas" are establishments run by the "Direcção-Geral do Turismo", often built in well selected sites, or established in comfortably converted historic buildings ; they are situated in towns, on main roads or in touring centres. They offer service, food and decor typical of the region. One may not stay more than five days. The "Estalagens" are inns. They have some of the characteristics of the "Pousadas", especially in construction and decor, but are privately owned and the length of stay is not limited.

Meals. — In Spain, lunch is normally served from 1.30 pm, and dinner from 9 pm. Outside these normal hours "cafeterías" in the large towns serve quick meals all day till 2 am.

Hotels. — Hoteliers must offer accommodation without obliging the guest to use their cafeteria or restaurant.

In Spain, where a double room is let for single occupancy, the hotelier is legally obliged to make a reduction of 20 % in the basic price of the room.

In Portugal, the "pensões" which have a policy of full board (room, breakfast and two meals) an extra 20 % may be added to the price of the room if the guest does not take any of the main meals.

Full board. — In Spain, the full board includes room and "pensión alimenticia" : breakfast and two meals.
A single person in a double room may be charged more than for a single room.

Reservations. — Reserving in advance, when possible, is advised. Ask the hotelier to provide you, in his letter of confirmation, with all terms and conditions applicable to your reservation.
It is advisable to enclose an international reply coupon with your letter. When telexing be sure to mention the name of the hotel.
Certain hoteliers require the payment of a deposit. This constitutes a mutual guarantee of good faith.

CAR, TYRES

Following the lists of hotels and restaurants in many towns are to be found the names and addresses of dealers for most makes of car. These garages offer a breakdown and repair service. When a tyre dealer is unable to supply your needs, get in touch : in **Spain** with the Michelin Head Office in Madrid or with the Michelin Branch in one of the following towns : Albacete, Barcelona, Bilbao, Cáceres, Granada, Lasarte, León, Pamplona, Santiago de Compostela, Sevilla, Valencia, Valladolid, Zaragoza. In **Portugal** with the Michelin Head Office in Lisbon or with the Michelin Branch in Oporto.

Addresses and phone numbers of Michelin Agencies are listed in the text of the towns concerned.

See also the pages bordered in blue.

Seeing a town and its surroundings

SIGHTS

Star-rating

★★★	Worth a journey
★★	Worth a detour
★	Interesting

Finding the sights

Ver :	Sights in town
Alred. : **Arred. :**	On the outskirts
Excurs. :	In the surrounding area
N, S, E, O	The sight lies north, south, east or west of the town
①, ④	Sign on town plan and on the Michelin road map indicating the road leading to a place of interest
6 km	Distance in kilometres

TOWNS

2200	Postal number
⊠ 7800 Beja	Postal number and name of the post office serving the town
❂ 918	Telephone dialling code (when dialling from outside Spain omit the 9, from outside Portugal omit the first O).
ℙ	Provincial capital
445 M 27	Michelin map number and co-ordinates
24 000 h.	Population
alt. 175	Altitude (in metres)
⛷ 3	Number of cable-cars
⛷ 7	Number of ski and chair-lifts
AX **A**	Letters giving the location of a place on the town plan
⛳	Golf course and number of holes
☀ ≤	Panoramic view, viewpoint
✈	Airport
🚗 ℘ 22 98 36	Place with a motorail connection; further information from telephone number listed
⚓	Shipping line
🄱	Tourist Information Centre
R.A.C.	Royal Automobile Club
A.C.P.	Automobile Club of Portugal

TOWN PLANS

Roads

Motorway, dual carriageway
   Interchange : complete, limited, number
Major through route
One-way street - Unsuitable for traffic
Pedestrian street - Tram
Shopping street - Car park
Gateway - Street passing under arch - Tunnel
Station and railway
Car ferry - Lever bridge

Sights — Hotels — Restaurants

Place of interest and its main entrance
Interesting place of worship:
Cathedral, church or chapel
Windmill
Other sights
Castle - Ruins
Reference letter locating a sight
Hotel, restaurant with reference letter

Various signs

Tourist Information Centre - Michelin Branch
Hospital - Covered market - Water tower - Factory
Garden, park, wood - Cemetery - Cross
Stadium - Golf course
Mosque - Synagogue
Airport - Racecourse - View - Panorama
Funicular - Cable-car
Monument, statue - Fountain
Pleasure boat harbour - Lighthouse
Ferry services : passengers and cars, passengers only
Public buildings located by letter :
   Provincial Council - Prefecture
   Town Hall
   Law Courts
   Museum - Theatre
   Police (in large towns police headquarters)
   University, colleges
Reference number common to town plans and detailed Michelin maps
Main post office with poste restante - Telephone
Coach station - Underground station

North is at the top on all town plans.

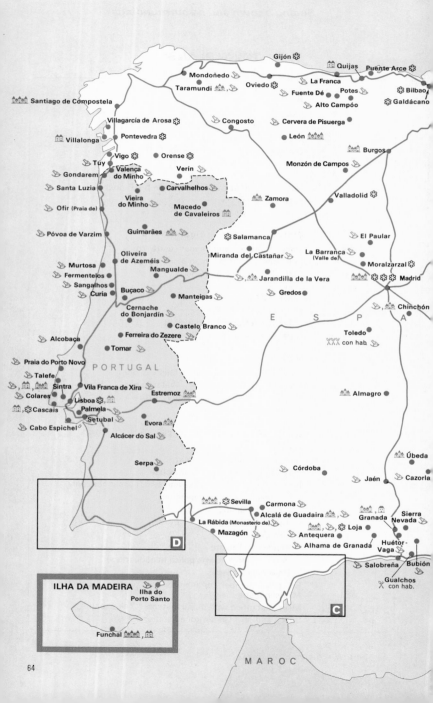

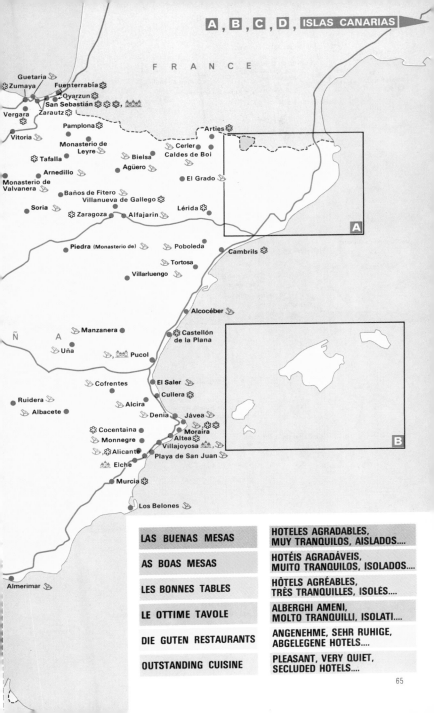

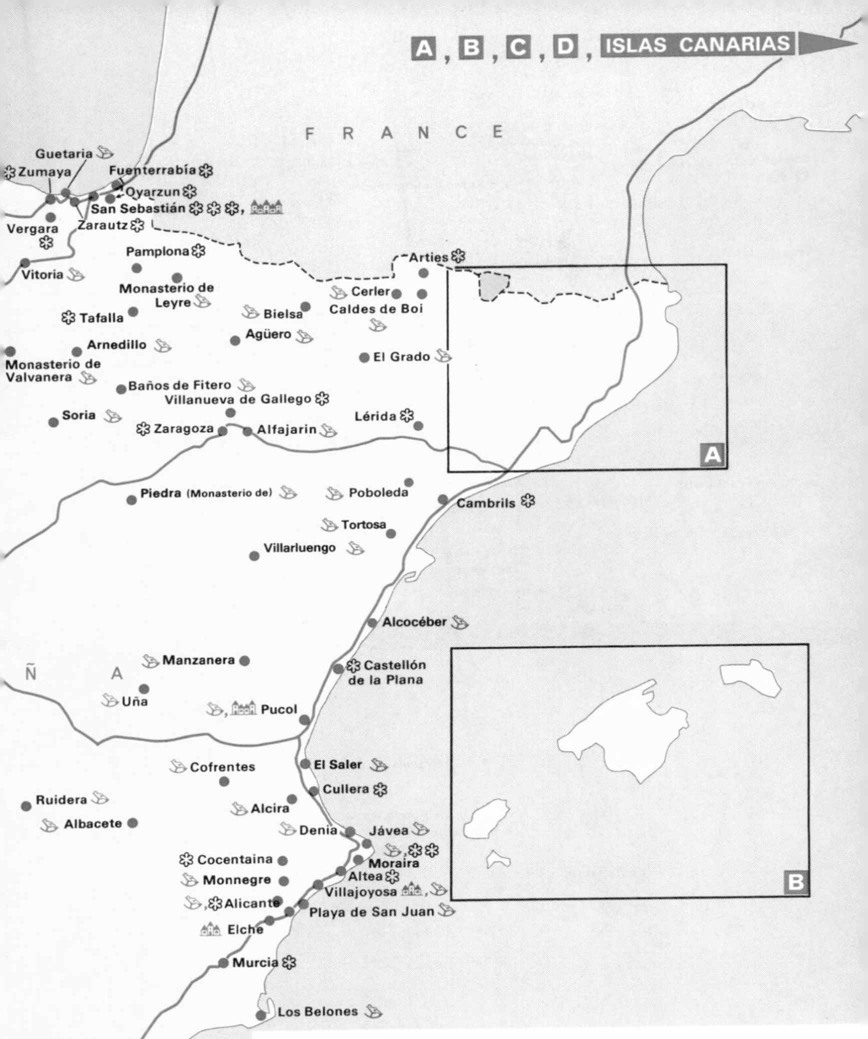
A, B, C, D, ISLAS CANARIAS
FRANCE
Guetaria
Zumaya
Fuenterrabía
Oyarzun
San Sebastián
Vergara
Zarautz
Pamplona
Vitoria
Arties
Monasterio de Leyre
Cerler
Caldes de Boi
Tafalla
Bielsa
Agüero
Arnedillo
El Grado
Monasterio de Valvanera
Baños de Fitero
Villanueva de Gallego
Soria
Zaragoza
Alfajarin
Lérida
A
Piedra (Monasterio de)
Poboleda
Cambrils
Tortosa
Villarluengo
Alcocéber
Manzanera
Castellón de la Plana
Ñ
A
Uña
Pucol
El Saler
Cofrentes
Cullera
Ruidera
Alcira
Albacete
Denia
Jávea
Moraira
Cocentaina
Altea
Monnegre
Villajoyosa
Alicante
Playa de San Juan
Elche
Murcia
B
Los Belones
Almerimar

LAS BUENAS MESAS	HOTELES AGRADABLES, MUY TRANQUILOS, AISLADOS....
AS BOAS MESAS	HOTÉIS AGRADÁVEIS, MUITO TRANQUILOS, ISOLADOS....
LES BONNES TABLES	HÔTELS AGRÉABLES, TRÈS TRANQUILLES, ISOLÉS....
LE OTTIME TAVOLE	ALBERGHI AMENI, MOLTO TRANQUILLI, ISOLATI....
DIE GUTEN RESTAURANTS	ANGENEHME, SEHR RUHIGE, ABGELEGENE HOTELS....
OUTSTANDING CUISINE	PLEASANT, VERY QUIET, SECLUDED HOTELS....

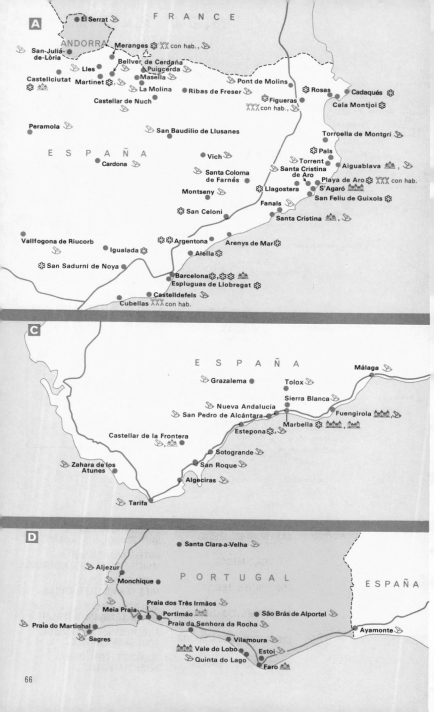

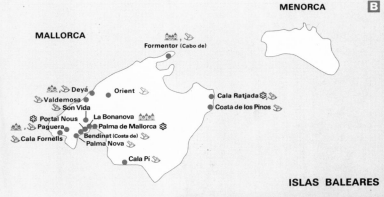

B

MENORCA

MALLORCA

🏛 , ⚓ Formentor (Cabo de)

🏛 , ⚓ Deyá   ● Orient ⚓

⚓ Valdemosa

⚓ Son Vida

❄ Portal Nous   La Bonanova 🏛

🏛 , ⚓ Paguera   ● Palma de Mallorca ❄

⚓ Cala Fornells   Bendinat (Costa de) ⚓

Palma Nova ⚓

● Cala Ratjada ❄ ⚓

● Costa de los Pinos ⚓

● Cala Pí ⚓

ISLAS BALEARES

IBIZA

🏛 , ⚓ Na Xamena

S'Argamassa ⚓

● Cala Llonga ⚓

● Punta Prima ⚓

⚓ Cala Sahona   ● Playa Mitjorn ⚓

FORMENTERA

ISLAS CANARIAS

LANZAROTE

🏛 , ⚓ Costa Teguise

● Corralejo ⚓

FUERTEVENTURA

● Playa Blanca ⚓

● Costa Calma ⚓

● Playa Barca ⚓

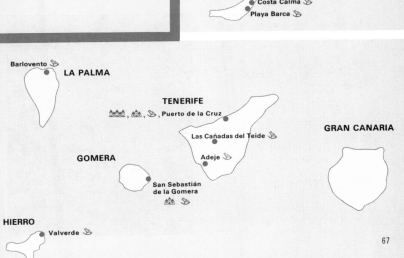

Barlovento ⚓ **LA PALMA**

TENERIFE

🏛 , 🏛 , ⚓ , Puerto de la Cruz

● Las Cañadas del Teide ⚓

GRAN CANARIA

GOMERA

● Adeje ⚓

San Sebastián
de la Gomera
🏛 ⚓

HIERRO

● Valverde ⚓

67

LOS BUENOS VINOS

OS BONS VINHOS

LES BONS VINS

I BUONI VINI

GUTE WEINE

GOOD WINES

LÉXICO	LÉXICO	LEXIQUE	LESSICO	LEXIKON	LEXICON
EN LA CARRETERA	NA ESTRADA	SUR LA ROUTE	LUNGO LA STRADA	AUF DER STRASSE	ON THE ROAD
¡ atención, peligro !	atenção ! perigo !	attention ! danger !	attenzione ! pericolo !	Achtung ! Gefahr !	caution ! danger !
a la derecha	à direita	à droite	a destra	nach rechts	to the right
a la izquierda	à esquerda	à gauche	a sinistra	nach links	to the left
autopista	auto-estrada	autoroute	autostrada	Autobahn	motorway
bajada peligrosa	descida perigosa	descente dangereuse	discesa pericolosa	gefährliches Gefälle	dangerous descent
bifurcación	bifurcação	bifurcation	bivio	Gabelung	road fork
calzada resbaladiza	piso resvaladiço	chaussée glissante	fondo sdrucciolevole	Rutschgefahr	slippery road
cañada	rebanhos	troupeaux	gregge	Viehherde	cattle
carretera cortada	estrada interrompida	route coupée	strada interrotta	gesperrte Straße	road closed
carretera en mal estado	estrada em mau estado	route en mauvais état	strada in cattivo stato	Straße in schlechtem Zustand	road in bad condition
carretera nacional	estrada nacional	route nationale	strada statale	Staatstraße	State road
ceda el paso	dê passagem	cédez le passage	cedete il passo	Vorfahrt achten	yield right of way
cruce peligroso	cruzamento perigoso	croisement dangereux	incrocio pericoloso	gefährliche Kreuzung	dangerous crossing
curva peligrosa	curva perigosa	virage dangereux	curva pericolosa	gefährliche Kurve	dangerous bend
despacio	lentamente	lentement	adagio	langsam	slowly
desprendimientos	queda de pedras	chute de pierres	caduta sassi	Steinschlag	falling rocks
dirección prohibida	sentido proibido	sens interdit	senso vietato	Einfahrt verboten	no entry
dirección única	sentido único	sens unique	senso unico	Einbahnstraße	one way
encender las luces	acender as luzes	allumer les lanternes	accendere le luci	Licht einschalten	put on lights
esperen	esperem	attendez	attendete	warten	wait, halt
hielo	gelo	verglas	ghiaccio	Glatteis	ice (on roads)
niebla	nevoeiro	brouillard	nebbia	Nebel	fog
nieve	neve	neige	neve	Schnee	snow
obras	trabalhos na estrada	travaux (routiers)	lavori in corso	Straßenbauarbeiten	road works
parada obligatoria	paragem obrigatória	arrêt obligatoire	fermata obbligatoria	Halt !	compulsory stop
paso de ganado	passagem de gado	passage de troupeaux	passaggio di mandrie	Viehtrieb	cattle crossing
paso a nivel sin barreras	passagem de nível sem guarda	passage à niveau non gardé	passaggio a livello incustodito	unbewachter Bahnübergang	unattended level crossing
peaje	portagem	péage	pedaggio	Gebühr	toll
peatones	peões	piétons	pedoni	Fußgänger	pedestrians

¡ peligro !	perigo !	danger !	pericolo !	Gefahr !	danger !
precaución	prudência	prudence	prudenza	Vorsicht	caution
prohibido	proibido	interdit	vietato	verboten	prohibited
prohibido aparcar	estacionamento proibido	stationnement interdit	divieto di sosta	Parkverbot	no parking
prohibido el adelantamiento	proibido ultrapassar	défense de doubler	divieto di sorpasso	Überholverbot	no overtaking
puente estrecho	ponte estreita	pont étroit	ponte stretto	enge Brücke	narrow bridge
puesto de socorro	pronto socorro	poste de secours	pronto soccorso	Unfall-Hilfsposten	first aid station
salida de camiones	saída de camiões	sortie de camions	uscita di camion	LKW-Ausfahrt	lorry exit
travesía peligrosa	perigoso atravessar	traversée dangereuse	attraversamento pericoloso	gefährliche Durchfahrt	dangerous crossing

PALABRAS DE USO CORRIENTE	PALAVRAS DE USO CORRENTE	MOTS USUELS	PAROLE D'USO CORRENTE	ALLGEMEINER WORTSCHATZ	COMMON WORDS
abierto	aberto	ouvert	aperto	offen	open
abril	Abril	avril	aprile	April	April
acantilado	falésia	falaise	scogliera	steile Küste	cliff
acceso	acesso	accès	accesso	Zugang, Zufahrt	access
acueducto	aqueduto	aqueduc	acquedotto	Aquädukt	aqueduct
adornado	adornado, enfeitado	orné, décoré	ornato	geschmückt	decorated
agosto	Agosto	août	agosto	August	August
agua potable	água potável	eau potable	acqua potabile	Trinkwasser	drinking water
alameda	alameda	promenade	passeggiata	Promenade	promenade
alcazaba	antiga fortaleza árabe	ancienne forteresse arabe	antica fortezza araba	alte arabische Festung	old Arab fortress
alcázar	antigo palácio árabe	ancien palais arabe	antico palazzo arabo	alter arabischer Palast	old Arab palace
almuerzo	almoço	déjeuner	colazione	Mittagessen	lunch
alrededores	arredores	environs	dintorni	Umgebung	surroundings
altar esculpido	altar esculpido	autel sculpté	altare scolpito	Schnitzaltar	carved altar
ambiente	ambiente	ambiance	ambiente	Stimmung	atmosphere
antiguo	antigo	ancien	antico	alt	ancient
aparcamiento	parque de estacionamento	parc à voitures	parcheggio	Parkplatz	car park
apartado	apartado, caixa postal	boîte postale	casella postale	Postfach	post office box
arbolado	arborizado	ombragé	ombreggiato	schattig	shady
arcos	arcadas	arcades	portici	Arkaden	arcades
artesanía	artesanato	artisanat	artigianato	Handwerkskunst	craftwork
artesonado	tecto de talha	plafond à caissons	soffitto a cassettoni	Kassettendecke	coffered ceiling
avenida	avenida	avenue	viale, corso	Boulevard, breite Straße	avenue
bahía	baía	baie	baia	Bucht	bay

bajo pena de multa	sob pena de multa	sous peine d'amende	passibile di contravenzione	bei Geldstrafe	under penalty of fine
balneario	termas	établissement thermal	terme	Kurhaus	health resort
baños	termas	bains, thermes	terme	Thermen	public baths, thermal bath
barranco	barranco, ravina	ravin	burrone	Schlucht	ravine
barrio	bairro	quartier	quartiere	Stadtteil	quarter, district
bodega	adega	chais, cave	cantina	Keller	cellar
bonito	bonito	joli	bello	schön	beautiful
bosque	bosque	bois	bosco, boschi	Wäldchen	wood
bóveda	abóbada	voûte	volta	Gewölbe, Wölbung	vault, arch
cabo	cabo	cap	capo	Kap	head
caja	caixa	caisse	cassa	Kasse	cash-desk
cala	enseada	crique, calanque	seno, calanca	Bucht	creek
calle	rua	rue	via	Straße	street
callejón sin salida	bêco	impasse	vicolo cieco	Sackgasse	no through road
cama	cama	lit	letto	Bett	bed
camarero	criado, empregado	garçon, serveur	cameriere	Ober, Kellner	waiter
camino	caminho	chemin	cammino	Weg	way, path
campanario	campanário	clocher	campanile	Glockenturm	belfry, steeple
campo, campiña	campo	campagne	campagna	Land	country, countryside
capilla	capela	chapelle	cappella	Kapelle	chapel
capitel	capitel	chapiteau	capitello	Kapitell	capital (of column)
carretera en cornisa	estrada escarpada	route en corniche	strada panoramica	Höhenstraße	corniche road
cartuja	cartuxa	chartreuse	certosa	Kartäuserkloster	monastery
casa señorial	casa senhorial	demeure seigneuriale	villa residenziale	Herrensitz	seignorial residence
cascada	cascata	cascade	cascata	Wasserfall	waterfall
castillo	castelo	château	castello	Burg, Schloß	castle
cena	jantar	dîner	pranzo	Abendessen	dinner
cenicero	cinzeiro	cendrier	portacenere	Aschenbecher	ash-tray
centro urbano	baixa, centro urbano	centre ville	centro città	Stadtzentrum	town centre
cercano	próximo	proche	prossimo	nah	near
cerillas	fósforos	allumettes	fiammiferi	Zündhölzer	matches
cerrado	fechado	fermé	chiuso	geschlossen	closed
certificado	registado	recommandé (objet)	raccomandato	Einschreiben	registered
césped	relvado	pelouse	prato	Rasen	lawn
circunvalación	circunvalação	contournement	circonvallazione	Umgehung	by-pass
ciudad	cidade	ville	città	Stadt	town
claustro	claustro	cloître	chiostro	Kreuzgang	cloisters
climatizada (piscina)	climatizada (piscina)	chauffée (piscine)	riscaldata (piscina)	geheizt (Freibad)	heated (swimming pool)

climatizado	climatizado	climatisé	con aria condizionata	mit Klimaanlage	air conditioned
cocina	cozinha	cuisine	cucina	Kochkunst	cuisine
colección	colecção	collection	collezione	Sammlung	collection
colegiata	colegiada	collégiale	collegiata	Stiftskirche	collegiate church
colina	colina	colline	colle, collina	Hügel	hill
columna	coluna	colonne	colonna	Säule	column
comedor	casa de jantar	salle à manger	sala da pranzo	Speisesaal	dining room
comisaría	esquadra de policia	commissariat de police	commissariato di polizia	Polizeistation	police headquarters
conjunto	conjunto	ensemble	insieme	Gesamtheit	group
conserje	porteiro	concierge	portiere, portinaio	Portier	porter
convento	convento	couvent	convento	Kloster	convent
coro	coro	chœur	coro	Chor	chancel
correos	correios	bureau de poste	ufficio postale	Postamt	post office
crucero	transepto	transept	transetto	Querschiff	transept
crucifijo, cruz	crucifixo, cruz	crucifix, croix	crocifisso, croce	Kruzifix, Kreuz	crucifix, cross
cuadro, pintura	quadro, pintura	tableau, peinture	quadro, pittura	Gemälde, Malerei	painting
cuchara	colher	cuillère	cucchiaio	Löffel	spoon
cuchillo	faca	couteau	coltello	Messer	knife
cuenta	conta	note	conto	Rechnung	bill
cueva, gruta	gruta	grotte	grotta	Höhle	cave
cúpula	cúpula	coupole, dôme	cupola	Kuppel	dome, cupola
dentista	dentista	dentiste	dentista	Zahnarzt	dentist
deporte	desporto	sport	sport	Sport	sport
desembocadura	foz	embouchure	foce	Mündung	mouth
desfiladero	desfiladeiro	défilé	forra	Engpaß	pass
diario	jornal	journal	giornale	Zeitung	newspaper
diciembre	Dezembro	décembre	dicembre	Dezember	December
dique	dique	digue	diga	Damm	dike, dam
domingo	Domingo	dimanche	domenica	Sonntag	Sunday
embalse	lago artificial	lac artificiel	lago artificiale	künstlicher See	artificial lake
encinar	azinhal	chênaie	querceto	Eichenwald	oak-grove
enero	Janeiro	janvier	gennaio	Januar	January
entrada	entrada	entrée	entrata, ingresso	Eingang, Eintritt	entrance, admission
equipaje	bagagem	bagages	bagagli	Gepäck	luggage
ermita	eremitério, retiro	ermitage	eremo	Einsiedelei	hermitage
escalera	escada	escalier	scala	Treppe	stairs
escuelas	escolas	écoles	scuole	Schulen	schools

escultura	escultura	sculpture	scultura	Schnitzwerk	carving
espectáculo	espectáculo	spectacle	spettacolo	Schauspiel	show, sight
estanco	tabacaria	bureau de tabac	tabaccaio	Tabakladen	tobacconist
estanque	lago, tanque	étang	stagno	Teich	pond, pool
estatua	estátua	statue	statua	Standbild	statue
estrecho	estreito	détroit	stretto	Meerenge	strait
estuario	estuário	estuaire	estuario	Mündung	estuary
fachada	fachada	façade	facciata	Vorderseite	façade
farmacia	farmácia	pharmacie	farmacia	Apotheke	chemist
faro	farol	phare	faro	Leuchtturm	lighthouse
febrero	Fevereiro	février	febbraio	Februar	February
festivo	feriado	férié	festivo	Feiertag	holiday
florido	florido	fleuri	fiorito	mit Blumen	in bloom
fortaleza	fortaleza	forteresse, château fort	fortezza	Festung, Burg	fortress, fortified castle
fortificado	fortificado	fortifié	fortificato	befestigt	fortified
frescos	frescos	fresques	affreschi	Fresken	frescoes
frío	frio	froid	freddo	kalt	cold
friso	friso	frise	fregio	Fries	frieze
frontera	fronteira	frontière	frontiera	Grenze	frontier
fuente	fonte	source	sorgente	Quelle	source, stream
garganta	garganta	gorge	gola	Schlucht	gorge, stream
gasolina	gasolina	essence	benzina	Benzin	petrol
guardia civil	policia	gendarme	gendarme	Polizist	policeman
habitación	quarto	chambre	camera	Zimmer	room
hermoso	belo, formoso	beau	bello	schön	beautiful
huerto (a)	horta	potager	orto	Gemüsegarten	kitchen-garden
iglesia	igreja	église	chiesa	Kirche	church
informaciones	informações	renseignements	informazioni	Auskünfte	information
instalado	instalado	installé	installato	eingerichtet	established
invierno	Invierno	hiver	inverno	Winter	winter
isla	ilha	île	isola, isolotto	Insel	island
jardín	jardim	jardin	giardino	Garten	garden
jueves	5ª feira	jeudi	giovedì	Donnerstag	Thursday
julio	Julho	juillet	luglio	Juli	July
junio	Junho	juin	giugno	Juni	June

lago	lago	lac	lago	See	lake
lago	lago	lac	lago	See	lake
laguna	lagoa	lagune	laguna	Lagune	lagoon
lavado	lavagem de roupa	blanchissage	lavatura	Wäsche, Lauge	laundry
lonja	bolsa de comércio	bourse de commerce	borsa	Handelsbörse	Trade exchange
lunes	2ª feira	lundi	lunedì	Montag	Monday
llanura	planicie	plaine	pianura	Ebene	plain
mar	mar	mer	mare	Meer	sea
martes	3ª feira	mardi	martedì	Dienstag	Tuesday
marzo	Março	mars	marzo	März	March
mayo	Maio	mai	maggio	Mai	May
médico	médico	médecin	medico	Arzt	doctor
mediodía	meio-dia	midi	mezzogiorno	Mittag	midday
mesón	estalagem	auberge	albergo	Gasthof	inn
mezquita	mesquita	mosquée	moschea	Moschee	mosque
miércoles	4ª feira	mercredi	mercoledì	Mittwoch	Wednesday
mirador	miradouro	belvédère	belvedere	Aussichtspunkt	belvedere
mobiliario	mobiliário	ameublement	arredamento	Einrichtung	furniture
molino	moinho	moulin	mulino	Mühle	windmill
monasterio	mosteiro	monastère	monastero	Kloster	monastery
montaña	montanha	montagne	montagna	Berg	mountain
muelle	cais, molhe	quai, môle	molo	Mole, Kai	quay
murallas	muralhas	murailles	mura	Mauern	walls
nacimiento	presépio	crèche	presepio	Krippe	crib
nave	nave	nef	navata	Kirchenschiff	nave
Navidad	Natal	Noël	Natale	Weihnachten	Christmas
noviembre	Novembro	novembre	novembre	November	November
obra de arte	obra de arte	œuvre d'art	opera d'arte	Kunstwerk	work of art
octubre	Outubro	octobre	ottobre	Oktober	October
oficina de viajes	agência de viagens	bureau de voyages	ufficio viaggi	Reisebüro	travel bureau
orilla	orla, borda	bord	orlo	Rand	edge
otoño	Outono	automne	autunno	Herbst	autumn
pagar	pagar	payer	pagare	bezahlen	to pay
paisaje	paisagem	paysage	paesaggio	Landschaft	landscape
palacio real	palácio real	palais royal	palazzo reale	Königsschloß	royal palace
palmera, palmeral	palmeira, palmar	palmier, palmeraie	palma, palmeto	Palme, Palmenhain	palm-tree, palm grove
pantano	barragem	barrage	sbarramento	Talsperre	dam
papel de carta	papel de carta	papier à lettre	carta da lettere	Briefpapier	writing paper

parada	paragem	arrêt	fermata	Haltestelle	stopping place
paraje, emplazamiento	local	site	posizione	Lage	site
parque	parque	parc	parco	Park	park
pasajeros	passageiros	passagers	passeggeri	Fahrgäste	passengers
Pascua	Páscoa	Pâques	Pasqua	Ostern	Easter
paseo	passeio	promenade	passeggiata	Spaziergang, Promenade	walk, promenade
patio	pátio interior	cour intérieure	cortile interno	Innenhof	inner courtyard
peluquería	cabeleireiro	coiffeur	parrucchiere	Friseur	hairdresser, barber
península	península	péninsule	penisola	Halbinsel	peninsula
peñón	rochedo	rocher	roccia	Felsen	rock
pico	pico	pic	pizzo, picco	Gipfel	peak
pinar, pineda	pinhal	pinède	pineta	Pinienhain	pine wood
piso	andar	étage	piano (di casa)	Stock, Etage	floor
planchado	engomado	repassage	stiratura	Bügelerei	pressing, ironing
plato	prato	assiette	piatto	Teller	plate
playa	praia	plage	spiaggia	Strand	beach
plaza de toros	praça de touros	arènes	arena	Stierkampfarena	bull ring
portada, pórtico	portal, pórtico	portail	portale	Haupttor, Portal	doorway
prado, pradera	prado, pradaria	pré, prairie	prato, prateria	Wiese	meadow
primavera	Primavera	printemps	primavera	Frühling	spring (season)
prohibido fumar	proibido fumar	défense de fumer	vietato fumare	Rauchen verboten	no smoking
promontorio	promontório	promontoire	promontorio	Vorgebirge	promontory
propina	gorjeta	pourboire	mancia	Trinkgeld	tip
pueblo	aldeia	village	villaggio	Dorf	village
puente	ponte	pont	ponte	Brücke	bridge
puerta	porta	porte	porta	Tür	door
puerto	colo, porto	col, port	passo, porto	Gebirgspaß, Hafen	mountain pass, harbour
púlpito	púlpito	chaire	pulpito	Kanzel	pulpit
punto de vista	vista	point de vue	punto di vista	Aussichtspunkt	viewpoint
recinto	recinto	enceinte	recinto	Ringmauer	perimeter walls
recorrido	percurso	parcours	percorso	Strecke	course
reja, verja	grade	grille	cancello	Gitter	iron gate
reliquia	relíquia	relique	reliquia	Reliquie	relic
reloj	relógio	horloge	orologio	Uhr	clock
Renacimiento	Renascença	Renaissance	rinascimento	Renaissance	Renaissance
recepción	recepção	réception	ricevimento	Empfang	reception
retablo	retábulo	retable	postergale	Altaraufsatz	altarpiece, retable
río	rio	fleuve	fiume	Fluß	river

roca, peñón	rochedo, rocha	rocher, roche	roccia	Felsen	rock
rocoso	rochoso	rocheux	roccioso	felsig	rocky
rodeado	rodeado	entouré	circondato	umgeben	surrounded
románico, romano	românico, romano	roman, romain	romànico, romano	romanisch, römisch	Romanesque, Roman
ruinas	ruínas	ruines	ruderi	Ruinen	ruins
sábado	Sábado	samedi	sabato	Samstag	Saturday
sacristía	sacristia	sacristie	sagrestia	Sakristei	sacristy
sala capitular	sala capitular	salle capitulaire	sala capitolare	Kapitelsaal	chapterhouse
salida	partida	départ	partenza	Abfahrt	departure
salida de socorro	saída de socorro	sortie de secours	uscita di sicurezza	Notausgang	emergency exit
salón	salão, sala	salon, grande salle	sala, salotto, salone	Salon	drawing room, sitting room
santuario	santuário	sanctuaire	sacrario	Heiligtum	shrine
sello	selo	timbre-poste	francobollo	Briefmarke	stamp
septiembre	Setembro	septembre	settembre	September	September
sepulcro, tumba	sepúlcro, túmulo	sépulcre, tombeau	sepolcro, tomba	Grabmal	tomb
servicio incluido	serviço incluido	service compris	servizio compreso	Bedienung inbegriffen	service included
servicios	toilette, casa de banho	toilettes	gabinetti	Toiletten	toilets
sierra	serra	chaîne de montagnes	giogaia	Gebirgskette	mountain range
siglo	século	siècle	secolo	Jahrhundert	century
sillería del coro	cadeiras de coro	stalles	stalli	Chorgestühl	choir stalls
sobres	envelopes	enveloppes	buste	Briefumschläge	envelopes
sótano	cave	sous-sol, cave	sottosuolo	Keller	basement
subida	subida	montée	salita	Steigung	hill
tapices, tapicerías	tapeçarias	tapisseries	tappezzerie, arazzi	Wandteppiche	tapestries
tarjeta postal	bilhete postal	carte postale	cartolina	Postkarte	postcard
techo	tecto	plafond	soffitto	Zimmerdecke	ceiling
tenedor	garfo	fourchette	forchetta	Gabel	fork
tesoro	tesouro	trésor	tesoro	Schatz	treasure, treasury
torre	torre	tour	torre	Turm	tower
tribuna	tribuna, galeria	jubé	tramezzo	Lettner	roodscreen
valle	vale	val, vallée	val, valle, vallata	Tal	valley
vaso	copo	verre	bicchiere	Glas	glass
vega	veiga	vallée fertile	valle fertile	fruchtbare Ebene	fertile valley
verano	Verão	été	estate	Sommer	summer
vergel	pomar	verger	frutteto	Obstgarten	orchard
vidriera	vitral	verrière, vitrail	vetrata	Kirchenfenster	stained glass windows
viernes	6ª. feira	vendredi	venerdì	Freitag	Friday

viñedos	vinhedos, vinhas	vignes, vignoble	vigne, vigneto	Reben, Weinberg	vines, vineyard
víspera, vigilia	véspera	veille	vigilia	Vorabend	preceding day, eve
vista pintoresca	vista pitoresca	vue pittoresque	vista pittoresca	malerische Aussicht	picturesque view
vuelta, circuito	volta, circuito	tour, circuit	giro, circuito	Rundreise	tour
COMIDAS Y BEBIDAS	COMIDAS E BEBIDAS	NOURRITURE ET BOISSONS	CIBI E BEVANDE	SPEISEN UND GETRÄNKE	FOOD AND DRINK
aceite, aceitunas	azeite, azeitonas	huile, olives	olio, olive	Öl, Oliven	oil, olives
agua con gas	água gaseificada	eau gazeuse	acqua gasata, gasosa	Sprudel	soda water
agua mineral	água mineral	eau minérale	acqua minerale	Mineralwasser	mineral water
ahumado	fumado	fumé	affumicato	geräuchert	smoked
ajo	alho	ail	aglio	Knoblauch	garlic
alcachofa	alcachofra	artichaut	carciofo	Artischocke	artichoke
almendras	amêndoas	amandes	mandorle	Mandeln	almonds
alubias	feijão	haricots	fagioli	Bohnen	beans
anchoas	anchovas	anchois	acciughe	Anschovis	anchovies
arroz	arroz	riz	riso	Reis	rice
asado	assado	rôti	arrosto	gebraten	roast
atún	atum	thon	tonno	Thunfisch	tunny
ave	aves, criação	volaille	pollame	Geflügel	poultry
azúcar	açúcar	sucre	zucchero	Zucker	sugar
bacalao	bacalhau fresco	morue fraîche, cabillaud	merluzzo	Kabeljau, Dorsch	cod
bacalao en salazón	bacalhau salgado	morue salée	baccalà, stoccafisso	Laberdan	dried cod
berenjena	beringela	aubergine	melanzana	Aubergine	egg-plant
bogavante	lavagante	homard	gambero di mare	Hummer	lobster
brasa (a la)	na brasa	à la braise	brasato	gedämpft, geschmort	braised
café con leche	café com leite	café au lait	caffè-latte	Milchkaffee	coffee and milk
café solo	café simples	café nature	caffè nero	schwarzer Kaffee	black coffee
calamares	lulas, chocos	calmars	calamari	Tintenfische	squids
caldo	caldo	bouillon	brodo	Fleischbrühe	clear soup
cangrejo	caranguejo	crabe	granchio	Krabbe	crab
caracoles	caracóis	escargots	lumaca	Schnecken	snails
carne	carne	viande.	carne	Fleisch	meat
castañas	castanhas	châtaignes	castagne	Kastanien	chestnuts
caza mayor	caça grossa	gros gibier	cacciagione	Wildbret	game
cebolla	cebola	oignon	cipolla	Zwiebel	onion
cerdo	porco	porc	maiale	Schweinefleisch	pork
cerezas	cerejas	cerises	ciliege	Kirschen	cherries

cerveza	cerveja	bière	birra	Bier	beer
ciervo, venado	veado	cerf	cervo	Hirsch	deer
cigalas	lagostins	langoustines	scampi	Meerkrebse, Langustinen	crayfish
ciruelas	ameixas	prunes	prugne	Pflaumen	plums
cochinillo, tostón	leitão assado	cochon de lait grillé	maialino grigliato, porchetta	Spanferkelbraten	roast suckling pig
cordero	carneiro	mouton	montone	Hammelfleisch	mutton
cordero lechal	cordeiro	agneau de lait	agnello	Lammfleisch	lamb
corzo	cabrito montês	chevreuil	capriolo	Reh	venison
charcutería, fiambres	charcutaria	charcuterie	salumi	Aufschnitt	pork-butchers' meat
chipirones	lulas pequenas	petits calmars	calamaretti	kleine Tintenfische	small squids
chorizos	chouriços	saucisses au piment	salsicce piccanti	Pfefferwurst	spiced sausages
chuleta, costilla	costeleta	côtelette	costoletta	Kotelett	cutlet
dorada, besugo	dourada, besugo	daurade	orata	Goldbrassen	dory
ensalada	salada	salade	insalata	Salat	green salad
entremeses	entrada	hors-d'œuvre	antipasti	Vorspeise	hors d'œuvre
espárragos	espargos	asperges	asparagi	Spargel	asparagus
espinacas	espinafres	épinards	spinaci	Spinat	spinach
fiambres	carnes frias	viandes froides	carni fredde	kaltes Fleisch	cold meats
filete	filete, bife de lombo	filet	filetto	Filetsteak	filet
fresas	morangos	fraises	fragole	Erdbeeren	strawberries
frutas	fruta	fruits	frutta	Früchte	fruit
frutas en almíbar	fruta em calda	fruits au sirop	frutta sciroppata	Früchte in Sirup	fruit in syrup
galletas	bolos sêcos	gâteaux secs	biscotti secchi	Gebäck	cakes
gambas	camarões grandes	crevettes (bouquets)	gamberetti	Garnelen	prawns
garbanzos	grão	pois chiches	ceci	Kichererbsen	chick peas
guisantes	ervilhas	petits pois	piselli	junge Erbsen	garden peas
helado	gelado	glace	gelato	Speiseeis	ice cream
hígado	fígado	foie	fegato	Leber	liver
higos	figos	figues	fichi	Feigen	figs
horno (al)	no forno	au four	al forno	im Ofen gebacken	baked in the oven
huevos al plato	ovos estrelados	œufs au plat	uova fritte	Spiegeleier	fried eggs
huevo pasado por agua	ovo quente	œuf à la coque	uovo al guscio	weiches Ei	soft boiled egg
huevo duro	ovo cozido	œuf dur	uovo sodo	hartes Ei	hard boiled egg
jamón (serrano, de York)	presunto, fiambre	jambon (cru ou cuit)	prosciutto (crudo o cotto)	Schinken (roh, gekocht)	ham (raw or cooked)
judías verdes	feijão verde	haricots verts	fagiolini	grüne Bohnen	French beans

langosta	lagosta	langouste	aragosta	Languste	craw fish
langostino	gamba	crevette géante	gamberone	große Garnele	prawns
legumbres	legumes	légumes	verdure	Gemüse	vegetables
lenguado	linguado	sole	sogliola	Seezunge	sole
lentejas	lentilhas	lentilles	lenticchie	Linsen	lentils
limón	limão	citron	limone	Zitrone	lemon
lobarro, perca	perca	perche	pesce persico	Barsch	perch
lomo	lombo	filet, échine	lombata, lombo	Rückenstück	spine, chine
lubina	robalo	bar	ombrina	Barsch	bass
mantequilla	manteiga	beurre	burro	Butter	butter
manzana	maçã	pomme	mela	Apfel	apple
mariscos	mariscos	fruits de mer	frutti di mare	„Früchte des Meeres"	sea food
mejillones	mexilhões	moules	cozze	Muscheln	mussels
melocotón	pêssego	pêche	pesche	Pfirsich	peach
membrillo	marmelo	coing	cotogna	Quitte	quince
merluza	pescada	colin, merlan	merluzzo	Kohlfisch, Weißling	hake
mero	mero	mérou	cernia	Rautenscholle	brill
naranja	laranja	orange	arancia	Orange	orange
ostras	ostras	huîtres	ostriche	Austern	oysters
paloma, pichón	pombo, borracho	palombe, pigeon	palomba, piccione	Taube	pigeon
pan	pão	pain	pane	Brot	bread
parrilla (a la)	grelhado	à la broche, grillé	(allo) spiedo	am Spieß	grilled
pasteles	bolos	pâtisseries	dolci, pasticceria	Süßigkeiten	pastries
patatas	batatas	pommes de terre	patate	Kartoffeln	potatoes
pato	pato	canard	anitra	Ente	duck
pavo	perú	dindon	tacchino	Truthahn	turkey
pepino, pepinillo	pepino	concombre, cornichon	cetriolo, cetriolino	Gurke, kleine Essiggurke	cucumber, gherkin
pepitoria	fricassé	fricassée	fricassea	Frikassee	fricassée
pera	pêra	poire	pera	Birne	pear
perdiz	perdiz	perdrix	pernice	Rebhuhn	partridge
pescados	peixes	poissons	pesci	Fische	fish
pimienta	pimenta	poivre	pepe	Pfeffer	pepper
pimiento	pimento	poivron	peperone	Pfefferschote	pimento
plátano	banana	banane	banana	Banane	banana
pollo	frango	poulet	pollo	Hähnchen	chicken
postres	sobremesas	desserts	dessert	Nachspeise	dessert
potaje	sopa	potage	minestra	Suppe mit Einlage	soup

79

queso	quejo	fromage	formaggio	Käse	cheese
rape	lota	lotte	rana pescatrice, pesce rospo	Aalrutte, Quappe	eel-pout, angler fish
raya	raia	raie	razza	Rochen	skate
relleno	recheado	farci	ripieno, farcito	gefüllt	stuffed
riñones	rins	rognons	rognoni	Nieren	kidneys
rodaballo	cherne, pregado	turbot	rombo	Steinbutt	turbot
sal	sal	sel	sale	Salz	salt
salchichas	salsichas	saucisses	salsicce	Würstchen	sausages
salchichón	salpicão	saucisson	salame	Wurst	salami, sausage
salmón	salmão	saumon	salmone	Lachs	salmon
salmonete	salmonete	rouget	triglia	Barbe, Rötling	red mullet
salsa	molho	sauce	sugo	Soße	sauce
sandia	melancia	pastèque	cocomero	Wassermelone	water-melon
sesos	miolos, mioleira	cervelle	cervella	Hirn	brains
setas, hongos	cogumelos	champignons	funghi	Pilze	mushrooms
sidra	cidra	cidre	sidro	Apfelwein	cider
solomillo	bife de lombo	filet	filetto	Filetsteak	filet
sopa	sopa	soupe	minestra, zuppa	Suppe	soup
tarta	torta, tarte	tarte, grand gâteau	torta	Torte, Kuchen	tart, pie
ternera	vitela	veau	vitello	Kalbfleisch	veal
tortilla	omelete	omelette	frittata	Omelett	omelette
trucha	truta	truite	trota	Forelle	trout
turrón	torrão de Alicante, nougat	nougat	torrone	Nugat, Mandelkonfekt	nougat
uva	uva	raisin	uva	Traube	grapes
vaca, buey	vaca, boi	bœuf	manzo	Rindfleisch	beef
vieira	vieira	coquille St-Jacques	cappesante	Jakobsmuschel	scallop
vinagre	vinagre	vinaigre	aceto	Essig	vinegar
vino blanco dulce	vinho branco doce	vin blanc doux	vino bianco amabile	süßer Weißwein	sweet white wine
vino blanco seco	vinho branco sêco	vin blanc sec	vino bianco secco	herber Weißwein	dry white wine
vino rosado	vinho « rosé »	vin rosé	vino rosato	"Rosé"	"rosé" wine
vino corriente del país	vinho da região	vin courant du pays	vino nostrano	Landwein	local wine
vino de marca	vinho de marca	grand vin	vino pregiato	Prädikatswein	famous wine
vino tinto	vinho tinto	vin rouge	vino rosso	Rotwein	red wine
zanahoria	cenoira	carotte	carota	Karotte	carrot
zumo de frutas	sumo de frutas	jus de fruits	succo di frutta	Fruchtsaft	fruit juice

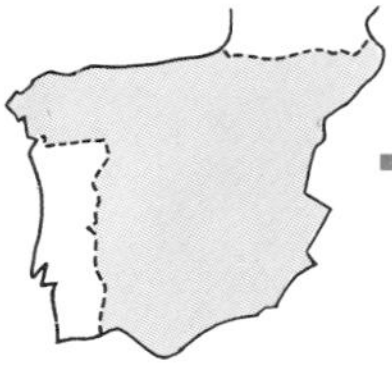

ESPAÑA

POBLACIONES
CIDADES
VILLES
CITTÀ
STÄDTE
TOWNS

ABADIANO o **ABADIÑO** 48220 Vizcaya **442** C 22 – 6 511 h. alt. 133 – ✪ 94.
♦Madrid 399 – ♦Bilbao 35 – Vitoria/Gasteiz 43.

en la carretera N 634 N : 2 km – ⌷ 48220 Abadiano – ✪ 94 :

🏠 **San Blas,** Laubideta 11 ℰ 681 42 00 – 🔳 rest ☎ 🅿. 🖭 ◍ 🅴 *VISA*. ❄ rest
Com 650 – ⊆ 200 – **17 hab** 2420/3930.
PEUGEOT-TALBOT Barrio Matiena ℰ 681 24 16

ACANTILADO DE LOS GIGANTES Santa Cruz de Tenerife – ver Canarias (Tenerife) : Puerto de Santiago.

ADEJE 38670 Santa Cruz de Tenerife – ver Canarias (Tenerife).

ADEMUZ 46140 Valencia **445** L 26 – 1 922 h. – ✪ 974.
♦Madrid 286 – Cuenca 120 – Teruel 44 – ♦Valencia 136.

🏵 **Casa Domingo,** av. de Valencia 1 ℰ 78 20 30, ≼ – 🅿. ❄
Com 920 – ⊆ 220 – **30 hab** 1350/2120 – P 2990/3300.

ADRA 04770 Almería **446** V 20 – 17 389 h. – ✪ 951.
🌆 Almerimar, El Ejido E : 17 km ℰ 48 09 50.
♦Madrid 560 – ♦Almería 52 – ♦Granada 131 – ♦Málaga 169.

✕ **Soleil,** Natalio Rivas 74 ℰ 40 07 02 – 🖭 🅴 *VISA*
cerrado lunes y noviembre – Com carta 1600 a 2600.

CITROEN carret. de Málaga 100 ℰ 40 00 75
FORD carret. de Málaga 116 ℰ 40 13 20
PEUGEOT-TALBOT carret. de Málaga 40 ℰ 40 15 24
RENAULT carret. de Almería 47 ℰ 40 08 53

La ADRADA 05430 Ávila **444** L 16 – 1 622 h. – ✪ 91.
♦Madrid 96 – Ávila 83 – El Escorial 66 – Talavera de la Reina 52.

🏠 Mirador de Gredos, av. de Madrid ℰ 867 07 09 – 🔳 rest 🅿
40 hab.
GENERAL MOTORS av. Madrid
RENAULT carret. Madrid-Plasencia km 81,2 ℰ 867 01 51

ADRALL 25797 Lérida **443** F 34 – ✪ 973.
♦Madrid 596 – ♦Lérida/Lleida 127 – Seo de Urgel 6.

✕ **La Brasa,** carret. de Lérida 21 ℰ 38 70 57 – 🔳 🅿. 🅴 *VISA*. ❄
cerrado 25 junio-10 julio y jueves salvo festivos – Com carta 1550 a 2500.

AGAETE 35480 Las Palmas – ver Canarias (Gran Canaria).

AGRAMUNT 25310 Lérida **[4][3]** G 33 – 4 562 h. alt. 337 – ✿ 973.

Ver : Iglesia (portada★).

♦Madrid 520 – ♦Barcelona 123 – ♦Lérida/Lleida 51 – Seo de Urgel 98.

🏨 **Kipps** M, carret. de Tarragona ℰ 39 08 25 – ➤ ⌶ ☎ 𝐏 – ♿. 𝖵𝖨𝖲𝖠. ⌘ hab
　　Com 900 – ⥂ 325 – **25 hab** 2670/3835 – P 4655.

PEUGEOT-TALBOT carret. de Cervera ℰ 39 08 63　　SEAT-AUDI-VOLKSWAGEN Santa Esperanza ℰ
RENAULT carret. de Tárrega ℰ 39 03 34　　　　　　39 02 86

ÁGREDA 42100 Soria **[4][2]** G 24 – 3 637 h. – ✿ 976.

♦Madrid 276 – ♦Logroño 115 – ♦Pamplona 118 – Soria 50 – ♦Zaragoza 107.

🏠 **Doña Juana y Rest. Juani,** av. de Soria 2 ℰ 64 75 51 – 𝐏. 𝖵𝖨𝖲𝖠
　　Com 1000 – ⥂ 275 – **38 hab** 1750/3000 – P 3650/3900.

FORD Estudios ℰ 64 71 20　　　　　　SEAT-AUDI-VOLKSWAGEN av. Navarra 7 ℰ 64 71 97
RENAULT Soria ℰ 64 71 05

AGUADULCE 04720 Almería **[4][6]** V 22 – ✿ 951 – Playa.

♦Madrid 560 – Almería 10 – Motril 102.

🏨 **Satélites Park,** ℰ 34 06 00, Telex 75403, ≼, 🍽, ⍩, 🦩, ⌘ – ➤ ⌷ rest 🅟 𝐏 – ♿ – **300 hab**.

✗ **Casa El Valenciano,** paseo Marítimo 6 ℰ 34 04 56, ≼, 🍽 – ⌷.

✗ **Cortijo Alemán,** área Playasol ℰ 34 12 01, 🍽, Decoración rústica – ⌷. 𝖠𝖤 𝖵𝖨𝖲𝖠. ⌘
　　Com carta 1340 a 1950.

AGÜERO 22808 Huesca **[4][3]** E 27 – 237 h. – ✿ 974.

Alred. : Los Mallos★ (cerca de Riglos) E : 11 km.

♦Madrid 432 – Huesca 42 – Jaca 59 – ♦Pamplona 130.

⌂ **La Costera** 🍽, San Jaime 1 ℰ 38 03 30, ⍩ – (sólo agua fría) 𝐏. ⌘
　　Com 950 – ⥂ 350 – **12 hab** 1000/2000 – P 3250.

AGUILAR DE CAMPÓO 34800 Palencia **[4][2]** D 17 – 6 883 h. alt. 895 – ✿ 988.

🛈 pl. Mayor 32 ℰ 12 20 24.

♦Madrid 323 – Palencia 97 – ♦Santander 104.

🏨 **Valentín,** av. Generalísimo 21 ℰ 12 21 25 – ➤ 🅟 ⌘ 𝐏 – ♿. 𝖠𝖤 ⓞ 𝖤 𝖵𝖨𝖲𝖠. ⌘
　　Com 1700 – ⥂ 400 – **47 hab** 4800/6200 – P 6100/7800.

CITROEN av. de Santander 19 ℰ 12 22 21　　　RENAULT av. Generalísimo 99 ℰ 12 20 30
FIAT-LANCIA av. Palencia ℰ 12 51 21　　　　　SEAT-AUDI-VOLKSWAGEN av. Generalísimo 45 ℰ
FORD av. Palencia ℰ 12 26 29　　　　　　　　12 21 21
PEUGEOT-TALBOT av. Palencia 30 ℰ 12 28 09

ÁGUILAS 30880 Murcia **[4][5]** T 25 – 20 595 h. – ✿ 968 – Playa.

🛈 pl. de Antonio Cortijos ℰ 41 33 03.

♦Madrid 494 – ♦Almería 132 – Cartagena 84 – Lorca 42 – ♦Murcia 104.

🏨 **Carlos III,** Rey Carlos III - 22 ℰ 41 16 50 – ⌷ rest 🅟. 𝖠𝖤 𝖤 𝖵𝖨𝖲𝖠. ⌘
　　Com 825 – ⥂ 330 – **32 hab** 3930/5720.

🏨 **Stella Maris,** playa de las Delicias ℰ 41 00 97, Telex 27028, Fax 41 07 67, ≼, 🍽 – ⌷ rest ☎.
　　𝖠𝖤 ⓞ 𝖤 𝖵𝖨𝖲𝖠. ⌘ rest
　　Com 850 – ⥂ 220 – **66 hab** 3910/5500.

🏠 **Madrid** sin rest, pl. Robles Vives 4 ℰ 41 05 00 – 🅟. 𝖵𝖨𝖲𝖠. ⌘
　　⥂ 225 – **33 hab** 3500/4500.

🏠 **La Huerta,** Barcelona 2 ℰ 41 14 00, 🍽 – 🅟 𝐏. 𝖠𝖤 ⓞ 𝖤 𝖵𝖨𝖲𝖠
　　Com 700 – ⥂ 250 – **18 hab** 2400/4000.

　　en Calabardina NE : 8,5 km – ✉ 30880 Águilas – ✿ 968 :

🏠 **El Paraíso,** ℰ 41 15 34 – 𝖤 𝖵𝖨𝖲𝖠. ⌘
　　cerrado 15 octubre-10 diciembre – Com 800 – ⥂ 200 – **21 hab** 2500/4250 – P 3925/4300.

✗ **Ruano,** urb. Kábyla ℰ 41 07 51, 🍽 – 𝖤. ⌘
　　cerrado martes – Com carta 1500 a 2300.

CITROEN carret. de Lorca ℰ 41 12 36　　　　PEUGEOT-TALBOT Torremolinos 4 ℰ 41 26 02
FORD rambla de Garriga 12 ℰ 41 11 72　　　RENAULT carret. de Lorca 93 ℰ 41 06 51
GENERAL MOTORS carret. de Lorca 16 ℰ 41 17 66　　SEAT-AUDI-VOLKSWAGEN Barcelona 4 ℰ 41 01 75

MAPAS Y GUÍAS MICHELIN

Oficina de información y venta

Doctor Esquerdo 157, 28007 Madrid - ℰ 409 09 40

Abierto de lunes a viernes de 8 h. a 16 h. 30

AGUINAGA Guipúzcoa **442** C 23 – ⊠ 20170 Usurbil – ✪ 943.
◆Madrid 489 – ◆Bilbao 93 – ◆Pamplona 92 – ◆San Sebastián/Donostia 12.

XX **Aguinaga,** carret. de Zarauz N 634, ⊠ 20170 Usurbil, ℰ 36 27 37, ☂ – ▤ **P**.

AIGUA BLAVA 17255 Gerona **443** G 39 – ver Bagur.

AINSA 22330 Huesca **443** E 30 – 1 209 h. alt. 589 – ✪ 974.
◆Madrid 510 – Huesca 120 – ◆Lérida/Lleida 136 – ◆Pamplona 204.

🏠 **Mesón de l'Ainsa,** Sobrarbe 12 ℰ 50 00 28 – **P**. **E** *VISA*. ⋙ rest
Com 950 – 🖙 250 – **40 hab** 2150/3250 – P 3425/3950.

🏠 **Dos Ríos** sin rest y sin 🖙, av. Central 2 ℰ 50 00 43 – ⟺. **E** *VISA*. ⋙
25 hab 1200/2400.

X **Bodegas del Sobrarbe,** pl. Mayor 2 ℰ 50 02 37, « Antiguas bodegas decoradas en estilo
medieval » – **E** *VISA*
15 marzo-15 octubre – Com carta 2140 a 2365.

PEUGEOT-TALBOT Barrio Banaston ℰ 50 02 12   RENAULT av. de Ordesa 7 ℰ 50 01 14

AJO 39170 Cantabria **442** B 19 – ✪ 942 – Playa.
◆Madrid 416 – ◆Bilbao 86 – ◆Santander 38.

X **La Casuca,** Benedicto Ruiz ℰ 62 10 54 – **P**
cerrado miércoles en invierno y 20 diciembre-20 enero – Com carta 1100 a 1725.

ALAMEDA DE LA SAGRA 45240 Toledo **444** L 18 – 2 611 h. – ✪ 925.
◆Madrid 52 – Toledo 31.

🏠 **La Maruxiña,** carret. de Ocaña km 34 ℰ 50 01 49 – ▤ rest **P**
Com 650 – 🖙 150 – **24 hab** 1700/2200.

ALAMEDA DEL VALLE 28749 Madrid **444** J 18 – 150 h. alt. 1 135 – ✪ 91.
◆Madrid 83 – Segovia 59.

XX **Del Marqués,** carret. de Navacerrada ℰ 869 12 64, ☂ – ⋙
cerrado lunes, del 1 al 25 enero y del 25 al 31 diciembre – Com (sólo almuerzo) carta 1650 a 2350.

ALARCÓN 16213 Cuenca **444** N 23 – 271 h. alt. 845 – ✪ 966.
Ver : Emplazamiento★★.
◆Madrid 189 – ◆Albacete 94 – Cuenca 85 – ◆Valencia 163.

🏰 **Parador Marqués de Villena** ⌕, av. Amigos del Castillo ℰ 33 13 50, Fax 33 11 07, « Antiguo
castillo medieval sobre un peñón rocoso dominando el río Júcar » – ▣ 📺 ☎ **P**. **AE** ⓞ **E**
VISA. ⋙
Com 2500 – 🖙 800 – **11 hab** 8000/10000.

ALÁS 25718 Lérida **443** E 34 – ver Seo de Urgel.

ALAYOR 07730 Baleares **443** M 42 – ver Baleares (Menorca).

ALBACETE 02000 **P** **444** O 24 P 24 – 117 126 h. alt. 686 – ✪ 967 – Plaza de toros.
🛈 Virrey Morcillo 1, ⊠ 02005, ℰ 21 56 11 – R.A.C.E. Feria 42, ⊠ 02001, ℰ 23 84 24.
◆Madrid 249 ⑥ – ◆Córdoba 358 ④ – ◆Granada 350 ④ – ◆Murcia 147 ③ – ◆Valencia 183 ②.

Plano página siguiente

🏨 **Los Llanos** sin rest, av. España 9, ⊠ 02002, ℰ 22 37 50 – ▣ ▤ 📺 ☎ ⟺ – 🔏. **AE** ⓞ **E**
VISA. ⋙   BZ **a**
🖙 325 – **102 hab** 5500/7500.

🏨 **Gran Hotel** sin rest, Marqués de Molins 1, ⊠ 02001, ℰ 21 37 87 – ▣ 📺 ☎ – 🔏. **AE** ⓞ **E**
VISA. ⋙   BY **r**
🖙 300 – **69 hab** 4500/5900.

🏠 Albar , sin rest y sin 🖙, Isaac Peral 3, ⊠ 02001, ℰ 21 68 61 – ▣ ⟑   BY **e**
51 hab.

🏠 **Altozano** sin rest y sin 🖙, pl. Altozano 7, ⊠ 02001, ℰ 21 04 62 – ▣ ☎ ⟺. ⋙   ABY **b**
40 hab 2900/4800.

🏠 **Castilla** sin rest, paseo de la Cuba 3, ⊠ 02001, ℰ 21 42 88 – ▣ ☎ ⟺. **AE** ⓞ **E** *VISA*   BY **t**
🖙 300 – **60 hab** 3000/5000.

🏠 **Albacete** sin 🖙, Carcelén 8, ⊠ 02001, ℰ 21 81 11 – ☎. *VISA*. ⋙   BY **n**
Com (cerrado sábado y domingo) 750 – **36 hab** 2100/3200 – P 3000/3500.

🏠 **Florida,** Ibáñez Ibero 14, ⊠ 02005, ℰ 22 70 58, Telex 29654 – ▣ ▤ rest ☎. ⋙   AY **s**
Com 850 – 🖙 250 – **55 hab** 2150/4000.

sigue →

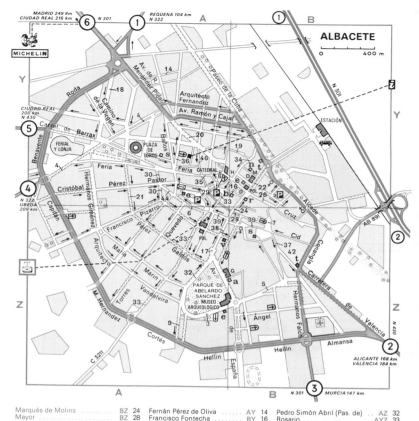

XX **Nuestro Bar,** Alcalde Conangla 102, ⊠ 02002, ℰ 22 72 15, 🏤, Cocina manchega – 🗐 🖭 ⓞ 🗲 𝘝𝘐𝘚𝘈. 𝒮𝒳
BZ **t**
cerrado domingo noche y julio – Com carta 1650 a 2700.

X **Las Rejas,** Dionisio Guardiola 9, ⊠ 02002, ℰ 22 72 42, Mesón típico – 🗐 🖭 🗲 𝘝𝘐𝘚𝘈 𝒮𝒳
AZ **v**
cerrado domingo y 15 junio-15 julio – Com carta 2000 a 4050.

X **Don Gil,** Baños 2 (Villacerrada), ⊠ 02001, ℰ 23 97 85, 🏤 – 🗐 🖭 ⓞ 🗲 𝘝𝘐𝘚𝘈. 𝒮𝒳 AY **e**
cerrado agosto

X **Mesón Museo,** Arcangel San Gabriel 5, ⊠ 02002, ℰ 22 52 08, Decoración regional – 🗐. 𝘝𝘐𝘚𝘈 𝒮𝒳
AZ **e**
Com carta 1550 a 2300.

X **El Callejón,** Guzmán el Bueno, ⊠ 02002, ℰ 21 11 38, 🏤, En una antigua casa – 🗐 🖭 𝘝𝘐𝘚𝘈 𝒮𝒳
BZ **s**
cerrado miércoles – Com carta 1450 a 2500.

al Sureste 5 km por ② o ③ – ⊠ 02006 Albacete – ✿ 967 :

🏨 **Parador La Mancha** 🦮, ℰ 22 94 50, Fax 22 60 92, ≼, « Conjunto de estilo regional », 🏊, 𝒮𝒳 – 🗐 🅿 – 🕍 🖭 ⓞ 🗲 𝘝𝘐𝘚𝘈. 𝒮𝒳
Com 2500 – 🖵 800 – **70 hab** 5200/6500.

84

S.A.F.E. Neumáticos MICHELIN, Sucursal, Polígono Ind. Campollano, calle C - 23, ⊠ 02080
𝒫 21 74 13 y 21 75 11 por ①

ALFA-ROMEO Fería 19 𝒫 21 08 14
AUSTIN-MG-MORRIS-MINI, FORD   Vereda Santa
Cruz 𝒫 21 07 48
BMW-GENERAL-MOTORS   Alcalde Conangla 40
𝒫 21 31 25
CITROEN Casas Ibañez 21 𝒫 21 51 73
FIAT-LANCIA Comandante Molina 18 𝒫 21 57 33
MERCEDES-BENZ Polígono Ind. Campollano 3 A
av. N 1 𝒫 21 61 61

PEUGEOT-TALBOT carret. de Madrid 80 𝒫 21 03 61
RENAULT   Polígono Ind. Campollano C. 12, 12 𝒫
21 60 61
RENAULT   paseo de la Cuba 19 𝒫 21 71 30
SEAT-AUDI-VOLKSWAGEN Hellin 17 𝒫 22 22 40
SEAT-AUDI-VOLKSWAGEN carret. de Valencia 66
𝒫 23 86 65

ALBA DE TORMES 37800 Salamanca **444** J 13 – 4 106 h. – ☻ 923.

Ver : Iglesia de San Juan (grupo escultórico★).

♦Madrid 191 – Ávila 85 – Plasencia 123 – ♦Salamanca 19.

🏠 **Alameda,** av. Juan Pablo II 𝒫 30 00 31, 🍴 – 🍽 rest ☎ 🅿. ⓓ 🇪 𝘝𝘐𝘚𝘈. 🎕
Com 700 – 🛏 225 – **34 hab** 1800/3000 – P 2900/3200.

🍴 **La Villa,** carret. de Peñaranda 49 𝒫 30 09 85, 🍴 – 🍽. ⓓ 𝘝𝘐𝘚𝘈. 🎕
Com carta 1250 a 1475.

CITROEN carret. de Peñaranda 69 𝒫 30 06 96
FIAT carretera Piedralita 16 𝒫 30 00 96
PEUGEOT-TALBOT carret. de Peñaranda 47 𝒫
30 03 98

RENAULT carret. de Valdemiezque 𝒫 30 02 95
SEAT-TALBOT-VOLKSWAGEN carret. Alba-Peña-
randa 53 𝒫 30 05 18

ALBAIDA 46860 Valencia **445** P 28 – 5 571 h. – ☻ 96.

♦Madrid 381 – ♦Albacete 132 – ♦Alicante 80 – ♦Valencia 82.

🍴 **El Bessó,** av. El Romeral 6 𝒫 239 02 91 – 🍽 𝘝𝘐𝘚𝘈. 🎕
cerrado domingo noche y del 5 al 30 agosto – Com carta 1450 a 2850.

ALBARRACÍN 44100 Teruel **443** y **444** K 25 – 1 068 h. alt. 1 200 – ☻ 974.

Ver : Catedral (tapices★).

♦Madrid 268 – Cuenca 105 – Teruel 38 – ♦Zaragoza 191.

🏠 **Albarracín** 🐾, Azagra 𝒫 71 00 11, ≤, 🍴, 🔟 – 📺 🕿. ⓓ 🇪 𝘝𝘐𝘚𝘈
Com 2050 – 🛏 475 – **42 hab** 4050/7550 – P 7665/7940.

🏠 **Arabía** sin rest, Bernardo Zapater 2 𝒫 71 02 12, ≤ – 📺 🕿. 𝘝𝘐𝘚𝘈
🛏 290 – **11 hab** 4400/4900 y **10 apartamentos.**

🏠 **Mesón del Gallo,** Los Puentes 1 𝒫 71 00 32 – 𝘝𝘐𝘚𝘈
Com 800 – 🛏 275 – **20 hab** 1900/3300 – P 3350/3600.

🏠 **Olimpia,** carret. de Teruel 𝒫 71 00 83 – 𝘝𝘐𝘚𝘈. 🎕
Com 850 – 🛏 300 – **16 hab** 2100/3250 – P 3325/3800.

🍴 El Portal, Portal de Molina 14 𝒫 71 02 90, Decoración castellana.

en la carretera de Teruel NE : 1,5 km – ⊠ 44100 Albarracín – ☻ 974 :

🏠 **Montes Universales,** 𝒫 71 01 58 – 🚗 🅿. 𝘝𝘐𝘚𝘈
Com 800 – 🛏 250 – **18 hab** 2240/2950 – P 3125/3890.

La ALBERCA 37624 Salamanca **444** K 11 – 1 357 h. alt. 1 050 – ☻ 923.

Ver : Pueblo típico★★.

Alred. : S : Carretera de Las Batuecas★ – Peña de Francia ☀★★ O : 15 km.

♦Madrid 299 – Béjar 54 – Ciudad Rodrigo 49 – ♦Salamanca 94.

🏠 **Las Batuecas** 🐾, carret. de las Batuecas 𝒫 43 70 30 – 🚗 🅿. 🇪 𝘝𝘐𝘚𝘈. 🎕 rest
Com 1150 – 🛏 325 – **24 hab** 2400/4100 – P 4250/4500.

🏠 **París** 🐾, San Antonio 𝒫 43 70 56, 🍴 – 📺 🕿 🅿. 🎕
Com 1000 – 🛏 250 – **10 hab** 2400/3500 – P 3650/4300.

🍴 El Castillo 🐾 con hab, carret. de Mozarraz 𝒫 43 74 81, ≤ – 🕿 🚗 🅿
9 hab.

ALBERIQUE 46260 Valencia **445** O 28 – 8 836 h. alt. 28 – ☻ 96.

♦Madrid 392 – ♦Albacete 145 – ♦Alicante 126 – ♦Valencia 41.

en la carretera N 340 S : 3 km – ⊠ 46260 Alberique – ☻ 96 :

🏠 **Balcón del Júcar,** 𝒫 244 00 87, 🍴 – 🚗. 𝘈𝘌 𝘝𝘐𝘚𝘈. 🎕
Com 1160 – 🛏 310 – **15 hab** 1750/2720 – P 3360/3750.

La ALBUFERETA (Playa de) 03000 Alicante – ver Alicante.

Si escribe a un hotel en el extranjero,
adjunte a su carta un cupón-respuesta internacional
(disponible en las oficinas de correos).

ALCALÁ DE CHIVERT 12570 Castellón **445** L 30 – 4 580 h. – 🌣 964 – Playa.

♦Madrid 471 – Castellón de la Plana 49 – Tarragona 134 – Tortosa 73 – ♦Valencia 123.

※ **Jacinto,** carret. N 340 🖉 41 02 86 – 🔳 🅿. 𝘝𝘐𝘚𝘈. ⋇
   cerrado domingo noche – Com carta 1800 a 3200.

CITROEN Baron de Alcahali 🖉 41 02 10
FORD carret. N 340 🖉 41 02 03

RENAULT carret. N 340 🖉 41 01 12
SEAT-AUDI-VOLKSWAGEN carret. N 340 🖉 41 01 90

ALCALÁ DE GUADAIRA 41500 Sevilla **446** T 12 – 45 352 h. – 🌣 954.

♦Madrid 529 – ♦Cádiz 117 – ♦Córdoba 131 – ♦Málaga 193 – ♦Sevilla 14.

🏨 **Oromana** ⤢, pinares de Oromana 🖉 70 08 04, ≤, 🏠, « Edificio de estilo andaluz rodeado
   de pinos », 🛆 – 🔳 🅿 – 🏧. 🆎 ⓪ 🇪 𝘝𝘐𝘚𝘈. ⋇
   Com 2000 – 😅 500 – **30 hab** 5600/7000.

※ **Zambra,** Jardinillo 4 🖉 70 63 24, Pescados y mariscos – 🔳.

RENAULT Barraida Plaza de Toros 🖉 70 19 60

SEAT-AUDI-VOLKSWAGEN Rafael Beca 9 🖉
70 35 12

ALCALÁ DE HENARES 28800 Madrid **444** K 19 – 142 862 h. alt. 588 – 🌣 91.

Ver : Antigua Universidad o Colegio de San Ildefonso (fachada plateresca*) – Capilla de San
Ildefonso (mausoleo* del Cardenal Cisneros).

🏌 Club Valdeláguila SE : 8 km 🖉 885 96 59.

🅱 Callejón de Santa María 1 🖉 889 26 94 – R.A.C.E. av. de Guadalajara 19-2A 🖉 881 66 35.

♦Madrid 31 – Guadalajara 25 – ♦Zaragoza 290.

🏨 **El Bedel,** sin rest, con cafetería, pl. San Diego 6, ⊠ 28801, 🖉 889 37 00 – 🛗 🕿
   51 hab

🏨 **Bari,** via Complutense 112 🖉 888 14 50 – 🛗 🔳 rest 🕿 🅿. ⓪ 🇪 𝘝𝘐𝘚𝘈. ⋇
   Com 1350 – 😅 330 – **49 hab** 2700/4500 – P 4675/5125.

XXX **Hostería del Estudiante,** Colegios 3, ⊠ 28801, 🖉 888 03 30, « Decoración de estilo castellano - claustro del siglo XV » – 🔳. 🆎 ⓪ 🇪 𝘝𝘐𝘚𝘈. ⋇
   Com carta 2800 a 4000.

XX **Oliver's,** paseo de la Estación 15, ⊠ 28807, 🖉 888 22 75 – 🔳.

XX **Topeca,** Mayor 5 - 1° piso, ⊠ 28801, 🖉 888 45 25 – 🔳.

XX **Nuevo Oliver's,** Gallegos 15, ⊠ 28807, 🖉 889 81 14 – 🔳.

※ **La Cúpula,** Santiago 18, ⊠ 28801, 🖉 880 73 91, 🏠, « Instalado en una antigua iglesia » –
   🔳. 🆎 𝘝𝘐𝘚𝘈. ⋇
   cerrado lunes noche – Com carta 1750 a 2250.

※ **Mesón Don José,** Santiago 4, ⊠ 28801, 🖉 881 86 17, 🏠 – 🔳. ⋇
   cerrado miércoles y agosto – Com carta 1125 a 1650.

AUSTIN-ROVER carret. N II km 26,5 🖉 888 59 47
CITROEN carret. N II km 32 🖉 880 10 12
FORD carret. N II km 27,2 🖉 880 00 62
FORD carret. N II km 31,7 🖉 889 17 46
FORD Flores 🖉 888 09 46
GENERAL-MOTORS carret. N II km 32,5 🖉 889 45 12
PEUGEOT-TALBOT carret. N II km 31,5 🖉 888 08 68
RENAULT Marqués de Ibarra 2 🖉 888 19 15
RENAULT Polígono Azque-carret. Daganzo km 3,5
🖉 889 23 89

RENAULT carret. de Pastrana km 1,2 🖉 889 78 88
RENAULT av. Juan de Austria 24 🖉 889 49 60
SEAT-AUDI-VOLKSWAGEN vía Complutense 98
🖉 888 13 10
SEAT-AUDI-VOLKSWAGEN Parque Falcón 🖉
889 93 14
SEAT-AUDI-VOLKSWAGEN Puerta del Vado 3 🖉
881 64 50

ALCALÁ DE LOS GAZULES 11180 Cádiz **446** W 12 – 5 879 h. – 🌣 956.

♦Madrid 646 – Algeciras 67 – ♦Cádiz 66 – Ronda 101 – ♦Sevilla 138.

🏨 **Pizarro,** paseo de la Playa 9 🖉 42 01 03 – 𝘝𝘐𝘚𝘈. ⋇
   Com 1200 – 😅 200 – **15 hab** 1250/2500 – P 4000.

ALCANAR 43530 Tarragona **443** y **445** K 31 – 7 973 h. alt. 72 – 🌣 977 – Playa.

♦Madrid 507 – Castellón de la Plana 85 – Tarragona 101 – Tortosa 37.

en Cases d'Alcanar NE : 4,5 km – ⊠ 43569 Cases d'Alcanar – 🌣 977 :

※ El Pescador, Lepanto 5 🖉 73 70 93, ≤, 🏠, Pescados y mariscos.

※ **Racó del Port,** Lepanto 41 🖉 73 70 50, 🏠, Pescados y mariscos – 𝘝𝘐𝘚𝘈. ⋇
   cerrado del 14 al 30 noviembre – Com carta 1600 a 2350.

en la carretera N 340 NE : 6 km – 🌣 977 :

🏨 **Biarritz** sin rest, ⊠ apartado 17 Vinaroz, 🖉 73 70 25, ≤, 🛆 – 🕿 🅿. 🆎 ⓪. ⋇
   15 junio-15 septiembre – 😅 350 – **24 hab** 2300/3500.

CITROEN Balsa 19 🖉 73 08 53
PEUGEOT-TALBOT carret. de la Estación 🖉 73 03 25
RENAULT Ronda del Remedio 18 🖉 73 00 68

SEAT-AUDI-VOLKSWAGEN Ronda del Remedio 43
🖉 73 02 40

ALCANTARILLA 30820 Murcia 𝟒𝟱 S 26 – 24 406 h. – ✆ 968.

♦Madrid 397 – ♦Granada 276 – ♦Murcia 7.

※ **Mesón de la Huerta,** carret. N 340 ℰ 80 23 90, 斎, Mesón típico – 🗏 🅿 ⑩ 🄴 𝐕𝐈𝐒𝐀 ⅍
Com carta 1700 a 2650.

en la carretera N 340 SO : 5 km – ✉ 30820 Alcantarilla – ✆ 968 :

🏨 **La Paz,** ℰ 80 13 37, 斎, ⤼ – 🗏 ☎ ⇦⇨ 🅿 – ⚐ . 🄰🄴 🄴 𝐕𝐈𝐒𝐀 . ⅍
Com 950 – ⊐ 425 – **40 hab** 4500 – P 5775.

CITROEN Príncipe 5 ℰ 80 18 81	RENAULT carret. de Granada 5 ℰ 80 10 64
FORD Mayor 106 ℰ 80 50 52	SEAT-AUDI-VOLKSWAGEN Calvo Sotelo 19 ℰ 80 12 12
PEUGEOT-TALBOT carret. de Lorca 17 ℰ 80 11 69	
PEUGEOT-TALBOT av. Martínez Campos 31 ℰ 80 03 74	

ALCANICES 49500 Zamora 𝟒𝟭 G 11 – ver aduanas p. 14 y 15.

ALCAÑIZ 44600 Teruel 𝟒𝟯 I 29 – 11 639 h. alt. 338 – ✆ 974 – Plaza de toros.

Ver : Colegiata (portada★).

♦Madrid 397 – Teruel 156 – Tortosa 102 – ♦Zaragoza 103.

🏨 **Parador La Concordia** 🦢, castillo de los Calatravos ℰ 83 04 00, Fax 83 03 66, ⩽ valle y colinas cercanas, « Bonito edificio medieval » – 🛗 🗏 🅿 . 🄰🄴 ⑩ 🄴 𝐕𝐈𝐒𝐀 . ⅍
Com 2500 – ⊐ 800 – **12 hab** 7200/9000.

🏠 **Senante,** carret. de Zaragoza 13 ℰ 83 05 50 – 🗏 rest ☎ 🅿 – ⚐ . 🄴 𝐕𝐈𝐒𝐀 . ⅍
cerrado del 1 al 7 enero – Com *(cerrado domingo noche)* 850 – ⊐ 400 – **29 hab** 2040/3780 – P 3590/3740.

🏠 **Meseguer,** carret. de Castellón ℰ 83 10 02 – 🗏 ☎
24 hab.

AUSTIN-MG-MORRIS-MINI-MERCEDES Ronda Castelseros 4 ℰ 83 07 77	OPEL carret. Zaragoza 59 ℰ 83 12 66
CITROEN carret. Zaragoza 3 ℰ 83 09 11	PEUGEOT-TALBOT carret. Zaragoza 51 ℰ 83 02 14
FORD carret. Zaragoza 7 ℰ 83 10 41	RENAULT av. Maestrazgo ℰ 83 14 90
NISSAN camino av. Estanca 4 ℰ 83 07 20	SEAT-AUDI-VOLKSWAGEN av. Maestrazgo 4 ℰ 83 09 86

ALCÁZAR DE SAN JUAN 13600 Ciudad Real 𝟒𝟰 N 20 – 25 185 h. alt. 651 – ✆ 926 – Plaza de toros.

♦Madrid 149 – ♦Albacete 147 – Aranjuez 102 – Ciudad Real 87 – Cuenca 156 – Toledo 99.

🏨 **Don Quijote y Rest. Sancho,** av. de Criptana 5 ℰ 54 38 00 – 🛗 🗏 📺 ☎ ⇦⇨ . 🄰🄴 ⑩ 🄴 𝐕𝐈𝐒𝐀 . ⅍ rest
Com *(cerrado domingo y festivos noche)* 1000 – ⊐ 350 – **44 hab** 3500/5500 – P 4900/5650.

🏠 Aldonza , sin rest, av. Álvarez Guerra 28 ℰ 54 15 54 – 🛗 ☎
28 hab.

※※ **Casa Paco,** av. Álvarez Guerra 5 ℰ 54 10 15 – 🗏 . 𝐕𝐈𝐒𝐀 . ⅍
Com carta 1500 a 2800.

※ **La Mancha,** av. de la Constitución ℰ 54 10 47, Cocina regional – 🗏 . 𝐕𝐈𝐒𝐀 . ⅍
cerrado miércoles y 29 julio-29 agosto – Com carta 1250 a 2050.

en la carretera de Herencia O : 2 km – ✉ 13600 Alcázar de San Juan – ✆ 926 :

🏨 **Barataria,** ℰ 54 06 17 – 🗏 📺 ☎ 🅿 – ⚐ . 🄴 𝐕𝐈𝐒𝐀 . ⅍
Com 800 – ⊐ 150 – **37 hab** 2500/4000 – P 4250/7500.

ALFA-ROMEO av. de Quero 50 ℰ 54 31 82	PEUGEOT-TALBOT av. de Campo de Criptana 32 ℰ 54 06 26
CITROEN av. Herencia 28 ℰ 54 00 37	RENAULT av. de Herencia ℰ 54 06 00
FIAT-LANCIA Religiosos Maritrel 1 ℰ 54 31 84	SEAT-AUDI-VOLSKWAGEN General Alcañiz 16 ℰ 54 07 38
FORD carret. Córdoba-Tarragona ℰ 54 59 62	
OPEL-GENERAL MOTORS carret. Córdoba-Tarragona km 186 ℰ 54 50 08	

Los ALCÁZARES 30710 Murcia 𝟒𝟱 S 27 – ✆ 968 – Playa.

🄱 av. Julio Luis Melero ℰ 57 40 44.

♦Madrid 444 – ♦Alicante 85 – Cartagena 25 – ♦Murcia 54.

🏨 **Corzo,** av. Aviación Española 8 ℰ 57 51 25, Telex 67364 – 🛗 🗏 ☎ ⇦⇨ – ⚐ . 🄰🄴 ⑩ 🄴 𝐕𝐈𝐒𝐀 . ⅍
Com 1750 – ⊐ 400 – **50 hab** 4300/6500 – P 6250/7300.

In questa guida
uno stesso simbolo, uno stesso carattere
stampati in rosso o in **nero**, in magro o in **grassetto**
hanno un significato diverso.
Leggete attentamente le pagine esplicative (p. 36 a 43).

🏨 🏨

Karte **25**/45

ALCIRA o **ALZIRA** 46600 Valencia 𝟒𝟒𝟓 O 28 – 37 446 h. alt. 24 – ✪ 96.
♦Madrid 387 – ♦Albacete 153 – ♦Alicante 127 – ♦Valencia 39.

🏨 **Alzira** sin rest, av. Santos Patronos 36 ✆ 241 11 08 – 🔲 📺 ☜. 🆎 ⓞ 🇪 𝑽𝑰𝑺𝑨
⌑ 325 – **19 hab** 3400/4900.

✕ Kary, pl. Mayor 46 ✆ 241 00 07 – 🔲.

CITROEN Sagunto 50 ✆ 241 48 30
FORD av. Joanot Martorell 19-21 ✆ 241 21 00
GENERAL MOTORS Virgen de la Murta 8 ✆ 241 71 61

PEUGEOT-TALBOT av. Joanot Martorell 27 ✆ 241 23 51
RENAULT av. Joanot Martorell 23 ✆ 241 20 11
SEAT-AUDI-VOLKSWAGEN av. Joanot Martorell 25 ✆ 241 24 11

ALCOCÉBER 12579 Castellón 𝟒𝟒𝟓 L 30 – ✪ 964 – Playa.
♦Madrid 471 – Castellón de la Plana 49 – Tarragona 139.

en la playa – ✉ 12579 Alcocéber – ✪ 964 :

🏨 **Aparthotel Jeremías-Romana** ⬙, S : 1,5 km ✆ 41 08 31, ≤, 🏛, ✕ – 🛗 ☜ ⇦ 🅿. 🆎 ⓞ 🇪 𝑽𝑰𝑺𝑨. ⚘
Com 1500 – ⌑ 500 – **39 hab** 6000.

🏨 **Jeremías** ⬙, S : 1 km ✆ 41 02 60, 🏛, ✕ – 🔲 rest 🅿. 🆎 ⓞ 🇪 𝑽𝑰𝑺𝑨. ⚘
marzo-octubre – Com 1500 – **38 hab** ⌑ 1900/3400 – P 4650/4850.

✕ **Can Roig**, S : 3 km, 🏛 – 🆎 🇪 𝑽𝑰𝑺𝑨. ⚘
cerrado martes y 15 noviembre-15 marzo – Com carta 1960 a 2270.

hacia la carretera N 340 NO : 2 km – ✉ 12579 Alcocéber – ✪ 964 :

🏨 **Hostal d'El Tossalet** sin rest, ✆ 41 44 69, ≤, ⌁, ✕ – 🅿. ⚘
junio-septiembre – ⌑ 190 – **16 hab** 1600/3250.

ALCORISA 44550 Teruel 𝟒𝟒𝟑 J 28 – 2 999 h. – ✪ 974.
♦Madrid 349 – ♦Lérida/Lleida 179 – Teruel 122 – ♦Zaragoza 109.

☏ **Los Arcos**, pl. de los Arcos 6 ✆ 84 02 96 – ⚘
Com 1000 – ⌑ 190 – **18 hab** 1900/3000 – P 3150/3600.

SEAT-AUDI-VOLKSWAGEN Marqués de Lema 101 ✆ 84 00 15

ALCOY 03803 Alicante 𝟒𝟒𝟓 P 28 – 65 908 h. alt. 545 – ✪ 96.
Ver : Emplazamiento★.
Alred. : Puerto de la Carrasqueta★ S : 15 km.
♦Madrid 405 – ♦Albacete 156 – ♦Alicante 55 – ♦Murcia 136 – ♦Valencia 110.

🏨 **Reconquista y Rest. La Terraza,** puente de San Jorge 1 ✆ 533 09 00, ≤ – 🛗 🔲 rest ☎ ⇦ – 🛡. 🆎 ⓞ 🇪 𝑽𝑰𝑺𝑨. ⚘ rest
Com *(cerrado domingo)* 850 – ⌑ 455 – **77 hab** 4250/6050.

✕ **Lolo,** Castalla 5 ✆ 533 69 42 – 🔲. 🆎 𝑽𝑰𝑺𝑨. ⚘
cerrado lunes – Com carta 1330 a 2450.

Ver también : *Cocentaina.*

CITROEN Polígono Cotes Baixes B 1 ✆ 533 05 22
FORD av. de Elche 38 ✆ 554 40 44
MERCEDES-BENZ av. de Alicante 47 ✆ 554 40 55
PEUGEOT-TALBOT carret. de Valencia km 136 ✆ 559 16 16

RENAULT prolongación carret. de Alicante 68 ✆ 54 02 88

ALCOZ 31797 Navarra 𝟒𝟒𝟐 C y D 24 – alt. 588 – ✪ 948.
♦Madrid 425 – ♦Bayonne 94 – ♦Pamplona 30.

✕ **Anayak** ⬙ con hab, San Esteban ✆ 30 50 05 – 🅿. 🆎 ⓞ 🇪 𝑽𝑰𝑺𝑨. ⚘
cerrado 15 septiembre-10 octubre – Com carta 1400 a 1700 – ⌑ 200 – **10 hab** 950/2500 – P 2825/3125.

ALCUDIA DE CARLET o **L'ALCUDIA** 46250 Valencia 𝟒𝟒𝟓 O 28 – 10 016 h. – ✪ 96.
♦Madrid 362 – Albacete 153 – ♦Alicante 134 – ♦Valencia 33.

✕✕ **Galbis**, av. Antonio Almela 15 ✆ 254 10 93 – 🔲. 🆎 ⓞ 🇪 𝑽𝑰𝑺𝑨. ⚘
cerrado domingo y agosto – Com carta 2300 a 3000.

FORD av. Antonio Almela 69 ✆ 254 05 13

SEAT-AUDI-VOLKSWAGEN av. Antonio Almela 65 ✆ 254 12 60

Donnez-nous votre avis sur les restaurants que nous recommandons,
leurs spécialités, leurs vins de pays.

ALDEANUEVA DE LA VERA 10440 Cáceres **444** L 12 – 2 558 h. – ✪ 927.

♦Madrid 217 – Ávila 149 – ♦Cáceres 128 – Plasencia 49.

⌂ **Chiquete,** Extremadura 3 ℰ 56 08 62 – 🍽 rest. ❄
Com 700 – ☲ 140 – **16 hab** 1200/2200 – P 2500/3500.

ALELLA 08328 Barcelona **443** H 36 – 3 386 h. – ✪ 93.

♦Madrid 641 – ♦Barcelona 15 – Granollers 16.

❊❊ ✿ **Niu,** rambla Angel Guimerá 14 (interior) ℰ 555 17 00, ☂ – 🍽 🍽 ⁂ ⓞ Ε ⁂ . ❄
cerrado martes y 28 agosto-15 septiembre – Com carta 1950 a 2950
Espec. Vieiras con setas (temporada), Cabrito al horno, Lubina al perfume de albahaca.

ALFAJARIN 50172 Zaragoza **443** H 27 – 1 283 h. alt. 199 – ✪ 976.

♦Madrid 342 – ♦Lérida/Lleida 129 – ♦Zaragoza 23.

por la carretera N II y carretera particular E : 3 km – ✉ 50172 Alfajarín – ✪ 976 :

🏨 Casino Montesblancos Ⓜ ⁂, ℰ 10 00 04, Telex 58311, ☂, ⊒, ❊ – 🛗 🍽 📺 ☎ ⓟ – 🅰
37 hab.

ALFARO 26540 La Rioja **442** F 24 – 8 824 h. alt. 301 – ✪ 941 – Plaza de toros.

♦Madrid 319 – ♦Logroño 78 – ♦Pamplona 81 – Soria 93 – ♦Zaragoza 102.

🏨 **Palacios,** carret. N 232 ℰ 18 01 00, Telex 37003, Fax 18 30 66, Museo del vino de Rioja, ⊒,
☂, ❊ – 🛗 🍽 rest ⊜ ⓟ – 🅰 . ⁂ ⓞ Ε ⁂
Com 850 – ☲ 375 – **86 hab** 2950/4150.

CITROEN Ramón Almazán ℰ 18 02 96	PEUGEOT-TALBOT carret. de Zaragoza km 70,2 ℰ 18 01 56
FIAT carret. de Zaragoza ℰ 18 09 25	
FORD carret. de Zaragoza 98 ℰ 18 29 30	RENAULT carret. de Zaragoza ℰ 18 01 51
MERCEDES carret. de Zaragoza ℰ 18 01 61	SEAT-AUDI-VOLKSWAGEN carret. de Zaragoza ℰ 18 00 65
OPEL carret. de Zaragoza ℰ 18 03 31	

If you are thinking of staying in a Parador
or in a very quiet secluded hotel, we suggest that you reserve,
especially during the tourist season.

ALFAZ DEL PI 03580 Alicante **445** Q 29 – 3 503 h. alt. 80 – ✪ 96.

♦Madrid 468 – ♦Alicante 50 – Benidorm 7.

🏨 **Niza,** La Ferreria 15 ℰ 588 80 29 – ❄ rest
abril-octubre – Com (sólo en verano) 860 – ☲ 290 – **24 hab** 1890/3420 – P 3420/3610.

en la carretera de Valencia N 332 E : 3 km – ✉ 03580 Alfaz del Pi – ✪ 96 :

❊ **L'Entrecot,** ℰ 588 75 07, ☂ – ⓟ. Ε ⁂ . ❄
abril-octubre – Com *(cerrado martes)* carta 1625 a 2400.

CITROEN Príncipes de España ℰ 588 82 17   SEAT-AUDI-VOLKSWAGEN carret. Alicante-Valencia km 127 ℰ 88 82 99

ALGAIDA 07210 Baleares – ver Baleares (Mallorca).

El ALGAR 30366 Murcia **445** T 27 – ✪ 968.

♦Madrid 457 – ♦Alicante 95 – Cartagena 15 – ♦Murcia 64.

❊ **José María Los Churrascos,** av. Filipinas 13 ℰ 56 10 30, ☂ – 🍽 . ⁂ ⓞ ⁂ . ❄
cerrado martes y del 20 al 30 noviembre – Com carta 1700 a 2500.

ALGECIRAS 11200 Cádiz **446** X 13 – 86 042 h. – ✪ 956 – Playa – Plaza de toros.

Ver : ≼⋆⋆.

Alred. : Carretera⋆ de Algeciras a Ronda por ①.

🛫 ℰ 65 49 07.

🛳 para Tánger, Ceuta y Canarias : Cia. Trasmediterránea, Recinto del Puerto ℰ 66 38 50, Telex 78002.

🅸 Juan de la Cierva ℰ 60 09 11.

♦Madrid 681 ① – ♦Cádiz 124 ② – Jerez de la Frontera 141 ② – ♦Málaga 133 ① – Ronda 102 ①.

Plano página siguiente

🏨 **Reina Cristina** ⁂, paseo de la Conferencia, ✉ 11207, ℰ 60 26 22, Telex 78057, Fax 60 33 23,
☂, « En un parque », ⊒, ⊒, ☂, ❊ – 🛗 🍽 ☎ ⓟ – 🅰 . ⁂ ⓞ Ε ⁂ . ❄ rest   AZ **k**
Com 2000 – ☲ 1200 – **139 hab** 7100/11350.

🏨 Octavio , sin rest, San Bernardo 1, ✉ 11207, ℰ 65 27 00 – 🛗 🍽 ☎ ⟷   BZ **h**
80 hab.

🏨 **Al-Mar,** av. de la Marina 2, ✉ 11201, ℰ 65 46 61, Telex 78181, Fax 65 45 01, ≼ – 🛗 🍽 rest ☎
⟷ . ⁂ ⓞ Ε ⁂ . ❄ hab   BZ **v**
Com 1300 – ☲ 825 – **192 hab** 3600/6835.

sigue →

ALGECIRAS

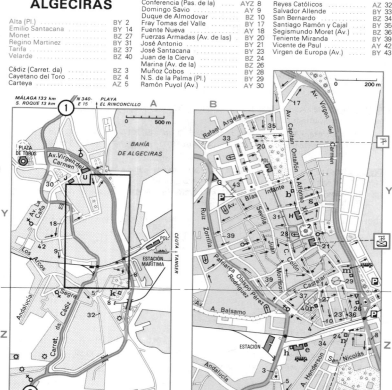

Per usare bene le piante di città, vedere i segni convenzionali a p. 47.

Alarde sin rest, Alfonso XI - 4, ⊠ 11201, ℰ 66 04 08, Telex 78009 – 🛗 ☎. 🆎 ⓞ 🇪 𝗩𝗜𝗦𝗔 ⚭ ⊡ 425 – **68 hab** 3350/6200. — BY **b**

Anglo-Hispano, Villanueva 7, ⊠ 11207, ℰ 60 01 00 – 🆎 🇪 𝗩𝗜𝗦𝗔 ⚭ rest
Com (sólo cena) 800 – ⊡ 250 – **30 hab** 4025. — BZ **n**

El Estrecho sin rest y sin ⊡, av. Virgen del Carmen 15 - 7° piso, ⊠ 11201, ℰ 65 35 11, ← – 🛗 ☎. 🆎 ⚭
20 hab 2100/2750. — BY **m**

Iris, San Bernardo 1 - 1° piso, ⊠ 11207, ℰ 65 58 06 – 🍴. 🆎 ⓞ 𝗩𝗜𝗦𝗔
Com carta 1675 a 2550. — BZ **e**

Marea Baja, Trafalgar 2, ⊠ 11201, ℰ 66 36 54, Pescados y mariscos – 🍴. 🆎 ⓞ 🇪 𝗩𝗜𝗦𝗔 ⚭
Com carta 2020 a 2850. — BY **s**

Pazo de Edelmiro, pl. Miguel Martín 1, ⊠ 11201, ℰ 66 63 55 – 🍴. 𝗩𝗜𝗦𝗔 ⚭
Com carta 1500 a 2150. — BZ **r**

en la carretera N 340 por ① : 7,5 km – ⊠ 11370 Los Barrios – ✆ 956 :

Guadacorte, sin rest, ℰ 66 45 00, ⋽, 🐎, ⚒ – 🛗 ☎ ⓟ
118 hab.

Encajuan, ℰ 66 45 00 – ⓟ.

en la playa de Palmones por ① : 8 km – ⊠ 11379 Palmones – ✆ 956 :

La Posada del Terol ⚲ sin rest, ℰ 66 15 50, ←, ⋽ – 🛗 ☎
⊡ 275 – **24 hab** 4355/7985.

ALFA ROMEO   Doña Casilda 9 ♪ 65 42 62
AUSTIN-MG-MORRIS-MINI   av. Virgen del Carmen 32 ♪ 66 50 50
BMW   carret. Málaga km 109 - Los Pinos ♪ 65 65 38
CITROEN   carret. N 340 km 108,4 (Los Pinares) ♪ 66 35 12
FIAT-LANCIA   carret. de Málaga 21 ♪ 66 37 98
FORD   carret. Málaga - Los Pinares ♪ 66 24 50
GENERAL MOTORS   carret. Málaga km 109 - Los Pinos ♪ 66 91 13

MERCEDES BENZ   carret. de Málaga km 109 ♪ 66 16 75
PEUGEOT-TALBOT   urb. Da. Casilda (Las Colinas) ♪ 66 01 74
RENAULT   av. Virgen del Carmen 30 ♪ 66 12 00
SEAT-AUDI-VOLKSWAGEN   av. Virgen del Carmen 36 ♪ 66 00 08

ALGORTA o **GETXO** 48990 Vizcaya 𝟒𝟒𝟐 B 21 – ☺ 94 – Playa.

☛ de Neguri NO : 2 km ♪ 469 02 00.

♦Madrid 414 – ♦Bilbao 15.

🏠 **Los Tamarises,** playa de Ereaga ♪ 469 00 50, Telex 31534, Fax 469 00 58, ≤, 🍽, Pequeño museo del vino de Rioja – 🛗 🍴 rest 📺 ☎, 🅰🅴 ⓸ 🅴 𝗩𝗜𝗦𝗔. 🦷
Com 2500 – ⊂⊃ 500 – **42 hab** 6500/11000.

XX **Cubita,** puerto Viejo ♪ 469 50 28, ≤ – 🍽 🅿. 🅰🅴 ⓸ 🅴 𝗩𝗜𝗦𝗔. 🦷
cerrado miércoles y del 1 al 25 agosto – Com carta 2300 a 3800.

X **La Ola,** playa de Ereaga ♪ 469 50 00, ≤.

en Neguri E : 2 km – ⊠ 48990 Neguri – ☺ 94 :

XXX **Jolastoki,** av. Los Chopos ♪ 469 30 31, 🍽, « Bonita villa con agradable terraza - Decoración elegante », 🌳 – 🍽 🅿. 🅰🅴 ⓸ 🅴 𝗩𝗜𝗦𝗔. 🦷
cerrado domingo noche, lunes, Semana Santa y agosto – Com carta 3500 a 4050.

CITROEN   av. Algortako 71 ♪ 460 00 00
PEUGEOT-TALBOT   Amesti 7 ♪ 469 12 46
RENAULT   Kasune 27 ♪ 469 32 24

SEAT-AUDI-VOLKSWAGEN   Barrio de Villamonte A-6 ♪ 469 06 13

Cuando los nombres de los hoteles y restaurantes
figuran en letras gruesas,
significa que los hoteleros nos han señalado todos sus precios
comprometiéndose a aplicarlos a los turistas de paso
portadores de nuestra guía.
Estos precios establecidos a finales del año 1988
son, no obstante, susceptibles de variación
si el coste de la vida sufre alteraciones importantes.

ALHAMA DE ARAGÓN 50230 Zaragoza 𝟒𝟒𝟑 I 24 – 1 472 h. alt. 634 – ☺ 976 – Balneario.

♦Madrid 206 – Soria 99 – Teruel 166 – ♦Zaragoza 115.

🏠 Baln. Termas Pallarés, General Franco 20 ♪ 84 00 11, « Hermoso estanque de agua termal en un gran parque », ⏋ de agua termal, 🦷 – ☎ 🅿
143 hab.

en la carretera N II O : 1 km – ⊠ 50230 Alhama de Aragón – ☺ 976 :

X Villa Robledo, ♪ 84 02 70 – 🍽 🅿.

Ver también : **Piedra (Monasterio de)** SE : 17 km.

ALHAMA DE GRANADA 18120 Granada 𝟒𝟒𝟔 U 17 18 – 5 839 h. alt. 960 – ☺ 958 – Balneario.

Ver : Emplazamiento★★.

♦Madrid 483 – ♦Córdoba 158 – ♦Granada 54 – ♦Málaga 82.

🏠 **Balneario** 🦷, N : 3 km por carretera de Granada ♪ 35 00 11, En un parque, ⏋ de agua termal – 🛗 ☎ 🅿. 🦷
10 junio-10 octubre – Com 1750 – **116 hab** 2450/5000 – P 5550/5600.

ALICANTE 03000 ℙ 𝟒𝟒𝟓 Q 28 – 251 387 h. – ☺ 96 – Playa - Plaza de toros.

Ver : Explanada de España★ BCZ – Castillo de Santa Bárbara ≤★ CY.

✈ de Alicante por ② : 12 km ♪ 528 50 11 – Iberia : paseo de Soto 9, ⊠ 03001, ♪ 520 60 00 BYZ.

🚂 ♪ 522 50 47.

🛈 Explanada de España 2, ⊠ 03002, ♪ 521 22 85 y Portugal 17, ⊠ 03003, ♪ 522 38 02 – R.A.C.E. Orense 3, ⊠ 03003, ♪ 522 93 49.

♦Madrid 417 ③ – ♦Albacete 168 ③ – Cartagena 110 ② – ♦Murcia 81 ② – ♦Valencia (por la costa) 174 ①.

91

ALICANTE

🏨 **Meliá Alicante**, playa de El Postiguet, ⊠ 03001, ℰ 520 50 00, Telex 66131, ≤, 🔁 climatizada – 📶 🖭 📺 ☎ 🅿 – 🔥　　　CZ **r**
545 hab.

🏨 **Gran Sol** sin rest, con cafetería, rambla Méndez Núñez 3, ⊠ 03002, ℰ 520 30 00, ≤ – 📶 🖭 📺 🐎 🗜 📧 ☰ 𝑉𝐼𝑆𝐴. 🛠　BZ **a**
🖭 550 – **150 hab** 5500/9500.

🏨 **Maya y Rest. Mayapan**, Canónigo Manuel Penalva, ⊠ 03013, ℰ 526 12 11, Telex 63308, 🔁 – 📶 🖭 📺 ☎ 🐎 🅿 – 🔥 📧 ⑩ 𝑬 𝑉𝐼𝑆𝐴. 🛠 rest
Com 1150 – 🖭 500 – **200 hab** 5600/7000. por ①

🏨 **Leuka** sin rest, con cafetería, Segura 23, ⊠ 03004, ℰ 520 27 44, Telex 66272, Fax 521 95 58 – 📶 🖭 ☎ 🐎 – 🔥. 📧 ⑩ 𝑬 𝑉𝐼𝑆𝐴. 🛠　AY **h**
🖭 385 – **108 hab** 3460/6060.

🏨 **Resid. Palas** sin rest, pl. Ayuntamiento 6, ⊠ 03002, ℰ 520 66 90 – 📶 🖭 ☎ 🐎. 📧 ⑩ 𝑬 𝑉𝐼𝑆𝐴　　　CYZ **k**
🖭 380 – **53 hab** 4425/7075.

🏨 **Palas,** Cervantes 5, ⊠ 03002, ℰ 520 92 11, 🐎 – 📶 🐎. 📧 ⑩ 𝑬 𝑉𝐼𝑆𝐴. 🛠 rest　　　CYZ **e**
cerrado noviembre – Com 1540 – 🖭 380 – **49 hab** 4350/6950 – P 6135/7010.

🏨 **Covadonga** sin rest, pl. de los Luceros 17, ⊠ 03004, ℰ 520 28 44 – 📶 🐎 🐎. 📧 ⑩ 𝑬 𝑉𝐼𝑆𝐴. 🛠　　　BY **d**
🖭 330 – **83 hab** 2800/4500.

🏨 **Cristal** sin rest, López Torregrosa 11, ⊠ 03002, ℰ 520 96 00 – 📶 🖭 🐎. 📧 ⑩ 𝑬 𝑉𝐼𝑆𝐴
🖭 325 – **54 hab** 2875/4775.
BY **z**

🏨 **C.O.F.** sin rest, Gravina 9, ⊠ 03002, ℰ 521 07 00 – 📶 🖭 🐎 – 🔥. 𝑬 𝑉𝐼𝑆𝐴. 🛠　　　CY **r**
🖭 475 – **46 hab** 4350/6000.

🏨 **La Reforma** sin rest, Reyes Católicos 7, ⊠ 03003, ℰ 522 21 47 – 📶 📺 ☎ 🐎. 📧 ⑩ 𝑬 𝑉𝐼𝑆𝐴　　　BZ **h**
🖭 350 – **54 hab** 2950/5200.

🏨 **Cervantes** , sin rest, Pascual Pérez 19, ⊠ 03001, ℰ 520 99 10 – 📶 🐎　　　BY **p**
30 hab.

🏨 **Maisonnave** sin rest, av. Maisonnave 5 - 1° piso, ⊠ 03003, ℰ 522 58 45 – 📶 🐎. 📧 ⑩ 𝑬 𝑉𝐼𝑆𝐴. 🛠　　　BZ **q**
🖭 300 – **40 hab** 2000/3500.

XXX ✤ **Delfín,** explanada de España 12 - 1° piso, ⊠ 03001, ℰ 521 49 11, ≤, 🛖, Decoración moderna – 🗐. 📧 ⑩ 𝑬 𝑉𝐼𝑆𝐴. 🛠　　　BZ **y**
Com carta 3200 a 4300
Espec. Ensalada tibia de paloma y foie-gras a la vinagreta de trufas, Arroz con atún y conejo, Tulipán de fresas con crema de limón.

XXX **Curricán,** Canalejas 1, ⊠ 03001, ℰ 514 08 18 – 🗐. 📧 ⑩ 𝑬 𝑉𝐼𝑆𝐴. 🛠　　　BZ **r**
cerrado domingo y lunes noche – Com carta 2175 a 3300.

XX **Nou Manolín,** Villegas 3, ⊠ 03001, ℰ 520 03 68, Interesante vinoteca – 🗐. 📧 ⑩ 𝑉𝐼𝑆𝐴 🛠　　　BY **m**
Com carta 1850 a 3625.

Alfonso el Sabio (Av. de) . . . . BY
Constitución (Av. de la) . . . BY 5
Mayor . . . . CY
Méndez Núñez
 (Rambla) . . . . BYZ

Ayuntamiento (Pl. del) . . . CY 2
Calvo Sotelo (Pl.) . . . . BZ 3
Castaños . . . . BYZ 4
Elche (Portal de) . . . . BZ 6

Gabriel Miró (Pl. de) . . . . BZ 7
General Goded . . . . BY 8
Jijona (Av. de) . . . . BY 9
Juan Bautista Lafora
 (Av. de) . . . . CY 10
López Torregrosa . . . . . . BY 12
Montañeta (Pl. de la) . . . . BZ 13
Poeta Carmelo Calvo
 (Av.) . . . . BY 15
Puerta del Mar (Pl.) . . . . CZ 16
Rafael Altamira . . . . CZ 18
Ramiro (Pas.) . . . . CY 19
San Fernando . . . . BCZ 20

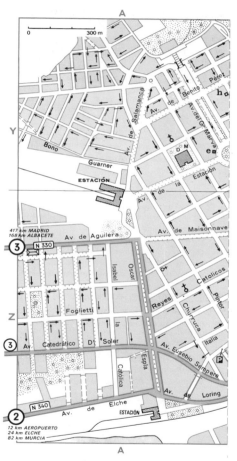

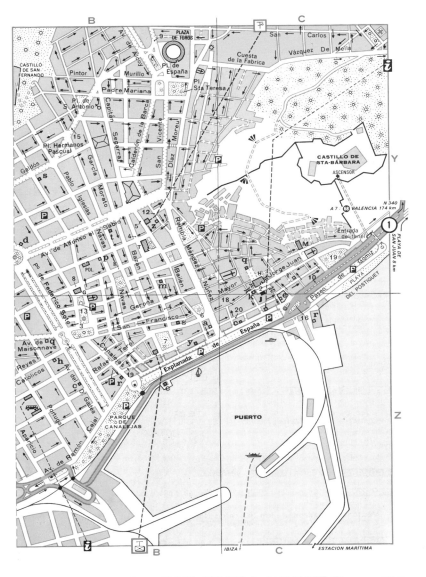

XX **Dársena,** muelle del Puerto, ⊠ 03001, ☎ 520 75 89, ≼ – 🍴. 🄰🄴 ⊙ 🄴 *VISA*. 🛠 BZ **e**
cerrado domingo noche y lunes – Com carta 2000 a 2700.

XX **Jumillano,** César Elguezábal 62, ⊠ 03001, ☎ 521 29 64 – 🍴. 🄰🄴 ⊙ 🄴 *VISA*. 🛠 BY **t**
cerrado domingo – Com carta 2350 a 3200.

XX **Machichaco,** Belando 30, ⊠ 03004, ☎ 520 41 32, Cocina vasca – 🍴. 🄰🄴 ⊙ 🄴 *VISA*. 🛠 BY **s**
cerrado domingo y del 10 al 31 agosto – Com carta 2500 a 2900.

XX **Quo Vadis,** pl. Santísima Faz 3, ⊠ 03002, ☎ 521 66 60, 🌁, Decoración rústica – 🍴. 🄰🄴 ⊙ CY **q**
🄴 *VISA*. 🛠
Com carta 1825 a 3070.

sigue →

※ **China**, av. Dr. Gadea 11, ⊠ 03003, ℰ 522 15 74, Rest. chino – ≣. ᴀᴇ **E** *VISA*. ⅍　BZ **c**
Com carta 990 a 1840.

※ **Il Piccolo**, pl. de los Luceros 12, ⊠ 03005, ℰ 522 20 46, Telex 66183, Fax 514 02 45 – ≣. ᴀᴇ ⓞ **E** *VISA*　　　　　AY **e**
cerrado domingo y agosto – Com carta 2575 a 3150.

※ **La Goleta**, explanada de España 8, ⊠ 03002, ℰ 521 43 92, 🍽 – ≣. ᴀᴇ ⓞ **E** *VISA*. ⅍　CY **c**
cerrado miércoles – Com carta 1900 a 2850.

※ **Rincón Castellano**, Manero Mollá 12, ⊠ 03001, ℰ 521 90 02, 🍽 – ≣. ᴀᴇ **E** *VISA*　　BZ **s**
cerrado jueves – Com carta 1240 a 1870.

en la carretera de Valencia por ① : 3,5 km – ✪ 96 :

🏨 **Europa**, av. de Denia, ⊠ 03015, ℰ 526 12 55, ⤓ – 🛗 ≣ 📺 ☎ ⇔ Ⓟ – 🛂 ᴀᴇ **E** *VISA*.
⅍ rest
Com carta 1900 a 2800 – **140 hab** 4000/6000.

※※ **La Piel del Oso**, Vistahermosa, ⊠ 03016, ℰ 526 06 01 – ≣ Ⓟ. ᴀᴇ ⓞ **E** *VISA*. ⅍
cerrado lunes – Com carta 2350 a 3350.

※ **Marco Polo**, Vistahermosa, ⊠ 03015, ℰ 526 18 31, 🍽, Cocina franco-belga – ≣ Ⓟ. ᴀᴇ ⓞ
E *VISA*
cerrado 22 agosto-12 septiembre, del 10 al 20 febrero y jueves salvo en verano – Com carta 1575 a 2675.

en la playa de la Albufereta (por la costa) por ① – ⊠ 03016 Alicante – ✪ 96 :

🏨 **Adoc** sin rest, con cafetería, 4 km ℰ 526 59 00, ≼, ⤓, 🎱, ⅍ – 🛗 ≣ ☎. ᴀᴇ ⓞ *VISA*. ⅍
⊆ 450 – **93 hab** 5000/6600.

※※ **Auberge de France**, Finca Las Palmeras : 5 km ℰ 526 06 02, Cocina francesa, « En un pinar » – ≣ Ⓟ. ᴀᴇ ⓞ **E** *VISA*
cerrado martes – Com carta 1950 a 3250.

Ver también : *Playa de San Juan* por ① : 7 km
San Juan por ① : 9 km
San Vicente del Raspeig : 7 km.

ALFA ROMEO av. de Orihuela 134 ℰ 510 34 78	MERCEDES-BENZ carret. Valencia km 84,500 ℰ 26 61 00
AUSTIN-MG-MORRIS-MINI-ROVER Monovar 2 ℰ 10 33 00	PEUGEOT-TALBOT av. de Denia 81 ℰ 526 50 44
BMW carret. Alicante - Valencia km 87,3 ℰ 565 73 11	PEUGEOT-TALBOT carret. Alicante - Elche km 4,7 ℰ 510 16 66
CITROEN carret. Madrid km 408,5 ℰ 528 60 00	
FIAT carret. Murcia-Alicante km 73 ℰ 510 18 11	RENAULT carret. de Ocaña km 15 ℰ 528 53 57
FORD carret. de Murcia-Alicante km 73,6 ℰ 528 71 22	SEAT-AUDI-VOLKSWAGEN carret. de Valencia 35 ℰ 526 65 40
FORD av. Tomás Aznar Domenech ℰ 528 11 84	SEAT-AUDI-VOLKSWAGEN av. Aguilera 4 ℰ 521 17 90
GENERAL MOTORS av. Aguilera 14 ℰ 522 11 48	
LANCIA av. de Orihuela 21 ℰ 528 09 12	

ALMACELLAS o **ALMACELLES** 25100 Lérida 𝟜𝟜𝟛 G 31 – 5 311 h. alt. 289 – ✪ 973.
♦Madrid 490 – Huesca 99 – ♦Lérida/Lleida 21.

🏠 **Roca**, carret. N 240 ℰ 74 00 50 – ≣ rest 📞. ᴀᴇ **E** *VISA*
Com 900 – ⊆ 350 – **22 hab** 2000/3000 – P 3345/3845.

CITROEN Mayor 122 ℰ 74 02 42	RENAULT Mayor 127 ℰ 74 02 90
FORD San Jaime 86 ℰ 74 04 80	SEAT-AUDI-VOLKSWAGEN Mayor 115-117 ℰ 74 04 11
GENERAL MOTORS Basabona ℰ 74 05 26	
PEUGEOT-TALBOT Merced 58 ℰ 74 01 95	

ALMADRABA 17480 Gerona 𝟜𝟜𝟛 F 39 – ver Rosas.

ALMADRONES 19414 Guadalajara 𝟜𝟜𝟜 J 21 – 123 h. alt. 1 054 – ✪ 911.
♦Madrid 100 – Guadalajara 44 – Soria 127.

🏠 **Venta de Almadrones - km 103**, carret. N II - E : 1 km ℰ 28 50 11 – ≣ rest 📞 ⇔ Ⓟ. ᴀᴇ
E *VISA*. ⅍ – Com 945 – ⊆ 390 – **40 hab** 1800/3500 – P 3750/5450.

ALMAGRO 13270 Ciudad Real 𝟜𝟜𝟜 P 18 – 8 364 h. alt. 643 – ✪ 926.
Ver : Plaza Mayor★ (Corral de Comedias★) – 🅱 Gran Maestre 11 ℰ 86 07 17.
♦Madrid 189 – ♦Albacete 204 – Ciudad Real 23 – ♦Córdoba 230 – Jaén 165.

🏯 **Parador de Almagro** ⅖, ronda de San Francisco ℰ 86 01 00, Fax 86 01 50, 🍽, « Instalado en un antiguo convento de Santa Catalina - siglo XVI », ⤓ – ≣ 📺 ☎ Ⓟ – 🛂 ᴀᴇ ⓞ **E** *VISA*.
⅍
Com 2500 – ⊆ 800 – **55 hab** 6800/8500.

🏨 **Don Diego y Rest. Sancho**, Bolaños 1 ℰ 86 12 87 – 🛗 ≣ ☎ ⇔ – **31 hab**.

※ **Mesón El Corregidor**, pl. Fray Fernando Fernández de Córdoba 2 ℰ 86 06 48, 🍽, Antigua posada – ≣. ᴀᴇ *VISA*. ⅍
cerrado lunes y 20 septiembre-15 octubre – Com carta 1800 a 2600.

FORD Ejido San Juan ℰ 86 08 82	RENAULT Ejido San Juan 38 ℰ 86 09 11
PEUGEOT-TALBOT Ronda de San Francisco 6 ℰ 86 10 31	SEAT-AUDI-VOLKSWAGEN carret. Valdepeñas ℰ 86 01 74

ALMANDOZ 31976 Navarra **442** C 25 – ❀ 948.
♦Madrid 437 – ♦Bayonne 76 – ♦Pamplona 42.

  ⅩⅩ Beola, ♪ 58 50 02, Decoración regional – ℗.

ALMANSA 02640 Albacete **444** P 26 – 20 377 h. – ❀ 967.
♦Madrid 325 – ♦Albacete 76 – ♦Alicante 96 – ♦Murcia 131 – ♦Valencia 111.

  🏨 Los Rosales, carret. N 430 ♪ 34 07 50 – 🍽 rest ☎ ℗ – **35 hab**.

ALMAZÁN 42200 Soria **442** H 22 – 5 657 h. alt. 950 – ❀ 975.
Ver : Iglesia de San Miguel (cúpula★).
♦Madrid 191 – Aranda de Duero 107 – Soria 35 – ♦Zaragoza 179.

  🏨 **Antonio,** av. de Soria 13 ♪ 30 07 11 – ☎ ℗. ⒶⒺ ⓞ Ⓔ *VISA*. ⅍
     cerrado 24 diciembre-20 enero – Com *(cerrado domingo y festivos noche)* 1000 – ⥮ 350 –
     28 hab 1300/2600 – P 3300.

ALFA ROMEO Peñón de San Salvador 9 ♪ 30 01 67   PEUGEOT-TALBOT carret. Gomara km 0,5 ♪ 30 03 10
CITROEN av. Salazar y Torres 42 ♪ 30 01 76   RENAULT Salazar y Torres 18 ♪ 30 00 85
FORD Hurtado de Mendoza ♪ 30 05 20   SEAT-AUDI-VOLKSWAGEN Gran Vía 36 ♪ 30 14 78

ALMAZCARA 24170 León **441** E 10 – ❀ 987.
♦ Madrid 378 – ♦León 99 – Ponferrada 10.

  🏨🏨 **Los Rosales,** carret. N VI ♪ 46 71 67 – 🛗 ☎ ℗. *VISA*. ⅍
     Com 800 – ⥮ 260 – **40 hab** 2300/3075 – P 3120/3880.

ALMENDRALEJO 06200 Badajoz **444** P 10 – 23 628 h. alt. 336 – ❀ 924.
♦Madrid 368 – ♦Badajoz 56 – Mérida 25 – ♦Sevilla 172.

  🏨 **Espronceda,** carret. de Sevilla km 312 ♪ 66 44 12 – 🍽 📺 ⇦ ℗. *VISA*. ⅍
     Com carta 1650 a 2100 – ⥮ 200 – **21 hab** 2100/4000 – P 3000/4100.

  🏨 España , sin rest, av. San Antonio 77 ♪ 66 02 30 – 🛗 🍽 ℗ – **26 hab**.

  🏨 **Los Angeles,** Macarena 2 ♪ 66 01 33 – 🍽 ☎ ⇦. *VISA*. ⅍
     Com 800 – ⥮ 175 – **33 hab** 1500/2500 – P 3000/3300.

  Ⅹ **Danubio,** carret. de Sevilla km 312 ♪ 66 10 84 – 🍽 ℗. *VISA*
     Com carta 1100 a 1800.

PEUGEOT-TALBOT carret. de Sevilla-Gijón km 309   RENAULT carret. de Sevilla-Gijón ♪ 66 20 41
♪ 66 03 79   SEAT-AUDI-VOLKSWAGEN San Blas 3 ♪ 66 02 66

ALMERÍA 04000 ℙ **446** V 22 – 140 946 h. – ❀ 951 – Playa - Plaza de toros.
Ver : Alcazaba★ (jardines★) Y – Catedral★ ZB.
Alred. : Ruta★ de Benahadux a Tabernas por ①.

  🏌 Playa Serena, Roquetas de Mar por ② : 25 km ♪ 32 20 55 – 🏌 Almerimar, El Ejido por ② : 35 km
  ♪ 48 09 50.

  ✈ de Almería E : 8 km ♪ 22 06 46 – Iberia : paseo de Almería 44, ✉ 04001, ♪ 23 00 34 Z.

  🚋 ♪ 25 05 88.

  🚢 para Melilla : Cia. Trasmediterránea, esplanada España 2, ✉ 03002, ♪ 520 60 11, Telex
  64433 Z.

  🅸 Hermanos Machado - Edificio Múltiple ♪ 23 08 58 – R.A.C.E. Altamira 4, ✉ 04005, ♪ 22 40 85.

  ♦Madrid 550 ① – Cartagena 240 ① – ♦Granada 171 ① – Jaén 232 ① – Lorca 157 ① – Motril 112 ②.

Plano página siguiente

  🏩 **Torreluz IV** Ⓜ sin rest, pl. Flores 5, ✉ 04001, ♪ 23 47 99, Telex 75347, « Terraza con ⅏ »
     🛗 🍽 📺 ☎ ⇦ – 🔥. ⒶⒺ ⓞ Ⓔ *VISA*. ⅍   Y e
     ⥮ 600 – **59 hab** 6600/10380.

  🏩 **G. H. Almería** sin rest, av. Reina Regente 8, ✉ 04001, ♪ 23 80 11, Telex 75343, ⇐, ⅏ – 🛗
     🍽 📺 ☎ ⇦ – 🔥. ⒶⒺ ⓞ Ⓔ *VISA*. ⅍   Z c
     ⥮ 600 – **117 hab** 5800/9600.

  🏨 **Torreluz III** sin rest, pl. Flores 6, ✉ 04001, ♪ 23 47 99, Telex 75347 – 🛗 🍽 📺 ☎ ⇦. ⒶⒺ ⓞ
     ⥮ *VISA*. ⅍   Y v
     ⥮ 450 – **67 hab** 4630/6040.

  🏨 **Costasol** sin rest, con cafetería, paseo de Almería 58, ✉ 04001, ♪ 23 40 11 – 🛗 🍽 📺 ☎.
     ⒶⒺ ⓞ Ⓔ *VISA*. ⅍   Z e
     ⥮ 475 – **55 hab** 3475/5390.

  🏨 **Indálico** sin rest, con cafetería, Dolores Sopeña 4, ✉ 04004, ♪ 23 11 11 – 🛗 🍽 📺 ☎ ⇦.
     ⒶⒺ ⓞ Ⓔ *VISA*   Y s
     ⥮ 350 – **52 hab** 4600/6300.

  🏨 **Torreluz II,** pl. Flores 1, ✉ 04001, ♪ 23 47 99, Telex 75347 – 🛗 🍽 ☎ ⇦. ⒶⒺ ⓞ Ⓔ *VISA*. ⅍
     Com 950 – ⥮ 450 – **24 hab** 3260/4830 – P 4640/5485.   Y v

sigue →

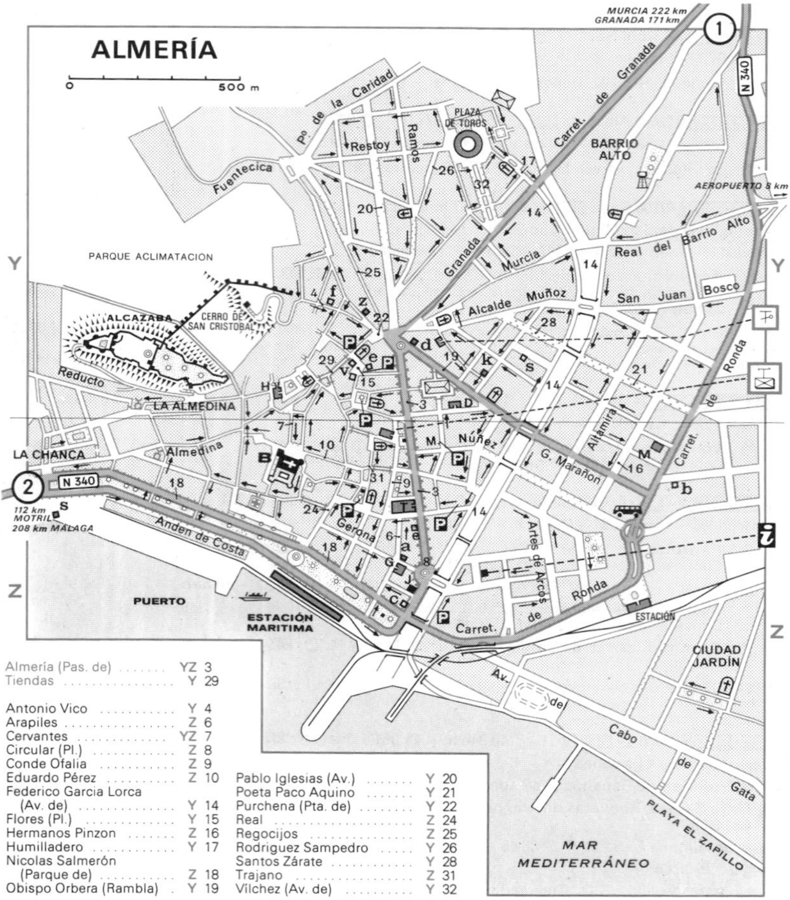

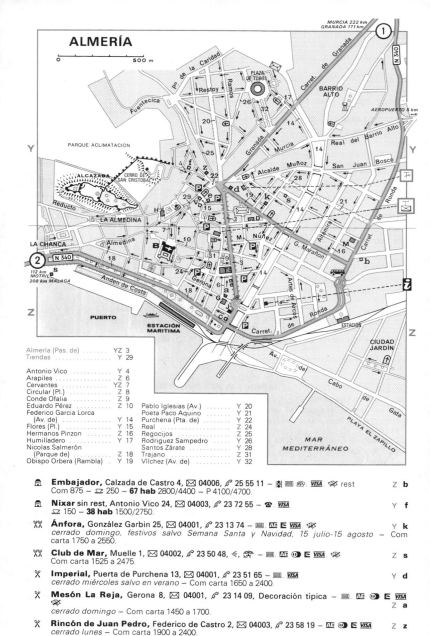

Almería (Pas. de)	YZ	3
Tiendas	Y	29
Antonio Vico	Y	4
Arapiles	Z	6
Cervantes	YZ	7
Circular (Pl.)	Z	8
Conde Ofalia	Z	9
Eduardo Pérez	Z	10
Federico Garcia Lorca (Av. de)	Y	14
Flores (Pl.)	Y	15
Hermanos Pinzon	Z	16
Humilladero	Y	17
Nicolas Salmerón (Parque de)	Z	18
Obispo Orbera (Rambla)	Y	19
Pablo Iglesias (Av.)	Y	20
Poeta Paco Aquino	Y	21
Purchena (Pta. de)	Y	22
Real	Z	24
Regocijos	Z	25
Rodriguez Sampedro	Y	26
Santos Zárate	Y	28
Trajano	Z	31
Vílchez (Av. de)	Y	32

Embajador, Calzada de Castro 4, ✉ 04006, ☎ 25 55 11 – ▤. VISA. rest — Z **b**
Com 875 – ☕ 250 – **67 hab** 2800/4400 – P 4100/4700.

Nixar sin rest, Antonio Vico 24, ✉ 04003, ☎ 23 72 55 – ☎. VISA — Y **f**
☕ 150 – **38 hab** 1500/2750.

Ánfora, González Garbin 25, ✉ 04001, ☎ 23 13 74 – ▤. AE E VISA. — Y **k**
cerrado domingo, festivos salvo Semana Santa y Navidad, 15 julio-15 agosto – Com carta 1750 a 2550.

Club de Mar, Muelle 1, ✉ 04002, ☎ 23 50 48, ←, – ▤. AE ⓓ E VISA. — Z **s**
Com carta 1525 a 2475.

Imperial, Puerta de Purchena 13, ✉ 04001, ☎ 23 51 65 – ▤. VISA — Y **d**
cerrado miércoles salvo en verano – Com carta 1650 a 2400.

Mesón La Reja, Gerona 8, ✉ 04001, ☎ 23 14 09, Decoración típica – ▤. AE ⓓ E VISA — Z **a**
cerrado domingo – Com carta 1450 a 1700.

Rincón de Juan Pedro, Federico de Castro 2, ✉ 04003, ☎ 23 58 19 – AE ⓓ E VISA — Z **z**
cerrado lunes – Com carta 1900 a 2400.

en la carretera de Málaga por ② : 2,5 km – ✉ 04002 Almería – ☎ 951 :

Solymar, ☎ 23 64 62, ← – ▤ hab Ⓟ. E VISA
Com 2700 – ☕ 700 – **15 hab** 7300/9300 – P 10750/13400.

ALFA-ROMEO carret. de Ronda ✆ 25 71 44
AUDI-VOLKSWAGEN carret. de Níjar - Los Molinos ✆ 22 65 04
AUSTIN-ROVER carret. de Granada 2 - Tramo ✆ 23 22 34
B.M.W. Polígono San Silvestre ✆ 26 21 11
CITROEN carret. N 340 km 117 Los Callejones ✆ 26 01 11
FIAT Reyes Católicos 26 ✆ 23 75 94

FORD carret. N 340 km 117 ✆ 23 70 33
GENERAL MOTORS carret. N 340 km 118, paraje San Silvestre ✆ 26 30 11
MERCEDES-BENZ carret. de Ronda 55 ✆ 25 71 44
PEUGEOT-TALBOT carret. de Granada 2 - Tramo ✆ 23 78 78
RENAULT carret. N 340 km 119 ✆ 25 93 12
SEAT Cuesta de los Callejones ✆ 26 74 11

ALMERIMAR 04700 Almería **446** V 21 – ver El Ejido.

ALMUÑÉCAR 18690 Granada **446** V 18 – 16 141 h. alt. 59 – ☺ 958 – Playa.

Alred. : Carretera en cornisa** de Almuñécar a Granada – O : Carretera* de la Herradura a Nerja ◁**.

🛈 bajos del paseo ✆ 63 11 25.

◆Madrid 516 – ◆Almería 136 – ◆Granada 87 – ◆Málaga 85.

🏠 **La Najarra,** Guadix ✆ 63 08 73, 😋, ⴷ, ✗ – 🍽 rest ☜ – **30 hab**.

🏠 **Goya,** av. de Europa ✆ 63 05 50 – ☜. 🅰🅴. ✗
cerrado 15 enero-15 febrero – Com *(cerrado lunes)* 550 – ☲ 225 – **24 hab** 2300/3350.

🏠 **Playa de San Cristóbal** sin rest, pl. San Cristóbal 5 ✆ 63 11 12 – 🄴 [VISA]
marzo-octubre – ☲ 200 – **22 hab** 2400/3600.

🏠 **Carmen** sin rest, av. de Europa 8 ✆ 63 14 13 – ☜. 🅰🅴. [VISA]
☲ 225 – **24 hab** 2000/3000.

🏠 **San Sebastián** sin rest, Ingenio Real 14 ✆ 63 04 66 – ☜. [VISA]. ✗
☲ 180 – **14 hab** 2100/3300.

🏡 **El Puente,** av. de la Costa del Sol 12 ✆ 63 01 23 – 🅿. ✗
Com 725 – ☲ 200 – **24 hab** 1600/2700 – P 3200/3300.

🏡 **Altamar** sin rest, Alta del Mar 15 - 1° piso ✆ 63 03 46, Telex 78593, Fax 63 44 51 – ✗
☲ 150 – **17 hab** 3000/6000.

🏡 **Rocamar** sin rest, Córdoba 1 ✆ 63 00 23 – ✗
☲ 150 – **17 hab** 1400/2300.

🏡 **Tropical** sin rest, av. de Europa ✆ 63 34 58 – ⓪ [VISA]. ✗
abril-octubre – ☲ 190 – **11 hab** 2000/4000.

✗ **Vecchia Firenze,** pl. de la Fabriquilla ✆ 63 19 04, 😋, Rest. italiano – 🍽. 🅰🅴 ⓪ 🄴 [VISA]
cerrado martes y 15 enero-15 febrero – Com carta 1580 a 2300.

✗ **Chinasol Playa,** playa San Cristóbal ✆ 63 22 61, 😋 – 🍽. 🅰🅴 ⓪ 🄴 [VISA]. ✗
Com carta 1650 a 2450.

✗ **Los Geranios,** pl. de la Rosa 4 ✆ 63 07 24, Decoración típica regional – 🅰🅴 ⓪ 🄴 [VISA]
cerrado miércoles y 15 noviembre-15 diciembre – Com carta 1990 a 2600.

✗ **La Última Ola,** Manila 17 ✆ 63 00 18, 😋 – 🅰🅴 ⓪ 🄴 [VISA]
cerrado enero-18 marzo y lunes de octubre a diciembre – Com carta 1225 a 1950.

✗ **Piccadilly,** carret. de Málaga O : 1,5 km ✆ 63 14 45, ◁, 😋 – 🅿. 🅰🅴 🄴 [VISA]. ✗
cerrado martes y 15 mayo-15 junio – Com carta 1750 a 2075.

en la playa de Velilla E : 2,5 km – ✉ 18690 Velilla – ☺ 958 :

🏠 **Velilla** sin rest, Edificio Inti-Yan IV ✆ 63 07 58 – ☲. 🄳 [VISA]. ✗
20 marzo-septiembre – ☲ 190 – **28 hab** 3000/4200.

en la playa de Cotobro O : 2,5 km – ✉ 18690 Almuñécar – ☺ 958 :

✗ **Cotobro Playa,** bajada del Mar 1 ✆ 63 18 02, 😋 – 🄴 [VISA]
cerrado lunes y del 9 al 30 noviembre – Com carta 2925 a 3300.

PEUGEOT-TALBOT av. Costa Banana (edificio Las Sirenas) ✆ 63 13 86
RENAULT av. Costa del Sol 2 ✆ 63 02 52

SEAT-AUDI-VOLKSWAGEN carret. Cádiz-Barcelona (barriada de la Paloma) ✆ 63 02 26

ALMURADIEL 13760 Ciudad Real **444** Q 19 – 846 h. alt. 800 – ☺ 926.

◆Madrid 229 – Ciudad Real 85 – Jaén 103 – Valdepeñas 30.

✗ Casa Marcos , con hab, carret. N IV ✆ 33 90 34 – 🍽 rest ☎ 🅿 – **16 hab**.

ALP 17538 Gerona **443** E 35 – 1 369 h. alt. 1 158 – ☺ 972 – Deportes de invierno en Masella SE : 7 km : ✂10 – ◆Madrid 644 – ◆Lérida/Lleida 175 – Puigcerdá 8.

✗✗ **Les Lloses,** Piscina ✆ 89 00 96, ◁ – 🅿. 🅰🅴 ⓪ 🄴 [VISA]. ✗
marzo-diciembre – Com carta 1800 a 2800.

✗ **El Caliu,** Orient 23 ✆ 89 01 82 – 🅰🅴 🄴 [VISA]
cerrado miércoles de octubre a junio salvo Navidad y Semana Santa – Com carta 1900 a 2900.

en Masella SE : 7 km – ✉ 17538 Masella – ☺ 972 :

🏨 Alp H. ✎, ✆ 89 01 01, Telex 54102, ◁, ⴷ, 🔲, 🌳 – 🛗 ☎ ⇔ 🅿 – 🄰 – **146 hab**.

ALSASUA 31800 Navarra **442** D 23 – 7 250 h. alt. 532 – ✪ 948.

Alred. : S : carretera★★ del puerto de Urbasa – E : carretera★ del Puerto de Lizárraga (mirador★).

◆Madrid 402 – ◆Pamplona 50 – ◆San Sebastián/Donostia 71 – ◆Vitoria/Gasteiz 46.

en la carretera de San Sebastián N I – ⊠ 31800 Alsasua – ✪ 948 :

🏨 **Alaska,** NO : 6,5 km 🖉 56 28 02, 🍴, « Amplio césped bajo los robles », ⤓ – 🕾 ⇐ 🄿. 🄰🄴 🄾🄳 🄴 *VISA*. 🍴 rest
Com 1300 – ⊅ 350 – **30 hab** 3000/4300 – P 4725/5575.

✗ Ulayar , con hab, NO : 2 km 🖉 56 28 03, « Bonito jardín al borde de un bosque » – 🄣 🕾 ⇐ 🄿 – **9 hab**.

✗ **Leku-Ona** con hab, NO : 2 km 🖉 56 24 52, 🍴, « Al borde de un bosque », 🚿 – 🕾 🄿. 🄾🄳 🄴 *VISA*. 🍴 rest
cerrado 24 diciembre-2 febrero – Com (cerrado lunes) carta 2050 a 2900 – ⊅ 350 – **7 hab** 1800/3600.

CITROEN carret. Pamplona 🖉 56 22 61
FORD carret. Pamplona
GENERAL MOTORS-OPEL carret. Madrid-Irún 🖉 56 24 56

PEUGEOT-TALBOT carret. N I km 394 🖉 56 26 13
RENAULT carret. Madrid-Irún km 395 🖉 56 21 05

ALTEA 03590 Alicante **445** Q 29 – 11 108 h. – ✪ 96 – Playa.

Alred. : Recorrido★ de Altea a Calpe.

⛳ Club Don Cayo N : 4 km 🖉 584 80 46.

🄑 paseo Marítimo 🖉 584 23 01.

◆Madrid 475 – ◆Alicante 57 – Benidorm 11 – Gandia 60.

🏨 **Altaya** sin rest, Generalísimo 115 🖉 584 08 00 – 🕾 🄿. 🄾🄳 🄴 *VISA*. 🍴
cerrado 24 diciembre-24 febrero – ⊅ 275 – **22 hab** 2600/3300.

🏨 San Miguel, Generalísimo 65 🖉 584 04 00, ≤ – 🛗 🕾
22 hab.

✗ **El Negro,** Santa Bárbara 4 🖉 584 18 26, ≤ bahia, 🍴, En una cueva – 🄰🄴 🄾🄳 🄴 *VISA*
cerrado lunes – Com (sólo cena) carta 2050 a 2750.

por la carretera de Valencia NE : 2,5 km y a la izquierda : 1 km – ⊠ 03590 Altea – ✪ 96 :

✗✗✗ 🌸 **Monte Molar,** 🖉 584 15 81, 🍴, « Terraza con ≤ » – 🄿. 🄰🄴 🄾🄳 🄴 *VISA*
cerrado domingo y miércoles salvo en temporada – Com (sólo cena) carta 2600 a 3800
Espec. Foie gras de pato caliente, Filete de salmón en salsa de estragón, Conejo deshuesado relleno.

en la carretera de Alicante – ⊠ 03580 Alfaz del Pí – ✪ 96 :

🏨 Europa, SO : 3,5 km 🖉 588 83 50, ≤, ⤓ – 🛗 🄿 – **42 hab**.

✗ Rey Mar, SO : 2 km y camino a la derecha 1 km - El Planet 5 🖉 584 30 48, ≤, 🍴 – 🄿.

FORD partida Carboneda 9 🖉 84 11 19
MERCEDES-BENZ Partida Cap Blanch 🖉 84 07 32
PEUGEOT-TALBOT carretera de Alicante-Valencia 🖉 84 08 97

RENAULT Olla de Altea 22 🖉 84 10 36
SEAT-AUDI-VOLKSWAGEN Alfaz del Pí 1 🖉 584 07 95

ALTO CAMPÓO Cantabria **442** C 16 – ver Reinosa.

ALTO DE BUENAVISTA 33006 Asturias – ver Oviedo.

ALTO DE MEAGAS 20800 Guipúzcoa **442** C 23 – ver Zarauz.

ALTRÓN 25567 Lérida **443** E 33 – ver Llessuy.

ALZIRA 46600 Valencia **445** O 28 – ver Alcira.

ALLARIZ 32660 Orense **441** F 6 – 5 009 h. – ✪ 988.

◆Madrid 479 – Orense 20 – ◆Vigo 126.

en la carretera N 525 SE : 1,5 km – ⊠ 32660 Allariz – ✪ 988 :

🏨 Villa de Allariz, 🖉 44 00 15, ≤ – 🄣 ⇐ 🄿 – **20 hab**.

AMASA 20150 Guipúzcoa **442** C 23 – ver Villabona.

La AMETLLA DEL VALLÉS o **L'AMETLLA DEL VALLÉS** 08480 Barcelona **443** G 36 – 1 939 h. alt. 312 – ✪ 93.

◆Madrid 648 – ◆Barcelona 35 – Gerona/Girona 83.

🏨 Del Vallés, carret. N 152 🖉 843 06 00, ≤, ⤓ – 🛗 🍽 ☎ 🄿 – 🄶 **54 hab**.

✗ La Masia, passeig Torregassa 77 🖉 843 00 02 – 🍽 🄿.

AMETLLA DE MAR o **L'AMETLLA DE MAR** 43860 Tarragona **44 5** J 32 – 3 750 h. alt. 20 – 🕿 977
– Playa – ♦Madrid 509 – Castellón de la Plana 132 – Tarragona 50 – Tortosa 33.

🏠 Bon Repos, pl. Cataluña 49 ♻ 45 60 25, ㊟, « Jardín con arbolado », 🛋 – 🕿 🅿
temp. – **38 hab**.

✗ **L'Alguer,** Trafalgar 21 ♻ 45 61 24, ≤, ㊟, Pescados y mariscos – 🍽. 🖭 ⓞ 🗲 𝘝𝘐𝘚𝘈. ✼
Com carta 1625 a 2800.

✗ **Cova Gran,** Mediterráneo ♻ 45 64 09, ≤, ㊟ – 🅿. 🗲 𝘝𝘐𝘚𝘈
abril-10 octubre – Com carta 2100 a 3300.

AMEYUGO 09219 Burgos **44 2** E 20 – 80 h. – 🕿 947.
♦ Madrid 311 – ♦Burgos 60 – ♦Logroño 60 – ♦ Vitoria 44.

en el monumento al Pastor NO : 1 km – ✉ 09219 Ameyugo (por Miranda de Ebro) –
🕿 947 :

✗ **Mesón El Pastor,** carret. N I ♻ 35 40 79 – 🍽 🅿. 🖭 ⓞ 𝘝𝘐𝘚𝘈
Com carta 1550 a 2175.

AMOREBIETA 48340 Vizcaya **44 2** C 21 – 15 575 h. alt. 70 – 🕿 94.
♦Madrid 415 – ♦Bilbao 22 – ♦San Sebastián/Donostia 79 – ♦Vitoria/Gasteiz 51.

✗✗ **El Cojo,** San Miguel 11 ♻ 673 00 25 – 🍽 🅿. 🖭 ⓞ 🗲 𝘝𝘐𝘚𝘈. ✼
cerrado lunes y 15 diciembre-5 enero – Com carta 2200 a 3400.

CITROEN   Gudari 22 ♻ 673 02 09   SEAT-AUDI-VOLKSWAGEN   Barrio Montorra ♻
                                                   673 37 76

AMPOSTA 43870 Tarragona **44 5** J 31 – 14 499 h. – 🕿 977.
♦Madrid 504 – Castellón de la Plana 112 – Tarragona 78 – Tortosa 18.

🏠 **Montsiá,** av. de la Rápita 8 ♻ 70 10 27 – 🛗 🍽 rest 🕿. 🖭 ⓞ 🗲 𝘝𝘐𝘚𝘈. ✼ rest
Com 920 – 🖵 270 – **51 hab** 2255/3985 – P 3830/4095.

AUSTIN-ROVER av. Sant Jaume 16-18 ♻ 70 34 08   MERCEDES-BENZ av. de la Rápita 117 ♻ 70 18 65
CITROEN av. de la Rápita 79 ♻ 70 02 51   OPEL av. Catalunya ♻ 70 24 06
FIAT av. de la Rápita 118 ♻ 70 26 94   PEUGEOT-TALBOT av. San Jaime ♻ 70 13 18
FORD av. San Jaime ♻ 70 14 40   RENAULT av. de La Rápita 102 ♻ 70 08 46
LANCIA Barcelona 98 ♻ 70 23 95

AMPUERO 39840 Cantabria **44 2** B 19 – 3 162 h. – 🕿 942.
♦Madrid 430 – ♦ Bilbao 68 – ♦ Santander 52.

✗ **Casa Sarabia,** Melchor Torio 3 ♻ 62 23 65 – 🖭 ⓞ 🗲 𝘝𝘐𝘚𝘈. ✼
Com carta 2400 a 2900.

AMPURIABRAVA (Urbanización) 17486 Gerona – ver Castelló de Ampurias.

ANDORRA (Principado de) ★★ **44 3** G 35 y **86** ⑭⑮ – 49 433 h. alt. 1 029. – 🕿 con España 9738

Andorra la Vieja (Andorra la Vella) Capital del Principado – alt. 1 029.
Alred. : NE : Valle del Valira del Este★ – N : Valle del Valira del Nord★.
🄱 Dr. Villanova ♻ 202 14 – A.C.A. Babot Camp 4 ♻ 208 90.
♦Madrid 625 – ♦Barcelona 220 – Carcassonne 165 – Foix 103 – Gerona/Girona 245 – ♦Lérida/Lleida 155 –
♦Perpignan 166 – Tarragona 208 – Toulouse 185.

🏨 **Andorra Palace,** Prat de la Creu ♻ 210 72, Telex 208, Fax 290 18, ≤, 🅿, ✼ – 🛗 📺 🕿 🚗
🅿 – 🔝. 🖭 ⓞ 🗲 𝘝𝘐𝘚𝘈. ✼ rest
Com 3740 – 🖵 990 – **140 hab** 5720/7700.

🏨 **Andorra Center** 🄼, Dr. Nequi 7 ♻ 249 99, Telex 377, Fax 283 29, 🛋 – 🛗 🍽 rest 📺 🕿
🚗 – 🔝. 🖭 ⓞ 🗲 𝘝𝘐𝘚𝘈. ✼ rest
Com 1950 – 🖵 600 – **140 hab** 5525/8500, **10 apartamentos** – P 8150/9425.

🏨 **Andorra Park H.** 🄼 ⚘, ♻ 209 79, Telex 377, Fax 283 29, ≤, ㊟, 🛋, 🐎, ✼ – 🛗 📺 🕿 🅿 –
🔝. 🖭 ⓞ 🗲 𝘝𝘐𝘚𝘈
Com 3500 – 🖵 1100 – **38 hab** 10000/12500 – P 13250/17000.

🏨 **Mercure** 🄼, av. Meritxell 58 ♻ 207 73, Telex 208, Fax 290 18, 🅿, ✼ – 🛗 📺 🕿 🚗 🅿 – 🔝.
🖭 🗲 𝘝𝘐𝘚𝘈. ✼ rest
Com 3740 – 🖵 990 – **70 hab** 7820/9430.

🏨 **Eden Roc** 🄼, av. Dr-F. Mitjavila ♻ 210 00, Fax 603 19 – 🛗 📺 🕿 🅿. 🖭 ⓞ 🗲 𝘝𝘐𝘚𝘈. ✼
Com 2520 – 🖵 625 – **55 hab** 6500/9500 – P 11535.

🏨 **President,** av. Santa Coloma 40 ♻ 229 22, Telex 233, Fax 614 14, ≤, 🅿 – 🛗 📺 🕿 🚗 – 🔝.
ⓞ 🗲 𝘝𝘐𝘚𝘈. ✼ rest
Com 1975 – **88 hab** 🖵 8200/10200 – P 8800/11550.

🏨 **Flora** sin rest, Antic Carrer Major 23 ♻ 215 08, Telex 209, 🛋, ✼ – 🛗 📺 🕿 🚗. 🖭 ⓞ 🗲
𝘝𝘐𝘚𝘈
45 hab 🖵 4000/6500.

sigue →

ANDORRA (Principado de) - Andorra la Vieja

🏨 **Cassany** M̄ sin rest, av. Meritxell 28 ℰ 206 36 – 🛗 📺 ☜. E 𝘝𝘐𝘚𝘈
⨼ 500 – **54 hab** 4000/5000.

🏨 **Sasplugas** ⬙, av. del Co Princep Iglesias ℰ 203 11, ≤, 🏠 – 🛗 📺 ☎ ☜. ᗑ E 𝘝𝘐𝘚𝘈.
🕸 rest
Com *(cerrado domingo)* 2500 – **26 hab** ⨼ 3350/7400.

🏨 **Pyrénées** M̄, av. Princep Benlloch 20 ℰ 205 08, Telex 421, Fax 202 65, ⤓, 🕸 – 🛗 📺 ☎
☜. ⓞ E 𝘝𝘐𝘚𝘈. 🕸 rest
Com 1500 – **74 hab** ⨼ 3500/4600 – P 4100/5100.

🏨 **Florida** sin rest, Llacuna 11 ℰ 201 05, Telex 262, Fax 604 50 – 🛗 📺 ☎. ᗑ ⓞ E 𝘝𝘐𝘚𝘈.
55 hab ⨼ 3200/5400.

🏨 **Isard,** av. Meritxell 32 ℰ 200 92, Telex 377, Fax 283 29 – 🛗 📺 ☜ ☜. ᗑ ⓞ E 𝘝𝘐𝘚𝘈. 🕸 rest
Com 1550 – ⨼ 450 – **55 hab** 3650/4550 – P 5375/6750.

🍴🍴 **Celler d' En Toni** con hab, Verge del Pilar 4 ℰ 212 52 – 🛗 ☎. ᗑ ⓞ E 𝘝𝘐𝘚𝘈. 🕸
Com carta 2000 a 3800 – ⨼ 400 – **19 hab** 3000/4500 – P 4500/5500.

ALFA-ROMEO-PORCHE-MITSUBISHI av. Meritxell
94 ℰ 206 26
AUTOBIANCHI-LANCIA av. Santa Coloma 107 ℰ
203 83
BLF-DATSUN-ROVER-LADA-SKODA Virgen del
Pilar 12 ℰ 201 44
FERRARI av. Tarragona 51 ℰ 201 28

FIAT-SEAT av. D.-F. Mitjavila 5 ℰ 204 71
FORD av. Principe Benlloch 3 ℰ 200 23
HONDA av. Principe Benlloch 89 ℰ 212 95
OPEL-G.M. av. Santa Coloma 52 ℰ 206 22
PEUGEOT-TALBOT av. Tarragona ℰ 216 69
TOYOTA av. Dr. Villanova ℰ 223 71
VAG (VOLKSWAGEN) av. Meritxell 100 ℰ 213 74

Arinsal – alt. 1 445 – ✉ La Massana – Deportes de invierno : 1 550/2 800 m. ≤15.
♦Andorra la Vieja 9.

🏨 **St. Gothard** M̄, ℰ 360 20, ≤, ⤓, 🕸 – 🛗 ☎ ☜ ⓟ – ᗑ. E 𝘝𝘐𝘚𝘈. 🕸
Com 1500 – **170 hab** ⨼ 4200/6400 – P 6000/7000.

🏨 **Solana,** ℰ 351 27, ≤, 🕸 – 🛗 ☎ ☜. ᗑ ⓞ E 𝘝𝘐𝘚𝘈. 🕸 rest
cerrado 15 octubre-15 noviembre – Com 1100 – **45 hab** ⨼ 2600/4500 – P 4950/5300.

🏨 **Pobladó,** ℰ 351 22, ≤ – ☜ ☜. E 𝘝𝘐𝘚𝘈. 🕸 rest
temp. – Com 1050 – ⨼ 400 – **30 hab** 1300/3700.

🏨 Residencia Janet , sin rest, Erts S : 1,5 km ℰ 350 88 – ☜ – **20 hab**.

Canillo – alt. 1 531 – ✉ Canillo.
Alred. : Iglesia de Sant Joan de Caselles (Calvario★) NE : 1 km.
♦Andorra la Vieja 11.

🏨 **Bonavida** M̄ ⬙, ℰ 513 00, ≤, 🏠, 🌫 – 🛗 ☎ ☜ – ᗑ. ᗑ ⓞ E 𝘝𝘐𝘚𝘈. 🕸
cerrado octubre-noviembre – Com 1500 – **40 hab** ⨼ 4600/6000.

🏨 **Pellissé,** carret. de Pas de la Casa : 1 km ℰ 512 05, ≤ – 🛗 ☜ ⓟ. ⓞ E 𝘝𝘐𝘚𝘈. 🕸 rest
cerrado 15 mayo-6 junio y 15 octubre-6 noviembre – Com 1500 – ⨼ 500 – **37 hab** 2000/3500 –
P 4300/4550.

Encamp – alt. 1 313 – Alred. : Les Bons (emplazamiento★) N : 1 km.
♦Andorra la Vieja 6.

🏨 **Coray** M̄ ⬙, ℰ 315 13, 🌫 – 🛗 ☜ ☜ – ᗑ. 🕸 hab
cerrado noviembre – Com 900 – **85 hab** ⨼ 2400/3600 – P 3500/4100.

🏨 **Univers** M̄, ℰ 310 05 – 🛗 ☜ ☜. E 𝘝𝘐𝘚𝘈. 🕸
cerrado noviembre – Com 1400 – ⨼ 400 – **36 hab** 3200 – P 3000/3600.

Les Escaldes – alt. 1 105 – ✉ Andorra la Vieja.
♦Andorra la Vieja 1.

🏨 **Roc Blanc** M̄, pl. dels Co-Princeps 5 ℰ 214 86, Telex 224, Fax 602 44, ⤓, ⛫, 🕸 – 🛗 📺 ☎
☜ ⓟ – ᗑ. ᗑ ⓞ E 𝘝𝘐𝘚𝘈. 🕸 rest
Com 3300 y snack-bar **L'Entrecôte** carta 2900 a 4600 – ⨼ 900 – **240 hab** 8200/11200, **4 apartamentos** – P 13100/15700.

🏨 **Delfos** M̄ ⬙, av. del Fener ℰ 246 42, Telex 242 – 🛗 ▤ rest 📺 ☜ – ᗑ. ᗑ ⓞ E 𝘝𝘐𝘚𝘈.
🕸 rest
Com 1850 – **200 hab** ⨼ 4900/6500 – P 5500/7150.

🏨 **Comtes d'Urgell,** av. Escoles 29 en Engordany ℰ 206 21, Telex 226 – 🛗 ☎ ☜. ᗑ ⓞ E
𝘝𝘐𝘚𝘈. 🕸 rest
Com 1850 – ⨼ 450 – **200 hab** 3500/4900 – P 4600/5600.

🏨 **Espel** M̄, pl. Creu Blanca 1 en Engordany ℰ 208 55 – 🛗 📺 ☎ ☜. 🕸
cerrado noviembre – Com 1200 – **102 hab** ⨼ 2600/4200.

🏨 **Les Closes** M̄ sin rest, av. Carlemany 93 ℰ 283 11 – 🛗 ☎ ☜. ⓞ E 𝘝𝘐𝘚𝘈. 🕸
44 hab ⨼ 2200/4200.

🏨 **Canut,** av. Carlemany 107 ℰ 213 42, Telex 398, Fax 609 96 – 🛗 📺 ☎. ᗑ ⓞ E 𝘝𝘐𝘚𝘈. 🕸
Com 1600 – ⨼ 660 – **58 hab** 5200/7600 – P 6000/8400.

B.L.F av. Carlemany 14 ℰ 205 01
CITROEN, AUSTIN-MG-MORRIS-MINI av. Carlemany 34 bis ℰ 213 78

INNOCENTI-MAZDA av. de les Escoles 10 ℰ 212 66
JAGUAR-TRIUMPH-ROVER av. Carlemany 34 ℰ
205 01

La Massana – alt. 1 241 – ⊠ La Massana.
♦Andorra la Vieja 5.

🏨 **Rutlan** Ⓜ, 🌮 350 00, ≤, 🗱, 🐎, 🕱 – 🛗 📺 ☎ ⇔ Ⓟ. 🆎 ⓪ 🔳 𝖵𝖨𝖲𝖠. 🕸 rest
Com 2500 – 🖙 700 – **100 hab** 5000/7000 – P 8500/10000.

🕱🕱 **La Borda de l'Avi,** carret. de Arinsal 🌮 351 54 – Ⓟ. 🆎 ⓪ 🔳 𝖵𝖨𝖲𝖠
Com carta 2420 a 3340.

Ordino – alt. 1 304.
♦Andorra la Vieja 7.

🏨 **Coma** Ⓜ 🕸, 🌮 351 16, ≤, 🗱, 🐎, 🕱 – 🛗 📺 ☎ ⇔ Ⓟ. 🔳 𝖵𝖨𝖲𝖠. 🕸
cerrado noviembre – Com 1500 – 🖙 600 – **48 hab** 4800 – P 5000/7400.

Pas de la Casa – alt. 2 091 – Deportes de invierno : 2 050/2 407 m. ✂25 – ver aduanas p. 14 y 15.
Alred. : Puerto de Envalira 🕸★★ O : 4 km.
♦Andorra la Vieja 30.

🏨 **Sporting** Ⓜ, 🌮 554 55, Telex 255, ≤ – 🛗 📺 ☎ ⇔. 🆎 ⓪ 🔳 𝖵𝖨𝖲𝖠. 🕸 rest
17 diciembre-18 abril – Com 1900 – **76 hab** 🖙 8600/13200.

🏨 **Els Isards,** 🌮 551 55, Telex 289, ≤ – ⇔. 🆎 ⓪ 🔳 𝖵𝖨𝖲𝖠. 🕸
Com 2400 – 🖙 500 – **39 hab** 4500/5600 – P 7000/8200.

Santa Coloma – alt. 970 – ⊠ Andorra la Vieja.
♦Andorra la Vieja 3.

🏨 **Cerqueda** 🕸, 🌮 202 35, ≤, 🗱, 🐎 – 🛗 ☎ Ⓟ. 🆎 ⓪ 🔳 𝖵𝖨𝖲𝖠. 🕸 rest
cerrado 7 enero-7 marzo – Com 1650 – 🖙 450 – **75 hab** 2600/4300 – P 4300/4850.

ALFA-ROMEO av. de Enclar 72 🌮 216 32   RENAULT av. de Enclar 142 🌮 206 72

Sant Julia de Loriá – alt. 909.
♦Andorra la Vieja 7.

🏨 **Sant Eloi** Ⓜ, carret. de España 🌮 411 00, Telex 239, ≤ – 🛗 ☎ ⇔ – 🅰. 🕸
Com 1595 – **88 hab** 🖙 4375/5720 – P 8475/9990.

🏨 **Pol** Ⓜ, Verge de Canolich 52 🌮 411 22, Telex 272, Fax 418 52, 🏨 – 🛗 📺 ☎ Ⓟ. 🆎 ⓪ 🔳 𝖵𝖨𝖲𝖠. 🕸
Com 2000 – **75 hab** 🖙 4500/6000 – P 7000/7500.

🏠 **Coma Bella** 🕸, SE : 7 km, alt. 1 300 🌮 412 20, ≤, « En el bosque de la Rabassa », parque – 📺 Ⓟ. 🔳 𝖵𝖨𝖲𝖠
cerrado 15 noviembre-20 diciembre y del 8 al 30 enero – Com 1300 – 🖙 300 – **28 hab** 3400/5200 – P 3400/5300.

BMW-MERCEDES Prat de la Tresa 🌮 419 64   VOLVO av. Virgen de Canolich 59 🌮 411 43

El Serrat – alt. 1 539 – ⊠ Ordino.
♦Andorra la Vieja 16.

🏠 **Del Serrat** 🕸, 🌮 352 96, ≤ – ⇔ Ⓟ. 🆎 🔳 𝖵𝖨𝖲𝖠. 🕸 rest
cerrado noviembre – Com 1500 – 🖙 400 – **20 hab** 4000.

Soldeu – alt. 1 826 – ⊠ Soldeu – Deportes de invierno : 1 700/2 560 m. ✂ 16.
♦Andorra la Vieja 19.

🏨 **Del Tarter,** en El Tarter O : 3 km 🌮 511 65, ≤ – 🛗 ⇔ ⇔ Ⓟ. ⓪ 🔳 𝖵𝖨𝖲𝖠. 🕸
cerrado 15 octubre-2 diciembre – Com (cerrado martes) 1600 – 🖙 560 – **36 hab** 2500/4000 – P 7400/7900.

🕱🕱 **Sant Pere** 🕸 con hab, en El Tarter O : 3 km 🌮 510 87, Telex 234, ≤, 🏨 – Ⓟ. 🆎 ⓪ 🔳 𝖵𝖨𝖲𝖠. 🕸 rest
Com carta 1950 a 3750 – **6 hab** 🖙 8000.

ANDÚJAR 23740 Jaén 446 R 17 – 34 946 h. alt. 212 – 🕸 953 – Plaza de toros.
Ver : Iglesia de San Miguel★ (portada★) – Iglesia de Santa Maria (reja★).
Excurs. : Santuario de la Virgen de la Cabeza : carretera en cornisa ≤★★ N : 32 km.
♦Madrid 321 – ♦Córdoba 77 – Jaén 66 – Linares 41.

🏨 **Don Pedro,** Gabriel Zamora 5 🌮 50 12 74 – 🛗 🖃 hab ☎ ⇔. 🆎 ⓪ 🔳 𝖵𝖨𝖲𝖠. 🕸 rest
Com 750 – 🖙 225 – **29 hab** 2125/3525 – P 3415/3775.

🏠 **La Fuente,** Vendederas 4 🌮 50 46 29 – 🖃 ⇔. 🆎 𝖵𝖨𝖲𝖠
Com 940 – 🖙 120 – **19 hab** 2200/3300.

🕱 **Caballo Blanco,** Monjas 5 🌮 50 02 88 – 🖃. 🆎 🔳 𝖵𝖨𝖲𝖠. 🕸
cerrado lunes noche y julio – Com carta 1400 a 2350.

ANDÚJAR

en la carretera Madrid-Cádiz km 321 E : 1 km – ⊠ 23740 Andújar – ✆ 953 :

🏨 **Del Val,** ℰ 50 09 50, 🍴, 🛋, 🍷 – ▤ 📺 ☜ ℗. 🆎 ⑩ Ε 𝚅𝙸𝚂𝙰, 🦌 rest
　　Com 900 – � 250 – **79 hab** 3000/3800 – P 3645/4745.

ALFA-ROMEO　carret. de la Estación 32 ℰ 50 50 30
CITROEN　av. Plaza de Toros 1 ℰ 50 04 85
FIAT-LANCIA　carret. Madrid-Cádiz km 324 ℰ 50 21 32
FORD　carret. Madrid - Cádiz km 322 ℰ 50 05 39

PEUGEOT-TALBOT　carret. Madrid km 321 ℰ 50 14 84
RENAULT　carret. Madrid km 324 ℰ 50 05 23
SEAT-AUDI-VOLKSWAGEN　Polígono Industrial La Victoria ℰ 50 08 74

ANGUIANO 26322 La Rioja ▦▦▦ F 21 – 793 h. – ✆ 941.

◆Madrid 292 – ◆Burgos 105 – ◆Logroño 48 – ◆Vitoria 106.

✕ **El Corzo** con hab, carret. de Lerma 12 ℰ 37 70 85 – ☜. 🆎 ⑩ Ε 𝚅𝙸𝚂𝙰, 🦌 hab
　　Com 950 – ⊒ 250 – **7 hab** 2500/3500 – P 3450/3700.

ANTEQUERA 29200 Málaga ▦▦▦ U 16 – 35 171 h. alt. 512 – ✆ 952 – Plaza de toros.

Ver : Castillo ≤＊ – **Alred.** : NE : Los dólmenes＊ (cuevas de Menga, Viera y del Romeral) – El Torcal＊ S : 16 km – Carretera＊ de Antequera a Málaga ≤＊＊.

🛈 Coso Viejo ℰ 84 21 80 – ◆Madrid 521 – ◆Córdoba 125 – ◆Granada 99 – Jaén 185 – ◆Málaga 52 – ◆Sevilla 164.

🏨 **Parador de Antequera** 🦌, paseo Garcia de Olmo ℰ 84 02 61, Fax 84 13 12, ≤, 🛋, 🍷 – ▤ ☎ ℗ – 🛗. 🆎 ⑩ Ε 𝚅𝙸𝚂𝙰. 🦌
　　Com 2500 – ⊒ 800 – **55 hab** 6400/8000.

en la carretera de Málaga E : 1 km – ⊠ 29200 Antequera – ✆ 952 :

✕ **Lozano,** Polígono Industrial ℰ 84 51 08, 🍴 – ▤ ℗. 🆎 ⑩ 𝚅𝙸𝚂𝙰. 🦌 – Com carta 1100 a 2200.

en Cruce de la Vega - carretera N 342 N : 7 km – ⊠ 29200 Antequera – ✆ 952 :

✕ El Faro, ℰ 84 03 67, 🍴 – ▤ ℗.

en la carretera de Sevilla N 334 NO : 12 km – ⊠ 29532 Mollina – ✆ 952 :

🏨 **Molino de Saydo,** ℰ 74 04 75, 🛋, 🦌 – ▤ ☎ ⇍ ℗. 🆎 ⑩ 𝚅𝙸𝚂𝙰. 🦌
　　Com 1500 – ⊒ 350 – **32 hab** 3000/4500 – P 5050/5800.

en la carretera N 331 SE : 13,5 km – ⊠ 29200 Antequera – ✆ 952 :

✕ La Yedra, con hab, ℰ 84 22 87, ≤ – ℗ – **15 hab**.

en la carretera N 321 SE : 15 km – ⊠ 29314 Villanueva de Cauche – ✆ 952 :

🏨 **Las Pedrizas,** ℰ 75 12 50 – 📺 ⇍ ℗. Ε 𝚅𝙸𝚂𝙰. 🦌
　　Com carta 1325 a 2100 – ⊒ 375 – **20 hab** 4400.

ALFA ROMEO　Toronjo 55 ℰ 84 19 63
AUSTIN ROVER-MG　Portería 48 ℰ 84 15 67
CITROEN　camino de Villalba ℰ 84 02 10
FIAT　Talleres y Ollas 11 ℰ 84 33 08
FORD　carret. de Sevilla-Granada km 159 ℰ 84 41 61
GENERAL MOTORS　carret. de Córdoba ℰ 84 29 40

PEUGEOT-TALBOT　carret. de Córdoba 7 ℰ 84 16 85
RENAULT　carret. de Málaga - Polígono Industrial ℰ 84 15 59
SEAT-AUDI-VOLKSWAGEN　carret. de Córdoba 3 ℰ 84 16 91

AOIZ 31430 Navarra ▦▦▦ D 25 – 168 h. – ✆ 948.

◆Madrid 413 – ◆Pamplona 28 – St-Jean-Pied-de-Port 58.

✕ **Beti Jai** con hab, Santa Agueda 6 ℰ 33 60 52 – ▤ rest. Ε 𝚅𝙸𝚂𝙰
　　cerrado lunes y del 1 al 18 septiembre – Com 1100 – ⊒ 150 – **7 hab** 1600/2400 – P 3300/3600.

ARACENA 21200 Huelva ▦▦▦ S 10 – 6 328 h. alt. 682 – ✆ 955 – Balneario – Plaza de toros.

Ver : Gruta de las Maravillas＊＊ – Excurs. : S : Sierra de Aracena＊.

◆Madrid 514 – Beja 132 – ◆Cáceres 243 – Huelva 108 – ◆Sevilla 93.

🏨 **Sierra de Aracena** sin rest y sin ⊒, Gran Via 21 ℰ 11 07 75 – 🛗 ☜ ⇍. 𝚅𝙸𝚂𝙰. 🦌
　　30 hab 2800/4000.

✕✕ **Casas,** Pozo Nieve 41 ℰ 11 00 44, « Decoración de estilo andaluz » – ▤. 𝚅𝙸𝚂𝙰. 🦌
　　Com (sólo almuerzo) carta 2100 a 2750.

✕ **Venta de Aracena,** carret. N 433 ℰ 11 07 62, Decoración regional – ℗. 🦌
　　Com carta 1175 a 1920.

RENAULT　carret. Sevilla-Lisboa km 54 ℰ 11 02 00

ARANDA DE DUERO 09400 Burgos ▦▦▦ G 18 – 27 598 h. alt. 798 – ✆ 947 – Plaza de toros.

Ver : Iglesia de Santa Maria (fachada＊).

Alred. : Peñaranda de Duero (plaza Mayor＊) – Palacio de los Miranda＊) NE : 18 km.

◆Madrid 156 – ◆Burgos 83 – ◆Segovia 115 – Soria 114 – ◆Valladolid 93.

🏨 **Tres Condes,** av. Castilla 66 ℰ 50 24 00, Telex 39451 – ▤ rest ☜ ⇍. 🆎 𝚅𝙸𝚂𝙰. 🦌
　　Com (cerrado domingo noche) 1250 – ⊒ 300 – **35 hab** 2500/4400.

🏨 **Julia,** San Gregorio 2 ℰ 50 12 00 – 🛗 ▤ rest ☜. 𝚅𝙸𝚂𝙰. 🦌
　　Com 1200 – ⊒ 300 – **63 hab** 1875/3250 – P 3675/3925.

🏨 **Aranda,** San Francisco 51 ℰ 50 16 00 – 🛗 ▤ rest ☜ ⇍. 🆎 ⑩ 𝚅𝙸𝚂𝙰
　　Com 1250 – ⊒ 300 – **46 hab** 2000/3500 – P 4000.

XX **Mesón de la Villa,** Alejandro Rodriguez de Valcárcel 3 ℰ 50 10 25, Decoración castellana – ▤. ◪ ◑ **E** *VISA*. ⋇
cerrado lunes y del 12 al 31 octubre – Com carta 2050 a 3200.

XX **Casa Florencio,** Arias de Miranda 14 ℰ 50 02 30 – **E** *VISA*
Com carta 1570 a 2450.

XX **El Ciprés,** pl. Primo de Rivera 1 ℰ 50 74 14 – ▤. ◪ ◑ *VISA*. ⋇
Com carta 1725 a 2200.

XX **Mesón El Roble,** pl. Primo de Rivera 7 ℰ 50 29 02, Decoración rústica castellana – ▤. *VISA*. ⋇
Com carta 1550 a 2450.

X **Chef Fermín,** av. Castilla 69 ℰ 50 23 58 – ▤. ◪ **E** *VISA*. ⋇
cerrado martes salvo festivos, vísperas y del 2 al 30 noviembre – Com carta 1800 a 2675.

en la carretera de Burgos N I – ⊠ 09400 Aranda de Duero – ✆ 947 :

🏨 **Montermoso,** N : 4,5 km ℰ 50 15 50 – 📶 🕸 **P**. ◪ ◑ **E** *VISA*. ⋇ rest
Com 1700 – ☲ 375 – **51 hab** 3000/3750 – P 4875/6000.

🏨 **Los Bronces** ⤙, N : 1,5 km ℰ 50 08 50 – 🕸 ⟺ **P**. ◪ ◑ **E** *VISA*. ⋇ rest
Com 1550 – ☲ 380 – **29 hab** 3100/4900 – P 5410/6060.

en la carretera de Valladolid N 122 O : 5,5 km – ⊠ 09400 Aranda de Duero – ✆ 947 :

🏨 **El Ventorro,** ℰ 53 60 00 – **P**. ◪ ◑ **E** *VISA*. ⋇
cerrado 6 enero-1 febrero – Com 975 – ☲ 275 – **41 hab** 2000/3000 – P 4225/7450.

en la carretera de Madrid N I S : 6,5 km – ⊠ 09400 Aranda de Duero – ✆ 947 :

🏨 **Motel Tudanca,** ℰ 50 60 11 – ▤ rest 🕸 ⟺ **P**. ◪ ◑ **E** *VISA*. ⋇ rest
Com 1775 – ☲ 350 – **20 hab** 3600/4500.

ALFA ROMEO Ávila ℰ 50 06 28
AUSTIN-MG-MORRIS-MINI av. Castilla 49 ℰ 50 11 34
CITROEN carret. Madrid km.161 ℰ 50 38 62
FIAT av. de Burgos 13 ℰ 50 71 44
FORD Polígono Industrial av. 1 ℰ 50 22 71
GENERAL MOTORS Polígono Industrial 3A - Parcela 150 ℰ 50 54 54

MERCEDES carret. Madrid-Irún km 162 ℰ 50 02 05
PEUGEOT-TALBOT carret. N I km 155 ℰ 50 12 11
RENAULT carret N I km 160 ℰ 50 01 43
SEAT-AUDI-VOLKSWAGEN carret. N I km 154 ℰ 50 03 47
SEAT-AUDI-VOLKSWAGEN carret. N I km 163 ℰ 50 20 60

ARANJUEZ 28300 Madrid ◨◨◨ L 19 – 35 936 h. alt. 489 – ✆ 91 – Plaza de toros.

Ver : Palacio Real★ : salón de porcelana★★, parterre★ – Jardin del Principe★ (Casa del labrador★★, Casa de Marinos★★) – 🅱 pl. Santiago Rusiñol ℰ 891 04 27.

♦Madrid 47 – ♦Albacete 202 – Ciudad Real 156 – Cuenca 147 – Toledo 48.

🏨 **Isabel II** sin rest, con cafetería, av. Infantas 15 ℰ 891 63 43 – 📶 ▤ 📺 ☎. ◪ ◑ **E** *VISA*
☲ 380 – **25 hab** 3500/5000.

XX **Casa Pablo,** Almibar 42 ℰ 891 14 51, Decoración castellana – ▤. ⋇
cerrado del 1 al 24 agosto – Com carta 2000 a 3450.

XX **Chirón,** Real 10 ℰ 891 09 41 – ▤. ◪ ◑ *VISA*. ⋇
cerrado domingo noche y del 1 al 26 agosto – Com carta 1950 a 3400.

X **César,** Moreras 2 ℰ 891 71 67 – ▤. ◪ **E** *VISA*. ⋇
Com carta 2100 a 2900.

X **El Faisán,** Capitán Angosto 21 ℰ 892 16 83 – ▤. ◪ **E** *VISA*
Com carta 2450 a 3150.

X La Rana Verde, Reina 1 ℰ 891 32 38, 🌧.

AUSTIN-MG-MORRIS-MINI carret. Andalucía km 46,5 ℰ 891 02 05
CITROEN carret. Andalucía km 44 ℰ 891 32 36
FORD carret. Andalucía km 44 ℰ 891 15 74
GENERAL MOTORS carret. Andalucía km 44,7 ℰ 891 25 75

PEUGEOT-TALBOT carret. Andalucía km 43,5 ℰ 891 86 41
RENAULT av. Plaza de Toros 6 ℰ 891 00 10

ARÁNZAZU o **ARANTZAZU** Guipúzcoa ◨◨◨ D 22 – alt. 800 – ⊠ 20560 Oñate – ✆ 943.

Ver : Paraje★ – Carretera★ de Aránzazu a Oñate.

♦Madrid 410 – ♦San Sebastián/Donostia 83 – ♦Vitoria/Gasteiz 54.

🏨 **Hospedería** ⤙, ℰ 78 13 13, ← – ⋇
cerrado enero – Com 1300 – ☲ 210 – **63 hab** 1400/2200 – P 3300/3450.

XX **Zelai Zabal,** carret. de Oñate : 0,6 km ℰ 78 13 06 – **P**. *VISA*. ⋇
cerrado lunes y enero-10 febrero – Com carta 1625 a 2350.

ARASCUÉS 22193 Huesca ◨◨◨ F 28 – 107 h. alt. 673 – ✆ 974.

♦Madrid 403 – Huesca 13 – Jaca 60.

en la carretera N 330 E : 1,5 km – ⊠ 22193 Arascués – ✆ 974 :

X **Monrepos** ⤙ con hab, ℰ 27 10 64, ←, 🔼 – 🕸 **P** – 🅰. **E** *VISA*. ⋇
Com 1200 – ☲ 350 – **14 hab** 2400/3800.

103

ARAVACA 28023 Madrid **444** K 18 – ver Madrid.

ARBOLI 43365 Tarragona **443** I 32 – 98 h. alt. 715 – ✪ 977.
♦Madrid 538 – ♦Barcelona 142 – ♦Lleida/Lérida 86 – Tarragona 39.

   ✗ **El Pigot,** Trinquet 7 ℰ 81 60 63, Decoración regional – ✖
      cerrado martes no festivos y junio – Com carta 1225 a 2200.

ARBUCIAS o **ARBÚCIES** 17401 Gerona **443** G 37 – 4 085 h. alt. 291 – ✪ 972.
🛈 pl. de la Vila 2 ℰ 86 00 01.
♦Madrid 682 – ♦Barcelona 69 – Gerona/Girona 53.

   ✗ Torres, Camprodón 14 - 1° piso ℰ 86 00 42, ⌙.

CITROEN Torrent del Minyo ℰ 86 02 84   GENERAL MOTORS Segismundo Folgarolas 21 ℰ
                                           86 01 43

ARCADE 36690 Pontevedra **441** E 4 – ✪ 986.
♦ Madrid 612 – Orense 113 – Pontevedra 12 – ♦ Vigo 22.

   ✗ O Mesón de Arcade, Rosalía de Castro 26 ℰ 70 06 54.

Los ARCOS 31210 Navarra **442** E 23 – 1 466 h. alt. 444 – ✪ 948.
Alred. : Torres del Río (iglesia del Santo Sepulcro★) SO : 7 km.
♦Madrid 360 – ♦Logroño 28 – ♦Pamplona 64 – ♦Vitoria/Gasteiz 63.

   ✗ **Ezequiel** con hab, carret. de Sesma ℰ 64 02 96 – ℗. ✖
      Com carta 1400 a 2150 – ⬓ 200 – **13 hab** 1645/3670 – P 3645/3835.

CITROEN carret. de Zaragoza 7 ℰ 64 01 05   SEAT-AUDI-VOLKSWAGEN carret. de Pamplona
RENAULT av. General Mola 7 ℰ 64 01 05   ℰ 64 01 33

ARCOS DE JALÓN 42250 Soria **442** I 23 – 2 548 h. alt. 827 – ✪ 975.
Alred. : Gargantas del Jalón★ SE : 8 km – ♦Madrid 167 – Soria 93 – Teruel 185 – ♦Zaragoza 154.

   ✗ **Oasis,** carret. N II ℰ 32 00 00, 龠 – ℗. ᴀᴇ ① E 𝚅𝙸𝚂𝙰. ✖
      Com carta 1400 a 2200.

RENAULT carret. N II - km 169 ℰ 32 03 80

ARCOS DE LA FRONTERA 11630 Cádiz **446** V 12 – 24 902 h. alt. 187 – ✪ 956.
Ver : Emplazamiento★★ – Plaza de España ≼★ – Iglesia de Santa María (fachada occidental★).
♦Madrid 586 – ♦Cádiz 65 – Jerez de la Frontera 32 – Ronda 86 – ♦Sevilla 91.

   🏛 **Parador Casa del Corregidor** ⤏, pl. de España ℰ 70 05 00, Fax 70 11 16, ≼, « Magnífica
      situación dominando un amplio panorama » – 📶 🖭 📺 ☎. ᴀᴇ ① E 𝚅𝙸𝚂𝙰. ✖
      Com 2500 – ⬓ 800 – **24 hab** 7600/9500.

   🏠 Los Olivos, sin rest, San Miguel 2 ℰ 70 08 11 – ☎ – **19 hab**.

   ✗ **El Convento** ⤏ con hab, Maldonado 2 ℰ 70 23 33 – ☏. 𝚅𝙸𝚂𝙰. ✖
      Com carta 1900 a 2500 – ⬓ 150 – **8 hab** 4000/6000 – P 6000/8000.

FIAT-LANCIA av. Miguel Mancheño 34 ℰ 70 02 19   RENAULT av. Miguel Mancheño 32 ℰ 70 14 58
FORD Venezuela 22 ℰ 70 23 23   SEAT-AUDI-VOLKSWAGEN av. Miguel Mancheño
OPEL carret. N 340   34 ℰ 70 15 50
PEUGEOT-TALBOT av. Duque de Arcos ℰ 70 18 15

ARCHENA 30600 Murcia **445** R 26 – 11 876 h. alt. 100 – ✪ 968 – Balneario.
♦Madrid 374 – ♦Albacete 127 – Lorca 76 – ♦Murcia 24.

   🛎 **La Parra,** carret. de los Baños 2 ℰ 67 04 44 – ⟵. ✖
      Com *(cerrado en invierno)* 800 – ⬓ 175 – **29 hab** 1050/2800 – P 2555/2905.

     en el balneario O : 2 km – ✉ 30600 Archena – ✪ 968 :

   🏛 **Termas** ⤏, ℰ 67 01 00, ⌙ de agua termal, 🌲, ✗ – 📶 🖭 ⟵ ℗. ✖
      Com 1550 – ⬓ 300 – **70 hab** 4650/7700 – P 5950/7500.

   🏠 **Levante** ⤏, ℰ 67 01 00, ⌙ de agua termal, 🌲 – 📶 🖭 rest ☎ ℗. ✖
      cerrado 11 diciembre-febrero – Com 1150 – ⬓ 250 – **81 hab** 3750/5000 – P 4650/5900.

   🏠 **León** ⤏ sin rest, ℰ 67 01 00, ⌙ de agua termal, 🌲, ✗ – 📶 ☎ ℗. ✖
      marzo-octubre – ⬓ 250 – **35 hab** 3450/4600.

CITROEN av. Mario Espreafico ℰ 67 04 26   PEUGEOT-TALBOT carret. del Balneario 28 ℰ
GENERAL MOTORS av. Daniel Ayala 30 ℰ 67 04 65   67 03 10
                                             RENAULT Daniel Ayala 29 ℰ 67 06 70

ARECHAVALETA o **ARETXABALETA** 20550 Guipúzcoa **442** C 22 – 5 928 h. – ✪ 943.
♦Madrid 386 – ♦Bilbao 56 – ♦San Sebastián/Donostia 75 – ♦Vitoria/Gasteiz 30.

   ✗ Taberna Berri, Cardenal Durana 26 ℰ 79 20 67 – ▤.

CITROEN Basabe Bidea 4 ℰ 79 62 65   SEAT-AUDI-VOLKSWAGEN Ensanche 36 ℰ 79 98 74

ARENAL 03738 Alicante – ver Jávea.

El ARENAL (Playa de) 07600 Baleares 443 N 38 — ver Baleares (Mallorca) : Palma de Mallorca.

ARENAS DE SAN PEDRO 05400 Ávila 444 L 14 — 6 604 h. — ✪ 918.

◆ Madrid 143 — Ávila 73 — Plasencia 120 — Talavera de la Reina 46.

🏨 **Don Alvaro de Luna,** Florida 4 🖉 37 16 50, 🍽️, 🏊 – 🛗 ☰ rest ☎ 🄿 . VISA
   15 junio-15 septiembre — Com 1300 — ⬡ 300 — **34 hab** 3000/4000 — P 4450/5450.

🍴 Hosteria Los Galayos, con hab, pl. Condestable Dávalos 🖉 37 13 79, 🍽️, Bodegón típico —
   ☰ rest
   7 hab

CITROEN Batalla de Lepanto 6 🖉 37 01 97
FORD av. de la Constitución 🖉 37 04 00
GENERAL MOTORS av. de Lourdes 8 🖉 37 04 76

PEUGEOT-TALBOT av. Plaza de toros 4 🖉 37 05 70
RENAULT pl. José Antonio 6 🖉 37 01 08
SEAT-AUDI-VOLKSWAGEN La Huerta 🖉 37 10 43

ARENYS DE MAR 08350 Barcelona 443 H 37 — 10 088 h. — ✪ 93 — Playa.

🏌️ de Llavaneras O : 8 km 🖉 792 60 50.

🛈 passeig Xifré 25 🖉 792 15 37.

◆ Madrid 672 — ◆ Barcelona 37 — Gerona/Girona 60.

🏨 **Carlos I** 🦺, av. Catalunya 🖉 792 03 83, 🏊 – 🛗 🄿 . 🎾 rest
   mayo-octubre — Com 1300 — ⬡ 400 — **100 hab** 2340/3880 — P 4480/4880.

🏨 **Carlos V** 🦺, av. Catalunya 🖉 792 08 99 — 🄿 . 🎾 rest
   mayo-octubre — Com 1150 — ⬡ 385 — **57 hab** 1935/3080 — P 3790/4185.

en la carretera N II SO : 2 km — ✉ 08350 Arenys de Mar — ✪ 93 :

🍴🍴 ❀ **Hispania,** Real 54 🖉 791 04 57 — ☰ 🄿 . AE E VISA
   cerrado martes, domingo noche y octubre — Com carta 3100 a 4250
   Espec. Buñuelos de bacalao, Pichón a la vinagreta, Langosta guisada con patatas de Ibiza.

Ver también : *Caldetas* SO : 2 km.

RENAULT carret. N II km 656 - Pasaje Sapi 🖉 792 04 81

AREO o **AREU** 25575 Lérida 443 E 33 — alt. 920 — ✪ 973.

◆ Madrid 613 — ◆ Lérida/Lleida 157 — Seo de Urgel 83.

🏨 **Vall Ferrera** 🦺, 🖉 62 90 57, ← — 🛗 AE 🄿 E VISA . 🎾 rest
   abril-octubre — Com 1300 — ⬡ 400 — **25 hab** 1400/3250 — P 3500/3900.

ARETXABALETA Guipúzcoa — ver Arechavaleta.

ARÉVALO 05200 Ávila 444 I 15 — 6 748 h. alt. 827 — ✪ 918.

Ver : Plaza de la Villa ★.

◆ Madrid 121 — Ávila 55 — ◆ Salamanca 95 — ◆ Valladolid 78.

🏨 **Fray Juan Gil** sin rest y sin ⬡, av. de los Deportes 2 🖉 30 08 00 — 🛗 ☎
   30 hab 2900/4400.

🍴 **El Tostón de Oro,** av. de los Deportes 2 🖉 30 07 98 — ☰. VISA . 🎾
   cerrado 11 diciembre-11 enero — Com carta 1600 a 2350.

🍴 **La Pinilla,** Teniente García Fanjul 1 🖉 30 00 63 — ☰. AE 🄾 E VISA . 🎾
   cerrado domingo noche, lunes y del 15 al 31 julio — Com carta 1350 a 2150.

🍴 **Donis,** pl. El Salvador 2 - 1er piso 🖉 30 06 92 — ☰. AE 🄾 E VISA . 🎾
   cerrado miércoles y del 15 al 30 septiembre — Com carta 1475 a 2750.

ARGENTONA 08719 Barcelona 443 H 37 — 6 515 h. alt. 75 — ✪ 93.

◆ Madrid 657 — ◆ Barcelona 27 — Mataró 4.

🍴🍴 ❀❀ **Racó d'En Binu,** Puig i Cadafalch 14 🖉 797 01 01 — ☰. AE VISA
   cerrado domingo noche, lunes y noviembre — Com carta 3400 a 4500
   Espec. Esquitxada de llagostins, Pollo del Prat Racó d'en Binu, Souflé glacé de chocolat aux noix.

🍴🍴 **El Celler d'Argentona,** Bernat de Riudemeya 6 🖉 797 02 69, Celler típico — ☰. AE 🄾 E
   VISA . 🎾
   cerrado domingo noche y jueves — Com carta 2525 a 3600.

en la carretera de Granollers NO : 2 km — ✉ 08179 Argentona — ✪ 93 :

🍴🍴 **Can Jaume Els 4 Rellotges,** 🖉 797 19 85, 🍽️, « Antigua masia, Bonita decoración » — ☰
   🄿 AE 🄾 E VISA . 🎾
   cerrado domingo noche, lunes y noviembre — Com carta 1800 a 2750.

ARINSAL Andorra 443 E 34 — ver Andorra (Principado de).

ARLABAN (Puerto de) Guipúzcoa 442 D 22 — ver Salinas de Leniz.

ARMENTIA Álava — ver Vitoria.

ARNEDILLO 26589 La Rioja **443** F 23 – 431 h. alt. 640 – ✆ 941 – Balneario.

♦Madrid 294 – Calahorra 26 – ♦Logroño 61 – Soria 68 – ♦Zaragoza 150.

⛪ **Balneario** ☞, ℰ 39 40 00, ⌷ de agua termal, ♨, ※ – ☰ ☜ ℗. ※ rest
15 junio-15 octubre – Com 1550 – ☲ 425 – **181 hab** 4300/6900.

⛪ **El Olivar** ☞, ℰ 39 41 05, <, ⛲, ⌷ de agua termal, ※ – ☎ ℗. VISA. ※ rest
17 marzo-noviembre – Com 1400 – ☲ 400 – **45 hab** 3600/5200 – P 4700/5700.

ARNEDO 26580 La Rioja **442** F 23 – 11 592 h. alt. 550 – ✆ 941.

♦Madrid 306 – Calahorra 14 – ♦Logroño 49 – Soria 80 – ♦Zaragoza 138.

⛪ **Victoria,** paseo de la Constitución 113 ℰ 38 01 00, ⌷, ※ – ☰ ☰ rest ☜. ⒶⒺ ⓞ Ε VISA. ※
Com 1450 – ☲ 425 – **48 hab** 5800/6000.

⛪ **Virrey,** paseo de la Constitución 27 ℰ 38 01 50 – ☰ ☰ rest TV ☜ ℗
36 hab.

CITROEN carret. Quel ℰ 38 00 22
FORD av. Logroño 21 ℰ 38 10 86
OPEL pl. de Nuestra Señora de Vico 17 ℰ 38 13 08
PEUGEOT-TALBOT carret. de Logroño 27 ℰ 38 06 93

RENAULT carret. de Logroño ℰ 38 04 30
SEAT-AUDI-VOLKSWAGEN carret. de Logroño ℰ 38 08 97

ARNUERO 39194 Cantabria **442** B 19 – 1 802 h. – ✆ 942.

♦ Madrid 483 – ♦ Bilbao 85 – ♦ Santander 44.

※※ **Hostería de Arnuero,** ℰ 62 70 03, « Casona montañesa del siglo XVII » – ℗. ⒶⒺ ⓞ. ※
marzo-noviembre – Com *(cerrado lunes)* carta 1600 a 2800.

La ARQUERA Asturias – ver Llanes.

ARRECIFE 35500 Las Palmas – ver Canarias (Lanzarote).

ARROYO DE LA MIEL 29630 Málaga **446** W 16 – ver Benalmádena.

ARTÁ (Cuevas de) 07570 Baleares **443** N 40 – ver Baleares (Mallorca).

ARTEIJO 15142 La Coruña **441** C 4 – ver La Coruña.

ARTENARA 35350 Las Palmas – ver Canarias (Gran Canaria) : Las Palmas.

ARTESA DE SEGRE 25730 Lérida **443** G 33 – 3 245 h. alt. 400 – ✆ 973.

♦Madrid 519 – ♦Barcelona 141 – ♦Lérida/Lleida 50.

⛪ **Montaña,** carret. de Agramunt 84 ℰ 40 01 86 – ☰ rest ☜ ℗. Ε VISA. ※ rest
Com 725 – ☲ 215 – **28 hab** 925/2300 – P 2210/2335.

CITROEN carret. de Pons ℰ 40 01 48

RENAULT carret. de Agramunt 82 ℰ 40 05 42

ARTIÉS 25599 Lérida **443** D 32 – alt. 1 143 – ✆ 973 – Deportes de invierno.

♦Madrid 603 – ♦Lérida/Lleida 169 – Viella 6.

🏨 **Parador Don Gaspar de Portolá,** carret. de Baqueira ℰ 64 08 01, Fax 64 10 01, < – ☰ ☜
℗ – ⚿ ⒶⒺ ⓞ Ε VISA. ※
Com 2500 – ☲ 800 – **40 hab** 6400/8000.

⛪ **Valartiés** ☞, Mayor 4 ℰ 64 09 00, < – ☰ ☰ TV ℗
27 hab.

⛪ **H. Edelweis y Rest. Montarto,** carret. de Baqueira ℰ 64 09 02, < – ☰ ℗. Ε VISA. ※
cerrado 1 al 15 mayo y del 2 al 18 noviembre – Com *(cerrado martes)* 1100 – ☲ 325 – **25 hab** 3000/5000.

※※ ❀ **Casa Irene** ☞ con hab, Mayor 3 ℰ 64 09 00, < – ☰ rest ℗ ⒶⒺ ⓞ Ε VISA
25 junio-14 octubre y 22 diciembre-Semana Santa – Com carta 2800 a 3500 – ☲ 400 – **27 hab** 4600/8100
Espec. Magret de oca con salsa agridulce de frambuesas, Salmón con salsa al vino blanco y cigalas, Biscuit de lubina con salsa Nantua.

※ **Urtau,** pl. Urtau 2 ℰ 64 09 26 – Ε VISA. ※
20 junio-10 octubre y enero-15 abril – Com (en invierno sólo cena y cerrado domingo noche) carta 1675 a 2300.

ARUCAS 35400 Las Palmas – ver Canarias (Gran Canaria).

El ASTILLERO 39610 Cantabria **442** B 18 – 11 524 h. – ✆ 942 – Playa.

Alred. : Peña Cabarga ⛰ ★★ SE : 8 km.

♦Madrid 394 – ♦Bilbao 99 – ♦Santander 10.

⛪ **Las Anclas,** San José 11 ℰ 54 08 50 – ☰ ☜. ⒶⒺ VISA. ※
Com 1200 – ☲ 260 – **58 hab** 3600/5700.

ASTORGA 24700 León **4 1** E 11 – 14 040 h. alt. 869 – 🕲 987.

🚩 pl. de España 🖉 61 68 38.

♦Madrid 320 – ♦León 47 – Lugo 184 – Orense 232 – Ponferrada 62.

🏨 **Gaudí,** pl. Eduardo de Castro 6 🖉 61 56 54 – |🛗|. 🖭. 🎟
Com 975 – 🖙 375 – **35 hab** 5000/6000.

🏠 **La Peseta,** pl. San Bartolomé 3 🖉 61 72 75 – |🛗| 🕾. 🖭. 🎟 rest
cerrado del 13 al 31 octubre – Com *(cerrado domingo noche)* 950 – 🖙 300 – **22 hab** 2550/
4200.

en Celada de la Vega - carretera N VI SE : 3,5 km – ⊠ Celada de la Vega – 🕲 987 :

🏨 **La Paz,** 🖉 61 52 77, 🏊, 🎾 – 🛥 🕿 ➊ 🖭. 🎟
Com 875 – 🖙 300 – **38 hab** 2500/3600.

en la carretera N VI NO : 5 km – ⊠ 24700 Astorga – 🕲 987 :

🏨 **Motel de Pradorrey,** 🖉 61 57 29, En un marco medieval – 🖃 rest 🖭 ➊ 🖭 ➊ 🖪 🖭.
🎟 rest
Com 1800 – 🖙 400 – **64 hab** 4150/6500.

ALFA ROMEO   carret. Madrid-La Coruña km 326
🖉 61 80 66
CITROEN   carret. Madrid-La Coruña km 326 🖉
61 63 81
FIAT   carret. Madrid-La Coruña km 325 🖉 61 79 00
FORD   carret. Madrid-La Coruña 186 🖉 61 52 59
GENERAL MOTORS-OPEL   carret. Madrid-La Coruña
98 🖉 61 74 01

PEUGEOT-TALBOT   carret. Madrid-La Coruña 325
🖉 61 68 81
RENAULT   carret. La Coruña 104 🖉 61 56 81
SEAT-AUDI-VOLKSWAGEN   av. de Ponferrada 84
🖉 61 52 67

AUSEJO 26513 La Rioja **4 4 2** E 23 – 702 h. – 🕲 941.

♦Madrid 326 – ♦Logroño 29 – ♦Pamplona 95 – ♦Zaragoza 148.

🏠 **Maite,** carret. N 232 🖉 43 00 00, 🏊, 🔬 – 🖃 rest 🕾 ➊ ➊
Com 900 – 🖙 250 – **24 hab** 2100/3300 – P 3750/4200.

ÁVILA 05000 🅿 **4 4 4** K 15 – 41 735 h. alt. 1 131 – 🕲 918 – Plaza de toros.

Ver : Murallas★★ – Catedral★★ (cabecera fortificada★, sacristía★★, obras de arte★★, sepulcro del
Tostado★★) Y – Basílica de San Vicente★★ (portada occidental★★, sepulcro de los Santos Titu-
lares★★, cimborrio★) Y S – Monasterio de Santo Tomás★ (mausoleo★, Claustro del Silencio★,
sillería★, retablo de Santo Tomás★★) por av. del Alférez Provisional Z – Casa de los Deanes
(tríptico★) Y M – Convento de San José o Las Madres (sepulcros★) Y R – Ermita de San Segundo
(estatua★) Y E.

🚩 pl. Catedral 4, ⊠ 05001, 🖉 21 13 87 – R.A.C.E. Reina Isabel 21, ⊠ 05001, 🖉 22 42 13.

♦Madrid 107 ① – ♦Cáceres 235 ③ – ♦Salamanca 98 ④ – ♦Segovia 67 ① – ♦Valladolid 120 ①.

Plano página siguiente

🏨 **Parador Raimundo de Borgoña** 🐾, Marqués de Canales y Chozas 16, ⊠ 05001, 🖉
21 13 40, Fax 22 61 66, Decoración castellana, 🍴 – |🛗| 🕿 ➡ ➊ – 🔬. 🖭 ➊ 🖪 🖭.
🎟   Y **n**
Com 2500 – 🖙 800 – **62 hab** 6800/8500.

🏨 **G. H. Palacio Valderrábanos,** pl. Catedral 9, ⊠ 05001, 🖉 21 10 23, Telex 22481, Decoración
elegante – |🛗| 🖃 🖭 🕿 – 🔬. 🖭 ➊ 🖪 🖭. 🎟 rest   YZ **z**
Com 1950 – 🖙 500 – **73 hab** 5350/8400 – P 7940/9090.

🏠 **Don Carmelo** sin rest, paseo de Don Carmelo 30, ⊠ 05001, 🖉 22 80 50 – |🛗| 🖭 🕿 ➡ ➊. 🖪
🖭. 🎟   por ①
🖙 400 – **60 hab** 2900/4950.

🏠 **Rey Niño** sin rest y sin 🖙, pl. de José Tomé 1, ⊠ 05001, 🖉 21 14 04 – |🛗| 🕾. 🖭. 🎟   Z **v**
24 hab 2000/3400.

🍴🍴 **Copacabana,** San Millán 9, ⊠ 05001, 🖉 21 11 10 – 🖃. 🖭 ➊ 🖪 🖭. 🎟   Y **r**
Com carta 2350 a 2520.

🍴 **Mesón El Sol y Resid. Santa Teresa** con hab, av. 18 de Julio 25, ⊠ 05003, 🖉 22 02 11,
🍴 – |🛗| 🖃 rest. 🖭 ➊ 🖪 🖭. 🎟   por ①
Com 1100 – 🖙 350 – **15 hab** 2200/3100.

🍴 **El Rastro,** pl. del Rastro 1, ⊠ 05001, 🖉 21 12 18, Albergue castellano – 🖃. 🖭 ➊ 🖪 🖭.
🎟   Z **a**
Com carta 1700 a 2050.

ALFA-ROMEO   av. Madrid 11 🖉 22 93 50
AUSTIN-ROVER   carret. Ávila-Plasencia km 90,5 🖉
26 97 84
CITROEN   carret. de Valladolid 64 🖉 22 72 00
FIAT-LANCIA   carret. de Valladolid 66 🖉 22 90 16
FORD   carret. de Valladolid km 1,300 🖉 22 18 62
GENERAL MOTORS   carret. Ávila - Madrid km 110
🖉 22 77 00

MERCEDES   Polígono Industrial Las Hevencias 3 🖉
22 98 50
PEUGEOT-TALBOT   carret. de Madrid km 111 🖉
22 05 00
RENAULT   av. 18 de Julio 64 🖉 22 10 30
SEAT-AUDI-VOLKSWAGEN   carret. de Burgohondo
🖉 22 03 16
VOLVO   Eduardo Marquina 15 🖉 22 48 54

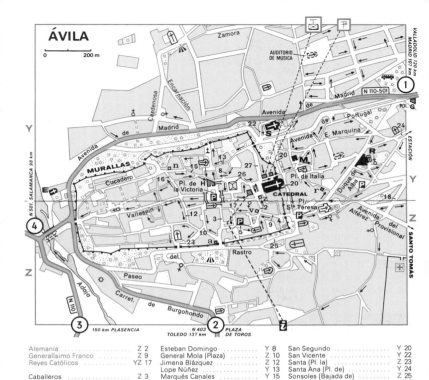

ÁVILA

0   200 m

EUROPA en una sola hoja Mapa Michelin nº **920**.

AVILÉS 33400 Asturias **441** B 12 – 86 584 h. alt. 13 – **◯** 985.

Alred. : Salinas ≤★ NO : 5 km.

🛈 Ruiz Gómez 21 bajo derecha 🖉 54 43 25.

♦Madrid 466 – Ferrol 280 – Gijón 25 – ♦Oviedo 31.

🏨   **Luzana** sin rest, Fruta 9 🖉 56 58 40, Telex 84213, Fax 54 15 28 – 🛗 🕾. 🖭 ⓘ 🗲 *VISA*. 🛠
     🖙 375 – **73 hab** 4900/7100.

🏠   **San Félix**, av. de Lugo 48 🖉 56 51 46 – 🕾 🄿
     18 hab.

🕱🕱   Cantina Renfe, av. de los Telares 14 🖉 56 13 45.

🕱   Mantido, av. de los Telares 11 🖉 56 49 38.

     en la playa de Salinas NO : 5 km – ⊠ 33400 Salinas – **◯** 985 :

🏠   **Esperanza**, Príncipe de Asturias 31 🖉 51 02 00, Fax 511928 – 📺 🕾. 🖭 ⓘ 🗲 *VISA*. 🛠 rest
     cerrado 20 diciembre-10 enero – Com 1000 – 🖙 250 – **33 hab** 2500/5000.

🕱   **Las Conchas,** Pablo Laloux - Edificio Espartal 🖉 51 14 45, ≤, 🍴 – 🖭 ⓘ 🗲 *VISA*. 🛠
     cerrado lunes y 13 octubre-16 noviembre – Com carta 2050 a 3450.

🕱   **Piemonte,** Príncipe de Asturias 71 🖉 51 00 25 – 🖭 🗲 *VISA*. 🛠
     cerrado domingo noche y miércoles – Com carta 1550 a 2770.

AYAMONTE 21400 Huelva 🗓🗓🗓 U 7 − 16 216 h. alt. 84 − 🅑 955 − Playa - ver aduanas p. 14 y 15.

🚢 para Vila Real de Santo António (Portugal).

♦Madrid 680 − Beja 125 − Faro 53 − Huelva 52.

🏨 **Parador Costa de la Luz** 🦌, El Castillito 🖉 32 07 00, ≼, 🏊, 🎾 − 🔄 ☎ 🅿. 🆎 🅾 🇪 🚾. 🛥
Com 2500 − 🖵 800 − **20 hab** 6400/8000.

🏨 **Don Diego** sin rest, Ramón y Cajal 🖉 32 02 50 − 🛗 ⓐ 🅿. 🆎 🅾 🇪 🚾
🖵 350 − **45 hab** 3550/5350.

🏠 Marqués de Ayamonte, sin rest y sin 🖵, Trajano 14 🖉 32 01 25 − ⓐ
30 hab.

CITROEN Punta Umbria 2 🖉 32 10 74
FORD San Silvestre 7 🖉 32 00 51
PEUGEOT-TALBOT Zona Industrial, Salón Sta Gadec
🖉 32 04 82

RENAULT Zona Industrial, Salón Santa Gadec 🖉
32 01 71

AYNA 02125 Albacete 🗓🗓🗓 Q 23 − 1 875 h. − 🅑 967.

♦Madrid 306 − ♦ Albacete 59 − ♦ Murcia 145 − Úbeda 189.

🏠 **Felipe II** 🦌, paraje la Toba 🖉 29 50 83, ≼ − 🚗 🅿. 🛥
Com 800 − 🖵 200 − **30 hab** 1600/2500 − P 3150/3500.

AYORA 46620 Valencia 🗓🗓🗓 O 26 − 6 083 h. − 🅑 96.

♦Madrid 341 − ♦Albacete 94 − ♦Alicante 117 − ♦Valencia 132.

🍴 **Murpimar** sin rest y sin 🖵, Virgen del Rosario 70 🖉 219 10 33 − 🛥
25 hab 1075/1775.

PEUGEOT-TALBOT av. Valencia 1 🖉 219 12 32

AZPEITIA 20730 Guipúzcoa 🗓🗓 C 23 − 12 958 h. alt. 84 − 🅑 943 − Plaza de toros.

♦Madrid 427 − ♦Bilbao 74 − ♦Pamplona 92 − ♦San Sebastián/Donostia 44 − ♦Vitoria/Gasteiz 71.

🏠 **Izarra**, av. de Loyola 🖉 81 07 50, 🍴 − 🔄 rest ☎ 🅿. 🇪 🚾. 🛥
Com 1250 − 🖵 350 − **26 hab** 2800/4500.

XX **Juantxo**, av. de Loyola 3 🖉 81 43 15 − 🔄. 🅾 🇪 🚾. 🛥
cerrado martes, domingo noche y 22 diciembre-17 enero − Com carta 2175 a 2975.

en Loyola O : 1,5 km − ⊠ 20730 Loyola − 🅑 943 :

XX **Kiruri,** 🖉 81 56 08, 🍴 − 🔄 🅿. 🇪 🚾. 🛥
cerrado lunes noche y 22 diciembre - 9 enero − Com carta 1800 a 3700.

ALFA ROMEO Barrio Landeta 🖉 81 32 19
CITROEN Barrio Landeta 🖉 81 23 54
GENERAL MOTORS Barrio Landeta 🖉 81 53 00

PEUGEOT-TALBOT Barrio Landeta 🖉 81 23 59
RENAULT Barrio Loyola 🖉 81 08 12

BADAJOZ 06000 🅿 🗓🗓🗓 P 9 − 114 361 h. alt. 183 − 🅑 924 − Plaza de toros - ver aduanas p. 14 y 15.

🛈 pasaje de San Juan 1, ⊠ 06002, 🖉 22 27 63 98 − R.A.C.E. pl. de la Soledad, ⊠ 06001, 🖉 22 87 57.

♦Madrid 409 ② − ♦Cáceres 91 ① − ♦Córdoba 278 ③ − ♦Lisboa 247 ④ − Mérida 62 ② − ♦Sevilla 218 ③.

Plano página siguiente

🏨 Gran H. Zurbarán, paseo Castelar 6, ⊠ 06001, 🖉 22 37 41, Telex 28818, 🏊, 🛥 − 🛗 🔄 📺 ☎
🚗 🅿
215 hab.
AY **k**

🏨 **Río**, av. Adolfo Díaz Ambrona, ⊠ 06006, 🖉 23 76 00, Telex 28784, 🏊 − 🛗 🔄 ☎ 🅿 − 🏛. 🆎
🅾 🇪 🚾. 🛥 rest
por ④
Com 1350 − 🖵 350 − **90 hab** 3850/4950 − P 4915/6290.

🏨 **Lisboa**, av. de Elvas 13, ⊠ 06006, 🖉 23 82 00, Telex 28610, Fax 23 61 74 − 🛗 🔄 📺 🚗 −
🏛. 🚾. 🛥
por ④
Com 1000 − 🖵 300 − **176 hab** 4000/5000 − P 4350/5850.

🏠 **Conde Duque** sin rest, Muñoz Torrero 27, ⊠ 06001, 🖉 22 46 41 − 🛗 🔄 ⓐ. 🆎 🅾 🇪 🚾. 🛥
🖵 250 − **35 hab** 2710/4130.
BY **r**

🏠 **Cervantes** sin rest y sin 🖵, El Tercio 2, ⊠ 06002, 🖉 22 51 10 − 🛗 ⓐ. 🛥
25 hab 1950/2950.
CZ **e**

X **El Sótano,** Virgen de la Soledad 6, ⊠ 06002, 🖉 22 00 19 − 🔄. 🇪 🚾. 🛥
Com carta 1300 a 2200.
BY **a**

X El Caballo Blanco, av. de Europa 7-A, ⊠ 06004, 🖉 23 42 21 − 🔄
ABZ **u**

X **El Tronco,** Muñoz Torrero 16, ⊠ 06001, 🖉 22 20 76, Mesón típico − 🔄. 🆎 🅾 🇪 🚾. 🛥
cerrado domingo − Com carta 1700 a 2625.
BZ **a**

ALFA-ROMEO carret. de Madrid km 401 🖉 24 22 37
AUSTIN-MG-MORRIS-MINI carret. de la Corte 1
🖉 25 45 71
CITROEN carret. de Madrid 81 🖉 23 70 09
FIAT-LANCIA carret. de Madrid 34 B 🖉 25 70 11
FORD carret. de Madrid km 400,7 🖉 25 30 11

OPEL-GM carret. de Madrid 79 🖉 25 83 61
PEUGEOT-TALBOT Antonio Masa 26 🖉 23 13 00
RENAULT carret. de Madrid km 401 🖉 25 04 11
SEAT-AUDI-VOLKSWAGEN carret. Madrid - Lisboa
km 402 🖉 25 00 11

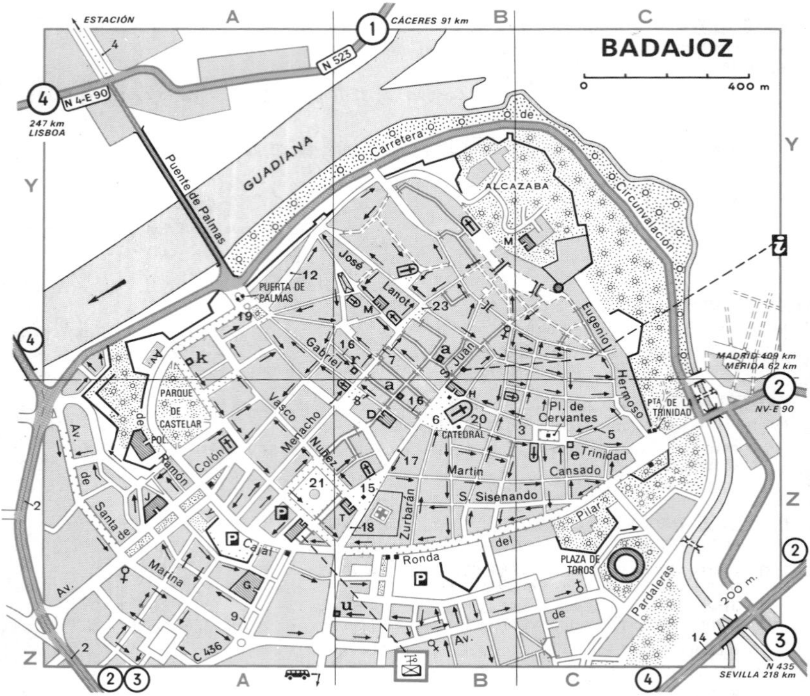

Francisco Pizarro . . . . BY 7
Obispo San Juan de Rivera . . . BZ 17
San Juan . . . . BY

Antonio Masa Campos (Av.) . . . . AZ 2
Calatrava . . . . BCZ 3
Carolina Coronado . . . . AY 4
Doblados . . . . CZ 5
España (Pl. de) . . . . BZ 6
Hernán Cortés . . . . BZ 8
Huelva (Av. de) . . . . AZ 9
Joaquín Costa (Av. de) . . . . AY 12
Juan Sebastián Elcano (Av. de) . . . . CZ 14
Minayo (Pl. de) . . . . BZ 15
Muñoz Torrero . . . . BYZ 16
Pedro de Valdivia . . . . BZ 18
Reyes Católicos (Pl.) . . . . AY 19
San Blas . . . . BZ 20
San Francisco (Paseo) . . . . AZ 21
Soledad (Pl. de la) . . . . BY 23

No viaje hoy con un mapa de ayer.

BADALONA 08784 Barcelona 443 H 36 – 227 744 h. – 93 – Playa.

♦Madrid 635 – ♦Barcelona 8,5 – Mataró 19.

- **Miramar** sin rest, Santa Madrona 60 ☎ 384 03 11, ← – |♦| ▤ ☎ 🚗. AE E VISA. ✂
  ☕ 350 – **42 hab** 2000/4400.
- XX **Obiols,** Prim 172, ✉ 08911, ☎ 384 42 78 – ▤. AE ⓓ E VISA
  cerrado lunes y 16 agosto-2 septiembre – Com carta 3050 a 5000.
- X **Nereida,** Sant Llorenç 8 ☎ 389 23 75 – ▤. VISA. ✂
  cerrado domingo – Com carta 2050 a 2850.
- X Sant Pere, Sant Pere 97 ☎ 384 42 78 – ▤.

en la carretera de Montcada NO : 3,5 km – ✉ 08784 Badalona – 93 :

- XX **Palmira,** La Escala 2 (barri de Canyet) ☎ 395 12 62, ☂ – Ⓟ. AE ⓓ E VISA. ✂
  cerrado domingo noche – Com carta 2250 a 3600.

AUSTIN ROVER Riera Matamoros 30 A ☎ 389 31 04
CITROEN Alfonso XII-58 ☎ 388 13 12
FIAT-LANCIA av. President Companys 13 ☎ 384 42 62
FORD Martí Julia ☎ 389 17 78
PEUGEOT-TALBOT av. Marqués de Montroig 125 ☎ 387 28 00
RENAULT av. Marqués de Montroig 111-123 ☎ 387 64 16
RENAULT Prat de la Riba 31 ☎ 395 48 53
RENAULT Ignacio Iglesias 19 ☎ 389 14 98
RENAULT Eduardo Marquina 23 ☎ 389 24 16
SEAT-AUDI-VOLKSWAGEN Vía Augusta 10 ☎ 384 02 51
SEAT-AUDI-VOLKSWAGEN av. Marqués de Montroig 34 ☎ 387 88 04

BAENA 14850 Córdoba **446** U 16 – 16 599 h. alt. 407 – ✪ 957.
◆Madrid 406 – ◆Córdoba 63 – ◆Granada 108 – Jaén 73 – ◆Málaga 137.

🏨 **Iponuba** sin rest y sin ⌲, Nicolás Alcalá 9 🕿 67 00 75 – 🔄 ☎ 🚗. 🕱
39 hab 1600/2750.

CITROEN Laureano Fernández Martos 63 🕿 67 01 75
FIAT Laureano Fernandez Martos, 40
FORD Coronel Adolfo de los Rios 22 🕿 67 03 87
GENERAL MOTORS carret. de Cañete 🕿 67 07 62
LANCIA Laureano Fernández Martos 63 🕿 67 02 43

PEUGEOT-TALBOT Estación 40 🕿 67 08 60
RENAULT carret. N 432 km 338,7 🕿 67 02 38
SEAT-AUDI-VOLKSWAGEN Laureano Fernández Martos 38 🕿 67 03 00

BAEZA 23440 Jaén **446** S 19 – 14 799 h. alt. 760 – ✪ 953 – Plaza de toros.
Ver : Centro monumental★★ : plaza de los Leones★, catedral (interior★), palacio de Jabalquinto★, ayuntamiento★ – Iglesia de San Andrés★ (tablas góticas★).
🏛 Casa del Pópulo 🕿 74 04 44.
◆Madrid 319 – Jaén 48 – Linares 20 – Úbeda 9.

🏨 **Juanito,** paseo Arca del Agua 🕿 74 00 40, ☂ – 🔳 ☎ 🚗 🅿 – **21 hab**.

🏨 **El Alcázar,** paseo Arca del Agua 🕿 74 00 28 – 🔄 🅿. 🕱
Com (cerrado domingo noche) – ⌲ 250 – **34 hab** 1650/2750.

✗ **Sali,** pasaje Cardenal Benavides 15 🕿 74 13 65 – 🔳. **E** **VISA**. 🕱
cerrado miércoles noche y 15 septiembre-10 octubre – Com carta 1700 a 2450.

CITROEN carret. Linares 🕿 74 11 12

BAGUR o **BEGUR** 17255 Gerona **443** G 39 – 2 277 h. – ✪ 972.
🏖 de Pals N : 7 km 🕿 62 60 06.
🏛 pl. de l'Esglesia 1 🕿 62 24 00.
◆Madrid 739 – Gerona/Girona 46 – Palamós 17.

🏨 **Bagur,** Comas y Ros 8 🕿 62 22 07, Telex 57077, Fax 62 20 55, ☂ – 🔄 ☎. **E** **VISA**. 🕱
cerrado 15 enero-15 febrero – Com carta 1250 a 2350 – ⌲ 420 – **36 hab** 4400/5700 – P 5150/6700.

🏨 **Rosa** sin rest, Forgas y Puig 6 🕿 62 30 15 – **VISA**
15 junio-15 septiembre – ⌲ 375 – **23 hab** 2300/4100.

🏨 **Plaja,** pl. Pella i Forgas 🕿 62 21 97 – 🔳 rest. **E** **VISA**. 🕱 rest
Semana Santa-15 octubre – Com (cerrado domingo noche y 20 diciembre-28 enero) 1500 – ⌲ 380 – **16 hab** 2600/4000 – P 5100/5700.

✗ **Mas Comangau,** carret. de Fornells 🕿 62 32 10, Decoración típica catalana – **AE** ① **E** **VISA**.
🕱
cerrado martes – Com carta 1575 a 3050.

en la playa de Sa Riera N : 2 km – ✉ 17255 Begur – ✪ 972 :

🏨 **Sa Riera** ⑄, 🕿 62 30 00, Telex 57077, ⅃ – ☎ 🅿. **VISA**. 🕱 rest
15 marzo-15 octubre – Com 1250 – ⌲ 440 – **41 hab** 3300/5600.

en Aigua Blava SE : 3,5 km – ✉ 17255 Begur – ✪ 972 :

🏛 **Aigua Blava** ⑄, playa de Fornells 🕿 62 20 58, Telex 56000, « Parque ajardinado, ≤ cala », ⅃, ✗ – 🔳 rest ☎ 🚗 🅿 – 🔼. **AE** **E** **VISA**. 🕱
17 marzo-23 octubre – Com 2300 – ⌲ 700 – **85 hab** 5500/9500 – P 8950/9700.

🏛 **Parador de la Costa Brava** ⑄, 🕿 62 21 62, Fax 62 21 66, « Magnífica situación con ≤ cala », ⅃ – 🔄 🔳 🅿 – 🔼. **AE** ① **E** **VISA**. 🕱
Com 2700 – ⌲ 800 – **87 hab** 8800/11000.

🏨 **Bonaigua** ⑄, sin rest, playa de Fornells 🕿 62 20 50, Telex 57077, ≤, ✗ – 🔄 ☎ 🚗 🅿. **AE** **E**
VISA. 🕱
19 marzo-15 octubre – ⌲ 500 – **47 hab** 5000/7550.

El BAIELL 17534 Gerona **443** F 36 – ver Ribas de Freser.

BAILÉN 23710 Jaén **446** R 18 – 15 617 h. alt. 349 – ✪ 953.
◆Madrid 294 – ◆Córdoba 104 – Jaén 37 – Úbeda 40.

en la carretera N IV – ✉ 23710 Bailén – ✪ 953 :

🏛 **Parador de Bailén** ⑄, 🕿 67 01 00, Fax 67 25 30, ⅃, ⟿ – 🔳 🅿. **AE** ① **E** **VISA**. 🕱
Com 2500 – ⌲ 800 – **86 hab** 5200/6500.

🏛 **Motel Don Lope de Sosa,** 🕿 67 00 58, Telex 28311 – 🔳 🚗 🅿. **AE** ① **E** **VISA**
Com 1500 – ⌲ 375 – **27 hab** 3300/4150 – P 6675/10900.

🏨 **Zodíaco,** 🕿 67 10 62 – 🔳 ☎ 🚗 🅿. **VISA**. 🕱
Com 950 – ⌲ 350 – **52 hab** 2515/3895 – P 4085/4655.

CITROEN carret. N IV km 294 🕿 67 18 64
FIAT-LANCIA carretera N IV 🕿 67 09 00

PEUGEOT-TALBOT carret. N IV km 294 🕿 67 02 66
RENAULT carret. N IV km 294 🕿 67 18 61

BAIONA 36300 Pontevedra **441** F 3 – ver Bayona.

BAKIO 48130 Vizcaya **442** B 21 – ver Baquio.

BALAGUER 25600 Lérida **[4][4][3]** G 32 – 12 432 h. alt. 233 – 🕲 973.

♦Madrid 496 – ♦Barcelona 149 – Huesca 125 – ♦Lérida/Lleida 27.

🏨 **Conde Jaime de Urgel** (Parador colaborador), Urgel 2 𝒫 44 56 04, 🍽 – 🛗 🗐 ☎ ⇔ 🅿. 🖭 ⑩ 🄴 *VISA* 🕸 rest
Com 1650 – ☑ 500 – **60 hab** 4000/5600 – P 6030/7230.

🟉🟉 **Cal Morell,** passeig Estació 18 𝒫 44 80 09 – 🗐. 🖭 ⑩ 🄴 *VISA*
cerrado lunes excepto vísperas y festivos y del 1 al 15 septiembre – Com carta 2000 a 2950.

CITROEN Hostal Nou 𝒫 44 54 38
FORD carret. Balaguer - Tárrega km 1,5 𝒫 44 57 54
GENERAL MOTORS carret. Bellcaire 𝒫 44 51 00
MERCEDES carret. Balaguer - Tárrega 𝒫 44 70 61

PEUGEOT-TALBOT Urgel 36 𝒫 44 55 99
RENAULT Urgel 90 y 92 𝒫 44 53 67
SEAT-AUDI-VOLKSWAGEN Urgel 25 𝒫 44 50 91

BALEARES (Islas) ★★★ **[4][4][3]** – 685 088 h.

🛩 ver : Palma de Mallorca, Mahón, Ibiza.

🚢 para Baleares ver : Barcelona, Valencia. En Baleares ver : Palma de Mallorca, Mahón, Ibiza.

MALLORCA

Algaida 07210 – 2 866 h. – 🕲 971

🟉 **Es 4 Vents,** carret. de Manacor 𝒫 66 51 73, 🍴 – 🅿. 🄴 *VISA*. 🕸
cerrado jueves – Com carta 1900 a 2850.

🟉 **S'Hostal,** carret. de Manacor 𝒫 66 51 09, 🍴 – 🅿.

PEUGEOT-TALBOT av. Príncipes de España 16 𝒫
54 58 45
RENAULT av. Marina 16 𝒫 54 57 72

SEAT-AUDI-VOLKSWAGEN Héroes de Toledo 54
𝒫 54 58 72

Artá (Cuevas de) 07570 ★★★ – 5 620 h – Palma 78.

Hoteles y restaurantes ver : Cala Ratjada N : 11,5 km, *Son Servera* SO : 13 km.

Bañalbufar 07191 – 498 h. – 🕲 971.

Palma 23.

🏠 **Mar i Vent** 👁, Mayor 49 𝒫 61 00 25, ≤ mar y montaña, 🍽, 🎾 – ☎ ⇔ 🅿. 🕸
cerrado diciembre-enero – Com 1610 – ☑ 510 – **25 hab** 3320/4150 – P 5245/6490.

🟉 **Son Tomás,** Baronía 17 𝒫 61 04 52, ≤, 🍴. 🖭 🄴 *VISA*. 🕸
cerrado martes y diciembre-10 enero – Com carta 2225 a 2500.

Bendinat (Costa de) – ✉ 07000 Palma – 🕲 971.

Ver plano de Palma Nova

🏨 **Bendinat** 👁, 𝒫 67 57 25, 🍴, « Bungalows en un jardín con árboles y terrazas junto al mar », 🏖, 🎾 – ☎ 🅿. *VISA* 🕸 rest
mayo-18 octubre – Com 1900 – ☑ 600 – **30 hab** 6000/9500 – P 8550/9800.

Bunyola 07110 – 3 262 h. – 🕲 971 – Palma 14.

en la carretera de Sóller – ✉ 07110 Bunyola – 🕲 971 :

🟉 **Ca'n Penasso,** O : 1,5 km 𝒫 61 32 12, 🍴, « Conjunto de estilo rústico regional », 🍽, 🌳, 🎾 – 🅿.

🟉 **Ses Porxeres,** NO : 3,5 km 𝒫 61 37 62, Decoración rústica, Cocina catalana – 🅿.

Cala de San Vincente – ✉ 07460 Pollensa – 🕲 971 – Ver : Paraje★.

Palma 58.

🏨 **Molins** 👁, Cala Molins 𝒫 53 02 00, Telex 69018, Amplias terrazas con ≤, 🍴, 🍽, 🎾 – 🛗 🗐 rest ☎ 🅿 – **100 hab**.

🟉 **La Gavina,** Temporal 𝒫 53 01 55, 🍴 – 🗐. 🖭 ⑩ 🄴 *VISA*. 🕸
marzo-noviembre – Com *(cerrado lunes en invierno)* carta 2750 a 3400.

Cala d'Or – ✉ 07660 Santany – 🕲 971.

Ver : Paraje★★.

🏌 Club de Vall d'Or N : 7 km 𝒫 57 60 99.

🛈 av. Cala Llongat 𝒫 65 74 63.

Palma 69.

🏨 Cala Esmeralda 👁, Cala Esmeralda 𝒫 65 71 11, Telex 69533, 🍴, 🍽, 🌳, 🎾 – 🛗 🗐 🅿 – 🏊
temp. – **151 hab**.

🏨 **Rocador,** Marqués de Comillas 3 𝒫 65 70 75, ≤, 🍽, 🌳 – 🛗 🗐 rest. 🖭 *VISA* 🕸 rest
15 marzo-octubre – Com 1500 – ☑ 700 – **109 hab** 4000/6100 – P 6050/7000.

🏨 **Rocador Playa,** Marqués de Comillas 1 𝒫 65 77 50, Fax 64 33 92, ≤, « Bonito jardín entre los pinos », 🍽 – 🛗 🗐 rest – 🏊 🖭 *VISA* 🕸 rest
15 marzo-octubre – Com 1500 – ☑ 700 – **105 hab** 4000/6100 – P 6050/7000.

🏨 **Cala d'Or** ⤸, av. de Bélgica 33 ℰ 65 72 52, Telex 69468, 🍴, « Terrazas bajo los pinos », 🏊,
🌳 – 🛗 🍽 ⌨ 💳 **AE E VISA** 🐾
marzo-noviembre – Com 1500 – **71 hab** ⊏ 6500/8200 – P 7500/9700.

🏨 Cala Gran, Fdo. Tarragó 9 ℰ 65 79 18, Telex 69468, 🍴, 🏊, 🌳 – 🛗 ⌨ – *temp.* – **77 hab**.

✕✕ Sa Torre, av. Tagomago 19 ℰ 65 70 83, 🍴 – *temp.*

✕✕ **Suliar,** Port Petit ℰ 65 79 87, 🍴 – 💳 **AE E VISA** 🐾
cerrado miércoles en invierno y del 1 al 20 diciembre – Com carta 1690 a 2725.

✕✕ **Cala Llonga,** av. Cala Llonga - Porto Cari ℰ 65 80 36, 🍴, 🏊 – 🍽 💳 **AE ① E VISA** 🐾
cerrado lunes salvo en invierno y 15 noviembre-20 diciembre – Com carta 1900 a 2700.

✕✕ **La Sivina,** Andrés Roig 8 ℰ 65 72 89, 🍴 – 💳 **AE ① E VISA**
abril-octubre – Com carta 1950 a 3000.

✕ **La Cala,** av. de Bélgica 7 ℰ 65 70 04, 🍴 – 💳 **AE E VISA**
abril-octubre – Com carta 1600 a 3000.

✕ **Ibiza,** Toni Costa 5 ℰ 65 78 15, 🍴 – 💳 **AE ① E VISA**
abril-octubre – Com (sólo cena) carta 2100 a 3600.

✕ **Ca'n Trompé,** av. de Bélgica 12 ℰ 65 73 41, 🍴 – 🍽 **E VISA** 🐾
cerrado martes en invierno y 2 noviembre-10 diciembre – Com carta 1690 a 2850.

en Cala Es Fortí S : 1,5 km – ✉ 07660 Cala d'Or – ☎ 971 :

🏨 **Rocamarina** ⤸, ℰ 65 78 32, 🏊, 🌳, ✕ – 🛗 🍽 rest 🅿. 🐾
abril-octubre – Com (sólo cena) 1750 – ⊏ 650 – **207 hab** 5000/6000 – P 6200/8200.

Cala Figuera 07659 – ☎ 971.
Ver : Paraje★.
Palma 59.

🏨 Cala Figuera ⤸, San Pedro 30 ℰ 65 36 95, ≤, 🍴, 🏊, 🌳, ✕ – 🛗 🅿 – *temp.* – **103 hab**.

Cala Pi 07639 – ☎ 971.
Palma 41.

✕ Miquel, Torre de Cala Pí 13 ℰ 66 13 09, 🍴, Decoración regional.

en Es Pas de Vallgornera E : 4 km – ✉ 07630 Campos – ☎ 971 :

🏨 **Es Pas** ⤸, ℰ 66 17 18, 🍴, « En un pinar », 🏊, ✕ – 🅿. **VISA** 🐾
abril-octubre – Com 1500 – ⊏ 750 – **37 hab** 6500.

Cala Ratjada 07590 – ☎ 971.
Alred. : Capdepera (murallas ≤★) O : 2,5 km.
🛈 pl. del Mariners ℰ 56 30 33.
Palma 79.

🏨 Aguait ⤸, av. de los Pinos 61 S : 2 km ℰ 56 34 08, Telex 69814, ≤, 🍴, 🏊, ✕ – 🛗 🍽 rest ☎
🅿 – **188 hab**.

🏨 **Son Moll,** Tritón 25 ℰ 56 31 00, Telex 69814, ≤, 🏊 – 🛗 🍽 rest. ① **VISA** 🐾
abril-octubre – Com (sólo cena) 1600 – ⊏ 575 – **125 hab** 3600/6100.

🏨 ✿ **Ses Rotges,** Alsedo ℰ 56 31 08, 🍴, Cocina francesa, « Comedor y terraza rústicos » –
🍽 hab ☎. 💳 **AE ① E VISA** 🐾
abril-octubre – Com *(cerrado miércoles mediodía en octubre)* carta 3075 a 4475 – ⊏ 770 –
24 hab 5250/5950 – P 7125/9400
Espec. Mejillones con salsa Poulette, Raya Ses Rotges, Gallo parrilla con hinojo.

🏨 **Serrano,** playa Son Moll ℰ 56 33 50, ≤, 🏊, ✕ – 🛗 ⌨. 🐾 rest
Com 1300 – ⊏ 735 – **75 hab** 2470/2600 – P 4100/5270.

✕ **Lorenzo,** Leonor Servera 11 ℰ 56 39 39, 🍴 – 💳 **AE E VISA** 🐾
cerrado lunes y 28 octubre-28 diciembre – Com carta 1990 a 3570.

La Calobra – ☎ 971 – Playa.
Ver : Paraje★ – Carretera de acceso★★★ – Torrente de Pareis★.
Palma 66.

🏨 La Calobra ⤸, ✉ 07100 apartado 35 Sóller, ℰ 51 70 16, ≤, 🍴, 🌳 – 🐾
abril-octubre – Com (todo el año) 1340 – ⊏ 325 – **44 hab** 1890/2970 – P 4135/4540.

✕ **Ca'n Nyegos,** ✉ 07315 Lluch, ≤, 🍴 – 🅿. 🐾
Com carta 1375 a 2075.

Calviá 07184 – 22 016 h. – ☎ 971.
🏌 Club de Bendinat, carret. de Andraitx ℰ 40 52 00.
🛈 pl. del Ayuntamiento ℰ 67 00 19.
Palma 18.

✕ **Ca Na Cucó,** av. de Palma 14 ℰ 67 00 83, 🍴 – 🐾
cerrado lunes, martes y 20 diciembre-enero – Com (en julio y agosto sólo cena)
carta 1620 a 2650.

Capdepera 07580 – 😊 971.

Palma 77.

en la carretera de Capdepera a Canyamel – ✉ 07580 Capdepera – 😊 971 :

✗ Porxada de sa Torre, Torre de Canyamel 🖉 56 30 44 – **℗**.

Colonia Sant Jordi 07638 – ✉ 971 – Playa.

🖪 Dr. Barraquer 5 🖉 65 54 37.

Palma 9.

✗ Marisol, Gabriel Roca 65 🖉 65 50 70, ≤, 🍽.

✗ **La Lonja,** explanada del Puerto 3 🖉 65 52 27, ≤, 🍽 – **℗**. **E** **VISA**
cerrado lunes y noviembre – Com carta 1900 a 3400.

Deyá o **Deia** 07179 – 559 h. alt. 184 – 😊 971 – **Ver** : Paraje★.

Alred. : Son Marroig ≤★ O : 3 km.

Palma 27.

🏨 **Es Moli** ≫, carret. de Valldemosa SO : 1 km 🖉 63 90 00, Telex 69007, ≤ valle y mar, 🍽,
« Jardín escalonado », 🏊, climatizada, ✳ – 🛗 📧 📺 ☎ **℗**. ① **E** **VISA**. ✳ rest
21 abril-octubre – Com 2400 – **73 hab** ☷ 9700/16000.

🏨 **La Residencia y Rest. El Olivo** ≫, finca Son Canals 🖉 63 90 11, Telex 69570, ≤, 🍽,
« Antigua casa señorial de estilo mallorquín », 🏊, 🌴, ✳ – 📧 hab **℗** – 🅰. ✳
cerrado 10 enero-10 marzo – Com (sólo cena en temporada) 4000 – **30 hab** ☷ 12000/25000.

✗✗ **Ca'n Quet,** carret. de Valldemosa SO : 1,5 km 🖉 63 91 96, Telex 69007, ≤ montaña, 🍽,
« Agradable terraza », 🏊 – **℗**. **VISA**
cerrado lunes y enero-marzo – Com carta 2700 a 4000.

Drach (Cuevas del) ★★★

Palma 63 – Porto Cristo 1.

Hoteles y restaurantes ver : *Porto Cristo* N : 1 km.

Escorca 07315 – 244 h. – 😊 971.

Palma 6.

✗ Escorca, carret. C 710 O : 5 km 🖉 51 70 95, ≤, Decoración rústica – **℗**.

Estellenchs 07192 – 381 h. – 😊 971.

Palma 30.

✗ **Montimar,** pl. Constitución 7 🖉 61 08 41 – **E** **VISA**. ✳
cerrado lunes y 11 enero-febrero – Com carta 1600 a 2550.

Felanitx 07200 – 12 542 h. alt. 151 – 😊 971.

Palma 51.

✗✗✗ Vista Hermosa, carret. de Porto Colom SE : 6 km 🖉 57 59 60, ≤ valle, monte y mar, 🍽, 🏊,
✳ – **℗**.

Formentor (Cabo de) 07470 – 😊 971.

Ver : Carretera★★★ de Puerto de Pollensa al Cabo Formentor – Mirador d'Es Colomer★★★ –
Cabo Formentor★★★ – Playa Formentor★.

Palma 78 – Puerto de Pollensa 20.

🏨 **Formentor** ≫, 🖉 53 13 00, Telex 68523, Fax 531155, ≤ bahía y montañas, 🍽, « Espléndida
situación entre los pinos,magníficas terrazas con flores », 🏊, climatizada, 🌴, ✳ – 🛗 📧 📺
☎ 🚗 **℗** – 🅰. 🅰🅴 ① **E** **VISA**. ✳ rest
15 marzo-octubre – Com 4950 – **127 hab** ☷ 13250/20000 – P 17150/20400.

Illetas 07015 – 😊 971

Ver plano de Palma Nova

🏨 **Melía De Mar** ≫, carret. de Illetas 🖉 40 25 11, Telex 68892, ≤ mar y costa, « Jardín con
arbolado », 🏊, 🏊, ✳ – 🛗 📧 📺 ☎ **℗** – 🅰. 🅰🅴 ① **E** **VISA**. ✳ rest
15 febrero-octubre – Com 2300 – ☷ 1000 – **140 hab** 15750/19300 – P 23550/27100.

🏨 **G. H. Bonanza Playa** ≫, carret. de Illetas 🖉 40 11 12, Telex 68782, Fax 40 56 15, ≤ mar,
🍽, « Amplia terraza con 🏊 al borde del mar », 🏊, ✳ – 🛗 📧 ☎ **℗** – 🅰. 🅰🅴 ① **E** **VISA**. ✳
Com (sólo cena) 1700 – **294 hab** ☷ 9680/16820.

🏨 G. H. Albatros y Rest. Jardinete ≫, carret. de Illetas 13 🖉 40 22 11, Telex 68545, ≤ mar y
costa, 🏊, 🏊, ✳ – 🛗 📧 **℗** – 🅰 – **119 hab**.

✗✗✗ **The Anchorage Club,** carret. de Illetas 🖉 40 52 12, 🍽, Cenas amenizadas con música,
« Agradable terraza con 🏊 » – 📧. 🅰🅴 ① **E** **VISA**. ✳
Com carta 2750 a 3750.

Inca 07300 – 20 721 h. alt. 120 – ✆ 971.

Alred. : Selva (iglesia de San Lorenzo : Calvario★) N : 5 km.

Palma 28.

✗ **Ca'n Amer,** Pau 39 ✆ 50 12 61, Celler típico – ◫ ▨▨
cerrado sábado y domingo en verano – Com carta 2300 a 3800.

✗ **Moreno,** Gloria 103 ✆ 50 35 20 – ▤. **E** ▨▨
cerrado domingo y agosto – Com carta 1500 a 2375.

CITROEN Juan de Austria 104 ✆ 50 12 52
FORD General Luque 444 ✆ 50 21 00
MERCEDES-BENZ Cardenal Cisneros 32 ✆ 50 15 20
PEUGEOT-TALBOT Andreu Caimari 66 ✆ 50 15 47

RENAULT av. de Alcudia 19 ✆ 50 01 98
SEAT-AUDI-VOLKSWAGEN carret. Palma-Alcudia
✆ 50 16 50

Orient 07349 – ✆ 971.

Palma 25.

en la carretera de Alaró NE : 1,3 km – ✉ 07110 Bunyola – ✆ 971 :

🏡 **L'Hermitage** ⌂, ✆ 61 33 00, ≼, 🍽, « Instalado parcialmente en una antigua casa de
campo », ⊿, 🌳, ✗ – ☎ 🅿. ◑ **E** ▨▨. ⁂ rest
cerrado 9 octubre-enero – Com carta 2350 a 3450 – **20 hab** ⊏ 9900/14520.

Wenn Sie an ein Hotel im Ausland schreiben,
fügen Sie Ihrem Brief einen internationalen Antwortschein bei
(im Postamt erhältlich).

Paguera 07160 – ✆ 971 – Playa.

Ver : Paraje★.

Alred. : Cala Fornells (paraje★) SO : 1,5 km.

Palma 22.

🏨 **Villamil,** av. de Paguera 66 ✆ 68 60 50, Telex 68841, Fax 68 68 15, ≼, 🍽, « Terraza bajo los
pinos con ⊿ », 🔲, ✗ – 🛗 ▤ ☎ 🅿 – ◭. ◫ ◑ **E** ▨▨. ⁂
Com 2500 – **125 hab** ⊏ 10500/19400.

🏨 **G. H. Sunna Park,** Gaviotas 25 ✆ 68 67 50, Telex 69531, ⊿, 🔲 – 🛗 ▤. ◫ ◑ **E** ▨▨.
⁂ rest
cerrado noviembre – Com 2000 – **131 hab** ⊏ 9300/15400 – P 11780/13380.

🏨 **Bahía Club,** av. de Paguera 81 ✆ 68 61 00, 🍽, ⊿, 🔲 – ☎ 🅿. ⁂
cerrado noviembre-15 diciembre – Com (sólo cena) 1725 – ⊏ 475 – **55 hab** 2585/4475 – P
4435/4785.

✗✗ **La Gran Tortuga,** carret. de Cala Fornells ✆ 68 60 23, 🍽, « Terrazas con ⊿ y ≼ bahía y
mar » – ◫ ◑ **E** ▨▨
cerrado lunes y 15 enero-febrero – Com carta 2020 a 3950.

en la carretera de Palma – ✉ 07160 Paguera – ✆ 971 :

🏨 **Club Galatzo y Rest. Vista del Rey** ⌂, E : 2 km ✆ 68 62 70, Telex 68719, Fax 68 78 52,
🍽, « Magnífica situación sobre un promontorio, ≼ mar y colinas circundantes », ⊿, 🔲, 🌳,
✗ – 🛗 ▤ ☎ 🅿. ⁂ rest
Com *(cerrado domingo)* 1750 – **198 hab** ⊏ 8400/14000.

✗ **La Cascada,** playa de la Romana SE : 1,2 km ✆ 68 73 09, ≼, 🍽 – ▨▨. ⁂
Com carta 1825 a 3075.

en Cala Fornells SO : 1,5 km – ✉ 07160 Paguera – ✆ 971 :

🏨 **Coronado** ⌂, ✆ 68 68 00, ≼ cala y mar, « Rodeado de pinos », ⊿, 🔲, 🌳, ✗ – 🛗 ▤ 🅿.
⁂
marzo-octubre – Com 1750 – ⊏ 550 – **139 hab** 9000/12000 – P 9500/12500.

Palma de Mallorca 07000 ℗ – 304 422 h. – ✆ 971 – Playas : Portixol DX, Ca'n Pastilla por
④ : 10 km y El Arenal por ④ : 14 km - Plaza de Toros.

Ver : Catedral★★ FZ – Lonja★ EZ – Barrios antiguos : Iglesia de San Francisco★, GZ Y –
Casa de los marqueses de Sollerich (patio★) FY Z – Pueblo español★ BV A.

Alred. : Castillo de Bellver★ (⁂★★) O : 3 km BV.

▨ de Son Vida NO : 5 km ✆ 23 76 20 BU – ▨ Club de Bendinat, carret. de Bendinat O :
15 km, ✆ 40 52 00.

✈ de Palma de Mallorca por ④ : 11 km ✆ 26 42 12 – Iberia : passeig des Born 10, ✉
07006, ✆ 28 69 66 FYZ y Aviaco : aeropuerto, ✆ 26 50 00.

⛴ para la Península, Menorca e Ibiza : Cía. Trasmediterránea, paseo del Muelle Viejo 5,
✉ 07012, ✆ 72 67 40, Telex 69028, EZ.

🛈 av. Jaime III - 10, ✉ 07012, ✆ 71 22 16, Santo Domingo 11, ✉ 07001, ✆ 72 40 90 y en el aeropuerto
✆ 26 08 03 – R.A.C.E. av. Marqués de la Cenia 37, ✉ 07014, ✆ 23 73 46.

Alcudia 52 ② – Paguera 22 ⑤ – Sóller 30 ① – Son Servera 64 ③.

En la ciudad :

🏨 **Saratoga**, paseo Mallorca 6, ⊠ 07012, ℘ 72 72 40, ⛱ – |♦| ▤ rest ☎ 🚗 EY **s**
155 hab.

🏨 **Jaime III** sin rest, con cafetería, paseo Mallorca 14 B, ⊠ 07012, ℘ 72 59 43, Telex 68539 – |♦|. AE ⓓ E VISA. ⚡
☕ 550 – **88 hab** 6000/7140. EY **n**

🏨 **Almudaina** sin rest, con cafetería, av. Jaime III-9, ⊠ 07012, ℘ 72 73 40 – |♦| ▤ ☎. AE ⓓ E VISA. ⚡ FY **a**
80 hab ☕ 4180/6750.

🏨 **Palladium** sin rest, con cafetería, paseo Mallorca 40, ⊠ 07012, ℘ 71 28 41 – |♦| ☎. AE ⓓ E VISA. ⚡ EY **z**
☕ 475 – **53 hab** 4850/6900.

🏨 **Nácar** sin rest, con cafetería, av. Jaime III-21, ⊠ 07012, ℘ 72 26 41 – |♦| ☎. AE ⓓ E VISA ⚡ EY **e**
60 hab ☕ 4990/7925.

🏨 Club Náutico ⛵ sin rest, contramuelle Mollet 20, ⊠ 07012, ℘ 72 14 05, Telex 068807, ≤, ⛱ – ☎ EZ **k**
35 hab.

✕✕ **Honoris,** Camino Viejo de Bunyola 76, ⊠ 07007, ℘ 20 32 12 – ▤. AE ⓓ E VISA. ⚡ DU **n**
cerrado domingo, festivos, Semana Santa y agosto – Com carta 2800 a 3600.

✕✕ Duende, Cecilio Metelo 3-B, ⊠ 07003, ℘ 71 50 35 – ▤ GY **s**
Com (sólo cena).

✕ ✿ **Xoriguer,** Fábrica 60, ⊠ 07013, ℘ 28 83 32 – ▤. AE ⓓ E VISA. ⚡
cerrado domingo, festivos y agosto – Com carta 2200 a 3750 CV **a**

PALMA DE MALLORCA

Adriá Ferrán . . . . . DV 2
Andrea Doria . . . . . BV 5
Arquebisbe Aspareg . . . . . DV 9
Arquitecte Bennazar (Av. del) . . . . . CU 12
Capitán Vila . . . . . DV 15
Del Pont (Pl.) . . . . . CV 19
Espartero . . . . . CV 20
Federico Garcia Lorca . . . . . BV 21
Francesc M. de Los Herreros . . . . . DV 23
Francesc Pi i Margall . . . . . DV 25
Fray Junípero Serra . . . . . BCV 26
General Ricardo Ortega . . . . . DV 28
Jaume Balmes . . . . . CU 31
Joan Maragall . . . . . CDV 32
Joan Miró (Av.) . . . . . BVX 33
Josep Darder . . . . . DV 34
Joan Crespi . . . . . CV 35
Manuel Azaña . . . . . DV 37
Marqués de la Senia . . . . . BCV 38
Niceto Alcala Zamora . . . . . CV 41
Pere Garau (Pl.) . . . . . DV 43
Quetglas . . . . . CV 45
Rosselló i Caçador . . . . . CU 52
Teniente Coronel Franco (Pl.) . . . . . DV 68
Teniente Juan Llobera . . . . . CV 70
Valldemossa (Carret. de) . . . . . CU 73

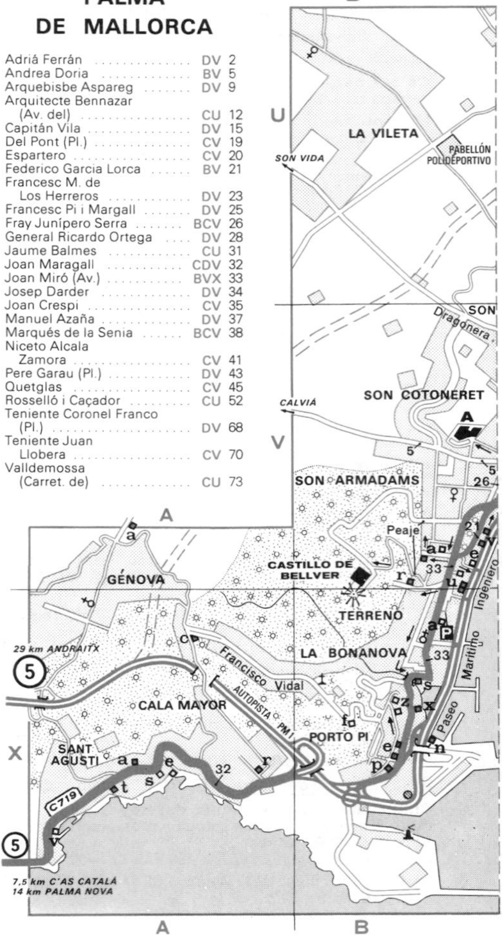

Espec. Pate de la casa, Pimientos de piquillo rellenos de gambas y setas, Pastel de higos frescos con salsa de canela (julio-octubre).

✕ **La Lubina,** muelle Viejo, ⊠ 07012, ℘ 72 33 50, ≤, ☂, Pescados y mariscos – ▤. AE ⓓ E VISA. ⚡ EZ **c**
Com carta 1900 a 3350.

✕ **Le Bistrot,** Teodoro Llorente 4, ⊠ 07011, ℘ 28 71 75, Cocina francesa – ▤. AE VISA. ⚡
cerrado domingo y julio – Com carta 2070 a 3050. EY **a**

✕ **Ca'n Juanito,** Aragón 11, ⊠ 07005, ℘ 46 10 65 – ▤. AE ⓓ E VISA. ⚡ HY **t**
cerrado sábado – Com carta 2800 a 4200.

✕ **Peppone,** Bayarte 14, ⊠ 07013, ℘ 45 42 42, Cocina italiana – ▤. AE ⓓ E VISA EY **d**
cerrado domingo y lunes mediodía – Com carta 1770 a 2640.

✕ **Casa Sophie,** Apuntadores 24, ⊠ 07012, ℘ 72 60 86, Cocina francesa – ▤. AE ⓓ E VISA EZ **u**
cerrado diciembre, domingo y lunes mediodía – Com carta 1880 a 2600.

✕ **Parlament,** Conquistador 11, ⊠ 07001, ℘ 72 60 26 – ▤. ⚡ FZ **e**
cerrado domingo y agosto – Com carta 1750 a 3440.

X **Caballito de Mar,** paseo de Sagrera 5, ✉ 07012, ☎ 72 10 74, ☂ – AE ① E VISA ⚶
    cerrado domingo – Com carta 1900 a 3350.
        EZ **a**

X **Casa Gallega,** Pueyo 4, ✉ 07003, ☎ 72 11 41, Cocina gallega – ▤. E VISA. ⚶
    Com carta 1750 a 3375.
        GY **a**

X Asador Tierra Aranda, Concepción 4, ✉ 07012, ☎ 71 42 56 – ▤
        FY **b**

X **Penélope,** pl. del Progreso 19, ✉ 07013, ☎ 23 02 69 – ▤. AE ① E VISA. ⚶
    cerrado lunes – Com carta 2075 a 2950.
        EY **t**

X **Los Gauchos,** San Magín 78, ✉ 07013, ☎ 28 00 23 – ▤. AE ① E VISA. ⚶
    cerrado domingo – Com carta 1900 a 2640.
        EY **f**

X **Ca'n Nofre,** Manacor 27, ✉ 07006, ☎ 46 23 59 – ▤. AE ① E VISA. ⚶
    cerrado miércoles noche, jueves y febrero – Com carta 1350 a 2450.
        HY **a**

X **Celler Payés,** Felipe Bauzá 2, ✉ 07012, ☎ 72 60 36 – VISA. ⚶
    cerrado 23 diciembre-11 enero, sábado noche y domingo en verano y domingo noche en
    invierno – Com carta 1125 a 2000.
        FZ **a**

sigue →

Al Oeste de la bahía :

al borde del mar :

Meliá Victoria, av. Joan Miró 21, ✉ 07014, ☎ 23 25 42, Telex 68558, ≤ ciudad y bahía, TV ☎ P – BV **u**
167 hab.

Palas Atenea Sol, paseo Marítimo 29, ✉ 07014, ☎ 28 14 00, Telex 69644, Fax 45 19 89, ≤, – TV ☎ – AE ⓓ E VISA. BV **e**
Com (sólo cena) 2400 – **370 hab** 9950/15500.

Bellver Sol, paseo Marítimo 11, ✉ 07014, ☎ 23 51 42, Telex 69643, ≤ bahía y ciudad, – TV ☎ – AE ⓓ E VISA. CV **v**
Com 2100 – **393 hab** 9000/13000 – P 13300/17300.

Mirador, paseo Marítimo 10, ✉ 07014, ☎ 23 20 46, ≤ – AE ⓓ E VISA. CV **x**
Com 1665 – 410 – **78 hab** 4140/6460 – P 6440/7315.

PALMA DE MALLORCA

Born (Pas. d'es)	FYZ	14
Rey Jaime III (Av.)	EY	
Antonio Maura (Av.)	FZ	6
Apuntadores	EZ	7
Arquitecto Reynes	GZ	10
Arxiduc Lluis Salvador	GY	11
Bolsería	GY	13
Conquistador	FZ	16
Constitucio	FZ	17
Cordelería	GYZ	18
Francesc Barcelo i Combis	HY	22
Francesc Marti i Mora	EY	24
Gabriel Alomar Villalonga (Av.)	HYZ	27
Gloria	EZ	29
Ingeniero Gabriel Roca (Pas. Marítimo)	EZ	30
José Tous Ferrer	GY	36
Morey	GZ	39
Navarra	GY	40
Padre Atanasio	GY	42
Rafael Rodríguez Mendez	EY	47
Ramón Llull	GZ	48
Rei J. Carles I (Pl.)	FY	49
Reina (Pl. de la)	FZ	50
Rubén Darío	FY	53
Ruiz de Alda	EY	54
San Cayetano	FY	56
San Francisco (Pl.)	GZ	57
Santa Catalina Thomás (Pl.)	FY	58
Santa Eulalia (Pl.)	GZ	60
Serra	GZ	63
Temple (Pl. de)	HZ	66
Zavellá	GZ	74

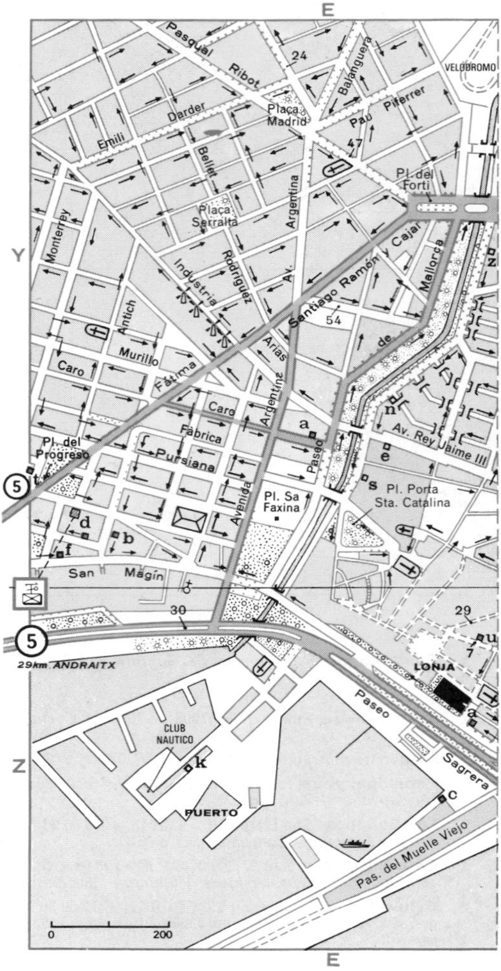

Pour un bon usage des plans de villes, voir les signes conventionnels, p. 39.

Para el buen uso de los planos de ciudades, consulte los signos convencionales, p. 23.

XXXX **Bahía Mediterráneo,** paseo Marítimo 33 - 5° piso, ⊠ 07014, 𝒞 45 76 53, ≤ bahía, 🍴, « Terraza » – 🗏 🖭 ⓪ 🖸 𝚅𝙸𝚂𝙰. 🛠 BVX **u**
cerrado domingo – Com carta 2850 a 4200.

XXX **Zarzagán,** paseo Marítimo 13, ⊠ 07014, 𝒞 23 74 47, ≤ – 🖭 ⓪ 🖸 𝚅𝙸𝚂𝙰. 🛠 BV **v**
cerrado sábado mediodía y del 1 al 15 julio – Com carta 2275 a 3800.

XXX **Mediterráneo 1930,** paseo Marítimo 33, ⊠ 07015, 𝒞 45 88 77, 🍴 – 🗏. 🖭 🖸 𝚅𝙸𝚂𝙰
🛠 BVX **u**
Com carta 1800 a 3150.

XX Ancora, Ensenada Ca'n Bárbara - paseo Marítimo, ⊠ 07015, 𝒞 40 11 61, 🍴 – 🗏 BX **x**

XX De Shangrila, paseo Marítimo 1, ⊠ 07015, 𝒞 45 25 75, Rest. chino – 🗏 CV **c**

XX Le Relais del Club de Mar, muelle Pelaires, ⊠ 07015, 𝒞 40 36 11, Telex 68688, ≤, 🍴 –
🅿 BX **n**

X Es Recó d'En Xesc, paseo Marítimo 17 (junto Auditorium), ⊠ 07014, 𝒞 45 40 20, 🍴 BV **e**

en Terreno – BVX – ✿ 971 :

🏨 **Rex** sin rest, Luis Fábregas 4, ☒ 07014, ℰ 23 03 65, ⅀ – 🛗 ⊛. 🆎 ⓪ 🄴 𝘝𝘐𝘚𝘈. ✖️
abril-octubre – **72 hab** ⊊ 3250/4800.
BV **a**

🏨 **Borenco,** Joan Miró 61, ☒ 07015, ℰ 23 76 72, ⅀ – 🛗 ▤ rest ⊛. ✖️ rest
Com 1285 – **70 hab** ⊊ 2575/4030.
BX **a**

✖✖ **Villa Río,** Joan Miró 115, ☒ 07015, ℰ 28 65 50, ≤, 🏠 – 🆎 ⓪ 🄴 𝘝𝘐𝘚𝘈
cerrado sábado mediodía y domingo – Com carta 2100 a 3500.
BX **s**

✖ **Mario's,** Bellver 12, ☒ 07014, ℰ 28 18 14, 🏠 – 🆎 ⓪ 🄴 𝘝𝘐𝘚𝘈. ✖️
Com carta 1650 a 2650.
BV **r**

✖ **La Noria del Paleto,** Luis Fábregas 7, ☒ 07014, ℰ 28 10 01 – ▤. 🆎 ⓪ 🄴 𝘝𝘐𝘚𝘈
✖️
cerrado miércoles y 7 enero-7 febrero – Com carta 2020 a 2820.
BV **a**

en La Bonanova BX – ☒ 07015 Palma – ✿ 971 :

🏩🏩 **Valparaíso Palace** Ⓜ ✖️, Francisco Vidal 23 ℰ 40 04 11, Telex 68754, Fax 40 59 04, ≤
Palma, bahía y puerto, 🏠, ⅀, ▨, 🌳, ✖️ – 🛗 ▤ 📺 ☎ ❷ – 🅼. 🆎 ⓪ 🄴 𝘝𝘐𝘚𝘈
✖️
Com 5450 – ⊊ 2250 – **150 hab** 11800/20800.
BX **f**

🏨 **Majorica** ✖️, Garita 3 ℰ 40 02 61, Telex 69309, Fax 40 33 58, ≤ Palma, bahía y puerto, 🏠,
⅀ – 🛗 – 🅼. 🆎 ⓪ 𝘝𝘐𝘚𝘈. ✖️
Com 1750 – ⊊ 400 – **150 hab** 3500/6000 – P 3620/6120.
BX **z**

🏨 **Constelación** ✖️, Corp Mari 27 ℰ 40 05 01, Telex 69309, Fax 40 33 58, ≤ bahía, puerto y
ciudad, ⅀ – 🛗 ▤ rest ⊛. ⓪ 𝘝𝘐𝘚𝘈. ✖️
mayo-15 octubre – Com 1750 – ⊊ 400 – **40 hab** 3500/6000 – P 3620/6120.
BX **z**

✖✖✖ Saridakis, Juan de Saridakis 62 ℰ 40 59 73, 🏠 – ❷
AX **c**

en Génova – AV – ☒ 07015 Génova – ✿ 971 :

✖ **Son Berga,** carret. de Palma km 4 ℰ 45 38 69, 🏠, Decoración típica regional – ❷. 🆎 ⓪ 🄴
𝘝𝘐𝘚𝘈. ✖️
Com carta 1440 a 2200.
AV **a**

en Porto Pí – BX – ☒ 07015 Palma – ✿ 971 :

✖✖✖ ❀ **Porto Pí,** Joan Miró 174 ℰ 40 00 87, 🏠, « Antigua villa mallorquina » – ▤. 🆎 🄴 𝘝𝘐𝘚𝘈
✖️
cerrado sábado mediodía y domingo – Com carta 3700 a 4900
Espec. Ensalada de raya en escabeche, Calamares de Potera, Crema fría de almendras.
BX **e**

✖ **Rififi,** Joan Miró 182 ℰ 40 20 35, Pescados y mariscos – ▤. 🆎 ⓪ 🄴 𝘝𝘐𝘚𝘈. ✖️
cerrado martes y 3 enero-3 febrero – Com carta 1900 a 2960.
BX **p**

✖ **Olé Sevilla,** Torre Pelaires 5 ℰ 40 48 10, ≤ – ▤. 🆎 ⓪ 🄴 𝘝𝘐𝘚𝘈
cerrado domingo – Com carta 2020 a 2780.
BX **e**

en Cala Mayor (carretera de Andraitx) – AX – ☒ 07015 Palma – ✿ 971 :

🏩 Nixe Palace, Joan Miró 269 ℰ 40 38 11, Telex 68569, 🏠, « Amplias terrazas con palmeras y
≤ mar », ⅀ – 🛗 ▤ 📺 ☎ ⇔ ❷ – 🅼
130 hab.
AX **a**

🏩 **Santa Ana,** Gaviota 9 ℰ 40 15 12, Telex 68755, ≤, ⅀ – 🛗 ▤ rest ❷. 🆎 ⓪ 𝘝𝘐𝘚𝘈
✖️
Com 1300 – **190 hab** ⊊ 2985/5600.
AX **e**

🏩 **Playa Cala Mayor** sin rest, Gaviota ℰ 40 32 13, Telex 68755, ≤, ⅀ – 🛗 ▤. 𝘝𝘐𝘚𝘈. ✖️
142 hab ⊊ 4000/6000.
AX **s**

✖ **El Padrino,** Juan de Saridakis 2 ℰ 40 16 47, 🏠 – 🆎 ⓪ 🄴 𝘝𝘐𝘚𝘈. ✖️
Com carta 2380 a 3575.
AX **r**

✖ Cittadini, Joan Miró 308 (esquina P. Cittadini 2) ℰ 40 39 22, 🏠
AX **a**

en San Agustín (carretera de Andraitx) – AX – ☒ 07015 San Agustín – ✿ 971 :

✖ Buona Sera, Joan Miró 299 ℰ 40 03 22, 🏠 – ▤
AX **t**

en C'as Catalá (carretera de Andraitx) – AX – ☒ 07015 C'as Catalá – ✿ 971 :

🏩 Maricel, ℰ 40 27 12, 🏠, « Bonito edificio de estilo mallorquín con terrazas escalonadas, ≤
cala y mar », ⅀, ✖️ – 🛗 ▤ rest ❷
55 hab.
AX **v**

en Son Vida NO : 6 km – BU – ☒ 07013 Son Vida – ✿ 971 :

🏩🏩 **Son Vida Sheraton H.** ✖️, ℰ 79 00 00, Telex 69300, Fax 79 00 17, 🏠, « Antiguo palacio
señorial entre pinos con ≤ ciudad, bahía y montañas », ▨, 🌳, ✖️, ▥ – 🛗 ▤ 📺 ☎ ❷ – 🅼.
🆎 ⓪ 🄴 𝘝𝘐𝘚𝘈. ✖️
Com 4100 – ⊊ 1600 – **170 hab** 15400/18700 – P 19150/25200.

Al Este de la Bahía :

en El Molinar - Cala Portixol – DX – ⊠ 07006 Palma – 🕓 971 :

✕ **Portixol del Molinar,** Sirena 27 ℰ 27 18 00, 😤, Pescados y mariscos, ⌷ – 🖭 ⦿ Ε ⟦VISA⟧ ⚙
DX **u**
Com carta 2100 a 3775.

en Coll d'en Rabassa por ④ : 6 km – ⊠ 07007 Palma – 🕓 971 :

✕ **Club Náutico Cala Gamba,** paseo de Cala Gamba ℰ 26 10 45, ≼, 😤, Pescados y mariscos – 🖭 ⦿ Ε ⟦VISA⟧ ⚙
cerrado lunes no festivos – Com carta 1900 a 3350.

en Playa de Palma (Ca'n Pastilla, Las Maravillas, El Arenal) por ④ : 10 y 20 km – 🕓 971 :

🏨 **Río Bravo,** Misión de San Diego, ⊠ 07600 El Arenal, ℰ 26 63 00, Telex 68693, « Jardín alrededor de la ⌷ », ⌷ – 🛗 🍽 ☎ ⦿ – 🛝. 🖭 Ε ⟦VISA⟧. ⚙
Com 1875 – **199 hab** ⥥ 7240/13050.

🏨 **Delta** ⌕, carret. de Cabo Blanco km 6,4 - Puig de Ros, ⊠ 07620 Lluchmayor, ℰ 26 47 54, Telex 69196, Fax 74 03 18, ≼, 😤, « En un pinar », ⌷, ⌧, ☂, ✕ – 🛗 🍽 ⦿ – 🛝. 🖭 ⦿ Ε ⟦VISA⟧. ⚙
10 marzo-octubre – Com 2000 – **288 hab** ⥥ 7300/10600 – P 9300/11300.

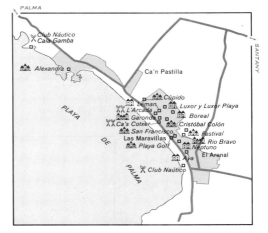

🏨 **Garonda,** carret. El Arenal 28, ⊠ 07610 Ca'n Pastilla, ℰ 26 22 00, Telex 69920, Fax 26 21 09, ≼, ⌷ climatizada – 🛗 🍽 rest ☎. 🖭 ⦿ Ε ⟦VISA⟧. ⚙
abril-octubre – Com 1700 – **112 hab** ⥥ 7585/11590.

🏨 **Playa Golf,** carret. de El Arenal 366, ⊠ 07600 El Arenal, ℰ 26 26 50, ≼, ⌷, ⌧, ✕ – 🛗 🍽 rest ⦿ – 🛝. 🖭 ⟦VISA⟧ ⚙
cerrado noviembre-17 diciembre – Com 1750 – ⥥ 490 – **222 hab** 4000/6500 – P 5900/6600.

🏨 **San Francisco,** Laud 24, ⊠ 07610 Ca'n Pastilla, ℰ 26 46 50, Telex 68693, ≼, ⌷ climatizada – 🛗 🍽 – 🛝
138 hab.

🏨 **Cristóbal Colón** ⌕, Parcelas 13, ⊠ 07610 Ca'n Pastilla, ℰ 26 27 50, Telex 68751, ⌷, ⌧ – 🛗 🍽 rest – **158 hab**.

🏨 **Festival,** camino Las Maravillas, ⊠ 07610 Ca'n Pastilla, ℰ 26 62 00, Telex 68693, Césped con arbolado, ⌷, ⌧ – 🛗 🍽 ⦿ – 🛝
216 hab.

🏨 **Alexandra,** Pineda 15, ⊠ 07610 Ca'n Pastilla, ℰ 26 23 50, Telex 68539, ≼, ⌷ – 🛗 🍽 rest
164 hab.

🏨 **Cupido,** Marbella 32, ⊠ 07610 Ca'n Pastilla, ℰ 26 43 00, Telex 68504, Fax 20 12 67, ≼, ⌷ – 🛗 🍽 rest ⦿ – 🛝. 🖭 ⦿ Ε ⟦VISA⟧. ⚙
Com 1040 – ⥥ 500 – **197 hab** 5000/10000.

🏨 **Leman,** av. Son Rigo 6, ⊠ 07610 Ca'n Pastilla, ℰ 26 07 12, Fax 49 25 20, ≼, ⌷, ⌧, ☂ – 🛗 🍽 rest ☎. Ε ⟦VISA⟧. ⚙
cerrado noviembre-10 diciembre – Com 1025 – **98 hab** ⥥ 4550/6800.

🏨 **Aya,** av. Nacional 60, ⊠ 07600 El Arenal, ℰ 26 04 50, Telex 69103, ≼, ⌷, ☂ – 🛗 🍽 rest ☎. ⚙
abril-octubre – Com 1575 – **145 hab** ⥥ 4025/4830 – P 5290/6095.

🏨 **Neptuno,** Laud 34, ⊠ 07620 El Arenal, ℰ 26 00 00, ≼, 😤, ⌷ – 🛗 🍽 ☎
103 hab.

🏨 **Boreal,** Mar Jónico 9, ⊠ 07610 Ca'n Pastilla, ℰ 26 21 12, Telex 68820, ⌷, ⌧, ✕ – 🛗 🍽 rest ☎ ⟦VISA⟧ ⚙
cerrado noviembre-17 diciembre – Com 750 – ⥥ 320 – **64 hab** 3720/6480.

🏨 **Luxor,** av. Son Rigo 21, ⊠ 07610 Ca'n Pastilla, ℰ 26 05 12, Telex 68820, ⌷, ⌧, ✕ – 🛗 🍽 rest ☎ – **46 hab**.

🏨 **Apart. Luxor Playa** ⌕, Mar Jónico, ⊠ 07610 Ca'n Pastilla, ℰ 26 31 51, Telex 68820, ⌷, ✕ – 🛗 🍽 rest ☎ – **40 hab**.

sigue →

BALEARES (Islas) - Palma de Mallorca

XX **Ca's Cotxer,** carret. de El Arenal 31, ⊠ 07600 Ca'n Pastilla, 🖉 26 20 49 – ▤ 〔AE〕 ① E 〔VISA〕 ⚘
  cerrado 7 enero-febrero y miércoles de noviembre a abril – Com carta 2075 a 3350.

XX **L'Arcada,** av. Nacional, ⊠ 07610 Ca'n Pastilla, 🖉 26 14 50, Telex 69920, Fax 26 21 09, ≤, 🍴 – 〔AE〕 ① E 〔VISA〕 ⚘
  Com carta 1800 a 3100.

X **Nuevo Club Naútico El Arenal,** Roses, ⊠ 07600 El Arenal, 🖉 26 91 67, ≤, 🍴 – ℗ 〔AE〕 ①
  E 〔VISA〕 ⚘
  cerrado lunes – Com carta 2025 a 3450.

ALFA-ROMEO Gremio Boneteros 23 (Polígono Son Castello) 🖉 20 42 12
BMW Gran Vía Asima 4 🖉 75 88 33
CITROEN XVI de Julio 5 🖉 29 97 66
CITROEN Miguel Marques 3 🖉 46 35 40
FIAT Aragón 215 🖉 27 85 50
FORD Gran Vía Asima 22 🖉 20 21 12
GENERAL MOTORS-OPEL Gran Vía Asima 🖉 29 27 25

MERCEDES-BENZ Gran Vía Asima - Esquina Toneleros 5 (Polígono Son Castello) 🖉 20 23 63
PEUGEOT-TALBOT Aragón 191 🖉 27 47 00
PEUGEOT-TALBOT Gran Vía Asima 16 🖉 20 45 30
RENAULT Camino de Los Reyes - esquina Sigueros (Polígono Son Castello) 🖉 29 22 00
RENAULT Aragón 209 🖉 27 46 00
SEAT-AUDI-VOLKSWAGEN General Ricardo Ortega 37 🖉 46 87 11

Palma Nova 07181 – ✪ 971 – Playa.

🏌 Poniente, zona de Magaluf 🖉 72 36 15 – Palma 14.

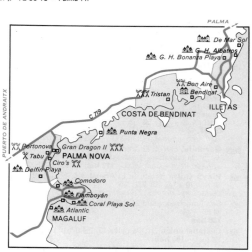

🏨🏨 **Delfín Playa,** Hermanos Moncada 32 🖉 68 01 00, ≤, «Terraza con ⊋ », ⊠ – ⃟ ▤ 〔AE〕 ① E 〔VISA〕 ⚘
  Com 1900 – **144 hab** ⊇ 6675/10050 – P 8850/10500.

🏨🏨 **Comodoro,** paseo Calablanca 🖉 68 02 00, ≤ bahía, ⊋ climatizada – ⃟ ▤ rest ℗
  temp. – **83 hab.**

XXX **Gran Dragon II,** paseo del Mar 2 🖉 68 13 38, ≤, 🍴, Rest. chino – ▤, 〔AE〕 ① E 〔VISA〕 ⚘
  Com carta 1610 a 2780.

XX **Ciro's,** paseo del Mar 3 🖉 68 10 52, ≤, 🍴 – ▤, 〔AE〕 E 〔VISA〕 ⚘
  Com carta 1980 a 2900.

XX Portanova, paseo del Mar 2 🖉 68 31 00, 🍴 – ▤.

X Tabu, paseo del Mar 28 🖉 68 00 43, 🍴.

en Magaluf S : 1 km – ⊠ 07182 Magaluf – ✪ 971 :

🏨🏨 Coral Playa ⌣, Sotavento 🖉 68 05 62, Telex 68539, ≤ bahia, ⊋, ⊠ – ⃟ ▤ rest – 🅰
  184 hab.

🏨🏨 **Atlantic,** Punta Ballena 6 🖉 68 02 08, ≤, 🍴, « Gran terraza entre los pinos », ⊋ – ⃟ ℗ E 〔VISA〕 ⚘
  abril-octubre – Com 1000 – ⊇ 700 – **80 hab** 3300/6500.

🏨🏨 **Flamboyán,** Martin Ros García 16 🖉 68 04 62, Fax 68 22 67, ⊋ – ⃟ ▤ rest ℗. 〔AE〕 ① ⚘
  24 abril-octubre – Com 1900 – **123 hab** ⊇ 6000/9000 – P 8500/10000.

por la carretera de Palma NE : 1,5 km – ⊠ 07011 Portals Nous – ✪ 971 :

🏨🏨 **Punta Negra** ⌣, 🖉 68 07 62, ≤ bahía, 🍴, « Magnífica situación al borde de una cala », ⊋, 🌲 – ⃟ ▤ rest 〔TV〕 ☎ ℗. 〔AE〕 ① E 〔VISA〕 ⚘
  Com 2800 – ⊇ 650 – **61 hab** 5100/10000 – P 10300/10400.

en Cala Viñas S : 3 km – ⊠ 07184 Cala Viñas – ✪ 971 :

🏨🏨 Forte Cala Viñas ⌣, Sirenas 🖉 68 11 00, Telex 68724, ≤, ⊋, ⊠, 🌲, ⚅ – ⃟ ▤ ☎ ℗ 🅰
  249 hab.

en Portals Vells - por la carretera del Golf Poniente SO : 8,5 km – ⊠ 07184 Calviá :

X Ca'n Pau Perdiueta, 🍴 , Pescados y mariscos   EY **b**

Pollensa 07460 – 11 617 h. alt. 200 – ✪ 971 – Playa en Puerto de Pollensa - Plaza de toros.
Alred. : Cuevas de Campanet★ S : 16 km.
🏌 Club de Pollensa t° 53 32 16.
Palma 52.

✗ **Daus,** Escalonada Calvari 10 𝒫 53 28 67 – 🍽. 🆇 **E** 𝘝𝘐𝘚𝘈. 🍴
  cerrado martes y diciembre-15 enero – Com carta 2050 a 3500.

  en la carretera del Puerto de Pollensa E : 2 km – ✉ 07460 Puerto de Pollensa – ✪ 971 :

✗ Ca'n Pacienci, 𝒫 53 07 87, 🌧 – ❷ – Com (sólo cena).
✗ **Garroverar,** 𝒫 53 06 59, ≤, 🌧, 🔟 – ❷. 🆇 **E** 𝘝𝘐𝘚𝘈. 🍴
  cerrado miércoles y noviembre – Com carta 1875 a 2600.

RENAULT Cecilio Metelo 85 𝒫 53 18 05   SEAT-AUDI-VOLKSWAGEN vía Argentina 15-17 𝒫 53 07 60

Pont D'Inca 07009 – ✪ 971.

✗ **S'Altell,** av. Antonio Maura 69 (carret. de Inca C 713) 𝒫 60 10 01 – 🍽. 🆇 **E** 𝘝𝘐𝘚𝘈. 🍴
  cerrado domingo, lunes y agosto – Com (sólo cena) carta 2050 a 2900.

Portals Nous 07015 – ✪ 971 – Puerto deportivo.

✗✗✗ ❀ **Tristán,** puerto Portals 𝒫 67 63 00, Telex 69804, Fax 67 54 03, ≤, 🌧 – 🍽. 🆇 𝘝𝘐𝘚𝘈. 🍴
  cerrado lunes salvo en verano y 15 noviembre-15 diciembre – Com (sólo cena) carta 6500 a 8900
  Espec. Medallones de bogavante con puerros y vinagreta de pimento rojo, Lomo de cordero en crosta de sal, Souffle marbré en salsa de Mocca.

Porto Cristo 07680 – ✪ 971 – Playa.
Alred. : Cuevas del Drach★★★ S : 1 km – Cuevas del Hams (sala de los Anzuelos★) O :
1,5 km.
🛈 Gual 31 A 𝒫 57 01 68.
Palma 62.

✗ **Ses Comes,** av. de los Pinos 50 𝒫 57 04 57 – 🆇 **E** 𝘝𝘐𝘚𝘈
  cerrado lunes y 15 noviembre-15 diciembre – Com carta 2100 a 3800.
✗ Sa Carrotja, av. Amer 45 𝒫 57 06 72 – 🍽.

Porto Petro 07691 – ✪ 971.
Alred. : Cala Santany (paraje★) SO : 16 km.
Palma 65.

🏨 **Nereida,** Cristóbal Colón 34 𝒫 65 72 23, ≤, 🔟 – 🍴
  mayo-octubre – Com 1000 – 🍴 500 – **43 hab** 5000/5500.

Puerto Colom 07670 – ✪ 971 – Playa.
Palma 63.

✗ **Celler Sa Sinia,** Pescadores 𝒫 57 53 23 – 🍽. ➀ **E** 𝘝𝘐𝘚𝘈. 🍴
  cerrado lunes y diciembre-enero – Com carta 1900 a 2350.

Puerto de Alcudia 07410 – ✪ 971 – Playa.
🛈 Vicealmirante Moreno 2 𝒫 54 63 71.
Palma 54.

✗ Ca'n Toni , con hab, av. Almirante Moreno 20 𝒫 54 50 08, ≤, 🌧 – 🍽 rest – **11 hab**.

Puerto de Andraitx 07157 – ✪ 971.
Alred. : Camp de Mar (paraje★) E : 5 km – Carretera★ de Puerto de Andraitx a Camp de Mar
– Recorrido en cornisa★★★ de Puerto de Andraitx a Sóller (terrazas★).
Palma 33.

🏨 **Brismar,** av. Almirante Riera Alemany 𝒫 67 16 00, ≤, 🌧 – 🛗 ☎ ❷. 🆇 ➀ **E** 𝘝𝘐𝘚𝘈. 🍴
  18 febrero-15 noviembre – Com 1250 – 🍴 3200/4700 – P 4850/5750.
✗✗ **Layn,** av. Almirante Riera Alemany 21 𝒫 67 18 55, ≤, 🌧 – 🆇 ➀ **E** 𝘝𝘐𝘚𝘈
  cerrado 15 noviembre-20 diciembre – Com carta 2025 a 3200.
✗ **Miramar,** av. Mateo Bosch 22 𝒫 67 16 17, ≤, 🌧 – 🆇 ➀ **E** 𝘝𝘐𝘚𝘈
  cerrado lunes y 15 diciembre-15 enero – Com carta 2340 a 3345.
✗ **Rocamar,** av. Almirante Riera Alemany 32 bis 𝒫 67 12 61, ≤, 🌧 – 🆇 **E** 𝘝𝘐𝘚𝘈. 🍴
  cerrado lunes y diciembre-15 enero – Com carta 2000 a 3350.

  en Camp de Mar E : 4,5 km – ✉ 07160 Camp de Mar – ✪ 971 :

🏨 **Villa Real** 🐾, carret. del Puerto 14 𝒫 67 10 50, 🔟, 🎾 – 🛗 ☎. **E**. 🍴
  mayo-octubre – Com 750 – 🍴 550 – **52 hab** 3500/6260.

Puerto de Pollensa 07470 – ✪ 971 – Playa.

Ver : Paraje★ – **Alred.** : Carretera★★★ de Puerto de Pollensa al Cabo Formentor★★★ : Mirador d'Es Colomer★★★, Playa Formentor★.
Palma 58.

🔊 **Illa d'Or** ≋, paseo Colón ℘ 53 11 00, Telex 69708, Fax 53 33 22, ≤, 🍴, « Terraza con árboles » – 🛗 ▤ rest 🕿 🝢 ⏏ ◑ **E** 𝖵𝖨𝖲𝖠. ※
Com 2300 – 🕮 700 – **119 hab** 4950/9120 – P 8860/9250.

🔊 **Daina,** Atilio Boveri 1 ℘ 53 12 50, Telex 69708, Fax 53 33 22, ≤, ⤓, – 🛗 ▤ rest ⏏ ◑ **E** 𝖵𝖨𝖲𝖠 ※
abril-octubre – Com 2300 – **60 hab** 4950/9120 – P 8860/9250.

🔊 Uyal, paseo de Londres ℘ 53 15 00, ≤, « Terraza con árboles », ⤓, ※ – 🛗 🝢 – **105 hab**.

🔊 **Pollentia,** paseo de Londres ℘ 53 12 00, ≤, « Terraza con flores y árboles » – 🛗 ⏏ ◑ **E** 𝖵𝖨𝖲𝖠. ※ rest
18 marzo-octubre – Com 1750 – 🕮 450 – **71 hab** 2900/5000 – P 6000/6400.

🏦 **Miramar,** paseo Anglada Camarasa 39 ℘ 53 14 00, ≤ – 🛗 ⏏ **E** 𝖵𝖨𝖲𝖠. ※
abril-octubre – Com 1600 – 🕮 470 – **69 hab** 3850/5600 – P 5900/6950.

🏦 Sis Pins , sin rest, paseo Anglada Camarasa 77 ℘ 53 10 50, ≤ – 🛗 ⠶ – **51 hab**.

🏦 **Capri,** paseo Anglada Camarasa 69 ℘ 53 16 00, Fax 53 33 22 – 🛗 ⠶. ※
mayo-octubre – Com (sólo cena) 2185 – 🕮 575 – **33 hab** 3310/6390.

🏠 **Raf,** paseo Saralegui 84 ℘ 53 11 95 – 🛗 **E** 𝖵𝖨𝖲𝖠. ※
abril-octubre – Com (sólo cena) 1350 – 🕮 450 – **40 hab** 2630/4700.

🏠 **Panorama,** urb. Gommar 5 ℘ 53 11 92, ⤓ – ※ rest
abril-octubre – Com (sólo cena) 1600 – 🕮 600 – **40 hab** 4000/6000 – P 6250/7250.

✕✕ **Bec Fi,** paseo Anglada Camarasa 91 ℘ 53 10 40, 🍴, Carnes y pescados a la parrilla – ⏏. ※
cerrado lunes y diciembre-febrero – Com carta 1980 a 2910.

✕ **Ca'n Pep,** Virgen del Carmen ℘ 53 00 10, 🍴, Decoración regional – ⏏ **E** 𝖵𝖨𝖲𝖠. ※
cerrado lunes y noviembre – Com carta 1850 a 2825.

✕ **Hibiscus,** carret. de Formentor 5 ℘ 53 14 84, 🍴 – ▤. ⏏ ◑ **E** 𝖵𝖨𝖲𝖠. ※
Com carta 2450 a 3050.

✕ **Lonja del Pescado,** Muelle Viejo ℘ 53 00 23, ≤, 🍴, Pescados y mariscos – ▤. **E** 𝖵𝖨𝖲𝖠
15 febrero-noviembre – Com carta 1550 a 3300.

✕ **Club Náutico,** Muelle Viejo ℘ 53 10 10, ≤, 🍴 – **E** 𝖵𝖨𝖲𝖠. ※
cerrado martes – Com carta 1600 a 2195.

en la carretera de Alcudia S : 3 km – ✉ 07470 Puerto de Pollensa – ✪ 971 :

✕✕ **Ca'n Cuarassa,** ℘ 53 22 66, ≤ – 🝢. ⏏ 𝖵𝖨𝖲𝖠. ※
cerrado lunes y noviembre-enero – Com carta 2150 a 3010.

Puerto de Sóller 07108 – ✪ 971 – Playa.
🛈 Canónigo Oliver ℘ 63 01 01 – Palma 35.

🏦 **Edén,** Es Través ℘ 63 16 00, Telex 69057, ⤓ – 🛗 🕿 🝢. ⏏ ◑ **E** 𝖵𝖨𝖲𝖠. ※
8 abril-octubre – Com 1600 – 🕮 450 – **152 hab** 2700/4000 – P 5100/5800.

🏦 **Eden Park** sin rest, Lepanto ℘ 63 12 00, Telex 69057 – 🛗 ⠶ ⇦. ⏏ ◑ **E** 𝖵𝖨𝖲𝖠. ※
22 abril-15 octubre – 🕮 450 – **64 hab** 2700/4000.

✕ **Es Canyis,** playa d'En Repic ℘ 63 14 06, 🍴 – ⏏ ◑ **E** 𝖵𝖨𝖲𝖠. ※
marzo-10 noviembre – Com (cerrado lunes) carta 1530 a 2050.

San Juan (Balneario de) 07630 – 1 964 h. – ✪ 971 – Palma 50.

🏠 **Baln. de la Font-Santa** ≋, carret. de Campos ℘ 65 50 16 – 🝢. ※
junio-septiembre – Com 1375 – 🕮 500 – **19 hab** 2700/4400 – P 4800/5300.

✕ Ses Roques, carret. de Campos NE : 1 km, 🍴 – 🝢.

San Salvador – alt. 509 – **Ver** : Monasterio★ (✲★★).
Palma 55 – Felanitx 6.

Hoteles y restaurantes ver : **Cala d'Or** SE : 21 km.

Santa Ponsa 07180 – ✪ 971 – Playa – **Ver** : Paraje★.
🔟 Santa Ponsa, ℘ 69 02 11.
Palma 20.

🔊 Rey Don Jaime, via del Puig Mayor 4 ℘ 69 00 11, Telex 68734, Fax 69 00 14, ⤓, ⤓ – 🛗 ▤ rest 🝢 – 🗻. 𝖵𝖨𝖲𝖠. ※
Com 1200 – 🕮 700 – **417 hab**.

🔊 **Bahía del Sol,** via Jaime I - 74 ℘ 69 11 50, Telex 69537, ⤓, ⤓ – 🛗 ▤ 🝢 – 🗻. ⏏ ◑ **E** 𝖵𝖨𝖲𝖠. ※
Com 1400 – **209 hab** 🕮 4830/8160.

🏦 **Casablanca,** via Rey Sancho 6 ℘ 69 03 61, ≤, ⤓ – 🝢. ※ rest
15 abril-septiembre – Com 960 – 🕮 390 – **87 hab** 3450/5500.

✗ **Nick's,** vía Jaime I - 97 🖉 69 02 67, ⩘ bahia, ╤ – E *VISA*. ⅗
marzo-noviembre – Com carta 1600 a 3600.

✗ Miguel, vía Jaime I - 92 🖉 69 09 13, ╤.

✗ **La Rotonda,** vía Jaime I - 105 🖉 69 02 19, ╤ – E *VISA*
cerrado lunes y 20 diciembre-7 febrero – Com carta 1950 a 3600.

✗ **Jackie's,** Puig de Galatzo 18 🖉 69 00 67, ╤ – ᴬᴱ E *VISA*. ⅗
marzo-15 noviembre – Com carta 1500 a 2300.

S'Illot 07687 – ⚙ 971.
Palma 66.

🏤 **Club S'Illot,** Cala Moreya 🖉 57 00 75, 🖼 – ⫯ 🍴 rest ☎. E *VISA*. ⅗
cerrado 20 noviembre-20 diciembre – Com 2300 – 🛏 975 – **53 hab** 3500 – P 6175/8075.

✗✗ **La Gamba de Oro,** Cami de la Mar 25 🖉 58 60 32 – ᴬᴱ E *VISA*. ⅗
Com carta 2430 a 3300.

Sóller 07100 – 9 693 h. alt. 54 – ⚙ 971 – Playa en Puerto de Sóller.
Alred. : Carretera★ de Sóller a Alfabia – Recorrido en cornisa★★★ de Sóller a Puerto de Andraitx (terrazas★).
Palma 30.

✗ **El Guía** con hab, Castañer 3 🖉 63 02 27 – ᴬᴱ ◑ E *VISA*. ⅗
abril-octubre – Com *(cerrado lunes de noviembre a marzo)* (abierto todo el año)
carta 1800 a 2450 – 🛏 450 – **17 hab** 1400/2650 – P 3800.
Ver también : *Puerto de Sóller* NO : 5 km.

CITROEN Carre de Sa Mar 134 🖉 63 07 37
PEUGEOT-TALBOT Camp Llarg 2 🖉 63 12 43
RENAULT Isabel II - 68 🖉 63 07 01

SEAT-AUDI-VOLKSWAGEN Poetisa Fca Alcobers
🖉 63 02 35

Son Servera 07550 – 5 180 h. alt. 92 – ⚙ 971 – Playa.
🛇 de Son Servera NE : 7,5 km 🖉 56 78 02.
Palma 64.

en la carretera de Capdepera NE : 3 km – ✉ 07550 Son Servera – ⚙ 971 :

✗ **S'Era de Pula,** 🖉 56 79 40, ╤, Decoración rústica regional – ℗. ᴬᴱ ◑ E *VISA*. ⅗
cerrado lunes y 10 enero-15 marzo – Com carta 2050 a 2950.

en Cala Millor SE : 3 km – ✉ 07560 Cala Millor – ⚙ 971 :

🏤 **Osiris,** na Peñal 1 🖉 58 56 11, ⩘, ⫲, 🖼 – ⫯ 🍴 rest ☎. ⅗
Com 1675 – 🛏 765 – **207 hab** 3220/5315.

✗✗ **Son Floriana,** urb. Son Floriana 🖉 58 60 75, ╤, Decoración rústica regional – ℗. E *VISA*. ⅗
cerrado domingo y 15 diciembre-15 enero – Com carta 3050 a 4350.

en Cala Bona E : 3 km – ✉ 07559 Cala Bona – ⚙ 971 :

✗ Ca's Patró, Ingeniero Antonio Garau 18 🖉 58 57 15, ╤.

en Costa de los Pinos NE : 7,5 km – ✉ 07559 Costa de los Pinos – ⚙ 971 :

🏩 **Eurotel Golf Punta Rotja** ⋙, 🖉 56 76 00, Telex 68666, ⩘ mar y montaña, ╤, « En un pinar », ⫲, ↝, ✗, 🛇 – ⫯ 🍴 ☎ ℗ – 🅐. ᴬᴱ ◑ E *VISA*. ⅗ rest
abril-octubre – Com 1950 – **208 hab** 🛏 9600/12700 – P 10050/13300.

Valdemosa 07170 – 1 161 h. alt. 427 – ⚙ 971.
Ver : Cartuja★.
🛈 Cartuja de Valldemossa 🖉 61 21 06.
Palma 17.

✗ **Ca'n Pedro,** av. Archiduque Luis Salvador 🖉 61 21 70, Mesón típico – ⅗
cerrado domingo noche y lunes – Com carta 1625 a 2825.

en la carretera de Andraitx O : 2,5 km – ✉ 07170 Valdemosa – ⚙ 971 :

✗✗ **Vistamar** ⋙ con hab, 🖉 61 23 00, ╤ – 📺 ☎ ℗. ᴬᴱ E *VISA*
Com carta 2050 a 3150 – **8 hab** 🛏 12500/18000.

en la carretera de Deia NO : 4 km – ✉ 07170 Valdemosa – ⚙ 971 :

✗ Ca Madó Pilla, 🖉 61 20 00, ⩘ – ℗.

RENAULT carret. Valldemosa a Deya 🖉 61 24 31

☛ *Para estar inscrito en la Guía Michelin :*
   - *ninguna recomendación,*
   - *ninguna gratificación !*

MENORCA

Alayor 07730 – 5 706 h. – ✪ 971 – Mahón 12.

✗ **Benneti,** San Macario 6 ℰ 37 14 00, ✿, Cocina italiana – 🖭 ➀ 🅴 𝑽𝑰𝑺𝑨. ✵
mayo-octubre – Com (sólo cena) carta 1860 a 2850.

en la Playa de Son Bou SO : 8,5 km – ⊠ 07730 Playa de Son Bou – ✪ 971 :

✗✗ **Club San Jaime,** urb. San Jaime ℰ 37 27 87, ✿, 🛌, ✵ – 🅿 🖭 ➀ 🅴 𝑽𝑰𝑺𝑨. ✵
abril-octubre – Com (sólo cena) carta 2100 a 3700.

PEUGEOT-TALBOT   Balmes 8 ℰ 37 14 01
RENAULT   Polígono Industrial La Trotxa ℰ 37 14 03·

RENAULT   av. de la Industria 1 - Polígono Industrial
La Trotxa ℰ 37 11 35

Ciudadela o **Ciutadella de Menorca** 07760 – 17 580 h. – ✪ 971.
Ver : Localidad★.
Mahón 44.

✗ **Casa Manolo,** Marina 117 ℰ 38 00 03, ✿ – 🍽. 🖭 ➀ 🅴 𝑽𝑰𝑺𝑨
cerrado domingo en invierno y 10 diciembre-10 enero – Com carta 1900 a 2800.

✗ **El Comilón,** pl. Colón 47 ℰ 38 09 22, ✿ – 🅴 𝑽𝑰𝑺𝑨. ✵
cerrado 23 diciembre-15 febrero y lunes en invierno – Com carta 1960 a 3420.

✗ **Cas Quintu,** pl. Alfonso III - 4 ℰ 38 10 02, ✿ – 🖭 ➀ 🅴 𝑽𝑰𝑺𝑨. ✵
Com carta 2400 a 2900.

en la carretera del cabo d'Artruix S : 3 km – ⊠ 07760 Ciudadela – ✪ 971 :

✗ **Grill Es Caliu,** ℰ 38 01 65, ✿, Carnes a la brasa, Decoración rústica – 🅿.

CITROEN   Cruz 20 ℰ 38 14 22
OPEL   Alfonso XIII - 47 ℰ 38 39 14
PEUGEOT-TALBOT   Miguel de Cervantes 81 ℰ 38 15 74

RENAULT   Polígono Industrial Parcela 60-62 ℰ 38 40 11
SEAT-AUDI-VOLKSWAGEN   Cruz 42 ℰ 38 13 72

Ferrerías 07750 – 3 038 h. – ✪ 971 – Mahón 29.

en Cala Galdana SO : 7 km – ⊠ 07750 Cala Galdana – ✪ 971 :

🏨 **Cala Galdana** ⏩, ℰ 37 30 00, Telex 68893, 🛌, ☀ – 🛗 🍽 rest ☜. 🖭 ➀ 🅴 𝑽𝑰𝑺𝑨. ✵
abril-octubre – Com 2300 – ⊡ 600 – **204 hab** 4100/7650 – P 8025/8300.

✗ **Benamar,** ℰ 37 30 00, Telex 68893, ✿ – 🍽. 🖭 ➀ 🅴 𝑽𝑰𝑺𝑨. ✵
15 mayo-15 octubre – Com carta 2050 a 2820.

RENAULT   carret. General km 28 ℰ 37 30 82

Fornells 07748 – ✪ 971 – Mahón 30.

✗✗ **Es Plá,** pasaje d'Es Plá ℰ 37 66 55, ≤, ✿ – 🖭 ➀ 🅴 𝑽𝑰𝑺𝑨
Com carta 1950 a 4200.

✗ **S'Ancora,** Poeta Gumersindo Riera 8 ℰ 37 66 70, ✿ – 🖭 ➀ 🅴 𝑽𝑰𝑺𝑨. ✵
Com carta 2000 a 3300.

✗ **Es Cranc,** Escoles 29 ℰ 37 64 42 – 🅴 𝑽𝑰𝑺𝑨. ✵
cerrado diciembre-enero – Com carta 1670 a 2440.

Mahón 07700 – 22 926 h. – ✪ 971.

🇫 Real Club de Menorca, Urbanización Shangri-La N : 7 km ℰ 36 37 00 – 🇫 Club Son Parc, zona Son Parc N : 18 km ℰ 36 88 06.

✈ de Menorca, San Clemente SO : 5 km ℰ 36 15 77 – Aviaco : aeropuerto ℰ 36 56 73.

🚢 para la Península y Mallorca : Cia Trasmediterránea, Nuevo Muelle Comercial, ℰ 36 28 47, Telex 68888.

🅱 pl. Explanada 40, ⊠ 07703, ℰ 36 37 90 – R.A.C.E. Portal del Mar 6 A ℰ 36 28 03.

🏨 **Port Mahón,** av. Fort de l'Eau 12 ℰ 36 26 00, Telex 69473, Fax 36 43 62, ≤, 🛌, ☀ – 🛗 🍽 rest ☎·. ♨. 🖭 ➀ 🅴 𝑽𝑰𝑺𝑨. ✵
Com 2300 – ⊡ 750 – **74 hab** 7100/10000 – P 9300/11400.

🏨 **Capri** sin rest, con cafetería, San Esteban 8, ⊠ 07701, ℰ 36 14 00 – 🛗 ☎ ☜. 🖭 ➀ 🅴 𝑽𝑰𝑺𝑨. ✵
⊡ 375 – **75 hab** 4850/7450.

✗✗ **Jágaro,** Mártires del Atlante 80 (puerto) ℰ 36 23 90, ≤, ✿ – 🖭 ➀ 🅴 𝑽𝑰𝑺𝑨. ✵
Com carta 2450 a 3250.

✗ **Club Marítimo,** Mártires del Atlante 27 (puerto) ℰ 36 42 26, ≤, ✿ – 🖭 ➀ 🅴 𝑽𝑰𝑺𝑨. ✵
cerrado domingo noche en invierno – Com carta 2050 a 3000.

✗ El Greco, Doctor Orfila 49 ℰ 36 43 67.

✗ **Pilar,** Es Forn 61 ℰ 36 68 17, ✿, Cocina regional – 🖭 🅴 𝑽𝑰𝑺𝑨
cerrado domingo y 15 diciembre-14 marzo – Com (sólo cena) carta 2400 a 3300.

✗ **Chez Gaston,** Conde de Cifuentes 13 ℰ 36 00 44 – 🅴 𝑽𝑰𝑺𝑨. ✵
cerrado domingo y diciembre-enero – Com carta 1420 a 2075.

en Cala Fonduco E : 1 km – ⊠ 07700 Mahón – 🕲 971 :

XX Rocamar ⤸ con hab en temporada, Fonduco 32 ℘ 36 56 01, ≤, 😤 – |💲| ▤ rest – **30 hab**.

en Villacarlos E : 3 km – ⊠ 07720 Villacarlos – 🕲 971 :

🏨 **Rey Carlos III** ⤸, Miranda de Cala Corp ℘ 36 31 00, Telex 69767, Fax 36 28 57, ≤, « Amplias terrazas », ⤳, 💆 – |💲| ▤ rest. VISA ⤸
abril-octubre – Com (sólo cena) 1600 – ⊑ 400 – **87 hab** 5000/7000 – P 6500/8000.

🏨 Agamenón ⤸, paraje Fontanillas 18 ℘ 36 21 50, ≤, ⤳ – |💲| ❼ – **75 hab**.

CITROEN Polígono Industrial camino Ses Rodeas ℘ 36 10 62
FORD Polígono Industrial Vía D 3 ℘ 35 04 00
MERCEDES-BENZ Polígono Industrial Vía D 53B ℘ 36 32 11

PEUGEOT-TALBOT San Manuel 108 ℘ 36 05 50
RENAULT Riudavets 1 ℘ 36 09 32
SEAT-AUDI-VOLKSWAGEN pl. Augusto Miranda 17 ℘ 36 24 04

Mercadal 07740 – 🕲 971 – Mahón 22.

X **Ca N'Aguedet,** Lepanto 23 ℘ 37 53 91 – AE ① E VISA ⤸
Com carta 1900 a 2575.

RENAULT carret. San Clemente km 5 ℘ 36 61 18

San Cristóbal 07749 – 🕲 971.
Alred. : Cala de Santa Galdana (paraje★★) SO : 13 km.
Mahón 21.

en la playa de Santo Tomás S : 4,5 km – ⊠ 07749 Playa de Santo Tomás – 🕲 971 :

🏨 Los Cóndores ⤸, ℘ 37 00 50, Telex 69047, ≤, ⤳ – |💲| ❼ – **188 hab**.

San Luis 07710 – 2 547 h. – 🕲 971 – Mahón 4.

en Cala Torret S : 6 km – ⊠ 07710 San Luis – 🕲 971 :

X Cala Torret, ℘ 36 18 53, ≤, 😤.

RENAULT San Luis 116 ℘ 36 17 83

IBIZA

Ibiza o **Eivissa** 07800 – 25 489 h. – 🕲 971 – Plaza de toros.
Ver : Dalt Vila★ BZ : Museo Arqueológico★ M1, Catedral ⁂★ B – La Marina : Barrio de Sa Penya★ BY.

🛥 Roca Llisa por ② : 10 km ℘ 31 37 18.

✈ de Ibiza por ③ : 9 km ℘ 30 03 00 – Iberia : av. Ignacio Wallis 8 ℘ 30 09 54 BY y Aviaco, aeropuerto ℘ 30 25 77.

🚢 para la Península y Mallorca : Cia. Trasmediterránea, av. Bartolomé Vicente Ramón ℘ 31 50 11, Telex 68866 BY.

🛈 Vara de Rey 13 ℘ 30 19 00 – R.A.C.E. Vicente Serra 8 ℘ 31 33 11.

Plano página siguiente

🏨 **Royal Plaza** 🅼 sin rest, con cafetería, Pedro Francés 27 ℘ 31 00 00, Telex 69433, Fax 31 40 95, ⤳ – |💲| ▤ 📺 ☎ ⇔ – 🅰 AE ① E ⤸   AY **b**
⊑ 650 – **117 hab** 9450/14500.

🏠 El Corsario ⤸, Poniente 5 ℘ 30 12 48, ≤, 😤, Conjunto de estilo ibicenco   BZ **a**
14 hab.

XX **S'Oficina,** av. de España 6 ℘ 30 00 16, 😤, Cocina vasca – ▤. AE ① E VISA   AY **t**
cerrado domingo y 15 diciembre-enero – Com carta 2425 a 3275.

X **Sa Caldera,** Obispo Padre Huix 19 ℘ 30 64 16 – ▤. AE ① E VISA ⤸   AY **s**
cerrado lunes y julio – Com carta 1770 a 2515.

X **Celler Balear,** av. Ignacio Wallis 18 ℘ 31 19 65, Decoración regional – ▤. E VISA ⤸   AY **d**
Com carta 1750 a 3150.

en la playa de Ses Figueretas – AZ – ⊠ 07800 Ibiza – 🕲 971 :

🏨 **Los Molinos,** Ramón Muntaner 60 ℘ 30 29 16, Telex 68850, ≤, « Bonito jardín y terraza con ⤳ al borde del mar » – |💲| ▤ ☎ ⇔ – 🅰 AE ① E VISA ⤸   AZ **a**
Com (sólo cena) 2300 – ⊑ 600 – **154 hab** 7400/12500.

🏨 **Ibiza Playa,** Tarragona ℘ 30 48 00, ≤, ⤳ – |💲| ▤ rest 📞. E VISA ⤸ rest   AZ **u**
20 abril-octubre – Com (sólo cena) 2200 – ⊑ 740 – **157 hab** 5000/8000.

🏠 Cenit, sin rest, Archiduque Luis Salvador ℘ 30 14 04, ≤, ⤳ – |💲| 📞   AZ **r**
temp. – **62 hab**.

🏠 Marigna, sin rest, Alsabini 18 ℘ 30 49 12 – 📞 – *temp.* – **44 hab**.   AZ **n**

EIVISSA
IBIZA

Aníbal	BY 5
Antonio Palau	BY 6
José Verdera	BY 16
Maestro J. Mayans	BY 19
Amadeo	BY 4
Archiduque Luis Salvador	AZ 8

en Es Viver - AZ - SO : 2,5 km – ⊠ 07819 Es Viver – ☎ 971 :

🏨🏨 Torre del Mar ⬧, ⊠ apartado 564, ✆ 30 30 50, Telex 68845, ≤, « Jardin con terraza y ⊐ al borde del mar », ☒, 🛠 – 📶 🗏 📺 ☎ ❷ – 🔏
217 hab.

en la playa de Talamanca por ② : 2 km – ⊠ 07819 Talamanca – ☎ 971 :

🏨🏨 **Argos** ⬧, ✆ 31 21 62, Fax 31 24 13, ≤, ⊐ – 📶 🗏 rest 📺 ❷ ☎ ⬧
abril-octubre – Com (sólo cena) 1500 – ⊡ 600 – **106 hab** 4750/8900.

en la carretera de San Miguel por ② : 6,5 km – ⊠ 07800 Ibiza – ☎ 971 :

XX **La Masía d'En Sord,** ⊠ apartado 897, ✆ 31 02 28, 🍴, « Antigua masia ibicenca, bonita terraza » – ❷, 🅰🎖 ⓪ 🗏 ☒
15 abril-octubre – Com (sólo cena) carta 2650 a 3750.

BMW carret. San Juan km 1,2 ✆ 31 37 20
CITROEN carretera San Antonio km 1,8 ✆ 31 30 15
FORD carret. del Puerto km 2,2 ✆ 30 05 40
GENERAL MOTORS Extremadura 38 ✆ 31 23 50
MERCEDES-BENZ carret. San Antonio km 1,8 ✆ 31 31 52

PEUGEOT-TALBOT carretera aeropuerto km 3,5 ✆ 30 69 40
RENAULT carret. aeropuerto km 2,3 ✆ 30 19 76
SEAT-AUDI-VOLKSWAGEN Madrid 35 ✆ 31 33 11

Jesús – ☎ 971.

en la carretera de Cala Llonga N : 2 km – ⊠ Jesús – ☎ 971 :

XX Somni, urbanización Can Furnet, 🍴, En un pinar – ❷.

San Agustín 07839 – ☎ 971.
Ibiza 20.

por la carretera de San José – ⊠ 07830 San José – ☎ 971 :

X Sa Tasca, ✆ 34 16 23, 🍴, « Rincón rústico en el campo » – ❷.

☛ *Michelin no coloca placas de propaganda*
en los hoteles y restaurantes que recomienda.

San Antonio Abad 07820 – 12 331 h. – ☎ 971 – Playa.

Ver : Bahía★.

⚓ para la Península : Cía. Flebasa, edificio Faro, ✆ 34 28 71.

🛈 Passeig de Ses Pontes ✆ 34 33 63.

Ibiza 15.

🏨 **Tropical,** Cervantes ✆ 34 00 50, ⅃ – ⊉ ≣ rest. 🝙 ⓪ Ε 𝗩𝗜𝗦𝗔. ⋇
abril-octubre – Com 950 – **142 hab** ⊐ 2700/2750 – P 3800/4000.

✕ Rias Baixas, Ignacio Riquer 4 ✆ 34 04 80, Cocina gallega – ≣.

✕ **S'Olivar,** San Mateo 11 ✆ 34 00 10, ⌂ – 🝙 ⓪ Ε 𝗩𝗜𝗦𝗔. ⋇
10 febrero-octubre – Com carta 2300 a 3400.

✕ Sa Prensa, General Prim 6 ✆ 34 16 70, ⌂ – ≣ – temp.

en la playa :

🏨 Palmyra, av. Dr. Fleming ✆ 34 03 54, ≼, « Terraza con palmeras », ⅃ – ⊉ ≣ rest ❸ – ♨
160 hab.

en la playa de S'Estanyol SO : 2,5 km – ⊠ 07639 S'Estanyol – ☎ 971 :

🏨 Bergantín, ✆ 34 09 50, ⌂, ⅃ climatizada, ⋇ – ⊉ ≣ rest ❸ – **253 hab**.

en Punta Pinet SO : 3 km – ⊠ 07820 San Antonio Abad – ☎ 971 :

🏨 Nautilus, ✆ 34 04 00, Telex 68856, ≼, ⅃ – ⊉ ❸ – temp. – **168 hab**.

en Es Caló de S'Oli SO : 4,5 km – ⊠ 07872 Es Caló de S'Oli – ☎ 971 :

🏨 Sandiego ⋟, ✆ 34 32 67, ≼ bahía y población, ⅃ – ⊉ ❸ – Com (sólo cena) – **128 hab**.

en la carretera de Santa Inés N : 1 km – ⊠ 07820 San Antonio Abad – ☎ 971 :

✕✕ Sa Capella, ✆ 34 00 57, « Antigua capilla » – ❸ – temp.

en Cala Gració – ⊠ 07820 Cala Gració – ☎ 971 :

🏨 Tanit ⋟, NO : 2 km ✆ 34 13 04, Telex 69539, ≼, ⅃, ⋇ – ⊉ ≣ rest ❸ – ♨
386 hab.

🏨 Cala Gració, ✆ 34 13 00, Telex 68692, ⋇ – ☎ ❸ – **50 hab**.

✕ **Es Pí d'Or,** carret. de Cap Negret NO : 3,5 km ✆ 34 28 72, ⌂ – ⓪ Ε 𝗩𝗜𝗦𝗔. ⋇
cerrado lunes salvo festivos y 20 enero-20 febrero – Com carta 1875 a 3750.

CITROEN Alicante 28 ✆ 34 04 11
GENERAL MOTORS-OPEL carret. San Antonio
km 14,5 ✆ 34 01 46

SEAT-AUDI-VOLKSWAGEN carret. San Antonio
km 14 ✆ 34 07 19

San José 07830 – ☎ 971.

Ibiza 14.

por la carretera de Ibiza E : 2,5 km – ⊠ 07830 San José – ☎ 971 :

✕ **Cana Joana,** ✆ 34 23 44, ⌂, Decoración regional – ❸. 🝙 Ε 𝗩𝗜𝗦𝗔. ⋇
cerrado lunes fuera de temporada y 15 octubre-diciembre – Com (en temporada sólo cena)
carta 1800 a 3200.

en la playa de Cala Tarida NO : 7 km – ⊠ 07830 San José :

✕ **Cas Milá,** ≼, ⌂ – 🝙 𝗩𝗜𝗦𝗔. ⋇
mayo-octubre – Com carta 1965 a 2615.

San Lorenzo 07812 – ☎ 971.

Ibiza 14.

en la carretera de Ibiza S : 4 km – ⊠ 07812 San Lorenzo :

✕ Can Gall, ⌂, Decoración rústica, Carnes a la brasa – ❸.

San Miguel 07815 – ☎ 971.

Ibiza 19.

en Na Xamena (Urbanización) NO : 6 km – ☎ 971 :

🏨 Hacienda ⋟, ⊠ 07815 apartado 423 Ibiza, ✆ 33 30 46, Telex 69322, ⌂, « Edificio de estilo
ibicenco con ≼ cala », ⅃, ▨, ⋇ – ⊉ ≣ ❸ – **70 hab**.

San Rafael 07816 – ☎ 971.

Ibiza 7.

✕✕ **Grill San Rafael,** pl. de la Iglesia ✆ 31 54 29, ≼, ⌂, Decoración regional – 🝙 ⓪ Ε 𝗩𝗜𝗦𝗔
cerrado domingo noche y lunes en invierno y noviembre-15 diciembre – Com carta 3050 a 3800.

en la carretera de San Antonio Abad SO : 0,5 km – ⊠ 07816 San Rafael – ☎ 971 :

✕✕ **Lur Berri,** ✆ 31 14 64, ⌂, Cocina vasca, « Terraza con plantas » – ❸. 🝙 ⓪ Ε 𝗩𝗜𝗦𝗔. ⋇
cerrado martes y 15 enero-febrero – Com carta 2500 a 3800.

BALEARES (Islas)

Santa Eulalia del Río 07840 – 13 098 h. – ✿ 971.

🏌 Roca Llisa SO : 11,5 km ♪ 31 37 18.

🏢 Mariano Riquer Wallis ♪ 33 07 28.

Ibiza 15.

🏨 **Tres Torres** 🦐, Ses Estaques ♪ 33 03 26, ≤, ⊼ – 🛗 ❷. ⌷ ⓘ ⴹ *VISA*. ❀
mayo-octubre – Com 1550 – ⊑ 425 – **112 hab** 3550/5800 – P 5850/6500.

🏨 **San Marino** sin rest, con cafetería, Ricardo Curtoys Gotarradona 1 ♪ 33 03 16, Telex 68682, Fax 31 11 95, ⊼ climatizada – 🛗 ▤ 📺 ❷ ⇆. ⌷ ⓘ ⴹ *VISA*. ❀
mayo-octubre – ⊑ 650 – **44 hab** 14550/18200.

✕✕✕ Sa Punta, Isidoro Macabich 36 ♪ 33 00 33, ≤, ⌅, « Terraza con plantas » – ▤.

✕✕ **Doña Margarita**, paseo Marítimo ♪ 33 06 55, ≤, ⌅ – ▤. ⌷ ⓘ ⴹ *VISA*
cerrado lunes y 30 noviembre-8 diciembre – Com carta 2400 a 3500.

✕ **Celler Ca'n Pere**, San Jaime 63 ♪ 33 00 56, ⌅, Celler típico – ⌷ ⓘ ⴹ *VISA*. ❀
cerrado jueves mediodía y 15 enero-15 marzo – Com carta 2025 a 3175.

✕ El Vergel, camino de la Iglesia 8 ♪ 33 08 94, ⌅, « Patio con plantas »
temp. – Com (sólo cena).

✕ **La Posada**, camino Puig de Missa ♪ 33 00 17, ⌅, Decoración regional – ❷. ⌷ ⴹ *VISA*
cerrado 15 enero-15 marzo – Com carta 2000 a 2850.

✕ **El Naranjo**, San José 31 ♪ 33 03 24, ⌅ – ⌷ ⴹ *VISA*. ❀
15 marzo-15 diciembre – Com (cerrado lunes) (sólo cena) carta 1650 a 2500.

por la carretera de Es Caná NE : 2,5 km – ✉ 07840 Santa Eulalia del Río – ✿ 971 :

✕✕ Cami del Rei, ♪ 33 04 73, ⌅, Cena-baile, « Terraza bajo los pinos » – ❷.

en S'Argamassa (Urbanización) NE : 3,5 km – ✉ 07849 Urbanización S'Argamassa – ✿ 971 :

🏨 S'Argamassa 🦐, ♪ 33 00 51, ≤, ⊼, ⽊, ✕ – 🛗 ❷ – **217 hab**.

en Ca'n Fita S : 1,5 km – ✉ 07840 Santa Eulalia del Río – ✿ 971 :

🏨 Fenicia 🦐, ♪ 33 01 01, Telex 68755, Fax 33 02 45, ≤, « Amplias terrazas rodeando la ⊼ », ⽊, ✕ – 🛗 ▤ ❷ – ⌷ ⓘ ⴹ *VISA*. ❀
abril-octubre – ⊑ 400 – **191 hab** 6160/9855.

por la carretera de Cala Llonga S : 4 km – ✉ 07840 Santa Eulalia del Río – ✿ 971 :

✕ **La Casita**, urb. Valverde ♪ 33 02 93, ⌅ – ❷. ⌷ ⓘ ⴹ *VISA*. ❀
cerrado jueves en invierno y 20 noviembre-20 diciembre – Com (sólo cena) carta 1525 a 2900.

en Cala Llonga S : 5,5 km – ✉ 07840 Santa Eulalia del Río – ✿ 971 :

✕ **The Wild Asparagus**, Pueblo Espárragos ♪ 33 15 67, ⌅ – ❷. ⌷ ⓘ ⴹ *VISA*. ❀
23 marzo-29 octubre – Com carta 1530 a 2300.

en la carretera de Ibiza SO : 5,5 km – ✉ 07840 Santa Eulalia del Río – ✿ 971 :

🏠 **La Colina** 🦐, ♪ 33 08 90, ⌅, ⊼ – ❀ ❷. ⌷ ⓘ ⴹ *VISA*
abril-noviembre – Com 2200 – **18 hab** ⊑ 6760/9920 – P 8260/10060.

✕✕ **El Gordo**, ♪ 33 17 17, ⌅, Cocina francesa, Decoración rústica – ❷. ⌷ ⴹ *VISA*
abril-10 noviembre – Com (sólo cena) carta 2550 a 3650.

RENAULT carret. San Carlos km 9 ♪ 33 06 52   SEAT-AUDI-VOLKSWAGEN Camino Nuevo Iglesia ♪ 33 09 17

Santa Gertrudis 07814 – ✿ 971 – Ibiza 11.

✕✕ Ama Lur, carret. de Ibiza SE : 2,5 km ♪ 31 45 54, ⌅, Cocina vasca, « Terraza con plantas » – ❷
Com (sólo cena).

✕ Ca'n Pau, carret. de Ibiza S : 2 km, ⌅, sólo carnes, « Antigua casa campesina - terraza » – ❷
Com (en temporada sólo cena).

FORMENTERA

Cala Sahona 07860 – ✿ 971.

🏠 **Cala Sahona** 🦐, playa, ✉ 07860 apartado 71 San Francisco, ♪ 32 00 30, ≤, ⌅, ⊼ – 🛗 ☎. ❀
mayo-octubre – Com (sólo cena) 1100 – ⊑ 400 – **93 hab** 3250/6000.

Es Pujols 07871 – ✿ 971.

🏠 **Sa Volta** sin rest, con cafetería, ✉ 07860 apartado 71 San Francisco, ♪ 32 01 20 – ❀. ⌷ ⓘ ⴹ *VISA*. ❀
⊑ 475 – **18 hab** 2750/4900.

✕ **Capri**, Miramar, ✉ 07871 San Fernando, ♪ 32 11 18, ⌅ – ⌷ *VISA*. ❀
marzo-octubre – Com carta 1100 a 2075.

en Punta Prima E : 2 km – ✉ 07713 Punta-Prima – ✪ 971 :

🏨 Club Punta Prima 🦐, 𝒫 32 03 68, Telex 68870, ≼ mar e isla de Ibiza, 🛋, « Bungalows rodeados de jardin », ⌿, ✕ – ⓟ
Com (sólo cena) – **120 hab**.

en Ses Illetas NO : 5 km – ✉ 07870 La Sabina – ✪ 971 :

✕ Es Moli de Sal, ≼ mar e Ibiza, 🛋 – ⓟ.

Playa Mitjorn 07871 – ✪ 971.

en Es Arenals – ✉ 07860 San Francisco – ✪ 971 :

🏨 **Club H. La Mola** 🦐, ✉ apartado 23 San Francisco, 𝒫 32 00 75, Telex 69326, ≼, 🛋, ⌿, ✕
– 📶 🍽 ☎ – 🅰 ⚞ ⓞ ⌷ E 𝗩𝗜𝗦𝗔. ✻
mayo-octubre – Com 1840 – **325 hab** ⌸ 8050/13600.

San Fernando 07871 – ✪ 971.

🏨 **Illes Pitiüses** sin rest, av. Joan Castello 𝒫 32 01 89 – 𝗩𝗜𝗦𝗔. ✻
⌸ 400 – **26 hab** 2000/3500.

Para viajar más rápido, utilice los **mapas Michelin ''grandes carreteras''** :
920 *Europa,* **980** *Grecia,* **984** *Alemania,* **985** *Escandinavia-Finlandia,*
986 *Gran Bretaña-Irlanda,* **987** *Alemania-Austria-Benelux,* **988** *Italia,*
989 *Francia,* **990** *España-Portugal,* **991** *Yugoslavia.*

BALNEARIO – ver el nombre propio del balneario.

BANYOLES 17820 Gerona **443** F 38 – ver Bañolas.

BAÑALBUFAR 07191 Baleares **443** M 37 – ver Baleares (Mallorca).

La BAÑEZA 24750 León **441** F 12 – 8 501 h. alt. 771 – ✪ 987.
◆Madrid 297 – ◆León 48 – Ponferrada 85 – Zamora 106.

✕ **Chipén,** carret. de Madrid N VI 𝒫 64 03 89 – ⓟ. 🅰 ⚞ ⓞ E 𝗩𝗜𝗦𝗔
Com carta 1625 a 1950.

en la carretera de León NE : 1,5 km – ✉ 24750 La Bañeza – ✪ 987 :

🏨 **Ríoverde,** 𝒫 64 17 12, ≼, 🛋 – ⓟ. 𝗩𝗜𝗦𝗔. ✻
Com 1100 – ⌸ 500 – **15 hab** 2700/4200 – P 4450/5050.

FORD carret. Madrid-La Coruña km 302 𝒫 64 41 51
GENERAL MOTORS-OPEL carret. Madrid-La Coruña km 304 𝒫 64 14 51
PEUGEOT-TALBOT carret. Madrid-La Coruña 51 𝒫 64 13 34

RENAULT carret. Madrid-La Coruña km 304 𝒫 64 13 20
SEAT-AUDI-VOLKSWAGEN carret. Madrid-La Coruña km 302 𝒫 64 11 54

BAÑOLAS o **BANYOLES** 17820 Gerona **443** F 38 – 12 378 h. alt. 172 – ✪ 972.
Ver : Lago★.
◆Madrid 729 – Figueras/Figueres 29 – Gerona/Girona 20.

🏨 Flora, pl. Turers 28 𝒫 57 00 77 – ▤ rest
30 hab.

🏚 Fonda Comas, Canal 19 𝒫 57 01 27
11 hab.

a orillas del lago :

🏨 **L'Ast** 🦐, passeig Dalmau 63 𝒫 57 04 14, ⌿, – ⇌ ⓟ. 𝗩𝗜𝗦𝗔. ✻
cerrado noviembre – Com 900 – ⌸ 300 – **32 hab** 1500/3800 – P 3285/3500.

AUSTIN-ROVER Divina Pastora 51 𝒫 57 41 64
CITROEN Terri 1 𝒫 57 28 46
FORD Barcelona 21-25 𝒫 57 04 89
GENERAL MOTORS Mata 𝒫 57 23 32
MERCEDES-BENZ Les Rotes 26 𝒫 57 27 77

PEUGEOT-TALBOT carret. Gerona-Ripoll km 14.4 𝒫 59 40 76
RENAULT Alfonso XII-114-120 𝒫 57 22 79
SEAT-AUDI-VOLKSWAGEN Álvarez de Castro 37 𝒫 57 52 01

BAÑOS DE FITERO 31594 Navarra **442** F 24 – ver Fitero.

BAÑOS DE MOLGAS 32701 Orense **441** F 6 – 3 456 h. alt. 460 – ✪ 988 – Balneario.
◆Madrid 536 – Orense 36 – Ponferrada 154.

🏨 Balneario 🦐, Samuel González 6 𝒫 46 32 11 – ⓟ. ✻
julio-septiembre – Com 900 – ⌸ 200 – **32 hab**.

BAQUEIRA Lérida – ver Salardú.

BAQUIO o **BAKIO** 48130 Vizcaya **442** B 21 – 1 175 h. – 🌳 94 – Playa.

Alred. : Recorrido en cornisa★ de Baquio a Arminza ≤★ – Carretera de Baquio a Bermeo ≤★.

◆Madrid 425 – ◆Bilbao 26.

　XX　**Gotzón**, carret. de Bermeo 🎜 687 30 43, 🌥 – 🖭 ⓪ Ε 𝘝𝘐𝘚𝘈. 🕸
　　　cerrado lunes y 20 octubre-20 diciembre – Com carta 1900 a 3000.

BARAJAS 28042 Madrid **444** K 19 – 🌳 91.

◆Madrid 14.

　🏨　**Barajas**, av. de Logroño 305 🎜 747 77 00, Telex 22255, Fax 747 87 17, 🌥, « Amplio césped
　　　con 🏊 », 🛲 – 🛗 🖃 📺 ☎ 🅿 – 🔼. 🖭 ⓪ Ε 𝘝𝘐𝘚𝘈. 🕸 rest
　　　Com 3650 – 🖙 950 – **230 hab** 14950/18700 – P 16350/21950.

　🏨　**Alameda**, av. de Logroño 100 🎜 747 48 00, Telex 43809, Fax 747 89 28, 🏴 – 🛗 🖃 📺 ☎ 🚗
　　　🅿 – 🔼. 🖭 ⓪ Ε 𝘝𝘐𝘚𝘈. 🕸 rest
　　　Com 3375 – 🖙 850 – **145 hab** 10800/15000 – P 13950/17250.

　X　**Mesón Don Fernando**, Canal de Suez 1 🎜 747 75 51 – 🖃. 🖭 ⓪ Ε 𝘝𝘐𝘚𝘈. 🕸
　　　cerrado sábado y agosto – Com carta 1800 a 3200.

　　　en la carretera del aeropuerto a Madrid S : 3 km – ✉ 28042 Madrid – 🌳 91 :

　🏨　**Diana y Rest. Asador Duque de Osuna,** Galeón 27 (Alameda de Osuna) 🎜 747 13 55,
　　　Telex 45688, 🏊 – 🛗 🖃 📺 ☎ – 🔼. 🖭 ⓪ Ε 𝘝𝘐𝘚𝘈. 🕸 rest
　　　Com 2400 – 🖙 500 – **271 apartamentos** 8500/10700 – P 9850/13000.

RENAULT　Canal de Suez 16 🎜 747 63 34　　　　SEAT-AUDI-VOLKSWAGEN　av. de Logroño 317
　　　　　　　　　　　　　　　　　　　　🎜 747 12 44

BARBASTRO 22300 Huesca **443** F 30 – 15 182 h. alt. 215 – 🌳 974.

Alred. : Alquézar (paraje★★) NO : 21 km.

◆Madrid 442 – Huesca 52 – ◆Lérida/Lleida 68.

　🏨　**Palafox** sin rest, Corona de Aragón 20 🎜 31 24 61 – 🛗 🚗. 🕸
　　　🖙 300 – **28 hab** 3000.

　XX　**Flor,** Goya 3 🎜 31 10 56 – 🖃. 🖭 ⓪ Ε 𝘝𝘐𝘚𝘈. 🕸
　　　Com carta 1900 a 3475.

　　　en la carretera de Huesca N 240 O : 1 km – ✉ 22300 Barbastro – 🌳 974 :

　🏨　**Rey Sancho Ramírez,** 🎜 31 00 50, ≤, 🏊, 🎾 – 🛗 🖃 rest 🚋 🚗 🅿. 🖭 ⓪ Ε 𝘝𝘐𝘚𝘈. 🕸 rest
　　　Com *(cerrado lunes)* 1100 – 🖙 450 – **78 hab** 3650/5500.

ALFA-ROMEO　Cofita 1 🎜 31 11 51　　　　　　GENERAL MOTORS　av. Pirineos 23 🎜 31 04 32
CITROEN　av. Pirineos 50 🎜 31 06 88　　　　　PEUGEOT-TALBOT　av. Pirineos 42 🎜 31 13 90
FIAT-LANCIA　Polígono Industrial Valle del Linca　RENAULT　Saint Gaudens 15 🎜 31 18 48
🎜 31 01 89　　　　　　　　　　　　　　　　SEAT-AUDI-VOLKSWAGEN　Polígono Industrial
FORD　av. Pirineos 65 🎜 31 00 26　　　　　　Valle del Linca 🎜 31 28 12

BARBATE 11160 Cádiz **446** X 12 – 20 849 h. – 🌳 925 – Playa.

◆Madrid 677 – Algeciras 72 – ◆Cádiz 60 – ◆Córdoba 279 – ◆Sevilla 169.

　🏨　**Sevilla** sin rest, Padre López Benitez 12 🎜 43 23 83 – 🚗. Ε 𝘝𝘐𝘚𝘈. 🕸
　　　🖙 175 – **19 hab** 4175/4350.

　X　Torres, Ruiz de Alda 1 🎜 43 09 85, ≤, Pescados y mariscos – 🖃.

　X　Gadir, Padre Castrillón 15 🎜 43 08 00, 🌥.

CITROEN　Queipo de Llano 43 🎜 43 29 12　　　RENAULT　Cruz 16 🎜 43 11 78
FORD　Juan Carlos I 🎜 43 22 03　　　　　　SEAT-AUDI-VOLKSWAGEN　Queipo de Llano 21

La BARCA (Playa de) 36200 Pontevedra – ver Vigo.

BARCELONA

BARCELONA 08000 🅿 🛂🛂🛂 H 36 – 1 754 900 h. – 🎯 93 – Plaza de toros.

Ver : Barrio Gótico (Barri Gòtic)★★ : Catedral★★ NR **Museo Federico Marés (Museu F. Marès)★★** NR , Palau de la Generalitat★ NR – Montjuich (Montjuïc)★ (≼★) : Museo de Arte de Cataluña★★ (colecciones románicas y góticas★★★, museo de Cerámica★) CT **M2** – Museo Arqueológico★ CT **M3**, Pueblo español★, BT **E** , Fundación Miró★ CT **F** – Parque zoológico (Parc zoológic)★ KX – Tibidabo★ (⁕★★) AS – Atarazanas y Museo Marítimo★★ JY **M6** – Palacio de la Virreina (colección Cambo★) LX **M7** – Museo Picasso★ MV **M8** – Templo Expiatorio de la Sagrada Familia★★ JU.

🛫, 🛫 de Prat por ⑤ : 16 km 🏤 379 02 78 – 🛫 de Sant Cugat por ⑦ : 20 km 🏤 674 39 58 – 🛫 de Vallromanas por ④ : 25 km 🏤 568 03 62.

🚋 de Barcelona por ⑤ : 12 km 🏤 317 10 11 – Iberia : paseo de Gracía 30, ✉08007, 🏤 301 68 00 HV y Aviaco : aeropuerto 🏤 379 24 58.

🚢 🏤 410 38 65.

🚢 para Baleares : Cia. Trasmediterránea, via Laietana 2, ✉ 08003, 🏤 319 82 12, Telex 54629 MX.

🛈 Gran Via de les Corts Catalanes 658, ✉ 08010, 🏤 301 74 43, Palacio de Congresos, pl. Neruda, ✉ 08013, 🏤 223 24 20 y en el aeropuerto 🏤 325 58 29 – **R.A.C.C.** Santaló 8, ✉ 08006, 🏤 200 33 11, Telex 53056.

♦Madrid 627 ⑥ – ♦Bilbao 607 ⑥ – ♦Lérida/Lleida 169 ⑥ – ♦Perpignan 187 ② – Tarragona 109 ⑥ – Toulouse 388 ② – ♦Valencia 361 ⑥ – ♦Zaragoza 307 ⑥.

Planos páginas siguientes

CIUTAT VELLA Ramblas, pl. S. Jaume, via Laietana, passeig Nacional, passeig de Colom

🏩 **Ramada Renaissance** 🅜, Ramblas 111, ✉ 08002, 🏤 318 62 00, Telex 54634, Fax 301 77 76 – 🛗 🗐 📺 ☎ ⟵ – 🔬. 🝙 ⓞ **E** 𝘝𝘐𝘚𝘈 ⅏ rest   LX **b**
Com 2800 – 🍽 1250 – **210 hab** 19000/32000.

🏩 **Colón**, av. de la Catedral 7, ✉ 08002, 🏤 301 14 04, Telex 52654, Fax 317 29 15 – 🛗 🗐 📺 ☎ – 🔬. 🝙 ⓞ **E** 𝘝𝘐𝘚𝘈. ⅏ rest   MV **e**
Com 2500 – 🍽 600 – **161 hab** 9300/11600 – P 10300/13800.

🏨 **Royal** sin rest, Rambla dels Estudies 117, ✉ 08002, 🏤 301 94 00, Telex 97565 – 🛗 🗐 📺 ☎ ⟵. 🝙 ⓞ **E** 𝘝𝘐𝘚𝘈. ⅏   LX **e**
🍽 650 – **108 hab** 9500/13600.

🏨 **Rialto** sin rest, con cafetería, Ferrán 42, ✉ 08002, 🏤 318 52 12, Telex 97206, Fax 315 38 19 – 🛗 🗐 📺 ☎ 🝙 ⓞ **E** 𝘝𝘐𝘚𝘈   NR **s**
🍽 460 – **112 hab** 6150/8875.

🏨 **Regencia Colón** sin rest, Sagristans 13, ✉ 08002, 🏤 318 98 58, Telex 98175, Fax 317 28 22 – 🛗 🗐 📺 ☎ 🝙 ⓞ **E** 𝘝𝘐𝘚𝘈. ⅏   MV **r**
55 hab 🍽 5075/8400.

🏨 **Gótico** sin rest, Jaume I-14, ✉ 08002, 🏤 315 22 11, Telex 97206 – 🗐 📺 ☎. 🝙 ⓞ **E** 𝘝𝘐𝘚𝘈   NR **a**
🍽 460 – **70 hab** 5800/8450.

🏨 **Montecarlo** sin rest, rambla dels Estudis 124, ✉ 08002, 🏤 317 58 00, Telex 93345 – 🛗 🗐 📺 🝙 ⟵. 🝙 ⓞ **E** 𝘝𝘐𝘚𝘈   LX **r**
🍽 375 – **80 hab** 4700/7000.

🏨 **Suizo,** pl. de l'Ángel 12, ✉ 08002, 🏤 315 41 11, Telex 97206 – 🛗 🗐 📺 ☎. 🝙 ⓞ **E** 𝘝𝘐𝘚𝘈   NR **p**
Com 1900 – 🍽 460 – **48 hab** 5800/8450 – P 7845/9420.

🏨 **San Agustin,** pl. Sant Agusti 3, ✉ 08001, 🏤 318 17 08, Telex 98121 – 🛗 ☎. **E** 𝘝𝘐𝘚𝘈 ⅏   LY **u**
Com 1175 – **71 hab** 🍽 3250/5200 – P 4825/8350.

🏨 **Mesón Castilla** sin rest, Valldonzella 5, ✉ 08001, 🏤 318 21 82 – 🛗 🕾 ⟵. 🝙 ⓞ **E** 𝘝𝘐𝘚𝘈   HX **c**
🍽 375 – **56 hab** 3700/5500.

🏠 Moderno, Hospital 11, ✉ 08001, 🏤 301 41 54, Telex 98215 – 🗐 rest ☎   LY **a**
57 hab.

🏠 **Lleó,** Pelai 24, ✉ 08001, 🏤 318 13 12, Telex 98338 – 🛗 ☎. **E** 𝘝𝘐𝘚𝘈. ⅏ rest   HX **a**
Com 975 – 🍽 260 – **68 hab** 2700/4500 – P 4120/4570.

🏠 **Torelló** sin rest, Ample 31, ✉ 08002, 🏤 315 40 11, Telex 54606, Fax 319 81 02 – 🛗 🕾. 🝙 **E** 𝘝𝘐𝘚𝘈. ⅏   MY **r**
🍽 450 – **70 hab** 4500/6100.

🏠 **Cortés,** Santa Anna 25, ✉ 08002, 🏤 317 91 12, Telex 98215 – 🛗 🗐 rest 🕾. 🝙 ⓞ **E** 𝘝𝘐𝘚𝘈 ⅏   LV **s**
Com (cerrado domingo) 855 – 🍽 375 – **46 hab** 3075/5100 – P 4635/5160.

sigue →

134

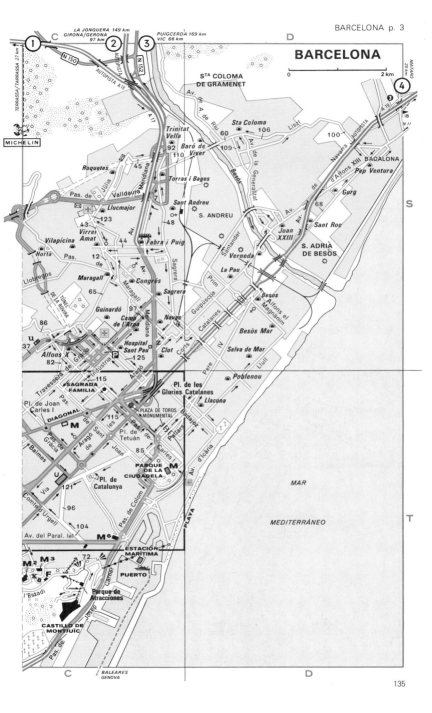

BARCELONA

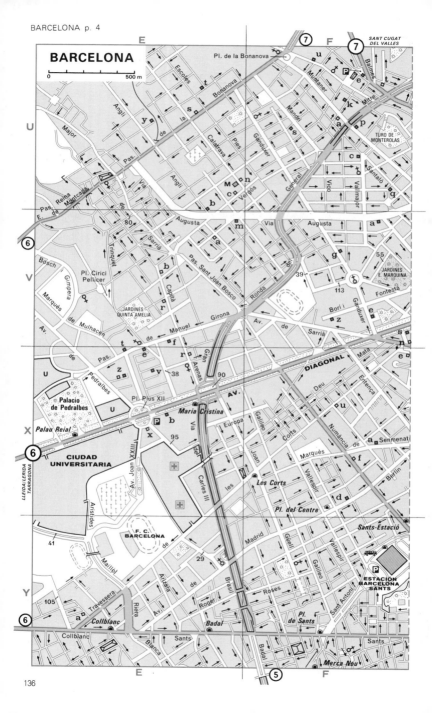

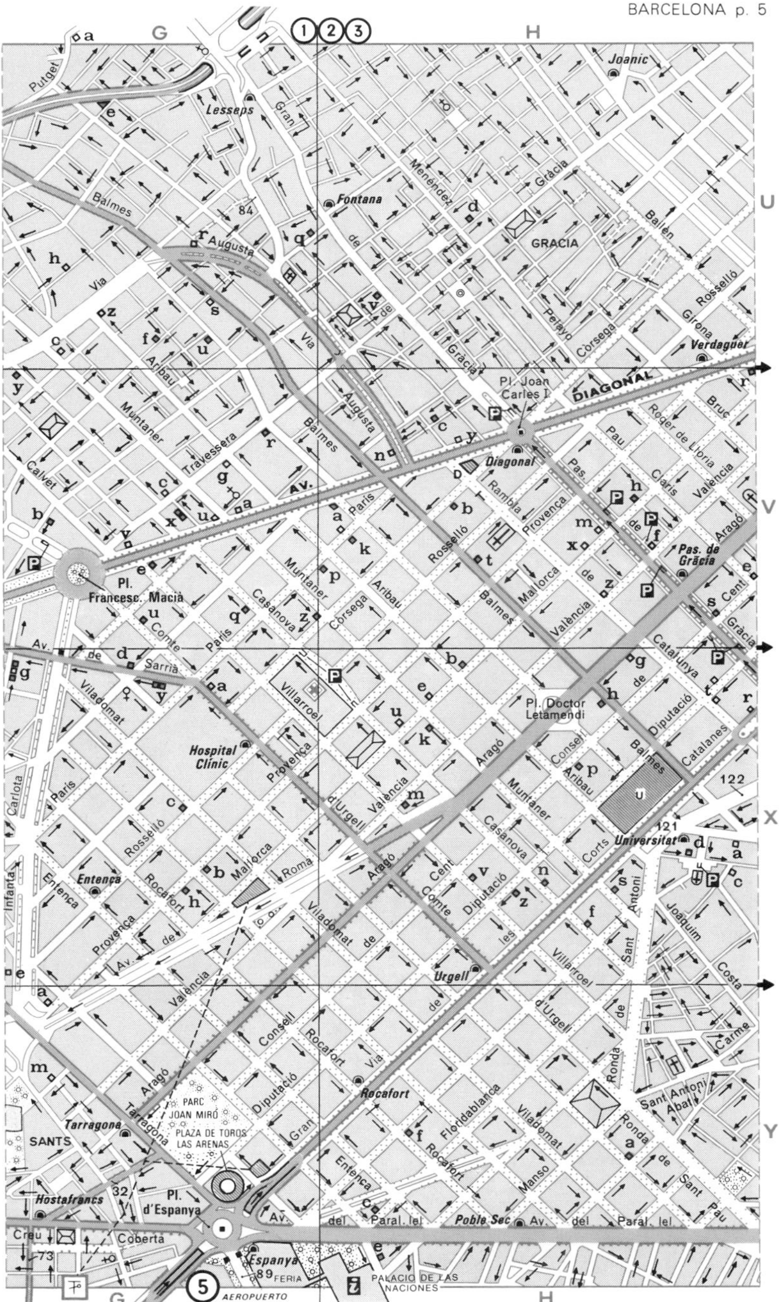
1
2
3
G
H
U
V
X
Y
Putget
Lesseps
Gran
Joanic
Menéndez
Gràcia
Balmes
84
Fontana
Augusta
de
GRACIA
Bailén
Via
Rosselló
Girona
Perayo
Còrsega
Verdaguer
Aribau
Muntaner
Pl. Joan
Carles I
DIAGONAL
Roger de Llúria
Bruc
Pau
Claris
València
Travessera
Calvet
Av.
Diagonal
Rambla
Pas.
Provença
Aragó
Pas. de
Gràcia
París
Muntaner
Rosselló
Mallorca
Pl.
Francesc. Macià
Casanova
Còrsega
Balmes
Comte
Cent
Gràcia
Catalunya
Sarrià
Viladomat
Villarroel
Pl. Doctor
Letamendi
Diputació
Consell
Catalanes
Hospital
Clínic
Provença
Aribau
122
Carlota
París
d'Urgell
Casanova
Corts
121
Universitat
Rosselló
Entença
Roma
Cent
Mallorca
Diputació
Sant
Antoni
Infanta
Rocafort
Les
Joaquim
Av.
Costa
València
Villarroel
Urgell
Ronda
Consell
d'Urgell
Carme
Aragó
Rocafort
Via
Sant Antoni
Abat
PARC
JOAN MIRÓ
PLAZA DE TOROS
LAS ARENAS
Tarragona
Gran
Rocafort
Floridablanca
Viladomat
Ronda
SANTS
Entença
Manso
32
Pl.
d'Espanya
Hostafrancs
Paral. lel
Poble Sec
Creu
Coberta
73
Espanya
89
FERIA
PALACIO DE LAS
NACIONES
5
AEROPUERTO
TARRAGONA

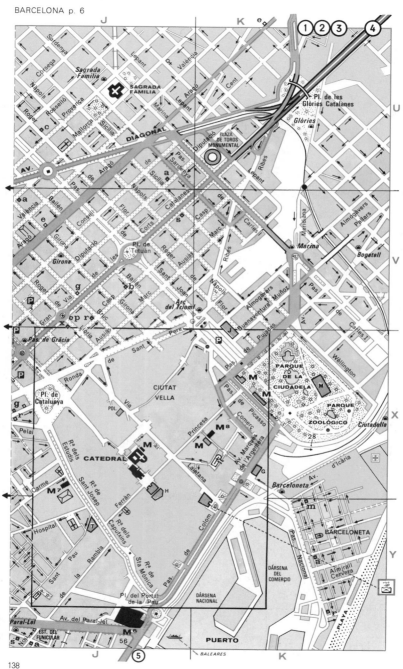

BARCELONA

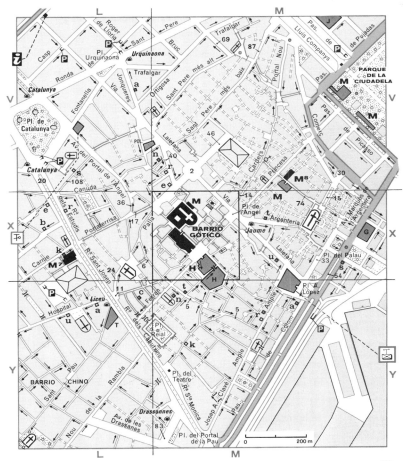

REPERTORIO DE CALLES DEL PLANO DE BARCELONA

*Die Namen der wichtigsten Einkaufsstraßen sind
am Anfang des Straßenverzeichnisses in Rot aufgeführt.*

LISTA ALFABÉTICA DE HOTELES Y RESTAURANTES

XXX ✿ **La Odisea,** Copons 7, ✉ 08002, ✆ 302 36 92 – ▤. AE ⓓ E VISA — MV **n**
cerrado sábado mediodía y domingo – Com carta 3050 a 4550
Espec. Bullit Bartolozzi (noviembre-abril), Higado de pato con manzanas, Flan de sesos con setas Teresa.

XX **El Gran Café,** Avinyó 9, ✉ 08002, ✆ 318 79 86, Cenas amenizadas al piano, « Estilo 1900 » – ▤. AE ⓓ E VISA — MY **t**
cerrado domingo – Com carta 2750 a 3600.

XX **Agut d'Avignon,** Trinidad 3, ✉ 08002, ✆ 302 60 34 – ▤. AE ⓓ E VISA. ✻ — MY **n**
cerrado Semana Santa – Com carta 2440 a 3975.

XX **Quo Vadis,** Carme 7, ✉ 08001, ✆ 302 40 72 – ▤. AE ⓓ E VISA — LX **k**
cerrado domingo – Com carta 3070 a 5175.

XX **La Cuineta,** Paradis 4, ✉ 08002, ✆ 315 01 11, Rest. típico, « Instalado con buen gusto en una bodega del siglo XVII » – ▤. AE ⓓ E VISA. ✻ — NR **t**
Com carta 2350 a 3850.

XX **Aitor,** Carbonnell 5, ✉ 08003, ✆ 319 94 88, Cocina vasca – ▤. E VISA — KY **m**
cerrado domingo, 15 agosto-15 septiembre y 24 diciembre-7 enero – Com carta 3100 a 3500.

XX **Brasserie Flo,** Junqueres 10, ✉ 08003, ✆ 317 80 37 – ▤. AE ⓓ E VISA — LV **a**
Com carta 1770 a 3400.

XX **Senyor Parellada,** Argentería 37, ✉ 08003, ✆ 315 40 10 – ▤. AE ⓓ E VISA. ✻ — MX **t**
cerrado domingo, festivos y agosto – Com carta 1425 a 2150.

XX **7 Puertas,** passeig d'Isabel II - 14, ✉ 08003, ✆ 319 30 33, Cenas amenizadas al piano – ▤. AE ⓓ E VISA. ✻ — MX **s**
Com carta 1620 a 2470.

X **La Cuineta,** Pietat 12, ✉ 08002, ✆ 315 41 56 – ▤. AE ⓓ E VISA. ✻ — MR **e**
Com carta 2350 a 3850.

X **Mediterráneo,** passeig de Colom 4, ✉ 08002, ✆ 315 17 55, 🏖 – ▤. AE ⓓ E VISA. ✻ — MY **a**
Com carta 1600 a 2700.

X **Los Caracoles,** Escudellers 14, ✉ 08002, ✆ 302 31 85, Rest. típico, Decoración rústica regional – ▤. AE ⓓ E VISA — MY **k**
Com carta 1900 a 3575.

X **Barceloneta,** passeig Nacional 70, ✉ 08003, ✆ 319 43 05, 🏖 – ▤. AE ⓓ E VISA — KY **r**
Com carta 1400 a 2550.

X **Can Solé,** Sant Carles 4, ✉ 08003, ✆ 319 50 12, Pescados y mariscos – AE E VISA — KY **a**
cerrado sábado noche y domingo – Com carta 1820 a 2725.

X **Can Culleretes,** Quintana 5, ✉ 08002, ✆ 317 64 85, Rest. típico – ▤. E VISA — LY **c**
cerrado domingo noche, lunes y del 1 al 21 julio – Com carta 1300 a 2300.

X **El Túnel,** Ample 33, ✉ 08002, ✆ 315 27 59 – AE E VISA — MY **r**
cerrado domingo noche, lunes y agosto – Com carta 2700 a 3100.

X **L'Hogar Gallego,** vía Laietana 5, ✉ 08003, ✆ 310 20 61, Pescados y mariscos – ▤. AE ⓓ E VISA — MX **u**
cerrado domingo noche y lunes – Com carta 1900 a 3100.

X **Ca la María,** Tallers 76 bis, ✉ 08001, ✆ 318 89 93 – ▤. AE ⓓ E VISA — HX **d**
cerrado domingo noche, lunes y agosto – Com carta 1575 a 2600.

SUR DIAGONAL pl. de Catalunya, Gran Vía de Les Corts Catalanes, passeig de Gràcia, Balmes, Muntaner, Aragón

🏨🏨🏨🏨 **Princesa Sofía** Ⓜ, pl. de Pius XII, ✉ 08028, ✆ 330 71 11, Telex 51032, Fax 330 76 21, ≤, 🏊 – |‡| ▤ TV ☎ 🚗 – 🏛. AE ⓓ E VISA. ✻ — EX **x**
Com carta 3600 a 4700 – ☕ 1200 – **496 hab** 15500/22975.

🏨🏨🏨🏨 **Meliá Barcelona Sarriá** Ⓜ, av. de Sarriá 50, ✉ 08029, ✆ 410 60 60, Telex 51638, Fax 321 51 79, ≤ – |‡| ▤ TV ☎ 🚗 – 🏛. AE ⓓ E VISA. ✻ — FV **n**
Com 2500 – ☕ 1500 – **311 hab** 17000/21000.

🏨🏨🏨 **Avenida Palace,** Gran Vía de les Corts Catalanes 605, ✉ 08007, ✆ 301 96 00, Telex 54734, Fax 318 12 34 – |‡| ▤ TV ☎ – 🏛. AE ⓓ E VISA. ✻ rest — HX **r**
Com 3650 – ☕ 700 – **211 hab** 15750/19600 – P 14275/22150.

🏨🏨🏨 **Ritz,** Gran Vía de les Corts Catalanes 668, ✉ 08010, ✆ 318 52 00, Telex 52739, Fax 318 01 48, 🏖, Cenas amenizadas al piano – |‡| ▤ TV ☎ – 🏛. AE ⓓ E VISA. ✻ — JV **p**
Com carta 3250 a 4500 – ☕ 1850 – **161 hab** 28000/35500.

🏨🏨🏨 **Majestic,** passeig de Grácia 70, ✉ 08008, ✆ 215 45 12, Telex 52211, Fax 215 77 73, 🏊 – |‡| ▤ TV ☎ – 🏛. AE ⓓ E VISA. ✻ rest — HV **f**
Com 2700 – ☕ 700 – **330 hab** 12400/15600 – P 12680/17280.

🏨🏨🏨 **Diplomatic y Rest. la Salsa,** Pau Claris 122, ✉ 08009, ✆ 317 31 00, Telex 54701, Fax 318 65 31, 🏊 – |‡| ▤ TV ☎ 🚗 – 🏛. AE ⓓ E VISA. ✻ — HV **e**
Com *(cerrado domingo)* 4300 – ☕ 1250 – **213 hab** 15200/19000 – P 17850/23550.

🏨🏨🏨 **Calderón,** rambla de Catalunya 26, ✉ 08007, ✆ 301 00 00, Telex 99529, Fax 317 31 57, 🏊 – |‡| ▤ TV ☎ 🚗 – 🏛. AE ⓓ E VISA. ✻ — HX **t**
Com carta 1950 a 3000 – ☕ 950 – **263 hab** 12200/15300.

sigue →

🏤 **Condes de Barcelona,** passeig de Gracia 75, ⊠ 08008, ℰ 215 06 16, Telex 51531, Fax 216 08 35 – 📳 🗐 📺 🕿 – 🛓. ☲ ⓘ 🗲 𝘝𝘐𝘚𝘈. 🎇　　　　　　　　　　　　　　HV **m**
Com 3000 – ⚖ 975 – **100 hab** 13520/16900 – P 14425/19485.

🏤 **Cristal,** Diputació 257, ⊠ 08007, ℰ 301 66 00, Telex 54560 – 📳 🗐 📺 ⟺ – 🛓. ☲ ⓘ 🗲 𝘝𝘐𝘚𝘈. 🎇　　　　　　　　　　　　　　HX **t**
Com 2500 – ⚖ 685 – **148 hab** 8750/13125 – P 11395/13580.

🏤 **Derby** sin rest, con cafetería, Loreto 21, ⊠ 08029, ℰ 322 32 15, Telex 97429, Fax 410 08 62 – 📳 🗐 📺 🕿 ⟺ – 🛓. ☲ ⓘ 🗲 𝘝𝘐𝘚𝘈　　　　　　　　　　　　　　FX **e**
⚖ 1075 – **116 hab** 10000/14900.

🏤 **Gran Derby** Ⓜ sin rest, Loreto 28, ⊠ 08029, ℰ 322 32 15, Telex 97429, Fax 410 08 62 – 📳 🗐 📺 ⟺ – 🛓. ☲ ⓘ 🗲 𝘝𝘐𝘚𝘈　　　　　　　　　　　　　　GX **g**
⚖ 1075 – **38 hab** 19000.

🏤 **Nuñez Urgel,** Compte d'Urgell 232, ⊠ 08036, ℰ 322 41 53 – 📳 🗐 📺 🕿 ⟺ – 🛓　　　　GX **a**
120 hab.

🏤 **Alexandra** Ⓜ sin rest, con cafetería, Mallorca 251, ⊠ 08008, ℰ 215 30 52, Telex 51531, Fax 216 06 06 – 📳 🗐 📺 🕿 ⟺ – 🛓. ☲ ⓘ 🗲 𝘝𝘐𝘚𝘈. 🎇　　　　　　　　　　HV **x**
⚖ 975 – **75 hab** 13500/16900.

🏤 **Regente,** rambla de Catalunya 76, ⊠ 08008, ℰ 215 25 70, Telex 51939, ⫩ – 📳 🗐 📺 🕿 ⟺. ☲ ⓘ 🗲 𝘝𝘐𝘚𝘈. 🎇　　　　　　　　　　　　　　HV **z**
Com 2400 – ⚖ 675 – **78 hab** 10500/15000 – P 12100/15100.

🏤 **Astoria** sin rest, Paris 203, ⊠ 08036, ℰ 209 83 11, Telex 81129, Fax 202 30 08 – 📳 🗐 📺 🕿. ☲ ⓘ 🗲 𝘝𝘐𝘚𝘈　　　　　　　　　　　　　　HV **a**
⚖ 800 – **108 hab** 8000/11000.

🏤 **Numancia** sin rest, con cafetería, Numància 74, ⊠ 08029, ℰ 322 44 51, Fax 410 76 42 – 📳 🗐 🕿 ⟺ – 🛓. ☲ ⓘ 🗲 𝘝𝘐𝘚𝘈. 🎇　　　　　　　　　　　　　　FX **f**
⚖ 450 – **140 hab** 5300/8000.

🏤 **Expo H.,** Mallorca 1, ⊠ 08014, ℰ 325 12 12, Telex 54147, Fax 325 11 44, ⫩ – 📳 🗐 📺 🕿 ⟺ – 🛓. ☲ ⓘ 🗲 𝘝𝘐𝘚𝘈. 🎇　　　　　　　　　　　　　　GY **m**
Com 1600 – **432 hab** ⚖ 11060/14200.

🏤 **Dante** sin rest, Mallorca 181, ⊠ 08036, ℰ 323 22 54, Telex 52588, Fax 323 74 72 – 📳 🗐 📺 🕿 ⟺ – 🛓. ☲ ⓘ 🗲 𝘝𝘐𝘚𝘈　　　　　　　　　　　　　　HX **e**
⚖ 550 – **81 hab** 6500/10500.

🏨 **Duques de Bergara,** Bergara 11, ⊠ 08002, ℰ 301 51 51, Telex 81257, Fax 317 34 42 – 📳 🗐 rest 🕿. ☲ ⓘ 🗲 𝘝𝘐𝘚𝘈. 🎇　　　　　　　　　　　　　　JX **g**
Com 2000 – ⚖ 800 – **56 hab** 12000/18000.

🏨 **Alfa y Rest. Gran Mercat,** passeig de la Zona Franca - calle K (entrada principal Merca-barna), ⊠ 08004, ℰ 336 25 64, Fax 335 55 92 – 📳 🗐 📺 🕿 🅿 – 🛓. ☲ ⓘ 🗲 𝘝𝘐𝘚𝘈. 🎇
Com 2000 – ⚖ 575 – **57 hab** 5200/7500.　　　　　por Pas. de la Zona Franca　BT

🏨 **Las Corts,** sin rest, con cafetería, Travessera de Les Corts 292, ⊠ 08029, ℰ 322 08 11, Telex 59001 – 📳 🗐 🕿 ⟺ – 🛓 – **79 hab.**　　　　　　　　　　　　　FX **u**

🏨 **Euro-Park,** sin rest, con cafetería, Aragó 325, ⊠ 08009, ℰ 257 92 05 – 📳 🗐 🕿　　　JV **e**
66 hab.

🏨 **Ficus,** sin rest, Mallorca 163, ⊠ 08036, ℰ 253 35 00, Telex 98203 – 📳 🗐 🕿　　　　HX **u**
85 hab.

🏨 **Taber** sin rest, Aragó 256, ⊠ 08007, ℰ 318 70 50, Telex 93452 – 📳 🗐 ⚗. ☲ 🗲 𝘝𝘐𝘚𝘈　　HX **g**
65 hab ⚖ 5000/7900.

🏨 **Terminal** sin rest, con cafetería, Provença 1 - piso 7, ⊠ 08029, ℰ 321 53 50, Telex 98213 – 📳 📺 🕿 ⟺. ☲ 🗲 𝘝𝘐𝘚𝘈　　　　　　　　　　　　　　GY **a**
⚖ 500 – **75 hab** 5800/10500.

🏨 **Regina** sin rest, con cafetería, Bergara 2, ⊠ 08002, ℰ 301 32 32, Telex 59380, Fax 318 23 26 – 📳 🗐 📺 🕿. ☲ ⓘ 🗲 𝘝𝘐𝘚𝘈. 🎇　　　　　　　　　　　　　　JX **r**
⚖ 450 – **103 hab** 6490/9680.

🏨 **Habana,** sin rest, Gran Via de les Corts Catalanes 647, ⊠ 08010, ℰ 301 07 50 – 📳 🕿 ⟺　JV **g**
65 hab.

🏠 **L'Alguer** sin rest, passatge Pere Rodriguez 20, ⊠ 08028, ℰ 334 60 50 – 📳 ⚗. 🗲 𝘝𝘐𝘚𝘈. 🎇　EY **a**
⚖ 325 – **33 hab** 3100/5000.

🍴🍴🍴🍴🍴 **Beltxenea,** Mallorca 275, ⊠ 08008, ℰ 215 30 24, 🌣, « Terraza-jardín » – 🗐. ☲ ⓘ 🗲 𝘝𝘐𝘚𝘈. 🎇　　　　　　　　　　　　　　　　　　　　　　　　　　HV **h**
cerrado sábado mediodía y domingo – Com carta 3525 a 4700.

🍴🍴🍴 Finisterre, av. Diagonal 469, ⊠ 08036, ℰ 239 55 76 – 🗐　　　　　　　　GV **e**

🍴🍴🍴 ❀ **La Dama,** av. Diagonal 423, ⊠ 08036, ℰ 202 06 86 – 🗐. ☲ ⓘ 🗲 𝘝𝘐𝘚𝘈　　HV **a**
Com carta 3450 a 4250
Espec. Ensalada de mariscos La Dama, Raviolis rellenos de setas y foie con salsa de trufas, Medallones de rape con zigalas al azafrán.

🍴🍴 ❀ **Jaume de Provença,** Provença 88, ⊠ 08029, ℰ 230 00 29, Decoración moderna – 🗐. ☲ ⓘ 🗲 𝘝𝘐𝘚𝘈. 🎇　　　　　　　　　　　　　　　　　　　　　GX **h**
cerrado domingo noche, lunes, Semana Santa y agosto – Com carta 3250 a 4500
Espec. Canelones de trufas, Rape rustido al all-i-oli, Muslo de pollo del Prat con langosta.

🍴🍴 **Bel Air,** Córsega 286, ⊠ 08008, ℰ 237 75 88, Arroces – 🗐. ☲ ⓘ 🗲 𝘝𝘐𝘚𝘈　　　HV **b**
cerrado domingo – Com carta 3100 a 4700.

XX **Hostal del Sol,** passeig de Gràcia 44 - 1° piso, ⊠ 08007, ✆ 215 62 25, Cenas amenizadas al piano – 🍽. 𝖠𝖤 ⓪ 🄴 𝘝𝘐𝘚𝘈 ⚘
Com carta 2240 a 3150. HV **s**

XX Maitetxu, Balmes 55, ⊠ 08007, ✆ 323 59 65, Cocina vasco-navarra – 🍽 HX **h**

XX **Gorria,** Diputació 421, ⊠ 08013, ✆ 245 11 64, Cocina vasco-navarra – 🍽. 𝖠𝖤 ⓪ 🄴 𝘝𝘐𝘚𝘈 ⚘
cerrado domingo – Com carta 2465 a 4320. JU **a**

XX **Rías de Galicia,** Lleida 7, ⊠ 08004, ✆ 424 81 52, Pescados y mariscos – 🍽. 𝖠𝖤 🄴 𝘝𝘐𝘚𝘈
Com carta 2300 a 3400. HY **e**

XX **Sí, Senyor,** Mallorca 199, ⊠ 08021, ✆ 253 21 49, Bacalao y arroces – 🍽. 𝖠𝖤 ⓪ 🄴 𝘝𝘐𝘚𝘈 ⚘
cerrado domingo – Com carta 1975 a 3650. HX **b**

XX Lagunak, Berlín 19, ⊠ 08014, ✆ 322 67 59, Cocina vasco-navarra – 🍽 ⓟ FX **d**

XX **Llúria,** Roger de Llúria 23, ⊠ 08010, ✆ 301 74 94 – 🍽. 𝖠𝖤 ⓪ 🄴 𝘝𝘐𝘚𝘈. JV **x**
cerrado domingo – Com carta 2300 a 2500.

XX Koxkera, Marqués de Sentimenat 67, ⊠ 08029, ✆ 322 35 56, Cocina vasco-francesa –
🍽 FX **a**

XX **Soley,** Bailén 29, ⊠ 08010, ✆ 245 21 75 – 🍽. 𝖠𝖤 ⓪ 🄴 𝘝𝘐𝘚𝘈. ⚘ JV **b**
cerrado sábado, domingo y agosto – Com carta 2400 a 3250.

XX Satélite, av. de Sarriá 10, ⊠ 08029, ✆ 321 34 31 – 🍽 GX **d**

XX **Casa Chus,** av. Diagonal 339 Bis, ⊠ 08037, ✆ 207 02 15, Pescados y mariscos – 🍽. 𝖠𝖤 ⓪
🄴 𝘝𝘐𝘚𝘈. ⚘ HU **r**
cerrado domingo noche – Com carta 2250 a 3500.

XX **El Dento,** Loreto 32, ⊠ 08029, ✆ 321 67 56, Pescados y mariscos – 🍽. 𝖠𝖤 ⓪ 🄴 𝘝𝘐𝘚𝘈. ⚘
cerrado sábado y agosto – Com carta 2500 a 3075. GX **g**

XX **Can Fayos,** Loreto 22, ⊠ 08029, ✆ 239 30 22 – 🍽. 𝖠𝖤 ⓪ 🄴 𝘝𝘐𝘚𝘈. ⚘ GX **g**
cerrado domingo y festivos – Com carta 2200 a 3200.

XX **Tramonti 1980,** av. Diagonal 501, ⊠ 08029, ✆ 410 15 35, Cocina italiana – 🍽. 𝖠𝖤 ⓪ 🄴 𝘝𝘐𝘚𝘈
Com carta 2000 a 3200. FV **s**

XX **Alt Berlin,** av. Diagonal 633, ⊠ 08028, ✆ 339 01 66, Rest. alemán – 🍽. 𝖠𝖤 ⓪ 🄴 𝘝𝘐𝘚𝘈 EX **b**
Com carta 2575 a 4100.

XX **Font del Gat,** passeig Santa Madrona, Montjuic, ⊠ 08004, ✆ 424 02 24, 🍴, Decoración
regional – ⓟ. 𝖠𝖤 ⓪. ⚘ CT **x**
Com carta 2000 a 3000.

X **Solera Gallega,** París 176, ⊠ 08036, ✆ 322 91 40, Pescados y mariscos – 🍽. 𝖠𝖤 ⓪ 🄴 𝘝𝘐𝘚𝘈.
⚘ GHV **p**
cerrado lunes y 15 agosto-15 septiembre – Com carta 2300 a 3150.

X A'Palloza, Casanova 42, ⊠ 08011, ✆ 253 17 86, Pescados y mariscos – 🍽 HX **n**

X **La Targarina,** Casanova 28, ⊠ 08011, ✆ 323 08 35 – 🍽. 𝖠𝖤 ⓪ 🄴 𝘝𝘐𝘚𝘈. ⚘ HX **f**
cerrado sábado mediodía, domingo y Semana Santa – Com carta 3300 a 4600.

X **Viña Rosa - Magí,** av. de Sarriá 17, ⊠ 08029, ✆ 230 00 03 – 🍽. 𝖠𝖤 ⓪ 🄴 𝘝𝘐𝘚𝘈 GX **y**
cerrado domingo – Com carta 2740 a 5040.

X **El Pescador,** Mallorca 314, ⊠ 08037, ✆ 207 10 24, Pescados y mariscos – 🍽. 𝖠𝖤 ⓪ 🄴 𝘝𝘐𝘚𝘈
cerrado domingo – Com carta 1800 a 3400. JV **a**

X **Azpiolea,** Casanova 167, ⊠ 08036, ✆ 230 90 30, Cocina vasca – 🍽. ⓪ 🄴 𝘝𝘐𝘚𝘈. ⚘ GV **q**
cerrado domingo, festivos noche y agosto – Com carta 2475 a 3000.

X **La Sopeta,** Muntaner 6, ⊠ 08011, ✆ 323 56 32 – 𝖠𝖤 🄴 𝘝𝘐𝘚𝘈. ⚘ HX **s**
cerrado domingo noche – Com carta 2300 a 3510.

X Cal Sardineta 2, Casp 35, ⊠ 08010, ✆ 302 68 44 – 🍽 JV **r**

X **Casa Toni,** Sepúlveda 62, ⊠ 08015, ✆ 325 26 34 – 🍽. 𝖠𝖤 ⓪ 🄴 𝘝𝘐𝘚𝘈. ⚘ HY **f**
cerrado agosto, domingo noche y lunes en invierno, sábado noche y domingo en verano –
Com carta 2500 a 2950.

X **Casa Darío,** Consell de Cent 256, ⊠ 08011, ✆ 253 31 35 – 🍽. ⓪ 🄴 𝘝𝘐𝘚𝘈. ⚘ HX **p**
cerrado domingo y agosto – Com carta 1915 a 2475.

X Casa Castro, av. Infanta Carlota 11, ⊠ 08029, ✆ 410 41 44 – 🍽 GX **e**

X Asador Izarra, Sicilia 135, ⊠ 08013, ✆ 245 21 03 – 🍽 JV **s**

X **St. Pauli,** Muntaner 101, ⊠ 08006, ✆ 254 75 48 – 🍽. 𝖠𝖤 ⓪ 🄴 𝘝𝘐𝘚𝘈. ⚘ HX **k**
cerrado domingo y festivos – Com carta 2600 a 3800.

X **Els Perols de l'Empordá,** Villarroel 88, ⊠ 08011, ✆ 323 10 33 – 🍽. 𝖠𝖤 ⓪ 🄴 𝘝𝘐𝘚𝘈 HX **v**
cerrado domingo noche, lunes, Semana Santa y del 1 al 15 agosto – Com carta 2250 a 3225.

X **L'Olivé,** Muntaner 171, ⊠ 08036, ✆ 322 98 47, 🍴 – 🍽. 𝖠𝖤 🄴 𝘝𝘐𝘚𝘈. ⚘ GV **z**
Com carta 2025 a 2500.

X **Santi Velasco,** av. Diputació 172, ⊠ 08011, ✆ 253 12 34 – 🍽. 𝖠𝖤 ⓪ 🄴 𝘝𝘐𝘚𝘈. ⚘ HX **z**
cerrado sábado en verano, domingo, festivos y del 6 al 31 agosto – Com carta 2000 a 2925.

X **Da Peppo,** av. de Sarriá 19, ⊠ 08029, ✆ 322 51 55, Cocina italiana – 🍽. ⓪ 🄴 𝘝𝘐𝘚𝘈 GX **y**
cerrado martes, miércoles mediodía y agosto – Com carta 1650 a 3000.

sigue →

※ **Petit París,** París 196, ⊠ 08036, 𝒫 218 26 78 – ▤. **E** 𝐕𝐈𝐒𝐀   HV **k**
  Com carta 2650 a 4400.

※ **La Mostra,** Valencia 164, ⊠ 08011, 𝒫 254 92 08 – ▤. 𝔸𝔼 ⓪ **E** 𝐕𝐈𝐒𝐀. ⅋   HX **m**
  cerrado domingo, festivos y agosto – Com carta 2450 a 3325.

※ **La Lubina,** Viladomat 257, ⊠ 08029, 𝒫 230 03 33 – ▤. 𝔸𝔼 ⓪ **E** 𝐕𝐈𝐒𝐀. ⅋   GX **c**
  cerrado domingo noche y agosto – Com carta 2630 a 3440.

※ **Pá i Trago,** Parlament 41, ⊠ 08015, 𝒫 241 13 20, Rest. típico – ▤. 𝔸𝔼 **E** 𝐕𝐈𝐒𝐀. ⅋   HY **a**
  cerrado lunes y 25 junio-25 julio – Com carta 1675 a 2450.

※ **Abrevadero,** Vila i Vilá 77, ⊠ 08004, 𝒫 241 38 93, Telex 99245, Fax 241 22 04, 佘 – ▤. 𝔸𝔼
  ⓪ **E** 𝐕𝐈𝐒𝐀. ⅋   JV **s**
  Com carta 2000 a 3500.

※ **Elche,** Vila i Vilá 71, ⊠ 08004, 𝒫 241 30 89, Arroces – ▤. 𝔸𝔼 ⓪ **E** 𝐕𝐈𝐒𝐀. ⅋   JV **a**
  cerrado domingo noche – Com carta 1550 a 2650.

※ **Casa Agustín,** Bergara 5, ⊠ 08002, 𝒫 301 44 34 – ▤. 𝔸𝔼 ⓪ **E** 𝐕𝐈𝐒𝐀   JX **g**
  cerrado sábado – Com carta 1500 a 3300.

※ El Dento, Comte d'Urgell 280, ⊠ 08029, 𝒫 321 67 56, Carnes – ▤   GV **u**

※ **Marisqueiro Panduriño,** Floridablanca 3, ⊠ 08015, 𝒫 325 70 16, Pescados y mariscos –
  ▤. 𝔸𝔼 ⓪ **E** 𝐕𝐈𝐒𝐀. ⅋   HY **c**
  cerrado martes y agosto – Com carta 2100 a 2850.

※ **La Brochette,** Balmes 122, ⊠ 08008, 𝒫 215 89 44 – ▤. 𝐕𝐈𝐒𝐀. ⅋   HV **t**
  cerrado domingo y agosto – Com carta 1600 a 2575.

※ **Racó d'en Jaume,** Provença 98, ⊠ 08029, 𝒫 239 78 61 – ▤. ⅋   GX **b**
  cerrado domingo noche, lunes, Semana Santa y agosto – Com carta 1550 a 2150.

NORTE DIAGONAL vía Augusta, Capitá Arenas, ronda General Mitre, passeig de la Bonanova,
av. de Pedralbes

🏨 **Presidente,** av. Diagonal 570, ⊠ 08021, 𝒫 200 21 11, Telex 52180, Fax 200 22 66, ⊐ – 🛗 ▤
  𝐓𝐕 ☎ – 🅰. 𝔸𝔼 ⓪ **E** 𝐕𝐈𝐒𝐀. ⅋ rest   GV **u**
  Com 3000 – ⊊ 800 – **160 hab** 14000/22000.

🏨 **Hesperia** sin rest, con cafetería, Vergós 20, ⊠ 08017, 𝒫 204 55 51, Telex 98403, Fax 204 43 92
  – 🛗 ▤ 𝐓𝐕 ☎ ⟵⟶ – 🅰. 𝔸𝔼 ⓪ **E** 𝐕𝐈𝐒𝐀. ⅋   EU **c**
  ⊊ 900 – **138 hab** 9650/12200.

🏨 **Balmoral** sin rest, con cafetería, vía Augusta 5, ⊠ 08006, 𝒫 217 87 00, Telex 54087 – 🛗 ▤
  𝐓𝐕 ☎ ⟵⟶ – 🅰. 𝔸𝔼 ⓪ **E** 𝐕𝐈𝐒𝐀. ⅋   HV **n**
  ⊊ 765 – **94 hab** 9720/15000.

🏨 Muntaner Ⓜ sin rest, con cafetería, Muntaner 505, ⊠ 08022, 𝒫 212 80 12, Telex 99077 – 🛗 ▤
  𝐓𝐕 ☎ ⟵⟶ – 🅰. – **70 apartamentos.**   FU **a**

🏨 **Cóndor,** vía Augusta 127, ⊠ 08006, 𝒫 209 45 11, Telex 52925, Fax 202 27 13 – 🛗 ▤ 𝐓𝐕 ☎
  ⟵⟶ – 🅰. 𝔸𝔼 ⓪ **E** 𝐕𝐈𝐒𝐀   GU **z**
  Com 2000 – ⊊ 700 – **78 hab** 11500/14000 – P 10995/15495.

🏨 **Arenas** sin rest, con cafetería, Capitá Arenas 20, ⊠ 08034, 𝒫 204 03 00, Telex 54990, Fax
  205 65 06 – 🛗 ▤ 𝐓𝐕 ☎ ⟵⟶ – 🅰. 𝔸𝔼 ⓪ **E** 𝐕𝐈𝐒𝐀. ⅋   EX **r**
  ⊊ 650 – **59 hab** 11200/14000.

🏨 **G. H. Cristina** sin rest, con cafetería, av. Diagonal 458, ⊠ 08006, 𝒫 217 68 00, Telex 54328,
  Fax 205 65 06 – 🛗 ▤ 𝐓𝐕 ☎. 𝔸𝔼 ⓪ **E** 𝐕𝐈𝐒𝐀. ⅋   HV **y**
  ⊊ 650 – **126 hab** 8000/10500.

🏨 **Belagua,** vía Augusta 89, ⊠ 08006, 𝒫 237 39 40, Telex 99643 – 🛗 ▤ 𝐓𝐕 ☎ ⟵⟶. 𝔸𝔼 ⓪ **E** 𝐕𝐈𝐒𝐀
  Com 2000 – **72 hab** 9000/12350 – P 12600/15950.   GU **s**

🏨 **Victoria** sin rest, av. de Pedralbes 16 Bis, ⊠ 08034, 𝒫 204 27 54, Telex 98302, Fax 204 27 66,
  ⊐ – 🛗 ▤ 𝐓𝐕 ☎ ⟵⟶. 𝔸𝔼 ⓪ **E** 𝐕𝐈𝐒𝐀   EX **z**
  ⊊ 750 – **79 apartamentos** 10800/13500.

🏨 **Mitre** sin rest, con cafetería, Bertrán 15, ⊠ 08023, 𝒫 212 11 04, Telex 54990 – 🛗 ▤ 𝐓𝐕 ☎ ⟵⟶. 𝔸𝔼 ⓪ **E** 𝐕𝐈𝐒𝐀
  ⊊ 500 – **57 hab** 8800/11000.   FU **t**

🏨 **Putxet,** Putxet 68, ⊠ 08023, 𝒫 212 51 58, Telex 98718, Fax 418 51 57 – 🛗 ▤ 𝐓𝐕 ☎ ⟵⟶ – 🅰.
  𝔸𝔼 ⓪ **E** 𝐕𝐈𝐒𝐀. ⅋   GU **a**
  Com 1350 – ⊊ 650 – **125 hab** 11000/14900 – P 10950/15500.

🏨 **Gala Placidia** sin rest, con cafetería, vía Augusta, ⊠ 08006, 𝒫 217 82 00, Telex 98820 – 🛗
  𝐓𝐕 ☎. 𝔸𝔼 ⓪ **E** 𝐕𝐈𝐒𝐀   GU **s**
  ⊊ 650 – **31 apartamentos** 8500/11500.

🏨 **Condado,** Aribau 201, ⊠ 08021, 𝒫 200 23 11, Telex 54546 – 🛗 ▤ rest ☎. 𝔸𝔼 ⓪ **E** 𝐕𝐈𝐒𝐀
  ⅋ rest   GV **g**
  Com 1670 – ⊊ 500 – **88 hab** 8800/11000 – P 8780/12080.

🏨 **Pedralbes** sin rest, con cafetería, Fontcuberta 4, ⊠ 08034, 𝒫 203 71 12, Telex 99850, Fax
  205 70 65 – 🛗 ▤ 𝐓𝐕 ☎ ⟵⟶. 𝔸𝔼 ⓪ **E** 𝐕𝐈𝐒𝐀. ⅋   EV **b**
  ⊊ 550 – **28 hab** 7100/10000.

🏨 Tres Torres, sin rest, Calatrava 32, ⊠ 08017, 𝒫 417 73 00, Telex 54990 – 🛗 𝐓𝐕 ☎ ⟵⟶ – 🅰.
  56 hab.   EFU **n**

🏨 **Covadonga** sin rest, con cafetería, av. Diagonal 596, ⊠ 08021, 𝒫 209 55 11, Telex 93394 – 🛗
  ▤ ☎. 𝔸𝔼 ⓪ **E** 𝐕𝐈𝐒𝐀   GV **v**
  ⊊ 400 – **76 hab** 4800/7600.

🏨 **Wilson,** sin rest, av. Diagonal 568, ⊠ 08021, 𝒫 209 25 11, Telex 52180 – 📶 ▤ 📺 ☎ — GV **a**
52 hab.

🏨 **Bonanova Park** sin rest, Capitá Arenas 51, ⊠ 08034, 𝒫 204 09 00, Telex 54990, Fax 205 65 06 – 📶 ▦ 🚗. ⒜ ⓞ ⒠ 𝗩𝗜𝗦𝗔. ⨯ ⚌ 450 – **60 hab** 6800/8500. EV **r**

🏨 **Atenas,** av. Meridiana 151, ⊠ 08026, 𝒫 232 20 11, Telex 98718, Fax 418 51 57, ⅃ – 📶 ▤ 📺 ☎ 🚗. ⒜ ⓞ ⒠ 𝗩𝗜𝗦𝗔. ⨯ Com 950 – ⚌ 550 – **166 hab** 9500/11700. CS **z**

🏨 **Mikado,** passeig de la Bonanova 58, ⊠ 08017, 𝒫 211 41 66, Telex 97636, Fax 211 42 10 – 📶 ▤ 📺 ☎ 🚗. ⒜ ⓞ ⒠ 𝗩𝗜𝗦𝗔. ⨯ Com 1200 – ⚌ 600 – **66 hab** 12000/14500 – P 10755/15500. EU **s**

🏨 **Rubens,** passeig de la Mare de Déu del Coll 10, ⊠ 08023, 𝒫 219 12 04, Telex 98718, Fax 418 51 57 – 📶 ▤ 📺 ☎ 🚗 Ⓟ – 🕮. ⒜ ⓞ ⒠ 𝗩𝗜𝗦𝗔. ⨯ Com 950 – ⚌ 550 – **136 hab** 9500/11700. BS **y**

🏨 **Aragón,** Aragó 571, ⊠ 08026, 𝒫 245 89 05, Telex 98718, Fax 418 51 57 – 📶 ▤ rest 📺 ☎ 🚗 – 🕮. ⒜ ⓞ ⒠ 𝗩𝗜𝗦𝗔. ⨯ Com 1000 – ⚌ 550 – **73 hab** 9500/11700. KU **e**

🏨 **Castellnou,** Castellnou 61, ⊠ 08017, 𝒫 203 05 50, Telex 98718, Fax 418 51 57 – 📶 ▤ hab 📺 ☎. ⒜ ⓞ ⒠ 𝗩𝗜𝗦𝗔. ⨯ Com 950 – ⚌ 600 – **29 hab** 9500/11700. EV **a**

🏨 Rekor'd, sin rest, Muntaner 352, ⊠ 08021, 𝒫 200 19 53 – 📶 ▤ 📺 ☎ – 🕮 GU **c**
13 hab.

🏠 **Travesera** sin rest y sin ⚌, Travessera de Dalt 121, ⊠ 08024, 𝒫 213 24 54 – ☏. ⨯ CS **u**
23 hab 2250/3550.

🗙🗙🗙🗙 ❀ **Reno,** Tuset 27, ⊠ 08006, 𝒫 200 91 29, « Elegante restaurante clásico » – 🔳. ⒜ ⓞ ⒠ 𝗩𝗜𝗦𝗔 GV **r**
Com carta 4100 a 5350
Espec. Hígado fresco de oca en terrina Reno, Fantasía de lubina al caviar Sevruga, Solomillo al agridulce de cebolla.

🗙🗙🗙🗙 ❀ **Vía Veneto,** Ganduxer 10, ⊠ 08021, 𝒫 200 72 44, « Estilo belle époque » – 🔳. ⒜ ⓞ ⒠ 𝗩𝗜𝗦𝗔 FV **e**
cerrado del 1 al 20 agosto, sábado mediodía, domingo salvo Navidades y Año Nuevo – Com carta 3270 a 4940
Espec. Ensalada tibia de mollejas de pato salsa de soja, Colitas de rape asadas al perfume de ajitos, Muslitos y pechugas de codorníz salsa de trufas de Olot.

🗙🗙🗙 ❀❀ **Neichel,** av. de Pedralbes 16 bis, ⊠ 08034, 𝒫 203 84 08 – 🔳. ⒜ ⓞ ⒠ 𝗩𝗜𝗦𝗔. ⨯ EX **z**
cerrado domingo, festivos, agosto, Semana Santa y Navidades – Com (es necesario reservar) carta 3500 a 6200
Espec. Trufa de Huesca en hojaldre (invierno), Escàlopa de rodaballo con coulis de erizos de mar, Fricassé de pollo de Bresse con cigalas y azafrán.

🗙🗙🗙 ❀ **Botafumeiro,** Gran de Grácia 81, ⊠ 08012, 𝒫 218 42 30, Pescados y mariscos – 🔳. ⒜ ⓞ ⒠ 𝗩𝗜𝗦𝗔 HU **v**
cerrado domingo noche, lunes, Semana Santa y agosto – Com carta 3450 a 4800
Espec. Pote marinero, Langosta con nuestra receta, Canelones de mariscos.

🗙🗙🗙 **El Túnel de Muntaner,** Sant Màrius 22, ⊠ 08022, 𝒫 212 60 74 – 🔳 Ⓟ. ⒜ ⓞ ⒠ 𝗩𝗜𝗦𝗔 FU **k**
cerrado sábado mediodía, domingo y agosto – Com carta 3250 a 4400.

🗙🗙🗙 ❀ **Eldorado Petit,** Dolors Monserdà 51, ⊠ 08017, 𝒫 204 51 53, 🌳, « Agradable terraza » – 🔳. ⒜ ⒠ 𝗩𝗜𝗦𝗔 EU **y**
cerrado domingo y del 15 al 30 agosto – Com carta 3700 a 5150
Espec. Ensalada de hígado de oca fresco a las trufas negras y vinagre de cava (temporada), Robespierre de lubina al aceite de romero fresco (temporada), Chateaubriand de chevreuil al rioja tinto.

🗙🗙🗙 ❀ **Azulete,** Via Augusta 281, ⊠ 08017, 𝒫 203 59 43, 🌳 – ⒜ ⓞ ⒠ 𝗩𝗜𝗦𝗔 EV **m**
cerrado sábado mediodía, domingo, festivos, del 1 al 15 agosto y 22 diciembre-6 enero – Com carta 3600 a 5200
Espec. Lasagna de sardinas frescas, Sesos de cordero al estilo de Pekin, Manzana rellena de helado de miel al hojaldre.

🗙🗙 ❀ **Ara-Cata,** Dr Ferràn 33, ⊠ 08034, 𝒫 204 10 53 – 🔳. ⒜ ⓞ ⒠ 𝗩𝗜𝗦𝗔. ⨯ EX **v**
cerrado sábado, festivos noche y agosto – Com carta 3400 a 4500
Espec. Judietas Jedy (mayo-octubre), Raya a la mantequilla negra, Copa Dr Maña.

🗙🗙 **Florián,** Bertrand i Serra 20, ⊠ 08022, 𝒫 212 46 27 – 🔳. ⓞ ⒠ 𝗩𝗜𝗦𝗔 FU **s**
cerrado domingo y agosto – Com carta 3250 a 3900.

🗙🗙 **Roncesvalles,** via Augusta 201, ⊠ 08021, 𝒫 209 01 25, 🌳 – 🔳. ⒜ ⓞ ⒠ 𝗩𝗜𝗦𝗔. ⨯ FV **a**
cerrado domingo noche – Com carta 2800 a 3650.

🗙🗙 **Chévere,** rambla del Prat 14, ⊠ 08012, 𝒫 217 03 59 – 🔳. ⒜ ⓞ ⒠ 𝗩𝗜𝗦𝗔. ⨯ GU **q**
cerrado sábado mediodía, domingo y agosto – Com carta 2950 a 3600.

🗙🗙 El Asador de Aranda, av. del Tibidabo 31, ⊠ 08022, 𝒫 417 01 15, 🌳, Cordero asado, « Antiguo palacete » BS **b**

🗙🗙 **Las Indias,** passeig Manuel Girona 38 bis, ⊠ 08034, 𝒫 204 48 00 – 🔳. ⒜ ⓞ ⒠ 𝗩𝗜𝗦𝗔 EX **e**
cerrado domingo noche – Com carta 3025 a 3500.

🗙🗙 **La Petite Marmite,** Madrazo 68, ⊠ 08006, 𝒫 201 48 79 – 🔳. ⒜ ⓞ ⒠ 𝗩𝗜𝗦𝗔. ⨯ GU **f**
cerrado domingo, festivos y agosto – Com carta 2050 a 3000.

XX **El Trapio,** Esperança 25, ⊠ 08017, 𝒫 211 58 17, 🎇 – 𝖠𝖤 🅾 E 𝖵𝖨𝖲𝖠. 🍴 EU **t**
 cerrado domingo noche, lunes y 9 enero-13 febrero – Com carta 2425 a 3180.

XX La Dida, Roger de Flor 230, ⊠ 08025, 𝒫 207 20 04, « Decoración regional » – 🍽 JU **c**

XX Marmitako, Vallmajor 33, ⊠ 08021, 𝒫 209 09 27, Cocina vasca – 🍽 FU **c**

XX **Buffet Grill de Barcelona - La Creu,** passeig Manuel Girona 7, ⊠ 08034, 𝒫 203 76 37,
 🎇, Rest. con buffet – 🍽. 𝖠𝖤 🅾 E 𝖵𝖨𝖲𝖠. 🍴 EVX **t**
 cerrado domingo noche – Com carta 2525 a 3325.

XX Bel Cavalletto, Santaló 125, ⊠ 08021, 𝒫 201 79 11 – 🍽 FU **q**

XX **Daxa,** Muntaner 472, ⊠ 08006, 𝒫 201 60 06 – 🍽. 𝖠𝖤 🅾 E 𝖵𝖨𝖲𝖠. 🍴 FU **p**
 cerrado domingo y del 1 al 23 agosto – Com (sólo almuerzo) carta 2175 a 3000.

XX La Soupe à l'Oignon, Pádua 60, ⊠ 08006, 𝒫 212 77 42, Cocina francesa – 🍽 GU **e**

XX **Casa Jordi,** passatge de Marimón 18, ⊠ 08021, 𝒫 200 11 18 – 🍽. 𝖠𝖤 🅾 E 𝖵𝖨𝖲𝖠. 🍴 GV **x**
 Com carta 1800 a 2650.

XX **Petit President,** passatge de Marimón 20, ⊠ 08021, 𝒫 200 67 23 – 🍽. 𝖠𝖤 🅾 E 𝖵𝖨𝖲𝖠.
 🍴 GV **x**
 cerrado domingo y del 1 al 20 agosto – Com carta 1575 a 3225.

XX ✿ **Racó d'En Freixa,** Sant Elies 22, ⊠ 08006, 𝒫 209 75 59 – 🍽. 𝖠𝖤 E 𝖵𝖨𝖲𝖠. 🍴 GU **h**
 cerrado domingo noche, lunes y agosto – Com carta 1975 a 3125
 Espec. Merluza de palangre a la compota de cebolla, Hojaldre de pies de cerdo salsa de trufas, Carro de postres
 de la casa.

XX ✿ **La Balsa,** Infanta Isabel 4, ⊠ 08022, 𝒫 211 50 48, 🎇, « Agradable terraza » – 🍽. 𝖠𝖤 🅾 E
 𝖵𝖨𝖲𝖠 BS **k**
 cerrado domingo y lunes mediodía – Com *(en agosto sólo buffet por la noche)* carta 2750 a 4250
 Espec. Suprema de merluza con salsa de chipirones, Hígado de oca adobado en sal, Hojaldre de verduras dos
 salsas.

XX ✿ **Hostal Sant Jordi,** Travessera de Dalt 123, ⊠ 08024, 𝒫 213 10 37 – 🍽. 𝖠𝖤 🅾 E 𝖵𝖨𝖲𝖠.
 🍴 CS **u**
 cerrado domingo noche y agosto – Com carta 2640 a 4150
 Espec. Filetes de lenguado Hostal, Brandada de bacalao y huevo poché al Brie, Filete en papillote con salsa de
 mostaza y trufas.

X **Roig Robi,** Séneca 20, ⊠ 08006, 𝒫 218 92 22, 🎇, « Agradable terraza » – 🍽. 𝖠𝖤 🅾 E
 𝖵𝖨𝖲𝖠 HV **c**
 cerrado domingo – Com carta 2600 a 3525.

X Peñón de Ifach, Travessera de Gràcia 35, ⊠ 08021, 𝒫 209 65 45 – 🍽 GV **c**

X **Arcs de Sant Gervasi,** Santaló 103, ⊠ 08021, 𝒫 201 92 77 – 🍽. 𝖠𝖤 🅾 E 𝖵𝖨𝖲𝖠. 🍴 GV **y**
 Com carta 2325 a 2875.

X **Durán-Durán,** Alfons XII-41, ⊠ 08006, 𝒫 201 35 13 – 🍽. 𝖠𝖤 🅾 E 𝖵𝖨𝖲𝖠 GU **u**
 cerrado domingo, festivos y del 15 al 31 agosto – Com carta 2075 a 3225.

X La Senyora Grill, Bori i Fontesta 45, ⊠ 08017, 𝒫 201 25 77, 🎇 – 🍽 FV **z**

X **La Masía,** cumbre del Tibidabo, ⊠ 08023, 𝒫 417 63 50, ≤ ciudad, mar y montaña – 𝖠𝖤 🅾
 E 𝖵𝖨𝖲𝖠. 🍴 BS **a**
 cerrado lunes – Com (sólo almuerzo) carta 1850 a 3200.

X La Venta, pl. Dr. Andreu, ⊠ 08022, 𝒫 212 64 55, 🎇, Antiguo café BS **d**

X **Alberto,** Ganduxer 50, ⊠ 08021, 𝒫 201 00 09, 🎇 – 🍽. 𝖠𝖤 🅾 E 𝖵𝖨𝖲𝖠. 🍴 FV **g**
 Com carta 3100 a 4600.

X **Es Plá,** Sant Gervasi de Cassoles 86, ⊠ 08022, 𝒫 212 65 54, Pescados y mariscos – 🍽. 𝖠𝖤
 🅾 E 𝖵𝖨𝖲𝖠. 🍴 FU **u**
 Com carta 2050 a 3675.

X **Sal i Pebre,** Alfambra 14, ⊠ 08034, 𝒫 205 36 58 – 🍽. 𝖠𝖤 🅾 E 𝖵𝖨𝖲𝖠. 🍴 AT **t**
 Com carta 2050 a 2925.

X **Julivert Meu,** Jorge Girona Salgado 12, ⊠ 08034, 𝒫 204 11 96 – 🍽. 𝖠𝖤 🅾 E 𝖵𝖨𝖲𝖠.
 🍴 AT **r**
 cerrado 10 agosto-10 septiembre – Com carta 1950 a 2850.

X **El Patí Blau,** Jorge Girona Salgado 14, ⊠ 08034, 𝒫 204 22 15 – 🍽. 𝖠𝖤 🅾 E 𝖵𝖨𝖲𝖠.
 🍴 AT **r**
 cerrado 10 julio-10 agosto – Com carta 2075 a 3050.

X Cafe de Paris, Mestre Nicolau 16, ⊠ 08021, 𝒫 200 19 14, Cocina francesa – 🍽 GV **u**

X **A la Menta,** passeig Manuel Girona 50, ⊠ 08034, 𝒫 204 15 49, Taberna típica – 🍽. 𝖠𝖤 🅾 E
 𝖵𝖨𝖲𝖠. 🍴 EV **f**
 cerrado domingo noche – Com carta 2415 a 4000.

X **L'Alberg,** Ramón y Cajal 13, ⊠ 08012, 𝒫 214 10 25, Decoración rústica – 🍽. 🅾 E 𝖵𝖨𝖲𝖠.
 🍴 HU **d**
 cerrado domingo – Com carta 1550 a 2220.

X **El Vol de Nit,** Anglí 4, ⊠ 08017, 𝒫 203 91 81 – 🍽. 🅾 E 𝖵𝖨𝖲𝖠. 🍴 EU **b**
 cerrado domingo y del 15 al 31 agosto – Com carta 1820 a 3000.

ALREDEDORES

en Esplugues de Llobregat – AT – ⊠ 08950 Esplugues de Llobregat – ✿ 93 :

XXX **La Masía,** av. Paísos Catalans 58 ℰ 371 00 09, 🍴, « Terraza bajo los pinos » – 🍽 **P.** 🖭 ⓞ
Ε VISA. ⁂ AT **s**
Com carta 1900 a 4000.

X ✿ **Quirze,** Laureá Miró 202 ℰ 371 10 84, 🍴 – 🍽 **P.** 🖭 Ε VISA. ⁂ AT **e**
cerrado domingo noche, lunes y festivos – Com carta 2850 a 4450
Espec. Mousseline de rascasse, Supremas de lubina a la crema de ciboulette, Hígado de oca fresco al vinagre de
Jerez.

en la carretera de Sant Cugat del Vallés por ⑦ : 11 km – ⊠ 08023 Barcelona – ✿ 93 :

X **Can Cortés,** urbanización Ciudad Condal Tibidabo ℰ 674 17 04, ≤, 🍴, Enoteca de vinos y
cavas catalanes, « Antigua masia », ⊥ de pago – **P.** 🖭 ⓞ Ε VISA. ⁂
cerrado domingo noche – Com carta 1700 a 3490.

Ver también : *San Cugat del Vallés por ⑦ : 18 km.*

S.A.F.E. Neumáticos MICHELIN, Sucursal, MONTCADA Y REIXACH : Polígono Industrial La
Ferrería 34 Bis, ⊠ 08180 ℰ 564 55 12 y 564 45 00 por ①
S.A.F.E. Neumáticos MICHELIN, Sucursal, Av. Gran Vía - HOSPITALET DE LLOBREGAT,
⊠ 08908 BT ℰ 335 01 50 y 336 74 61

ALFA-ROMEO General Mitre 112 ℰ 201 54 44
AUSTIN-ROVER paseo Reina Elisenda Moncada 13
ℰ 204 83 52
BMW San Gervasio de Cassolas 104 ℰ 212 11 50
CITROEN Badal 81-111 ℰ 331 64 00
CITROEN Guipúzcoa 177-191 ℰ 314 76 51
FORD Travessera de Gracia 17 ℰ 200 89 11
GENERAL MOTORS-OPEL Aribau 320 ℰ 209 42 99
GENERAL-MOTORS-OPEL Padilla 318 ℰ 256 63 00
MERCEDES-BENZ Comtes D'Urgell 229-231 ℰ
230 86 00
PEUGEOT-TALBOT Viladomat 165 ℰ 423 30 42

PEUGEOT-TALBOT Balmes 184-186 ℰ 217 35 12
PEUGEOT-TALBOT Polígono Industrial zona franca
C/D - esquina calle 4,41 ℰ 336 31 00
RENAULT travesera de Les Corts 146-148 ℰ
339 90 00
RENAULT av. de la Meridiana 85-87 ℰ 245 96 08
RENAULT Corcega 293-295 ℰ 237 07 02
RENAULT paseo Maragall 272 ℰ 229 66 00
SEAT-AUDI-VOLKSWAGEN Gran Vía de las Cortes
Catalanas 90 ℰ 332 11 00
SEAT-AUDI-VOLKSWAGEN paseo Valle Hebrón 101
ℰ 212 33 66

El BARCO DE VALDEORRAS o **O BARCO** 32300 Orense 👊❶ E 9 – ✿ 988.
♦Madrid 439 – Lugo 123 – Orense 118 – Ponferrada 52.

☺ **La Gran Tortuga,** Conde de Fenosa 42 ℰ 32 11 75 – VISA. ⁂
Com 750 – ⊯ 250 – **16 hab** 1500/3500.

X **San Mauro,** pl. de la Iglesia 11 ℰ 32 01 45 – 🍽 **P.** 🖭 ⓞ Ε VISA. ⁂
cerrado lunes y 20 junio-20 julio – Com carta 1650 a 2050.

ALFA-ROMEO 18 de Julio 25 ℰ 32 18 03
CITROEN Las Arenas 1 ℰ 32 03 41
FIAT-LANCIA Manuel Quiroga 50 ℰ 32 02 88
FORD carret. Vegamolinos ℰ 32 09 61
OPEL de la Ribera 5 ℰ 32 20 09

PEUGEOT-TALBOT carret. N 120 km 52 ℰ 32 09 91
RENAULT Conde Fenosa 63 ℰ 32 01 93
SEAT Penas Forcadas 9 ℰ 32 11 13
SEAT-AUDI-VOLKSWAGEN carret. N 120 km 52
ℰ 32 07 80

BARLOVENTO Santa Cruz de Tenerife – ver Canarias (La Palma).

BARRACA DE AGUAS VIVAS 46792 Valencia 👊❹❺ O 28 – ✿ 96.
Madrid 395 – Alcoy 79 – ♦Alicante 137 – ♦Valencia 47.

en la carretera de Tabernes SE : 2 km – ⊠ 46792 Barraca de Aguas Vivas – ✿ 96 :

🏨 Monasterio 🦢, ℰ 258 90 11, Fax 258 92 11, ≤, 🍴, ⊥, ☞, ⁑ – ☎ **P.** – 🏧. 🖭 VISA. ⁂
⊯ 300 – **30 hab** 3800/5000.

La BARRANCA (Valle de) 28499 Madrid 👊❹❹ J 18 – ver Navacerrada.

BARRO 33529 Asturias – ver Llanes.

BAYONA o **BAIONA** 36300 Pontevedra 👊❶ F 3 – 9 702 h. – ✿ 986 – Playa.
Ver : Monte Real (murallas★) – Alred. : Carretera★ de Bayona a La Guardia.
♦Madrid 616 – Orense 117 – Pontevedra 44 – ♦Vigo 21.

🏰 **Parador Conde de Gondomar** 🦢, ℰ 35 50 00, Telex 83424, Fax 35 50 76, ≤, « Bonita
reproducción de un típico pazo gallego en el recinto de un antiguo castillo feudal al borde
del mar », ⊥, ☞, ⁑ – ☎ ⇔ **P.** – 🏧. 🖭 ⓞ Ε VISA. ⁂
Com 2700 – ⊯ 800 – **128 hab** 8800/11000.

🏠 **Bayona** sin rest, Conde 36 ℰ 35 50 87 – VISA. ⁂
junio-septiembre – ⊯ 250 – **33 hab** 2800/3800.

🏠 **Tres Carabelas** sin rest, Ventura Misa 61 ℰ 35 51 33 – 📺 ☎. ⓞ Ε VISA. ⁂
⊯ 275 – **10 hab** 3500/4800.

🏠 **Pinzón** sin rest, Elduayen 21 ℰ 35 60 46, ≤ – 🖭 Ε VISA. ⁂
⊯ 275 – **18 hab** 3600/4800.

BAYONA o BAIONA

X   Plaza de Castro, Ventura Misa 15 ℰ 235 55 53, Pescados y mariscos.

X   O Moscón, Alférez Barreiro 2 ℰ 35 50 08.

en la carretera de La Guardia O : 8,5 km – ⊠ 36300 Bayona – ✪ 986 :

X   La Hermida, ℰ 35 72 73, ≤, 🍽 – 🅿.

CITROEN   carret. Gondomar - Ramallosa ℰ 35 07 10
GENERAL-MOTORS   Julián Valverde 3 ℰ 35 24 72
PEUGEOT-TALBOT   La Ramallosa ℰ 35 22 58

RENAULT   Sabaris - Julián Valverde 2 ℰ 35 11 38
SEAT-AUDI-VOLKSWAGEN   Sabaris-Puerta del Sol
46 ℰ 35 00 00

BAZA 18800 Granada 🄸🄸🄶 T 21 – 20 609 h. alt. 872 – ✪ 958.

◆Madrid 425 – ◆Granada 105 – ◆Murcia 178.

🏠   **Baza** sin rest y sin ⌧, av. de Covadonga ℰ 70 07 50 – 🛗 🐎 🚗. 🛠
26 hab 1850/3550.

🏠   **Venta del Sol,** carret. de Murcia ℰ 70 03 00 – 🐎 🚗 🅿. 𝘝𝘐𝘚𝘈. 🛠
Com 800 – ⌧ 200 – 25 hab 1600/2700.

X   **Las Perdices,** carret. de Murcia ℰ 70 13 26 – ▤. 🄰🄴 ⓞ 𝘝𝘐𝘚𝘈. 🛠
Com carta 1050 a 1500.

CITROEN   carret. de Murcia ℰ 70 11 15
FORD   carret. de Murcia km 175 ℰ 70 14 64
PEUGEOT-TALBOT   Prolongación de Correderas ℰ
70 14 91

RENAULT   carret. de Murcia km 176,4 ℰ 70 08 95
SEAT-AUDI-VOLKSWAGEN   carret. de Murcia km
176,4 ℰ 70 07 12

BEASAIN 20200 Guipúzcoa 🄸🄸🄶 C 23 – 12 112 h. alt. 157 – ✪ 943.

◆Madrid 428 – ◆Pamplona 73 – ◆San Sebastián/Donostia 45 – ◆Vitoria/Gasteiz 71.

X   **Rubiorena,** Zaldizurreta 7 ℰ 88 57 60 – ▤. 🄰🄴 𝘝𝘐𝘚𝘈. 🛠
cerrado martes noche, domingo y 27 julio-27 agosto – Com carta 2100 a 2700.

en Olaberría - carretera N I SO : 1,5 km – ⊠ 20200 Beasain – ✪ 943 :

🏨   **Castillo,** ℰ 88 19 58 – 🛗 ▤ rest ☎ 🅿. 🄰🄴 ⓞ E 𝘝𝘐𝘚𝘈. 🛠 rest
Com (cerrado domingo noche) 3000 – ⌧ 480 – 28 hab 3600/5500 – P 7750/8600.

ALFA ROMEO   av. Navarra ℰ 88 52 00
AUSTIN-ROVER-MG   Barrio Salbatore ℰ 88 93 05
CITROEN   Polígono Seis ℰ 88 66 22
FIAT-LANCIA   Barrio de La Cadena ℰ 88 19 91
FORD   carret. N I km 419 ℰ 88 74 00
GENERAL MOTORS   Polígono Industrial N 6 ℰ
88 51 50

PEUGEOT-TALBOT   Senpere 5 ℰ 88 87 98
PEUGEOT-TALBOT   Urdaneta 74 ℰ 88 16 89
RENAULT   carret. N I km 424 ℰ 88 10 73
SEAT-AUDI-VOLKSWAGEN   carret. N I km 419 ℰ
88 67 54

BECERRIL DE LA SIERRA 28490 Madrid 🄸🄸🄸 J 18 – 1 403 h. alt. 1 080 – ✪ 91.

◆Madrid 54 – ◆Segovia 41.

🏠   **Las Gacelas** 🐾, San Sebastián 53 ℰ 853 80 00, 🍽, 🏊, 🐎, 🎾 – 🐎 🅿. 𝘝𝘐𝘚𝘈. 🛠
Com 1200 – ⌧ 200 – 27 hab 2000/3200 – P 3300/3700.

🏠   **Victoria,** San Sebastián 10 ℰ 853 85 61 – 𝘝𝘐𝘚𝘈. 🛠
cerrado 20 septiembre-12 octubre – Com (cerrado jueves) 700 – ⌧ 250 – 10 hab 2800/3500 –
P 3400/4450.

X   **Las Terrazas** con hab, San Sebastián 3 ℰ 853 80 02, 🍽 – 🅿. 𝘝𝘐𝘚𝘈. 🛠
Com carta 1725 a 2600 – ⌧ 200 – 6 hab 2800.

BEGET 17867 Gerona 🄸🄸🄳 F 37 – ◆Madrid 717 – ◆ Barcelona 145 – Gerona/Girona 98.

X   Can Joanic, Bell Aire 14, 🍽, Decoración rústica.

BEGUR 17255 Gerona 🄸🄸🄳 G 39 – ver Bagur.

BEHOBIA 20300 Guipúzcoa 🄸🄸🄶 B 24 – ver Irún y aduanas p.14 y 15.

BÉJAR 37700 Salamanca 🄸🄸🄸 K 12 – 17 008 h. alt. 938 – ✪ 923 – Plaza de toros.

Alred. : Candelario : pueblo típico S : 4 km.

🛈 paseo de Cervantes 6 ℰ 40 30 05.

◆Madrid 211 – Ávila 105 – Plasencia 63 – ◆Salamanca 72.

🏨   **Colón,** Colón 42 ℰ 40 06 50, Telex 26809 – 🛗 🐎. 🄰🄴 ⓞ E 𝘝𝘐𝘚𝘈. 🛠 rest
Com 1450 – ⌧ 325 – 54 hab 3300/4900 – P 5200/6000.

🏠   **Comercio,** Puerta de vila 5 ℰ 40 03 04 – 🐎. 🄰🄴 ⓞ E 𝘝𝘐𝘚𝘈. 🛠 rest
Com 1100 – ⌧ 300 – 13 hab 2200/3500 – P 3875/4325.

🏠   **Blázquez-Sánchez** sin rest, Travesía Santa Ana 6 ℰ 40 24 00 – 🛗 🐎. 🛠
⌧ 175 – 33 hab 1950/3200.

X   **Argentino** con hab, carret. de Salamanca 22 ℰ 40 26 92, 🍽 – ▤ rest. 🄰🄴 ⓞ E 𝘝𝘐𝘚𝘈. 🛠
Com carta 1450 a 3700 – ⌧ 140 – 9 hab 2000/3000.

X   **Tres Coronas,** carret. de Salamanca 1 ℰ 40 20 23 – ▤. 𝘝𝘐𝘚𝘈
Com carta 1500 a 2250.

CITROEN   carret. de Salamanca - km 70 $\mathcal{P}$ 40 23 22
FORD   El Rebollar $\mathcal{P}$ 40 26 02
GENERAL MOTORS   Recreo 89 $\mathcal{P}$ 40 33 62
PEUGEOT-TALBOT   carret. de Salamanca 12 $\mathcal{P}$ 40 14 06

RENAULT   Obispo Zarrauz y Pueyo 6 $\mathcal{P}$ 40 06 61
SEAT-AUDI-VOLKSWAGEN   av. del Ejército 6 $\mathcal{P}$ 40 07 09

BELMONTE 16640 Cuenca **444** N 21 − 2 876 h. alt. 720 − 😊 967.
♦Madrid 157 − ♦Albacete 107 − Ciudad Real 142 − Cuenca 101.

🏛 La Muralla, Isabel de Castilla $\mathcal{P}$ 17 07 79 − ▦ rest 🅿 − **8 hab**.

Los BELONES 30385 Murcia **445** T 27 − 😊 968.
♦Madrid 459 − ♦Alicante 102 − Cartagena 20 − ♦Murcia 69.

por la carretera de Portman − ✉ 30385 Los Belones − 😊 968 :

🏨 **Club H. y Rest. Las Mimosas** ⌂, La Manga Club S : 3 km $\mathcal{P}$ 56 45 11, Telex 67798, ⊲ campo de golf y Mar Menor, 🍴, Cenas amenizadas con música, ⊒, ℀, ⌗ − ▦ ☎ 🅿. AE ⓪ E VISA.
Com 2640 − ⌑ 1100 − **47 hab** 11200/16750.

℀ **La Verandah**, La Manga Club - centro de tenis S : 4 km $\mathcal{P}$ 56 45 11 (ext. 3030), ⊲, 🍴, Cocina franco-belga − AE ⓪ E VISA. ℀
Com carta 2650 a 3750.

℀ **La Casita**, Poblado Bellaluz pl. Chica S : 4 km $\mathcal{P}$ 56 45 11 (ext. 2225), Telex 68012, 🍴, Decoración rústica − AE ⓪ E VISA. ℀
Com (sólo cena) carta 2300 a 3050.

℀ Las Parras, Poblado Atamaría S : 3,5 km, 🍴 − 🅿 − Com (sólo cena).

PEUGEOT   carret. La Manga − El Sabinar

BELORADO 09250 Burgos **442** E 20 − 2 165 h. − 😊 947.
♦Madrid 289 − ♦Burgos 46 − ♦Logroño 68 − ♦Vitoria/Gasteiz 85.

en Villamayor del Río carretera N 120 E : 4,5 km − ✉ 09259 Villamayor del Río − 😊 947 :

℀ **León,** ✉ 09259, $\mathcal{P}$ 58 02 37 − 🅿. E VISA. ℀
Com carta 1200 a 2250.

CITROEN   carret. Logroño $\mathcal{P}$ 58 09 64
PEUGEOT   carret. Logroño $\mathcal{P}$ 58 06 76

RENAULT   Pelota $\mathcal{P}$ 58 00 40

BELLPUIG D'URGELL 25250 Lérida **443** H 33 − 3 662 h. alt. 308 − 😊 973.
♦Madrid 502 − ♦Barcelona 127 − ♦Lérida/Lleida 33 − Tarragona 86.

🏠 Bellpuig, carret. N II $\mathcal{P}$ 32 02 00, Telex 57739 − ▦ rest ☎ 🅿 − **30 hab**.

BELLVER DE CERDAÑA o **BELLVER DE CERDANYA** 25720 Lérida **443** E 35 − 1 674 h. alt. 1 061 − 😊 973 − 🛈 pl. de Sant Roc 9 $\mathcal{P}$ 51 02 29.
♦Madrid 634 − ♦Lérida/Lleida 165 − Seo de Urgel 32.

🏨 **María Antonieta** ⌂, av. de la Cerdanya $\mathcal{P}$ 51 01 25, ⊲, ⊒, ℀ − 🛗 ☎ ⇐. AE E VISA. ℀ rest
Com 1485 − ⌑ 450 − **51 hab** 2310/4235 − P 4800/5000.

🏠 **Bellavista,** carret. de Puigcerdá 43 $\mathcal{P}$ 51 00 00, ⊲, ⊒, ℀ − 🛗 ☎ 🅿. ℀ rest
cerrado lunes y 5 noviembre-5 diciembre − Com 1125 − ⌑ 365 − **48 hab** 2000/3630 − P 3850.

℀ Jou Vell, pl. San Roque 15 $\mathcal{P}$ 51 01 39.

por la carretera de Alp y desvío a la derecha en Balltarga SE : 4 km − ✉ 25720 Bellver de Cerdaña − 😊 973 :

℀ **Mas Martí** ⌂ con hab, urb. Bades $\mathcal{P}$ 51 00 22, Decoración rústica − 🅿. ℀
Semana Santa, 15 julio-15 septiembre, Navidades y fines de semana − Com carta 1650 a 2400 − ⌑ 350 − **6 hab** 3700 − P 4000.

BENALMÁDENA 29639 Málaga **446** W 16 − 17 773 h. − 😊 952.
🛈 Torrequebrada $\mathcal{P}$ 42 27 42 − 🛈 Castillo de Bil-Bil $\mathcal{P}$ 44 13 63.
♦Madrid 579 − Algeciras 117 − ♦Málaga 24.

℀ **La Rueda,** San Miguel 2 $\mathcal{P}$ 44 82 21, 🍴 − AE ⓪ E VISA
cerrado martes y noviembre − Com carta 1550 a 2200.

en Arroyo de la Miel E : 4 km − ✉ 29630 Arroyo de la Miel − 😊 952 :

🏛 **Sol y Miel,** Blas Infante 20 $\mathcal{P}$ 44 11 14 − 🛗. ℀
Com 950 − ⌑ 250 − **40 hab** 1700/3500.

℀ Ventorrillo de la Perra, Julio Romero − carret. de Torremolinos : 1 km $\mathcal{P}$ 44 19 66, 🍴.

PEUGEOT-TALBOT   av. de Mijas 22 $\mathcal{P}$ 44 21 10
RENAULT   Blas Infantes 22 $\mathcal{P}$ 44 15 24

SEAT-AUDI-VOLKSWAGEN   Constitución $\mathcal{P}$ 44 55 49

BENALMÁDENA COSTA 29491 Málaga **ᕤᕤᕤ** W 16 – 🌣 952 – Playa.

🏛 Castillo de Bil-Bil 🎣 44 13 63.

🏨🏨🏨 **Torrequebrada,** carret. N 340 km 220 🎣 44 60 00, Telex 77528, Fax 44 57 02, ⩽ mar, 🏤,
🏊, climatizada, 🏊, 🎾 – 🛗 ≡ 📺 🕿 ⇌ 🅿 – 🔬. 🖭 ⓪ 🖪 𝑉𝐼𝑆𝐴. 🎟
Com **Café Royal** carta 3400 a 4650 – **Rest. Pavillón** Com carta 2875 a 3825 – 🍽 1500 – **350 hab**
16800/21000 – P 18910/25210.

🏨🏨 **Tritón,** av. Antonio Machado 29 🎣 44 32 40, Telex 77061, Fax 44 26 49, ⩽, « Gran jardín
tropical », 🏊, climatizada, 🎾 – 🛗 ≡ 📺 🕿 ⇌ 🅿 – 🔬. 🖭 ⓪ 🖪 𝑉𝐼𝑆𝐴. 🎟 rest
Com 3000 – 🍽 950 – **196 hab** 12500/16500 – P 14150/18400.

🏨🏨 **Riviera,** av. Antonio Machado 49, ✉ apartado 9, 🎣 44 12 40, Telex 77041, Fax 44 22 30, ⩽,
« Terrazas escalonadas con césped », 🏊, 🎾 – 🛗 ≡ 🅿 – 🔬. 🖭 ⓪ 🖪 𝑉𝐼𝑆𝐴. 🎟
Com 1900 – 🍽 600 – **189 hab** 7500/11100 – P 9300/11300.

🏨🏨 **La Roca,** playa Santa Ana - carret. N 340 km 221 🎣 44 17 40, Telex 79340, Fax 44 32 55, ⩽,
🏤 – 🛗 ≡ rest 🕿 ⇌ 🅿. 🖭 ⓪ 🖪 𝑉𝐼𝑆𝐴. 🎟
Com 1200 – 🍽 375 – **157 hab** 4700/6800 – P 5600/6900.

🏨🏨 **Siroco,** carril del Siroco 🎣 44 30 40, Telex 77135, ⩽, « Gran jardín botánico », 🏊, 🎾 – 🛗 📺
🅿 – 🔬. 🖭 ⓪ 🖪 𝑉𝐼𝑆𝐴. 🎟
Com 1800 – **256 hab** 🍽 5130/7930 – P 7425/8590.

🏨🏨 **Villasol,** av. Antonio Machado 🎣 44 19 96, Telex 77682, ⩽, 🏊 – 🛗 🕿 🅿. 🖭 ⓪ 🖪 𝑉𝐼𝑆𝐴. 🎟
Com 1440 – 🍽 410 – **76 hab** 3990/5040 – P 5320/6790.

✗ O.K. 2, Terramar Alto - Edificio Delta del Sur 🎣 44 28 16, 🏤, Asados y carnes a la parrilla –
▤.

✗ **O.K.,** San Francisco 2 🎣 44 36 96, 🏤 – 🖪 𝑉𝐼𝑆𝐴. 🎟
cerrado miércoles y 15 diciembre-enero – Com carta 1475 a 1850.

✗ Chef Alonso, av. Antonio Machado 🎣 44 34 35, ⩽ – ▤.

BENASAL 12160 Castellón **ᕤᕤᕤ** K 29 – 1 529 h. alt. 821 – 🌣 964 – Balneario.

♦Madrid 498 – Castellón de la Plana 75 – Tortosa 122.

🏛 **Fuente En-Segures** 🦌, Balneario Fuente En-Segures S : 2 km 🎣 43 10 00 – 🛗 ☞ ⇌ 🅿.
🖭 🖪 𝑉𝐼𝑆𝐴. 🎟
junio-septiembre – Com 1130 – 🍽 275 – **78 hab** 1910/3370 – P 3685/3910.

🏛 **Los Pinos** 🦌, Balneario Fuente En-Segures S : 2 km 🎣 43 13 11 – 🛗 🕿 ⇌. 🎟
cerrado junio-septiembre – Com 850 – 🍽 300 – **29 hab** 2500/4000 – P 3700/4200.

PEUGEOT-TALBOT Teresa Pascual 6 🎣 43 12 78

BENASQUE 22440 Huesca **ᕤᕤᕤ** E 31 – 983 h. alt. 1 138 – 🌣 974 – Balneario – Deportes de
invierno en Cerler : ⩻11 – **Alred. :** S : Valle de Benasque★ – O : Carretera del Coll de Fadas ⩽★
por Castejón de Sos – Congosto de Ventamillo★ S : 16 km.

♦Madrid 538 – Huesca 148 – ♦Lérida/Lleida 148.

🏨 **Aneto** 🦌, carret. Anciles 2 🎣 55 10 61, 🏊, 🏤, 🎾 – 🛗 🕿 🅿. 🖪 𝑉𝐼𝑆𝐴. 🎟
20 junio-septiembre y 20 diciembre-abril – Com 950 – 🍽 275 – **38 hab** 2000/3500 – P 3590/3840.

🏛 **El Puente II** 🦌, sin rest, San Pedro 🎣 55 12 11, ⩽ – 🕿 ⇌ 🅿. 🖪 𝑉𝐼𝑆𝐴. 🎟
🍽 375 – **28 hab** 2950/4400.

🏛 **Benasque** 🦌, carret. Anciles 3 🎣 55 10 11, 🏊, 🏤, 🎾 – ⇌ 🅿. 🖪 𝑉𝐼𝑆𝐴. 🎟
julio-septiembre y diciembre-abril – Com 900 – 🍽 275 – **51 hab** 1800/2800 – P 3150/3550.

🏛 **El Pilar** 🦌, carret. de Francia 🎣 55 12 63, ⩽ – 🕿 ⇌ 🅿. 🖪 𝑉𝐼𝑆𝐴. 🎟
cerrado mayo-junio – Com 900 – 🍽 275 – **30 hab** 1800/3000 – P 3250/3550.

✗ **El Puente** 🦌, con hab, San Pedro 🎣 55 12 79, ⩽ – ▤ rest 🅿. 🖪 𝑉𝐼𝑆𝐴. 🎟
Com carta 2250 a 2800 – 🍽 375 – **12 hab** 1925/3300.

✗ **La Parrilla,** carret. de Francia 🎣 55 11 34, 🏤 – ▤. 𝑉𝐼𝑆𝐴. 🎟
cerrado del 15 al 30 septiembre – Com carta 1400 a 2150.

en Cerler SE : 6 km – ✉ 22449 Cerler – 🌣 974 :

🏨🏨 Monte Alba 🦌, alt. 1 540 🎣 55 11 36, Telex 57806, ⩽ alta montaña, 🏊, climatizada, 🏊 – 🛗 🅿
131 hab.

BENAVENTE 49600 Zamora **ᕤᕤᕤ** F 12 – 12 509 h. alt. 724 – 🌣 988.

♦Madrid 259 – ♦León 71 – Orense 242 – Palencia 108 – Ponferrada 125 – ♦Valladolid 99.

🏨🏨 **Parador Rey Fernando II de León** 🦌, 🎣 63 03 00, Fax 63 03 03, ⩽ – ▤ ⇌ 🅿. 🖭 ⓪ 🖪
𝑉𝐼𝑆𝐴. 🎟
Com 2500 – 🍽 800 – **30 hab** 6400/8000.

en la carretera N VI – ✉ 49600 Benavente – 🌣 988 :

🏛 **Arenas,** SE : 2 km 🎣 63 03 34 – ⇌ 🅿. 🖪 𝑉𝐼𝑆𝐴. 🎟
Com 1200 – 🍽 165 – **50 hab** 2700/4300 – P 4350/4900.

🏛 **Martín,** SE : 2 km 🎣 63 18 50 – 🅿. 🎟
Com 1200 – 🍽 160 – **45 hab** 2100/3200 – P 3800/4300.

✗ **Benavente** con hab, SE : 1,3 km 🎣 63 02 50 – ☞ ⇌ 🅿. 🎟
Com carta 900 a 1865 – 🍽 170 – **8 hab** 1900 – P 2850.

CITROEN   av. Luis Moran 47 🖉 63 31 60
FIAT-LANCIA   carret. de Orense km 2,6 🖉 63 01 20
FORD   av. Federico Silva Muñoz 🖉 63 01 95
OPEL-GM   av. General Primo de Rivera 84 - 98 🖉 63 15 31

PEUGEOT-TALBOT   av. Federico Silva Muñoz 🖉 63 07 37
RENAULT   av. Federico Silva Muñoz 🖉 63 38 56
SEAT-AUDI-VOLKSWAGEN   carret. N VI km 261 🖉 63 16 80

BENDINAT (Costa de) Baleares **443** N 37 – ver Baleares (Mallorca).

BENICARLÓ 12580 Castellón **445** K 31 – 16 587 h. alt. 27 – ● 964 – Playa.

🖪 pl. San Andrés 🖉 47 31 80.

♦Madrid 492 – Castellón de la Plana 69 – Tarragona 116 – Tortosa 55.

🏨 **Parador Costa del Azahar** ॐ, av. del Papa Luna 5 🖉 47 01 00, Fax 47 09 34, ⌶, 🐎, ஜ –
🗏 📺 ☎ ❷ – 🔬 🆎 ◑ 🗲 *VISA*. ॐ
Com 2500 – ☑ 800 – **108 hab** 6800/8500.

🏨 **Maryntón,** paseo Marítimo 5 🖉 47 30 11 – 🕼 🗏 rest 📺 ☎ ⬅. *VISA*. ॐ
Com *(cerrado viernes fuera de temporada)* 1350 – ☑ 350 – **26 hab** 3000/4800 – P 5400/6000.

🗙 **El Cortijo,** av. Mendez Nuñez 59 🖉 47 00 75, 🏤, Pescados y mariscos – 🗏 ❷. ◑ 🗲 *VISA*. ॐ
cerrado lunes – Com carta 2000 a 4625.

   en la carretera N 340 – ✉ 12580 Benicarló – ● 964 :

🏤 **Sol** sin rest, 🖉 47 13 49 – ❷. ॐ
☑ 450 – **22 hab** 2000/3000.

CITROEN   Magallanes 9 🖉 47 17 41
FIAT-LANCIA   carret. Barcelona-Valencia km 138,5 🖉 47 28 15
FORD   carret. N 340 km 137 🖉 47 03 39
GENERAL MOTORS   Partida del Riu 🖉 47 36 80

PEUGEOT-TALBOT   carret. Valencia-Barcelona km 134 🖉 47 19 50
RENAULT   carret. N 340 km 135 🖉 47 15 47
SEAT-AUDI-VOLKSWAGEN   av. Magallanes 🖉 47 17 08

BENICASIM 12560 Castellón **445** L 30 – 4 705 h. – ● 964 – Playa.

🖪 Médico Segarra 4 (Ayuntamiento) 🖉30 02 81.

♦Madrid 436 – Castellón de la Plana 14 – Tarragona 165 – ♦Valencia 88.

🏠 **Avenida y Eco-Avenida,** av. de Castellón 2 🖉 30 00 47 – ❷. ॐ rest
abril-septiembre – Com 850 – ☑ 225 – **60 hab** 2600 – P 2925.

🏠 **Almadraba,** Santo Tomás 137 🖉 30 10 00 – 🕼 ❷. 🗲 *VISA*. ॐ
Com 1000 – ☑ 350 – **69 hab** 1000/2200 – P 3100/3200.

🏠 **Bosquemar,** Santo Tomás 73 🖉 30 08 63 – ॐ
cerrado octubre-10 noviembre – Com 800 – ☑ 200 – **18 hab** 1400/2500 – P 2925/3025.

🗙🗙🗙 **La Strada,** av. Castellón 🖉 30 02 12, 🏤 – 🗏. 🆎 ◑ 🗲 *VISA*. ॐ
cerrado 15 enero-15 febrero – Com (cenas amenizadas con música en verano) carta 2725 a 3950.

🗙 **Plaza** con hab, Cristóbal Colón 3 🖉 30 00 72 – 🗏. 🆎 ◑ 🗲 *VISA*. ॐ
cerrado 15 diciembre-15 enero – Com (cerrado martes) carta 2150 a 3100 – ☑ 265 – **7 hab** 2475.

   en la zona de la playa :

🏨 **Orange,** Gran Avenida 🖉 30 06 00, Telex 65626, « ⌶ rodeada de césped con árboles », ஜ
– 🕼 🗏 rest 📺 ☎ ❷ – 🔬. ◑ 🗲 *VISA*. ॐ rest
abril-octubre – Com 1800 – ☑ 480 – **415 hab** 4400/5500 – P 6200/7850.

🏨 **Trinimar,** av. Ferrándiz Salvador 184 🖉 30 08 50, ≤, ⌶ – 🕼 🗏 rest ❷. ॐ rest
Semana Santa y junio-septiembre – Com 2000 – ☑ 500 – **170 hab** 6500/7500 – P 7575/10325.

🏨 **Azor,** paseo Marítimo 🖉 30 03 50, Telex 65626, ≤, « Terraza con flores », ⌶, 🐎, ஜ – 🕼
🗏 rest ❷. ◑ 🗲 *VISA*. ॐ rest
abril-octubre – Com 1800 – ☑ 480 – **87 hab** 4400/5500 – P 6200/7850.

🏨 **Voramar,** paseo Pilar Coloma 1 🖉 30 01 50, ≤, « Gran terraza », ஜ – 🕼 ☎ ⬅. *VISA*.
ॐ rest
15 marzo-13 octubre – Com 1200 – ☑ 375 – **55 hab** 3200/4700 – P 4550/5400.

🏨 **Vista Alegre,** av. de Barcelona 🖉 30 04 00, ⌶, 🐎 – 🕼 🗏 rest ❷. 🗲 *VISA*. ॐ rest
marzo-octubre – Com 1015 – ☑ 325 – **68 hab** 2200/3500 – P 3750/4200.

🏨 **Bonaire,** Gimeno Tomás 3 🖉 30 08 00, Telex 65626, 🏤, « Pequeño pinar », ⌶, ஜ – 🗏 rest
☜ ❷. ◑ 🗲 *VISA*. ॐ rest
abril-octubre – Com 1600 – ☑ 425 – **78 hab** 3700/5000 – P 5580/6780.

🏨 **Tramontana** sin rest, paseo Marítimo Bernad Artola 44 🖉 30 03 00, 🐎 – 🕼 ☜ ❷. 🆎 ◑ 🗲
VISA. ॐ
Semana Santa-octubre – ☑ 330 – **65 hab** 2335/3630.

🏠 **Bersoca,** Gran Avenida 217 🖉 30 12 58, ⌶ – 🕼 ☜ ❷. ॐ rest
marzo-octubre – Com 950 – ☑ 280 – **40 hab** 2100/2800 – P 3000/3700.

🗙 **Torreón Bernad,** playa Torreón 🖉 30 03 42, 🏤, Decoración neo-rústica – 🗏. 🗲 *VISA*. ॐ
abril-septiembre – Com carta 1600 a 2775.

🗙 **El Rall,** paseo Marítimo 41 🖉 30 00 27, 🏤 – 🗏. 🆎 ◑ 🗲 *VISA*
cerrado lunes y 25 septiembre-octubre – Com carta 1625 a 2000.

BENICASIM

en Las Playetas NE : 2,5 km – ⊠ 12560 Benicasim – 🕸 964 :

🏨 **El Cid,** 🖋 30 07 00, ⟂, 🗶 – 📱 🐗 **Ⓟ** 🗶 rest
abril-septiembre – Com 1150 – 🖙 350 – **52 hab** 3200/4200 – P 4350/5450.

en el Desierto de Las Palmas NO : 8 km – ⊠ 12560 Benicasim – 🕸 964 :

🗶 **Desierto Las Palmas,** 🖋 30 09 47, ≤ montaña, valle y mar, 🏤 – **Ⓟ**. **E** 𝗩𝗜𝗦𝗔
cerrado martes no festivos – Com carta 1500 a 2550.

CITROEN   Santo Tomás 139 🖋 30 00 03
PEUGEOT-TALBOT   Leopoldo Querol 27 🖋 30 09 45

RENAULT   Maestre Cubells 1 🖋 30 04 49
SEAT-AUDI-VOLKSWAGEN   av. Castellón 🖋 30 04 95

🖙 *Pas de publicité payée dans ce guide.*

BENIDORM 03500 Alicante 𝟒𝟒𝟓 Q 29 – 25 544 h. – 🕸 96 – Playa – Plaza de toros.
Ver : Promontorio del Castillo ≤★ AZ.
Alred. : Rincón de Loix 🌴★★ CY.
🛈 av. Martínez Alejos 16 🖋 585 13 11.
♦Madrid 459 ③ – ♦Alicante 44 ③ – ♦Valencia (por la costa) 136 ③.

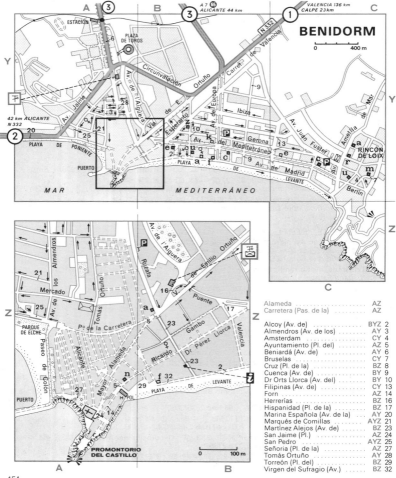

G. H. Delfín, playa de Poniente, La Cala 🖉 585 34 00, ≼, 🎇, ⤴, 🚗, ❄ – 🛗 📶 ☎ 🅿. 🖾 ⓪ 🗲 𝕍𝕚𝕤𝕒, ❄ rest
por ②
Semana Santa-septiembre – Com 3050 – 🗢 700 – **99 hab** 7590/12650 – P 12105/13370.

Cimbel, av. de Europa 1 🖉 585 21 00, Telex 67556, ≼, ⤴ climatizada – 🛗 📶 📺 ☎ 🚗. 🖾 ⓪ 🗲 𝕍𝕚𝕤𝕒, ❄
BY f
Com 2250 – 🗢 550 – **144 hab** 5000/10000.

Don Pancho, av. del Mediterráneo 39 🖉 585 29 50, Telex 66630, Fax 586 77 79, 🎇, ⤴ climatizada, ❄ – 🛗 📶 📺 ☎ 🅿 – ⚠. 🖾 ⓪ 🗲 𝕍𝕚𝕤𝕒, ❄ rest
CY e
Com 2000 – 🗢 550 – **251 hab** 6500/9700 – P 8550/10200.

Costablanca, av. de Alcoy 🖉 585 54 50, Telex 66273, ≼, 🎇, ⤴ – 🛗 📶 🅿. 🖾 ⓪ 🗲 𝕍𝕚𝕤𝕒, ❄
BY a
Com 1800 – 🗢 500 – **185 hab**.

Agir sin rest, con cafetería, av. Mediterráneo 11 🖉 585 22 54 – 🛗 ☎. 🖾 ⓪ 🗲 𝕍𝕚𝕤𝕒, ❄
BY k
🗢 450 – **69 hab** 3450/5500.

Bilbaíno, av. Virgen del Sufragio 1 🖉 585 08 04, ≼ – 🛗 🚗. ❄
BZ f
marzo-septiembre – Com 800 – 🗢 250 – **38 hab** 3050/5800.

Tiffany's, av. del Mediterráneo 51 - Edificio Coblanca 3 🖉 585 44 68 – 🗐. 🖾 ⓪ 🗲 𝕍𝕚𝕤𝕒, ❄
CY c
cerrado 7 enero-7 febrero – Com (sólo cena, con ambiente musical) carta 2150 a 3750.

Don Luis, av. Dr. Orts Llorca - edificio Zeus 🖉 585 46 73, 🎇 – 🗐. 🖾 ⓪ 🗲 𝕍𝕚𝕤𝕒, ❄
BY z
cerrado enero – Com carta 2350 a 3075.

I Fratelli, av. Dr. Orts Llorca 21 - edificio Principado - Arena 🖉 585 39 79, 🎇 – 🗐. 🖾 ⓪ 🗲 𝕍𝕚𝕤𝕒, ❄
BY u
cerrado 2 noviembre-3 diciembre – Com carta 2400 a 4050.

El Vesubio, av. del Mediterráneo-edificio Playmon Bacana 🖉 85 45 35, 🎇 – 🗐. 🖾 ⓪ 🗲 𝕍𝕚𝕤𝕒 — Com carta 2275 a 2925.
BY c

Caserola, Bruselas 7, Rincón de Loix 🖉 585 17 19, 🎇, Cocina francesa, « Terraza con flores » – 🖾 𝕍𝕚𝕤𝕒
CY m
Com carta 1505 a 3150.

La Trattoria, av. Bilbao 3 🖉 585 30 85, 🎇 – 🗐. 🖾 🗲 𝕍𝕚𝕤𝕒, ❄
BY e
15 marzo-octubre – Com carta 1930 a 2925.

Castañuela, Estocolmo 7 - Rincón de Loix 🖉 585 10 09 – 🗐. 🖾 ⓪ 🗲 𝕍𝕚𝕤𝕒
CY u
Com carta 2125 a 2625.

La Parrilla II, av. L'Ametlla de Mar 18 - Rincón de Loix 🖉 586 20 99 – 🗐. 🖾 ⓪ 🗲 𝕍𝕚𝕤𝕒
CY r
cerrado lunes y 15 enero-15 febrero – Com carta 1700 a 2800.

Pampa Grill, Ricardo 18 🖉 585 30 34, Decoración rústica, Carnes a la brasa – 🖾 ⓪ 🗲 𝕍𝕚𝕤𝕒
AZ n
cerrado lunes y enero-15 febrero – Com carta 1330 a 2490.

La Masía, Ruzafa 3 🖉 585 02 81 – 🗐. ❄
BZ a
cerrado lunes y 15 noviembre-15 diciembre – Com carta 1550 a 2150.

La Parrilla, av. L'Ametlla de Mar 22 - Rincón de Loix 🖉 585 10 53, 🎇 – 🖾 ⓪ 🗲 𝕍𝕚𝕤𝕒
CY a
cerrado 16 diciembre-15 enero – Com carta 1290 a 2325.

en la carretera de Valencia – ✉ 03500 Benidorm – 🕾 96 :

La Barca, por ① : 2,3 km 🖉 586 09 60 – 🗐 🅿. 🖾 ⓪ 🗲 𝕍𝕚𝕤𝕒, ❄
Com carta 2550 a 3350.

El Molino, por ① : 3 km 🖉 585 71 81, 🎇, Colección de botellas de vino – 🗐 🅿. 🖾 ⓪ 🗲 𝕍𝕚𝕤𝕒, ❄
cerrado lunes – Com carta 1600 a 2650.

en Cala Finestrat por ② : 4 km – ✉ 03500 Benidorm – 🕾 96 :

Casa Modesto, 🖉 585 86 37, ≼, 🎇 – ❄
cerrado 15 enero-febrero – Com carta 1500 a 2350.

en la carretera de Pego por ③ : 4 km – ✉ 03530 La Nucia – 🕾 96 :

Alcazar, 🖉 587 32 08, « Reproducción de la Alhambra de Granada » – 🅿. 🖾 ⓪ 🗲 𝕍𝕚𝕤𝕒, ❄
cerrado lunes salvo julio y agosto, del 15 al 30 mayo y del 1 al 15 diciembre – Com (en verano sólo cena) carta 1725 a 2625.

Kaskade II, 🖉 587 33 37, 🎇, ⤴ – 🅿.

CITROEN Partida Almafra - Urb. Alfonso 🖉 585 61 12
CITROEN La Cala 🖉 585 07 74
GENERAL MOTORS carret. circunvalación 🖉 585 37 81

PEUGEOT-TALBOT carret. Alicante-Valencia 🖉 586 08 09
RENAULT carret. de circunvalación 🖉 85 13 54

BENIPARRELL 46469 Valencia 𝟰𝟰𝟱 N 28 – 1 321 h. – 🕾 96 – ♦Madrid 362 – ♦Valencia 11.

Quiquet, av. Levante 45 🖉 120 07 50 – 🛗 🗐 rest 🚗 🅿 – ⚠. 🖾 🗲 𝕍𝕚𝕤𝕒
Com 1250 – 🗢 400 – **34 hab** 3500/6200 – P 5500/6400.

BENISANÓ 46181 Valencia 𝟰𝟰𝟱 N 28 – 1 611 h. – 🕾 96.
♦Madrid 344 – Teruel 129 – ♦Valencia 24.

Levante, Virgen del Fundamento 15 🖉 278 07 21, Paellas – 🗐. 🖾 𝕍𝕚𝕤𝕒, ❄
cerrado martes y 19 julio-11 agosto – Com (sólo almuerzo) carta 950 a 1400.

PEUGEOT-TALBOT carret. Valencia-Ademuz km 22,2 🖉 278 03 04

BER (Playa de) La Coruña − ver Puentedeume.

BERGA 08600 Barcelona **443** F 35 − 14 249 h. alt. 715 − ⊕ 93.
Alred. : Santuario de Queralt ✹★★, O : 4 km.
♦Madrid 627 − ♦Barcelona 117 − ♦Lérida/Lleida 158.

⁕ **Sala,** passeig de la Pau 27 ♪ 821 11 85 − ▤. ﹍ ◑ ᴇ ⱽⁱˢᴬ
cerrado lunes − Com carta 2050 a 2800

CITROEN Compte Oliva 21 ♪ 821 18 47	PEUGEOT-TALBOT carret. San Fructuoso 36 ♪ 821 00 50
FIAT-LANCIA Compte Oliva 19 ♪ 821 17 96	
FORD prolongació passeig de la Pau 8 ♪ 821 11 54	RENAULT passeig de la Industría 16 ♪ 821 02 75
GENERAL MOTORS passeig de la Pau ♪ 821 27 11	SEAT-AUDI-VOLKSWAGEN carret. San Fructuoso
MERCEDES-BENZ Circunvalación ♪ 821 16 50	25 ♪ 821 01 21

BERGARA 20570 Guipúzcoa **442** C 22 − ver Vergara.

BERGONDO 15217 La Coruña **441** C 5 − 5 424 h. − ⊕ 981.
♦Madrid 582 − ♦La Coruña 21 − Ferrol 30 − Lugo 78 − Santiago de Compostela 63.

⁕ **Panchón,** carret. de Betanzos ♪ 79 10 03 − ℗. ⱽⁱˢᴬ. ❀
cerrado del 8 al 28 septiembre − Com carta 1450 a 2550.

en la carretera de Ferrol - en Fiobre NE : 2,5 km − ✉ 17217 La Coruña − ⊕ 981 :

⁕⁕ **A Cabana,** ♪ 79 11 53, ≤ ria, ⌂ − ℗. ﹍ ⱽⁱˢᴬ. ❀
Com carta 1400 a 3950.

CITROEN carret. N VI km 580 ♪ 78 02 31

BERIAIN 31191 Navarra **442** D 25 − ver Pamplona.

BERMEO 48370 Vizcaya **442** B 21 − 17 778 h. − ⊕ 94 − Playa.
Alred. : Alto de Sollube★ SO : 5 km − Carretera de Guernica ≤★ − Carretera de Bermeo a Baquio ≤★.
♦Madrid 432 − ♦Bilbao 33 − ♦San Sebastián/Donostia 98.

⁕ **Pili,** en sótano, parque de Ercilla 1 ♪ 688 18 50, Pescados y mariscos − ▤.

⁕ **Jokin,** Eupeme Deuna 13 ♪ 688 40 89, ≤ − ﹍ ◑ ᴇ ⱽⁱˢᴬ. ❀
Com carta 2600 a 4000.

⁕ **Aguirre,** Lopéz de Haro 5 ♪ 688 08 30, Pescados y mariscos − ▤. ﹍ ◑ ᴇ ⱽⁱˢᴬ. ❀
cerrado marzo − Com carta 2150 a 2950 .

⁕ **Artxanda,** Santa Eufemia 14 ♪ 688 09 30, ⌂ − ▤.

RENAULT Señorio de Vizcaya 8 ♪ 688 08 25   SEAT-AUDI-VOLKSWAGEN Capitán Zubiaur 30 ♪ 688 52 90

BERNÚY o **BERNUI** 25567 Lérida **443** E 33 − ver Llessui.

El BERRÓN 33186 Asturias **441** B 12 − ⊕ 985. ♦Madrid 444 − ♦Gijón 33 − ♦Oviedo 13 − ♦Santander 192.
🏨 **Samoa,** carret. N 634 ♪ 74 11 50 − 🛗 ☎ ⟿. ◑ ᴇ ⱽⁱˢᴬ. ❀
Com (cerrado miércoles) carta 1500 a 2850 − ⚏ 450 − **40 hab** 3700/5400.

BESALÚ 17850 Gerona **443** F 38 − 2 087 h. − ⊕ 972 − 🅱 pl. de la Libertad 1 ♪ 59 02 25.
♦Madrid 743 − Figueras/Figueres 24 − ♦Gerona/Girona 34.

⁕ **Cúria Reial** con hab, pl. de la Llibertat 14 ♪ 59 02 63, ⌂, Instalado en un antiguo convento. ﹍ ◑ ᴇ ⱽⁱˢᴬ. ❀
cerrado 6 enero-20 febrero − Com (cerrado martes salvo en verano y festivos) carta 1250 a 2400 − ⚏ 375 − **7 hab** 2000/3000 − P 4000/4400.

⁕ **Pont Vell,** Pont Vell 28 ♪ 59 10 27, ≤, ⌂ − ﹍ ᴇ ⱽⁱˢᴬ
cerrado lunes noche, martes, del 1 al 15 noviembre y del 1 al 15 febrero − Com carta 1750 a 2700.

RENAULT av. President Lluis Compnys 36 ♪ 59 07 01   SEAT-AUDI-VOLKSWAGEN carret. de Olot ♪ 59 00 79

BETANZOS 15300 La Coruña **441** C 5 − 11 385 h. alt. 24 − ⊕ 981.
Ver : Iglesia de Santa María del Azogue★ − Iglesia de San Francisco (sepulcro★).
♦Madrid 576 − ♦La Coruña 23 − Ferrol 38 − Lugo 72 − Santiago de Compostela 64.

🏨 **Los Ángeles,** Ángeles 11 ♪ 77 12 13 − ☎. ᴇ ⱽⁱˢᴬ. ❀
Com 850 − ⚏ 250 − **36 hab** 2850/3750 − P 3530/4505.

⁕ **Casanova,** pl. García Hermanos 15 ♪ 77 06 03, ⌂ − ⱽⁱˢᴬ
cerrado octubre − Com carta 1550 a 2200.

AUSTIN-ROVER-MG Las Cascas 11 ♪ 77 12 59	LANCIA Bellavista ♪ 77 14 68
CITROEN av. Fraga Iribarne ♪ 77 24 11	PEUGEOT-TALBOT av. de La Coruña 11 ♪ 77 17 11
FIAT plazuela de la Marina 8 ♪ 77 16 92	RENAULT carret. de Circunvalación 18 ♪ 77 04 51
FORD av. Fraga Iribarne 35-37 ♪ 77 16 58	SEAT-AUDI-VOLKSWAGEN Las Angustias 36 ♪ 77 15 52
GENERAL MOTORS - OPEL carret. de Castilla 114-116 ♪ 77 23 53	

156

BETETA 16870 Cuenca **444** K 23 − 458 h. − ✪ 966.

♦Madrid 217 − Cuenca 109 − Guadalajara 161.

🏠 **Los Tilos** ❦, 🖉 31 80 97, ≼ − 🚲 🖼 **P**. *VISA*. ❧
cerrado febrero − Com 1100 − ⏛ 250 − **24 hab** 2000/3100 − P 3500/4100.

BETRÉN 25539 Lérida **443** D 32 − ver Viella.

BIELSA 22350 Huesca **443** E 30 − 429 h. alt. 1 053 − ✪ 974 − ver aduanas p. 14 y 15.

♦Madrid 544 − Huesca 154 − ♦Lérida/Lleida 170.

🏠 **Bielsa** ❦, carret. de Ainsa 🖉 50 10 08, ≼ − 🔟 ☎ **P**. **E** *VISA*. ❧
20 marzo-15 noviembre − Com 1200 − ⏛ 325 − **18 hab** 2800/3500 − P 4050/5100.

🏠 **Valle de Pineta** ❦, Baja 🖉 50 10 10, ≼, ⤵ − 🛗 🖼. *VISA*
Com 975 − ⏛ 250 − **20 hab** 2200/3400 − P 3600/4100.

en el valle de Pineta NO : 14 km − ✉ 22351 Pineta − ✪ 974 :

🏰 **Parador Monte Perdido** ❦, alt. 1 350 🖉 50 10 11, ≼, « En un magnífico paisaje de montaña » − 🛗 **P**. **AE** **①** **E** *VISA*. ❧
Com 2500 − ⏛ 800 − **24 hab** 6800/8500.

BIESCAS 22630 Huesca **443** E 29 − 1 279 h. alt. 860 ⌐ ✪ 974.

♦Madrid 458 − Huesca 68 − Jaca 30.

🏠 **Casa Ruba** ❦, Esperanza 18 🖉 48 50 01 − 🍽 rest. **AE** *VISA*. ❧
cerrado octubre y noviembre − Com 1150 − ⏛ 350 − **33 hab** 2200/3300 − P 3770/4320.

🏠 **La Rambla** ❦, Rambla San Pedro 7 🖉 48 51 77, ≼ − 🖼. **E**. ❧
cerrado noviembre − Com 1000 − ⏛ 350 − **28 hab** 1500/3500.

BILBAO o **BILBO** 48000 **P** Vizcaya **442** C 20 − 433 030 h. − ✪ 94 − Plaza de toros.

Ver : Museo de Bellas Artes★ (sección de arte antiguo★) CY M.

Alred. : La Reineta ≼★ 16 km por ③.

🏌 Club de Campo de la Bilbaina − NE : 14 km por carretera a Bermeo 🖉 674 08 58 − 🏌 de Neguri NO : 17 km 🖉 469 02 00.

✈ de Bilbao, Sondica NO : 11 km 🖉 453 06 40 − Iberia : Ercilla 20, ✉ 48009, 🖉 424 43 00 CZ y Aviaco : aeropuerto 🖉 453 06 40.

🚂 Abando 🖉 423 06 17.

⚓ para Canarias : Cia. Trasmediterránea, Buenos Aires 2 bajo, ✉ 48001, 🖉 442 18 50, Telex 32497 DZ.

🅱 Alameda Mazarredo, ✉ 48001, 🖉 424 48 19 − R.A.C.V.N. Telesforo de Aranzadi 2 ✉ 48008, 🖉 443 97 44.

♦Madrid 397 ② − ♦Barcelona 607 ② − ♦La Coruña 622 ③ − ♦Lisboa 907 ② − ♦San Sebastián/Donostia 100 ① − ♦Santander 116 ③ − Toulouse 449 ① − ♦Valencia 606 ② − ♦Zaragoza 305 ②.

Planos páginas siguientes

🏨 **Villa de Bilbao,** Gran Vía de López de Haro 87, ✉ 48011, 🖉 441 60 00, Telex 32164, Fax 441 65 29 − 🍽 🔟 ☎ 🖼 − 🛗 **AE** **①** **E** *VISA*. ❧   BY **n**
Com *(cerrado domingo)* 2500 − ⏛ 850 − **142 hab** 13300/18370 − P 15500/19650.

🏨 **G. H. Ercilla,** Ercilla 37, ✉ 48011, 🖉 443 88 00, Telex 32449, Fax 443 93 35 − 🛗 🍽 hab 🔟 ☎   CZ **a**
🖼 − 🛗 **AE** **①** **E** *VISA*. ❧
Com (ver **Rest. Bermeo**) − ⏛ 1200 − **350 hab** 9130/15850.

🏨 **Aránzazu,** Rodríguez Arias 66, ✉ 48013, 🖉 441 31 00, Telex 32164, Fax 441 65 29 − 🛗 ☎   BY **e**
🖼. **AE** **①** **E** *VISA*. ❧
Com *(cerrado viernes y sábado)* 1500 − ⏛ 785 − **171 hab** 8045/11675 − P 9622/11830.

🏨 **Nervión,** paseo del Campo de Volantín 11, ✉ 48007, 🖉 445 47 00, Telex 31040 − 🛗 🍽 rest   DY **e**
☎ 🖼 − 🛗. **AE** **①** **E** *VISA*. ❧
Com *(cerrado domingo)* 1000 − ⏛ 600 − **351 hab** 5300/7500.

🏨 **Conde Duque** sin rest, con cafetería, paseo del Campo de Volantín 22, ✉ 48007, 🖉 445 60 00, Telex 31260 − 🛗 🔟 ☎ **P** − 🛗. **AE** **①** **E** *VISA*. ❧   DY **m**
⏛ 600 − **67 hab** 5200/7800.

🏠 **Vista Alegre** sin rest, Pablo Picasso 13, ✉ 48012, 🖉 443 14 50 − 🔟 ☎. **E** *VISA*. ❧   CZ **t**
⏛ 350 − **30 hab** 4150/5600.

🏠 **Zabálburu** sin rest, Pedro Martínez Artola 8, ✉ 48012, 🖉 443 71 00 − ☎ 🖼. ❧   CZ **c**
⏛ 325 − **37 hab** 3600/5100.

🏠 **San Mamés** sin rest, Luis Briñas 15 - 1° piso, ✉ 48013, 🖉 441 79 00 − 🛗 ☎. **E** *VISA*. ❧   AZ **a**
cerrado 28 julio-27 agosto − ⏛ 225 − **36 hab** 2500/4200.

XXXX **Bermeo,** Ercilla 37, ✉ 48011, 🖉 443 88 00, Telex 32449, Fax 443 93 35 − 🍽. **AE** **①** **E** *VISA*. ❧   CZ **a**
Com carta 3050 a 4625.

XXXX **Guría,** Gran Vía de López de Haro 66, ✉ 48011, 🖉 441 05 43 − 🍽. **AE** **①** **E** *VISA*. ❧   BY **s**
cerrado domingo − Com carta 4000 a 6500.

sigue →

BILBAO

XXX **Colavidas,** Hurtado de Amézaga 1, ⊠ 48001, ℰ 424 85 36 – ▤   DZ **a**

XXX **Casa Vasca,** av. del Ejército 13, ⊠ 48013, ℰ 435 47 78, Cenas amenizadas con música – ▤.
     𝔸𝔼 ⓞ 𝐄 𝘝𝘐𝘚𝘈   BY **d**
     cerrado festivos noche – Com carta 2150 a 3300.

XXX **Señor,** General Eguía 50, ⊠ 48013, ℰ 441 21 01 – ▤. 𝔸𝔼 ⓞ 𝐄 𝘝𝘐𝘚𝘈. ⋙   AZ **g**
     cerrado del 1 al 15 agosto – Com carta 2325 a 3400.

XXX ✿ **Goizeko Kabi,** particular de Estraunza 4, ⊠ 48011, ℰ 441 50 04 – ▤ ⇦. 𝔸𝔼 ⓞ 𝐄 𝘝𝘐𝘚𝘈.
     ⋙   CY **a**
     cerrado domingo – Com carta 4000 a 6350
     Espec. Alcachofas rellenas de habas con foie fresco (marzo-junio), Merluza rellena de cigalas con salsa verde de
     almejas, Carre de cordero relleno.

XXX **Machinventa,** Ledesma 26, ⊠ 48001, ℰ 424 84 95 – ▤. 𝔸𝔼 ⓞ 𝐄 𝘝𝘐𝘚𝘈. ⋙   CZ **n**
     cerrado domingo y del 1 al 15 agosto – Com carta 2900 a 3575.

XXX ✿ **Gorrotxa,** alameda Urquijo 30 (galería), ⊠ 48008, ℰ 443 49 37 – ▤. 𝔸𝔼 ⓞ 𝐄 𝘝𝘐𝘚𝘈. ⋙
     cerrado domingo, Semana Santa y del 1 al 15 agosto – Com carta 3600 a 5200   CZ **r**
     Espec. Ensalada de vainas con gambas y vieiras, Rodaballo con mousse de cigalas en hojaldre, Chateaubriand
     salsa Perigord.

XXX Iturriaga, alameda Mazarredo 20, ⊠ 48009, ℰ 423 83 90 – ▤   CY **b**

XX   **Victor,** pl. Nueva 2 - 1° piso, ⊠ 48005, ℰ 415 16 78 – ▤. 𝔸𝔼 ⓞ 𝐄 𝘝𝘐𝘚𝘈. ⋙   DZ **s**
     cerrado domingo y 18 julio-8 septiembre salvo Semana Grande – Com carta 2450 a 3350

XX   **Begoña,** Virgen de Begoña, ⊠ 48006, ℰ 412 72 57 – ▤. 𝔸𝔼 ⓞ 𝐄 𝘝𝘐𝘚𝘈. ⋙   AZ **x**
     cerrado domingo y 31 julio-1 septiembre – Com carta 2400 a 3950.

XX   **Guetaria,** Colón de Larreátegui 12, ⊠ 48001, ℰ 424 39 23 – ▤. 𝔸𝔼 ⓞ 𝐄 𝘝𝘐𝘚𝘈. ⋙   CZ **v**
     Com carta 2650 a 4000.

XX   **Asador Jauna,** Juan Antonio Zunzunegui 7, ⊠ 48013, ℰ 441 73 81 – ▤   AZ **g**

XX   **Ariatza,** Somera 1, ⊠ 48005, ℰ 415 96 74 – ▤. 𝔸𝔼 ⓞ 𝐄 𝘝𝘐𝘚𝘈. ⋙   DZ **h**
     cerrado domingo noche y lunes – Com carta 2125 a 3425.

XX   **Albatros,** San Vicente 5, ⊠ 48001, ℰ 423 69 00 – ▤. 𝔸𝔼 ⓞ 𝐄 𝘝𝘐𝘚𝘈. ⋙   DY **n**
     cerrado domingo y agosto – Com carta 2450 a 3750.

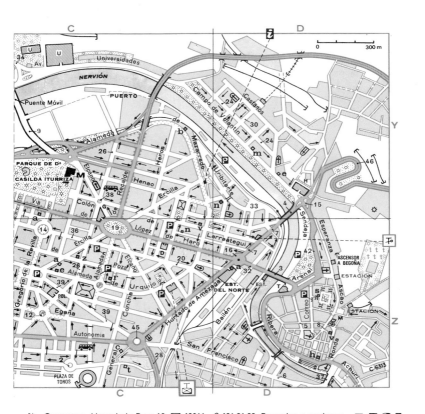

✗ **Serantes,** Licenciado Poza 16, ⊠ 48011, ✆ 431 21 29, Pescados y mariscos – ▤. ◰ ◉ ☰ *VISA*. ⚹
cerrado 15 agosto-15 septiembre – Com carta 2150 a 3600.
  CZ **z**

✗ **Zortziko,** Licenciado Poza 54, ⊠ 48013, ✆ 441 50 33 – ▤. ◰ ◉ ☰ *VISA*. ⚹
cerrado agosto – Com carta 3300 a 4300.
  BZ **f**

✗ Rogelio, carret. de Basurto a Castrejana, ⊠ 48002, ✆ 431 30 21 – ▤
  AZ **n**

✗ Urkia, Ronda 31, ⊠ 48005, ✆ 415 16 07
  DZ **v**

✗ **Gredos,** alameda de Urquijo 50, ⊠ 48011, ✆ 443 50 01 – ▤. ◰ ◉ ☰ *VISA*. ⚹
Com carta 2200 a 3050
  CZ **e**

✗ **Julio,** pl. Juan XXIII - 7, ⊠ 48006, ✆ 446 44 02 – ▤. *VISA*. ⚹
cerrado martes y julio – Com carta 2000 a 3250.
  AZ **b**

Ver también : **Algorta** NO : 15 km
  Derio Ne : 11 km
  Galdácona SE : 8 km
  Santurce NO : 18 km.

S.A.F.E. Neumáticos MICHELIN, Sucursal, Polígono Leguizamán - ECHEVARRI, por ①,
⊠ 48004 AZ ✆ 440 20 00 y 440 22 00

ALFA-ROMEO carret. Larrasquitu 36 ✆ 432 61 26
AUSTIN-ROVER Ramón y Cajal 39 ✆ 435 85 90
BMW Alameda de Urquijo 85 ✆ 441 99 00
CITROEN pl. E. Campuzano 2 ✆ 442 01 66
FIAT Alameda de Urquijo 85 ✆ 441 56 58
FIAT Licenciado de Poza 32 ✆ 441 55 16
FORD Pérez Galdós 22-24 ✆ 444 43 04
LANCIA María Díaz de Haro 40 ✆ 442 16 29
MERCEDES-BENZ av. Castilla 12 - Bolueta ✆ 411 38 11
OPEL-GENERAL MOTORS Rodriguez Arias 58 ✆ 441 42 72

PEUGEOT-TALBOT General Concha 33 ✆ 432 59 21
PEUGEOT-TALBOT José M. Escuza 1 ✆ 441 94 08
RENAULT María Díaz de Haro 32 ✆ 441 04 50
RENAULT Juan de Garay 21 ✆ 432 06 03
RENAULT Jon Arrospide 20 ✆ 447 31 12
RENAULT Autonomía 60-62 ✆ 443 61 49
SEAT-AUDI-VOLKSWAGEN av. Ejército 29 ✆ 447 48 00
SEAT-AUDI-VOLKSWAGEN Alda. Recalde 49 ✆ 443 69 00

BINÉFAR 22500 Huesca **448** G 30 – 7 786 h. alt. 286 – ✪ 974.

◆Madrid 488 – ◆Barcelona 214 – Huesca 81 – ◆Lérida/Lleida 39.

🏠 **La Paz,** av. Aragón 30 ℰ 42 86 00 – 🛏 ▤ rest. 🖃 ☒
   Com 1000 – 🖙 250 – **69 hab** 1750/3000 – P 3250/3500.

🏠 **Cantábrico,** Zaragoza 1 ℰ 42 86 50 – 🛏 ⚘ rest
   Com *(cerrado domingo noche)* 750 – 🖙 225 – **30 hab** 1300/2400 – P 2700/2800.

ALFA-ROMEO Almacellas 29 ℰ 43 03 17
AUSTIN-ROVER carret. Almacellas 44 ℰ 42 90 63
CITROEN av. Zaragoza 58 ℰ 42 84 60
FIAT-LANCIA Zaragoza 15 ℰ 42 90 33
FORD carret. Tarragona - San Sebastián km 131 ℰ 42 96 11

GENERAL MOTORS carret. Almacellas 53 ℰ 43 01 38
PEUGEOT-TALBOT carret. Almacellas 134 ℰ 42 94 69
RENAULT Zaragoza 39 ℰ 42 87 99
SEAT-AUDI-VOLKSWAGEN carret. Almacellas 93 ℰ 42 82 50

BLANCA (Sierra) Málaga – ver Ojén.

BLANES 17300 Gerona **448** G 38 – 20 178 h. – ✪ 972 – Playa.

Ver : Jardín botánico Marimurtra★ (≤★★).

🛈 pl. Catalunya ℰ 33 03 48.

◆Madrid 691 – ◆Barcelona 61 – Gerona/Girona 43.

🏠 **Ruiz,** Raval 45 ℰ 33 03 00 – 🛏 ☜. ➊ 🖃 ☒. ⚘ rest
   Com 1355 – 🖙 425 – **59 hab** 2300/3600 – P 4300/4800.

🏠 **S'Arjau,** passeig de la Maestrança 89 ℰ 33 03 21 – 🛏 – **49 hab**.

XX **Mont-Ferrant,** Abad Oliva 3 (urb. Mont-Ferrant al NO de la población) ℰ 33 63 23, 🏠 ➊ 🖃 ☒. ⚘
   cerrado lunes y del 1 al 20 noviembre – Com carta 1750 a 3175.

X **Port Blau,** explanada del puerto 18 ℰ 33 42 24, 🏠, Pescados y mariscos – ▤. 🖳 ➊ 🖃 ☒. ⚘
   cerrado domingo noche, lunes en invierno y febrero – Com carta 1575 a 2305.

X **Casa Patacano** con hab, paseo del Mar 12 ℰ 33 00 02, 🏠, Pescados y mariscos – 🛏 🖳 ➊ 🖃 ☒
   cerrado del 1 al 15 noviembre y del 15 al 31 enero – Com *(cerrado lunes en invierno)* carta 1460 a 2000 – 🖙 380 – **6 hab** 4500 – P 5000.

X **El Caliu,** av. Juan Carlos I - 27 ℰ 33 68 19 – ▤. ➊ 🖃 ☒
   cerrado miércoles y 16 enero-16 febrero – Com *(sólo cena salvo domingo y festivos)* carta 1800 a 2900.

X **Can Flores II,** explanada del puerto 3 ℰ 33 16 33, 🏠, Pescados y mariscos – ▤. 🖳 🖃 ☒. ⚘
   Com carta 1350 a 2690.

X **Unic Parrilla,** Puerta Nueva 7 ℰ 33 00 06, Pescados y mariscos.

en la playa de Sabanell – ✉ 17300 Blanes – ✪ 972 :

🏨 **Park H. Blanes,** ℰ 33 02 50, Telex 54136, Fax 33 71 03, ≤, « Agradable pinar », ⌧, 🏖, ⚘ – 🛏 ▤ rest ☎ ➋. 🖳 ➊ 🖃 ☒. ⚘ rest
   mayo-octubre – Com 1575 – 🖙 475 – **131 hab** 5400/8600 – P 7380/8480.

🏨 **Horitzó,** paseo Marítimo Sabanell 11 ℰ 33 04 00, ≤ – 🛏 ☎. ☒. ⚘
   20 marzo-15 octubre – Com 1400 – **122 hab** 🖙 3725/6550 – P 5625/6075.

🏨 **Stella Maris,** Villa de Madrid 18 ℰ 33 00 92, ⌧ – 🛏 ▤ rest ➋. 🖳 ➊ 🖃 ☒. ⚘ rest
   abril-octubre – Com 900 – **90 hab** 🖙 2500/4000 – P 4200/4700.

AUSTIN-ROVER av. Joan Carles I, 5 bajo ℰ 33 41 51
CITROEN carret. acceso a la Costa Brava km 6,6 ℰ 33 54 00
GENERAL MOTORS-OPEL Padre Puig ℰ 33 21 13

PEUGEOT-TALBOT Sebastián Llorens 2 ℰ 33 00 67
RENAULT Juan Carlos I - 176 ℰ 33 18 88
SEAT-AUDI-VOLKSWAGEN carret. acceso Costa Brava km 4,7 ℰ 33 50 00

BOADILLA DEL MONTE 28660 Madrid **444** K 18 – 6 061 h. – ✪ 91.

🏌 Las Lomas, urb. El Bosque ℰ 616 21 70 – 🏌 Las Encinas ℰ 633 11 00.

◆Madrid 13.

XX **La Cañada,** carret. de Madrid E : 1,5 km ℰ 633 12 83, ≤, 🏠 – ▤ ➋. ☒. ⚘
   cerrado domingo noche, lunes noche y festivos noche – Com carta 2450 a 3850.

CITROEN José António 3 ℰ 633 08 57
GENERAL MOTORS Mártires 7 ℰ 633 10 06
PEUGEOT-TALBOT carret. Majadahonda km 0,5 ℰ 633 19 98

RENAULT Convento ℰ 633 12 30

BOCEGUILLAS 40560 Segovia **444** H 19 – 590 h. – ✪ 911.

◆Madrid 119 – ◆Burgos 124 – ◆Segovia 73 – Soria 154 – ◆Valladolid 134.

🏠 **Tres Hermanos,** carret. N I ℰ 54 30 40, 🏠 – ⬅ ➋. ☒. ⚘ rest
   Com carta 1600 a 2700 – 🖙 375 – **30 hab** 2500/3750.

🏠 **Cardenal Cisneros,** sin rest, carret. N I ℰ 54 37 29 – ➋ – **13 hab**.

PEUGEOT-TALBOT carret. Madrid - Irún km 118 ℰ 54 30 41
RENAULT carret. Madrid - Irún km 118 ℰ 54 30 09

SEAT-AUDI-VOLKSWAGEN carret. Madrid - Irún km 116,4 ℰ 54 31 69

160

BOHI o **BOI** 25528 Lérida **443** E 32 – alt. 1 250 – 🕿 973 – Balneario en Caldes de Boí.

Alred. : E : Parque Nacional de Aigües Tortes★★ – Taüll (iglesia Sant Climent★ : torre★) SE : 2 km.

◆Madrid 575 – ◆Lérida/Lleida 143 – Viella 56.

🏠 Fondevila 🐾, Única 🖉 69 60 11, ≼ – 🅿 – **46 hab**.

en Caldes de Boí N : 5 km – alt. 1 470 – ✉ 25528 Caldes de Boí – 🕿 973 :

🏨 **El Manantial** 🐾, 🖉 69 01 91, ≼, « Magnífico parque », 🎴 de agua termal, 🔲, 🐎, ✎ – 🛗
⟵ 🅿. ✎ rest
24 junio-septiembre – Com 2100 – ☷ 510 – **119 hab** 5100/9100.

🏠 **Caldas** 🐾, 🖉 69 04 49, « Magnífico parque », 🎴 de agua termal, 🔲, 🐎, ✎ – 🅿. ✎ rest
24 junio-septiembre – Com 1575 – ☷ 350 – **125 hab** 2125/7100.

BOIRO 15930 La Coruña **441** E 3 – 16 752 h. – 🕿 981 – playa.

◆ Madrid 660 – ◆ La Coruña 112 – Pontevedra 57 – Santiago de Compostela 40.

🏨 **Jopi,** c/n° 27 🖉 84 44 70 – 🛗 ☏ ⟵ 🝙 🕦 ✎ rest
Com 1600 – ☷ 350 – **25 hab** 2900/4900 – P 5050/5500.

CITROEN av. Barraña 5 🖉 84 63 50
PEUGEOT-TALBOT Cimadevila 🖉 84 52 94
RENAULT Carrofeito 🖉 84 42 60

SEAT-AUDI-VOLKSWAGEN Cimadevila 83 🖉
84 52 41

Los BOLICHES Málaga **446** W 16 – ver Fuengirola.

BOLTAÑA 22340 Huesca **443** E 30 – 955 h. alt. 643 – 🕿 974.

◆Madrid 517 – Huesca 127 – ◆Lérida/Lleida 143 – ◆Pamplona 197.

🏠 **Boltaña H.** 🐾, av. de Ordese 39 🖉 50 20 00 – 🅿 🕦 🝙 ✎ rest
cerrado 15 diciembre-2 enero – Com 850 – ☷ 215 – **50 hab** 1400/2600 – P 2830/2930.

BONAIGUA (Puerto de) Lérida **443** D y E 32 – ✉ 25587 Alto Aneu – 🕿 973 – alt. 1850.

◆Madrid 623 – ◆Andorra la Vella 126 – ◆Lérida/Lleida 186.

✗ **Les Ares,** Refugio de la Verge dels Ares – 🅿. 🝙
cerrado del 2 al 30 noviembre – Com (sólo almuerzo salvo agosto) carta 1200 a 1725.

La BONANOVA 07015 Baleares – ver Baleares (Mallorca) : Palma de Mallorca.

BOO DE GUARNIZO 39061 Cantabria **442** B 18 – 🕿 942.

◆Madrid 398 – ◆Santander 17.

🏠 **Los Angeles,** carret. N 634 🖉 54 04 19 – 🛗 🅿. 🝙 🕦 🝙 ✎
Com 650 – ☷ 275 – **41 hab** 2925/5200 – P 4425/4750.

BOSOST o **BOSSOST** 25550 Lérida **443** D 32 – 731 h. alt. 710 – 🕿 973 – ver aduanas p. 14 y 15.

◆Madrid 611 – ◆Lérida/Lleida 179 – Viella 16.

🏠 **Garona,** Eduardo Aunós 1 🖉 64 82 46, ≼ – 🝙 🝙 ✎
cerrado 15 enero-febrero – Com 1150 – ☷ 325 – **22 hab** 3100 – P 3550.

✗ **Portalet** 🐾 con hab, San Jaime 32 🖉 64 82 00 – 🅿. 🝙 🝙 ✎
Com carta 1500 a 2250 – ☷ 400 – **6 hab** 3500.

✗ **Denia,** paseo Duque de Denia 41 🖉 64 82 40, 🝙 – 🝙 🝙. ✎
cerrado lunes y 7 enero-10 febrero – Com carta 1500 a 2400.

✗ Suley, urb. Sol del Valle 🖉 64 83 63, 🝙.

El BOSQUE 11670 Cádiz **446** V 13 – 1 742 h. alt. 287 – 🕿 956.

◆Madrid 586 – ◆Cádiz 96 – Ronda 52 – ◆Sevilla 102.

✗✗ **Las Truchas** 🐾 con hab, av. Diputación 1 🖉 71 60 61, ≼, 🐎 – 🝙 ☏ 🅿. 🝙. ✎
cerrado 24 octubre-1 diciembre – Com carta 1400 a 2000 – ☷ 280 – **11 hab** 3570/4465 – P 4800/6135.

BREÑA ALTA 38710 Santa Cruz de Tenerife – ver Canarias (La Palma).

BRIVIESCA 09240 Burgos **442** E 20 – 4 855 h. alt. 725 – 🕿 947.

Ver : Iglesia de Santa Clara★ (retablo mayor★).

◆Madrid 285 – ◆Burgos 42 – ◆Vitoria/Gasteiz 78.

🏠 **El Vallés,** carret. N I 🖉 59 00 25, 🐎 – ☏ 🝙 🅿. 🝙. ✎ rest
cerrado 23 diciembre-22 enero – Com *(cerrado miércoles)* 1575 – ☷ 375 – **22 hab** 3530/4410 – P 5200/6525.

CITROEN av. Reyes Católicos 22 🖉 59 07 94
PEUGEOT-TALBOT las Huertas, bajo 🖉 59 08 62

SEAT-AUDI-VOLKSWAGEN pl. del Ventorro 16 🖉
59 01 60

BRONCHALES 44367 Teruel **445** K 25 – 381 h. – ⚙ 974.
♦Madrid 261 – Teruel 55 – ♦Zaragoza 184.

🏠 **Suiza** 🍴, Fombuena 8 ♪ 71 41 31 – 🚗. ⚞
Com 1100 – ☲ 250 – **40 hab** 1500/2750 – P 3375/3500.

BROTO 22370 Huesca **443** E 29 – 418 h. alt. 905 – ⚙ 974.
♦Madrid 484 – Huesca 94 – Jaca 56.

🏠 **Latre** 🍴 sin rest. av. Ordesa 23 ♪ 48 60 53, ← – 🅿 . 𝐕𝐈𝐒𝐀 . ⚞
abril-octubre – ☲ 300 – **22 hab** 2000/3800.

El BRULL Barcelona **443** G 36 – 186 h. – ⚙ 93.
♦Madrid 635 – ♦Barcelona 65 – Manresa 51.

✕ El Castell, ♪ 884 00 63, ← – 🅿 .

BRUNETE 28690 Madrid **444** K 17 – 1 119 h. – ⚙ 91.
♦Madrid 32 – Ávila 92 – Talavera de la Reina 99.

por la carretera C 501 SE : 2 km – ✉ 28690 Brunete – ⚙ 91 :

✕ **El Vivero,** ♪ 815 62 61, 🌲, Asados – 🍴 . 𝐕𝐈𝐒𝐀 . ⚞
cerrado jueves y agosto – Com carta 1600 a 2350.

PEUGEOT-TALBOT pl. Altozano 4 ♪ 815 70 03   SEAT-AUDI-VOLKSWAGEN paseo Real San Sebastián 40 ♪ 815 62 16

BUBIÓN 18412 Granada **446** V 19 – 377 h. – ⚙ 958.
♦Madrid 504 – ♦Almería 151 – ♦Granada 75.

🏨 **Villa Turística de Bubión** 🍴, ♪ 76 31 11, ← – 🍴 rest ☎ 🅿 – 🛗 . 𝐀𝐄 🅞 𝐄 𝐕𝐈𝐒𝐀 . ⚞ rest
Com 1250 – ☲ 400 – **43 hab** 5600/7000 – P 5800/7900.

✕ **Teide,** ♪ 76 30 37, 🌲, Decoración típica – 🅿 . ⚞
cerrado martes – Com carta 960 a 1285.

BUELNA 33598 Asturias **441** B 16 – ver Llanes.

BUJARALOZ 50177 Zaragoza **443** H 29 – 1 210 h. alt. 245 – ⚙ 976.
♦Madrid 394 – ♦Lérida/Lleida 83 – ♦Zaragoza 75.

🍴 **Los Monegros,** carret. N II ♪ 17 30 21 – 🍴 rest 🅿 . 𝐄 𝐕𝐈𝐒𝐀 . ⚞
Com 1250 – ☲ 250 – **24 hab** 1300/2400 – P 3450/3550.

✕ **Español,** carret. N II ♪ 17 30 43 – 🍴 🅿 . 𝐀𝐄 🅞 𝐄 𝐕𝐈𝐒𝐀 . ⚞
Com carta 1125 a 1750.

FORD carret. N II km 390 ♪ 17 30 66   PEUGEOT-TALBOT carret. de Madrid ♪ 17 30 95

BUNYOLA 07110 Baleares **443** M 38 – ver Baleares (Mallorca).

BURELA 27880 Lugo **441** B 7 – ⚙ 982.
♦Madrid 612 – ♦La Coruña 157 – Lugo 108.

🏠 **Canabal** 🍴, Pascual Veiga 19 ♪ 58 02 60 – 🅿 . 𝐕𝐈𝐒𝐀 . ⚞
Com 800 – ☲ 200 – **35 hab** 1600/2500 – P 2750/3100.

🍴 **Luzern** sin rest, con cafetería, carret. general 225 ♪ 58 02 66 – 𝐄 𝐕𝐈𝐒𝐀 . ⚞
☲ 300 – **19 hab** 2300/3200.

CITROEN carret. Ribadeo-Vivero ♪ 58 16 53   PEUGEOT-TALBOT General ♪ 58 02 30
FIAT carret. General ♪ 58 18 62   SEAT-AUDI-VOLKSWAGEN Areoura - carret.
GENERAL MOTORS Leandro Cucurni ♪ 58 11 02   Vivero-Ribadeo ♪ 58 07 00
MERCEDES Rosalía de Castro 42 ♪ 58 12 30

El BURGO DE OSMA 42300 Soria **442** H 20 – 4 996 h. alt. 895 – ⚙ 975 – Plaza de toros.
Ver : Catedral* (sepulcro de San Pedro de Osma*, museo : documentos antiguos y códices miniados*).
♦Madrid 183 – Aranda de Duero 56 – Soria 56.

🍴 La Perdiz, Universidad 33 ♪ 34 03 09 – 🅿
18 hab.

✕✕ **Virrey Palafox** con hab, Universidad 7 ♪ 43 02 22 – 🍴 rest 🅿 . 𝐀𝐄 🅞 𝐄 𝐕𝐈𝐒𝐀 . ⚞
cerrado 15 diciembre-15 enero – Com (cerrado domingo noche) carta 1650 a 2700 – ☲ 240 –
20 hab 2300/3550.

CITROEN Universidad 41 ♪ 34 02 61   PEUGEOT-TALBOT Universidad 48 ♪ 34 01 53
FORD Acosta 48 ♪ 34 02 01   SEAT-AUDI-VOLKSWAGEN Universidad 104 ♪
MERCEDES-BENZ-SEAT-AUDI-VOLKSWAGEN Universidad 104 ♪ 34 08 13   34 08 13

BURGOS 09000 🅿 442 E 18 y 19 – 156 449 h. alt. 856 – ✪ 947 – Plaza de toros : por ②.

Ver : Catedral★★★ (crucero, coro y capilla mayor★★, Capilla del Condestable★★, Girola★, Capilla de Santa Ana★) AY Museo Arqueológico★ (sepulcro★ del Infante Juan de Padilla, arqueta hispano-árabe★, frontal★) BY M1 – Arco de Santa María★ AY B – Iglesia de San Nicolás (retablo★) AY A.

Alred. : Monasterio de las Huelgas Reales★ (museo de Ricas Telas★) O : 1,5 km AY – Cartuja de Miraflores★ (conjunto escultórico★, sillería★) E : 4 km BY.

🛈 pl. Alonso Martínez 7, ⊠ 09003, ℘ 20 31 25 – **R.A.C.E.** San Juan 5, ⊠ 09003, ℘ 20 91 19.

◆Madrid 239 ② – ◆Bilbao 156 ① – ◆Santander 154 ① – ◆Valladolid 125 ③ – ◆Vitoria/Gasteiz 111 ①.

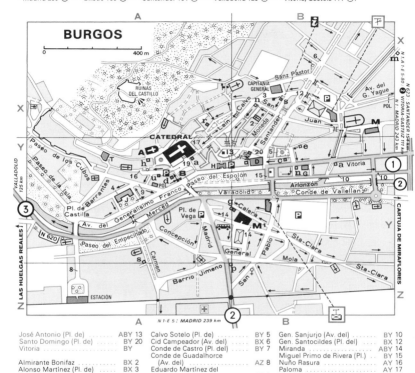

José Antonio (Pl. de) .... ABY 13
Santo Domingo (Pl. de) .... BY 20
Vitoria .... BY

Almirante Bonifaz .... BX 2
Alonso Martínez (Pl. de) .... BX 3
Aparicio y Ruiz .... AY 4

Calvo Sotelo (Pl. de) .... BY 5
Cid Campeador (Av. del) .... BX 6
Conde de Castro (Pl. del) .... BY 7
Conde de Guadalhorce
  (Av. del) .... AZ 8
Eduardo Martínez del
  Campo .... AY 9

Gen. Sanjurjo (Av. del) .... BY 10
Gen. Santocildes (Pl. del) .... BX 12
Miranda .... ABY 14
Miguel Primo de Rivera (Pl.) ..... BY 15
Nuño Rasura .... AY 16
Paloma .... AY 17
Rey San Fernando (Pl. del) .... AY 19

🏨🏨🏨 **Condestable,** Vitoria 8, ⊠ 09004, ℘ 26 71 25, Telex 39572, Fax 20 46 45 – 🛗 🍽 rest 📺 ☎
– 🔬 AE ⓞ E VISA ✛
Com 1950 – 🖙 500 – **77 hab** 5000/9000.
BY **n**

🏨🏨🏨 **Almirante Bonifaz** sin rest, Vitoria 22, ⊠ 09004, ℘ 20 69 43, Telex 39430, Fax 20 29 19 – 🛗
📺 – 🔬 AE ⓞ E VISA ✛
🖙 500 – **79 hab** 5000/9000.
BY **a**

🏨🏨🏨 **Fernán González,** Calera 17, ⊠ 09002, ℘ 20 94 41, Telex 39602 – 🛗 🍽 rest ☎ ⇦. AE ⓞ
E VISA ✛
Com 1200 – 🖙 390 – **74 hab** 3895/6535 – P 6160/7785.
AY **g**

🏨🏨 **Corona de Castilla,** Madrid 15, ⊠ 09002, ℘ 26 21 42, Telex 39619 – 🛗 🍽 rest ☎ ⇦. AE
ⓞ E VISA ✛
Com 1800 – 🖙 450 – **52 hab** 3875/6550.
ABZ **p**

🏨🏨 **Mesón del Cid,** pl. Santa María 8, ⊠ 09003, ℘ 20 87 15, ≼, 🍴 – 🛗 📺 ☎. AE ⓞ E VISA
Com (cerrado domingo noche) carta 2200 a 2400 – 🖙 600 – **29 hab** 4500/8500 – P 9860/10110.
AY **h**

🏨🏨 **Rice,** av. de los Reyes Católicos 30, ⊠ 09005, ℘ 22 23 00, Telex 39456, Fax 22 35 50, Cenas
amenizadas al piano – 🛗 🍽 rest 📺 ☎. AE ⓞ E VISA ✛ rest
Com (cerrado lunes) 1100 – 🖙 350 – **50 hab** 3900/6500.
BX **m**

🏨🏨 **Cordón** sin rest, La Puebla 6, ⊠ 09004, ℘ 26 50 00 – 🛗 📺 ☎. AE ⓞ E VISA
🖙 400 – **35 hab** 4000/6600.
BY **e**

🏠 **España,** paseo del Espolón 32, ⊠ 09003, ℰ 20 63 40 – |‡| 🍴. **E** 𝗩𝗜𝗦𝗔. ℠ rest   BY **x**
cerrado 18 diciembre-15 enero – Com 1500 – ⊆ 300 – **69 hab** 3000/4500 – P 4750/5500.

🏠 **Norte y Londres** sin rest, pl. de Alonso Martinez 10, ⊠ 09003, ℰ 26 41 25 – |‡| 🕿. 𝗔𝗘 **E** 𝗩𝗜𝗦𝗔
⊆ 275 – **55 hab** 2700/4500.   BX **n**

🏠 **Asubio** sin rest, Carmen 6 - 4° piso, ⊠ 09001, ℰ 20 34 45 – |‡| 🕿. 𝗩𝗜𝗦𝗔. ℠   AY **s**
⊆ 400 – **30 hab** 4400.

XXX **Fernán González,** Calera 19, ⊠ 09002, ℰ 20 94 42, Telex 39602 – ▦ ⟵. 𝗔𝗘 ⓪ **E** 𝗩𝗜𝗦𝗔. ℠
cerrado domingo y agosto – Com carta 2550 a 3700.   BY **g**

XXX **Los Chapiteles,** General Santocildes 7, ⊠ 09003, ℰ 20 18 37 – ▦. 𝗔𝗘 ⓪ **E** 𝗩𝗜𝗦𝗔. ℠   BX **s**
cerrado domingo noche – Com carta 2135 a 2725.

XXX **Casa Ojeda,** Vitoria 5, ⊠ 09004, ℰ 20 90 52, Decoración castellana – ▦. 𝗔𝗘 ⓪ **E** 𝗩𝗜𝗦𝗔. ℠
cerrado domingo noche – Com carta 2200 a 3000 .   BY **c**

XX **Rincón de España,** Nuño Rasura 11, ⊠ 09003, ℰ 20 59 55, 🌣 – ▦. 𝗔𝗘 ⓪ **E** 𝗩𝗜𝗦𝗔. ℠
Com carta 2100 a 3300.   AY **u**

X **Prego,** Huerto del Rey 4, ⊠ 09003, ℰ 26 04 47, Decoración rústica regional - Cocina italiana
– ▦. **E** 𝗩𝗜𝗦𝗔. ℠   AX **r**
cerrado lunes – Com carta 1325 a 1850.

X **Gaona,** Paloma 41, ⊠ 09003, ℰ 20 61 91, Patio con plantas – 𝗔𝗘 ⓪ **E** 𝗩𝗜𝗦𝗔   AY **a**
cerrado lunes noche y 2 semanas en diciembre – Com carta 1950 a 3000.

X La Becada, pl. Santo Domingo de Guzmán 18, ⊠ 09004, ℰ 20 85 13   BY **x**

X **Mesón de los Infantes,** av. Generalísimo 2, ⊠ 09003, ℰ 20 59 82, 🌣, Decoración castellana – 𝗔𝗘 ⓪ **E** 𝗩𝗜𝗦𝗔. ℠   AY **d**
Com carta 2200 a 3300.

X El Horno, Vitoria 146, ⊠ 09007, ℰ 23 76 76 – ▦   por ①

en la carretera de Valladolid por ③ : 3 km – ⊠ 09001 Burgos – 🕿 947 :

X Mesón Jesús, ℰ 20 29 78, 🌣, Decoración castellana.

en la carretera de Madrid N I por ② – ⊠ 09000 Burgos – 🕿 947 :

🏨 **Landa Palace,** S : 3,5 km ℰ 20 63 43, Telex 39534, « Hotel de gran turismo instalado con
originalidad y elegancia », ⌿, 🏊, 🐎 – |‡| ▦ 🍴 ⟵ 🅿. 𝗔𝗘 **E** 𝗩𝗜𝗦𝗔. ℠ rest
Com 5200 – ⊆ 900 – **39 hab** 11200/13900 – P 24250/28500.

en la carretera de Vitoria NI por ① : 6 km – ⊠ 09192 Villafría – 🕿 947 :

🏠 **Aduana,** ℰ 21 92 52 – |‡| ▦ hab 🍴 🅿. 𝗔𝗘 ⓪ **E** 𝗩𝗜𝗦𝗔. ℠
Com 1250 – ⊆ 300 – **22 hab** 4000/5000 – P 6800/7800.

ALFA-ROMEO Vitoria 258 ℰ 23 70 13
AUSTIN-MG-MORRIS-MINI av. Constitución Espa-
ñola 5 ℰ 22 35 44
BMW carret. N I km 243 ℰ 22 02 16
CITROEN carret. N I km 234 ℰ 26 76 76
FIAT Vitoria 109 ℰ 22 49 00
FORD carret. N I km 234 ℰ 20 84 42

GENERAL MOTORS carret. N I km 244 ℰ 22 77 67
MERCEDES-BENZ carret. Logroño km 110,3 ℰ
22 04 12
PEUGEOT-TALBOT carret. N I km 247 ℰ 22 41 51
RENAULT Alcalde Martín Cobos ℰ 22 41 00
SEAT-AUDI-VOLKSWAGEN carret. Madrid km 10 ℰ
20 08 43

BURGUETE 31640 Navarra 𝟒𝟒𝟐 D 25 y 26 – 348 h. alt. 960 – 🕿 948 – Deportes de invierno : ⚡3.
◆Madrid 439 – Jaca 120 – ◆Pamplona 44 – St-Jean-Pied-de-Port 32.

🏨 **Loizu** ℠, Única 3 ℰ 76 00 08 – 🅿. **E** ℠
15 marzo-diciembre – Com 1000 – ⊆ 225 – **22 hab** 1350/3300.

🏨 **Burguete** ℠, Única 51 ℰ 76 00 05 – 🅿. ℠
8 marzo-15 noviembre – Com 1100 – ⊆ 250 – **23 hab** 1300/3000 – P 3000.

BURRIANA 12530 Castellón 𝟒𝟒𝟓 M 29 – 25 003 h. – 🕿 964.
🛈 La Tanda 33 ℰ 51 15 40.
◆Madrid 410 – Castellón de la Plana 11 – ◆Valencia 62.

en la autopista A 7 SO : 4 km – ⊠ 12530 Burriana – 🕿 964 :

🏨 **La Plana y Rest. Resmar,** ℰ 51 25 50 – |‡| ▦ 🍴 🅿. 𝗔𝗘 ⓪ **E**. ℠
Com 1300 – ⊆ 500 – **56 hab** 3950/5950.

en la playa SE : 2,5 km – ⊠ 12530 Burriana – 🕿 964 :

🏨 **Aloha** ℠, ℰ 51 01 04, ⌿ – |‡| 🍴 🅿. 𝗔𝗘 ⓪ **E** 𝗩𝗜𝗦𝗔. ℠ rest
marzo-septiembre – Com 1300 – ⊆ 400 – **30 hab** 2750/3950 – P 4575/5350.

ALFA ROMEO carrer Ample 60 ℰ 51 01 96
AUSTIN-MG-MORRIS-MINI Rda Escalante 4 ℰ
51 58 16
CITROEN Menendez y Pelayo 37 ℰ 51 17 93
FIAT Pintor Sorolla 4 ℰ 51 76 15
FORD av. Puerto ℰ 51 14 68

OPEL camino Onda 43 ℰ 51 21 76
PEUGEOT-TALBOT-MERCEDES-BENZ carret. del
Puerto 15 ℰ 51 05 85
RENAULT carret. de Nules ℰ 51 07 29
SEAT-AUDI-VOLKSWAGEN pl. Generalidad Valen-
ciana ℰ 51 08 27

CABANAS 15621 La Coruña 𝟒𝟒𝟏 B 5 – ver Puentedeume.

CABEZÓN DE LA SAL 39500 Cantabria 🅰🅰🅰 y 🅰🅰🅰 C 17 – 6 056 h. – 🟢 942.

🅱 pl. Ricardo Botín 🖉 70 03 32.

◆Madrid 401 – ◆Burgos 158 – ◆Oviedo 161 – Palencia 191 – ◆Santander 44.

🏠 **Conde de Lara,** carret. N 634 - barrio La Losa 🖉 70 03 12 – 🕸 🅿 🝐 ⓪ 🅴 *VISA*. 🛠
Com 950 – 🖙 350 – **22 hab** 1900/3750.

en la carretera de Valle de Cabuérniga S : 2,5 km – ⊠ 39500 Cabezón de la Sal – 🟢 942 :

🍴🍴 Venta Santa Lucia, S : 3 km - desvio a Luzmela 🖉 70 10 61, 🛋, Antigua posada – 🅿

🍴 Venta de los Foramontanos, S : 2,5 km 🖉 70 04 05, « Instalado en una antigua casa de campo montañesa ».

SEAT-AUDI-VOLKSWAGEN Venta Ontoria 🖉 70 11 70

CABO – ver a continuación y el nombre propio del cabo.

CABO DE PALOS 30370 Murcia 🅰🅰🅵 T 27 – 🟢 968.

◆Madrid 465 – ◆Alicante 108 – Cartegena 26 – ◆Murcia 75.

🏠🏠 **El Cortijo** 🦐, subida al faro 🖉 56 30 15, Telex 68012, 🛋, « Original réplica del patio de los leones », 🛴 – 🕿 🅴 ⓪ 🅴 *VISA*. 🛠
marzo-octubre – Com 1800 – 🖙 450 – **40 hab** 3800/5290 – P 6025/7240.

🍴🍴 **Miramar,** paseo del Puerto 12 🖉 56 30 33, ≤, 🛋 – 🍽. 🝐 ⓪ 🅴 *VISA*. 🛠
cerrado martes y febrero – Com carta 1400 a 2000.

🍴 **La Tana,** paseo de la Barra 33 🖉 56 30 03, ≤, 🛋 – *VISA*. 🛠
cerrado lunes y noviembre – Com carta 1300 a 1850.

CABO ROIG (Urbanización) 03189 Alicante 🅰🅰🅵 S 27 – ver Torrevieja.

CABRA 14940 Córdoba 🅰🅰🅶 T 16 – 19 819 h. alt. 350 – 🟢 957 – Plaza de toros.

◆Madrid 432 – Antequera 66 – ◆Córdoba 75 – Granada 113 – Jaén 99.

🏠 **Pallarés** sin rest y sin 🖙, Alcalá Galiano 2 🖉 52 07 25 – 🛠
24 hab 1250/2735.

🍴 **Olivia,** av. Federico Garcia Lorca 10 🖉 52 09 30 – 🍽. ⓪ 🅴 *VISA*. 🛠
cerrado lunes y del 11 al 30 septiembre – Com carta 1525 a 2475.

CITROEN Tejedera 🖉 52 11 53
PEUGEOT-TALBOT Poeta Lucano 9 🖉 52 04 14
RENAULT av. José Solis 72 🖉 52 02 53

La CABRERA 28751 Madrid 🅰🅰🅰 J 19 – 819 h. alt. 1 038 – 🟢 91.

◆Madrid 56 – ◆Burgos 191.

🏠 **Mavi,** carret. N I 🖉 868 80 00, 🛋 – 🕸 🅿 *VISA*. 🛠 rest
Com 1300 – 🖙 275 – **43 hab** 1900/3200 – P 3900/4200.

🏠 El Cancho del Águila, carret. N I - N : 1 km 🖉 868 83 74, 🛋 – 🍽 rest 🅿
25 hab

CITROEN carret. N I km 56,4 🖉 868 80 50

CABRERA DE MAR 08349 Barcelona 🅰🅰🅱 H 37 – 1 695 h. alt. 125 – 🟢 93.

◆Madrid 651 – ◆Barcelona 25 – Mataró 8.

🍴🍴 **Santa Marta,** Josep Doménech 35 🖉 759 01 98, ≤, 🛋, « Agradable terraza » – 🅿. 🝐 ⓪ 🅴 *VISA*. 🛠
cerrado domingo noche, lunes y noviembre – Com carta 2500 a 3350.

CABRILS 08348 Barcelona 🅰🅰🅱 H 37 – 1 504 h. – 🟢 93.

◆Madrid 650 – ◆Barcelona 24 – Mataró 7.

🏠 **Cabrils,** Emilia Carles 31 🖉 753 24 56, 🛋 – 🅿. *VISA*
Com 750 – 🖙 230 – **19 hab** 1350/2700 – P 2750.

🍴 **Hostal de la Plaça,** pl. de l'Esglèsia 11 🖉 753 19 02, 🛋 – ⓪ 🅴 *VISA*. 🛠
cerrado lunes y 12 septiembre-12 octubre – Com carta 1675 a 2850.

🍴 **Spla,** Emilia Carles 20 🖉 753 19 06 – 🍽. 🛠
cerrado martes y octubre – Com carta 1975 a 3150.

🍴 Cal Gras, Barriada Llobatera 30 - N : 1 km 🖉 753 19 53 – 🅿

CACABELOS 24540 León 🅰🅰🅰 E 9 – 4 096 h. – 🟢 987.

◆Madrid 393 – Lugo 108 – Ponferrada 14.

🍴 **Casa Gato,** av. de Galicia 7 🖉 54 64 08 – *VISA*. 🛠
Com carta 1000 a 1900.

🍴 La Moncloa, Cimadevilla 99 🖉 54 61 01, 🛋, Rest. tipico, « Conjunto rústico regional ».

CÁCERES 10000 🅿 444 N 10 – 71 852 h. alt. 439 – ✪ 927 – Plaza de toros.

Ver : Cáceres Viejo★★ A (Plaza de Santa María, Palacio de los Golfines de Abajo★ V).

Alred. : Virgen de la Montaña ≤★ E : 3 km C.

🛈 pl. de España, ⊠ 10003, 𝒫 24 63 47 – R.A.C.E. av. Ruta de la Plata, ⊠ 10001, 𝒫 22 01 58.

◆Madrid 307 ① – ◆Coimbra 292 ③ – ◆Córdoba 325 ② – ◆Salamanca 217 ③ – ◆Sevilla 265 ②.

CÁCERES

🏛 **Extremadura,** av. Virgen de Guadalupe 5, ⊠ 10001, 𝒫 22 16 00, 斧, 🏊, 🐎 – 🛗 🗐 ☎ ⇔.
ᴁ ⑩ ⅇ 𝘝𝘐𝘚𝘈 ⟪⟫   B **v**
Com 1700 – ⟐ 425 – **68 hab** 3850/5950 – P 6175/7050.

🏛 **Alcántara,** av. Virgen de Guadalupe 14, ⊠ 10001, 𝒫 22 89 00, Telex 28943 – 🛗 🗐 hab 📺
☎. ᴁ ⑩ ⅇ 𝘝𝘐𝘚𝘈. ⟪⟫   B **a**
Com 1200 – ⟐ 425 – **67 hab** 3675/5850.

🏠 **Ara** sin rest, Juan XXIII-3, ⊠ 10001, 𝒫 22 39 58 – 🛗 ☜ ⇔. 𝘝𝘐𝘚𝘈   B **s**
⟐ 265 – **62 hab** 2125/3350.

🏠 **Almonte** sin rest, con cafetería, Gil Cordero 6, ⊠ 10001, 𝒫 24 09 26 – ☜ ⇔. ᴁ ⑩ ⅇ 𝘝𝘐𝘚𝘈
⟐ 250 – **90 hab** 1800/2500.   B **u**

🏠 **Hernán Cortés** sin rest y sin ⟐, Travesía Hernán Cortés 6, ⊠ 10004, 𝒫 24 34 88 – ☜. ⟪⟫
23 diciembre-7 enero – **18 hab** 1600/2415.   B **r**

XXX **Atrio,** av. de España 30, ⊠ 10002, 𝒫 24 29 28 – 🗐. ᴁ ⑩ ⅇ 𝘝𝘐𝘚𝘈   B **n**
Com carta 2525 a 3625.

X **El Figón de Eustaquio,** pl. San Juan 12, ⊠ 10003, 𝒫 24 81 94, Decoración rústica – 🗐. ᴁ
⑩ 𝘝𝘐𝘚𝘈 ⟪⟫   A **e**
Com carta 1800 a 2450.

en la carretera de Salamanca N 630 por ③ : 5 km – ⊠ 10000 Cáceres – ✪ 927 :

XX **Álvarez,** 𝒫 22 34 50, 斧 – 🗐 🅿. ᴁ 𝘝𝘐𝘚𝘈. ⟪⟫
Com carta 2200 a 3625.

S.A.F.E. Neumáticos MICHELIN, Sucursal, carretera de Mérida km 215 por ②, ⊠ 10080 𝒫
22 55 71 y 22 55 10

AUSTIN-MG-MORRIS-MINI carret. de Mérida km 215 𝒫 24 59 16
CITROEN carret. de Mérida km 215 𝒫 21 11 42
FIAT-LANCIA carret. de Mérida km 215 𝒫 22 20 57
MERCEDES-BENZ carret. de Badajoz 𝒫 22 90 60
OPEL carret. de Badajoz 𝒫 24 22 16

PEUGEOT-TALBOT carret. de Mérida km 215 𝒫 22 12 00
RENAULT carret. de Badajoz 𝒫 22 52 00
SEAT-AUDI-VOLKSWAGEN Cañada Baja - Polígono Aldea Moret 𝒫 24 51 08

CADAQUÉS 17488 Gerona 443 F 39 – 1 547 h. – ☎ 972 – Playa – ℹ Cotche 2A ✆ 25 83 15.
♦Madrid 776 – Figueras/Figueres 31 – Gerona/Girona 69.

- **Playa Sol** sin rest, con cafetería, platja Pianch 3 ✆ 25 81 00, ≤, 🏊, 🌳, 🎾 – 🛗 ☎ 🚗. AE ⓓ E VISA. 🚫
  cerrado 5 enero-febrero – ☕ 650 – **50 hab** 5500/9500.
- **S'Aguarda** 🐎, carret. de Port-Lligat 28 (N : 1 km) ✆ 25 80 82, ≤ – 🛗 ▤ rest 🅟. AE ⓓ E VISA. 🚫
  cerrado noviembre – Com *(abril-octubre)* 1300 – ☕ 400 – **27 hab** 3800/5000 – P 4800/6100.
- **Marina** sin rest y sin ☕ salvo en verano, Riera Sant Vicent 3 ✆ 25 81 99 – AE E VISA
  cerrado noviembre – **27 hab** 2100/4000.
- **Es Baluard,** Riba Nemesio Llorens 2 ✆ 25 81 83, Instalado en un antiguo baluarte – AE E VISA – *cerrado 15 octubre-noviembre* – Com carta 1725 a 3000.
- ✿ **La Galiota,** Narciso Monturiol 9 ✆ 25 81 87 – AE ⓓ E VISA. 🚫
  junio-octubre, fines de semana y festivos fuera de temporada – Com carta 2400 a 3950
  Espec. Salmón marinado estilo suecia, Paté de la casa con gelatina, Tocinillo de cielo.
- **Don Quijote,** av. Caridad Seriñana 5 ✆ 25 81 41, ⛱, Terraza cubierta de yedra – AE ⓓ E VISA. 🚫
  abril-15 octubre – Com carta 1800 a 3525.

La CADENA (Puerto de) Murcia 445 S 26 – ver Murcia.

CÁDIZ 11000 🅿 446 W 11 – 157 766 h. – ☎ 956 – Playa – **Ver :** Emplazamiento★ – Paseos marítimos★ (jardines★ : parque Genovés AY, Alameda Marqués de Comillas BY, Alameda de Apodaca CY) – Catedral : tesoro (colección de orfebrería★★) CZ **B** – Museo de Bellas Artes (lienzos de Zurbarán★) CY **M** – Museo histórico (maqueta de la ciudad★) BY **M1.**

🚗 ✆ 23 11 59 – ⛴ para Canarias : Cía. Trasmediterránea, av. Ramón de Carranza 26, ✉ 11006, ✆ 28 43 11, Telex 46619 CYZ.

ℹ Calderón de la Barca 1, ✉ 11003, ✆ 21 13 13 – **R.A.C.E.** Santa Teresa 4, ✉ 11010, ✆ 25 07 07.

♦Madrid 646 ① – Algeciras 124 ① – ♦Córdoba 239 ① – ♦Granada 306 ① – ♦Málaga 262 ① – ♦Sevilla 123 ①.

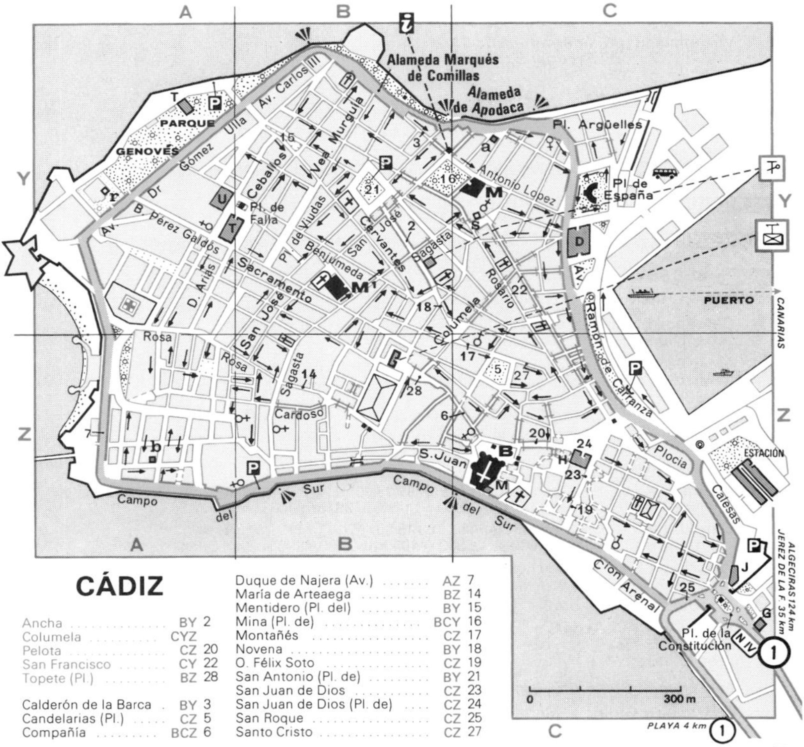

CÁDIZ

Ancha	BY	2
Columela	CYZ	
Pelota	CZ	20
San Francisco	CY	22
Topete (Pl.)	BZ	28
Calderón de la Barca	BY	3
Candelarias (Pl.)	CZ	5
Compañía	BCZ	6
Duque de Najera (Av.)	AZ	7
María de Arteaega	BZ	14
Mentidero (Pl. del)	BY	15
Mina (Pl. de)	BCY	16
Montañés	CZ	17
Novena	BY	18
O. Félix Soto	CZ	19
San Antonio (Pl. de)	BY	21
San Juan de Dios	CZ	23
San Juan de Dios (Pl. de)	CZ	24
San Roque	CZ	25
Santo Cristo	CZ	27

🏨 **Atlántico,** Duque de Nájera 9, ⊠ 11002, ℰ 22 69 05, Telex 76316, Fax 21 45 82, ≼, 🍴, ⨭,
🌊 – ⑂🗐 📺 ☎ ⊜ ⑫ – 🛗 ⅍ 🗚 ⓪ Ɛ 𝘝𝘐𝘚𝘈. ⅏   AY   r
Com 2500 – ☲ 800 – **153 hab** 8000/10000 – P 12930/19860.

🏨 **Regio 2** sin rest, av. Andalucía 79, ⊠ 11008, ℰ 25 30 08 – 🛗 ☎ ⊜ ⑫. 🗚 ⓪ Ɛ 𝘝𝘐𝘚𝘈. ⅏
☲ 400 – **40 hab** 3000/6000.   por ①

🏨 **Francia y París** sin rest, pl. San Francisco 2, ⊠ 11004, ℰ 21 23 19 – 🛗 ☎. 🗚 ⓪ Ɛ 𝘝𝘐𝘚𝘈. ⅏
☲ 400 – **69 hab** 3550/5350.   CY   s

🏨 **Regio** sin rest, av. Ana de Viya 11, ⊠ 11009, ℰ 27 93 31 – 🛗 ☎. 🗚 ⓪ Ɛ 𝘝𝘐𝘚𝘈. ⅏
☲ 325 – **40 hab** 2750/5000.   por ①

XX **El Faro,** San Félix 15, ⊠ 11002, ℰ 21 10 68, Pescados y mariscos – 🗐 ⑫. 🗚 ⓪ Ɛ 𝘝𝘐𝘚𝘈. ⅏
Com carta 2150 a 3250.   AZ   b

XX **1800,** paseo Marítimo 3, ⊠ 11009, ℰ 26 02 03 – 🗐. 🗚 ⓪ Ɛ 𝘝𝘐𝘚𝘈. ⅏   por ①
cerrado lunes y octubre – Com carta 2150 a 3000.

X **El Anteojo,** Alameda de Apodaca 22, ⊠ 11004, ℰ 22 13 20, ≼, 🍴 – 🗐. 🗚 ⓪ 𝘝𝘐𝘚𝘈. ⅏
Com carta 1900 a 3250.   CY   a

X **Mesón del Duque,** paseo Marítimo 12 (edificio Madrid), ⊠ 11010, ℰ 28 10 87 – 🗐. 🗚 ⓪
Ɛ 𝘝𝘐𝘚𝘈 – Com carta 1750 a 2700.   por ①

X **El Brocal,** av. José León de Carranza 4, ⊠ 11011, ℰ 25 77 59 – 🗐. ⅏   por ①
cerrado domingo, lunes mediodía y noviembre – Com carta 1715 a 3250.

ALFA ROMEO av. Cayetano del Toro 18 ℰ 25 07 11
CITROEN Algeciras-zona Franca ℰ 28 14 38
FIAT-LANCIA ronda de Vigilancia ℰ 27 44 66
FORD Prolongación calle Algeciras-zona Franca
ℰ 27 13 00

GENERAL MOTORS Gibraltar-zona Franca ℰ
27 33 62 ·
PEUGEOT-TALBOT Jimena de la Frontera - zona
Franca ℰ 25 29 05
RENAULT av. del Puente - zona Franca ℰ 27 03 50
SEAT-AUDI-VOLKSWAGEN zona Franca ℰ 25 01 06

CAÍDOS (Valle de los) 28209 Madrid 𝟰𝟰𝟰 K 17 – ✦ 91 – Zona de peaje.

Ver : Lugar★★ – Basílica★★ (tapices★ de Bruselas, cúpula★) – Cruz★.

♦Madrid 52 – El Escorial 13 – ♦Segovia 47.

XX **Cordero,** ⊠ 28209 Cuelgamuros, ℰ 890 56 11, Telex 46048, 🍴 – ⑫. 🗚 ⓪ 𝘝𝘐𝘚𝘈. ⅏
Com (sólo almuerzo) carta aprox. 3200.

Ver también : *Guadarrama NE : 8 km*
El Escorial S : 13 km.

CALABARDINA Murcia – ver Águilas.

CALA BONA 07559 Baleares – ver Baleares (Mallorca) : Son Servera.

CALA DE SAN VICENTE 07460 Baleares 𝟰𝟰𝟯 M 39 – ver Baleares (Mallorca).

CALA D'OR 07660 Baleares 𝟰𝟰𝟯 N 39 – ver Baleares (Mallorca).

CALA ES FORTÍ Baleares – ver Baleares (Mallorca) : Cala d'Or.

CALAF 08280 Barcelona 𝟰𝟰𝟯 G 34 – 3 225 h. – ✦ 93.

♦Madrid 551 – ♦Barcelona 93 – ♦Lérida/Lleida 82 – Manresa 34.

X **Calaf** con buffet, carret. de Igualada 1 ℰ 869 84 49 – ⑫. Ɛ 𝘝𝘐𝘚𝘈. ⅏
cerrado lunes y del 7 al 30 julio – Com carta 1750 a 2700.

FORD carret. Sant Martí ℰ 869 80 76
GENERAL MOTORS carretera Llarga 1 ℰ 869 81 03

RENAULT carret. Llarga ℰ 869 83 98

CALAFELL 43820 Tarragona 𝟰𝟰𝟯 I 34 – 4 646 h. – ✦ 977 – Playa – 🅱 Vilamar 1 ℰ 69 17 59.

♦Madrid 574 – ♦Barcelona 65 – Tarragona 31.

en la playa :

🏨 **Kursaal** ⅊, av. San Juan de Dios 119 ℰ 69 23 00, ≼, 🍴 – 🛗 🗐 📺 ⊜. 🗚 ⓪ Ɛ 𝘝𝘐𝘚𝘈. ⅏
Semana Santa-15 octubre – Com 1800 – ☲ 500 – **39 hab** 4000/7700.

🏨 **Canadá,** av. Mosén Jaime Soler 44 ℰ 69 15 00, 🍴, ⨭, ⅍ – 🛗 ⑫. ⅏
junio-septiembre – Com 1000 – ☲ 300 – **106 hab** 3600/4900 – P 4250/5400.

XX **Papiol,** av. San Juan de Dios 56 ℰ 69 13 49, 🍴 – 🗐. 🗚 ⓪ 𝘝𝘐𝘚𝘈. ⅏
cerrado lunes, martes en invierno y del 9 al 20 enero – Com carta 2780 a 4400.

X Giorgio, Angel Guimerá 4 ℰ 69 11 39, 🍴, Cocina italiana.

X **La Barca Ca L'Ardet,** av. San Juan de Dios 79 ℰ 69 15 59, 🍴, Pescados y mariscos – 🗐
⑫. 🗚 ⓪ Ɛ 𝘝𝘐𝘚𝘈
cerrado miércoles y 15 diciembre-15 enero – Com carta 1950 a 2450.

en Segur de Calafell E : 3 km – ⊠ 43882 Segur de Calafell – ✦ 977 :

X **O Braseiro Galaico,** Marta Moraga 29 ℰ 69 20 33, 🍴 – Ɛ 𝘝𝘐𝘚𝘈. ⅏
cerrado martes y 15 diciembre-3 enero – Com carta 2000 a 3050.

CALA FIGUERA 07659 Baleares **443** D 39 — ver Baleares (Mallorca).

CALA FINESTRAT Alicante — ver Benidorm.

CALA FONDUCO 07700 Baleares — ver Baleares (Menorca) : Mahón.

CALA FORNELLS 07160 Baleares **443** N 37 — ver Baleares (Mallorca) : Paguera.

CALA GALDANA 07750 Baleares — ver Baleares (Menorca) : Ferrerías.

CALA GRACIÓ 07820 Baleares **443** P 33 — ver Baleares (Ibiza) : San Antonio Abad.

CALAHONDA 18730 Granada **446** V 19 — ⚙ 958 — Playa.
Alred. : Carretera ✱✱ de Calahonda a Castell de Ferro.
♦Madrid 518 — ♦Almería 100 — ♦Granada 89 — ♦Málaga 121 — Motril 13.

　　🏨　**Las Palmeras** ⬞, Acera del Mar ℘ 62 30 11, 🍴 — 🍽 rest 📠 **P**
　　　　30 hab.
　　🏨　**El Ancla**, av. de los Geráneos 1 ℘ 62 30 42, 🍴 — 📳 🍽 rest ☎. **E** **VISA**. ⠟
　　　　Com 900 — 🍴 200 — **26 hab** 2000/4000 — P 4000.

CALAHORRA 26500 La Rioja **442** F 24 — 17 695 h. alt. 350 — ⚙ 941.
♦Madrid 320 — ♦Logroño 55 — Soria 94 — ♦Zaragoza 128.

　　🏨🏨　**Parador Marco Fabio Quintiliano,** Era Alta ℘ 13 03 58, Fax 13 51 39 — 📳 🍽 **P** — ⩗. **AE**
　　　　⓪ **E** **VISA**. ⠟
　　　　Com 2500 — 🍴 800 — **63 hab** 6400/8000.
　　🏨　**Montserrat** sin rest, Maestro Falla 1 ℘ 13 55 00 — 📳 🍽 ☎. **AE** ⓪ **E** **VISA**. ⠟
　　　　🍴 300 — **25 hab** 1900/3400.
　　🍴🍴　**Montserrat 2,** Maestro Falla 7 ℘ 13 00 17 — 🍽. **AE** ⓪ **E** **VISA**. ⠟
　　　　Com carta 1650 a 2150.
　　🍴　**La Taberna de la Cuarta Esquina,** Cuatro Esquinas 16 ℘ 13 43 55 — 🍽. **AE** ⓪ **VISA**
　　　　⠟
　　　　cerrado martes no festivos y del 10 al 31 julio — Com carta 1750 a 3150.

ALFA ROMEO　Polígono Carmen-Nave 2 ℘ 13 51 50　　　OPEL　carret. de Zaragoza km 50 ℘ 13 08 60
CITROEN　Bebricio 33 ℘ 13 04 99　　　　　　　　　　PEUGEOT-TALBOT　carret. de Zaragoza ℘ 13 08 02
FIAT　av. Cidacos 12 ℘ 38 09 83　　　　　　　　　RENAULT　carret. de Zaragoza km 50 ℘ 13 16 76
FORD　av. del Ebro 18 ℘ 13 52 00　　　　　　　SEAT-AUDI-VOLKSWAGEN　Bebricio 39 ℘ 13 11 00

CALA LLONGA 07840 Baleares **443** P 34 — ver Baleares (Ibiza) : Santa Eulalia del Río.

CALA MAYOR 07015 Baleares — ver Baleares (Mallorca) : Palma de Mallorca.

CALA MILLOR 07560 Baleares **443** N 40 — ver Baleares (Mallorca) : Son Servera.

CALAMOCHA 44200 Teruel **445** J 26 — 4 673 h. alt. 884 — ⚙ 974.
♦Madrid 261 — Soria 157 — Teruel 72 — ♦Zaragoza 110.

　　🏡　**Fidalgo,** carret. N 234 ℘ 73 02 77 — 🍽 rest **P**. ⓪ **E** **VISA**. ⠟
　　　　Com *(cerrado domingo noche en invierno)* 900 — 🍴 225 — **28 hab** 1600/2700 — P 3050/3300.

OPEL　carret. Sagunto-Burgos km 191 ℘ 73 00 31　　　SEAT-AUDI-VOLKSWAGEN　carret. Sagunto-Burgos
PEUGEOT-TALBOT　carret. Sagunto-Burgos km 190　　℘ 73 02 54
℘ 73 02 57
RENAULT　carret. Sagunto-Burgos km 189 ℘
73 07 59

CALA MONTJOI 17480 Gerona **443** F 39 — ver Rosas.

CALANDA 44570 Teruel **443** J 29 — 3 251 h. — ⚙ 974.
♦Madrid 362 — Teruel 136 — ♦Zaragoza 123.

　　🏨　**Balfagón,** carret. N 420 ℘ 84 63 12 — 🍽 rest ☎ ⬛ **P**. ⓪ **E** **VISA**. ⠟
　　　　Com *(cerrado domingo noche)* 1000 — 🍴 250 — **34 hab** 1550/2900 — P 3200/3300.

CALA PI 07639 Baleares **443** N 38 — ver Baleares (Mallorca).

CALA RATJADA 07590 Baleares **443** M 40 — ver Baleares (Mallorca).

CALA SAHONA 07860 Baleares **443** P 34 — ver Baleares (Formentera).

CALA TARIDA (Playa de) 07830 Baleares — ver Baleares (Ibiza) : San José.

CALATAYUD 50300 Zaragoza ᏤᏤᏤ H 25 – 17 941 h. alt. 534 – ✪ 976 – Plaza de toros.

Ver : Colegiata de Santa María la Mayor (torre★, portada★) – Iglesia de San Andrés (torre★).

◆Madrid 235 – Cuenca 295 – ◆Pamplona 205 – Teruel 139 – Tortosa 289 – ◆Zaragoza 87.

🏠 **Fornos,** paseo Calvo Sotelo 5 ℰ 88 13 00 – 🍽 rest 🕸 ᴬᴱ ⓞ ᴇ 𝑉𝐼𝑆𝐴. ✹
Com 1000 – ⥿ 220 – **50 hab** 1430/2130 – P 2950/3315.

✕ **Lisboa,** paseo Calvo Sotelo 10 ℰ 88 25 35 – 🍽. ᴬᴱ ⓞ ᴇ 𝑉𝐼𝑆𝐴
cerrado lunes noche – Com carta 1500 a 2550.

en la carretera N II – ⊠ 50300 Calatayud – ✪ 976 :

🏨 **Calatayud,** E : 2 km ℰ 88 13 23 – 🍽 rest 🕸 ⟵ ⓟ. ᴬᴱ 𝑉𝐼𝑆𝐴. ✹ rest
Com 1325 – ⥿ 375 – **63 hab** 3100/5100 – P 5100/5650.

🏠 **Marivella,** NE : 6 km ℰ 88 12 37 – 🕸 ⓟ. ✹ rest
Com 600 – ⥿ 200 – **39 hab** 1000/2900.

CALA TORRET 07710 Baleares – ver Baleares (Menorca) : San Luis.

CALA VIÑAS Baleares – ver Baleares (Mallorca) : Palma Nova.

CALDAS DE MALAVELLA o **CALDES DE MALAVELLA** 17455 Gerona ᏤᏤᏤ G 38 – 2 812 h. alt. 94 – ✪ 972 – Balneario.

◆Madrid 696 – ◆Barcelona 83 – Gerona/Girona 19.

🏨 **Baln. Vichy Catalán** ⏀, av. Dr. Furest 30 ℰ 47 00 00, 🎇, En un parque, ⬆ de agua termal, ✹ – 📶 🕸 ⓟ. 𝑉𝐼𝑆𝐴. ✹ rest
Com 1700 – ⥿ 350 – **80 hab** 4400/7825.

🏨 **Baln. Prats** ⏀, pl. Sant Esteve 7 ℰ 47 00 51, « Terraza con arbolado », ⬆ de agua termal –
📶 🕸 ⟵ ⓟ. ᴬᴱ ⓞ ᴇ 𝑉𝐼𝑆𝐴. ✹ rest
Com 1600 – ⥿ 400 – **70 hab** 2100/6300.

en la carretera N II NO : 5 km – ⊠ 17455 Caldes de Malavella – ✪ 972 :

✕ Can Geli, ℰ 47 02 75, Decoración rústica – ⓟ.

CALDAS DE MONTBÚY o **CALDES DE MONTBUI** 08140 Barcelona ᏤᏤᏤ H 36 – 10 168 h. alt. 180 – ✪ 93 – Balneario – ◆Madrid 636 – ◆Barcelona 29 – Manresa 57.

🏨 **Baln. Broquetas** ⏀, pl. Font de Lleó 1 ℰ 865 01 00, Fax 865 23 12, 🎇, « Jardin con arbolado y ⬆ climatizada » – 📶 ☎ ⟵ ⓟ – 🔧. ᴬᴱ ⓞ ᴇ 𝑉𝐼𝑆𝐴. ✹ rest
Com 1700 – ⥿ 500 – **89 hab** 5000/8900.

🏠 **Baln. Termas Victoria** ⏀, Barcelona 12 ℰ 865 01 50, ⬆, 🎐, ✹ – 📶 🍽 rest ☎ ⟵ ⓟ.
𝑉𝐼𝑆𝐴. ✹ rest
Com 1360 – ⥿ 315 – **87 hab** 3650/4965 – P 4770/5935.

CALDAS DE REYES o **CALDAS DE REIS** 36655 Pontevedra ᏤᏤᏤ E 4 – 8 702 h. alt. 22 – ✪ 986 – Balneario – ◆Madrid 621 – Orense 122 – Pontevedra 23 – Santiago de Compostela 34.

🏨 **Baln. Acuña,** Herrería 2 ℰ 54 00 10, « Jardín con arbolado, ⬆ de agua termal » – 📶 🕸 ⓟ. ✹ rest
julio-septiembre – Com 1750 – ⥿ 325 – **21 hab** 3750/5200 – P 5900/7050.

CALDES DE BOI Lérida ᏤᏤᏤ E 32 – ver Bohí.

CALDETAS o **CALDES D'ESTRAC** 08393 Barcelona ᏤᏤᏤ H 37 – 1 162 h. – ✪ 93 – Playa.
🚉 de Llavaneras O : 6 km ℰ 792 60 50.

◆Madrid 661 – ◆Barcelona 35 – Gerona/Girona 62.

🏨 **Colón,** Paz 16 ℰ 791 03 51, ≤, 🎇, ⬆ – 📶 ☎ – 🔧. ᴬᴱ ᴇ 𝑉𝐼𝑆𝐴. ✹ rest
17 marzo-octubre – Com 1950 – ⥿ 650 – **83 hab** 5200/8600 – P 8150/9050.

🏠 Jet, Santema 25 ℰ 791 06 51 – 📶 🕸 ⟵ – **35 hab**.

✕ **Emma,** de l'Estació 5 ℰ 791 13 05 – ᴬᴱ. 𝑉𝐼𝑆𝐴.
2 marzo-20 noviembre – Com *(cerrado miércoles salvo del 15 junio al 15 septiembre)* carta 1950 a 2900.

Ver también : *Arenys de Mar NE : 2 km.*

CALELLA 17210 Gerona **443** G 39 − ver Palafrugell.

CALELLA 08370 Barcelona **443** H 37 − 10 751 h. − ✪ 93 − Playa.

🛈 carret. San Jaime ℰ 769 05 59.

◆Madrid 683 − ◆Barcelona 48 − Gerona/Girona 49.

🏨 **Calella Park,** Jovara 257 ℰ 769 03 58, ⤢ − ⧉ ☜. **VISA**. ⅜
25 abril-20 octubre − Com 625 − � 250 − **51 hab** 2500/3950.

🏠 **Calella** sin rest, Anselm Clavé 134 ℰ 769 03 00, ≼ − ⧉. **VISA**. ⅜
20 mayo-15 octubre − � 250 − **60 hab** 1800/3200.

CITROEN San Jaime 299 ℰ 769 17 62   RENAULT San Jaime ℰ 769 26 00
PEUGEOT-TALBOT Monturiol 34 ℰ 769 18 86

La CALETA DE VELÉZ 29751 Málaga **446** V 17 − ✪ 952 − Playa.

◆Madrid 554 − ◆Almería 173 − ◆Granada 124 − ◆Málaga 35.

🏠 **El Paraíso,** av. de Andalucía 139 ℰ 51 11 24, ≼ − ▤ rest ☎ ⬅. **AE** **VISA**. ⅜
Com 1100 − � 300 − **15 hab** 2800/4200 − P 4100/4800.

La CALOBRA Baleares **443** M 38 − ver Baleares (Mallorca).

CALONGE 17251 Gerona **443** G 39 − 4 362 h. − ✪ 972.

🛈 av. de Cataluña ℰ 31 55 56.

◆Madrid 721 − ◆Barcelona 108 − Gerona/Girona 43 − Palafrugell 15.

✗ **Can Muni,** Mayor 5 ℰ 65 02 20 − ▤. **VISA**. ⅜
15 junio-septiembre − Com carta 1930 a 2630.

CALPE 03710 Alicante **445** Q 30 − 8 000 h. − ✪ 96 − Playa.

Ver : Emplazamiento★.

Alred. : Recorrido★ de Calpe a Altea − Carretera★ de Calpe a Moraira.

🏌 Club Ifach NE : 3 km.

🛈 av. Ejércitos Españoles ℰ 583 12 50.

◆Madrid 464 − ◆Alicante 63 − Benidorm 22 − Gandia 48.

✗ **Capri,** Gabriel Miró 65 ℰ 583 06 14, ≼, � − ▤. **AE** ⓞ **E** **VISA**. ⅜
cerrado 7 noviembre-6 diciembre − Com carta 2550 a 3600.

✗ **Casita Suiza,** Jardín - Edificio Apolo III ℰ 583 06 06, Cocina suiza − ▤. **AE** **E** **VISA**. ⅜
cerrado domingo, lunes, del 3 al 18 diciembre y 23 junio-10 julio − Com (sólo cena)
carta 2000 a 2850.

✗ **La Cambra,** Delfín ℰ 583 06 05 − ▤. **AE** **E** **VISA**
cerrado martes, del 1 al 20 mayo y del 1 al 20 diciembre − Com carta 1750 a 3250.

✗ **El Bodegón de Calpe,** Delfín 6 ℰ 583 01 64, Decoración rústica castellana − ▤. **AE** ⓞ **E**
VISA
cerrado domingo de octubre a abril − Com carta 1850 a 2700.

✗ **Rincón de Paco,** Oscar Esplá ℰ 583 08 32 − ▤. **E** **VISA**. ⅜
Com carta 1850 a 2800.

en la urbanización Marysol Park NE : 1 km − ⊠ 03710 Calpe − ✪ 96 :

🏠 **Marysol Park** ⬁, ℰ 583 22 61, ≼, ⤢ − ⧉ ▤ rest ☜ **ⓟ**. **AE** ⓞ **E** **VISA**. ⅜
cerrado noviembre − Com 700 − **20 hab** � 4900/10200.

en la carretera de Moraira − ⊠ 03720 Benisa − ✪ 96 :

✗✗ **Viñasol,** urbanización Buenavista NE : 9,5 km ℰ 573 09 72, ≼, 🌇, ⤢ − ▤ **ⓟ**. **AE** ⓞ **E**
VISA
cerrado miércoles − Com carta 1925 a 3300.

en Ortenbach (Urbanización) NE : 3 km − ⊠ 03710 Calpe − ✪ 96 :

✗ **Bei Mac,** ℰ 583 18 44, ≼, 🌇, ⤢ − ▤ **ⓟ**. **AE** **VISA**
cerrado martes y del 1 al 20 diciembre − Com (sólo cena) carta 1500 a 3100.

en La Cometa III (Urbanización) NE : 5 km − ⊠ 03710 Calpe − ✪ 96 :

✗ **El Claustro,** ℰ 583 11 20 − **ⓟ**. **AE** ⓞ **E** **VISA**
abril-15 noviembre y 20 diciembre-10 enero − Com (sólo cena) carta 1900 a 4000.

en la carretera de Valencia N : 4,5 km − ⊠ 03710 Calpe − ✪ 96 :

🏠 Venta La Chata, ℰ 583 03 08, 🌇, Decoración regional, ⚑, ⅜ − ☜ ⬅ **ⓟ**
17 hab.

CITROEN carret. de Ifach ℰ 583 03 93   SEAT carret. de la Fuente ℰ 583 31 55
RENAULT av. Diputación 43 ℰ 583 09 43

CALVIÁ 07184 Baleares − ver Baleares (Mallorca).

CAMALEÑO 39587 Cantabria **442** C 15 – 1 402 h. – ✿ 942.
◆Madrid 483 – ◆Oviedo 173 – ◆Santander 126.

% El Caserío ⌂, con hab, ℰ 73 09 28 – ☜. ✾
⌷ 250 – **8 hab** 2000/3500.

CAMARENA 45180 Toledo **444** M 15 – 1 894 h. – ✿ 925.
◆Madrid 58 – Talavera de la Reina 80 – Toledo 29.

% **Mesón Gregorio II,** Héroes del Alcázar 34 ℰ 817 43 72, Instalado en un antiguo convento
– 🗐. **E** 🆅🅸🆂🅰. ✾
cerrado miércoles – Com carta 2400 a 2800.

CAMBADOS 36630 Pontevedra **441** E 3 – 12 628 h. – ✿ 986 – Playa.
Ver : Plaza de Fefiñanes★.
🄸 José Antonio 2.
◆Madrid 638 – Pontevedra 34 – Santiago de Compostela 53.

🏛 **Parador del Albariño** ⌂, ℰ 54 22 50, Fax 54 20 68, « Conjunto de estilo regional », ☞ – 🛗
🄿. 🄰🄴 ⓞ **E** 🆅🅸🆂🅰. ✾
Com 2500 – ⌷ 800 – **63 hab** 6800/8500.

% **O Arco,** Real 14 ℰ 54 23 12, Decoración rústica, Pescados y mariscos – 🄰🄴 **E** 🆅🅸🆂🅰. ✾
cerrado domingo noche en invierno y 15 octubre-1 noviembre – Com carta 1600 a 2400.

CITROEN Corbillón ℰ 54 20 50
FORD Tragove ℰ 54 35 11
OPEL-GENERAL MOTORS Corbillón ℰ 54 37 19

PEUGEOT Emilia Pardo Bazán 10 ℰ 54 24 28
RENAULT av. de Villagarcía km 1 ℰ 54 28 12

Nueve mapas detallados Michelin :
España : Norte-Oeste **441***, Centro-Norte* **442***, Norte-Este* **443***, Centro* **444***,*
Centro-Este **445***, Sur* **446***, Centro-Oeste* **447***, Islas Canarias* **448***.*
Portugal **437***.*
Las localidades subrayadas en estos mapas con una línea roja
aparecen citadas en esta Guía.
Para el conjunto de España y Portugal, adquiera el mapa Michelin **990** *a 1/1 000 000.*

CAMBRILS 43850 Tarragona **443** I 33 – 11 211 h. – ✿ 977 – Playa.
🄸 pl. Creu de la Missió ℰ 36 11 59.
◆Madrid 554 – Castellón de la Plana 165 – Tarragona 18.

en el puerto :

🏨 **Princep,** pl. de la Iglesia 2 ℰ 36 32 74 – 🛗 🗐 ☎ ☜. 🄰🄴 ⓞ **E** 🆅🅸🆂🅰. ✾
Com *(cerrado domingo noche, lunes y 6 enero-6 febrero)* 1075 – ⌷ 350 – **27 hab** 4240/5300 –
P 4775/6365.

🏨 **Mónica H.,** Galcerán Marquet 3 ℰ 36 01 16, « Césped con palmeras », ⌿, ☞ – 🛗 ☜ 🄿. **E**
🆅🅸🆂🅰. ✾
18 marzo-15 octubre – Com 1015 – ⌷ 450 – **56 hab** 3395/5150 – P 4680/5505.

🏨 **Rovira,** av. Diputación 6 ℰ 36 09 00, ≤, 🛝 – 🛗 🗐 rest ☜ ☜. ⓞ **E** 🆅🅸🆂🅰. ✾
marzo-octubre – Com 1650 – ⌷ 525 – **58 hab** 2850/3950.

🏨 **Tropicana,** av. Diputación ℰ 36 01 12, 🛝, ⌿, ☞ – ☜ 🄿. ✾
marzo-15 noviembre – Com 1150 – ⌷ 350 – **28 hab** 2450/4700.

🏨 **Can Solé,** Ramón Llull 19 ℰ 36 02 36, 🛝 – 🗐 rest. **E** 🆅🅸🆂🅰. ✾
cerrado 23 diciembre-8 enero – Com 950 – ⌷ 325 – **26 hab** 1900/3600.

%%% ✿ **Eugenia,** Consolat de Mar 80 ℰ 36 01 68, 🛝, Pescados y mariscos, « Terraza con plantas » – 🄿. 🄰🄴 ⓞ **E** 🆅🅸🆂🅰. ✾
cerrado martes noche, miércoles en invierno, jueves mediodía en verano y noviembre-diciembre
– Com carta 3240 a 4125
Espec. Surtido de mariscos y pescados, Dorada al vino tinto, Salmón fresco Eugenia.

%% ✿ **Casa Gatell - Joan Gatell,** paseo Miramar 26 ℰ 36 00 57, ≤, 🛝, Pescados y mariscos –
🗐. 🄰🄴 ⓞ **E** 🆅🅸🆂🅰. ✾
cerrado domingo noche, lunes y 15 diciembre-enero – Com carta 3000 a 4600
Espec. Entremeses Gatell, Rape de Cambrils con ajos tiernos y calçots (octubre-abril), Angulas con dorada
macerada (noviembre-marzo).

%% ✿ **Can Gatell,** paseo Miramar 27 ℰ 36 03 31, ≤, 🛝, Pescados y mariscos – 🗐. 🄰🄴 ⓞ **E** 🆅🅸🆂🅰.
✾
cerrado lunes noche, martes, octubre y del 5 al 25 febrero – Com carta 3300 a 4700
Espec. Fideos negros con sepionets, Fricandó de mero con rovellons, Pescados de roca al suquet del chef.

%% ✿ **Can Bosch,** rambla Jaime I - 19 ℰ 36 00 19, 🛝, Pescados y mariscos – 🗐. 🄰🄴 ⓞ **E** 🆅🅸🆂🅰.
✾
cerrado domingo noche, lunes y 18 diciembre-enero – Com carta 2475 a 3920
Espec. Minuta de salmón, Arroz negro Can Bosch, Lenguado a la salsa de erizos.

%% **Bandert,** rambla Jaime I ℰ 36 10 63 – 🗐. 🄰🄴 **E** 🆅🅸🆂🅰. ✾
cerrado martes y febrero – Com carta 2125 a 3065.

X **Rincón de Diego,** Drassanes 7 ℰ 36 13 07, 🍽 – ▤. ᴬᴱ ⓞ ⲉ 𝑉𝐼𝑆𝐴
cerrado domingo noche, lunes y febrero – Com carta 2050 a 3200.

X Rovira, paseo Miramar 37 ℰ 36 01.05, ≼, 🍽, Pescados y mariscos – ▤.

X Miquel, av. Diputación 3 ℰ 36 11 34, 🍽.

X **Casa Gallau,** Pescadores 25 ℰ 36 02 61, 🍽, Pescados y mariscos – ▤. ᴬᴱ ⓞ ⲉ 𝑉𝐼𝑆𝐴. 🍴
cerrado jueves, miércoles mediodía en verano, miércoles noche fuera de temporada y 20 diciembre-20 enero – Com carta 1900 a 2500.

X **Natalia,** Consolat de Mar 28 ℰ 36 06 48, 🍽, Pescados y mariscos – ▤. ⓞ ⲉ 𝑉𝐼𝑆𝐴. 🍴
cerrado domingo noche, lunes y 15 octubre-15 noviembre – Com carta 2200 a 3000.

X **Marina,** paseo Miramar 42 ℰ 36 04 32, ≼, 🍽 – ▤. ᴬᴱ ⓞ ⲉ 𝑉𝐼𝑆𝐴
10 marzo-octubre – Com *(cerrado jueves)* carta 1600 a 3300.

X **Macarrilla,** Las Barcas 14 ℰ 36 08 14, Pescados y mariscos – ▤. ⓞ ⲉ 𝑉𝐼𝑆𝐴. 🍴
cerrado martes – Com carta 1450 a 2450.

X **El Caliu,** Pau Casals 22 ℰ 36 01 08, 🍽, Decoración rústica, Carnes a la brasa – ▤. ᴬᴱ ⓞ ⲉ
𝑉𝐼𝑆𝐴
cerrado lunes y enero – Com carta 1650 a 3150.

en la carretera N 340 – ⓢ 977 :

XX **Mas Gallau,** NE : 3,5 km, ✉ apartado 129 Cambrils, ℰ 36 05 88, Decoración rústica – ▤ 🅿.
ᴬᴱ ⓞ ⲉ 𝑉𝐼𝑆𝐴
Com carta 2100 a 4225.

X **La Caseta del Rellotge,** SO : 4,5 km, ✉ 43300 Mont Roig, ℰ 83 78 44, 🍽, Decoración rústica, « Antigua posada » – ▤ 🅿. ⓞ ⲉ 𝑉𝐼𝑆𝐴. 🍴
cerrado del 7 al 25 noviembre – Com carta 1400 a 3250.

CITROEN Valencia 27 ℰ 36 12 07	RENAULT carret. Valencia-Barcelona km 233 ℰ
FORD carret. de Valencia km 232,6 ℰ 36 18 47	36 02 60
OPEL-GM Valencia 8 ℰ 36 00 12	

CAMPANAS 31397 Navarra 🄸🄸🄸 D 25 – alt. 495 – ⓢ 948.

♦Madrid 392 – ♦Logroño 84 – ♦Pamplona 14 – ♦Zaragoza 156.

en la carretera N 121 – ✉ 31397 Campanas – ⓢ 948 :

🏠 Iranzu, ℰ 36 00 67 – ▤ rest 🅿
18 hab.

CAMP DE MAR 07160 Baleares 🄸🄸🄸 N 37 – ver Baleares (Mallorca) : Puerto de Andraitx.

CAMPELLO 03560 Alicante 🄸🄸🄸 Q 28 – 8 335 h. – ⓢ 96.

♦Madrid 431 – ♦Alicante 13 – Benidorm 29.

en la playa :

X **La Peña,** San Vicente 12 ℰ 563 10 48, Pescados y mariscos – ▤. ᴬᴱ ⓞ ⲉ 𝑉𝐼𝑆𝐴. 🍴
cerrado domingo noche y lunes de octubre a junio – Com carta 2050 a 2650.

X Seis Perlas, San Vicente 97 ℰ 563 04 62, 🍽 – ▤.

PEUGEOT-TALBOT San Ration 14 ℰ 563 20 73

CAMPRODÓN 17867 Gerona 🄸🄸🄸 F 37 – 2 376 h. alt. 950 – ⓢ 972 – ver aduanas p. 14 y 15.

Ver : Iglesia de San Pedro★.

Alred. : Carretera★ del Collado de Ares.

🄱 pl. de España 1 ℰ 74 00 10.

♦Madrid 699 – ♦Barcelona 127 – Gerona/Girona 80.

🏠 **Güell,** pl. d'Espanya 8 ℰ 74 00 11 – 🚿 ⇔. ⓞ ⲉ 𝑉𝐼𝑆𝐴. 🍴
Com 1300 – 🍽 400 – **40 hab** 1800/4000 – P 4600/4800.

🏠 Sayola, Josep Morer 4 ℰ 74 01 42
35 hab.

FORD Nueva 10 ℰ 74 04 84	SEAT-AUDI-VOLKSWAGEN carret. de San Juan ℰ
RENAULT Valencia 56 ℰ 74 00 55	74 02 23

CAN AMAT (Urbanización) Barcelona – ver Martorell.

Do not mix up :

Comfort of hotels	: 🏨🏨🏨 … 🏠, 🏡	
Comfort of restaurants	: XXXXX … X	
Quality of the cuisine	: ⓢⓢⓢ, ⓢⓢ, ⓢ	

Las localidades que se indican a continuación figuran en el nuevo mapa Michelin,
España – Islas Canarias, **448** edición en español.

Les localités ci-après figurent sur la nouvelle carte Michelin,
Espagne – Iles Canaries, **449** édition en français.

The towns below are to be found on the new Michelin map,
Spain – Canary Islands, nº **450** for the English edition.

Die folgenden Städte sind auf der neuen Michelin-Karte Nr. **451**
Spanien – Kanarische Inseln (deutsche Ausgabe) verzeichnet.

En las Islas Canarias, sólo hemos seleccionado hoteles que aceptan clientes de paso.

GRAN CANARIA

Agaete 35480 – 4 427 h. – 🏵 928.
Alred. : Los Berrazales★ (Valle de Agaete★) SE : 7 km – Cenobio de Valerón★ NE :
13 km.
Las Palmas de Gran Canaria 39.

en el Puerto de las Nieves O : 1 km – ✉ 35489 Puerto de las Nieves – 🏵 928 :
✗ Antonio, ✆ 89 84 77, ≼.

Artenara 35350 – 930 h. alt. 1 219 – 🏵 928.
Ver : Parador de la Silla ≼★.
Alred. : Carretera de Las Palmas ≼★ Juncalillo – Pinar de Tamadaba★★ (≼★) NO :
12 km.
Las Palmas de Gran Canaria 48.

Arucas 35400 – 25 770 h. – 🏵 928.
Ver : Montaña de Arucas★★.
Las Palmas de Gran Canaria 17.

✗ Mesón de la Montaña, Montaña de Arucas : 2,5 km ✆ 60 14 75, 🍽, « Bonita situación » –
🅿.

Cruz de Tejeda 35328 – 2 115 h. alt. 1 450 – 🏵 928.
Ver : Paraje★★.
Alred. : Pozo de las Nieves ❄★★★ SE : 10 km – Juncalillo : pueblo troglodita ≼ ★ : NO :
5 km.
Las Palmas de Gran Canaria 42.

✗✗ **Hostería La Cruz de Tejeda**, alt. 1 450 ✆ 65 80 50, ≼ montañas y valles, 🍽, « Bonita
situación dominando la isla » – 🅿. 🕮 ⓪ 🄴 𝑉𝐼𝑆𝐴 ❄
Com carta 2550 a 3100.

Maspalomas 35100 – 🏵 928 – Playa.
Ver : Playa★.
Alred. : N : Barranco de Fataga★ – San Bartolomé de Tirajana (paraje★) N : 23 km por
Fataga.
🛇, 🛇 de Maspalomas SO : 5 km ✆ 76 25 81.
Las Palmas de Gran Canaria 50.

junto al faro :

🏨 **Royal Maspalomas Oasis** Ⓜ ≫, ✆ 76 01 70, Telex 96104, Fax 76 25 01, ≼, 🍽, « Bonito
jardin y gran palmeral », ⤳ climatizada, ❄ – 📲 🗏 – 🛗, 🕮 ⓪ 🄴 𝑉𝐼𝑆𝐴 ❄
Com 3500 – ☲ 1500 – **338 hab** 19500/37200.

🏨 **IFA-Faro Maspalomas** Ⓜ ≫, ✆ 76 04 62, Telex 95295, Fax 76 41 90, ≼, « ⤳ climatizada
rodeada de un jardin subtropical » – 📲 🗏 – 🛗, 🕮 ⓪ 🄴 𝑉𝐼𝑆𝐴 ❄
Com 2700 – ☲ 1100 – **188 hab** 16000/24000.

🏨 **Maspalomas Palm Beach** ≫, en el Oasis ✆ 76 29 20, Telex 96365, Fax 76 33 16, ≼, 🍽,
« Amplia terraza con ⤳ climatizada, bonito jardin con palmeras », ❄ – 📲 🗏 🅿. 🕮 ⓪ 🄴
𝑉𝐼𝑆𝐴 ❄ rest
Com 2700 – **357 hab** ☲ 16900/25100 – P 14950/31600.

en la Playa del Inglés – ⊠ 35100 Maspalomas – 🕿 928 :

🏨 IFA-H. Dunamar, 🖉 76 12 00, Telex 95311, ≼, 🛱, ⚊ climatizada, 🚗 – 🛗 ☰
Com (sólo cena) – **184 hab**.

🏨 **Catarina Playa** 🦎, av. de Tirajana 1 🖉 76 28 12, Telex 95361, Fax 76 06 18, 🛱, ⚊ climatizada, 🚗, 💥 – 🛗 ☰ – 🔬 ☒ ⓞ E 𝗩𝗜𝗦𝗔. 💥
Com 1100 – **399 hab** ☲ 8700/13900 – P 10510/17420.

🏨 **Parque Tropical,** 🖉 76 07 12, Telex 95216, ≼, 🛱, « Edificio de estilo regional - Bonito jardín tropical », ⚊ climatizada, 💥 – 🛗 ☰ rest. ☒ ⓞ E 𝗩𝗜𝗦𝗔. 💥
Com 2100 – ☲ 700 – **235 hab** 8700/14800.

🏨 **Buenaventura Playa,** pl. Ansite 1 🖉 76 16 50, Telex 95361, Fax 76 06 18, ⚊ climatizada, 🚗, 💥 – 🛗 ☰ rest. ☒ ⓞ E 𝗩𝗜𝗦𝗔. 💥
Com 900 – **715 hab** ☲ 6500/10290 – P 7985/13260.

🏨 **Apolo** 🦎, 🖉 76 00 58, Fax 76 39 18, ≼, 🛱, ⚊ climatizada, 💥 – 🛗 ☰ 🅿. ☒ ⓞ E 𝗩𝗜𝗦𝗔. 💥
Com 1700 – ☲ 750 – **115 hab** 9000/13750.

🏨 **Lucana,** pl. del Sol 🖉 76 27 00, Telex 96529, ≼, ⚊ climatizada, 💥 – 🛗 ☰ ☒ ⓞ E 𝗩𝗜𝗦𝗔. 💥
Com (sólo cena) 2400 – ☲ 600 – **167 hab** 5700/7400.

🏨 **Waikiki,** av. de Gran Canaria 20 🖉 76 23 00, Telex 95216, « Jardín con ⚊ climatizada », 💥 – ☰ ☒ ⓞ E 𝗩𝗜𝗦𝗔 rest
Com 1800 – ☲ 600 – **513 hab** 6150/9650 – P 8375/9700.

🏨 **Don Miguel y Rest. El Chef y El Pez,** av. de Tirajana 36 🖉 76 15 08, Telex 96307, 🛱, ⚊ climatizada – 🔬 ☒ ⓞ E 𝗩𝗜𝗦𝗔. 💥
Com (sólo cena) 1600 – **251 hab** ☲ 6280/9380.

🏨 Corona Caserío, av. de Italia 8 🖉 76 10 50, Telex 96330, ⚊ climatizada – 🛗 ☰ 🖂 🅿
106 hab.

✕ House Ming II, San Cristóbal de la Laguna - Edificio 🖉 76 11 91, 🛱, Rest. chino, ⚊.

✕ **La Toja,** av. de Tirajana-Edificio Barbados 🖉 76 11 96, 🛱 – 🛗 ☒ ⓞ E 𝗩𝗜𝗦𝗔. 💥
cerrado domingo y 20 junio-25 julio – Com (es necesario reservar para cenar) carta 2200 a 3000.

✕ Mesón El Gallego, av. Gran Canaria 33 🖉 76 11 45 – ☰.

✕ Las Cubas, Marcial Franco - bloque 7 (junto carretera General) 🖉 76 22 69 – ☰.

en la playa de San Agustín – ⊠ 35100 Maspalomas – 🕿 928 :

🏨 Meliá Tamarindos Ⓜ, Las Retamas 🖉 76 26 00, Telex 95463, ≼, 🛱, « Bonito césped con ⚊ climatizada », 🚗, 💥 – 🛗 ☰ 🅿 – 🔬 – **318 hab**.

🏨 **Costa Canaria,** Las Retamas 🖉 76 02 04, Telex 96114, Fax 76 29 35, ≼, 🛱, « Gran terraza con ⚊ climatizada y bonito jardín », 💥 – 🛗 ☰ rest. ☒ ⓞ E 𝗩𝗜𝗦𝗔. 💥
Com 4000 – ☲ 930 – **164 hab** 9200/11500 – P 11830/15280.

🏨 Don Gregory, Las Dalias 11 🖉 76 26 62, Telex 96072, ≼, 🛱, ⚊ climatizada, 💥 – 🛗 ☰ 🅿
241 hab.

🏨 IFA Beach H., Los Jazmines 🖉 76 51 00, ≼, ⚊ climatizada – 🛗 ☰ rest 🖂 🅿
200 hab.

✕✕✕ **San Agustín Beach Club,** pl. de los Cocoteros 1 🖉 76 04 00, Telex 96330, Fax 76 46 76, 🛱, Decoración moderna con motivos africanos, « Bonita terraza con ⚊ (de pago) climatizada » – ☰. ☒ E 𝗩𝗜𝗦𝗔
Com carta 3175 a 3935 .

✕✕✕ Rocas, urb. Rocas Rojas 🖉 76 03 16, Cenas amenizadas al piano – ☰
Com (sólo cena).

✕✕ **Buganvilla,** Morro Besudo 17 🖉 76 03 16 – ☰. ☒ E 𝗩𝗜𝗦𝗔. 💥
cerrado lunes en verano – Com (sólo cena) carta 2925 a 4050 .

✕ El Puente, Urbanización Las Flores 🖉 76 24 00, ≼, 🛱 – ☰.

en Nueva Europa (Urbanización) – ⊠ 35100 Maspalomas – 🕿 928 :

✕✕ **Chez Mario,** Los Pinos 15 🖉 76 18 17, Cocina italiana – ☒ E 𝗩𝗜𝗦𝗔
cerrado junio – Com (sólo cena) carta 1840 a 2650.

en la carretera de Las Palmas NE : 7 km – ⊠ 35100 Maspalomas – 🕿 928 :

🏨 **Bahia Feliz** 🦎, playa de Tarajalillo 🖉 76 46 00, Telex 96232, Fax 76 46 12, ≼, 🛱, « Original decoración de tipo africano », ⚊ climatizada, 💥 – 🛗 ☰ rest – 🔬. ☒ ⓞ E 𝗩𝗜𝗦𝗔. 💥
Com 1750 – **255 hab** ☲ 8900/11400 – P 10100/12600.

Las Palmas de Gran Canaria 3500 🅟 – 366 454 h. – 🕿 928 – Playa.

Ver : Casa de Colón★ CZ **B** – Paseo Cornisa🌿★ AZ.

Alred. : Jardín Canario★ por ② : 10 km – Mirador de Bandama 🌿★★ por ② : 14 km – Arucas : Montaña de Arucas★★ por ③ : 18 km.

🏌 de Las Palmas, Bandama por ② : 14 km 🖉 35 10 50.

🛬 de Gran Canaria por ① : 30 km 🖉 25 46 40 – Iberia : Alcalde Ramírez Bethencourt 49, ⊠ 35003 🖉 36 01 11 y Aviaco : aeropuerto 🖉 70 01 75.

🚢 para la Península, Tenerife y La Palma : Cía. Trasmediterránea, muelle Rivera Oeste, ⊠ 35008, 🖉 26 56 50, Telex 95428 CXY,.

🄱 Parque Santa Catalina, ⊠ 35007, 🖉 26 23 55 y Casa del Turismo, pl. de Ramón Franco 🖉 27 73 56 Pueblo Canario - Local 2 🖉 24 35 93 – R.A.C.E. León y Castillo 281, ⊠ 35003, 🖉 23 07 88.

🏨 **Santa Catalina** 🐾, Parque Doramas, ✉ 35005, ℰ 24 30 40, Telex 96014, 🈂, « Bonito edificio de estilo regional en un agradable parque con palmeras », 🌡 agua termal – 🛗 🍽 rest ☎ 🅿 – 🏧. 🆑 ⓪ 🅔 ᴠɪsᴀ. 🛎
AZ **z**
Com 3200 – 🍽 850 – **200 hab** 12240/15300 – P 13450/18040.

🏨 **Meliá Las Palmas y Rest. Botánico** Ⓜ. Gomera 6, ✉ 35008, ℰ 26 80 50, Telex 95161, Fax 26 84 11, ≼, 🌡 climatizada – 🛗 🍽 📺 ☎ ⟷ – 🏧. 🆑 ⓪ 🅔 ᴠɪsᴀ. 🛎
CX **c**
Com 4500 – 🍽 1100 – **316 hab** 10500/16500.

🏨 **Reina Isabel,** Alfredo L. Jones 40, ✉ 35008, ℰ 26 01 00, Telex 95103, Fax 27 20 47, ≼, 🌡 climatizada – 🛗 🍽 📺 ☎ 🅿 – 🏧. 🆑 ⓪ 🅔 ᴠɪsᴀ. 🛎
CX **y**
Com 3250 – 🍽 1000 – **232 hab** 10000/12000 – P 12400/16400.

🏨 **Iberia Sol,** av. Marítima del Norte 49, ✉ 35003, ℰ 36 13 44, Telex 95413, ≼, 🌡 – 🛗 🍽 📺 🅿 – 🏧. 🆑 ⓪ 🅔 ᴠɪsᴀ. 🛎
AZ **a**
Com 1600 – 🍽 600 – **298 hab** 8030/11060 – P 8820/11320.

🏨 Imperial Playa, playa de las Canteras 3, ✉ 35008, ℰ 26 48 54, Telex 95340, ≼ – 🛗 🍽
AY **e**
173 hab.

🏨 **Los Bardinos Sol,** Eduardo Benot 5, ✉ 35007, ℰ 26 61 00, Telex 95189, ≼ playa, puerto y ciudad, 🌡 – 🛗 🍽 rest 📺 ☎ – 🏧. 🆑 ⓪ 🅔 ᴠɪsᴀ. 🛎
CX **z**
Com 2500 – **215 hab** 🍽 8630/12260.

🏨 Concorde, Tomás Miller 85, ✉ 35007, ℰ 26 27 50, 🌡 – 🛗 🍽 rest ☎
Com (sólo cena) – **127 hab**.
CX **x**

🏨 **Fataga,** Néstor de la Torre 21, ✉ 35006, ℰ 24 04 07, Telex 96221, Fax 23 14 62 – 🛗 🍽 rest 📺 🆑 ᴠɪsᴀ. 🛎
CY **g**
Com 1300 – 🍽 350 – **92 hab** 3000.

🏨 Rocamar, Lanzarote 10, ✉ 35008, ℰ 26 56 00, Telex 96196, ≼ – 🛗 🍽 rest
CX **r**
Com (sólo cena) – **87 hab**.

sigue →

LAS PALMAS
DE GRAN CANARIA

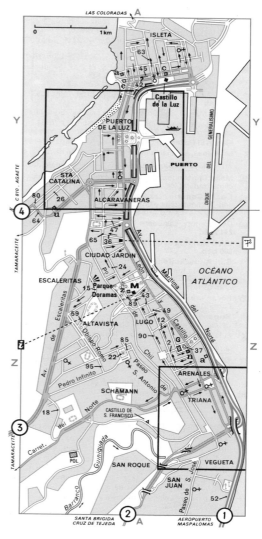

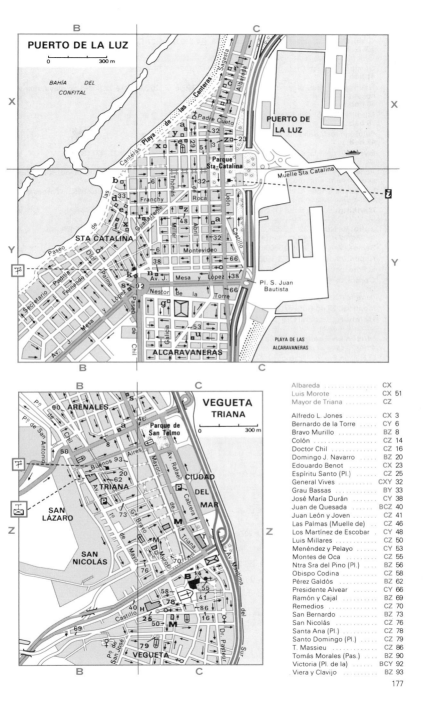

PUERTO DE LA LUZ

0   300 m

BAHÍA DEL CONFITAL

PUERTO DE LA LUZ

Playa de las Canteras

Padre Cueto

Parque Sta. Catalina

Muelle Sta Catalina

STA CATALINA

Franchy

Roca

León

Miller

Abril

Castillo

Montevideo

Av. J. Mesa y López

Néstor de la Torre

ALCARAVANERAS

Pl. S. Juan Bautista

PLAYA DE LAS ALCARAVANERAS

Secretario

Padilla

Fernando

Palma

Paseo de Chil

Paseo Olof

Guanarteme

Tomás

VEGUETA
TRIANA

ARENALES

Parque de San Telmo

0   300 m

Buenos Aires

TRIANA

CIUDAD DEL MAR

SAN LÁZARO

SAN NICOLÁS

VEGUETA

Castillo

Triana

Muro

Av. Marítima del Sur

Dr. Pastello

177

🏨 **Gran Canaria,** paseo de las Canteras 38, ✉ 35007, ℰ 27 17 54, Telex 96453, ≼ – 🛗 🕾. 🖭
　　① 🖳 *VISA*. ⫰ rest
BY **b**
　　Com (sólo cena) 1850 – **90 hab** ⊑ 5775/7760.

🏨 Olympia, sin rest, Dr. Grau Bassas 1, ✉ 35007, ℰ 26 17 20 – 🛗 🕾
BY **x**
　　41 hab.

🏨 Nautilus, sin rest, playa de las Canteras 5, ✉ 35008, ℰ 26 32 74, Telex 95340, ≼ playa, mar y
　　costa – 🛗 🕾
AY **s**
　　60 hab.

🏨 Miraflor, Doctor Grau Bassas 21, ✉ 35007, ℰ 26 16 00 – 🛗 ▥ rest 🕾
BY **e**
　　78 hab.

🏠 Pujol, sin rest, Salvador Cuyás 5, ✉ 35008, ℰ 27 44 33 – 🛗 🕾
CX **n**
　　48 hab.

🏠 **Syria** sin rest, Luis Morote 27, ✉ 35007, ℰ 27 06 00 – 🛗 🕾. 🖭 **①** 🖳 *VISA*. ⫰
CX **t**
　　⊑ 150 – **26 hab** 2000/2500.

XXX Acuario, pl. de la Victoria 3, ✉ 35010, ℰ 27 34 32, Cenas amenizadas al piano, « Bonitos
　　acuarios en un marco de fondo de mar » – ▥
BY **s**

XX La Cabaña Criolla, Los Martínez de Escobar 37, ✉ 35007, ℰ 27 02 16, Telex 96521, Carnes a la
　　brasa, Decoración rústica – ▥
CY **r**

XX **Nanking,** Francy Roca 11, ✉ 35007, ℰ 26 98 70, Rest. chino – ▥. 🖭 *VISA*. ⫰
CY **z**
　　Com carta 1120 a 1750.

XX **Julio,** La Naval 132, ✉ 35008, ℰ 27 10 39, Pescados y mariscos – ▥. 🖭 **①** 🖳 *VISA*. ⫰
　　cerrado domingo – Com carta 1650 a 2400.
AY **c**

XX Samoa, Valencia 46, ✉ 35006, ℰ 24 14 71 – ▥
CY **u**

X Neguri, 29 de Abril 87, ✉ 35008, ℰ 27 69 02, Cocina vasca – ▥
CX **a**

X El Pote, pasaje José María Durán 4, ✉ 35007, ℰ 27 80 58, Cocina gallega – ▥
CY **n**

X **Caminito Grill,** av. Mesa y López 82, ✉ 35010, ℰ 27 88 68, Carnes a la brasa – 🖭 **①** *VISA*
　　⫰
AY **u**
　　cerrado domingo y del 15 al 31 agosto – Com carta 1730 a 2900.

X Montreal, 29 de Abril 77, ✉ 35007, ℰ 26 40 10 – ▥
CX **e**

X **Hamburg,** General Orgaz 54, ✉ 35009, ℰ 22 27 45 – 🖭 🖳 *VISA*
AY **a**
　　cerrado lunes y septiembre – Com carta 2150 a 3050.

X **Mesón La Paella,** José María Durán 47, ✉ 35010, ℰ 27 16 40 – 🖭 *VISA*. ⫰
BY **k**
　　cerrado sábado noche, domingo, festivos y 15 agosto-15 septiembre – Com carta 1700 a 3100.

X El Novillo Precoz, Portugal 9, ✉ 35010, ℰ 22 16 59, Carnes a la brasa – ▥. 🖭 🖳 *VISA*. ⫰
　　cerrado miércoles y del 15 al 30 mayo.
BY **f**

X Ca'cho Damián, León y Castillo 26, ✉ 35003, ℰ 36 53 23 – ▥
BZ **s**

X Canario, Perojo 2, ✉ 35003, ℰ 36 57 16
BZ **a**

X Tenderete I, León y Castillo 91, ✉ 35003, ℰ 24 29 57 – ▥
AZ **n**

en Las Coloradas - Zona de la Isleta – ✉ 35009 Las Palmas – 🕾 928 :

X **El Padrino,** Jesús Nazareno 1 ℰ 27 20 94, 🍽, Pescados y mariscos – 🖭 **①** 🖳 *VISA*. ⫰
　　cerrado jueves y octubre – Com carta 1300 a 2050.
por Perez Muñoz AY

X **Pitango,** María Dolorosa 2 ℰ 26 31 94, 🍽, Carnes a la brasa – ▥. 🖭 **①** 🖳 *VISA*. ⫰
　　cerrado lunes y septiembre – Com carta 2150 a 2900.
por Perez Muñoz AY

ALFA-ROMEO　urb. El Cebadal - Vial 1 ℰ 27 20 14
AUDI-VOLKSWAGEN-SEAT-PORSCHE　Diego Vega
Sarmiento 16 ℰ 25 20 32
AUSTIN-MG-MORRIS-MINI　av. Escaleritas 120 ℰ
20 08 00
BMW-SEAT　av. Escaleritas 106 ℰ 36 10 00
CITROEN　República Dominicana 14 ℰ 26 95 66
FIAT　av. Escaleritas 50 ℰ 22 37 08
FORD　José María Durán 6 ℰ 26 17 08
GENERAL MOTORS　av. Escaleritas 120 ℰ 20 08 00

GENERAL MOTORS-FIAT　urb. El Cebadal - Vial 1 ℰ
27 90 52
MERCEDES-BENZ　av. Escaleritas 112 ℰ 36 60 44
PEUGEOT-TALBOT　Diego Vega Sarmiento 5 ℰ
20 41 11
RENAULT　carret. del Centro km 3,2 ℰ 31 14 11
RENAULT　República Dominicana 17 ℰ 26 09 87
SEAT-VOLKSWAGEN　Prolongación Pedro Infinito
ℰ 20 30 44

Puerto Rico – Playa.

X Puerto Rico, paseo de la playa, ✉ 35130 Mogán, ℰ 74 51 81, Telex 96477, 🍽.

Santa Brígida – 11 194 h. alt. 426 – 🕾 928 – Las Palmas 15.

XX Las Grutas de Artiles, Las Meleguinas N : 2 km ℰ 64 05 75, 🍽, « Instalado en una gruta »,
　　⛲, ⫰ – 🅿.

X Bentayga, carret. de Las Palmas NE : 3 km - El Monte ℰ 35 02 45, ≼, 🍽.

X El Palmeral, av. del Palmeral 45 ℰ 64 15 18, 🍽 – 🅿.

Tafira Alta – alt. 375 – 🕾 928 – Las Palmas 8.

X Jardín Canario, Plan de Loreto, carret. de Las Palmas : 1 km ℰ 35 16 45, ≼, Dominando el
　　Jardín Botánico – 🅿.

X La Masia de Canarias, Murillo 36 ℰ 35 01 20, 🍽.

Teror – 9 461 h. alt. 445 – ✿ 928.

Alred. : Mirador de Zamora ≼* O : 7 km por carretera de Valleseco.

Las Palmas 21.

✗ San Matías, carret. de Arucas N : 1 km ℰ 63 07 65, ≼ Valle, montañas y población, 🏤 – 🅿.

FUERTEVENTURA (Gran Canaria)

Corralejo – ✿ 928 – **Ver** : Puerto y playas*.

Puerto del Rosario 38.

✗ Oscar, de la Iglesia 9 ℰ 86 61 96.

✗ Los Barqueros, urb. Los Barqueros ℰ 86 60 72, 🏤.

en las playas SE : 4 km – ✉ 35660 Corralejo – ✿ 928 :

🏨🏨 **Tres Islas** ≫, ℰ 86 60 00, Telex 96544, Fax 86 60 51, ≼, ⊐ climatizada, 🖎, ✗ – ▮ ▤ 🅿 –
▲. ᴁ ➀ Ɛ 𝑉𝐼𝑆𝐴. ✼
Com 2750 – ⇌ 1000 – **356 hab** 9200/15950.

Costa Calma – ✿ 928.

Puerto del Rosario 70.

🏨🏨 Taro Beach H. ≫, urb. Cañada del Río, ✉ 35627 Gran Tarajal, ℰ 87 07 76, Telex 95535, ≼,
🏤, ⊐ climatizada, ✗ – ☎ 🅿
Com (sólo cena) – **128 apartamentos**.

✗✗ Bahia Calma, ✉ 35627 Gran Tarajal, ≼, 🏤, ⊐ – 🅿.

La Lajita – Playa.

Puerto del Rosario 56.

✗ **Cuesta de la Pared,** urb. Puerto Rico E : 3 km, ✉ 35627 Gran Tarajal, ≼, 🏤 – 🅿
cerrado lunes y mayo-8 junio – Com carta 1625 a 2420.

Playa Barca – ✿ 928 – Playa.

Puerto del Rosario 47.

🏨🏨 **Los Gorriones** ≫, ✉ 35627 Gran Tarajal, ℰ 87 08 25, Telex 96234, ≼, 🏤, « Amplia terraza
con ⊐ climatizada », 🖎, ✗ – ▮ ▤ rest ☎ – ▲. ᴁ ➀ Ɛ 𝑉𝐼𝑆𝐴. ✼
Com 1250 – **321 hab** ⇌ 7880/12160.

Puerto del Rosario – 13 878 h. – ✿ 928 – Playa.

⥱ de Fuerteventura S : 6 km ℰ 85 08 52 – Iberia : 23 de Mayo 11 ℰ 85 05 16.

🚢 para Lanzarote, Gran Canaria y Tenerife : Cía Trasmediterránea, León y Castillo 46 ℰ
85 08 77.

🛈 av. Primero de Mayo 39 ℰ 85 10 24.

en Playa Blanca S : 3,5 km – ✉ 35600 Puerto del Rosario – ✿ 928 :

🏨🏨 **Parador de Fuerteventura** ≫, ℰ 85 11 50, Fax 85 11 58, ≼, ⊐, 🖎, ✗ – ☎ 🛏 🅿. ᴁ ➀
Ɛ 𝑉𝐼𝑆𝐴. ✼
Com 2500 – ⇌ 800 – **50 hab** 6400/8000.

Tarajalejo – ✿ 928

🏤 Tofio ≫, ✉ 35627 Grand Tarajal, ℰ 87 00 50, ≼, 🏤, ⊐, 🖎, ✗ – ▮ ☁ 🅿 – **80 hab**.

LANZAROTE (Gran Canaria)

Arrecife 35500 – 29 502 h. – ✿ 928 – Playa.

Alred. : Teguise (castillo de Guanapay ⁂*) N : 11 km – La Geria** (de Mozaga a Yaiza)
NO : 17 km – Cueva de los Verdes*** NE : 27 km por Guatiza – Jameos del Agua* NE :
29 km por Guatiza – Mirador del Río** (⁂**) NO : 33 km por Guatiza.

🎣 Costa Teguise NE : 10 km ℰ 81 35 12.

⥱ de Lanzarote O : 6 km ℰ 81 03 95 – Iberia : av. Rafael González 2 ℰ 81 03 50.

🚢 para Gran Canaria, Tenerife, La Palma y la Península : Cía. Trasmediterránea, José
Antonio 90 ℰ 81 10 19, Telex 95336.

🛈 Parque Municipal ℰ 81 18 60.

🏨🏨 Arrecife G.H., av. Mancomunidad 11 ℰ 81 12 50, Telex 95249, ≼, 🏤, « Terraza ajardinada
con ⊐ », ✗ – ▮ ☎ – **148 hab**.

🏤 Miramar, sin rest, Coll 2 ℰ 81 04 38 – ▮ ☁ – **90 hab**.

🏠 Cardona, sin rest, 18 de Julio 11 ℰ 81 10 08 – ▮ ☁ – **62 hab**.

✗ Martin, pl. de la Constitución 12 ℰ 81 23 54.

por la carretera del puerto de Naos NE : 2 km – ⊠ 35500 Arrecife – ✪ 928 :

XX **Castillo de San José**, ℘ 81 23 21, ≤ puerto y Arrecife, Instalación moderna en una fortaleza del siglo XVII – ▤ ℗.

en Costa Teguise (Urbanización) – ⊠ 35500 Arrecife – ✪ 928 :

🏨 **Meliá Salinas** Ⓜ 🦢, playa de las Cucharas NE : 9,5 km ℘ 81 30 40, Telex 96320, Fax 81 33 90, ≤, �, « Profusión de plantas-bonita terraza con 🔼 climatizada », 🐎, 🛠, 🕞 – 🎷
▤ 📺 ☎ ℗ – 🛦. ☒ ⑩ Ε 𝑉𝐼𝑆𝐴. ❀ rest
Com 3750 – 🖵 1200 – **310 hab** 16200/20600 – P 17250/23150.

🏨 **Los Zocos** 🦢, playa de las Cucharas NE : 9,5 km ℘ 81 58 17, Telex 96440, Fax 81 64 36, �, « Agradable terraza con 🔼 climatizada », 🛠 – ☎ ℗ ☒ ⑩ Ε 𝑉𝐼𝑆𝐴. ❀
Com (sólo cena) 1650 – 🖵 750 – **244 apartamentos** 9150/11440.

XX **La Chimenea,** playa las Cucharas NE : 9,5 km ℘ 81 47 00, 🌱 – ▤. ☒ Ε 𝑉𝐼𝑆𝐴. ❀
cerrado domingo – Com carta 2000 a 3200.

XX La Tabaiba, Pueblo Comercial - av. Islas Canarias, ⊠ 35509, ℘ 81 17 07, 🌱
Com (sólo cena).

XX **El Pescador,** Pueblo Marinero NE : 9 km – ▤. ☒ Ε 𝑉𝐼𝑆𝐴. ❀
cerrado domingo – Com carta 2000 a 2800.

AUDI-VOLKSWAGEN Peréz Galdos 88 ℘ 81 19 71
AUSTIN-MG-MORRIS-MINI Martiner Montañes 10 ℘ 81 23 82
BMW carret. San Bartolomé km 1.200 ℘ 81 21 51
MERCEDES-BENZ-SEAT-VOLKSWAGEN Cabrera Tofan 78 ℘ 81 42 08

OPEL-FIAT Islote del Frances ℘ 81 23 66
PEUGEOT-TALBOT Hermanos Álvarez Quintero 56 ℘ 81 16 26
RENAULT Tagoror 2 ℘ 81 03 89

Montañas del Fuego – ✪ 928 – Zona de peaje.
Ver : Montañas del Fuego★★★.
Arrecife 31.

XX El Diablo, ⊠ 35560 Tinajo, ℘ 84 00 57, ❉ montañas volcánicas y mar – ℗
Com (sólo almuerzo).

Playa Blanca de Yaiza – Playa.
Alred. : Punta del Papagayo ≤★ S : 5 km.
Arrecife 38.

🏨 **Lanzarote Princess** 🦢, ⊠ 35570 Yaiza, ℘ 51 71 08, Fax 51 70 11, ≤, « Agradable terraza con 🔼 climatizada », 🛠 – 🎷 ▤ ☎ ℗ – 🛦. ☒ ⑩ Ε 𝑉𝐼𝑆𝐴. ❀
Com 1750 – 🖵 550 – **407 hab** 6000/8580.

X Casa Salvador, ⊠ 35570 Yaiza, ≤, 🌱, Pescados y mariscos.

Puerto del Carmen 35510 – ✪ 928.
Arrecife 15.

🏨 Los Fariones 🦢, urbanización Playa Blanca ℘ 82 51 75, Telex 96351, 🌱, « Bonita terraza y jardín tropical con ≤ mar », 🔼 climatizada, 🛠 – 🎷 ▤ rest ☎ – 🛦 – **237 hab**.

XXX Dionysio, Centro Comercial Roque Nublo ℘ 82 52 55 – ▤
Com (sólo cena).

XX La Boheme, urbanización Club Villas Blancas ℘ 82 59 15.

XX Romántica 2, Centro Atlántico ℘ 82 57 20, ≤.

XX **La Cañada,** General Prim 3 ℘ 82 64 15, Fax 51 03 60, 🌱 – ▤. ⑩ 𝑉𝐼𝑆𝐴. ❀
Com carta 1800 a 2450.

X **Janubio,** Centro Comercial Atlántico - Local 33-34 ℘ 51 26 35, 🌱 – ▤. ⑩ Ε 𝑉𝐼𝑆𝐴. ❀
cerrado viernes y junio – Com carta 1900 a 2900.

X **El Varadero,** pl. del Varadero 22 ℘ 82 57 11, Instalado en un antiguo almacén – Ε 𝑉𝐼𝑆𝐴. ❀
cerrado martes – Com carta 2750 a 4700.

en la playa de los Pocillos E : 3 km – ⊠ 35519 Los Pocillos – ✪ 928 :

🏨 **San Antonio** 🦢, ℘ 82 50 50, Telex 95334, Fax 82 60 23, ≤, « Jardín botánico », 🔼 climatizada, 🛠 – 🎷 ▤ ☎ ℗ – 🛦. ☒ ⑩ Ε 𝑉𝐼𝑆𝐴. ❀ rest
Com 3000 – 🖵 900 – **331 hab** 9000/11000.

XX La Gaviota, centro Marina Bay ℘ 82 50 50, Telex 95334, ≤, 🌱 – ▤ ℗
Com (sólo cena).

Yaiza 35570 – 1 913 h. – ✪ 928.
Alred. : La Geria★★ (de Yaiza a Mozaga) NE : 17 km – Salinas de Janubio★ SO : 6 km – El Golfo★★ NO : 8 km.
Arrecife 22.

X La Era, ℘ 83 00 16, 🌱, « Instalado en una casa de campo del siglo XVII » – ℗.

en la carretera de Playa Blanca O : 1 km – ⊠ 35570 Yaiza :

X Yaiza, ℘ 83 00 89, 🌱 – ℗.

TENERIFE

Adeje – 11 932 h. – 🕿 922 – Santa Cruz de Tenerife 82.

en Playa del Paraíso O : 6 km – ✉ 38670 Adeje – 🕿 922 :

🏨 **Paraíso Floral** ≫, 🖉 78 07 25, Telex 92005, Fax 78 05 01, ≼, 🏤, ⊼, 🐎, ✖ – 🕼 ☎ 🅿. 🖭 ⓞ E 𝘝𝘐𝘚𝘈. 🎇 rest
Com *(cerrado lunes)* (sólo cena) 1500 – ⇌ 650 – **356 apartamentos** 8500.

✖✖ **La Pérgola,** 🖉 78 07 25, ≼, 🏤, Cenas amenizadas con música – 🖭 ⓞ E 𝘝𝘐𝘚𝘈. 🎇
cerrado lunes – Com (sólo cena) carta 1800 a 3000.

Las Cañadas del Teide – alt. 2 200 – 🕿 922.
Ver : Parque Nacional de las Cañadas✶✶.
Alred. : Pico del Teide✶✶✶ N : 4 km, teleférico y 45 min a pie – Boca de Tauce✶✶ SO : 7 km.
Santa Cruz de Tenerife 67.

🏨 **Parador de Las Cañadas del Teide** ≫, alt 2 200, ✉ 38300 apartado 15 Orotava, 🖉 33 23 04, ≼ valle y Teide, « En un paisaje volcánico », ⊼, ✖ – ☎ 🅿. 🖭 ⓞ E 𝘝𝘐𝘚𝘈. 🎇
Com 2500 – ⇌ 800 – **18 hab** 4800/6000.

Los Cristianos – ✉ 38650 – 🕿 922 – Playa.
Alred. : Mirador de la Centinela ≼✶✶ NE : 12 km.
Santa Cruz de Tenerife 75.

🏨 **Oasis Moreque,** av. Penetración 🖉 79 03 66, Telex 92799, ≼, ⊼ climatizada, 🐎, ✖ – 🕼 🛏 rest 🅿. 🖭 𝘝𝘐𝘚𝘈. 🎇
Com (sólo almuerzo) 1550 – **173 hab** ⇌ 4720/6890 – P 6665/7940.

🏠 **Andrea's** sin rest, av. del Valle Menéndez 🖉 79 00 12 – 🕼 ⇦⇨. 🖭 ⓞ E 𝘝𝘐𝘚𝘈. 🎇
⇌ 300 – **49 hab** 3200/5400.

🏠 **Reverón** sin rest, av. Generalísimo Franco 26 🖉 79 06 00 – 🖭 𝘝𝘐𝘚𝘈
⇌ 300 – **35 hab** 3000/4000.

✖✖ **La Cava,** El Cabezo 🖉 79 04 93, 🏤, Decoración rústica – 🖭 E 𝘝𝘐𝘚𝘈. 🎇
cerrado domingo y junio-julio – Com (sólo cena) carta 1990 a 2480.

✖ Las Vistas, av. Suecia 🖉 79 33 13, ≼, 🏤.

✖ **Mesón L'Scala,** La Paloma 7 🖉 79 10 51, 🏤, Decoración rústica, Cenas amenizadas al piano – 🛏 🖭 ⓞ E 𝘝𝘐𝘚𝘈. 🎇
Com carta 1750 a 2850.

✖ El Rancho de Don Antonio, Juan XXIII 🖉 79 00 92, 🏤.

Guamasa 38330 – 🕿 922 – Santa Cruz de Tenerife 16.

✖✖ **Mesón de los Comuneros,** paseo de las Acacias 🖉 25 10 15, 🏤, Decoración castellana – 🛏 🅿. 🖭 ⓞ E 𝘝𝘐𝘚𝘈.
cerrado 15 agosto-15 septiembre – Com carta 2225 a 3475.

✖ **Mesón El Cordero Segoviano,** cruce Campo de Golf 🖉 25 22 39, 🏤, Decoración castellana – 🅿. 🖭 E 𝘝𝘐𝘚𝘈
Com (sólo almuerzo) carta 1900 a 2300.

Icod de los Vinos – 18 612 h. – 🕿 922.
Ver : Drago milenario✶.
Alred. : El Palmar✶✶ O : 20 km – San Juan del Reparo (carretera de Garachico ≼✶) SO : 6 km – San Juan de la Rambla (plaza de la iglesia✶) NE : 10 km.
Santa Cruz de Tenerife 60.

RENAULT av. Francisco Miranda 15 🖉 81 06 10

La Laguna – 112 635 h. alt. 550 – 🕿 922.
Ver : Iglesia de la Concepción✶.
Alred. : Monte de las Mercedes✶✶ (Mirador del Pico del Inglés✶✶, Mirador de Cruz del Carmen✶) NE : 11 km – Mirador del Pico de las Flores ✳✶✶ SO : 15 km – Pinar de La Esperanza✶ SO : 6 km.
🛝 de Tenerife O : 7 km 🖉 25 02 40 – 🛐 av. del Gran Poder 3 🖉 54 08 10.
Santa Cruz de Tenerife 9.

El Médano – ✉ 38612 – 🕿 922 – Playa.
🛫 Reina Sofía O : 8 km 🖉 77 13 00.
Santa Cruz de Tenerife 62.

🏨 **Médano,** playa 🖉 70 40 00, Telex 91486, ≼ – 🕼 ☎. 🖭 ⓞ E 𝘝𝘐𝘚𝘈. 🎇 rest
Com 1450 – ⇌ 390 – **65 hab** 3800/6000 – P 6290/7090.

🏠 **Carel,** av. Príncipes 22 🖉 70 42 50 – 🕼 🛏 rest. 🖭 ⓞ 𝘝𝘐𝘚𝘈. 🎇
cerrado junio – Com 660 – ⇌ 250 – **21 hab** 1980/2970 – P 3000.

La Orotava – 31 394 h. alt. 390 – ✪ 922.

Ver : Calle de San Francisco★ – Emplazamiento★.

Alred. : Mirador Humboldt★★★ NE : 3 km – Jardín de Aclimatación de la Orotava★★★ NO : 5 km – S : Valle de la Orotava★★★.

🛈 pl. General Franco ✆ 33 00 50.

Santa Cruz de Tenerife 36.

Playa de las Américas – ⊠ 38660 – ✪ 922 – Playa.

Alred. : Barranco del Infierno★ N : 8 km y 2 km a pie.

🛈 Pueblo Canario - San Eugenio ✆ 79 33 12.

Santa Cruz de Tenerife 75.

🏨🏨 **Gran Tinerfe,** ✆ 79 12 00, Telex 92199, ≼, « Agradables terrazas con 🏊 climatizada », ℀ – |ᶘ| 🖭 🅿 – 🔬 🄰🄴 ⑩ 🄴 🆅🄸🅂🄰 ℀
Com 1900 – ⊠ 700 – **358 hab** 7900/10000 – P 11400/17000.

🏨🏨 **Europe,** ✆ 79 13 08, Telex 92410, Fax 79 33 52, ≼, 🏤, 🏊 climatizada, ⚓, ℀ – |ᶘ| 🖭 – 🔬 🄰🄴 ⑩ 🄴 🆅🄸🅂🄰 ℀
Com 1200 – **274 hab** ⊠ 7400/9900.

🏨🏨 **Tenerife Princess,** av. Litoral ✆ 79 27 51, Telex 91148, Fax 79 10 39, 🏤, 🏊 climatizada, ℀ – |ᶘ| 🖭 ☎ 🅿 🄰🄴 ⑩ 🆅🄸🅂🄰 ℀
Com (sólo cena) 2100 – ⊠ 900 – **386 hab** 8000/9500 – P 8450/11700.

🏨🏨 **Bitacora,** ✆ 79 15 40, Telex 91120, 🏤, 🏊 climatizada, ⚓, ℀ – |ᶘ| 🖭 ☎ 🅿 🄰🄴 ⑩ 🆅🄸🅂🄰 ℀
Com 1600 – ⊠ 600 – **314 hab** 8500/10700 – P 8350/11500.

🏨🏨 **Las Palmeras,** ✆ 79 09 91, Telex 91274, Fax 79 09 64, ≼, 🏤, 🏊 climatizada, ℀ – |ᶘ| 🖭 ☎ 🖙 – 🔬 🄰🄴 🄴 🆅🄸🅂🄰 ℀ rest
Com (cerrado domingo) (sólo cena) 1100 – ⊠ 700 – **540 hab** 4750/6125 – P 4410/7450.

🏨🏨 **La Siesta,** av. Litoral ✆ 79 23 00, Telex 91119, Fax 79 22 00, 🏤, 🏊 climatizada, ⚓, ℀ – |ᶘ| 🖭 rest. 🄰🄴 ⑩ 🆅🄸🅂🄰 ℀
Com 1600 – ⊠ 500 – **280 hab** 6000/9000.

🏨🏨 **Conquistador,** av. Litoral ✆ 79 23 99, Telex 92145, ≼, 🏊 climatizada, ℀ – |ᶘ| 🖭 🅿 – **485 hab**.

🏨🏨 **Tenerife,** ✆ 79 10 70, Telex 91409, 🏤, 🏊 climatizada, ℀ – |ᶘ| 🖭 rest 🅿 – 🔬 🄰🄴 ⑩ 🄴 🆅🄸🅂🄰 ℀
Com (sólo cena) 2200 – **522 hab** ⊠ 8725/13290 – P 15130/17250.

🏨🏨 **Park H. Troya,** ✆ 79 01 00, Telex 92218, 🏤, 🏊 climatizada, ℀ – |ᶘ| 🖭 rest **318 hab**.

❌❌❌ **Costa Brava,** Centro Comercial Veronica 4 ✆ 79 06 55, ≼.

❌❌ **Mesón de Orgaz,** Pueblo Canario ✆ 79 31 69, 🏤 – 🄰🄴 ⑩ 🄴 🆅🄸🅂🄰
cerrado mayo – Com carta 1925 a 2850.

❌ **Folías,** Pueblo Canario ✆ 79 22 69, ≼, 🏤.

❌ **Mesón del Marqués,** edificio Oro Blanco ✆ 79 27 70, 🏤 – 🄰🄴 ⑩ 🄴 🆅🄸🅂🄰 ℀
Com carta 2000 a 2600.

❌ **Bistro,** Viñas del Mar ✆ 79 07 18, 🏤.

MERCEDES-SEAT-VOLKSWAGEN   Las Crucitas -   RENAULT av. Santa Cruz 122 - San Isidro - Granadilla
San Isidro ✆ 77 10 18   ✆ 77 03 48

Puerto de la Cruz – 39 241 h. – ⊠ 38400 – ✪ 922 – Playa.

Ver : Paseo Marítimo★ BZ.

Alred. : Jardín de aclimatación de la Orotava★★★ por ① : 1,5 km – Mirador Humboldt★★★ (valle de la Orotava★★★) por ① : 8 km – Iberia : av. de Venezuela ✆ 38 00 50 BY.

🛈 pl. de la Iglesia 3 ✆ 37 19 28 .

Santa Cruz de Tenerife 36 ①.

Plano página siguiente

🏨🏨🏨 **Meliá Botanico** Ⓜ ℀, Richard J. Yeoward ✆ 38 14 00, Telex 92395, Fax 38 15 04, ≼, 🏤, « Bonitos jardines tropicales », 🏊 climatizada, ℀ – |ᶘ| 🖭 🖭 ☎ – 🔬 🄰🄴 ⑩ 🄴 🆅🄸🅂🄰 ℀   BY h
Com 3900 – ⊠ 1100 – **282 hab** 14850/22000 – P 18700/22550.

🏨🏨 **San Felipe Sol,** playa de Martiánez - av. Colón 13 ✆ 38 33 11, Telex 92146, Fax 38 76 97, ≼, 🏤, 🏊 climatizada, ⚓, ℀ – |ᶘ| 🖭 ☎ 🅿 🄰🄴 ⑩ 🄴 🆅🄸🅂🄰 ℀   BY u
Com 3700 – **260 hab** ⊠ 14105/27970.

🏨🏨 **Meliá Puerto de la Cruz,** av. Marqués de Villanueva del Prado ✆ 38 40 11, Telex 92386, Fax 38 65 59, ≼, 🏤, 🏊 climatizada, ⚓, ℀ – |ᶘ| 🖭 – 🔬 🄰🄴 ⑩ 🄴 🆅🄸🅂🄰 ℀   BY f
Com 1850 – ⊠ 575 – **300 hab** 6000/9500.

🏨🏨 **El Tope,** Calzada de Martiánez 2 ✆ 38 50 52, Telex 92134, ≼, 🏊 climatizada, ⚓, ℀ – |ᶘ| 🖭 rest 🅿 – 🔬 🄰🄴 ⑩ 🄴 🆅🄸🅂🄰 ℀   BY e
Com (sólo cena) 2500 – ⊠ 900 – **217 hab** 7245/10950 – P 10335/12105.

🏨🏨 **Valle Mar,** av. de Colón 2 ✆ 38 48 00, Telex 92168, ≼, 🏤, 🏊 climatizada, ⚓ – |ᶘ| BY n
171 hab.

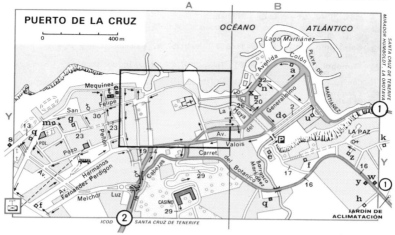

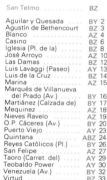

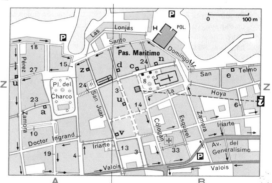

Atalaya G. H. ⊕, parque del Taoro ℰ 38 44 51, Telex 92380, ≤, 佘, « Jardín con ⌁ climatizada », ℀ – ⊞ ▤ ℗ – 🅰 🆎 ⓪ ℇ 𝗩𝗜𝗦𝗔 ⊗
Com 1950 – **183 hab** ⊿ 6750/9650.
por carret. del Taoro AY

Orotava Garden, Aguilar y Quesada ℰ 38 52 11, Telex 92212, 佘, ⌁ climatizada – ⊞ – 🅰 **241 hab**.
BY **d**

Parque San Antonio, carret. de Las Arenas ℰ 38 41 52, Telex 92774, 佘, « Agradables jardines tropicales », ⌁ climatizada – ⊞ ▤ rest – **211 hab**.
por ②

Puerto Playa, José del Campo Llarena ℰ 38 41 51, Telex 92748, ≤, ⌁ climatizada – ⊞ ▤ rest ⟷ – **183 hab**.
AY **q**

G. H. Tenerife Playa, av. de Colón 12 ℰ 38 32 11, Telex 92135, ≤, 佘, ⌁ climatizada, 🏊 – ⊞ ▤ rest – **339 hab**.
BY **a**

La Paz, urbanización La Paz ℰ 38 53 00, Telex 92203, 佘, « Conjunto de estilo regional », ⌁ climatizada, ℀ – ⊞ ℗ – 🅰 – **168 hab**.
BY **z**

G. H. Los Dogos ⊕, urbanización El Durazno ℰ 38 51 51, Telex 92198, ≤, 佘, ⌁ climatizada, ℀ – ⊞ ▤ ℗
237 hab.
por av. M. de Villanueva del Prado EZ

Las Vegas, av. de Colón ℰ 38 38 01, Telex 92142, ≤, 佘, ⌁ climatizada, ℀ – ⊞ 🆎 ⓪ ℇ 𝗩𝗜𝗦𝗔 ⊗
Com 1500 – ⊿ 600 – **224 hab** 6620/9240.
BY **x**

Las Águilas Sol ⊕, Las Arenas por ② : 3 km, ⊠ 38400, ℰ 38 30 11, Telex 92393, ≤ población, mar y montaña, ⌁ climatizada, 🏊, ℀ – ⊞ ℗ – **500 hab**.
por ②

sigue →

183

🏨🏨 **Bonanza** Canarife, urbanización La Paz - Aceviño 13 ℰ 38 12 00, Telex 92407, 🍴, ⌷ climatizada, ⌷, ⚓, ✕ – 🛗 ▤ 🅿 – **210 hab**. BY **k**

🏨🏨 **Florida** Tenerife, av. Blas Pérez González ℰ 38 12 50, Telex 92404, ≤, ⌷ climatizada – 🛗 ▤ rest 🅿 – **335 hab**. AY **f**

🏨🏨 **San Telmo,** San Telmo 18 ℰ 38 58 53, Telex 91282, ≤, ⌷ climatizada – 🛗 ☎. ✕ BZ **e**
Com 1100 – **91 hab** ⌷ 3800/7800.

🏨 **Monopol,** Quintana 15 ℰ 38 46 11, Telex 92397, « Patio canario con plantas », ⌷ climatizada – 🛗 ☜. 🆎 ⓪ ⤧ 𝗩𝗜𝗦𝗔 ✕ rest BZ **n**
Com (sólo cena) 1100 – **94 hab** ⌷ 3800/7600.

🏨 **Eden Trovador,** Puerto Viejo 40 ℰ 38 45 12, Telex 92204, ≤, ⌷ climatizada – 🛗 ☜ AY **g**
89 hab.

🏨 **Condesa,** sin rest, Quintana 13 ℰ 38 10 50, ⌷ – 🛗 ☜ – **45 hab**. BZ **c**

🏨 **Don Manolito,** Lomo de Los Guirres 6 ℰ 38 50 40, ⌷, ⚓ – 🛗 ☜ AY **m**
Com (sólo cena) – **49 hab**.

🏨 **Chimisay** sin rest, Agustín de Bethencourt 14 ℰ 38 35 52, ⌷ – 🛗 ☜. 🆎 ⓪ 𝗩𝗜𝗦𝗔. ✕ BZ **u**
⌷ 350 – **63 hab** 3500/5000.

🏨 **Tropical,** sin rest, Puerto Viejo 1 ℰ 38 31 13, ⌷ – 🛗 ☜ – **39 hab**. AZ **a**

🏨 **Guacimara** sin rest, Agustín de Bethencourt 9 ℰ 38 51 12 – 🛗 ☜. 🆎 ⓪ ⤧ 𝗩𝗜𝗦𝗔. ✕ BZ **d**
⌷ 350 – **37 hab** 3500/5100.

✕✕ **Magnolia** (Felipe El Payés catalán), carret. del Botánico 5 ℰ 38 56 14, 🍴 – 🆎 ⓪ ⤧ 𝗩𝗜𝗦𝗔
Com carta 2210 a 2760. BY **w**

✕✕ **Rinconcito,** carret. del Botánico 22 ℰ 38 20 35, 🍴 BY **q**
Com (sólo cena salvo domingo).

✕✕ **Castillo de San Felipe,** av. Luis Lavaggi ℰ 38 21 13, Instalado en un castillo del siglo XVII
AY **s**

✕ **Regulo,** Pérez Zamora 16 ℰ 38 45 06, 🍴, Decoración típica canaria AZ **u**

✕ **La Papaya,** Lomo 14 ℰ 38 28 11, 🍴, Decoración rústica canaria AY **t**

✕ **Patio Canario,** Lomo 8 ℰ 38 04 51, Decoración típica canaria AY **t**

✕ **Marina,** San Juan 2 ℰ 38 53 11 – 🆎 ⓪ ⤧ 𝗩𝗜𝗦𝗔 AZ **z**
cerrado miércoles y junio-15 julio – Com carta 1700 a 2840.

✕ **Mi Vaca y Yo,** Cruz Verde 3 ℰ 38 52 47, Decoración típica AY **e**

✕ **Paco,** carret. del Botánico 26 ℰ 38 66 72, 🍴 BY **y**

MERCEDES-BENZ   Polígono Industrial las Arenas   SEAT-AUDI-VOLKSWAGEN   Polígono Industrial Las
ℰ 38 05 53   Arenas ℰ 38 05 53
OPEL   Polígono Industrial Las Arenas ℰ 33 38 90   SEAT-AUDI-VOLKSWAGEN   Blanco 16 ℰ 38 53 38
RENAULT   Mequinez 65 ℰ 38 42 13

Puerto de Santiago 38683 – 🕿 922 – Playa.

Alred. : Los Gigantes (acantilado ∗) N : 2 km – Santa Cruz de Tenerife 101.

🏨🏨 **Santiago** 🌊, ℰ 86 73 75, Telex 91139, Fax 86 81 08, ≤ mar y acantilados, 🍴, ⌷ climatizada, ✕ – 🛗 ▤ ☎ ⇌ – 🏧 🆎 ⤧ 𝗩𝗜𝗦𝗔. ✕
Com 1300 – ⌷ 500 – **406 hab** 5000/8000.

en el Acantilado de los Gigantes N : 2 km – ✉ 38680 Guía de Isora – 🕿 922 :

🏨🏨 **Los Gigantes,** ℰ 86 71 25, Telex 92213, ≤ mar y acantilados, 🍴, ⌷ climatizada, ⚓, ✕ – 🛗 ▤ rest 🅿 – 🏧. 🆎 ⓪ 𝗩𝗜𝗦𝗔. ✕
Com 2100 – **225 hab** 5000/6600 – P 6800/10000.

✕✕ **Asturias,** ℰ 86 72 23, 🍴. 🆎 ⓪ ⤧ 𝗩𝗜𝗦𝗔 ✕
cerrado viernes – Com carta 1625 a 2035.

✕✕ **Aioli,** ℰ 86 77 28, Telex 38680, 🍴 – ▤.

Los Realejos 38410 – 26 860 h. – 🕿 922 – 🅱 av. Primo de Rivera 20 ℰ 34 02 11.

✕✕ **Las Chozas,** carret. del Jardín NE : 1,5 km ℰ 34 20 54, Decoración rústica – ⤧ 𝗩𝗜𝗦𝗔. ✕
cerrado domingo y mayo-junio – Com carta 1760 a 2970.

Santa Cruz de Tenerife 38001 🅿 – 190 784 h. – 🕿 922 – Playa – Plaza de toros.

Ver : Dique del puerto ≤∗ BY – **Alred. :** Carretera de Taganana ≤∗∗ por el puerto del
Bailadero ∗ por ① : 28 km – Mirador de Don Martín ≤∗∗ por Guimar SO : 27 km.

🏌 de Tenerife por ③ : 16 km ℰ 25 02 40 – 🏌 🏌 Golf del Sur, San Miguel de Abona ℰ
70 45 55.

✈ de Tenerife - Los Rodeos por ③ : 13 km ℰ 25 23 40, y Tenerife-Sur-Reina Sofía por ② :
60 km ℰ 77 10 17 – Iberia : av. de Anaga 23, ✉ 38001, ℰ 28 80 00 BZ, y Aviaco : aeropuerto
Reina Sofía ℰ 77 12 00.

🚢 para La Palma, Gran Canaria, Lanzarote, Fuerteventura, Gomera y la Península : Cía
Trasmediterránea, Marina 59, ✉ 3800, ℰ 28 78 60, Telex 92017.

🅱 La Marina 57 ✉ 38001, ℰ 28 72 54 – R.A.C.E. García Morato 17, ✉ 38001, ℰ 27 51 08.

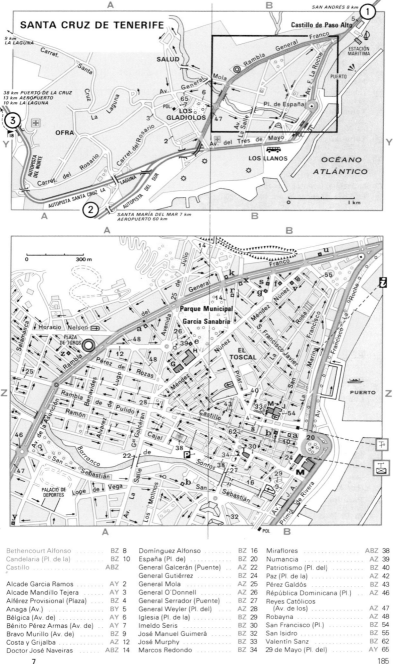

SANTA CRUZ DE TENERIFE

Mencey, Dr José Naveiras 38, ⊠ 38001, 𝒫 27 67 00, Telex 92034, Fax 28 00 17, «Bonito jardín tropical », ⊒, %? – ⥮| – 🅪 ⏃ 🅐🅔 ⏺ 𝖵𝖨𝖲𝖠 ⅏ BZ **k**
Com 3350 – ⊊ 1100 – **298 hab** 12500/16000 – P 14650/19150.

Colón Rambla sin rest, Viera y Clavijo 49, ⊠ 38004, 𝒫 27 27 16, ⊒ climatizada – ⥮| 🕾 ⇐.
🅐🅔 🄴 𝖵𝖨𝖲𝖠. ⅏ AZ **a**
⊊ 430 – **40 apartamentos** 7500.

Plaza, sin rest, pl. Candelaria 9, ⊠ 38002, 𝒫 24 75 87, Telex 92327 – ⥮| 🕾 BZ **a**
34 hab.

Taburiente, sin rest, con cafetería, Doctor Guigou 25, ⊠ 38001, 𝒫 27 60 00, ⊒ – ⥮| ☎ ⇐
90 hab. BZ **r**

Tamaide sin rest, rambla General Franco 118, ⊠ 38001, 𝒫 27 71 00, Telex 92167, Fax 27 18 67,
⊒ – ⥮| 🕾 🅐🅔 ⏺ 🄴 𝖵𝖨𝖲𝖠. ⅏ BZ **x**
⊊ 275 – **65 hab** 3000/4500.

Tanausú sin rest, Padre Anchieta 8, ⊠ 38005, 𝒫 21 70 00 – ⥮| 🕾. 🅐🅔 ⏺ 🄴 𝖵𝖨𝖲𝖠. ⅏ AZ **b**
⊊ 350 – **18 hab** 2600/4100.

XXX **La Riviera,** rambla General Franco 155, ⊠ 38001, 𝒫 27 58 12, Decoración elegante – 🍽. 🅐🅔
⏺ 🄴 𝖵𝖨𝖲𝖠. ⅏ BZ **u**
cerrado domingo – Com carta 2600 a 3800.

XX **La Fragua,** General Antequera 17, ⊠ 38004, 𝒫 27 74 69 – 🍽 AZ **e**

X **La Toja,** Méndez Nuñez 108, ⊠ 38001, 𝒫 28 26 11 – 🍽. 🅐🅔 🄴 𝖵𝖨𝖲𝖠. ⅏ BZ **v**
Com carta 1600 a 1925.

X **La Peña,** San Francisco 7, ⊠ 38002, 𝒫 24 23 09 – 🍽 BZ **b**

X **El Coto de Antonio,** General Goded 13, ⊠ 38006, 𝒫 27 21 05 – 🍽. 🅐🅔 ⏺ 🄴 𝖵𝖨𝖲𝖠. ⅏
cerrado domingo noche y del 1 al 15 agosto – Com (sólo almuerzo) carta 1950 a 2800. AZ **z**

X Pizzeria Bella Napoli, San Martín 76, ⊠ 38001, 𝒫 28 54 07, 🍴, Cocina italiana BZ **g**

ALFA-ROMEO General Mola 93 𝒫 22 13 41
AUDI-VOLKSWAGEN General Mola 5 𝒫 28 50 50
AUDI-VOLKSWAGEN carret. Cuesta-Taco km 2,3 -
Las Torres 𝒫 61 85 90
AUSTIN-MG-MORRIS-MINI carret. El Sobradillo
𝒫 61 13 54
CITROEN Los Angeles - Vistabella 𝒫 65 03 11
FIAT-LANCIA camino del Hierro 2 𝒫 23 14 11
FORD-BMW Cercado Chico 9 - Taco 𝒫 61 45 11
GENERAL MOTORS-OPEL Cercado Chico-Taco 𝒫
61 45 00

MERCEDES-BENZ-SEAT-VOLKSWAGEN Autopista
Sta Cruz - La Laguna km 6,5 𝒫 61 11 00
PEUGEOT-TALBOT Anatolio Fuentes García 4 -
Polígono Costa Sur 𝒫 23 11 44
RENAULT Autopista Santa Cruz - La Laguna km 6,5
- Los Majuelos 𝒫 61 61 51
SEAT-AUDI-VOLKSWAGEN Urb. El Mayorazgo 𝒫
22 80 42

Santa Úrsula 38390 – 7 821 h. – ✪ 922.

Santa Cruz de Tenerife 27.

por la antigua carretera del Puerto de la Cruz en Cuesta de la Villa SO : 2 km – ⊠ 38390
Santa Úrsula – ✪ 922 :

X **Los Corales,** 𝒫 30 02 49, ⩽ – 🄿. 🅐🅔 ⏺ 🄴 𝖵𝖨𝖲𝖠
Com carta 1375 a 2150.

GOMERA (Tenerife)

San Sebastián de la Gomera 38800 – 5 732 h. – ✪ 922 – Playa.

Alred. : Valle de Hermigua✶✶ NO : 22 km – O : Barranco del Valle Gran Rey✶✶.

⤴ para Tenerife : Cia Trasmediterránea : General Franco 35 𝒫 87 08 02.

🄱 del Medio 20 𝒫 87 07 52.

Parador Conde de la Gomera ⦿, Balcón de la Villa y Puerto, ⊠ apartado 21, 𝒫 87 11 00,
Fax 87 11 16, ⩽, Decoración elegante, « Edificio de estilo regional », ⊒, 🌳 – 🍽 rest 📺 ☎
🄿 🅐🅔 ⏺ 🄴 𝖵𝖨𝖲𝖠. ⅏
Com 2700 – ⊊ 800 – **42 hab** 8800/11000.

Garajonay, sin rest y sin ⊊, Ruiz de Padrón 15 𝒫 87 05 50
29 hab.

X **Casa del Mar,** Fred Olsen 2 - 1° piso 𝒫 87 12 19, ⩽ – 𝖵𝖨𝖲𝖠. ⅏
cerrado domingo y junio – Com carta 1150 a 2000.

PEUGEOT-TALBOT La Castellana - Hermigua 𝒫
88 02 04
RENAULT Ruiz de Padrón 11 𝒫 87 05 77

SEAT-MERCEDES-VOLKSWAGEN carret. del Puerto
- Vallehermoso 𝒫 80 01 51

En esta guía,

un mismo símbolo en rojo o en negro, una misma palabra en

*fino o en **grueso,** no significan lo mismo.*

Lea atentamente los detalles de la introducción.

HIERRO (Tenerife)

Valverde 38900 – 3 474 h. – 🕿 922.

Alred. : O : El Golfo★★ (Miradores de Guarazoca y El Rincón ≼★★) – Mirador de Jinama ≼★★ por San Andrés SO : 12 km.

🛬 de Hierro E : 10 km ℰ 55 08 78 – Iberia : Doctor Quintero 6 ℰ 55 02 78.

🚢 para Tenerife, Gran Canaria, Fuerteventura, Lanzarote y la Península : Cia Trasmediterránea : Dr. Dorkosky 3 ℰ 55 01 29.

🏨 **Boomerang** 🍴, Dr. Gost 1 ℰ 55 02 00 – 📼. ΑΕ ⓪ Ε 𝘝𝘐𝘚𝘈. 🛇 rest
Com 1000 – � 300 – **17 hab** 2500/3600 – P 4100/4800.

en Las Playas S : 20 km – ⊠ 38900 Valverde – 🕿 922 :

🏨 **Parador de El Hierro** 🍴, ℰ 55 80 06, Fax 55 80 86, ≼, 🛉, – 🍴 rest 🕿 ⓟ. ΑΕ ⓪ Ε 𝘝𝘐𝘚𝘈. 🛇
Com 2500 – ⊷ 800 – **47 hab** 6400/8000.

LA PALMA (Tenerife)

Barlovento 38726 – 2 772 h. – 🕿 922.

♦Santa Cruz de la Palma 41.

🏨 **La Palma Romántica** 🍴, Las Llanadas ℰ 45 08 21, ≼, 🛉, 🛇 – ⓟ. ΑΕ. 🛇 rest
Com (sólo cena) 950 – ⊷ 550 – **12 hab** 3000/5000.

Breña Alta 38710 – 5 122 h. – 🕿 922

🍴 La Abuela, Buenavista de Abajo 107 ℰ 41 51 06.

Los Llanos de Aridane 38760 – 14 677 h. alt. 350 – 🕿 922.

Alred. : El Time 🌿★★ O : 12 km – Caldera de Taburiente★★★ (La Cumbrecita y El Lomo de las Chozas 🌿★★★) NE : 20 km – Fuencaliente (paisaje★) SE : 23 km – Volcán de San Antonio★ SE : 25 km.

Santa Cruz de la Palma 37.

🏨 Eden, sin rest y sin ⊷, pl. de España 1 - 1° piso ℰ 46 01 04 – 📼
15 hab.

🍴 **San Petronio,** Pino de Santiago ℰ 46 24 03, ≼, 🍴, Cocina italiana – 🍴 ⓟ. ΑΕ 𝘝𝘐𝘚𝘈. 🛇
cerrado lunes – Com (sólo cena) carta 1500 a 1700.

OPEL   paseo Vizconde de Buen Paso ℰ 46 13 91   RENAULT   La Carrilla 59 ℰ 46 04 76

Santa Cruz de la Palma 38000 – 16 629 h. – 🕿 922 – Playa.

Ver : Iglesia de San Salvador (artesonados★).

Alred. : Mirador de la Concepción ≼★★ SO : 9 km – Caldera de Taburiente★★★ (La Cumbrecita y El Lomo de las Chozas 🌿★★★) O : 33 km – NO : La Galga (barranco★), Los Tilos★.

🛬 de la Palma SO : 8 km ℰ 44 04 27 – Iberia : Apurón 1 ℰ 41 41 43.

🚢 para Tenerife, Gran Canaria, Fuerteventura, Lanzarote y la Península : Cia. Trasmediterránea : av. Pérez de Brito 2 ℰ 41 11 21, Telex 92387.

🖪 O'Daly 8 ℰ 41 21 06.

🏨 **Parador de la Palma,** av. Marítima 34 ℰ 41 23 40, Fax 41 41 04, Decoración regional – 🛗
🕿 – 🛠. ΑΕ ⓪ Ε 𝘝𝘐𝘚𝘈. 🛇
Com 2000 – ⊷ 800 – **32 hab** 5600/7000.

🏨 **San Miguel** sin rest, av. Puente 33 ℰ 41 12 43, Telex 92566 – 🛗 📼. ΑΕ ⓪ Ε 𝘝𝘐𝘚𝘈
⊷ 350 – **92 hab** 3450/5100.

🏨 Canarias, sin rest, A. Cabrera Pinto 27 ℰ 41 31 82
14 hab.

🍴 El Parral, Castillete 7 ℰ 41 39 15.

🍴 **Placeta,** placeta de Borrero - 1° piso ℰ 41 36 08 – 🛇
Com carta 1650 a 2800.

en la playa de Los Cancajos SE : 4,5 km – ⊠ 38712 Los Cancajos – 🕿 922 :

🍴 La Fontana, ℰ 43 42 50.

ALFA ROMEO Galeón 15 ℰ 41 13 50
AUDI-VOLKSWAGEN O'Vayi 31 ℰ 41 21 02
BMW Abenguareme ℰ 41 17 49
CITROEN av. Marítima ℰ 41 19 99

MERCEDES-BENZ-SEAT-VOLKSWAGEN La Portada ℰ 41 11 06
PEUGEOT av. Blas Pérez González 9 ℰ 41 14 09
RENAULT Las Norias ℰ 41 10 46

Tazacorte 38770 – 6 402 h.

en el puerto NO : 1,5 km – ⊠ 38770 Tazacorte :

🍴 La Goleta, av. El Emigrante, ≼.

CANDANCHÚ 22889 Huesca **443** D 18 – alt. 1 560 – 🌼 974 – Deportes de invierno : ⚡23.
Alred. : Puerto de Somport★★ N : 2 km.
◆Madrid 513 – Huesca 123 – Oloron-Ste-Marie 55 – ◆Pamplona 143.

  🏨 **Tobazo** ⑤, ℰ 37 31 25, ≤ alta montaña – ☎ 🅿. ⚘ rest
      15 julio-agosto y diciembre-abril – Com (sólo cena) 1200 – ⚌ 410 – **52 hab** 3600/5980.

  🏨 **Candanchú** ⑤, ℰ 37 30 25, ≤ alta montaña – 🅰 🅿. 🆎 ⓞ 🄴 *VISA*. ⚘ rest
      15 julio-15 septiembre y diciembre-abril – Com 1350 – ⚌ 500 – **48 hab** 3800/5900 – P
      5650/6500.

CANDAS 33430 Asturias **441** B 12 – 🌼 985 – Playa – 🄵 Braulio Busto 2 bajo ℰ 87 05 97.
◆Madrid 477 – Avilés 17 – Gijón 14 – ◆Oviedo 42.

  🏤 **Resid. y Rest. Marsol,** Astilleros ℰ 87 01 00, Telex 87490, ≤ – 🛗 ⇐. 🆎 ⓞ 🄴 *VISA*. ⚘
      Com 1500 – ⚌ 425 – **64 hab** 4620/8450.

RENAULT Carlos Albo Kay 10 ℰ 87 17 73

CANDELARIO 37710 Salamanca **444** K 12 – 1 238 h. alt. 1 200 – 🌼 923.
Ver : Pueblo típico★.
◆Madrid 215 – Ávila 109 – Plasencia 67 – ◆Salamanca 76.

  🏠 **Cristi** ⑤, pl. de Béjar 1 ℰ 41 32 12, 😗 – ⚘
      Semana Santa y junio-septiembre – Com 950 – ⚌ 210 – **52 hab** 1800/2970 – P 3255/3575.
      Ver también : *Béjar* NO : 4 km.

CANET DE BERENGUER 46529 Valencia **445** M 29 – 1 296 h. – 🌼 96 – Playa.
◆Madrid 385 – Castellón de la Plana 63 – ◆Valencia 34.

    en la playa – ✉ 46529 Canet de Berenguer – 🌼 96 :

  ✗ Puerto de Siles, carret. del puerto de Sagunto ℰ 247 22 44, ≤, 😗 – 🅿.

CA'N FITA 07819 Baleares – ver Baleares (Ibiza) : Santa Eulalia del Río.

CANFRANC-ESTACIÓN 22880 Huesca **443** D 28 – 633 h. – 🌼 974 – ver aduanas p. 14 y 15.
🄵 av. Fernando el Católico 3 ℰ 37 31 41.
◆Madrid 504 – Huesca 114 – ◆Pamplona 134.

  🏨 **Villa Anayet,** pl. José Antonio 8 ℰ 37 31 46, ≤, ☒ – 🛗 🕮 – **74 hab**.
  🏠 **Ara,** av. Fernando el Católico 1 ℰ 37 30 28, ≤ – ⇐ 🅿. *VISA*. ⚘ hab
      enero-abril, 20 julio-agosto y del 24 al 31 diciembre – Com (sólo cena) 1050 – ⚌ 350 – **30 hab**
      1350/3200.
      Ver también : *Candanchú* N : 9 km.

CANGAS DE FOZ 27892 Lugo **441** B 7 y 8 – 🌼 982.
◆Madrid 602 – ◆La Coruña 150 – Lugo 96.

  ✗ Casa Selmira, carret. C 642 ℰ 14 01 61, ≤ – 🅿.

CANGAS DE MORRAZO 36940 Pontevedra **441** F 3 – 🌼 986 – Playa.
◆Madrid 629 – Pontevedra 33 – ◆Vigo 24.

    en la carretera de Bueu (por la costa) O : 1 km – ✉ 36940 Cangas de Morrazo – 🌼 986 :

  ✗ Casa Simón, ℰ 30 00 16, Pescados y mariscos – 🅿.

CITROEN San Roque-Tobal ℰ 30 27 02   PEUGEOT-TALBOT av. Castroviejo 2 ℰ 30 01 90
FIAT-LANCIA av. Bueu 29 ℰ 30 01 46   RENAULT carret. Cangas-Moaña ℰ 30 20 50
FORD av. de Vigo 91 ℰ 30 03 50   SEAT-AUDI-VOLKSWAGEN av. de Orense ℰ
GENERAL MOTORS av. Castroviejo ℰ 30 37 22   30 01 50

CANGAS DE ONÍS 33550 Asturias **441** B 14 – 6 390 h. – 🌼 985.
Alred. : Desfiladero de los Beyos★★★ S : 18 km – Las Estazadas ⚶★★ E : 22 km – Gargantas del
Ponga★ S : 11 km.
🄵 Ayuntamiento, Emilio Laria 2 ℰ 84 80 05.
◆Madrid 419 – ◆Oviedo 74 – Palencia 193 – ◆Santander 147.

  🏠 **Ventura,** av. de Covadonga 3 ℰ 84 82 00 – 🛗 ⇐. 🆎 ⓞ 🄴 *VISA*. ⚘
      Com 1125 – ⚌ 325 – **22 hab** 3800/5700 – P 4910/5860.
  🏠 **Favila,** Calzada de Ponga 16 ℰ 84 81 84 – 🛗 ⇐. 🆎 🄴 *VISA*. ⚘
      15 marzo-octubre – Com 1000 – ⚌ 275 – **33 hab** 4325/4875 – P 4535/6425.
  🏕 **Piloña,** San Pelayo 19 ℰ 84 80 88 – 🛗 ⇐. 🆎 🄴 *VISA*. ⚘
      Com 1000 – **18 hab** 4500.

CITROEN av. de Covadonga 51 ℰ 84 81 90   SEAT-AUDI-VOLKSWAGEN carret. N 637 km 149.2
PEUGEOT-TALBOT Calzada de Ponga ℰ 84 84 60   ℰ 84 83 82
RENAULT carret. N 637 km 154 ℰ 84 00 05

CANIDO 36390 Pontevedra − ver Vigo.

CANILLO Andorra **443** E 34 − ver Andorra (Principado de).

CA'N PASTILLA 07610 Baleares **443** N 38 − ver Baleares (Mallorca) : Palma de Mallorca.

CANTALEJO 40320 Segovia **444** I 18 − 3 555 h. − ✪ 911.
Alred. : Turégano : ≤★ de la Plaza Mayor − Castillo★ SO : 15 km.
♦Madrid 135 − ♦Burgos 137 − ♦Segovia 54 − Soria 167 − ♦Valladolid 86.

    🏤 Romi, Onésimo Redondo 12 ℰ 52 02 11 − **16 hab**.

CITROEN Majones 25 ℰ 52 02 16
GENERAL MOTORS-OPEL carret. de Aranda km 50,6 ℰ 52 04 24
PEUGEOT-TALBOT carret. Aranda km 50,7 ℰ 52 03 42

RENAULT carret. Segovia-Aranda km 48,2 ℰ 52 07 71
SEAT-AUDI-VOLKSWAGEN carret. Segovia-Aranda km 49 ℰ 52 00 16

CANTAVIEJA 44140 Teruel **445** K 28 − 823 h. − ✪ 964.
♦Madrid 392 − Teruel 91.

    🏠 **Balfagón,** av. del Maestrazgo 20 ℰ 18 50 76, ≤ − ⟵ **Ⓟ**. **VISA**. ✦
    cerrado 15 enero-15 marzo − Com 900 − ⊐ 295 − **40 hab** 1800/2800 − P 3300/3700.

CITROEN carret. Iglesuela ℰ 18 50 57

CAN TONIGRÓS 08569 Barcelona **443** P 37 − ✪ 93.
♦Madrid 662 − ♦Barcelona 92 − Ripoll 52 − Vic 26.

    🏠 Can Tonigrós, carret. de Olot, ✉ 08569 Can Tonigrós por Manlleu, ℰ 856 50 47 − **Ⓟ**
    19 hab.

CANYELLES PETITES 17480 Gerona − ver Rosas.

Las CAÑADAS DEL TEIDE Santa Cruz de Tenerife − ver Canarias (Tenerife).

La CAÑIZA o **A CAÑIZA** 36880 Pontevedra **441** F 5 − 7 810 h. − ✪ 986.
Ver : NO : carretera★★ de la Cañiza a Pontevedra ⋇★★.
♦Madrid 548 − Orense 49 − Pontevedra 76 − ♦Vigo 57.

    en la carretera N 120 E : 1 km − ✉ 36888 La Cañiza − ✪ 986 :

    🏨 **O'Pozo,** ℰ 65 10 50, ⤵ − **Ⓟ**. **ﾛ E VISA**. ✦
    Com 1300 − ⊐ 225 − **20 hab** 3500/4500 − P 5250/6000.

PEUGEOT-TALBOT carret. Vigo-Orense km 584 ℰ 65 13 58
RENAULT carret. Vigo-Orense 584 ℰ 65 11 26

SEAT-AUDI-VOLKSWAGEN carret. N 120 km 598 ℰ 65 10 29

CAPELLADES 08786 Barcelona **443** H 35 − 4 882 h. − ✪ 93.
♦Madrid 574 − ♦Barcelona 75 − ♦Lérida/Lleida 105 − Manresa 39.

    🏠 **Hostal Jardi - Tall de Conill,** pl. Angel Guimerá 11 ℰ 801 01 30 − ▤ rest. **ﾛ ⓞ E VISA**
    cerrado del 10 al 25 julio y 25 diciembre-9 enero − Com *(cerrado lunes)* 1000 − ⊐ 350 − **22 hab**
    2000/4000.

CITROEN Teresa Benages 5 ℰ 801 25 50

CAPILEIRA 18413 Granada **446** V 19 − 713 h. − ✪ 958.
♦Madrid 505 − ♦Granada 76 − Motril 51.

    🏤 **Mesón Poqueira** ⬚, Dr. Castilla 8 ℰ 76 30 48, ⛲
    Com 750 − ⊐ 150 − **17 hab** 900/1800 − P 1900/2500.

    ✗ **Mesón Alpujarreño "Casa Ybero",** Parra 1 ℰ 76 30 06, Decoración típica − **E VISA**. ✦
    Com *(sólo almuerzo en invierno)* carta 1050 a 2325.

CARAVACA DE LA CRUZ 30400 Murcia **445** R 24 − 20 231 h. − ✪ 968.
♦Madrid 386 − ♦Albacete 139 − Lorca 60 − ♦Murcia 70.

    ✗ **Cañota,** Gran Via 41 ℰ 70 03 34 − ▤. ✦
    cerrado domingo noche y 20 agosto-6 septiembre − Com carta 750 a 1550.

CITROEN carret. de Murcia km 77 ℰ 70 01 47
FIAT Asturias 1 ℰ 70 10 34
FORD carret. de Murcia 72 ℰ 70 28 28
PEUGEOT-TALBOT carret. de Granada ℰ 70 22 22

RENAULT carret. de Murcia ℰ 70 22 28
SEAT-AUDI-VOLKSWAGEN carret. de Murcia ℰ 70 11 22

CARAVIA ALTA 33344 Asturias **441** B 14 − 711 h. − ✪ 985.
Alred. : Mirador del Fito ⋇★★ S : 8 km.
♦Madrid 508 − Gijón 57 − ♦Oviedo 73 − ♦Santander 140.

CARBALLINO 32500 Orense **ᴍ⁴¹** E 5 – 10 942 h. – ✆ 988 – Balneario.

♦Madrid 528 – Orense 29 – Pontevedra 76 – Santiago de Compostela 86.

🏨 **Arenteiro** sin rest, Alameda 19 ℰ 27 05 50 – ⁍🗐 🕾. ⵑ ⓪ ☰ 𝘝𝘐𝘚𝘈. 🛰
⌑ 250 – **45 hab** 2550/5000.

🏠 **Noroeste** sin rest y sin ⌑, Travesia - calle Cerca 2 ℰ 27 09 70 – 𝘝𝘐𝘚𝘈. 🛰
15 hab 2500.

AUSTIN-ROVER Accesos Instituto 4 ℰ 27 34 28
CITROEN carret. El Reino 5 ℰ 27 06 49
FORD Julio Rodriguez Soto 14 ℰ 27 28 37
OPEL av. Estación 43 ℰ 27 00 82

PEUGEOT-TALBOT Travesía Estación 31 ℰ 27 00 86
RENAULT av. de la Estación 11 ℰ 27 09 39
SEAT-AUDI-VOLKSWAGEN Conde Vallellano ℰ
27 07 76

CARBALLO 15101 La Coruña **ᴍ⁴¹** B 3 – 23 923 h. – ✆ 981.

♦Madrid 636 – ♦La Coruña 35 – Santiago de Compostela 45.

🏨 **Moncarsol** sin rest, av. Finisterre 9 ℰ 70 24 11 – ⁍🗐 🕾 ⇦🗐. ⵑ ⓪ ☰ 𝘝𝘐𝘚𝘈. 🛰
⌑ 450 – **37 hab** 4000/6000.

🏸 **Chochi,** Perú 9 ℰ 70 23 11 – 🗐. 𝘝𝘐𝘚𝘈. 🛰
Com carta 1375 a 3000.

CITROEN Bertoa ℰ 70 14 11
FIAT Vazquez de Parga ℰ 70 02 52
FORD Vazquez de Parga 179 ℰ 70 19 01
GENERAL MOTORS-OPEL Vazquez de Parga 198 ℰ
70 17 00

PEUGEOT-TALBOT Alfredo Brañas 8 ℰ 70 28 38
RENAULT carret. Finisterre km 34,8 ℰ 70 11 11
SEAT-AUDI-VOLSKWAGEN Bertoa ℰ 70 03 51

CARBONERO EL MAYOR 40270 Segovia **ᴍ⁴⁴** I 17 – 2 463 h. – ✆ 911.

♦Madrid 115 – ♦Segovia 28 – ♦Valladolid 82.

🏸 Mesón Riscal, carret. de Segovia ℰ 56 02 89 – ℗.

RENAULT carretera Segovia 2 ℰ 56 02 33

SEAT-AUDI-VOLKSWAGEN carret. Valladolid -
Segovia km 86 ℰ 56 01 85

CARDONA 08261 Barcelona **ᴍ⁴³** G 35 – 6 561 h. alt. 750 – ✆ 93.

🛈 pl. de la Fira 1 ℰ 869 10 00.

♦Madrid 596 – ♦Lérida/Lleida 127 – Manresa 32.

🏛 **Parador Duques de Cardona** ⬩, ℰ 869 12 75, Fax 869 16 36, ≼ valle y montaña, « Instalado en un castillo medieval » – ⁍🗐 ☰ ℗ – 🅰. ⵑ ⓪ ☰ 𝘝𝘐𝘚𝘈. 🛰
Com 2500 – ⌑ 800 – **60 hab** 5600/7000.

🏸 **Perico** con hab, pl. del Valle 18 ℰ 869 10 20 – ⵑ ⓪ ☰ 𝘝𝘐𝘚𝘈. 🛰
Com carta 1715 a 3175 – ⌑ 350 – **14 hab** 1500/3200 – P 3500/3700.

CITROEN carret. del Miracle 53 ℰ 869 15 80
FORD pl. Escolas Escasany 3 ℰ 869 20 70
PEUGEOT-TALBOT carret. de Manresa - La Coro-
mina ℰ 869 27 75

RENAULT carret. del Miracle 35 ℰ 869 15 51
SEAT-AUDI-VOLKSWAGEN carret. del Miracle 36
ℰ 869 12 58

La CARLOTA 14100 Córdoba **ᴍ⁴⁶** S 15 – 7 971 h. alt. 213 – ✆ 957.

♦Madrid 428 – ♦Córdoba 30 – ♦Granada 193 – ♦Sevilla 108.

en la carretera N IV NE : 2 km – ✉ 14100 La Carlota – ✆ 957 :

🏠 **El Pilar,** ℰ 30 01 67, ⅀, – 🗐 🕾 ℗. ⵑ ⓪ ☰ 𝘝𝘐𝘚𝘈. 🛰
Com 800 – ⌑ 300 – **83 hab** 1420/2300 – P 3050/3320.

CITROEN carret. N IV km 427 Elarrecife ℰ 30 62 03
GENERAL MOTORS-OPEL Julio Romero Torres 2 ℰ
30 01 25

RENAULT La Redonda ℰ 30 01 46
SEAT-AUDI-VOLKSWAGEN av. Nuestra Señora del
Carmen 29 ℰ 30 00 51

CARMONA 41410 Sevilla **ᴍ⁴⁶** T 13 – 22 779 h. alt. 248 – ✆ 954.

Ver : Iglesia de Santa María (bóvedas✱).

♦Madrid 503 – ♦Córdoba 105 – ♦Sevilla 33.

🏛 **Parador Alcázar del Rey Don Pedro** ⬩, ℰ 14 10 10, Telex 72992, Fax 14 17 12, ≼ vega del Corbones, « Conjunto de estilo mudéjar - decoración elegante », ⅀ – ⁍🗐 🗐 📺 ☎ ℗ –
🅰. ⵑ ⓪ ☰ 𝘝𝘐𝘚𝘈. 🛰
Com 2700 – ⌑ 800 – **59 hab** 8400/10500.

CITROEN carret. N IV km 509,5 ℰ 14 02 63
PEUGEOT-TALBOT carret. N IV km 508,3 ℰ 14 10 18
RENAULT carret. N IV km 510 ℰ 14 02 98

SEAT-AUDI-VOLKSWAGEN carret. N IV km 509 ℰ
14 00 60

CARMONA 39554 Cantabria **ᴍ⁴¹** y **ᴍ⁴²** C 16 – ✆ 942.

♦Madrid 408 – ♦Oviedo 162 – ♦Santander 69.

🏸 **Venta de Carmona** ⬩ con hab, ℰ 72 80 57, ≼, « Decoración elegante » – 🕾 ℗. 𝘝𝘐𝘚𝘈. 🛰
Com carta 1400 a 1925 – ⌑ 300 – **9 hab** 2100/3800 – P 3350/4200.

190

La CAROLINA 23200 Jaén 𝟒𝟒𝟔 R 19 – 14 864 h. alt. 205 – 🏟 953 – Plaza de toros.
◆Madrid 267 – ◆Córdoba 131 – Jaén 66 – Úbeda 50.

　🏨 **La Perdiz**, carret. N IV 🖉 66 03 00, Telex 28315, 🍴, « Conjunto de estilo rústico », 🏊, 🎠 –
　　▤ 🅿. 🆎 ⓞ 𝐄 𝗩𝗜𝗦𝗔. 🦟
　　Com 2000 – � 500 – **89 hab** 5000/6500 – P 6750/8500.

　🏨 **Gran Parada** sin rest y sin ⊡, carret. N IV 🖉 66 02 75 – 📺 🅿. 🦟
　　24 hab 1500/2300.

　　en la carretera N IV NE : 4 km – ⊠ 23200 La Carolina – 🏟 953 :

　🏨 **Orellana Perdiz**, zona de Navas de Tolosa 🖉 66 06 00, 🍴, 🏊, 🦟 – ▤ ☎ 🚗 🅿. 🦟 rest
　　Com 1000 – ⊡ 250 – **28 hab** 4250.

CITROEN　av. Carlos III 55 🖉 66 14 27
PEUGEOT-TALBOT　carret. Madrid km 269 🖉 66 04 13
RENAULT　carret. N IV km 269 🖉 66 03 62

SEAT-AUDI-VOLKSWAGEN　carret. N IV km 267,3 🖉 66 09 54

CARRACEDELO 24549 León 𝟒𝟒𝟏 E 9 – 3 262 h. – 🏟 987.
◆Madrid 396 – ◆León 120 – Lugo 98 – Ponferrada 10.

　　en la carretera N VI – ⊠ 24540 Cacabelos – 🏟 987 :

　🏨 **Las Palmeras,** 🖉 54 62 76 – 🚗 🅿. 𝐄 𝗩𝗜𝗦𝗔. 🦟
　　Com 825 – ⊡ 150 – **24 hab** 1500/2800.

CARRIL 36610 Pontevedra 𝟒𝟒𝟏 E 3 – ver Villagarcía de Arosa.

CARTAGENA 30290 Murcia 𝟒𝟒𝟓 T 27 – 172 751 h. – 🏟 968 – Plaza de toros.
🚗 🖉 50 17 96.
⛴ para Canarias : Cia Aucona, Marina Española 7 🖉 50 12 00, Telex 67148, y Trasmediterránea,
Mayor 3, ⊠ 30201, 🖉 50 12 00, Telex 66148.
🄱 pl. Castellini 5 🖉 50 75 49 – R.A.C.E. pl. de San Francisco 2. ⊠ 30201, 🖉 10 34 21.
◆Madrid 444 – ◆Alicante 110 – ◆Almería 240 – Lorca 83 – ◆Murcia 49.

　🏨 **Cartagonova** sin rest, Marcos Redondo 3 🖉 50 42 00 – 📳 ▤ ☎ 🚗. 🆎 ⓞ 𝐄 𝗩𝗜𝗦𝗔. 🦟
　　⊡ 475 – **126 hab** 3000/6500.

　🏨 **Alfonso XIII**, paseo Alfonso XIII - 30 🖉 52 00 00 – 📳 ▤ 📺 🚗. 🆎 ⓞ 𝐄 𝗩𝗜𝗦𝗔. 🦟 rest
　　Com 1125 – ⊡ 350 – **239 hab** 3250/4800 – P 4600/5450.

　🏨 Hostal y Rest. Los Habaneros, San Diego 60 🖉 50 52 50 – 📳 ▤ 📺
　　70 hab.

　XX **Artés**, pl. José María Artés 9 🖉 52 70 64 – ▤. 🆎 ⓞ 𝗩𝗜𝗦𝗔. 🦟
　　cerrado domingo – Com carta 1500 a 2650.

　XX **Tino's**, Escorial 13 🖉 10 10 65, Cocina italiana – ▤. 🆎 ⓞ 𝐄 𝗩𝗜𝗦𝗔. 🦟
　　Com carta 1860 a 2820.

ALFA ROMEO　Ramón y Cajal 15 🖉 50 51 80
CITROEN　av. Juan Carlos I 🖉 53 21 11
FIAT　av. Juan Carlos 1 🖉 53 61 51
FORD　Jiménez de la Espada 9 🖉 50 22 55
GENERAL MOTORS　carret. Madrid km 432,5 🖉 51 25 42
MERCEDES-BENZ　Floridablanca 12 🖉 51 10 66
PEUGEOT-TALBOT　carret. Madrid-Cartagena km 435 - Los Dolores 🖉 51 02 90

PEUGEOT-TALBOT　paseo Alfonso XIII - 73 🖉 50 53 58
RENAULT　carret. N 332 km 2.3 🖉 51 12 00
RENAULT　Dr Marañón 4 🖉 50 20 20
SEAT-AUDI-VOLKSWAGEN　av. Juan Carlos I 🖉 51 50 50
SEAT-AUDI-VOLKSWAGEN　Prolongación paseo Alfonso XIII, 62 🖉 50 19 55
TALBOT　carret. de Madrid km 435 🖉 51 21 39

CARVAJAL 29533 Málaga 𝟒𝟒𝟔 W 16 – ver Fuengirola.

CASCANTE 31520 Navarra 𝟒𝟒𝟐 C 24 – 3 293 h. – 🏟 948.
◆Madrid 307 – ◆Logroño 104 – ◆Pamplona 94 – Soria 81 – ◆Zaragoza 85.

　XX **Mesón Ibarra**, Vicente Tutor 3 🖉 85 04 77 – ▤. 𝗩𝗜𝗦𝗔. 🦟
　　cerrado lunes y del 1 al 20 septiembre – Com carta 1550 a 2775.

C'AS CATALA 07015 Baleares – ver Baleares (Mallorca) : Palma de Mallorca.

CASES D'ALCANAR 43569 Tarragona – ver Alcanar.

CASPE 50700 Zaragoza 𝟒𝟒𝟑 I 29 – 8 209 h. alt. 152 – 🏟 976.
🄱 pl. de España 8 🖉 63 11 31.
◆Madrid 397 – ◆Lérida/Lleida 116 – Tortosa 95 – ◆Zaragoza 108.

　🏨 **Mar de Aragón**, pl. Estación 🖉 63 03 13 – 📳 ▤ rest ☎ 🚗. 𝗩𝗜𝗦𝗔. 🦟 rest
　　Com *(cerrado domingo)* 700 – ⊡ 200 – **40 hab** 1800/2950 – P 3075/3400.

CITROEN　urbanización Torre Salamanca 🖉 63 11 19
FIAT　Joaquín Costa 38 🖉 63 14 80
PEUGEOT-TALBOT　av. Goya 🖉 63 08 34

RENAULT　carretera Maella 16 🖉 63 15 29
SEAT　Madrid 7 🖉 63 01 74

CASTALLA 03420 Alicante 445 Q 27 – 6 594 h. – ✪ 96.

♦Madrid 376 – ♦Albacete 129 – ♦Alicante 37 – ♦Valencia 138.

en la carretera de Villena N : 2,5 km – ⊠ 03420 Castalla – ✪ 96 :

XX **Izaskun**, ✗ 556 08 08, 😋, Cocina vasca – **℗** ஊ ◑ E 𝘝𝘐𝘚𝘈 ❄
cerrado lunes en verano y del 1 al 15 septiembre – Com carta 1700 a 3200.

CITROEN Travesía de Cuatro Camino 24
PEUGEOT-TALBOT Polígono Industrial Manzana 1 - Parcela 1
RENAULT Portal de Onil 17 ✗ 552 00 72

CASTEJÓN DE SOS 22466 Huesca 443 E 31 – 403 h. – ✪ 974.

♦Madrid 524 – Huesca 134 – ♦Lérida/Lleida 134.

🏠 **Pirineos** ⤵, El Real ✗ 55 32 51 – 𝘝𝘐𝘚𝘈 ❄
cerrado del 1 al 7 septiembre y noviembre-15 diciembre – Com 950 – ☲ 250 – **36 hab** 1900/2500 – P 3100/3750.

🏠 **Plaza** ⤵, Real ✗ 55 30 50 – ⟵, 𝘝𝘐𝘚𝘈 ❄
Com 1000 – ☲ 220 – **13 hab** 900/2000.

CASTELLANOS DE MORISCOS 37439 Salamanca 444 I 13 – 777 h. – ✪ 923.

♦Madrid 195 – ♦Salamanca 10 – ♦Valladolid 107.

en la carretera de Valladolid NE : 2,5 km – ⊠ 37439 Castellanos de Moriscos – ✪ 923 :

X Ibérico, ✗ 35 02 88 – ▤ **℗**.

CASTELLAR DE LA FRONTERA 11350 Cádiz 446 X 13 – 1 984 h. – ✪ 956.

♦Madrid 698 – Algeciras 27 – ♦Cádiz 150 – Gibraltar 27.

🏛 **La Almoraina** ⤵, SE : 8 km ✗ 69 30 50, Telex 78179, « Antigua casa-convento en un gran parque », 🏊, 🌳, 🎾 – ☎ **℗**. ஊ 𝘝𝘐𝘚𝘈 ❄
cerrado Navidades – Com 2500 – ☲ 450 – **11 hab** 6000/8000 – P 8800/10800.

CASTELLAR DEL VALLÉS 08211 Barcelona 443 H 36 – 10 934 h. – ✪ 93.

♦Madrid 625 – ♦Barcelona 28 – Sabadell 8.

en la carretera de Terrassa SO : 5 km – ⊠ 08211 Castellar del Vallés – ✪ 93 :

XX **Can Font**, ✗ 714 53 77, 😋, Decoración rústica catalana, 🏊, 🎾 – **℗**.

RENAULT Fransesc Lairet 41 ✗ 714 51 91
SEAT-AUDI-VOLKSWAGEN carret. Prats de Llusanés km 6,4 ✗ 714 51 58

CASTELLAR DE NUCH o **CASTELLAR DE N'HUG** 08696 Barcelona 443 F 36 – 145 h. alt. 1 395 – ✪ 93.

♦Madrid 666 – Manresa 89 – Ripoll 39.

🏠 **Les Fonts** ⤵, SO : 3 km ✗ 823 60 89, ≼, 🏊, 🌳 – **℗** E 𝘝𝘐𝘚𝘈
cerrado 10 enero-febrero – Com 1100 – **31 hab** ☲ 1435/3750.

CASTELLBISBAL 08755 Barcelona 443 H 35 – 3 407 h. – ✪ 93.

♦Madrid 605 – ♦Barcelona 27 – Manresa 40 – Tarragona 84.

en la carretera de Martorell a Terrassa C 243 O : 9 km – ⊠ 08755 Castellbisbal – ✪ 93 :

X **Ca L'Esteve**, ✗ 775 56 90, 😋, 🎾 – ▤ **℗**. ஊ ◑ E 𝘝𝘐𝘚𝘈 ❄
cerrado lunes noche, martes y 15 agosto-10 septiembre – Com carta 1950 a 2800.

RENAULT Ponent 10 ✗ 772 07 05
SEAT-AUDI-VOLKSWAGEN carret. de la Estación 15 ✗ 772 00 42

CASTELLCIUTAT 25710 Lérida 443 E 34 – ver Seo de Urgel.

CASTELLDEFELS 08860 Barcelona 443 I 35 – 24 559 h. – ✪ 93 – Playa.

🛈 pl. Rosa de los Vientos ✗ 664 23 01.

♦Madrid 615 – ♦Barcelona 24 – Tarragona 72.

X **El Brocal**, av. de la Constitución 183 ✗ 664 09 52 – ஊ ◑ E 𝘝𝘐𝘚𝘈 ❄
cerrado martes y agosto – Com carta 1900 a 3325.

X **Cal Mingo**, pl. Pau Casals 2 ✗ 664 49 62 – ▤ E 𝘝𝘐𝘚𝘈 ❄
cerrado 15 enero-1 febrero y lunes salvo en verano – Com carta 2150 a 2450.

barrio de la playa :

🏨 **Mediterráneo**, passeig Maritim 294 ✗ 665 21 00, Telex 93503, 🏊 – 🛗 ▤ rest ☏ ⟵ – 🏖. ஊ ◑ E 𝘝𝘐𝘚𝘈 ❄ rest
Com 1925 – ☲ 575 – **47 hab** 4600/8000 – P 7750/8350.

🏨 **Luna**, passeig de la Marina 155 ✗ 665 21 50, Telex 97710, 🏊, 🌳 – 📺 ☏ **℗** – 🏖. ஊ ◑ E 𝘝𝘐𝘚𝘈 ❄ rest
Com 2000 – ☲ 600 – **29 hab** 6500/8000 – P 8000/10500.

XX **Sant Maximin,** av. dels Banys 41 🖉 665 10 07, 😋 – 🔲 🅿 ⚏ 🕦 🗲 ▨ 🛸
   cerrado lunes y noviembre – Com carta 1925 a 3725.

XX Nautic, passeig Maritim 374 🖉 665 01 74, ⟨, Decoración marinera, Pescados y mariscos – 🔲.

X **La Canasta,** passeig Maritim 197 🖉 665 68 57, 😋 – 🔲 ⚏ 🕦 🗲 ▨ 🛸
   cerrado martes – Com carta 3100 a 3600.

X La Torreta, passeig Maritim 178 🖉 665 35 22, 😋.

X C'al Miquel, passeig de la Marina 🖉 664 32 00 – 🔲.

   en la carretera C 246 – ⊠ 08860 Castelldefels – 🟢 93 :

🏨 **Riviera,** E : 2 km 🖉 665 14 00 – 🕾 🅿 ⚏ 🗲 ▨
   marzo-15 diciembre – Com *(cerrado lunes de octubre al 15 diciembre)* 1400 – ⊊ 350 – **35 hab**
   3500/5000 – P 5500/6500.

X **Las Botas,** SO : 2,5 km 🖉 665 18 24, 😋, Decoración típica – ⚏ 🕦 ▨ 🛸
   cerrado domingo noche de octubre a junio – Com carta 1825 a 3050.

   en Torre Barona O : 2,5 km – ⊠ 08860 Castelldefels – 🟢 93 :

🏨 **G. H. Rey Don Jaime** 🐾, 🖉 665 13 00, Telex 50151, 😋, 🖳, 🖋, 🦌, 🗲 – 🔲 📺 🕾 🅿 – 🏌
   ⚏ 🕦 🗲 ▨ 🛸 rest
   Com 2900 – **91 hab** ⊊ 8000/14000.

PEUGEOT-TALBOT av. de la Constitución 30 🖉   SEAT-AUDI-VOLKSWAGEN av. Arcadio Balaguer 87
665 05 98   🖉 665 05 45
RENAULT av. de la Constitución 236 🖉 665 15 75

CASTELL DE FERRO 08740 Granada 🆄🆅🆆 V 19 – 🟢 958 – Playa.
Alred. : Carretera** de Castell de Ferro a Calahonda.
♦Madrid 528 – ♦Almeria 90 – ♦Granada 99 – ♦Málaga 131.

🏨 **Paredes,** paraje del Sotillo 1 🖉 64 61 59, 🖳, 🗲 – 🅿 🗲 ▨ 🛸 rest
   abril-septiembre – Com 1375 – ⊊ 250 – **27 hab** 1975/3200 – P 4100/4475.

🏠 **Ibérico,** carret. de Motril 🖉 64 60 80 – 🅿 ⚏ ▨ 🛸 rest
   mayo-septiembre – Com 1000 – ⊊ 250 – **18 hab** 2000/3000 – P 3400/3900.

CASTELLGALI 08252 Barcelona 🆄🆅🅱 G 35 – 680 h. – 🟢 93.
♦Madrid 601 – ♦Barcelona 59 – ♦Lérida/Lleida 132 – Manresa 8,5.

X **Els Torrents,** carret. de Manresa N : 2 km 🖉 833 12 12 – 🔲 🅿 ⚏ 🕦 🗲 ▨ 🛸
   Com carta 1850 a 3200.

CASTELLO DE AMPURIAS o **CASTELLO D'EMPÚRIES** 17486 Gerona 🆄🅱🅱 F 39 – 2 653 h. alt.
17 – 🟢 972.
Ver : Iglesia de Santa Maria (retablo*) – Costa*.
♦Madrid 753 – Figueras/Figueres 8 – Gerona/Girona 46.

🏨 **Allioli,** carret. Figueras-Rosas 🖉 25 03 00, Decoración rústica catalana – 🖫 🔲 rest 🕾 🅿 ⚏
   🕦 🗲 ▨
   cerrado 20 diciembre-20 enero – Com 1375 – ⊊ 450 – **41 hab** 2500/6500 – P 5500/12500.

🏨 **Emporium,** Santa Clara 7 🖉 25 05 93, 😋 – 🔲 rest 🅿 ▨ 🛸
   cerrado del 15 al 30 octubre – Com *(cerrado sábado)* 750 – ⊊ 325 – **43 hab** 1800/3300 – P
   3200/3500.

   en Ampuriabrava (Urbanización) – ⊠ 17486 Castello d'Empúries – 🟢 972 :

🏨 **Casa Blanca,** E : 3 km - sector Aeroclub 56 🖉 45 03 84, 😋, 🖳 – 🖫 🔲 🕾 🅿 ⚏ 🕦 🗲 ▨.
   🛸 hab
   Com 1300 – ⊊ 600 – **69 hab** 5100/8100 – P 6900/11700.

🏠 **Valmar,** E : 3 km - Puigmal 5 🖉 45 07 63 – 🔲 rest 🅿
   39 hab.

X El Bruel, E : 6 km - Edificio Bahia II-17 🖉 45 10 18, 😋 – 🔲.

SEAT-AUDI-VOLKSWAGEN Urbanización Ampuriabrava 🖉 45 12 11

CASTELLÓN DE LA PLANA o **CASTELLÓ DE LA PLANA** 12000 🅿 🆄🅱🆅 M 29 – 126 464 h. alt.
28 – 🟢 964 – Plaza de toros – 🔳 del Mediterráneo, urbanización la Coma N : 3,5 km por ① 🖉
32 12 27 – 🖪 Costa de Azahar, NE : 6 km B 🖉 22 70 64.
🅸 pl. María Agustina 5 bajo, ⊠ 12003, 🖉 22 77 03 – R.A.C.E. carret. N 340, ⊠ 12005, 🖉 21 60 50.
♦Madrid 426 ② – Tarragona 183 ① – Teruel 148 ③ – Tortosa 122 ① – ♦Valencia 75 ②.

Plano página siguiente

🏨 **Mindoro,** Moyano 4, ⊠ 12002, 🖉 22 23 00, Telex 65413 – 🖫 🔲 📺 🕾 🚗 – 🏌 ⚏ 🕦 🗲   A **a**
   ▨ 🛸
   Com 1650 – ⊊ 720 – **114 hab** 6300/9600.

🏨 **Myriam,** sin rest, Obispo Salinas 1, ⊠ 12003, 🖉 22 21 00 – 🖫 🕾 – **25 hab.**   A **d**

🏠 **Real** sin rest y sin ⊊, pl. del Real 2, ⊠ 12001, 🖉 21 19 44 – 🖫 🕾 ⚏ 🕦 🗲 ▨   A **s**
   35 hab 2350/3650.

🏠 **Amat** sin rest y sin ⊊, Temprado 15, ⊠ 12002, 🖉 22 06 00 – 🖫 🕾 🗲 ▨   A **n**
   22 hab 1750/3300.

CASTELLÓ DE LA PLANA

CASTELLÓN DE LA PLANA

Enmedio . . . . A
Arrufat Alonso . . . . A 2
Barrachina . . . . A 3
Benasal . . . . A 4
Buenavista (Pas. de) . . . . B 7
Burriana (Av.) . . . . A 8
Canarias . . . . B 9
Cardenal Costa (Av.) . . . . . . A 13
Carmen (Pl. del.) . . . . B 14
Churruca . . . . B 18
Clavé (Pl.) . . . . A 19
Doctor Clará (Av.) . . . . A 23
Espronceda (Av.) . . . . A 24
Guitarrista Tárrega . . . . A 28
Joaquín Costa . . . . A 29
Maestro Ripolles . . . . A 30
Mar (Av. del) . . . . A 31
Morella (Pas.) . . . . A 33
Oeste (Parque del) . . . . A 34
Orfebres Santalínea . . . . A 35
Rafalafena . . . . A 38
Sanahuja . . . . A 39
Sebastián Elcano . . . . B 40
Tarragona . . . . A 42
Teodoro Llorens . . . . A 44
Trevalladors del Mar . . . . B 45
Valencia (Av.) . . . . A 46
Vinatea (Ronda) . . . . A 48
Zaragoza . . . . A 49

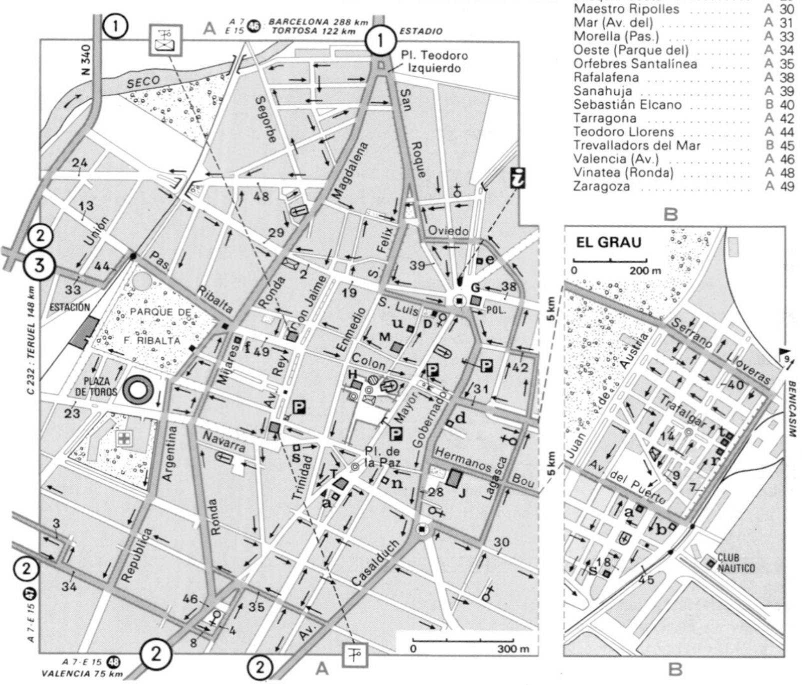

XX **Mesón Navarro II,** Amadeo I - 8, ✉ 12001, ☎ 21 70 73 – ▤. E VISA. ✂ — A **f**
cerrado domingo noche, lunes y del 10 al 30 agosto – Com carta 1300 a 1900.

XX Columbretes, av. Capuchinos 6, ✉ 12004, ☎ 23 04 60, Pescados y mariscos – ▤ — A **e**

XX **Rest. 1900,** Caballeros 41, ✉ 12001, ☎ 22 29 26 – AE ⓓ VISA. ✂ — A **u**
cerrado domingo – Com carta 1900 a 2500.

X **Eleazar,** Ximénez 14, ✉ 12004, ☎ 23 48 61 – ▤. ⓓ E VISA. ✂ — A **a**
cerrado en julio y en agosto – Com carta 1575 a 2000.

en el Puerto (Grao) E : 5 km – ✉ 12100 El Grao de Castellón – ☎ 964 :

Turcosa, Reballadors de la Mar 1 ☎ 22 21 50, Telex 65839, Fax 23 82 37, ≤ – 🛗 ▤ ☎. AE ⓓ E VISA. ✂ rest — B **b**
Com 1500 – ☕ 410 – **70 hab** 4800/7000 – P 6435/7735.

XXX ✿ **Nina y Angelo,** paseo Buenavista 32 ☎ 23 92 92, 🍽 – ▤. AE E VISA — B **t**
cerrado domingo noche, lunes, del 1 al 15 enero y del 1 al 15 octubre – Com carta 3300 a 4800
Espec. Lasaña de frutos de mar, Corazones de alcachofas con almejas (15 octubre-15 febrero), Magret de pato al cabernet Sauvignon.

XX Rafael, Churruca 26 ☎ 22 20 88, Pescados y mariscos – ▤ — B **s**

XX **Club Náutico,** Escollera Poniente - 2° piso ☎ 22 24 90, ≤, 🍽 – AE ⓓ E VISA. ✂ — B
cerrado domingo noche salvo en verano – Com carta 1850 a 2600.

X **Brisamar,** Buenavista 26 ☎ 22 29 22, 🍽 – ▤. AE ⓓ E VISA. ✂ — B **t**
cerrado martes y 20 septiembre-20 octubre – Com carta 1500 a 2200.

X **Casa Falomir,** Buenavista 25 ☎ 22 52 28, Pescados y mariscos – ▤. ✂ — B **r**
cerrado domingo noche, lunes y Navidad – Com carta 1825 a 2675.

X **Tasca del Puerto,** av. del Puerto 13 ☎ 23 60 18, 🍽 – ▤. AE ⓓ E VISA. ✂ — B **a**
cerrado del 15 al 31 enero, 20 septiembre-5 octubre, lunes en invierno y domingo de julio a octubre – Com carta 1650 a 3150.

ALFA-ROMEO carret. N 340 km 67,1 *&* 20 57 99
AUSTIN-MG-MORRIS-MINI av. Quevedo 13 *&* 21 71 19
AUSTIN-MG-ROVER carret. N 340 km 69 *&* 21 00 00
BMW Calderón de la Barca 3 *&* 23 84 11
CITROEN av. de Valencia *&* 21 15 00
FIAT av. Valencia *&* 23 80 11
FORD carret. N 340 *&* 21 55 11
GENERAL MOTORS carret. N 340 (Término Almazora) *&* 52 61 61
LANCIA Concepción Arenal 11 *&* 24 31 11

MERCEDES-BENZ carret. Valencia-Barcelona km 62 *&* 52 00 62
PEUGEOT-TALBOT carret. Valencia-Barcelona *&* 21 13 22
RENAULT carret. N 340 km 66,5 *&* 21 76 00
RENAULT carret. N 340 *&* 21 68 05
RENAULT Jacinto Benavente 3 *&* 21 01 65
SEAT-AUDI-VOLKSWAGEN Herrero 34 *&* 20 58 15
SEAT-AUDI-VOLKSWAGEN pl. Padre Jofré 22 *&* 21 78 22

CASTIELLO DE JACA 22710 Huesca **443** E 28 − 156 h. alt. 921 − 🕿 974.

♦Madrid 488 − Huesca 98 − Jaca 7.

🏠 **El Mesón,** carret. de Francia 4 *&* 36 11 78 − 𝘝𝘐𝘚𝘈. 🛱
Com 950 − 🖵 295 − **26 hab** 2890 − P 3360.

🏋 **La Jacetania,** Arrabal *&* 36 38 45, « Decoración medieval aragonés » − 🗲 𝘝𝘐𝘚𝘈
Com carta 2375 a 2550.

CASTILDELGADO 09259 Burgos **442** E 20 − 119 h. − 🕿 947.

♦Madrid 299 − ♦Burgos 56 − ♦Logroño 59 − ♦Vitoria/Gasteiz 75.

🏠 **El Chocolatero,** carret. N 120 *&* 58 00 63 − 🕿 🅿. 🛱
Com 1100 − 🖵 330 − **35 hab** 1900/3300 − P 3750/4000.

CASTILLEJA DE LA CUESTA 41950 Sevilla **446** T 11 − 11 938 h. − 🕿 954.

♦Madrid 541 − Huelva 82 − ♦Sevilla 5.

🏋 Mesón Alija, Real 88 *&* 16 08 58, 🛱.

🏋 Urtain, Virgen de Loreto *&* 16 30 63, Cocina vasca − 🍽.

CASTILLEJO DE MESLEÓN 40593 Segovia **442** y **444** I 19 − 135 h. − 🕿 911.

♦Madrid 110 − ♦ Burgos 133 − ♦ Segovia 64 − Valladolid 143.

🏛 Ancla, carret. N I − km 109 *&* 55 50 46 − 🚙 🅿
16 hab.

CASTILLO DE ARO 17853 Gerona **443** G 39 − 3 774 h. − 🕿 972.

♦Madrid 711 − ♦Barcelona 100 − Gerona/Girona 35.

🏋🏋 **Cal Rei,** Barri de Crota 3 *&* 81 79 25, 🛱, « Masia del siglo XIV » − 🅿. 🗚 ⓞ 🗲 𝘝𝘐𝘚𝘈
Com carta 1650 a 2250.

🏋🏋 **Mas Sicars,** carret. de Santa Cristina *&* 81 74 97, 🛱, « Decoración rústica » − 🍽 🅿. 🗚 ⓞ 🗲 𝘝𝘐𝘚𝘈
cerrado jueves salvo festivos − Com carta 1750 a 2640.

CASTROPOL 33760 Asturias **441** B 8 − 5 291 h. − 🕿 985 − Playa.

♦Madrid 589 − ♦La Coruña 173 − Lugo 88 − ♦Oviedo 154.

🏋 **Casa Vicente** con hab, carret. N 634 *&* 62 30 51, ≤ − 🅿. ⓞ 𝘝𝘐𝘚𝘈. 🛱
cerrado martes en invierno y octubre − Com carta 2200 a 3200 − 🖵 200 − **14 hab** 3500.

🏋 **Peña-Mar,** carret. N 634 *&* 62 30 06, ≤ − 🅿. 𝘝𝘐𝘚𝘈. 🛱
Com carta 1850 a 2300.

CASTRO URDIALES 39700 Cantabria **442** B 20 − 12 912 h. − 🕿 942 − Playa.

Ver : Emplazamiento⁎.

🛈 La Mar 23.

♦Madrid 430 − ♦Bilbao 34 − ♦Santander 73.

🏋🏋 **Mesón El Segoviano,** Correria 19 *&* 86 18 59, 🛱 − 🍽. 🗚 ⓞ 🗲 𝘝𝘐𝘚𝘈. 🛱
Com carta 1750 a 2500.

🏋🏋 **Mesón Marinero,** Correria 23 *&* 86 00 05, 🛱 − 🍽. 🗚 ⓞ 🗲 𝘝𝘐𝘚𝘈. 🛱
Com carta 1930 a 3350.

🏋🏋 El Faro de Castro, La Plazuela 1 *&* 86 16 65, Pescados y mariscos.

🏋 **La Marina,** General Mola 18 *&* 86 13 45 − 🛱
cerrado martes y 24 diciembre-4 enero − Com carta 1800 a 2300.

🏋 **El Peñón,** Queipo de Llano 17 *&* 86 13 54 − 🍽. ⓞ 🗲 𝘝𝘐𝘚𝘈. 🛱
cerrado miércoles y enero − Com carta 2000 a 3000.

en la playa − ✉ 39700 Castro Urdiales − 🕿 942 :

🏠 **Miramar,** *&* 86 02 00, ≤, 🛱 − 🛗 🚙. 🗚 ⓞ 🗲 𝘝𝘐𝘚𝘈. 🛱 rest
15 marzo-15 octubre − Com 1500 − 🖵 325 − **34 hab** 5000/6900 − P 6150/7700.

CITROEN Estación *&* 86 04 46
RENAULT La Ronda 7 *&* 86 11 99

SEAT-AUDI-VOLKSWAGEN José María de Pereda 7 *&* 86 09 42

CATARROJA 46470 Valencia 445 N 28 – 20 195 h. – ✪ 96.

♦Madrid 359 – ♦Valencia 8.

   ✗   **Gurugú,** Sant Pere 21 ✆ 126 00 47 – ▦. 🄰🄴 **E** *VISA*. ⁙
      cerrado domingo, festivos y agosto – Com carta 1600 a 2325.

La CAVA - DELTEBRE 43580 Tarragona 445 J 32 – ✪ 977.

♦Madrid 513 – Castellón de la Plana 126 – Tarragona 78 – Tortosa 27.

   ✗   Mas Mollena, O : 1,5 km ✆ 48 91 26, ⛲, Instalado en una antigua masia - Decoración rústica
      – ℗.

CITROEN Pescadors 37 ✆ 48 03 46
FIAT Marquesa ✆ 48 07 47
OPEL-GM Lleida 28 ✆ 48 93 59
PEUGEOT-TALBOT Reyes Católicos 44 ✆ 48 01 34

RENAULT av. de la Generalitat 13
SEAT-AUDI-VOLKSWAGEN av. Asunción 129 ✆
48 04 36

CAYA Badajoz 444 P 8 – ver aduanas p. 14 y 15.

CAZORLA 23470 Jaén 446 S 20 – 10 005 h. alt. 790 – ✪ 953 – Plaza de toros.

Alred. : Sierra de Cazorla ★★ : La Iruela (carretera de los miradores★, ≤ ★★) N : 2 km – Carretera de acceso al Parador★ (≤ ★★) SE : 25 km.

🛈 Juan Domingo 2 ✆ 72 01 15.

♦Madrid 363 – Jaén 101 – Úbeda 46.

   🏠   **Don Diego** sin rest, Hilario Marco 163 ✆ 72 05 31 – ☎ ⇔ ℗. 🄰🄴 ⓞ *VISA*. ⁙
      ⊇ 300 – **23 hab** 2300/3900.

   🏠   **Andalucía** sin rest, Martinez Falero 42 ✆ 72 12 68 – ☎ ⇔. *VISA*. ⁙
      ⊇ 280 – **11 hab** 2490/3400.

   🏠   **Guadalquivir** sin rest y sin ⊇, Nueva 6 ✆ 72 02 68 – 🄰🄴 ⓞ **E** *VISA*. ⁙
      11 hab 1650/2500.

   ✗   **La Sarga,** pl. del Mercado ✆ 72 15 07, ⛲ – ▦. *VISA*. ⁙
      cerrado martes y 20 septiembre-20 octubre – Com carta 1300 a 2100.

   en la carretera de la Sierra O : 2 km – ✉ 23476 La Iruela – ✪ 953 :

   🏨   **Sierra de Cazorla** ⟨⟩, ✆ 72 00 15, ≤, ⌁ – ☎ ℗. 🄰🄴 ⓞ **E** *VISA*. ⁙ rest
      Com 1100 – ⊇ 300 – **40 hab** 3500/4700 – P 4500/4800.

   en la Sierra de Cazorla – ✉ 23470 Cazorla – ✪ 953 :

   🏰   **Parador El Adelantado** ⟨⟩, E : 26 km Lugar Sacejo, alt. 1 400 ✆ 72 10 75, ≤ montañas,
      « En plena Sierra de Cazorla », ⛲ – 📺 ℗. 🄰🄴 ⓞ **E** *VISA*. ⁙
      Com 2500 – ⊇ 800 – **33 hab** 6800/8500.

   🏠   **Mirasierra** ⟨⟩, carret. del Tranco NE : 36,3 km, ⌁ – ▦ rest ℗. **E** *VISA*. ⁙
      Com 870 – ⊇ 170 – **19 hab** 1840/2300 – P 2925/3615.

CEDEIRA 15350 La Coruña 441 A 5 – 7 827 h. – ✪ 981 – Playa.

♦Madrid 659 – ♦La Coruña 106 – Ferrol 37.

   ✗   **Paris-San-Tropez** con hab, paseo del Generalisimo 93 ✆ 48 04 30 – ⁙ rest
      cerrado domingo y festivos noche – Com carta 1450 a 2100 – ⊇ 300 – **10 hab** 1500/2500.

CITROEN Pontigas Regoa ✆ 48 07 60

FORD av. de Suevos 16 ✆ 48 00 78

CEE 15270 La Coruña 441 D 2 – 7 531 h. – ✪ 981 – Playa.

♦Madrid 710 – ♦La Coruña 97 – Santiago de Compostela 89.

   🏠   La Marina, av. Fernando Blanco 26 ✆ 74 67 52 – 🕼 📺 ☎ – **20 hab**.

   🏠   Fonda Vitoria, av. Fernando Blanco 10 ✆ 74 50 59 – ☎
      26 hab.

CELADA DE LA VEGA León – ver Astorga.

CELANOVA 32800 Orense 441 F 6 – 7 518 h. – ✪ 988.

Ver : Monasterio (claustro★★).

Alred. : Santa Comba de Bande (iglesia★) S : 16 km.

♦Madrid 488 – Orense 26 – ♦Vigo 99.

   🏠   **Betanzos,** Celso Emilio Ferreiro 7 ✆ 45 10 11 – 🕼. ⁙
      Com 950 – ⊇ 200 – **33 hab** 2000/3000 – P 3500/4000.

CITROEN carret. Lugo-Portugal ✆ 45 01 33
FIAT carret. Orense-Celanova km 25 ✆ 45 11 26
FORD carret. de Vilanova 21 ✆ 45 01 90
GENERAL MOTORS carret N 13-1 ✆ 45 02 84
PEUGEOT-TALBOT carret. Orense-Portugal ✆
45 04 80

RENAULT carret. de Orense ✆ 45 00 10
SEAT-AUDI-VOLKSWAGEN carret. de Orense km
25 ✆ 45 02 11

CELLERS 25631 Lérida 443 F 32 – ver Sellés.

La CENIA o **La SENIA** 43560 Tarragona **443** K 31 – 4 638 h. – ✿ 977.

♦Madrid 526 – Castellón de la Plana 104 – Tarragona 105 – Tortosa 35.

  ✗ **El Trull,** San Miguel 14 ℘ 71 33 02, « Decoración rústica » – 🆑 ⓘ 𝐄 𝘝𝘐𝘚𝘈
   cerrado del 15 al 30 enero – Com carta 1400 a 2150.

PEUGEOT-TALBOT   Colomers 10 ℘ 71 37 92   RENAULT   carret. de Barcelona 40 ℘ 71 37 40

CERCEDILLA 28470 Madrid **444** J 17 – 3 972 h. alt. 1 188 – ✿ 91.

♦Madrid 56 – El Escorial 20 – ♦Segovia 39.

  🏠 **Longinos El Aribel** sin rest, cuesta de la Estación ℘ 852 15 11 – 📺 ☎ 🅿. 𝘝𝘐𝘚𝘈. ✸
   ⛛ 200 – **23 hab** 2800/3500.

CITROEN   Pontezuela 4 ℘ 852 10 98

CERLER Huesca **443** E 31 – ver Benasque.

CERVERA DE PISUERGA 34840 Palencia **442** D 16 – 2 963 h. alt. 900 – ✿ 988.

♦Madrid 348 – ♦Burgos 118 – Palencia 122 – ♦Santander 129.

  🏨 **Parador Fuentes Carrionas** ⑤, carret. de Ruesga, NO : 2,5 km ℘ 87 00 75, Fax 87 01 05,
   « Magnífica situación con ≤ montañas y pantano de Ruesga » – 🛗 ⇔ 🅿. 🆑 ⓘ 𝐄 𝘝𝘐𝘚𝘈. ✸
   Com 2500 – ⛛ 800 – **80 hab** 6400/8000.

  ✗ **Peñalabra** con hab, General Mola 72 ℘ 87 00 37 – ▤ rest. 𝐄 𝘝𝘐𝘚𝘈 ✸
   Com carta 1225 a 1850 – ⛛ 225 – **10 hab** 1300/3200 – P 3025/6650.

CITROEN   carret. Santibañez de Rebosa ℘ 89 01 31   SEAT-AUDI-VOLKSWAGEN   José Antonio Girón 12
FORD   pl. San Roque ℘ 87 00 44   ℘ 87 00 33
PEUGEOT-TALBOT   José Antonio Girón 19 ℘
87 00 71

CERVO 27888 Lugo **441** A 7 – 9 602 h. – ✿ 982.

♦Madrid 611 – ♦La Coruña 162 – Lugo 105.

  en la carretera C 642 NO : 5 km – ✉ 27888 Cervo – ✿ 982 :

  ✗ **O Castelo** con hab, ℘ 59 44 02, ≤ – 📺 ☎ 🅿. 𝐄 𝘝𝘐𝘚𝘈
   Com carta 1800 a 2650 – ⛛ 350 – **9 hab** 3000/4500 – P 5150/5900.

CESTONA o **ZESTONA** 20740 Guipúzcoa **442** C 23 – 3 778 h. – ✿ 943 – Balneario.

♦Madrid 432 – ♦Bilbao 75 – ♦Pamplona 102 – ♦San Sebastián/Donostia 34.

  🏨 **Arocena,** paseo San Juan 12 ℘ 86 70 40, ≤, 🔄, 🌴, ✗ – 🛗 ⊛ ⇔ 🅿. 🆑 ⓘ 𝐄 𝘝𝘐𝘚𝘈.
   ✸ rest
   cerrado 15 diciembre-15 enero – Com *(cerrado domingo noche y lunes)* 1900 – ⛛ 450 –
   109 hab 3500/5600 – P 5700/6400.

  🏠 **Arteche,** paseo San Juan ℘ 86 71 45 – 🛗 ⊛ 🅿. 𝘝𝘐𝘚𝘈. ✸
   julio-septiembre – Com 1100 – ⛛ 275 – **39 hab** 2100/3500 – P 3500/3900.

CEUTA 11700 **169** ⑦ – 70 864 h. – ✿ 956 – Playa.

Ver : Monte Hacho★ (Ermita de San Antonio ≤★★) Z.

⚓ para Algeciras : Cia. Trasmediterránea, Muelle Cañonero Data 6, ℘ 52 23 18, Telex 78080 Z.

🛈 av. Cañonero Dato 1 ℘ 51 13 79 – R.A.C.E. Beatriz de la Silva 12 ℘ 51 80 68.

Plano página siguiente

  🏨 **La Muralla y Rest La Torre,** pl. Virgen de África 15 ℘ 51 49 40, Telex 78087, ≤, 🌇,
   « Hotel instalado parcialmente en la antigua muralla », 🔄, 🌴 – 🛗 ▤ 📺 ☎ 🅿 – 🔔   Y **h**
   ✸
   Com 2700 – ⛛ 800 – **83 hab** 8000/10000.

  ✗✗ **El Asador,** polígono Virgen de África 18 ℘ 51 25 07 – ▤. 🆑 ⓘ 𝐄 𝘝𝘐𝘚𝘈. ✸   Z **a**
   cerrado jueves y agosto – Com carta 1950 a 3000.

  ✗✗ **El Sombrero de Copa,** Padilla 4 ℘ 52 82 84 – ▤. 🆑 ⓘ 𝐄 𝘝𝘐𝘚𝘈. ✸   Y **s**
   cerrado del 1 al 15 agosto y del 15 al 31 diciembre – Com (sólo almuerzo lunes, martes y
   miércoles) carta 1850 a 2950.

  ✗ La Terraza, pl. Vieja 25 ℘ 51 40 29 – ▤   Y **a**

  ✗ Vicentino, Alférez Baytón 3 ℘ 51 40 15, 🌇 – ▤   Y **e**

  en el Monte Hacho E : 4 km – ✉ 11705 Ceuta – ✿ 956 :

  ✗ Mesón de Serafin, ℘ 51 40 03, ≤ Ceuta, mar, peñón de Gibraltar y costas de la Penin-
   sula   Z **d**

BMW-SEAT-FIAT-VOLKSWAGEN   Muelle Cañonero   GENERAL MOTORS   Romero de Córdoba ℘ 51 42 26
Dato 25 ℘ 51 27 10   PEUGEOT-TALBOT   av. de España ℘ 51 16 60
CITROEN   Muelle Cañonero Dato 15 ℘ 51 24 24   RENAULT-MERCEDES-AUDI   Muelle Cañonero
FORD   Marina Española 6 ℘ 51 25 10   Dato 25 ℘ 51 99 40

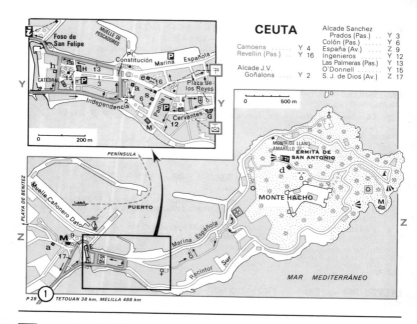

CEUTA

Camoens		Y 4
Revellin (Pas.)		Y 16
Alcade J.V. Goñalons		Y 2

Alcade Sanchez Prados (Pas.)		Y 3
Colón (Pas.)		Y 6
España (Av.)		Z 9
Ingenieros		Y 12
Las Palmeras (Pas.)		Y 13
O'Donnell		Y 15
S. J. de Dios (Av.)		Z 17

CH ... – ver después de Cuzcurrita del río Tirón.

CINTRUÉNIGO 31592 Navarra **442** F 24 – 5 082 h. alt. 391 – ✪ 948.
🛈 Barón de la Torre 62 ℰ 77 33 40.
◆Madrid 308 – ◆Pamplona 87 – Soria 82 – ◆Zaragoza 99.

   🏨 **Maher,** Ribera 19 ℰ 81 18 88 – _VISA_ ⌘
   Com 950 – ☲ 280 – **25 hab** 3000/3600.

RENAULT Barón de la Torre ℰ 77 31 68

CIORDIA 31809 Navarra **442** D 23 – 401 h. – ✪ 948.
◆Madrid 396 – ◆Pamplona 55 – ◆San Sebastián/Donostia 76 – ◆Vitoria/Gasteiz 41.

   🏨 **Iturrimurri II,** carret. N I ℰ 56 30 12, Telex 37021, ≼, ☆ – 📶 🕾 ℗ E _VISA_ ⌘
   Com 1500 – ☲ 375 – **29 hab** 3050/5550 – P 6125/6400.

CIUDADELA 07760 Baleares **443** M 41 – ver Baleares (Menorca).

CIUDAD PUERTA DE HIERRO Madrid – ver Madrid.

CIUDAD REAL 13000 🅿 **444** P 18 – 51 118 h. alt. 635 – ✪ 926 – Plaza de toros.
🛈 Alarcos 21, ✉ 13001, ℰ 21 29 25 – R.A.C.E. General Aguilera 15, ✉ 13001, ℰ 22 92 77.
◆Madrid 203 – ◆Cáceres 300 – ◆Córdoba 264 – Jaén 193 – Linares 154 – Talavera de la Reina 198.

   🏨 **Almanzor,** Bernardo Balbuena, ✉ 13004, ℰ 21 43 03 – 📶 🗏 📺 🕾 ℗ – 🔬 🆎 ⓞ E _VISA_
   Com 1200 – ☲ 375 – **71 hab** 3650/5100 – P 5150/6250.

   🏨 **Castillos** sin rest, av. del Rey Santo 8, ✉ 13001, ℰ 21 36 40 – 📶 🗏 🕾 ⟺ – 🔬 🆎 ⓞ E
   VISA – ☲ 300 – **130 hab** 3220/5150.

   🏨 El Molino, carret. de Carrión, ✉ 13005, ℰ 22 30 50 – 🗏 🕾 ℗ – **18 hab**.

   XX **Miami Park,** Ronda Ciruela 48, ✉ 13004, ℰ 22 20 43 – 🗏. 🆎 ⓞ E _VISA_ ⌘
   cerrado domingo noche – Com carta 1900 a 3100.

   X **Casablanca,** Ronda de Granada 23, ✉ 13003, ℰ 22 59 98 – 🗏. 🆎 ⓞ E _VISA_ ⌘
   cerrado domingo noche – Com carta 1750 a 3400.

ALFA ROMEO carret. de Carrión ℰ 25 11 11
AUSTIN-MORRIS-MINI carret. de Carrión ℰ 22 25 28
BMW carret. de Carrión km 242 ℰ 25 27 31
CITROEN carret. de Valdepeñas km 1 ℰ 22 12 49
FIAT carret. de Carrión ℰ 22 96 04
FORD carret. Puertollano 36 ℰ 21 27 57
GENERAL MOTORS Ronda de Alarcos 52 ℰ 21 27 26

MERCEDES-BENZ carret. de Carrión ℰ 22 22 00
PEUGEOT-TALBOT ronda de Toledo 21 ℰ 22 17 00
RENAULT carret. de Carrión ℰ 22 73 50
SEAT-AUDI-VOLKSWAGEN ronda de Toledo 15 ℰ 22 13 41
SEAT-AUDI-VOLKSWAGEN Ruiz Morote 3 ℰ 22 07 09

198

CIUDAD RODRIGO 37500 Salamanca **444** K 10 – 14 766 h. alt. 650 – **☺** 923 – Plaza de toros.

Ver : Catedral★ (altar★, portada de la Virgen★, claustro★).

🛈 Arco de Amayuelas 5 *ℰ* 46 05 61.

♦Madrid 294 – ♦Cáceres 160 – Castelo Branco 164 – Plasencia 131 – ♦Salamanca 89.

   🏛 **Parador Enrique II** ⑤, pl. del Castillo 2 *ℰ* 46 01 50, Fax 46 04 04, « En un castillo feudal del siglo XV », **⚜** – 🏢 rest **☎ ℗**. **ΔΞ ①** **E** **VISA**. ⅏
     Com 2500 – ▧ 800 – **27 hab** 7200/9000.

   🏛 **Conde Rodrigo,** pl. de San Salvador 9 *ℰ* 46 14 04 – **|常|** 🏢 rest **tv** **℗**. **ΔΞ ①** **E** **VISA**. ⅏
     Com 1100 – ▧ 250 – **35 hab** 3500/4500 – P 4250/5500.

   ✗ **Mayton,** La Colada 9 *ℰ* 46 07 20 – 🏢. **ΔΞ ①** **E** **VISA**
     cerrado lunes y del 15 al 30 octubre – Com carta 1450 a 3150.

   ✗ **Estoril,** Travesia Talavera 1 *ℰ* 46 05 50 – 🏢. **ΔΞ ①** **E** **VISA**
     cerrado del 15 al 30 noviembre – Com carta 1600 a 2350.

   ✗ **Casa Antonio,** Gigantes 8 *ℰ* 46 00 22 – 🏢. ⅏
     cerrado del 1 al 15 septiembre – Com carta 1300 a 2250.

CITROEN Juan XXIII - 9 *ℰ* 46 29 12
FIAT-LANCIA Clemente Velasco *ℰ* 46 23 97
FORD carret. de Salamanca km 320,7 *ℰ* 46 05 04
GENERAL MOTORS carret. de Salamanca km 320 *ℰ* 46 14 26

PEUGEOT-TALBOT carret. de Salamanca 5 *ℰ* 46 04 07
RENAULT carret. de Salamanca *ℰ* 46 01 18
SEAT-AUDI-VOLKSWAGEN av. de Portugal 21 *ℰ* 46 23 47

CIUTADELLA DE MENORCA Baleares **443** M 41 – ver Baleares (Menorca) : Ciudadela.

COCA 40480 Segovia **442** I 16 – 2 127 h. alt. 789 – Plaza de toros.

Ver : Castillo★★.

♦Madrid 137 – ♦Segovia 50 – ♦Valladolid 62.

COCENTAINA 03820 Alicante **445** P 28 – 10 408 h. alt. 445 – **☺** 96.

♦Madrid 397 – ♦Alicante 63 – ♦Valencia 104.

   🏨 **Odón,** av. del País Valenciá 145 *ℰ* 559 12 12 – **|常|** 🏢 rest **☎** – **🏊**. **ΔΞ ①** **E** **VISA**
     Com 1000 – ▧ 350 – **52 hab** 2300/4100 – P 4400/4650.

   ✗✗ **L'Escaleta,** av. del País Valenciá 119 *ℰ* 559 21 00 – 🏢. **ΔΞ ①** **E** **VISA**. ⅏
     cerrado domingo noche, lunes, Semana Santa y del 15 al 31 agosto – Com carta 1750 a 2900.

   en la carretera de Alcoy SO : 3,5 km – ✉ 03803 Alcoy – **☺** 96 :

   ✗✗ ✾ **Venta del Pilar,** *ℰ* 559 23 25, 🍴, Instalado en una venta del siglo XVIII, Decoración rústica – **ΔΞ ①** **E** **VISA**. ⅏
     cerrado domingo, Semana Santa y agosto – Com 2200/3100
     Espec. Salmón suprema del chef (abril-septiembre), Merluza de la abuela María, Olleta de music.

CITROEN av. del Condat 46 *ℰ* 559 06 48
RENAULT av. Xátiva 35 *ℰ* 559 12 51

SEAT-AUDI-VOLKSWAGEN av. Xátiva 26 *ℰ* 559 17 66

COFRENTES 46625 Valencia **445** O 26 – 1 124 h. alt. 437 – Balneario.

♦Madrid 316 – ♦Albacete 93 – ♦Alicante 141 – ♦Valencia 106.

   en la carretera de Casas Ibáñez O : 4 km – ✉ 46625 Cofrentes – **☺** 96 :

   🏛 Baln. Hervideros de Cofrentes ⑤, *ℰ* 219 62 36, « En un parque », **🏊**, **✗** – **☜** **☞** **℗**
     60 hab.

COIN 29100 Málaga **446** V W 15 – 20 958 h. – **☺** 952.

♦Madrid 585 – ♦Málaga 37 – Marbella 28 – Ronda 74.

   🏠 Coin, sin rest y sin ▧, Dr. Palomo 36 *ℰ* 45 05 37 – **|常|**
     24 hab.

COLERA 17469 Gerona **443** E 39 – 490 h. – **☺** 972 – Playa.

♦Madrid 775 – Gerona/Girona 68 – Port-Bou 6.

   🏛 **La Gambina,** passeig Maritim 4 *ℰ* 38 90 14, ≤, 🍴 – **VISA**. ⅏ rest
     marzo-octubre – Com *(cerrado jueves fuera de temporada)* 1000 – ▧ 300 – **27 hab** 1800/3200.

COLINDRES 39750 Cantabria **442** B 19 – 4 885 h. – **☺** 942 – Playa.

♦Madrid 423 – ♦Bilbao 62 – ♦Santander 45.

   🏛 Montecarlo, Ramón Pelayo 9 *ℰ* 65 01 63 – 🏢 rest **☞**
     23 hab.

PEUGEOT-TALBOT carret. Irún - La Coruña km 159 *ℰ* 65 02 25

SEAT-AUDI-VOLKSWAGEN carret. Santander - Bilbao km 17 *ℰ* 65 00 00

COLMENAR VIEJO 28770 Madrid 440 J 18 K 18 – 21 159 h. alt. 883 – ✪ 91 – Plaza de toros – ✦Madrid 32.

XX **El Asador de Colmenar,** carret. de Miraflores km 33 ℰ 845 03 26, 😓, Decoración castellana – 🗏 🅿 ঞ **E** *VISA*. ✋
Com carta 2200 a 3500.

X Santi Mostacilla, Zurbarán 2 (carret. de Miraflores) ℰ 845 60 37 – 🗏.

X **El Chiscón,** Real 12 ℰ 845 28 47 – 🗏. ঞ ⓞ **E** *VISA*. ✋
Com carta 1700 a 2600.

CITROEN Artesanos 3 ℰ 845 17 72
OPEL-GM av. La Libertad 64 ℰ 845 12 71
PEUGEOT-TALBOT av. La Libertad 55 ℰ 845 04 23
RENAULT carret. Madrid-Colmenar km 27,3 ℰ
845 03 74

RENAULT av. de la Libertad 9 ℰ 845 05 69
SEAT-AUDI-VOLKSWAGEN av. Hoyo Manzanares
22 ℰ 845 69 40

COLOMBRES 33590 Asturias 441 B 16 – alt. 110 – ✪ 985 – Playa.
✦Madrid 436 – Gijón 122 – ✦Oviedo 132 – ✦Santander 79.

en la carretera N 634 – ✉ 33590 Colombres – ✪ 985 :

🏨 **San Angel,** NO : 2 km ℰ 41 20 00, ≤, 🛋, 🌂, ✽ – 📶 🅿 ঞ ⓞ **E** *VISA*. ✋
20 marzo-noviembre – Com 1700 – ⚏ 400 – **77 hab** 5050/6900 – P 6450/8050.

🏠 **Junco,** NO : 1,5 km ℰ 41 22 43 – 🅿 *VISA*. ✋
Com 750 – ⚏ 275 – **24 hab** 1600/2750 – P 3825/4050.

La COLONIA 28250 Madrid 444 K 18 – ver Torrelodones.

COLONIA DE SANT JORDI 07638 Baleares – ver Baleares (Mallorca).

Las COLORADAS Las Palmas – ver Canarias (Gran Canaria : Las Palmas de Gran Canaria).

COLL D'EN RABASSA 07007 Baleares 443 N 38 – ver Baleares (Mallorca) : Palma de Mallorca.

COLLSUSPINA 08519 Barcelona 443 G 36 – 350 h. – ✪ 93.
✦Madrid 627 – ✦Barcelona 64 – Manresa 36.

X **Can Xarina,** Major 10 ℰ 830 05 77, Decoración rústica, « Casa del siglo XIV » – **E** *VISA*. ✋
cerrado domingo noche, lunes, 26 junio-9 julio y del 15 al 30 noviembre – Com carta 1570 a 3250.

COMARRUGA 43880 Tarragona 443 I 34 – ✪ 977 – Playa.
✦Madrid 567 – ✦Barcelona 81 – Tarragona 24.

🏨 G. H. Europe, via Palfuriana 107 ℰ 68 04 11, Telex 56681, ≤, 😓, 🛋 climatizada, ✽ – 📶 🗏 ☎
🅿 – 🏛 – **154 hab.**

🏨 **Casa Martí** ⟋, Vilafranca 8 ℰ 68 01 11, ≤, 🛋, ✽ – 📶 ⊛ 🅿 ঞ ⓞ **E** *VISA*. ✋
19 marzo-septiembre – Com 1400 – ⚏ 350 – **136 hab** 3060/4700 – P 4550/5260.

XX **Joila,** Parlament Catalá 52 ℰ 68 08 27 – 🗏. ঞ ⓞ **E** *VISA*. ✋
cerrado martes noche, miércoles y 2 noviembre-14 diciembre – Com carta 2000 a 2900.

COMBARRO 36993 Pontevedra 441 E 3 – ✪ 986 – Playa.
Ver : Pueblo Pesquero✶.
✦Madrid 610 – Pontevedra 6 – Santiago de Compostela 63 – ✦Vigo 29.

🏨 **Stella Maris** sin rest, carret. de La Toja ℰ 77 03 66, ≤ – 📶 ⊛ 🅿. ✋
⚏ 300 – **35 hab** 2700/4300.

COMILLAS 39520 Cantabria 442 B 17 – 2 397 h. – ✪ 942 – Playa – 🄳 Aldea 6. ℰ 72 07 68.
✦Madrid 412 – ✦Burgos 169 – ✦Oviedo 152 – ✦Santander 49.

🏠 **Josein,** Manuel Noriega 27 ℰ 72 02 25, ≤ playa y mar – 🅿. ঞ ⓞ **E** *VISA*. ✋ rest
15 marzo-septiembre – Com 1300 – ⚏ 300 – **24 hab** 3500/4000 – P 4450/5950.

X **Adolfo,** paseo Garelli, 😓 – ঞ ⓞ **E** *VISA*. ✋
cerrado 15 octubre-15 noviembre – Com carta 1650 a 2700.

CONDADO DE SAN JORGE 17250 Gerona 443 G 39 – ver Playa de Aro.

CONGOSTO 24398 León 441 E 10 – 2 022 h. – ✪ 987 – ✦Madrid 381 – ✦León 101 – Ponferrada 12.

en el Santuario NE : 2 km – ✉ 24398 Congosto – ✪ 987 :

🏨 Virgen de la Peña ⟋, ℰ 46 71 02, ≤ valle, pantano y montañas, 🛋, ✽ – 📺 ☎ 🅿
Com (ver Rest. Virgen de la Peña) – **44 hab.**

X **Virgen de la Peña,** ℰ 46 71 02, 😓, « Amplia terraza con ≤ valle, pantano y montañas »,
🛋, ✽ – 🅿. **E** *VISA*
Com carta 2000 a 2400.

200

CONIL DE LA FRONTERA 11140 Cádiz 【4】【6】 X 11 – 13 289 h. – ✪ 956 – Playa.

Alred. : Vejer de la Frontera ⩽ ★ SO : 17 km.

♦Madrid 657 – Algeciras 87 – ♦Cádiz 40 – ♦Sevilla 149.

🏨 **Espada,** prolongación San Sebastián 🖉 44 08 30 – 🕾 🅿
Com (sólo en temporada) – **48 hab**.

🏠 **Don Pelayo,** carret. del Punto 19 🖉 44 02 32, 🍽 – 🗏 rest. **E** **VISA**. 🛠
Com 850 – 🖵 300 – **30 hab** 5905.

🏠 **La Gaviota,** pl. Nuestra Señora de las Virtudes 🖉 44 08 36 – ⓪ **E** **VISA**. 🛠
abril-septiembre – Com *(cerrado martes)* (sólo cena) 1300 – 🖵 450 – **2 hab** 6100 y **14 apartamentos** 6100.

🏠 **Tres Jotas** sin rest, San Sebastián 🖉 44 04 50 – 🚗. **E** **VISA**. 🛠
🖵 300 – **39 hab** 3100/5300.

CITROEN Pascual Junquera 58 🖉 44 04 05
PEUGEOT-TALBOT carret. El Punto 🖉 44 04 87

SEAT-AUDI-VOLKSWAGEN carret. El Punto 22 🖉 44 01 58

CÓRDOBA 14000 🅿 【4】【6】 S 15 – 284 737 h. alt. 124 – ✪ 957 – Plaza de toros.

Ver : Mezquita★★★ (mihrab★★★), Catedral (sillería★★, púlpitos★★) AZ – Judería★★ AZ – Alcázar★ (mosaicos★, sarcófago★, jardines★) AZ – Museo arqueológico★ AZ **M2**.

Alred. : Medina Azahara★ (⩽★) O : 6 km por C 431 X.

🏌 Los Villares N : 9 km por av. del Brillante (V) 🖉 35 02 08.

🛈 Torrijos 10, ✉ 14003, 🖉 47 12 35 – R.A.C.E. Concepción 26, ✉ 14008, 🖉 47 93 71.

♦Madrid 407 ② – ♦Badajoz 278 ① – ♦Granada 166 ③ – ♦Málaga 175 ④ – ♦Sevilla 143 ④.

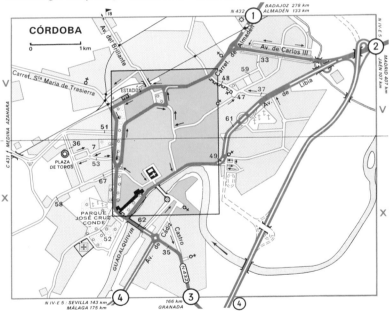

Antonio Maura	X 7	María (Corazón de)	V 47
General Sanjurjo	V 33	Marrubial (R. del)	V 48
Granada (Av. de)	X 35	Mártires (R. de los)	X 49
Gran Vía Parque	X 36	Medina Azahara (Av.)	V 51
Jesús Rescatado (Av. de)	V 37	Menéndez Pidal (Av.)	X 52
Madre de Dios (Campo)	X 45	Ministro Barroso y Castillo	X 53

Puesta en Riego (Carret. de la)	X 58
Sagunto	V 59
San Antón (Campo)	V 61
San Rafael (Puente de)	X 62
Teniente General Barroso (Av.)	X 67

🏨 **Adarve** sin rest, Magistral Gónzalez Francés 15, ✉ 14003, 🖉 48 11 02, Telex 76594 – 🕽 🗏
📺 🕾 🚗 – 🔏. 🆎 ⓪ **E** **VISA**. 🛠
🖵 750 – **103 hab** 9700/15000.
AZ **w**

🏨 **Meliá Córdoba,** jardines de la Victoria, ✉ 14004, 🖉 29 80 66, Telex 76591, « Terraza con flores », 🏊, 🔼 – 🕽 🗏 📺 🕾. 🆎 ⓪ **E** **VISA**. 🛠
Com 2600 – 🖵 850 – **105 hab** 11500.
AZ **p**

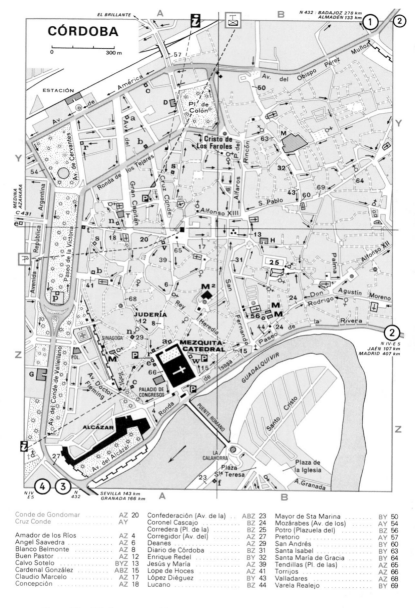

CÓRDOBA

Nos guides hôteliers, nos guides touristiques et nos cartes routières sont complémentaires. Utilisez-les ensemble.

Unsere Hotel-, Reiseführer und Straßenkarten ergänzen sich. Benutzen Sie sie zusammen.

🏨🏨 **Gran Capitán,** av. de América 5, ⌧ 14008, ✆ 47 02 50, Telex 76662 – 🛗 🗏 📺 ⇔ – 🅰️. 🆎 ⓘ Ε 𝖵𝖨𝖲𝖠. ⁓ AY c
Com 2000 – ⌁ 600 – **96 hab** 7600/10800 – P 10600/12800.

🏨🏨 **Los Gallos Sol,** av. Medina Azahara 7, ⌧ 14005, ✆ 23 55 00, Telex 76566, ⅃ – 🛗 🗏 📺 ☎. 🆎 ⓘ Ε 𝖵𝖨𝖲𝖠. ⁓ rest AY e
Com 2400 – ⌁ 650 – **105 hab** 7900/9900 – P 12530/19160.

🏨 **Maimónides** sin rest, Torrijos 4, ⌧ 14003, ✆ 47 15 00, Telex 76594 – 🛗 🗏 ☎ ⇔. 🆎 ⓘ Ε 𝖵𝖨𝖲𝖠. ⁓ AZ e
⌁ 650 – **61 hab** 7125/11400.

🏨 **El Califa,** sin rest, Lope de Hoces 14, ⌧ 14004, ✆ 29 94 00 – 🛗 🗏 ☎ ⇔ AZ b
67 hab.

🏨 **Selu** sin rest, Eduardo Dato 7, ⌧ 14003, ✆ 47 65 00, Telex 76659 – 🛗 🗏 ☎ ⇔. 🆎 ⓘ Ε 𝖵𝖨𝖲𝖠 AZ s
⌁ 310 – **118 hab** 3075/4560.

🏨 **Cisne,** sin rest, con cafetería, av. Cervantes 14, ⌧ 14008, ✆ 48 16 76 – 🛗 🗏 📺 ☎ AY r
44 hab.

🏨 **Marisa** sin rest, Cardenal Herrero 6, ⌧ 14003, ✆ 47 31 42 – 🗏 ☎. 🆎 ⓘ Ε 𝖵𝖨𝖲𝖠 AZ a
⌁ 350 – **28 hab** 2700/4600.

🏨 **Boston** sin rest y sin ⌁, Málaga 2, ⌧ 14003, ✆ 47 41 76 – 🛗 🗏 ☎. 𝖵𝖨𝖲𝖠. ⁓ AZ v
40 hab 1800/3100.

🏨 **Andalucía,** José Zorrilla 3, ⌧ 14008, ✆ 47 60 00 – 🛗 🗏 rest ☎. 🆎 ⓘ Ε 𝖵𝖨𝖲𝖠. ⁓ AY n
Com 825 – ⌁ 200 – **40 hab** 1975/3350.

🏨 **Serrano** sin rest, Pérez Galdós 6, ⌧ 14001, ✆ 47 01 42 – 🗏 ☎. 𝖵𝖨𝖲𝖠. ⁓ AY a
⌁ 225 – **63 hab** 2035/3800.

XXX **El Blasón,** José Zorrilla 11, ⌧ 14008, ✆ 48 06 25 – 🗏. 🆎 ⓘ Ε 𝖵𝖨𝖲𝖠. ⁓ AY n
Com carta 2650 a 3400.

XXX **Almudaina,** Jardines de los Santos Mártires 1, ⌧ 14004, ✆ 47 43 42, 🌳, « Conjunto de estilo regional con patio » – 🗏. 🆎 ⓘ Ε 𝖵𝖨𝖲𝖠. ⁓ AZ c
cerrado domingo noche – Com carta 2025 a 3100.

XXX **El Caballo Rojo,** Cardenal Herrero 28, ⌧ 14003, ✆ 47 53 75 – 🗏. 🆎 ⓘ Ε 𝖵𝖨𝖲𝖠. ⁓ AZ r
Com carta 2450 a 3250.

XX **Oscar,** pl. de Chirinos 8, ⌧ 14001, ✆ 47 75 17 – 🗏. 🆎 ⓘ Ε 𝖵𝖨𝖲𝖠 AY s
cerrado domingo y del 15 al 31 agosto – Com carta 2150 a 2650.

XX **Ciro's,** paseo de la Victoria 19, ⌧ 14003, ✆ 29 04 64 – 🗏. 🆎 ⓘ Ε 𝖵𝖨𝖲𝖠. ⁓ AYZ t
Com carta 2025 a 3325.

XX **Pic-Nic,** ronda de los Tejares 16, ⌧ 14001, ✆ 48 22 33 – 🗏. Ε 𝖵𝖨𝖲𝖠 AY b
Com carta 1550 a 2600.

XX **Bandolero,** Torrijos 6, ⌧ 14003, ✆ 41 42 45, 🌳, « Decoración regional » – 🗏. 🆎 ⓘ Ε 𝖵𝖨𝖲𝖠. ⁓ AZ e
Com carta 1900 a 3450.

XX **Séneca,** av. de la Confederación, ⌧ 14009, ✆ 20 40 20 – 🗏. 🆎 ⓘ Ε 𝖵𝖨𝖲𝖠. ⁓ ABZ f
Com carta 2250 a 3400.

X **El Churrasco,** Romero 16, ⌧ 14003, ✆ 29 08 19, 🌳, « Patio » – 🗏. 🆎 ⓘ Ε 𝖵𝖨𝖲𝖠 AZ n
cerrado jueves y 25 julio-25 agosto – Com carta 1700 a 2550.

por la carretera de El Brillante N : 3,5 km – V – ⌧ 14012 Córdoba – 🕿 957 :

🏨 **Parador de la Arruzafa** 🏌, ✆ 27 59 00, Fax 28 04 09, ≤, « Amplia terraza y bonito jardín », ⅃, ⁓ – 🛗 🗏 📺 🅿 🆎 ⓘ Ε 𝖵𝖨𝖲𝖠. ⁓
Com 2700 – ⌁ 800 – **83 hab** 8400/10500.

ALFA-ROMEO pl. de Colón 20 ✆ 47 05 85
AUSTIN-MG-MORRIS-MINI av. Gran Capitán 23 ✆ 47 42 85
BMW Doce de Octubre 20 ✆ 48 22 11
CITROEN carret. N IV km 398 ✆ 26 02 16
FIAT Polígono Industrial Chinales 25 ✆ 28 10 04
FORD carret. N IV km 397 ✆ 25 58 00
GENERAL MOTORS Polígono Las Quemadas (parcela 9) ✆ 26 97 04

MERCEDES-BENZ Ingeniero Juan de la Cierva ✆ 29 84 00
PEUGEOT-TALBOT carret. N IV km 404 ✆ 29 21 22
RENAULT carret. N IV km 397 ✆ 25 86 00
SEAT-AUDI-VOLKSWAGEN Ingeniero J. Cierva 4 ✆ 29 51 11
SEAT-AUDI-VOLKSWAGEN Polígono Las Quemadas - Parcela 20-2 ✆ 25 79 23

CORIA 10800 Cáceres 𝟰𝟰𝟰 M 10 – 10 361 h. – 🕿 927 – **Ver :** Catedral★.

♦Madrid 321 – ♦Cáceres 69 – ♦Salamanca 174.

🏨 **Los Kekes,** av. Sierra de Gata 49 ✆ 50 09 00 – 🗐 rest ☎ ⇔ 🅿 – **22 hab.**

FORD av. Monseñor Riveri 1 ✆ 50 01 39
PEUGEOT-TALBOT av. Monseñor Riveri 1 ✆ 50 01 94
RENAULT carret. de Cáceres km 2,8 ✆ 50 02 76

SEAT-AUDI-VOLKSWAGEN Canónigo Sanchez Bustamente 5 ✆ 50 09 44

CORNELLANA 33876 Asturias 𝟰𝟰𝟭 B 11 – alt. 50 – 🕿 985.

♦Madrid 473 – ♦Oviedo 38.

🏨 **La Fuente,** carret. N 634 ✆ 83 40 42, 🌳, 🐎 – ⇔. 🆎 𝖵𝖨𝖲𝖠
Com 800 – ⌁ 250 – **21 hab** 1400/2900.

CORNISA CANTÁBRICA ★★ Vizcaya y Guipúzcoa **442** B 22.

CORRALEJO 35660 Las Palmas **990** ⊛ – ver Canarias (Fuerteventura).

La CORUÑA o **A CORUÑA** 15000 Ⓟ **441** B 4 – 232 356 h. – ✪ 981 – Playa.

Ver : Avenida de la Marina BY.

Alred. : Cambre (iglesia Santa María★) 11 km por ②.

🔘 por ② : 7 km ✆ 28 52 00.

✈ de La Coruña-Alvedro por ② : 10 km ✆ 23 35 84 – Iberia : pl. de Galicia 6, ✉ 15004, ✆ 22 87 30 A2 y Aviaco : aeropuerto ✆ 23 35 84 Kiosco Alfonso ✆ 22 53 69.

🚗 ✆ 23 82 76.

⚓ para Canarias : Cía. Trasmediterránea, av. del Ejército 12(BZ), ✉ 15009.

🛈 Dársena de la Marina, ✉ 15001, ✆ 22 18 22 – R.A.C.E. pl. de Pontevedra 12, ✉ 15003, ✆ 22 18 30.

♦Madrid 603 ② – ♦Bilbao 622 ② – ♦Porto 305 ② – ♦Sevilla 950 ② – ♦Vigo 156 ②.

Plano página siguiente

🏨🏨 **Finisterre,** paseo del Parrote 20, ✉ 15001, ✆ 20 54 00, Telex 86086, Fax 20 84 62, « Magnífica situación con ⩽ bahía », ⊠ climatizada, ※ – 📶 📺 ☎ Ⓟ – 🔬. 🖭 ⑩ Ⓔ 𝘝𝘐𝘚𝘈 ※ BY **n** Com 2600 – ⊇ 600 – **127 hab** 7800/10000 – P 9925/12725.

🏨 **Atlántico** sin rest, con cafetería, jardines de Méndez Núñez, ✉ 15006, ✆ 22 65 00, Telex 86504 – 📶 📺 ☎ – 🔬. 🖭 ⑩ Ⓔ 𝘝𝘐𝘚𝘈 ※ BY **v** ⊇ 500 – **200 hab** 7500/13000.

🏨 **Ciudad de la Coruña** ⤢, ciudad residencial La Torre, ✉ 15002, ✆ 21 11 00, Telex 86121, ⩽, ⊠ – 📶 ▦ rest Ⓟ – 🔬. 🖭 ⑩ Ⓔ 𝘝𝘐𝘚𝘈 ※ X **a** Com 2000 – ⊇ 495 – **131 hab** 5500/6500 – P 7050/9300.

🏩 **Riazor** sin rest, con cafetería, av. Barrie de la Maza 29, ✉ 15004, ✆ 25 34 00, Telex 86260 – 📶 📺 ☎ ⇐⇒ – 🔬. 🖭 ⑩ Ⓔ 𝘝𝘐𝘚𝘈 ※ AY **e** ⊇ 400 – **176 hab** 5200/6500.

🏩 **España** sin rest, con cafetería, Juana de Vega 7, ✉ 15004, ✆ 22 45 06 – 📶 ⊛ Ⓟ. 🖭 ⑩ Ⓔ 𝘝𝘐𝘚𝘈 ※ AZ **s** ⊇ 300 – **84 hab** 3100/5000.

🏠 **Rivas** sin rest, Fernández Latorre 45, ✉ 15006, ✆ 29 01 11 – 📶 ⊛ ⇐⇒ Ⓟ. Ⓔ 𝘝𝘐𝘚𝘈 ※ X **r** ⊇ 300 – **70 hab** 3100/4900.

🏠 **Santa Catalina** sin rest y sin ⊇, travesía Santa Catalina 1, ✉ 15003, ✆ 22 67 04 – ⊛ ※ AY **a** **32 hab** 2500/3600.

🏠 **Almirante** sin rest y sin ⊇, paseo de Ronda 54, ✉ 15011, ✆ 25 96 00 – ⊛. 𝘝𝘐𝘚𝘈 AY **f** **20 hab** 4000.

🏠 Brisa, paseo de Ronda 60, ✉ 15011, ✆ 26 96 50 – ⊛ AY **f** **16 hab**.

🏠 **Mar del Plata** sin rest, paseo de Ronda 58, ✉ 15011, ✆ 25 79 62, ⩽ – ☎. 𝘝𝘐𝘚𝘈 ※ AY **f** ⊇ 275 – **26 hab** 2400/3600.

🏠 Coruñamar, sin rest, paseo de Ronda - Edificio Miramar, ✉ 15011, ✆ 26 13 27 – ⊛ AY **f** **21 hab**.

🏠 **Navarra** sin rest y sin ⊇, pl. de Lugo 23 - 1° piso, ✉ 15004, ✆ 22 54 00 – ⊛. ※ AZ **s** **24 hab** 2800/3900.

🏠 Mara, sin rest, con cafetería, Galera 49, ✉ 15001, ✆ 22 18 02 – 📶 📺 ☎ BY **z** **19 hab**.

🏠 La Provinciana, sin rest y sin ⊇, Nueva 9 - 2° piso, ✉ 15003, ✆ 22 04 00 – 📶 ⊛ BY **x** **19 hab**.

🏠 **Nido** sin rest y sin ⊇, San Andrés 144 - 1° piso, ✉ 15003, ✆ 21 32 01 – ⊛. ※ AY **c** **23 hab** 2500/3600.

XX Duna 2, Estrella 2, ✉ 15003, ✆ 22 70 43, Decoración moderna – ▦ BY **x**

X **El Rápido,** Estrella 7, ✉ 15003, ✆ 22 42 21, Pescados y mariscos – ▦. 🖭 ⑩ Ⓔ 𝘝𝘐𝘚𝘈 ※ ABY **c** *cerrado lunes noche salvo agosto-septiembre y del 15 al 31 diciembre* – Com carta 1800 a 3700.

X **Coral,** Estrella 5, ✉ 15003, ✆ 22 10 82 – 🖭 ⑩ Ⓔ 𝘝𝘐𝘚𝘈 ※ BY **x** *cerrado domingo salvo en temporada* – Com carta 1600 a 2950.

X Naveiro, San Andrés 129, ✉ 15003, ✆ 22 90 24 – 🖭 ⑩ Ⓔ 𝘝𝘐𝘚𝘈 ※ AY **a** *cerrado domingo noche y 15 días en mayo.*

en Puente del Pasaje S : 4 km – ✉ 15170 Puente del Pasaje – ✪ 981 :

XX **La Viña,** ✆ 28 08 54, Pescados y mariscos – ▦ Ⓟ. 🖭 𝘝𝘐𝘚𝘈 ※ X **x** *cerrado domingo y 15 diciembre-10 enero* – Com carta 2400 a 3000.

en Perillo SE : 5 km – ✉ 15172 Perillo – ✪ 981 :

X Galicia, carret. N VI, junto a Puente Pasaje ✆ 63 50 59 – ▦ Ⓟ X **t**

A CORUÑA
LA CORUÑA

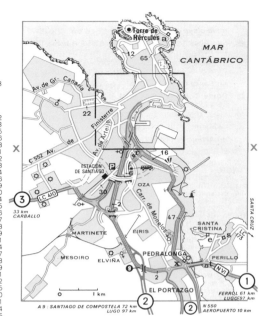

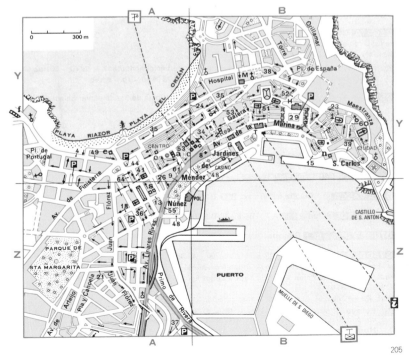

La CORUÑA o A CORUÑA

en la playa de Santa Cristina SE : 6 km – ⊠ 15172 Perillo – ✿ 981 :

🏨 **Rias Altas** ⑤, ℰ 63 53 00, Telex 82056, ≤ bahia, 🔲, 🛥, ⚒ – 📶 📺 ☎ 🚗 ② – 🔩 X e
103 hab.

✗ **El Madrileño,** ℰ 63 50 78, ≤, 🍽 – 𝓥𝓘𝓢𝓐. ⚒ X s
cerrado 20 diciembre-10 enero – Com carta 1650 a 2750.

en Santa Cruz SE : 10 km – ⊠ 15173 Oleiros – ✿ 981 :

🏨 **Porto Cobo** ⑤, ℰ 61 41 00, ≤ bahia y La Coruña, 🔼 – 📶 ☎ ② – 🔩 🅰🄴 ③ 🄴 𝓥𝓘𝓢𝓐. ⚒
Com 1750 – ⊈ 400 – **58 hab** 4600/6200 – P 6400/7900.

🏨 Maxi, ℰ 61 40 00, ≤ – 🔳 📺 ☎ ② – **35 hab.**

✗ La Marina, ℰ 61 41 02, 🍽.

en Arteijo por ③ : 12 km – ⊠ 15142 Arteijo – ✿ 981 :

✗✗✗ El Gallo de Oro, carret. C 552 ℰ 60 04 10, Pescados y mariscos-vivero propio – 🔳 ②

ALFA ROMEO   Poligono Industrial Bens - La Grela ℰ 24 00 88
AUSTIN-ROVER   Pasteur 1 - Polígono Industrial La Grela ℰ 27 02 01
BMW   carret. N VI km 600 (Perillo) ℰ 63 51 08
CITROEN   Gambrinus 45 - Polígono Industrial La Grela ℰ 27 71 00
CITROEN   General Sanjurjo 117 ℰ 28 34 00
CITROEN   carret. N IV km 600 - Perillo ℰ 63 56 00
FIAT   carret. de Madrid 17 - Perillo ℰ 63 73 54
FIAT   av. de Finisterre 49 ℰ 25 31 21
FORD   Zona Industrial de La Grela - Severo Ochoa 14 ℰ 23 05 47
FORD   Santa Gema 1 -Palavea ℰ 28 53 55
FORD   Orillamar 36 ℰ 22 05 17
GENERAL MOTORS-OPEL   carret. N VI km 600 (Perillo) ℰ 63 53 50
LANCIA   carret. de Madrid km 600 - Perillo ℰ 63 58 58
MERCEDES-BENZ   av. Alfonso Molina ℰ 28 91 77
OPEL   Pasteur 11 - La Grela - Polígono de Bens ℰ 26 20 00
PEUGEOT-TALBOT   Dr Fleming 8 ℰ 23 81 57
PEUGEOT-TALBOT   Polígono Industrial de Bens - Isaac Peral 18 ℰ 25 45 50

PEUGEOT-TALBOT   carret. de Madrid km 600, 15 ℰ 63 52 00
RENAULT   carret. de Arteijo km 3 - La Grela ℰ 28 80 54
RENAULT   carret. del Pasaje Casablanca ℰ 28 12 99
RENAULT   Parque 7-9 ℰ 20 66 62
RENAULT   Galo Salinas 2 ℰ 25 70 85
RENAULT   Alcade Lens 19 ℰ 25 34 89
RENAULT   Pardo Bazan 22 ℰ 22 36 56
SEAT-AUDI-VOLKSWAGEN   La Torre 104 ℰ 21 12 20
SEAT-AUDI-VOLKSWAGEN   carret. de Madrid 9 (Perillo) ℰ 63 54 50
SEAT-AUDI-VOLKSWAGEN   av. A. Molina km 2 ℰ 28 30 99
SEAT-AUDI-VOLKSWAGEN   San Lucas 7 ℰ 25 51 39
SEAT-AUDI-VOLKSWAGEN   A. Pedreira Rios 7 ℰ 26 45 65
SEAT-AUDI-VOLKSWAGEN   Rios de Quintas 16 ℰ 28 10 85
SEAT-AUDI-VOLKSWAGEN   Polígono de Bens - Gutemberg 12 ℰ 25 91 00

COSGAYA 39539 Cantabria 🄴🄰🄵 y 🄴🄰🄶 C 15 – ✿ 942.
Alred. : O : Puerto de Pandetrave ⚹⚹**.
♦Madrid 413 – Palencia 187 – ♦Santander 129.

🏨 Hotel del Oso, carret. N 621 ℰ 73 04 18, ≤, « Bonito edificio montañés » – ☎ ② – **36 hab.**

🏠 Mesón del Oso ⑤ , sin rest y sin ⊈, carret. N-621 ℰ 73 04 18 – ② – **9 hab.**

COSTA – ver a continuación y nombre proprio de la costa (Costa de Bendinat, ver Baleares).

COSTA BRAVA ✶✶ Gerona 🄴🄰🄷 H 39 y F 40.

COSTA DE LOS PINOS Baleares 🄴🄰🄷 N 40 – ver Baleares (Mallorca) : Son Servera.

COSTA DEL SOL ✶✶ Cádiz, Málaga, Granada y Almeria 🄴🄰🄶 X 13 - 14 W 14 a 16 y V 16 a 22.

COSTA TEGUISE (Urbanización) 35509 Las Palmas – ver Canarias (Lanzarote) : Arrecife.

COSTA VASCA ✶✶ Guipúzcoa, Vizcaya 🄴🄰🄶 B 2 B 23.

COSTA VERDE Asturias 🄴🄰🄵 A 7 – BC 8 a 16-D 9-10 y 22.

COTOBRO (Playa de) Granada – ver Almuñécar.

COVADONGA 33589 Asturias 🄴🄰🄵 B 14 – alt. 260 – ✿ 985.
Ver : Emplazamiento✶ – Tesoro de la Virgen (corona✶).
Alred. : Mirador de la Reina ≤✶✶ SE : 8 km – Lagos Enol y de la Ercina✶ SE : 12,5 km.
🅱 El Repelao ℰ 84 60 13.
♦Madrid 429 – ♦Oviedo 84 – Palencia 203 – ♦Santander 157.

🏨 **Pelayo,** ℣ 84 60 00, Fax 84 60 54, ≤, 🍽 – ② 𝓥𝓘𝓢𝓐. ⚒
cerrado 20 diciembre-enero – Com 1600 – ⊈ 400 – **43 hab** 4200/7650.

✗ **Hospedería del Peregrino,** ℰ 84 60 47 – ② 🄴 𝓥𝓘𝓢𝓐. ⚒
cerrado 25 enero-25 febrero – Com carta 1650 a 2250.

206

COVARRUBIAS 09346 Burgos 🄰🄲🄲 F 19 – 663 h. alt. 840 – ✪ 947.

Ver : Colegiata (tríptico★).

♦Madrid 228 – ♦Burgos 39 – Palencia 94 – Soria 117.

🏨 **Arlanza** ॐ, pl. de Doña Urraca 🖉 40 30 25, « Estilo castellano » – 🛗 🕾. 🆎 ⑩ 🗲 𝚅𝙸𝚂𝙰, 🍽 rest
16 marzo-16 diciembre – Com 1400 – ⥮ 400 – **39 hab** 3300/5750 – P 5595/6020.

COVAS 28869 Lugo 🄰🄳🄰 A 7 – ver Vivero.

Los CRISTIANOS Santa Cruz de Tenerife – ver Canarias (Tenerife).

CRUCE DE LA VEGA Málaga – ver Antequera.

CRUZ DE TEJEDA 35328 Las Palmas – ver Canarias (Gran Canaria).

CUBELLAS o **CUBELLES** 08880 Barcelona 🄰🄳🄳 I 35 – 2 203 h. – ✪ 93 – Playa.

♦Madrid 584 – ♦Barcelona 54 – ♦Lérida/Lleida 127 – Tarragona 41.

✕✕✕ **Llicorella** ॐ con hab, carret. C 246 - camino viejo de San Antonio 101 🖉 895 00 44, 🖼, Exposición de pinturas y esculturas contemporáneas, 🖳 – 🍽 hab 📺 🕾 🅿 🆎 ⑩ 🗲 𝚅𝙸𝚂𝙰
Com (cerrado lunes y noviembre) carta 3200 a 4550 – ⥮ 900 – **11 hab** 11000/14000 – P 15000/17000.

CUBELLS 25737 Lérida 🄰🄳🄳 G 32 – 451 h. – ✪ 973 – ♦Madrid 509 – Andorra la Vella 113 – ♦Lerida 40.

🕾 **Roma,** carret. C 1313 🖉 45 90 03 – ⟷. 𝚅𝙸𝚂𝙰. 🍽 rest
Com 950 – ⥮ 300 – **13 hab** 850/2500 – P 2700/3100.

CUÉLLAR 40200 Segovia 🄰🄲🄲 I 16 – 8 965 h. alt. 857 – ✪ 911.

♦Madrid 147 – Aranda de Duero 67 – ♦Salamanca 138 – ♦Segovia 60 – ♦Valladolid 50.

🏠 **San Francisco,** San Francisco 25 🖉 14 00 09 – 🆎 🗲 𝚅𝙸𝚂𝙰. 🍽 rest
Com 850 – ⥮ 125 – **27 hab** 1840/2975.

🕾 Santa Clara, carret. de Segovia 🖉 14 11 78 – 🕾 🅿 – **16 hab**.

✕ El Rincón Castellano, pl. Mayor 13 🖉 14 10 31, Decoración castellana – 🍽. 🆎 ⑩ 🗲 𝚅𝙸𝚂𝙰. 🍽.

✕ **Florida,** Las Huertas 4 🖉 14 02 75 – 🍽. 🆎 ⑩ 🗲 𝚅𝙸𝚂𝙰
cerrado martes noche – Com carta 1600 a 3050.

CITROEN av. Silva Muñoz 63 🖉 14 22 42
FORD Nueva 24 🖉 14 02 79
GENERAL MOTORS-OPEL carret. de Segovia km 146 🖉 14 00 79
PEUGEOT-TALBOT carret. Valladolid km 148 🖉 14 04 19

RENAULT carret. Arévalo 12 🖉 14 02 50
SEAT-AUDI-VOLKSWAGEN carret. de Segovia 3 km 147 🖉 14 03 18
VOLVO Nueva 1 🖉 14 21 91

CUENCA 16000 🅿 🄰🄲🄲 L 23 – 41 791 h. alt. 923 – ✪ 966 – Plaza de toros.

Ver : Emplazamiento★★ – Ciudad Antigua★★ ⋎ : Catedral★ (rejas★, tesoro★, portada★ de la sala capitular) E – Casas Colgadas★ (Museo de Arte abstracto★ M) – Museo de Cuenca★ M1 – Hoz del Huécar ⩽★ ⋎ – Alred. : Las Torcas★ 15 km por ①.

🛈 Dalmacio García Izcarra 8, ⋈ 16008, 🖉 22 22 31 – R.A.C.E. Teniente González 2 🖉 21 14 95.

♦Madrid 164 ③ – ♦Albacete 145 ① – Toledo 185 ③ – ♦Valencia 209 ① – ♦Zaragoza 336 ①.

Plano página siguiente

🏨 **Torremangana,** Carrero Blanco 4, ⋈ 16002, 🖉 22 33 51, Telex 23400 – 🛗 🍽 📺 🕾 ⟷ – 🔼. 🆎 ⑩ 🗲 𝚅𝙸𝚂𝙰, 🍽 rest   **Y u**
Com 1650 – ⥮ 600 – **116 hab** 4800/8250 – P 7440/8115.

🏨 **Alfonso VIII,** Parque San Julián 3, ⋈ 16002, 🖉 21 25 12, 🖼 – 🛗 🍽 rest 🕾 – 🔼. 🆎 🗲 𝚅𝙸𝚂𝙰
Com 1200 – ⥮ 400 – **48 hab** 4135/5515 – P 5140/6515.   **Z c**

🏠 **Francabel** sin rest, División Azul 7, ⋈ 16003, 🖉 22 62 22 – 🛗 📺 🕾 ⟷. 🗲 𝚅𝙸𝚂𝙰. 🍽
⥮ 300 – **30 hab** 2640/3980.   **Z b**

🏠 **Cortés** sin rest, con cafetería, Ramón y Cajal 49, ⋈ 16004, 🖉 22 04 00 – 🛗 🕾. ⑩ 🗲 𝚅𝙸𝚂𝙰. 🍽
⥮ 160 – **44 hab** 2200/3300.   **Z m**

🏠 **Figón de Pedro,** Cervantes 15, ⋈ 16004, 🖉 22 45 11 – 🛗 🕾. 🆎 ⑩ 🗲 𝚅𝙸𝚂𝙰. 🍽   **Z e**
Com (ver **Rest. Figón de Pedro**) – ⥮ 300 – **28 hab** 2500/3600.

🏠 **Arévalo** sin rest, Ramón y Cajal 29, ⋈ 16001, 🖉 22 39 79 – 🛗 🕾 ⟷. 🆎 🗲 𝚅𝙸𝚂𝙰. 🍽   **Z d**
⥮ 280 – **28 hab** 2580/3740.

🏠 Avenida, sin rest, av. José Antonio 39 - 3° piso, ⋈ 16002, 🖉 21 43 43 – 🛗 🕾   **Z v**
32 hab.

🏠 **Posada de San José** ॐ sin rest, Julian Romero 4, ⋈ 16001, 🖉 21 13 00, ⩽, Decoración rústica – ⑩ 🗲 𝚅𝙸𝚂𝙰   **Y e**
⥮ 300 – **25 hab** 2700/4800.

🕾 **Castilla** sin rest y sin ⥮, Diego Jiménez 4 - 1° piso, ⋈ 16004, 🖉 22 53 57 – 🗲 𝚅𝙸𝚂𝙰. 🍽   **Z a**
15 hab 2110/3375.

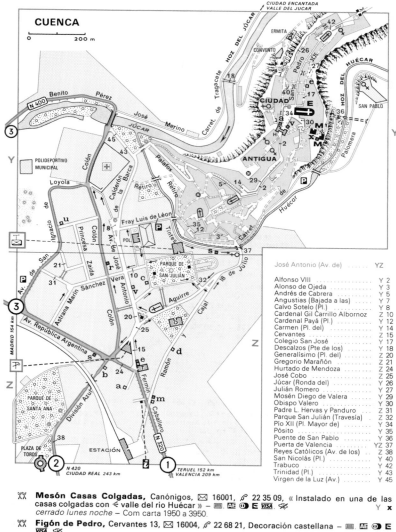

CUENCA

0   200 m

XX **Mesón Casas Colgadas,** Canónigos, ⊠ 16001, ✆ 22 35 09, « Instalado en una de las casas colgadas con ≤ valle del río Huécar » – ▤. 🅰🄴 ⓪ ⋿ 𝖵𝖨𝖲𝖠. ⋙
cerrado lunes noche – Com carta 1950 a 3950.   Y **x**

XX **Figón de Pedro,** Cervantes 13, ⊠ 16004, ✆ 22 68 21, Decoración castellana – ▤. 🅰🄴 ⓪ ⋿
𝖵𝖨𝖲𝖠   Z **e**
cerrado domingo noche – Com carta 2500 a 4050.

XX **Los Arcos,** Severo Catalina 3 (pl. Mayor), ⊠ 16001, ✆ 21 38 06, ⇔ – ▤. 🅰🄴 ⓪ ⋿ 𝖵𝖨𝖲𝖠. ⋙
Com carta 1800 a 2450.   Y **a**

XX **Casa Marlo,** Colón 59, ⊠ 16002, ✆ 21 38 60 – ▤. 🅰🄴 ⋿ 𝖵𝖨𝖲𝖠. ⋙
Com carta 1890 a 2900.   Z **r**

XX **Taberna de Pepe,** Tintes 1, ⊠ 16001, ✆ 22 49 19, ⇔ ▤. 🅰🄴 ⓪ ⋿ 𝖵𝖨𝖲𝖠. ⋙
cerrado miércoles – Com carta 2900 a 5300.   Y **s**

X **Plaza Mayor,** pl. Pío XII - 5 (pl. Mayor), ⊠ 16001, ✆ 21 14 96, Decoración castellana – ▤.
🅰🄴 ⓪ ⋿ 𝖵𝖨𝖲𝖠. ⋙   Y **v**
Com carta 1900 a 2700.

X El Candil, Ramón y Cajal 41, ⊠ 16004, ✆ 21 22 72 – ▤   Z **m**

X **Togar,** Av. Rep. Argentina, 3 ✆ 22 01 62 – ▤. 🅰🄴 ⓪ ⋿ 𝖵𝖨𝖲𝖠. ⋙
cerrado miércoles y 10 enero-5 febrero – Com carta 2050 a 2800.   Z **s**

por la carretera de Palomera Y : 6 km y a la izquierda – carretera de Buenache : 1,2 km – ✉ 16001 Cuenca – ☎ 966 :

Cueva del Fraile ⑤, ✉ 16001, ☎ 21 15 71, Edificio del siglo XVI restaurado - Decoración castellana, ⛱, 🎾 – ☎ Ⓟ – 🏛. AE ⊕ E VISA. ✗
cerrado 7 enero-3 marzo – Com 1760 – ☕ 375 – **54 hab** 3800/5500 – P 5365/6915.

ALFA-ROMEO av. Cruz Roja ☎ 21 34 83
AUSTIN-ROVER-VOLVO av. Cruz Roja km 2 ☎ 22 54 11
BMW República Argentina 1 ☎ 22 32 11
CITROEN carret. Alcázar de San Juan km 2,5 ☎ 22 10 70
FIAT-LANCIA carret. de Alcázar de San Juan km 2,8 ☎ 22 81 61
FORD av. Cruz Roja km 2 ☎ 22 19 00
MERCEDES-BENZ av. Cruz Roja km 2 ☎ 22 68 11
OPEL-GM carret. de Valencia km 86 ☎ 22 51 39
PEUGEOT-TALBOT av. Cruz Roja ☎ 22 43 11
RENAULT Polígono Ind. Los Palancares 10 A ☎ 22 13 35
SEAT-AUDI-VOLKSWAGEN av. Cruz Roja ☎ 22 55 26

CUESTA DE LA VILLA 38398 Tenerife – ver Canarias (Tenerife) : Santa Úrsula.

CUEVA – ver el nombre propio de la cueva.

CULLERA 46400 Valencia 445 O 25 – 20 145 h. – ☎ 96 – Playa.
Ver : Ermita de Nuestra Señora del Castillo ≤★ – 🅘 del Riu 42 ☎ 172 09 74.
♦Madrid 388 – ♦Alicante 136 – ♦Valencia 40.

Don Carlos II sin rest, Cabañal 17 ☎ 172 12 20 – ▤ ☎ 🚗
cerrado 10 enero-10 febrero – ☕ 200 – **39 hab** 2500/3500.

Mongrell sin rest, Rellano San Antonio 2 ☎ 172 15 24 – |‡| ☎ 🚗. ⊕ VISA. ✗
cerrado diciembre-enero – ☕ 200 – **35 hab** 2560/3675.

Carabela II, av. País Valenciá 61 ☎ 172 40 70 – |‡| 🚗. AE E VISA. ✗ rest
Com 1200 – ☕ 250 – **15 hab** 2450/3600 – P 4050/4700.

Carabela, Cabañal 5 ☎ 152 02 92 – ☎. ✗
cerrado del 1 al 20 noviembre – Com (sólo julio y agosto) 1000 – ☕ 225 – **14 hab** 3000.

La Reina, av. País Valenciá 61 ☎ 172 05 63 – 🚗. ✗
Com 1050 – ☕ 220 – **10 hab** 1640/2785 – P 3340/3585.

XX ✿ **Les Mouettes** (Casa Lagarce), subida al Santuario del Castillo ☎ 172 00 10, 🍴, Cocina francesa, « Villa con terraza » – AE ⊕ E VISA. ✗
cerrado 12 diciembre-15 febrero, domingo noche y lunes fuera de temporada – Com *(sólo cena salvo domingo y festivos)* carta 3850 a 5500
Espec. Vieiras con endivias, Filetes de San Pedro dos salsas (marzo-junio), Pastelería y sorbetes caseros.

X **Delfín,** Madrid 4 ☎ 172 03 73, 🍴, Decoración rústica – ▤ – *temp.*

X **L'Entrecôte,** pl. de Mongrell 10 ☎ 172 04 19, Cocina francesa – ▤. AE ⊕ E VISA
cerrado 15 diciembre-15 febrero – Com carta 2100 a 3300.

en la carretera del faro – ✉ 46400 Cullera – ☎ 96 :

Sicania, playa del Racó, NE : 4 km ☎ 172 01 43, Telex 64774, ≤, 🍴, ⛱ – |‡| ▤ 🚗 Ⓟ – 🏛. AE ⊕ E VISA. ✗ rest
cerrado diciembre – Com 2100 – ☕ 500 – **117 hab** 4000/6500 – P 7150/7900.

L'Escala, Marqués de la Romana 4, NE : 5 km ☎ 172 27 23, 🍴 – |‡| ☎. AE VISA. ✗ rest
Com 950 – ☕ 250 – **20 hab** 2400/3500 – P 3470/4120.

en la zona del faro N : 6 km – ✉ 46400 Cullera – ☎ 96 :

Safi, Dosel ☎ 172 05 77, 🍴 – ☎ Ⓟ. AE ⊕ E VISA. ✗ rest
15 febrero-octubre – Com 1200 – ☕ 250 – **30 hab** 2600/3800.

RENAULT Metge Joan Gaces 47 ☎ 152 00 28
SEAT-AUDI-VOLKSWAGEN Pescadores 83 ☎ 152 06 43

CUNIT 43881 Tarragona 443 I 34 – 925 h. – ☎ 977 – Playa.
♦Madrid 580 – ♦Barcelona 58 – Tarragona 37.

XX **L'Avi Pau,** av. Diagonal 20 - carret. C 246 ☎ 67 48 61 – ▤ Ⓟ. AE ⊕ E VISA. ✗
cerrado martes y 15 noviembre-3 diciembre – Com carta 2600 a 3550.

en la carretera C 246 O : 1,5 km – ✉ 43881 Cunit – ☎ 977 :

X **Los Navarros,** ☎ 67 43 31 – ▤. AE E VISA
Com carta 1700 a 2900.

CUNTIS 36675 Pontevedra 441 E 4 – 6 178 h. alt. 163 – ☎ 986 – Balneario.
♦Madrid 599 – Orense 100 – Pontevedra 32 – Santiago de Compostela 43.

Baln. La Virgen, Calvo Sotelo 2 ☎ 54 80 00 – |‡| ☎ Ⓟ – 🏛 – **84 hab**.

CUZCURRITA DE RÍO TIRÓN 26214 La Rioja 442 E 21 – 602 h. alt. 519 – ☎ 941.
♦Madrid 321 – ♦Burgos 78 – ♦Logroño 54 – ♦Vitoria/Gasteiz 58.

X **El Botero** ⑤ con hab, San Sebastián 83 ☎ 32 70 00 – ☎ Ⓟ. ✗
Com carta 1260 a 1870 – ☕ 275 – **12 hab** 1600/2300 – P 3300/3500.

CHANTADA 27500 Lugo **441** E 6 – 9 854 h. – **☎** 982.

Alred. : Osera : Monasterio de Santa María la Real★ (iglesia : sacristía★) SO : 15 km.

◆Madrid 534 – Lugo 55 – Orense 42 – Santiago de Compostela 90.

☒ **Mogay,** Antonio Lorenzana 3 ⌂ 44 08 47 – ⊠ ☰ hab ⇦. ☒ ⓞ **E** ☒. ⅏
Com 800 – ⅏ 300 – **15 hab** 2500/5000.

en la carretera de Lugo N : 1,5 km – ⊠ 27500 Chantada – **☎** 982 :

☆ **Las Delicias,** ⌂ 44 10 04 – **E** ☒. ⅏
Com *(cerrado domingo noche)* 850 – ⊊ 225 – **15 hab** 1450/2000 – P 2600/3100.

CITROEN carret. de Orense ⌂ 44 10 02
FORD carret. de Orense km 59 ⌂ 44 00 13
OPEL av. Portugal 143 ⌂ 44 18 51
PEUGEOT-TALBOT Ramón y Cajal ⌂ 44 04 20

RENAULT carret. de Lugo a Portugal km 56 ⌂ 44 06 85
SEAT-AUDI-VOLKSWAGEN carret. de Orense ⌂ 44 03 68

CHAPELA 36320 Pontevedra **441** F 3 – ver Vigo.

CHERT 12360 Castellón **443** K 30 – 1 286 h. alt. 315 – **☎** 964.

◆Madrid 525 – Castellón de la Plana 103 – Tortosa 79 – ◆Zaragoza 203.

en la carretera Vinaroz - Morella – ⊠ 12360 Chert – **☎** 964 :

✗ La Serafina, km 28 ⌂ 49 00 59 – **℗**. ☒. ⅏.

CHINCHÓN 28370 Madrid **444** L 19 – 3 900 h. alt. 753 – **☎** 91.

◆Madrid 52 – Aranjuez 26 – Cuenca 131.

🏛 **Parador de Chinchón,** ⌂ 894 08 36, Telex 49398, Fax 894 09 08, « Instalado en un convento del siglo XVII », ⊐, ☞ – ☰ ☒ ☎ – ⬕. ☒ ⓞ **E** ☒. ⅏
Com 2700 – ⊊ 800 – **38 hab** 8000/10000.

✗✗ **Café de la Iberia,** pl. Mayor 17 ⌂ 894 09 98, ≤, ☞, Antiguo café - Agradable patio – ☰. ☒ ⓞ **E** ☒. ⅏
cerrado del 1 al 15 septiembre y miércoles noche en invierno – Com carta 2050 a 3050.

✗ **Mesón Cuevas del Vino,** Benito Hortelano 13 ⌂ 894 02 06, Instalación rústica en un antiguo molino de aceite – ⅏
Com carta 1700 a 2650.

en la carretera de Titulcia O : 3 km – ⊠ 28370 Chinchón – **☎** 91 :

🏛 Nuevo Chinchón ⤸, urb. Nuevo Chinchón ⌂ 894 05 44, ⊐ – ☰ rest ☒ ☜ **℗**
14 hab.

RENAULT Ronda del Mediodía 12 ⌂ 894 01 56

CHIPIONA 11550 Cádiz **446** V 10 – 12 398 h. – **☎** 956 – Playa.

Alred. : Sanlúcar de Barrameda (Iglesia de Santo Domingo★ – Iglesia de Santa María de la O : portada★) NE : 9 km.

◆Madrid 614 – ◆Cádiz 54 – Jerez de la Frontera 32 – ◆Sevilla 106.

🏛 **Cruz del Mar,** av. de Sanlúcar ⌂ 37 11 00, Telex 75095, Fax 371364, ≤, « Patio con ⊐ » – ⊠ ☜. ☒ ⓞ **E** ☒. ⅏
18 marzo-octubre – Com (sólo cena) 1750 – ⊊ 450 – **85 hab** 4500/7500.

🏛 **Chipiona,** Dr. Gómez Ulla 16 ⌂ 37 02 00 – ☒ ⓞ **E** ☒. ⅏ rest
febrero-octubre – Com 1275 – ⊊ 275 – **40 hab** 2400/4100 – P 4450/4800.

✗ **Mesón La Barca,** av. de Sanlúcar ⌂ 37 08 51 – ☰. ☒ ⓞ **E** ☒. ⅏
18 marzo-octubre – Com *(cerrado martes)* carta 2000 a 2500.

CHIVA 46370 Valencia **445** N 27 – 6 421 h. alt. 240 – **☎** 96.

🖼 Club de Campo El Bosque SE : 12 km ⌂ 326 38 00.

◆Madrid 318 – ◆Valencia 30.

en la carretera N III – ⊠ 46370 Chiva – **☎** 96 :

🏛 **Motel la Carreta,** E : 10 km ⌂ 251 11 00, ⊐, ☞ – ☰ ☜ **℗** – ⬕. ☒ ⓞ **E** ☒. ⅏ rest
Com *(cerrado lunes mediodía)* 1600 – ⊊ 375 – **80 hab** 4050/5100.

CHURRIANA 29000 Málaga – ver Málaga.

DAIMIEL 13250 Ciudad Real **444** O 19 – 16 260 h. – **☎** 926.

◆Madrid 172 – Ciudad Real 31 – Toledo 122 – Valdepeñas 51.

🏛 **Las Tablas,** Virgen de las Cruces 5 ⌂ 85 21 07 – ⊠ ☰ ☒ ☎ **℗**. ☒ ⓞ **E** ☒. ⅏
Com 800 – ⊊ 150 – **28 hab** 2250/3750 – P 3625/4000.

CITROEN Navasaca 14 ⌂ 85 29 61
PEUGEOT-TALBOT carret. de Ciudad Real ⌂ 85 04 89

RENAULT carret. de Madrid N 420 km 282 ⌂ 85 26 86
SEAT-AUDI-VOLKSWAGEN carret. de Manzanares ⌂ 85 29 13

DAIMUZ 46710 Valencia **445** P 29 – 1 264 h. – ✿ 96 – Playa.
◆Madrid 420 – Gandía 4 – ◆Valencia 72.

en la playa E : 1 km – ⊠ 46710 Daimuz – ✿ 96 :

  🏤 **Olímpico** ⑤ sin rest, Francisco Pons 2 ℘ 281 90 31 – ☎. ⌘
    abril-septiembre – � 285 – **16 hab** 1235/2520.

DANCHARINEA 31712 Navarra **442** C 25 – ✿ 948 – ver aduanas p. 14 y 15.
◆Madrid 475 – ◆Bayonne 29 – ◆Pamplona 80.

  🏤 **Lapitxuri** ⑤ sin rest, ℘ 59 90 19 – ℗. E **VISA**. ⌘
    cerrado octubre-diciembre – ⊒ 360 – **16 hab** 2400/3000.

  ✕ **Menta,** carret. de Elizondo ℘ 59 90 20 – ▤ ℗. **VISA**. ⌘
    cerrado lunes noche y martes – Com carta 1560 a 2700.

DARNIUS 17722 Gerona **443** E 38 – 467 h. alt. 193 – ✿ 972.
◆Madrid 759 – Gerona/Girona 52.

  🏤 **Darnius** ⑤, carret. de Massanet ℘ 53 51 17 – ℗
    marzo-octubre – Com *(cerrado jueves)* 900 – ⊒ 350 – **10 hab** 3200.

CITROEN carret. Sagunto-Burgos km 218 ℘ 80 00 77   SEAT-AUDI-VOLKSWAGEN pl. Zubiri 4 ℘ 80 01 44
RENAULT carret. Sagunto-Burgos ℘ 80 02 38

DEBA 20820 Guipúzcoa **442** C 22 – ver Deva.

DEHESA DE CAMPOAMOR 03192 Alicante **445** S 27 – ver Torrevieja.

DEIA 07179 Baleares **443** M 37 – ver Baleares (Mallorca) : Deyá.

DENIA 03700 Alicante **445** P 30 – 22 162 h. – ✿ 96 – Playa.
🚢 para Baleares : Cía Flebasa, estación Marítima, ℘ 78 41 00.
🛈 Patricio Ferrandiz ℘ 578 09 57.
◆Madrid 447 – ◆Alicante 92 – ◆Valencia 99.

  🏨 Costa Blanca, Pintor Llorens 3 ℘ 578 03 36 – 🛗 ▤ rest ☎
    53 hab

  ✕ **El Raset,** Bellavista 7 ℘ 578 50 40, 😚 – ▤. 🆎 ⓞ E **VISA**. ⌘
    cerrado martes – Com carta 1800 a 3200.

  ✕ **Drassanes,** Puerto 15 ℘ 578 11 18 – ▤. 🆎 ⓞ E **VISA**
    cerrado lunes salvo julio-agosto y 15 octubre-15 noviembre – Com carta 1550 a 2650.

en la zona de Las Rotas – ⊠ 03700 Denia – ✿ 96 :

  ✕ Mena, SE : 5,5 km ℘ 578 09 43, ≤, 😚 – ▤ ℗.

  ✕ **El Trampolí,** playa SE : 4 km ℘ 578 12 96, 😚, Pescados, mariscos y arroz abanda – ▤. 🆎
    VISA. ⌘
    cerrado domingo noche – Com 3500.

en la carretera de Las Marinas – ⊠ 03700 Denia – ✿ 96 :

  🏨 **Los Angeles** ⑤ sin rest, con cafetería, NO : 4,5 km ℘ 578 04 58, ≤, 😚, ⚹ – ☎ ℗. 🆎 ⓞ
    E **VISA**
    15 marzo-15 noviembre – ⊒ 500 – **60 hab** 4000/6000.

  🏨 **Rosa** ⑤, NO : 2 km ℘ 578 15 73, 😚, ⚴, ⚹ – ℗. ⌘ rest
    cerrado diciembre y enero – Com 1400 – ⊒ 400 – **25 hab** 3600/4500 – P 5450/6800.

  ✕✕ **El Poblet,** urb. El Poblet NO : 2,4 km ℘ 578 41 79, 😚 – ▤. 🆎 ⓞ **VISA**. ⌘
    cerrado lunes – Com carta 1800 a 3150.

  ✕✕ **Bodegón La Felicidad,** urb. La Felicidad NO : 3,5 km ℘ 578 29 53, 😚, Decoración neo-
    rústica, ⚴ – ▤ 🆎 ⓞ E **VISA**. ⌘
    Com carta 1885 a 2925.

  ✕✕ **Las Nereidas (Benito),** NO : 3,3 km ℘ 578 19 70, 😚, Pescados y mariscos – ▤. ⓞ **VISA**
    cerrado martes y 6 enero-6 febrero – Com carta 1700 a 2950.

CITROEN av. Valencia 34 ℘ 578 02 40   RENAULT av. Reino de Valencia ℘ 578 00 62
FORD av. Reino de Valencia ℘ 578 24 54   SEAT-AUDI-VOLKSWAGEN av. Reino de Valencia
GENERAL MOTORS av. de Valencia km 3 ℘   17 ℘ 578 03 00
578 13 00
PEUGEOT-TALBOT carret. de Cocentaina km 66
℘ 78 21 80

DERIO 48016 Vizcaya **442** C 21 – ✿ 94.
◆Madrid 408 – ◆Bilbao 9 – ◆San Sebastián/Donostia 108.

en la carretera de Bermeo N : 3 km – ⊠ 48016 Derio – ✿ 94 :

  ✕✕ **Txacoli Artebakarra,** ℘ 453 00 37, 😚 – ℗. 🆎 ⓞ E **VISA**
    cerrado lunes noche, martes, 20 días en febrero y 20 días en agosto – Com carta 2350 a 3300.

SEAT-AUDI-VOLKSWAGEN B. Arteaga 18 ℘ 453 27 30

DESFILADERO – ver el nombre propio del desfiladero.

DESIERTO DE LAS PALMAS Castellón – ver Benicasim.

DEVA o **DEBA** 20820 Guipúzcoa 🗺 C 22 – 4 916 h. – 🏖 943 – Playa.
Alred. : Carretera en cornisa★ de Deva a Lequeitio ⩽ ★.
◆Madrid 459 – ◆Bilbao 66 – ◆San Sebastián/Donostia 41.

🏨 **Miramar,** Arenal 24 🖉 60 11 44, ⩽ – 🛗 🕭 ⇔ 🅿. 🏧 ⓞ 🖪 *VISA*. 🛠 rest
cerrado noviembre – Com 1650 – ☱ 350 – **60 hab** 3300/6350.

🍴 **Txomín,** Puerto 7 - 1° piso 🖉 60 16 60 – 🏧 ⓞ *VISA*. 🛠
cerrado domingo noche en invierno y 15 enero-15 febrero – Com carta 1950 a 3350.

🍴 **Urgain,** Arenal 7 🖉 60 11 01 – 🗐. 🏧 ⓞ 🖪 *VISA*. 🛠
cerrado martes noche y 7 noviembre-2 diciembre – Com carta 1900 a 3750.

RENAULT Arenal 🖉 60 11 02
SEAT-AUDI-VOLKSWAGEN carret. Motrico 🖉
60 12 77
SEAT-VOLKSWAGEN entrada autopista (B. Iciar)
🖉 60 10 52

DEYA 07179 Baleares 🗺 M 37 – ver Baleares (Mallorca).

DON BENITO 06400 Badajoz 🗺 P 12 – 28 418 h. – 🏖 924.
◆Madrid 311 – ◆Badajoz 113 – Mérida 49.

🏨 **Veracruz,** carret. de Villanueva E : 2,5 km 🖉 80 13 62 – 🛗 🗐 🕭 🅿. *VISA*. 🛠
Com 825 – ☱ 175 – **54 hab** 2100/2750 – P 3175/3900.

CITROEN carret. Don Benito-Villanueva km 101
🖉 80 02 16
FIAT Canalejas 27 🖉 80 40 61
OPEL-MG carret. Don Benito-Villanueva km 101
🖉 80 26 11
PEUGEOT-TALBOT Canalejas 5 🖉 80 00 58
RENAULT carret. Don Benito-Villanueva 🖉 80 33 15
SEAT-AUDI-VOLKSWAGEN carret. Don Benito-
Villanueva km 100,7 🖉 80 08 00

DONOSTIA 20000 Guipúzcoa 🗺 B 23 – ver San Sebastián.

DRACH (Cuevas del) 07680 Baleares 🗺 N 39 – ver Baleares (Mallorca).

DURANGO 48200 Vizcaya 🗺 C 22 – 26 101 h. – 🏖 94.
Alred. : Puerto de Urquiola★ (subida★) SO : 13 km.
◆Madrid 425 – ◆Bilbao 32 – ◆San Sebastián/Donostia 71 – ◆Vitoria/Gasteiz 40.

🍴 Rest. Juantxu y Hostal Juego de Bolos, con hab, San Agustin 2 🖉 681 10 99 – 🛗 🗐 rest. 🏧
ⓞ 🖪 *VISA*. 🛠
cerrado lunes noche – **17 hab** 1400/3800.

en Goiuria N : 3 km – ⌧ 48200 Durango – 🏖 94 :

🍴 **Goiuria,** 🖉 681 08 86, ⩽ Durango, valle y montañas – 🅿. 🏧 ⓞ 🖪 *VISA*. 🛠
cerrado martes, domingo noche y agosto – Com carta 1650 a 3275.

🍴 **Ikuspegi,** 🖉 681 10 82, ⩽ Durango, valle y montañas – 🅿.

FORD La Pilastra 10 A 🖉 681 55 69
GENERAL MOTORS-OPEL Mallabiena 4 🖉 681 67 66
RENAULT La Pilastra 38 A 🖉 681 22 50
SEAT-AUDI-VOLKSWAGEN Askatasun Etorbidea 3
🖉 681 03 92

ÉCIJA 41400 Sevilla 🗺 T 14 – 34 619 h. alt. 101 – 🏖 954 – Plaza de toros.
Ver : Iglesia de Santiago★ (retablo★).
🛈 av. de Andalucía.
◆Madrid 458 – Antequera 86 – ◆Cádiz 188 – ◆Córdoba 51 – ◆Granada 183 – Jerez de la Frontera 155 – Ronda 141
– ◆Sevilla 92.

🏨 **Ciudad del Sol (Casa Pirula),** carret. N IV 🖉 83 03 00, � – 🗐 rest 🕭 🅿. 🏧 ⓞ 🖪 *VISA*.
🛠 rest
Com 1000 – ☱ 150 – **30 hab** 2000/4300.

en la carretera N IV NE : 3 km – ⌧ 41400 Écija – 🏖 954 :

🏨 **Astigi,** ⌧ apartado 24, 🖉 83 01 62, � – 🗐 ☎ 🅿. 🏧 ⓞ 🖪 *VISA*. 🛠
Com 1650 – ☱ 350 – **18 hab** 3000/4500 – P 6000/7000.

FORD carret. N IV km 454,8 🖉 83 15 99
OPEL carret. N IV km 453 🖉 83 08 98
PEUGEOT-TALBOT carret. N IV km 453 🖉 83 00 50
RENAULT carret. Ecija-Osuna km 0,3 🖉 83 14 12
SEAT-AUDI-VOLKSWAGEN prolongación av.
Doctor Sanchez Malo 🖉 83 04 43

ECHALAR 31760 Navarra 🗺 C 25 – 835 h. alt. 100 – 🏖 948 – ver aduanas p. 14 y 15.
◆Madrid 468 – ◆Bayonne 53 – ◆Pamplona 73.

en la carretera C 133 O : 5 km – ⌧ 31760 Echalar – 🏖 948 :

🏨 **Venta de Echalar,** 🖉 63 50 00, « Instalada en un edificio del siglo XVI », ⤳ – 🅿. 🛠 hab
Com *(cerrado lunes)* 2000 – ☱ 450 – **23 hab** 3400/7000.

ECHEGÁRATE (Puerto de) Guipúzcoa **442** D 23 – alt. 658 – ⊠ 20213 Idiazábal – ✆ 943.

◆Madrid 409 – ◆Pamplona 48 – ◆San Sebastián/Donostia 63 – ◆Vitoria/Gasteiz 54.

　　✗　**Buenos Aires,** carret. N I, ⊠ 20213 Idiazábal, ℰ 80 12 82 – **ℙ**. *VISA*. ✼
　　　　cerrado martes, del 1 al 15 febrero y del 1 al 15 septiembre – Com carta 1475 a 2350.

EIBAR 20600 Guipúzcoa **442** C 22 – 36 494 h. alt. 120 – ✆ 943.

◆Madrid 439 – ◆Bilbao 46 – ◆Pamplona 117 – ◆San Sebastián/Donostia 54.

　　🏨　**Arrate** sin rest, Ego Gain 5 ℰ 71 72 42, Telex 36855 – |≣| ☎. **ℿ ① E** *VISA*
　　　　☑ 450 – **89 hab** 3600/6000.

　　✗✗　**Chalcha,** Isasi 7 ℰ 71 11 26 – **ℿ ① E** *VISA*. ✼
　　　　cerrado del 1 al 25 agosto – Com carta 2900 a 7000.

　　✗✗　**Eskarne,** Arragüeta 4 ℰ 12 16 50 – ≣. **ℿ** *VISA*
　　　　cerrado lunes noche, martes noche y del 10 al 31 agosto – Com carta 2000 a 3400.

　　✗　Iñaxio, Birjiñape 1-bajo ℰ 71 71 00 – ≣.

ALFA ROMEO av. de Otaola 14 ℰ 71 60 47
AUSTIN-ROVER-MG Fundidores 1 ℰ 71 22 14
FIAT Zuloaga 5 ℰ 71 17 86
FORD av. de Otaola 27 ℰ 71 76 50
OPEL-GENERAL MOTORS av. de Otaola ℰ 70 08 41

PEUGEOT-TALBOT av. de Otaola 13 ℰ 70 02 17
RENAULT Apalategui ℰ 12 00 50
SEAT-AUDI-VOLKSWAGEN av. de Otaola 17 ℰ 71 36 42

EIVISSA 07800 Baleares **443** P 34 – ver Baleares (Ibiza) : Ibiza.

EJEA DE LOS CABALLEROS 50600 Zaragoza **443** F 26 – 15 364 h. alt. 318 – ✆ 976.

◆Madrid 361 – ◆Pamplona 114 – ◆Zaragoza 70.

　　🏨　Cinco Villas, paseo del Muro 10 ℰ 66 03 00 – |≣| ≣ rest ☎ – **30 hab**.

AUSTIN-ROVER Costa 21 ℰ 66 04 27
CITROEN paseo de la Constitución 7 ℰ 66 03 77
FORD Dr. Fleming 9 ℰ 66 06 31
OPEL-GENERAL MOTORS Molino Bajo ℰ 66 21 61

PEUGEOT-TALBOT Concordia 3 ℰ 66 02 96
RENAULT Dr. Fleming 24 ℰ 66 13 01
SEAT-AUDI-VOLKSWAGEN Fernando el Católico 1 ℰ 66 09 72

El EJIDO 04700 Almería **446** V 21 – ✆ 951 – Playa.

🏌 Almerimar S : 10 km ℰ 48 09 50.

◆Madrid 586 – ◆Almería 32 – ◆Granada 157 – ◆Málaga 189.

　　　en la carretera de Almería NE : 7 km – ⊠ 04700 El Ejido – ✆ 951 :

　　🏠　El Eden, ℰ 48 37 36 – ≣ rest ☎ ⇔ **ℙ** – **23 hab**.

　　　en Almerimar S : 10 km – ⊠ 04700 El Ejido – ✆ 951 :

　　🏨🏨　**Golf H. Almerimar** ﾑ, ℰ 48 09 50, Telex 78933, ≼, **Ⳉ**, ﾑﾌ, ✗, 🏌 – |≣| ≣ ☎ **ℙ** – 🏌. **ℿ ① E** *VISA*. ✼ rest
　　　　Com 1900 – ☑ 600 – **149 hab** 8000/10000 – P 8400/11400.

　　✗　**El Segoviano,** ℰ 48 00 84, 🌤 – ≣. **ℿ E** *VISA*. ✼
　　　　cerrado miércoles y del 15 al 31 diciembre – Com carta 1850 a 2975.

CITROEN carret. de Málaga km 81 ℰ 48 11 08
FIAT carret. de Málaga km 81,2 ℰ 48 07 52
FORD carret. de Málaga km 83 ℰ 48 18 61
OPEL carret. de Málaga km 80 ℰ 48 49 11

PEUGEOT-TALBOT carret. de Málaga 120 ℰ 48 13 71
RENAULT carret. de Málaga km 83 ℰ 48 17 18
SEAT Venezuela 51 ℰ 48 04 56

ELCHE O **ELX** 03200 Alicante **445** R 27 – 162 873 h. alt. 90 – ✆ 96.

Ver : El Palmeral★★ : Huerto del Cura★★ Z, Parque Municipal★ Y.

🅱 passeig de l'Estació, ⊠ 03203, ℰ 545 27 47.

◆Madrid 406 ③ – ◆Alicante 24 ① – ◆Murcia 57 ②.

Plano página siguiente

　　🏨🏨　**Huerto del Cura** (Parador colaborador) ﾑ, Porta de la Morera 14, ⊠ 03203, ℰ 545 80 40, Telex 66814, Fax 545 67 46, 🌤, « Pabellones rodeados de jardines en un magnifico palmeral », **Ⳉ**, ✗ – ≣ **ℲＶ** ☎ ⇔ **ℙ** – 🏌. **ℿ ① E** *VISA*. ✼　　　　　　Z **c**
　　　　Com 2250 – ☑ 750 – **69 hab** 7700/9975 – P 9185/11900.

　　🏠　**Don Jaime** sin rest, Primo de Rivera 7, ⊠ 03203, ℰ 545 38 40 – |≣| ☎. **E** *VISA*. ✼　Z **s**
　　　　☑ 300 – **64 hab** 3000/4300.

　　🏠　Candilejas, sin rest y sin ☑, Dr Ferrán 19, ⊠ 03201, ℰ 546 65 12 – |≣|　　　　　　　　Z **r**
　　　　24 hab.

　　✗　**Mesón El Granaino,** José Maria Buck 40, ⊠ 03201, ℰ 546 01 47, Mesón típico – ≣. **ℿ ①** **E** *VISA*　　　　　　　　　　　　　　　　　　　　　　　　　　　　　　　　　　　Y **e**
　　　　cerrado domingo, del 15 al 31 agosto y del 25 al 31 diciembre – Com carta 1700 a 2400.

　　✗　Casa Puri, av. de la Libertad (estación de autobuses), ⊠ 03201, ℰ 542 08 19 – ≣　　X **v**

　　✗　**Enrique,** Empedrat 6, ⊠ 03203, ℰ 545 15 77 – ≣. **E** *VISA*. ✼　　　　　　　　　Z **h**
　　　　Com carta 1500 a 2550.

sigue →

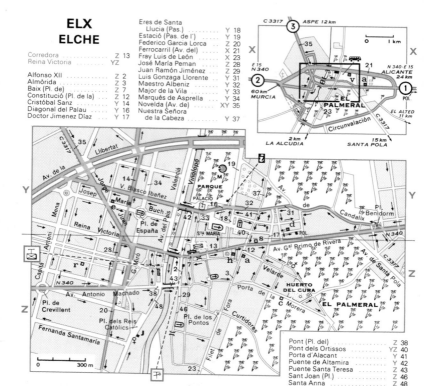

ELX
ELCHE

※ La Gran Mariscada, Martín de Torres 13, ⊠ 03202, ℰ 545 82 16 – ▤ ℗   Y **d**

※ Altabix, av. de Alicante 37, ⊠ 03202, ℰ 545 34 87 – ▤   X **a**

※ **Datil de Oro II**, pl. de la Constitución 3, ⊠ 03203, ℰ 545 43 08, ☆ – ▤. ※   Z **a**
cerrado martes – Com carta 1400 a 2400.

en la carretera de Alicante por ① : 4 km – ⊠ 03200 Elche – ◉ 96 :

※※ La Masia de Chencho, ℰ 542 05 16, ☆, « Antigua casa de campo acondicionada » –
▤ ℗.

por la carretera de El Alted X – ◉ 96 :

※※ **La Finca**, Partida de Parleta 1-7 SE : 4,5 km, ⊠ 03295, ℰ 545 60 07 – ▤ ℗. ㎒ ⓞ Ε 𝘝𝘐𝘚𝘈
※
cerrado domingo noche, lunes y 2 enero-2 febrero – Com carta 2400 a 3100.

※ **El Escondrijo**, E : 11 km ℰ 568 08 25, ☆, Instalado en una antigua casa de campo – ℗. ㎒
ⓞ Ε 𝘝𝘐𝘚𝘈. ※
cerrado lunes y agosto – Com carta 1650 a 2900.

ELDA 03600 Alicante **ⅢⅣⅤ** Q 27 – 52 185 h. alt. 395 – ◉ 96 – Plaza de toros.

♦Madrid 381 – ♦Albacete 134 – ♦Alicante 37 – ♦Murcia 80.

🏠 **Elda** sin rest, av. Chapí 6 ℰ 538 05 56 – ▤ ☎ ⟵⟶. ⓞ Ε 𝘝𝘐𝘚𝘈. ※
☲ 430 – **37 hab** 3445/5425.

ALFA ROMEO   Jacinto Benavente 3 𝒫 537 31 16
CITROEN   av. Chapí 42 𝒫 539 04 99
FIAT-LANCIA   Cura Abad 9 𝒫 538 04 11
FORD   carret. Ocaña-Alicante km 377,2 𝒫 537 02 58
GENERAL MOTORS   carret. Ocaña-Alicante km 377,2
𝒫 537 02 62

MERCEDES-BENZ   General Kindelan 23 𝒫 538 09 39
PEUGEOT-TALBOT   carretera Alicante km 377,9
𝒫 538 45 43
RENAULT   General Aranda 66 𝒫 538 07 40
SEAT-AUDI-VOLKSWAGEN   carret. Madrid-Alicante
km 376 𝒫 537 05 82

ELIZONDO 31700 Navarra **442** C 25 – alt. 196 – ⚙ 948.
🛈 Palacio de Arizcumenea 𝒫 58 12 79.
◆Madrid 452 – ◆Bayonne 53 – ◆Pamplona 57 – St-Jean-Pied-de-Port 35.

  ✗ **Galarza,** Santiago 1 𝒫 58 01 01 – ⓟ. ✄
     cerrado martes en invierno y del 25 septiembre al 8 octubre – Com carta 1525 a 2500.
  ✗ Santxotena, Pedro Axular 𝒫 58 02 97.

     en la carretera N 121 SO : 1,5 km – ✉ 31700 Elizondo – ⚙ 948 :

  🏠 **Baztán,** 𝒫 58 00 50, ≤, 🍽, ⌷ – ▮ 📞 ⓟ. 𝘝𝘐𝘚𝘈. ✄ rest
     marzo-noviembre – Com 1450 – ⌷ 475 – **84 hab** 4840/6050 – P 5875/7690.

CITROEN   carret. Pamplona-Francia 𝒫 58 04 06
PEUGEOT-TALBOT   carret. de Francia 𝒫 58 03 32

RENAULT   carret. de Francia km 57 𝒫 58 04 36
SEAT-AUDI-VOLKSWAGEN   Santiago 88 𝒫 58 02 25

ELS MUNTS 43830 Tarragona – ver Torredembarra.

ELX 03200 Alicante **445** R 27 – ver Elche.

ENCAMP Andorra **443** E 34 – ver Andorra (Principado de).

ERILL - AVALL 25528 Lérida **443** E 32 – alt. 1 250 – ⚙ 973.
◆Madrid 578 – ◆Huesca 186 – ◆Lérida/Lleida 141.

  🏠 L'Aüt ⌦, 𝒫 69 60 48
     25 hab.

ERRAZU Navarra **442** C 25 – ver aduanas p. 14 y 15.

     Hoteles y restaurantes ver : Elizondo SO : 7,5 km.

ES ARENALS Baleares – ver Baleares (Formentera) : Playa Mitjorn.

La ESCALA o **L'ESCALA** 17300 Gerona **443** F 39 – 4 048 h. – ⚙ 972 – Playa.
Ver : Paraje★.
Alred. : Ampurias★ (ruinas griegas y romanas) N : 2 km.
🛈 pl. de Les Escoles 1 𝒫 77 06 03.
◆Madrid 748 – ◆Barcelona 135 – Gerona/Girona 41.

  🏨 **Nieves-Mar,** passeig Maritim 8 𝒫 77 03 00, Telex 98532, ≤ mar, ⌷, ✗ – ▮ ▤ rest ☎ ⓟ –
     ⚿. ⓞ E 𝘝𝘐𝘚𝘈. ✄ rest
     febrero-noviembre – Com 1850 – ⌷ 500 – **80 hab** 3140/5740 – P 6270/6540.
  🏠 **Voramar,** passeig Lluis Albert 2 𝒫 77 01 08, ≤, 🍽, ⌷ – ▮ 📞. ⚿ ⓞ E 𝘝𝘐𝘚𝘈. ✄ rest
     cerrado enero-15 marzo – Com 1455 – ⌷ 395 – **39 hab** 2755/4410 – P 5040/5590.
  🏠 **El Roser,** Església 7 𝒫 77 02 19 – ▮ ▤ rest 📺 ⓟ. ⚿ ⓞ E 𝘝𝘐𝘚𝘈. ✄ rest
     Com (cerrado domingo noche de octubre a mayo) 895 – ⌷ 385 – **24 hab** 1815/3500 – P
     3675/3740.
  ✗✗ **Els Pescadors,** Port d'en Perris 3 𝒫 77 07 28, ≤ – ▤. ⚿ ⓞ E 𝘝𝘐𝘚𝘈
     cerrado noviembre, jueves y domingo noche fuera de temporada – Com carta 1925 a 4565.
  ✗✗ **Miryam** con hab, Ronda del Padró 𝒫 77 02 87 – ▤ rest ⓟ. E 𝘝𝘐𝘚𝘈
     cerrado 11 diciembre-19 enero – Com (cerrado jueves de octubre a Semana Santa)
     carta 2600 a 3725 – ⌷ 500 – **14 hab** 3200 – P 4100.
  ✗✗ **El Roser 2,** passeig Lluis Albert 1 𝒫 77 11 02, ≤, 🍽 – ▤. ⚿ ⓞ E 𝘝𝘐𝘚𝘈. ✄
     cerrado miércoles y febrero – Com carta 2500 a 3850.

     en Sant Marti d'Empuries NO : 2 km – ✉ 17300 La Escala – ⚙ 972 :

  ✗ Mesón del Conde, pl. Major 𝒫 77 03 06.

CITROEN   carret. Vilademat-Palafrugell 𝒫 77 12 64
FORD   av. Gerona 31 𝒫 77 09 43
RENAULT   av. María 𝒫 77 04 81

SEAT-AUDI-VOLSKWAGEN   av. Gerona 72 𝒫
77 01 21

Les ESCALDES Andorra **443** E 34 – ver Andorra (Principado de).

La ESCALERUELA 44424 Teruel – ver Sarrión.

ES CALÓ DE S'OLI Baleares – ver Baleares (Ibiza) : San Antonio Abad.

ESCALONA 45910 Toledo 𝟺𝟺𝟺 L 16 – 1 537 h. – ✪ 925.
♦Madrid 86 – Ávila 88 – Talavera de la Reina 55 – Toledo 54.

   ✕ Luna, Héroes del Alcázar 2 - 1° piso 🍴 78 00 35, 🏤 – ▤.
   ✕ **El Mirador** con hab, carret. de Ávila 🍴 78 00 26, ≤ – ▤ rest. 𝗩𝗜𝗦𝗔. 🛠
      Com carta 1250 a 1950 – ⊑ 150 – **10 hab** 1000/1500.

ESCARRILLA 22660 Huesca 𝟺𝟺𝟹 D 29 – alt. 1 120 – ✪ 974.
♦Madrid 477 – Huesca 85 – ♦Pamplona 162.

   🏠 **Ibón Azul** 🦺, Vico 🍴 48 72 11 – ☜. **E** 𝗩𝗜𝗦𝗔
      Com 1600 – ⊑ 375 – **42 hab** 4000/5200 – P 6175/7575.

ESCLAVITUD 15980 La Coruña 𝟺𝟺𝟷 D 4 – alt. 36 – ✪ 981.
♦Madrid 621 – ♦La Coruña 89 – Santiago de Compostela 15 – Pontevedra 42.

   ✕ Reina Lupa, con hab, carret. N 550 🍴 81 04 60 – ⓟ – **5 hab**.

ESCORCA Baleares – ver Baleares (Mallorca).

El ESCORIAL 28280 Madrid 𝟺𝟺𝟺 K 17 – 6 192 h. alt. 1 030 – ✪ 91 – Plaza de toros.
Ver : Monasterio✶✶✶ (Iglesia✶✶, Panteón de los Reyes✶✶, Palacios✶✶ (tapices✶) – Nuevos Museos✶✶ (El Martirio de San Mauricio y la legión tebena✶), Salas Capitulares✶, Patio de los Reyes✶) – Casita del Principe✶.
Alred. : Silla de Felipe II ≤✶✶ SO : 7 km.
🏌 La Herreria SO : 3 km por carret. Silla de Felipe II, 🍴 890 51 11.
🛈 Floridablanca 10 🍴 890 15 54.
♦Madrid 55 – Ávila 65 – ♦Segovia 50.

   🏠 **Escorial,** Arias Montano 12 🍴 890 13 61 – ▤ rest. 𝖠𝖤 ⓞ **E** 𝗩𝗜𝗦𝗔. 🛠
      Com 1750 – ⊑ 400 – **31 hab** 3100/3825 – P 5030/6220.
      Ver también : *San Lorenzo de El Escorial.*

RENAULT carret. C 505 km 27 - Cruz de la Horca   SEAT-AUDI-VOLKSWAGEN San Sebastián 29 🍴
🍴 890 05 05   890 13 69

ESCUDO (Puerto del) Cantabria 𝟺𝟺𝟸 C 18 – ver San Miguel de Luena.

ESCUNHAU Lérida – ver Viella.

ES PAS DE VALLGORNERA (Urbanización) Baleares – ver Baleares (Mallorca) : Cala Pí.

ESPLUGA DE FRANCOLI o **L'ESPLUGA DE FRANCOLI** 43440 Tarragona 𝟺𝟺𝟹 H 33 – alt. 414 – ✪ 977.
♦Madrid 521 – ♦Barcelona 123 – ♦Lérida/Lleida 63 – Tarragona 39.

   🏨 Hostal del Senglar 🦺, pl. Montserrat Canals 🍴 87 01 21, « Jardin - Rest. típico », 🏊, ✕ – 🛗
      ▤ rest ☜ ⓟ – 🏨 – **39 hab**.

ESPLUGUES DE LLOBREGAT Barcelona – ver Barcelona.

ESPONELLÁ 17832 Gerona 𝟺𝟺𝟹 F 38 – 372 h. – ✪ 972.
♦Madrid 739 – Figueras/Figueres 19 – Gerona/Girona 30.

   ✕ **Can Roca,** av. Carlos de Fortuny 1 🍴 59 70 12, 🏤 – ▤ ⓟ. 𝗩𝗜𝗦𝗔. 🛠
      cerrado martes y 26 septiembre-10 octubre – Com carta 835 a 1900.

ESPOT 25597 Lérida 𝟺𝟺𝟹 E 33 – 212 h. alt. 1 340 – ✪ 973 – Deportes de invierno en Super Espot : ≤4.
Alred. : Carretera de acceso a Espot✶ – O : Parque Nacional de Aigües Tortes✶✶.
♦Madrid 619 – ♦Lérida/Lleida 166.

   🏠 **Saurat** 🦺, pl. San Martin 🍴 63 50 63, ≤, 🌾 – 🛗 ☜ ⇦ ⓟ. ⓞ **E** 𝗩𝗜𝗦𝗔. 🛠 rest
      junio-15 octubre y 3 diciembre-abril – Com 1050 – ⊑ 500 – **50 hab** 2415/5175.

ES PUJOLS Baleares 𝟺𝟺𝟹 P 34 – ver Baleares (Formentera).

ESQUEDAS 22810 Huesca 𝟺𝟺𝟹 F 28 – alt. 509 – ✪ 974.
Alred. : Castillo de Loarre✶✶ (≤✶✶) NO : 19 km.
♦Madrid 404 – Huesca 14 – ♦Pamplona 150.

   ✕✕ **Venta del Sotón,** carret. N 240 🍴 27 02 41, « Interior rústico » – ▤ ⓟ. 𝖠𝖤 ⓞ **E** 𝗩𝗜𝗦𝗔. 🛠
      cerrado lunes – Com carta 2150 a 2950.

ESTARTIT o **L'ESTARTIT** 17258 Gerona 🔲🔲🔲 F 39 – ✪ 972 – Playa.

🛈 Roca Maura 29 ☎ 75 89 10 – ♦Madrid 745 – Figueras/Figueres 39 – Gerona/Girona 36.

🏠 **Bell Aire,** L'Esglesia 39 ☎ 75 81 62, 🏠 – 🕭 ☜ 𝖵𝖨𝖲𝖠 🛠
20 abril-20 octubre – Com 975 – 🍽 375 – **76 hab** 3940/5950.

XX Els Tascons, Roca Maura-edificio Medas Park II ☎ 75 78 60, 🏠 – ▤.

XX **Eden,** Victor Concas 2 ☎ 75 80 02, Telex 57077, 🏠, Cenas amenizadas con música en verano – **E** 𝖵𝖨𝖲𝖠
cerrado 15 enero-15 marzo – Com carta 1900 a 2600.

X **La Gaviota,** passeig Maritim ☎ 75 84 19, 🏠 – ▤. **AE ⓞ E** 𝖵𝖨𝖲𝖠 🛠
cerrado martes fuera de temporada y noviembre-15 diciembre – Com carta 1800 a 2950.

en la carretera de Torroella de Montgrí O : 1 km – ✉ 17258 Estartit – ✪ 972 :

🏠 **La Masía,** ☎ 75 81 78, 🔄, 🌴, 🍴 – **P** 🛠 rest
18 marzo-5 noviembre – Com 900 – 🍽 350 – **78 hab** 2900/4700.

ESTELLA 31200 Navarra 🔲🔲🔲 D 23 – 13 086 h. alt. 430 – ✪ 948 – Plaza de toros.

Alred. : Monasterio de Irache★ (iglesia★) S : 3 km – Monasterio de Iranzu (garganta★) N : 10 km.

🛈 Palacio de los Duques de Granada ☎ 55 40 11 – R.A.C.V.N. pl. de los Fueros 41 ☎ 55 12 49.

♦Madrid 380 – ♦Logroño 48 – ♦Pamplona 45 – ♦Vitoria/Gasteiz 70.

XX **Navarra,** Gustavo de Maeztu 16 (Los Llanos) ☎ 55 10 69, 🏠, Decoración medieval navarro, « Villa rodeada de jardín » – ▤. **AE E** 𝖵𝖨𝖲𝖠 🛠
cerrado domingo noche, lunes y 23 diciembre-4 enero – Com carta 2500 a 4050.

X **La Cepa,** pl. de los Fueros 18 - 1° piso ☎ 55 00 32 – **AE E** 𝖵𝖨𝖲𝖠 🛠
cerrado miércoles en invierno, del 1 al 15 febrero y 22 diciembre-2 enero – Com (sólo almuerzo salvo en verano) carta 2000 a 2650.

X **Rochas,** Principe de Viana 16 ☎ 55 10 40 – ▤. 𝖵𝖨𝖲𝖠 🛠
cerrado martes y septiembre – Com carta 1700 a 3000.

en la carretera de Logroño SO : 3,5 km – ✉ 31200 Estella – ✪ 948 :

🏠 **Irache y Rest. La Cepa 2,** ☎ 55 11 50, ≤, 🔄, 🍴 – 🕭 ▤ ☜ **P** – 🔬. **AE E** 𝖵𝖨𝖲𝖠 🛠 rest
22 diciembre-4 enero – Com 1460 – 🍽 425 – **74 hab** 5120/8000.

CITROEN Mercatondoa 17 ☎ 55 03 52
FIAT av. Carlos VII ☎ 55 15 47
FORD carret. de Allo ☎ 55 00 35
MERCEDES-BENZ paseo Immaculada 41 ☎ 55 09 95
OPEL carret. de Allo ☎ 55 04 12

PEUGEOT-TALBOT av. Carlos VII-29 ☎ 55 00 76
RENAULT av. Carlos VII - 4 ☎ 55 06 79
SEAT-AUDI-VOLKSWAGEN carret. de Allo ☎ 55 18 54

ESTELLENCHS Baleares 🔲🔲🔲 N 37 – ver Baleares (Mallorca).

ESTEPONA 29680 Málaga 🔲🔲🔲 W 14 – 24 261 h. – ✪ 952 – Playa – Plaza de toros.

🏌 El Paraiso NE : 11,5 km por N 340 ☎ 78 30 00 – 🏌 Atalaya Park ☎ 78 18 94.

🛈 paseo Marítimo Pedro Manrique ☎ 80 09 13.

♦Madrid 640 – Algeciras 51 – ♦Málaga 85.

🏠 **Buenavista,** av. de España 180 ☎ 80 01 37 – 🕭 ☜. 𝖵𝖨𝖲𝖠
Com 850 – 🍽 260 – **37 hab** 2000/3900.

XX **Robbies,** Jubrique 11 ☎ 80 21 21, 🏠 – **AE E** 𝖵𝖨𝖲𝖠
cerrado lunes, del 7 al 28 febrero y del 7 al 31 agosto – Com (sólo cena) Carta 1950 a 2650.

X **Costa del Sol,** San Roque 23 ☎ 80 11 01, Cocina francesa – ▤. **AE E** 𝖵𝖨𝖲𝖠
Com carta 1865 a 3180.

X **La Pulga que Tose,** Sevilla 59 ☎ 80 27 49, Cocina franco - belga – ▤. 𝖵𝖨𝖲𝖠 🛠
cerrado domingo y 22 diciembre-8 enero – Com (sólo cena) carta 2300 a 2950.

en el Puerto Deportivo – ✉ 29680 Estepona – ✪ 952 :

XX Halomon, ☎ 80 28 49, 🏠, Rest. chino – ▤ – Com (en temporada sólo cena).

XX El Cenachero, ☎ 80 14 42, 🏠.

XX **Antonio,** ☎ 80 11 42, 🏠 – ⓞ **E** 𝖵𝖨𝖲𝖠. 🛠
Com carta 2130 a 3450.

X Rafael, ☎ 80 23 41, 🏠 – ▤ – Com (en temporada sólo cena).

X Salas Chef, ☎ 79 21 36, 🏠.

en la carretera de Málaga – ✉ 29680 Estepona – ✪ 952 :

🏨 **Stakis Paraíso** 🌳, urb. El Paraiso NE : 11,4 km y desvio 1,3 km ☎ 78 30 00, Telex 79577, ≤ mar y montañas, 🏠, 🔄, 🏊, 🌴, 🍴, 🏌 – 🕭 ▤ ☎ **P** – 🔬. **AE ⓞ E** 𝖵𝖨𝖲𝖠 🛠
Com 1750 – 🍽 550 – **195 hab** 8750/11000 – P 10500/13750.

🏨 **Atalaya Park** 🌳, NE : 12,5 km y desvio 1 km ☎ 78 13 00, Telex 77210, Fax 78 01 50, ≤, 🏠, « Extenso jardin con arbolado », 🔄, 🏊, 🍴, 🏌 – 🕭 ▤ ☎ **P** – 🔬. **AE ⓞ E** 𝖵𝖨𝖲𝖠 🛠
Com 2500 – **448 hab** 🍽 10000/13000 – P 11000/14500.

sigue →

🏨 **Santa Marta** 🦐, NE : 11,2 km, ⊠ apartado 2, 𝒫 78 07 16, 🍴, « Bungalows en un extenso jardín », 🏊 – ☎ 🅿. 🕮 ⑩ 🖪 *VISA*. 🎠
abril-octubre – Com 2300 – 🍷 600 – **34 hab** 5000/6000 – P 7200/9200.

🏨 Aparthotel Lunymar 🦐 sin rest, NE : 2 km 𝒫 80 14 40, ≤, 🏊, 🍛 – 🅿 **– 19 hab**.

XXX **El Presidente**, urb. El Presidente Green Village NE : 12,7 km 𝒫 78 89 00, Telex 79832, 🍴, « Decoración elegante » – 🅿. 🕮 *VISA*. 🎠
cerrado lunes y noviembre-15 diciembre – Com (en temporada sólo cena) carta 3600 a 5800.

XXX ❀ **Le Soufflé**, urb. El Pilar NE : 11,5 km 𝒫 78 62 89, 🍴 – 🅿. 🕮 🖪 *VISA*. 🎠
cerrado martes y 13 enero-10 febrero – Com (sólo cena) carta 3150 a 4450
Espec. Escalope de hígados de pato con manzanas al Calvados, Carré de cordero bouquetière, Magret de pato con avellanas y ciruelas.

XXX **El Vagabundo**, urb. Monte Biarritz NE : 12,5 km 𝒫 78 66 98, 🍴, Cenas amenizadas – 🍽 🅿. 🕮 ⑩ 🖪 *VISA*. 🎠
Com (sólo cena) carta 2550 a 4050.

X **El Rocío**, NE : 2 km 𝒫 80 00 46 – 🅿. 🕮 🖪 *VISA*. 🎠
cerrado domingo – Com (en temporada sólo cena) carta aprox. 2000.

X **Benamara**, NE : 11,4 km 𝒫 78 11 48, 🍴, Cocina marroquí – 🅿. 🖪 *VISA*. 🎠
cerrado lunes – Com (sólo cena) carta 1780 a 2900.

X **Urios**, urb. Hacienda Beach NE : 6,5 km 𝒫 80 24 85, 🍴 – 🅿. 🕮 ⑩ 🖪 *VISA*. 🎠
cerrado sábado – Com carta 1550 a 3150.

CITROEN Polígono Industrial Newton 8 𝒫 80 34 80
FIAT Melilla 7 𝒫 80 19 91
FORD av. Andalucía 30 𝒫 80 02 33
GENERAL MOTORS av. de España 226 𝒫 80 13 45

PEUGEOT-TALBOT carret. N 340 km 164 𝒫 80 07 54
RENAULT carret. N 340 km 163 𝒫 80 19 34
SEAT-AUDI-VOLKSWAGEN carret. N 340 km 156 𝒫 80 00 22

ESTERAS DE MEDINACELI 42230 Soria 🗺 I 22 – ✪ 975.
♦Madrid 142 – Soria 84 – Teruel 173 – ♦Zaragoza 179.

X Esteras de Medinaceli, con hab, carret. N II 𝒫 32 60 07, 🍴 – 🚗 🅿 **– 10 hab**.

La ESTRADA o **A ESTRADA** 36680 Pontevedra 🗺 D 4 – 25 719 h. – ✪ 986.
♦Madrid 599 – Orense 100 – Pontevedra 44 – Santiago de Compostela 28.

X **Nixon**, av. de Puenteareas 4 𝒫 57 02 61 – 🕮 🖪 *VISA*. 🎠
cerrado lunes – Com carta 2100 a 2850.

CITROEN av. de Pontevedra 29 𝒫 57 11 63
FIAT-LANCIA av. Fernando Conde 43 𝒫 57 17 68
FORD prolongación av. Benito-Vigo 𝒫 57 05 09
GENERAL MOTORS av. de Santiago 10 𝒫 57 05 59
MERCEDES-BENZ av. Fernando Conde 142 𝒫 57 19 14

PEUGEOT-TALBOT av. Fernando Conde 187 𝒫 57 03 79
RENAULT av. Fernando Conde 123 𝒫 57 02 08
SEAT-AUDI-VOLKSWAGEN av. de Santiago 𝒫 57 04 04

ES VIVÉ Baleares – ver Baleares (Ibiza) : Ibiza.

EUGUI 31638 Navarra 🗺 D 25 – alt. 620 – ✪ 948.
♦Madrid 422 – ♦Pamplona 27 – St-Jean-Pied-de-Port 63.

🏠 Quinto Real 🦐, 𝒫 30 40 44, ≤ – 🅿 **– 18 hab**.

EZCARAY 26280 La Rioja 🗺 F 20 – 1 710 h. alt. 813 – ✪ 941 – Deportes de invierno en Valdezcaray – ♦Madrid 316 – ♦Burgos 73 – ♦Logroño 61 – ♦Vitoria/Gasteiz 80.

🏨 **Margarita**, Lamberto F. Muñoz 14 𝒫 35 41 44 – 📳 🍽 rest 📺 ☎. *VISA*. 🎠
Com 1350 – 🍷 450 – **25 hab** 3350/4700 – P 5025/6025.

🏠 **Echaurren**, Héroes del Alcázar 2 𝒫 35 40 47 – 🍽 rest. 🕮 ⑩ 🖪 *VISA*. 🎠 rest
cerrado 2 noviembre-3 diciembre – Com 1280 – 🍷 250 – **29 hab** 1100/2200 – P 3215/3265.

X **El Rincón del Vino**, av. Jesús Nazareno 2 𝒫 35 43 75, 🍴, Exposición y venta de vinos y productos típicos de la Rioja – 🅿. 🕮 ⑩ 🖪 *VISA*. 🎠
cerrado miércoles y 18 septiembre-6 octubre – Com carta 1625 a 3150.

X El Mesón, Sagasta 21 𝒫 35 41 73.

FALSET 43202 Tarragona 🗺 I 32 – 2 657 h. alt. 363 – ✪ 977.
♦Madrid 487 – ♦Lérida/Lleida 102 – Tarragona 46 – Tortosa 65.

🏠 **Sport** sin 🍷, Miquel Barceló 6 𝒫 83 00 78 – 🍽 rest 📺. 🕮 ⑩ 🖪 *VISA*. 🎠
cerrado Navidad – Com *(cerrado domingo noche en invierno)* 1000 – **24 hab** 2200/3700 – P 4275/4600.

CITROEN Josep Maria Gich 6 𝒫 83 07 15
FORD carret. de Mora 𝒫 83 03 10

OPEL-GENERAL MOTORS-SEAT Miquel Barceló 𝒫 83 01 59
RENAULT av. Priorat 𝒫 83 03 37

FANALS Gerona – ver Lloret de Mar.

FELANITX 07200 Baleares – ver Baleares (Mallorca).

La FELGUERA 33683 Asturias **441** B 12 – alt. 212 – ✪ 985.

Alred. : Carbayo ✳ ★★ SE : 5 km.

◆Madrid 431 – Gijón 40 – ◆Oviedo 20 – ◆Santander 205.

GENERAL-MOTORS Latejeras de Lada ☎ 69 07 66
PEUGEOT-TALBOT av. de Italia 22 ☎ 69 05 67
RENAULT General Sanjurjo 20 ☎ 69 58 46

SEAT-AUDI-VOLKSWAGEN General Mola ☎ 69 19 36

FERMOSELLE Zamora **441** I 10 – ver aduanas p. 14 y 15.

FERRERIAS Baleares – ver Baleares (Menorca).

FERROL 15400 La Coruña **441** B 4 – 91 764 h. – ✪ 981 – Playa – Iberia ☎ 31 92 90.

◆Madrid 608 – ◆La Coruña 61 – Gijón 321 – ◆Oviedo 306 – Santiago de Compostela 103.

- 🏨 **Parador de El Ferrol,** pl. Eduardo Pondal ☎ 35 67 20, « Bonito edificio de estilo regional » – 🍴 rest ☎ – 🔥. 🆎 ⓪ ᴇ 𝒱𝐼𝑆𝐴 ✸
Com 2500 – ⊑ 800 – **39 hab** 6000/7500.

- 🏨 **Almirante y Rest. Gavia,** María 2 ☎ 32 53 11 – 📱 ⇦. 🆎 ⓪ 𝒱𝐼𝑆𝐴 ✸
Com *(cerrado domingo noche y lunes)* 1140 – ⊑ 400 – **113 hab** 3200/5900.

- 🏠 Almendra, sin rest, Almendra 4 ☎ 31 80 00 – 🕿 ⇦
43 hab.

- 🏠 **Ryal** sin rest, Galiano 43 ☎ 35 07 99 – 📱 🕿. 🆎 ⓪ ᴇ 𝒱𝐼𝑆𝐴
⊑ 250 – **40 hab** 2420/3850.

- XX O'Xantar, Real 182 ☎ 35 51 18.

- X **Moncho,** Dolores 44 ☎ 35 39 94 – ᴇ 𝒱𝐼𝑆𝐴. ✸
cerrado domingo noche y junio – Com carta 1850 a 2400.

- X **Pataquiña,** Dolores 35 ☎ 35 23 11 – 🆎 ⓪ ᴇ 𝒱𝐼𝑆𝐴 ✸
cerrado domingo noche de octubre a julio – Com carta 1625 a 2700.

en la carretera C 646 N : 2 km – ✉ 15405 Ferrol – ✪ 981 :

- X **O Parrulo,** av. Catabois 401 ☎ 31 74 03 – ⓟ. 🆎 ᴇ 𝒱𝐼𝑆𝐴
cerrado domingo y del 1 al 15 agosto – Com carta 1850 a 3300.

ALFA ROMEO carret. de Castilla 635 - El Ponto
☎ 38 18 05
AUSTIN-ROVER Sartaña 50 ☎ 32 01 00
CITROEN Polígono de la Gandara ☎ 32 67 51
FIAT Río Porto 13-15 ☎ 31 20 52
FORD carret. de Gándara 11-17 ☎ 31 34 06
GENERAL MOTORS-OPEL carret. N VI - Larage-Cabañas ☎ 43 02 00

LANCIA carret. de Castilla 131 ☎ 31 87 11
PEUGEOT-TALBOT Perbes 1 a 13 ☎ 31 11 00
RENAULT Del Sol 30 ☎ 35 05 11
SEAT-AUDI-VOLKSWAGEN pl. de Canido 1 ☎ 32 47 22

FIGUERAS o **FIGUERES** 17600 Gerona **443** F 38 – 30 532 h. alt. 30 – ✪ 972 – Plaza de toros.
🇪 pl. del Sol ☎ 50 31 55.

◆Madrid 744 – Gerona/Girona 37 – ◆Perpignan 58.

- 🏨 **President,** ronda Firal 33 ☎ 50 17 00 – 📱 🍴 rest ☎ ⇦ ⓟ. 🆎 ⓪ ᴇ 𝒱𝐼𝑆𝐴
Com 2000 – ⊑ 610 – **75 hab** 5500/7500 – P 8250/10000.

- 🏨 **Durán,** Lasauca 5 ☎ 50 12 50 – 📱 🍴 rest ☎ ⇦. 🆎 ⓪ 𝒱𝐼𝑆𝐴
Com 1250 – ⊑ 465 – **67 hab** 4900/7000 – P 6020/7420.

- 🏨 **Pirineos,** ronda Barcelona 1 ☎ 50 03 12, Telex 56277 – 📱 🍴 rest ☎ ⇦. 🆎 ⓪ ᴇ 𝒱𝐼𝑆𝐴
Com (sólo almuerzo) 1475 – ⊑ 385 – **53 hab** 3600/4300 – P 4975/6425.

- 🏨 **Travé,** carret. de Olot ☎ 50 05 91, 🏊, 🍴 📱 ☎ ⇦ ⓟ – 🔥. 🆎 ⓪ ᴇ 𝒱𝐼𝑆𝐴. ✸ rest
Com 1350 – ⊑ 400 – **73 hab** 2500/4000 – P 4635/5135.

- 🏠 **Ronda,** ronda Barcelona 104 ☎ 50 39 11 – 📱 🍴 rest 🕿 ⇦ ⓟ. ⓪ ᴇ 𝒱𝐼𝑆𝐴. ✸ rest
Com 985 – ⊑ 375 – **43 hab** 2180/3900 – P 3825/4055.

- 🏠 **Rallye** sin rest, ronda Barcelona ☎ 50 13 00 – 📱 🕿 ⓟ. 🆎 ⓪ ᴇ 𝒱𝐼𝑆𝐴
⊑ 515 – **16 hab** 4245/7500.

- XX **Viarnés,** Pujada del Castell 23 ☎ 50 07 91 – 🍴. 🆎 ⓪ ᴇ 𝒱𝐼𝑆𝐴
cerrado domingo noche, lunes no festivos salvo julio y agosto, del 1 al 15 junio y del 1 al 15 noviembre – Com carta 1910 a 3450.

en la carretera N II (antigua carretera de Francia) – ✉ 17600 Figueras – ✪ 972 :

- 🏨 🌸 **Ampurdán,** N : 1,5 km ☎ 50 05 62, Telex 57032, 🍽 – 📱 🍴 📺 ☎ ⇦ ⓟ. 🆎 ⓪ ᴇ 𝒱𝐼𝑆𝐴. ✸ rest
Com carta 2975 a 4395 – ⊑ 610 – **42 hab** 5100/7630
Espec. Pastel caliente de rape al coulis de ajos tiernos. Liebre a la royal (temporada de caza). Pez de San Pedro con salsa de olivas y pimientos dulces.

- 🏠 **Bon Retorn,** S : 2,5 km ☎ 50 46 23 – 🍴 rest ⇦ ⓟ. 🆎 ᴇ 𝒱𝐼𝑆𝐴
Com *(cerrado lunes y del 15 noviembre al 15 diciembre)* 1500 – ⊑ 500 – **53 hab** 2300/4100 – P 5025/5275.

- X Muriscot, con hab, N : 2,5 km ☎ 50 51 51, 🍽 – 🍴 rest ⓟ
20 hab.

en la carretera de Olot SO : 5 km – ⊠ 17742 Avinyonet de Puigventos – ❄ 972 :

XXX ❄ **Mas Pau** ⤬ con hab, ℰ 54 61 54, Fax 50 13 77, ☆, « Restaurante instalado en una antigua masía decorada con originalidad - Jardin » – 🍽 hab 📺 ☎ ℗. ⅄Ⅎ ⑪ Ⅎ 𝚅𝙸𝚂𝙰
cerrado domingo noche salvo vísperas, festivos, verano y 16 enero-febrero – Com
carta 2550 a 5150 – ⊑ 1000 – **7 hab** 10000/14000
Espec. Ravioli de sesos de cordero al perifollo con setas y trufa blanca, Arroz a la cazuela con langosta y conejo, Medallón de ciervo a las bayas de enebro (temporada de caza).

ALFA ROMEO Colón 33 ℰ 50 32 29	MERCEDES-BENZ Carles Fages de Climent ℰ 50 30 00
AUSTIN-ROVER Pasteur 13 ℰ 50 42 84	
BMW carret. de Olot km 24 ℰ 50 85 61	PEUGEOT-TALBOT carret. de Barcelona km 759 ℰ 50 24 69
CITROEN Santa Llogaia 72 ℰ 50 23 66	
FIAT Marignan ℰ 50 20 77	RENAULT Vilallonga 59 (carret. de Rosas) ℰ 50 09 62
FORD Nou (final) ℰ 50 06 67	SEAT-AUDI-VOLKSWAGEN Vilallonga 15 ℰ 50 27 00
GENERAL MOTORS carret. de Rosas 60 ℰ 50 43 72	

FINCA LA BOBADILLA Granada – ver Loja.

FISCAL 22373 Huesca 𝟜𝟛 E 29 – 329 h. alt. 768 – ❄ 974.
♦Madrid 534 – Huesca 144 – ♦Lérida/Lleida 160.

☆ **Rio Ara** ⤬, carret. de Ordesa ℰ 50 30 20, ≤ – ⅄Ⅎ E 𝚅𝙸𝚂𝙰. ✻
Com 900 – ⊑ 250 – **17 hab** 1500/2700 – P 2950/3000.

FITERO Navarra 𝟜𝟚 F 24 – 2 186 h. alt. 223 – ⊠ 31594 Baños de Fitero – ❄ 948 – Balneario.
Ver : Monasterio de Santa María La Real★.
♦Madrid 308 – ♦Pamplona 93 – Soria 82 – ♦Zaragoza 105.

en Baños de Fitero O : 4 km – ⊠ 31594 Baños de Fitero – ❄ 948 :

🏨 **Virrey Palafox** ⤬, ℰ 77 62 75, ⎯ de agua termal, ✻ – 🛗 📺 ☏ ℗. 𝚅𝙸𝚂𝙰. ✻ rest
julio-septiembre – ⊑ 525 – **59 hab** 3520/5200 – P 6365/7285.

🏨 **Baln. G. Adolfo Bécquer** ⤬, ℰ 77 61 00, ☆, ⎯ de agua termal, ✻, ✻ – 🛗 ☏ ⬌ ℗. 𝚅𝙸𝚂𝙰. ✻ rest
15 junio-14 octubre – ⊑ 525 – **212 hab** 3520/5200 – P 6365/7285.

FONTIBRE Cantabria 𝟜𝟚 C 17 – ver Reinosa.

FORCALL 12310 Castellón 𝟜𝟝 K 29 – 705 h. – ❄ 964.
♦Madrid 423 – Castellón de la Plana 110 – Teruel 122.

✗ **Mesón de la Vila,** pl. Mayor 2 ℰ 17 11 25, Decoración rústica – 🍽. ✻
cerrado del 15 al 31 octubre – Com carta 900 a 1700.

FORMENTERA Baleares 𝟜𝟛 P 34 – ver Baleares.

FORMENTOR (Cabo de) Baleares 𝟜𝟛 M 39 – ver Baleares (Mallorca).

El FORMIGAL Huesca 𝟜𝟛 D 28 – ver Sallent de Gállego.

FORNELLS Baleares 𝟜𝟛 L 42 – ver Baleares (Menorca).

FORTUNA Murcia 𝟜𝟝 R 26 – 5 709 h. alt. 228 – ⊠ 30630 Balneario de Fortuna – ❄ 968 – Balneario – ♦Madrid 385 – ♦Albacete 138 – ♦Alicante 93 – ♦Murcia 22.

por la carretera de Pinoso N : 3 km – ⊠ 30630 Balneario de Fortuna – ❄ 968 :

🏨 **Victoria** ⤬, ℰ 68 50 11, ⎯ de agua termal, ✻, ✻ – 🛗 ☏ ℗. ✻
agosto-noviembre – Com 1175 – ⊑ 230 – **52 hab** 2885/4260 – P 3750/4385.

🏨 **Balneario** ⤬, ℰ 68 50 11, ⎯ de agua termal, ✻, ✻ – ☏ ℗. ✻
Com 1175 – ⊑ 230 – **58 hab** 2750/3985.

🏠 **España** ⤬, ℰ 68 50 11 – ℗. ✻
cerrado enero – Com 865 – ⊑ 205 – **57 hab** 1300/2060 – P 2470/2740.

FORD Miguel Miralles ℰ 68 50 94	PEUGEOT-TALBOT av. Salzillo ℰ 68 51 26

La FOSCA Gerona 𝟜𝟛 G 39 – ver Palamós.

FOZ 27780 Lugo 𝟜𝟙 B 8 – 8 776 h. – ❄ 982.
Ver : Acantilado★ – **Alred. :** Iglesia de San Martín de Mondoñedo ★ S : 2,5 km.
🄸 Hermanos López Real ℰ 14 02 21 – ♦Madrid 598 – ♦La Coruña 145 – Lugo 94 – ♦Oviedo 194.

✗ **Xoiña,** carret. C 642 S : 1 km ℰ 14 09 44, ☆ – ℗.

OPEL Calvo Sotelo ℰ 14 01 67	RENAULT Ribadeo-Vivero 406 - Marzán ℰ 14 15 54
PEUGEOT-TALBOT carret. del cementerio ℰ 14 03 56	

La FRANCA 33590 Asturias **441** B 16 – ✪ 985 – Playa.
♦Madrid 438 – Gijón 114 – ♦Oviedo 124 – ♦Santander 81.

    en la playa O : 1,2 km – ✉ 33590 Colombres – ✪ 985 :

🏠 **Mirador de la Franca** ≫, ℰ 41 21 45, ≤, ✗ – 🅿 ✗ rest
   Semana Santa y 15 junio-15 septiembre – Com 1250 – 🗻 350 – **62 hab** 3250/5000 – P
   4700/5450.

FRESNO DE LA RIBERA 49590 Zamora **441** H 13 – 497 h. – ✪ 988.
♦Madrid 227 – ♦Salamanca 81 – ♦Valladolid 80 – Zamora 16.

✗ **Marcial,** carret. N 122 ℰ 69 71 82 – ▤. 🆎 ◉ **E** **VISA**. ✗
   cerrado lunes noche – Com carta 1700 a 2300.

FRÓMISTA 34440 Palencia **442** F 16 – 1 284 h. alt. 780 – ✪ 988 – **Ver :** Iglesia★★.
🛈 paseo Central.
♦Madrid 257 – ♦Burgos 78 – Palencia 31 – ♦Santander 170.

✗✗ **Hostería de los Palmeros,** pl. Mayor ℰ 81 00 67 – 🆎 ◉ **VISA**. ✗
   cerrado martes salvo en verano y festivos – Com carta 2000 a 3350.

   Ver también : ***Osorno*** N : 20 km
                   Monzón de Campos S : 21 km.

FUENCARRAL Madrid **444** K 19 – ver Madrid.

FUENGIROLA 29640 Málaga **446** W 15 – 30 606 h. – ✪ 952 – Playa – Plaza de toros.
🏌 Golf Mijas N : 3 km ℰ 47 68 43 – 🏌 Torrequebrada por ① : 7 km ℰ 44 27 42.
🛈 pl. de España (parque) ℰ 47 85 00.
♦Madrid 575 ① – Algeciras 104 ② –
♦Málaga 29 ①.

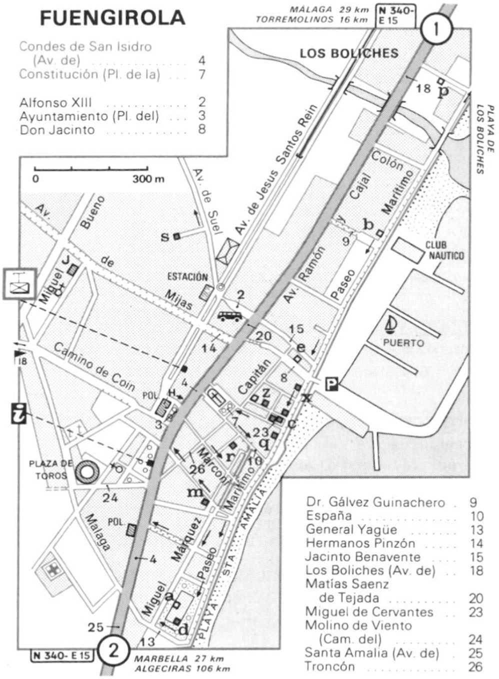

🏨 Las Pirámides, paseo
   Marítimo ℰ 47 06 00, Telex
   77315, ≤, ⌁, ✗ – 🛗 ▤
   ⟺ 🅿 – 🚗 – Com (sólo
   cena) – **320 hab**   **a**

🏨 **Florida,** paseo Marítimo
   ℰ 47 61 00, Telex 77791, ≤,
   ✗, ⌁ climatizada, � –
   🛗 ▤ rest. 🆎 ◉ **E** **VISA** ✗
   Com 1475 – 🗻 375 –
   116 hab 3500/5750 – P
   5675/6300.   **b**

🏠 **Italia** sin rest, de la Cruz
   1 ℰ 47 41 93 – ✗   **z**
   🗻 200 – **28 hab** 1955/3300.

🏠 **Sedeño** sin rest, Don Jacinto 1 ℰ 47 47 88, 🌡 –
   ✗   **e**
   🗻 200 – **30 hab** 1955/3300.

✗✗✗ Ceferino, Rotonda de la
   Luna 1 - Pueblo López ℰ
   47 35 10, 🍽 – ▤   **s**

✗✗ **El Ternero de Oro,** de la
   Cruz - Edificio El Yate 4 ℰ
   47 17 96, 🍽 – 🆎 ◉ **E**
   VISA. ✗   **c**
   cerrado lunes – Com carta 1690 a 3275.

✗✗ **Don José,** Moncayo 16
   ℰ 47 90 52, 🍽 – ▤. 🆎
   ◉ **E** **VISA**. ✗   **c**
   cerrado martes – Com carta 1830 a 3000.

✗✗ **Portofino,** paseo Marítimo - Edificio Perla 1 ℰ
   47 06 43, 🍽 – ▤. 🆎 ◉
   E **VISA**   **x**
   cerrado 20 junio-20 julio – Com (sólo cena en verano) carta 1790 a 2840.

✗✗ Monopol, Palangreros 7 ℰ 47 44 48, Decoración neo - rústica   **r**
   Com (sólo cena en verano).

✗✗ Misono, General Yagüe, Edificio Las Pirámides ℰ 47 06 00, Cocina japonesa   **d**

                                    sigue →

FUENGIROLA

Condes de San Isidro
  (Av. de) 4
Constitución (Pl. de la) ... 7

Alfonso XIII 2
Ayuntamiento (Pl. del) ... 3
Don Jacinto 8

Dr. Gálvez Guinachero . 9
España 10
General Yagüe 13
Hermanos Pinzón 14
Jacinto Benavente 15
Los Boliches (Av. de) .. 18
Matías Saenz
  de Tejada 20
Miguel de Cervantes .. 23
Molino de Viento
  (Cam. del) 24
Santa Amalia (Av. de) .. 25
Troncón 26

※ **El Caserío,** pl. Picasso ℰ 47 54 43 – 🍽   **m**

※ **Oscar,** de la Cruz 15 ℰ 47 35 70, 🍽 – 🝙 **E** 𝘝𝘐𝘚𝘈   **z**
cerrado martes y 15 enero-15 febrero – Com (sólo cena) carta 1470 a 2595.

※ **La Chimenea,** paseo Marítimo - Edificio Perla 2 ℰ 47 01 47, 🍽 – 🝙 ⓞ **E** 𝘝𝘐𝘚𝘈   **q**
Com carta 1500 a 3400.

※ **La Gaviota,** paseo Marítimo - Edificio la Perla 1 ℰ 47 36 37, 🍽 – 🝙 ⓞ **E** 𝘝𝘐𝘚𝘈. 🦐   **c**
cerrado miércoles y 20 diciembre-enero – Com carta 1625 a 3050.

※ Los Amigos, Moncayo 18 ℰ 47 19 82, 🍽, Pescados y mariscos – 🍽   **c**

en Mijas Costa por ② : 8 km – ⊠ 29650 Mijas – ❁ 952 :

※※ **Los Claveles,** carret. de Cádiz - urb. Los Claveles ℰ 49 30 22, ≼, 🍽, Cocina belga – ℗ 🝙 **E** 𝘝𝘐𝘚𝘈
cerrado lunes y 15 diciembre-15 enero – Com (sólo cena) carta 1650 a 3050.

en la carretera de Cádiz por ② : 1,5 km – ⊠ 29640 Fuengirola – ❁ 952 :

🏨 Mare Nostrum, ℰ 47 11 00, Telex 27578, ≼, 🍽, 🏊, 🐎, 🦐 – 🛗 🍽 🕷 ⇔ ℗ – **242 hab**.

por la carretera de Coin - en la urbanización Mijas Golf NO : 5 km – ⊠ 29640 Fuengirola – ❁ 952 :

🏨🏨 **Byblos Andaluz** Ⓜ 🦐, ℰ 47 30 50, Telex 79713, Fax 47 67 83, ≼ campo de golf y montañas, servicios de talasoterapia, 🍽, « Lujoso conjunto de estilo andaluz situado entre dos campos de golf », 🏊 climatizada, ⬛, 🐎, 🦐, 🎱 – 🛗 🍽 📺 ☎ ℗ – 🛌 🝙 ⓞ **E** 𝘝𝘐𝘚𝘈. 🦐 rest
Com 5000 – Rest. **Le Nailhac** carta 4050 a 7400 – Rest. **El Andaluz** – 🍴 1700 – **144 hab** 35000.

en la carretera de Málaga :

en Los Boliches – ⊠ 29640 Fuengirola – ❁ 952 :

🏨🏨 **Angela,** paseo Marítimo ℰ 47 52 00, Telex 77342, Fax 47 52 16, ≼, 🏊 climatizada, 🦐 – 🛗 🍽 rest ☎ ⇔. 🝙 ⓞ **E** 𝘝𝘐𝘚𝘈. 🦐 rest   **p**
Com 2150 – **260 hab** 🍴 6050/9800.

🏨 **Santa Fé** sin rest y sin 🍴, av. de Los Boliches 66 por ① : 1,5 km ℰ 47 41 81 – 🛗 🍽. 🝙 ⓞ **E** 𝘝𝘐𝘚𝘈. 🦐
26 hab 2000/2500.

※※ Don Bigote, Francisco Cano 39 por ① : 1,5 km ℰ 47 50 94, 🍽.

※※ **La Langosta,** Francisco Cano 1 por ① : 1,5 km ℰ 47 50 49 – 🍽. 🝙 ⓞ **E** 𝘝𝘐𝘚𝘈. 🦐
cerrado 21 noviembre-8 enero – Com *(cerrado domingo)* (sólo cena) carta 3000 a 4200.

※ La Olla, paseo Marítimo por ① : 2 km ℰ 47 45 16, ≼, 🍽.

en Carvajal por ① : 4,5 km – ⊠ 29533 Carvajal – ❁ 952 :

🏨 **Easo,** carret. N 340 ℰ 47 42 97, ≼ – 🛗 ℗. 🝙 𝘝𝘐𝘚𝘈. 🦐 rest
Com *(cerrado martes)* 900 – 🍴 250 – **32 hab** 3500/5500.

ALFA ROMEO La Noria 28 ℰ 47 47 96	PEUGEOT-TALBOT carret. de Mijas km 5,5 ℰ 47 43 12
AUSTIN-ROVER-MG av. de Mijas 32 ℰ 47 34 04	RENAULT carret. de Mijas ℰ 47 64 00
CITROEN Jacinto Benavente ℰ 46 05 50	SEAT-AUDI-VOLKSWAGEN carret. de Cádiz km 218,3 ℰ 47 40 50
FORD carret. de Cádiz km 210 ℰ 47 72 00	
GENERAL MOTORS carret. de Mijas ℰ 47 89 08	

FUENMAYOR 26360 La Rioja 𝟜𝟜𝟚 E 22 – 2 025 h. – ❁ 974.
♦Madrid 335 – ♦Burgos 132 – ♦Logroño 12 – ♦Vitoria 77.

※ **El Valenciano,** av. de Cenicero 20 ℰ 45 02 27 – 🍽. ⓞ **E** 𝘝𝘐𝘚𝘈. 🦐
cerrado domingo noche, lunes noche y del 10 al 30 junio – Com carta 1550 a 2650.

FUENTE DÉ Cantabria 𝟜𝟜𝟚 C 15 – alt. 1 070 – ⊠ 39588 Espinama – ❁ 942 – Deportes de invierno : 🎿 1 – Ver : Paraje★★.
Alred. : Mirador del Cable ※★★ estación superior del teleférico.
♦Madrid 424 – Palencia 198 – Potes 25 – ♦Santander 140.

🏨🏨 **Parador del Río Deva** 🦐, alt. 1 005, ⊠ 39588 Espinama, ℰ 73 00 01, « Magnífica situación al pie de los Picos de Europa, ≼ Valle y montaña » – ℗. 🝙 ⓞ **E** 𝘝𝘐𝘚𝘈. 🦐
Com 2500 – 🍴 800 – **78 hab** 6000/7500.

FUENTE DE PIEDRA 29520 Málaga 𝟜𝟜𝟞 U 15 – 2 083 h. – ❁ 952.
♦Madrid 544 – Antequera 23 – ♦Cordoba 137 – ♦Granada 120 – ♦Sevilla 141.

※ La Laguna, con hab, carret. N 334 ℰ 73 52 92, 🍽 – 🍽 rest ℗ – **9 hab**.

FUENTERRABIA o **HONDARRIBIA** 20280 Guipúzcoa 𝟜𝟜𝟚 B 24 – 11 276 h. – ❁ 943 – Playa – Plaza de toros.
Alred. : Cabo Higuer★ (≼★) N : 4 km – Trayecto★★ de Fuenterrabia a Pasajes de San Juan por el Jaizkibel : capilla de Nuestra Señora de Guadalupe ≼★★ – Hostal del Jaizkibel ≼★, descenso a Pasajes de San Juan ≼★.
🏌 de San Sebastián, Jaizkibel SO : 5 km ℰ 61 68 45.
✈ ℰ 42 35 86 – Iberia y Aviaco : ver San Sebastián.
♦Madrid 512 – ♦Pamplona 95 – St-Jean-de-Luz 18 – ♦San Sebastián/Donostia 23.

🏰 **Parador El Emperador** ⛵ sin rest, pl. de Armas 🕿 64 21 40, Fax 64 21 53, ≤, « Elegantemente instalado en un castillo medieval » – 🖭 ⓞ **E** 𝖵𝖨𝖲𝖠. ⌘
⌑ 800 – **16 hab** 7600/9500.

🏠 **Pampinot** ⛵ sin rest, Nagusia 3 🕿 64 06 00, « Decoración elegante en un edificio del siglo
XV » – 🖭 ☞. ⓞ **E** 𝖵𝖨𝖲𝖠
cerrado febrero – ⌑ 900 – **8 hab** 10000/15000.

🏠 **Jauregui** sin rest, San Pedro 28 🕿 64 14 00 – 🛗 🖭 🕿 ⟺. 🖭 ⓞ **E** 𝖵𝖨𝖲𝖠. ⌘
⌑ 325 – **42 hab** 4400/6800.

🏠 **Guadalupe** ⛵ sin rest, Nafarroa 🕿 64 16 50, ⅃, 🐎 – ☞ **℗**. **E** 𝖵𝖨𝖲𝖠
junio-septiembre – ⌑ 350 – **35 hab** 2950/6300.

🏠 **San Nicolás** ⛵ sin rest, pl. de Armas 6 🕿 64 42 78 – 🕿 ⟺ **℗**. 𝖵𝖨𝖲𝖠. ⌘
cerrado enero-febrero – ⌑ 400 – **14 hab** 3000/5000.

🏠 Álvarez Quintero, sin rest, Edificio Miramar 7 🕿 64 22 99 – ☞
14 hab.

🏠 **Txoko Goxoa** ⛵ sin rest, Murallas 19 🕿 64 46 58 – **E** 𝖵𝖨𝖲𝖠. ⌘
⌑ 350 – **8 hab** 3600.

XXX ❀ **Ramón Roteta**, Irún 🕿 64 16 93, 🍽, « Villa decorada con originalidad » – 🖭 **E** 𝖵𝖨𝖲𝖠
cerrado jueves y domingo noche – Com carta 4000 a 6050
Espec. Papillote de hongos, Bogavante gratinado con juliana de verduras, Tarta de la buena mujer.

XX Sebastián, Mayor 7 🕿 64 01 67, « Rústico vasco » – 🖭 ⓞ **E** 𝖵𝖨𝖲𝖠

XX **Arraunlari**, paseo Butrón 6 🕿 64 15 81, ≤, 🍽 – 🖭 ⓞ **E** 𝖵𝖨𝖲𝖠. ⌘
cerrado lunes y noviembre – Com carta 2650 a 3275.

X **Kupela**, Zuloaga 4 🕿 64 40 25, 🍽, Decoración rústica – 🖭 ⓞ **E** 𝖵𝖨𝖲𝖠
cerrado domingo noche, lunes y noviembre – Com carta 1125 a 2975.

X **Aquarium**, Zuloaga 2 🕿 64 27 93, 🍽 – 🍽. 🖭 **E** 𝖵𝖨𝖲𝖠
cerrado lunes y 18 diciembre-10 febrero – Com (sólo fines de semana del 11 febrero al 26 junio
y del 15 octubre al 17 diciembre) carta 2200 a 3400.

X **Kepa**, Bidasoa 🕿 64 29 27 – 🖭 ⓞ. 𝖵𝖨𝖲𝖠
cerrado miércoles y del 10 al 30 noviembre – Com carta 1900 a 2600.

X **Zeria**, San Pedro 23 🕿 64 27 80, 🍽, Decoración rústica, Pescados y mariscos – 🖭 ⓞ **E**
𝖵𝖨𝖲𝖠. ⌘
cerrado domingo noche, martes y 15 noviembre-15 diciembre – Com carta 2450 a 2900.

X Zabala, San Pedro 14 🕿 64 27 36, 🍽.

por la carretera de San Sebastián y camino a la derecha SO : 2,5 km – ✉ 20280 Fuenterrabía – ☏ 943 :

XX **Beko Errota**, barrio de Jaizubia 🕿 64 31 94, 🍽, Caserío vasco – **℗**. 🖭 ⓞ **E** 𝖵𝖨𝖲𝖠. ⌘
Com carta 2050 a 2800.

FUENTES DE OÑORO Salamanca 🅴🅰🅸 K 9 – ver aduanas p. 14 y 15.

FUERTEVENTURA Las Palmas – ver Canarias.

GALAPAGAR 28260 Madrid 🅐🅐🅐 K 17 – 6 090 h. alt. 881 – ☏ 91 – ◆Madrid 36 – El Escorial 13.

en la carretera C 505 SE : 1 km – ✉ 28260 Galapagar – ☏ 91 :

XX **La Retranka**, 🕿 858 02 44, 🍽 – **℗** 🖭 ⓞ 𝖵𝖨𝖲𝖠 ⌘
cerrado lunes y 20 septiembre-15 octubre – Com carta 1700 a 3800.

GALDÁCANO o **GALDAKAO** 48960 Vizcaya 🅐🅐🅐 C 21 – 26 545 h. – ☏ 94.
◆Madrid 403 – ◆Bilbao 8 – ◆San Sebastián/Donostia 91 – ◆Vitoria/Gasteiz 68.

XX ❀ **Andra Mari**, Elejalde 22 🕿 456 00 05, ≤ montañas, 🍽, Decoración regional – 🍽 **℗**. 🖭
ⓞ **E** 𝖵𝖨𝖲𝖠. ⌘
cerrado domingo y agosto – Com carta 3300 a 4300
Espec. Setas frescas a la aldeana (octubre-15 diciembre), Riñones a la vasca-francesa, Jamoncitos de pato
rellenos de foie.

X Kerren, Euskadi 9 🕿 456 88 14 – 🍽.

GENERAL MOTORS carret. Bilbao-Galdácano km 7   RENAULT av. General Mola 19 🕿 456 01 13
🕿 456 88 00   SEAT-AUDI-VOLKSWAGEN B. Olabarri 🕿 456 49 41

GALDAKAO Vizcaya 🅐🅐🅐 C 21 – ver Galdácano.

GANDESA 43780 Tarragona 🅐🅐🅐 I 31 – 2 831 h. – ☏ 977.
◆Madrid 459 – ◆Lérida/Lleida 92 – Tarragona 87 – Tortosa 40.

🏠 **Piqué**, vía Cataluña 68 🕿 42 00 68 – 🍽 rest ☞ **℗**. 🖭 **E** 𝖵𝖨𝖲𝖠. ⌘
Com 800 – ⌑ 200 – **48 hab** 1200/2400 – P 3000.

CITROEN carret. Villalba dels Arcs 🕿 42 01 77   RENAULT vía Aragón 42 🕿 42 01 88
FORD vía Cataluña 54 🕿 42 00 63   SEAT-AUDI-VOLKSWAGEN carret. de Tortosa 🕿
PEUGEOT-TALBOT vía Aragón 38 🕿 42 01 24   42 04 23

223

GANDIA 46700 Valencia **445** P
29 – 52 646 h. – ✪ 96 – Playa.

🛅 av. Marqués de Campo 𝒫
287 45 44 y San José de Calasanz 7
𝒫 287 35 36.

◆Madrid 416 – ◆Albacete 170 – ◆Alicante 109 – ◆Valencia 68.

🏠 **Los Naranjos** sin rest,
av. Pío XI - 57 𝒫 287 31 43
– 🛗 ☎ ⇌ 🆎 ⓪ **E** 𝗩𝗜𝗦𝗔
⊶
�, 200 – **35 hab** 1800/2800.

🏠 **Duque Carlos** sin rest y
sin ⊶, Duque Carlos de
Borja 34 𝒫 287 28 44 – **E**
𝗩𝗜𝗦𝗔 – **28 hab** 2120/3500.

✕✕ **A Taula,** Vallier 4 𝒫
287 33 11 – 🍽 🆎 ⓪ **E**
𝗩𝗜𝗦𝗔 ⊶
cerrado lunes y julio – Com
carta 1450 a 2250.

en el puerto (Grao) NE :
3 km - ver plano –
✉ 46730 Grao de Gandía
– ✪ 96 :

🏨 **Porto** sin rest, Foies 5 𝒫
284 17 23 – 🛗 ☎ ⇌ 🅿.
🆎 ⓪ **E** 𝗩𝗜𝗦𝗔. ⊶   **a**
⊶ 325 – **135 hab** 3500/
5300.

🏠 **Mengual,** pl. Mediterráneo 4, ✉ 46730, 𝒫
284 21 02, 🏡 – 🛗 🍽 rest.
𝗩𝗜𝗦𝗔. ⊶   **u**
Com (cerrado martes) 1000
– ⊶ 225 – **27 hab**
1800/3020.

✕✕ **Mesón de la Guitarra,**
Partida Foyas 𝒫 284 20 20,
Pescados y mariscos – 🍽
🅿 🆎 **E** 𝗩𝗜𝗦𝗔. ⊶   **n**
cerrado domingo noche,
lunes y noviembre – Com
carta 1690 a 2305.

✕ **Rincón de Ávila,**
Principe 5 𝒫 284 22 69 –
🍽 🆎 ⊶   **s**
cerrado domingo y 15 junio-15 julio – Com (sólo cena en julio y agosto) carta 2130 a
2750.

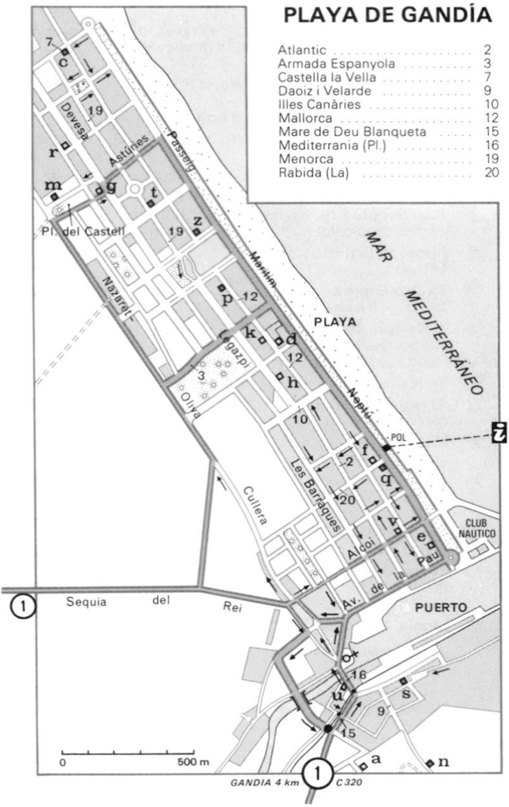

en la playa NE : 4 km - ver plano – ✉ 46730 Grao de Gandía – ✪ 96 :

🏩 **Bayren I,** passeig Maritim Neptú 62 𝒫 284 03 00, Telex 61549, « Gran terraza con ≼ playa »,
🏊 – 🛗 🍽 ☎ – 🔬 🆎 ⓪ **E** 𝗩𝗜𝗦𝗔. ⊶   **d**
cerrado enero – Com 1890 – ⊶ 465 – **164 hab** 6295/9360 – P 8290/9910.

🏨 Madrid, Castilla la Nueva 22 𝒫 284 15 00, 🏊 – 🛗 🍽 rest 🅿   **r**
108 hab.

🏨 **San Luis,** passeig Maritim Neptú 5 𝒫 284 08 00, ≼, 🏊 – 🛗 🍽 rest ☎ ⇌ – 🔬. 𝗩𝗜𝗦𝗔. ⊶ rest
marzo-octubre – Com 1675 – ⊶ 375 – **76 hab** 3500/5580 – P 5915/6625.   **e**

🏨 **Bayren II,** Mallorca 19 𝒫 284 07 00, Telex 61549, 🏊, ✕ – 🛗 🍽 ☎. 🆎 ⓪ 𝗩𝗜𝗦𝗔. ⊶   **k**
junio-septiembre – Com 1500 – ⊶ 330 – **125 hab** 4015/6270 – P 5965/6845.

🏨 **Gandía Playa,** La Devesa 17 𝒫 284 13 00, ≼, 🏊 – 🛗 ☎ 🅿. 🆎 **E** 𝗩𝗜𝗦𝗔. ⊶ rest   **g**
Com 1150 – ⊶ 250 – **126 hab** 2750/4200 – P 4250/4850.

🏨 **Riviera** sin rest, passeig Maritim Neptú 28 𝒫 284 00 66, ≼ – 🛗 ☎ 🅿. 𝗩𝗜𝗦𝗔   **f**
17 marzo-septiembre – ⊶ 350 – **72 hab** 3700/5600.

🏠 **Clibomar** sin rest y sin ⊶, Alcoy 24 𝒫 284 02 37 – 🛗 📺. ⊶   **v**
16 hab 2500/3750.

🏠 **Mavi,** Legazpi 18 𝒫 284 00 20 – 🛗 🍽 rest. 𝗩𝗜𝗦𝗔. ⊶   **h**
marzo-15 octubre – Com 850 – ⊶ 175 – **40 hab** 3000.

✕✕ **Gamba,** carret. de Nazaret - Oliva 𝒫 284 13 10, 🏡, Pescados y mariscos – 🍽 🅿. 🆎 ⓪ **E**
𝗩𝗜𝗦𝗔   por carret. Nazaret-Oliva
cerrado lunes y noviembre – Com carta 1500 a 2600.

✕ **Emilio,** av. Calderón-bloque F 5 𝒫 284 07 61, 🏡 – 🍽. 🆎 ⓪ **E** 𝗩𝗜𝗦𝗔. ⊶   **z**
cerrado miércoles salvo festivos – Com carta 2050 a 2850.

PLAYA DE GANDÍA

GANDIA 4 km / C 320

224

✗ **Kayuko,** Cataluña 14 ℰ 284 01 37, 🍴, Pescados y mariscos – 🍽. 🆎 ⓪ 🗲 𝗩𝗜𝗦𝗔. ⤳   **t**
cerrado lunes y del 1 al 20 noviembre – Com carta 1400 a 2100.

✗ **Celler del Duc,** pl. Castell ℰ 284 20 82, 🍴, Decoración rústica – 🆎 ⓪ 🗲 𝗩𝗜𝗦𝗔. ⤳   **m**
Com carta 1700 a 2450.

✗ **As de Oros,** passeig Marítim Neptú ℰ 284 02 39, Pescados y mariscos – 🍽. 🆎 ⓪ 🗲 𝗩𝗜𝗦𝗔.
⤳   **q**
cerrado lunes y 10 enero-10 febrero – Com carta 1600 a 2850.

✗ **Giltton,** Castilla La Vieja 5 ℰ 284 07 83 – 🍽. 🆎 ⓪ 🗲 𝗩𝗜𝗦𝗔. ⤳   **c**
cerrado martes y 15 enero-febrero – Com carta 2300 a 3000.

✗ **Mesón de los Reyes,** Mallorca 39 ℰ 284 00 78 – 🆎 ⓪ 🗲 𝗩𝗜𝗦𝗔. ⤳   **p**
15 marzo-septiembre – Com carta 1500 a 2600.

en la carretera de Barig O : 7 km – ⊠ 46728 Gandia – ⚙ 96 :

✗ **Imperio II,** ℰ 286 75 06, 🍴 – 🍽 ⓟ. 𝗩𝗜𝗦𝗔. ⤳
cerrado miércoles y 20 octubre-10 noviembre – Com carta 1550 a 2050.

CITROEN carret. de Valencia ℰ 286 63 11
FORD av. Pio XI - 49 ℰ 287 45 67
OPEL Polígono de Alcodar ℰ 286 53 62
PEUGEOT-TALBOT carret. de Valencia 29 ℰ 286 51 11

RENAULT carret. de Valencia 44 ℰ 286 47 76
SEAT-AUDI-VOLKSWAGEN Polígono Alcodar ℰ 286 09 89

GARAY 42800 Vizcaya 𝟰𝟰𝟮 C 22 – 235 h. – ⚙ 94.
♦Madrid 428 – ♦Bilbao 35 – ♦San Sebastián/Donostia 75 – ♦Vitoria/Gasteiz 44.

✗ **Guzurmendi,** San Miguel 17, ⊠ 48200 Garay por Durango, ℰ 681 63 91, ≤ valle y montañas
– 🆎 ⓪ 🗲 𝗩𝗜𝗦𝗔. ⤳
cerrado domingo noche, lunes y 14 diciembre-5 enero – Com carta 1750 a 2250.

GARAYOA 31692 Navarra 𝟰𝟰𝟮 D 26 – 154 h. alt. 777 – ⚙ 948.
♦Madrid 438 – ♦Bayonne 98 – ♦Pamplona 55.

☎ Arostegui ⤳, Chiquirín 13 ℰ 76 40 44
26 hab.

A GARDA Pontevedra 𝟰𝟰𝟭 G 3 – ver La Guardia.

GARGANTA – ver el nombre propio de la garganta.

GARÓS Lérida – ver Viella.

La GARRIGA 08530 Barcelona 𝟰𝟰𝟯 D 32 – 8 164 h. alt. 258 – ⚙ 93 – Balneario.
♦Madrid 650 – ♦Barcelona 37 – Gerona/Girona 84.

🏨 **Baln. Blancafort** ⤳, Banys 55 ℰ 871 46 00, ⤳, 🌳, ✗ – 🛗 🍽 rest ⓟ – 🔼. 🆎 ⓪ 𝗩𝗜𝗦𝗔
Com 1875 – ⊡ 390 – **52 hab** 4600/6100 – P 5850/7400.

✗ **Catalonia,** carret. de l'Ametlla 68 ℰ 871 56 54, 🍴, 🌳 – 🍽 ⓟ. 🆎 ⓪ 🗲 𝗩𝗜𝗦𝗔. ⤳
Com carta 1850 a 3000.

✗ La Cabaña, carret. N 152 ℰ 871 40 46, ⤳ – 🍽 ⓟ.

FORD Calabría 172 ℰ 871 58 05
PEUGEOT-TALBOT carret. de Ribas km 49,8 ℰ 844 03 02

RENAULT carret. Nova 91 ℰ 871 41 30
SEAT-AUDI-VOLKSWAGEN carret. Nova 137-138 ℰ 871 60 15

GARRUCHA 04630 Almería 𝟰𝟰𝟲 U 24 – 3 265 h. – ⚙ 951 – Playa.
♦Madrid 536 – ♦Almería 100 – ♦Murcia 140.

☎ Cervantes, sin rest, Colón 2 ℰ 46 02 52
15 hab.

GASTEIZ Álava 𝟰𝟰𝟮 D 21 y 22 – ver Vitoria.

GAVÀ 08850 Barcelona 𝟰𝟰𝟯 I 36 – 33 456 h. – ⚙ 93 – Playa.
♦Madrid 620 – ♦Barcelona 18 – Tarragona 77.

en la carretera C 246 S : 4 km – ⊠ 08850 Gavá – ⚙ 93 :

✗ La Pineda, ℰ 662 30 12, 🍴 – 🍽 ⓟ.

RENAULT carret. Santa Creu de Calafell 14 ℰ 662 08 58

SEAT-AUDI-VOLKSWAGEN carret. Santa Creu de Calafell 60 ℰ 662 62 11

GENOVA Baleares – ver Baleares (Mallorca) : Palma de Mallorca.

GERONA o **GIRONA** 17000

P 443 G 38 – 87 648 h. alt. 68 – ✪ 972.

Ver : Ciudad antigua★ (Ciutat antiga) (≼★) YZ – Catedral★ (nave★★, retablo mayor★, claustro★, tesoro★★ : Tapiz de la Creación★★, comentario del Apocalipsis★) Y – Ex cologiata de San Félix (sarcófagos : caceria de leones★) Y **R**.

🏢 Ciutadans 12, ✉ 17004, ✆ 20 16 94 y pl. de Vi, ✉ 17004, ✆ 20 26 79 – R.A.C.C. carret. de Barcelona 30, ✉ 17001, ✆ 20 08 68.

◆Madrid 708 ② – ◆Barcelona 97 ② – Manresa 134 ② – Mataró 77 ② – ◆Perpignan 91 ① – Sabadell 95 ②.

GIRONA GERONA

PARQUE DE LA DEVESA

🏨 **Ultonia** sin rest, Gran Via de Jaume I-22, ✉ 17001, ✆ 20 38 50, Fax 20 33 34 – ▯ ▯ 🆃🆅 ☎ – 🔏. 🖭 ◑ 🖪 𝗩𝗜𝗦𝗔 Y **x**
➡ 435 – **45 hab** 4800/7150.

🏨 **Costabella** sin rest, av. de Francia 61, ✉ 17007, ✆ 20 25 24, Fax 20 22 03 – ▯ 🚗 🚕 🅿 🖭 ◑ 🖪 𝗩𝗜𝗦𝗔 por ①
➡ 500 – **47 hab** 4500/6600.

🏨 **Peninsular**, sin rest, Nou 3, ✉ 17001, ✆ 20 38 00 – ▯ 🚕 – **67 hab**. Z **u**

🏨 **Europa** sin rest, Juli Garreta 23, ✉ 17002, ✆ 20 27 50 – ▯ 🚕 🖭 ◑ 🖪 𝗩𝗜𝗦𝗔 ⋘ Z **h**
➡ 375 – **26 hab** 1900/3900.

🏨 **Condal** sin rest y sin ➡, Joan Maragall 10, ✉ 17002, ✆ 20 44 62 – ▯ Z **p**
39 hab 1700/3200.

🏨 **Reyma** sin rest y sin ➡, Pujada del Rei Martí 15, ✉ 17004, ✆ 20 02 28 – ⋘ Y **r**
18 hab 1000/2800.

XX Cipresaia, General Fournàs 2, ✉ 17004, ✆ 20 30 38 – ▤ Z **y**

XX Rosaleda, passeig de la Devesa, ✉ 17001, ✆ 21 36 68, ≼, 🍽, « Lindante con un bonito parque » Y **a**

X **Selva Mar,** Santa Eugenia 81, ✉ 17005, ✆ 23 63 29, Pescados y mariscos – ▤ 🖪 𝗩𝗜𝗦𝗔 ⋘ por ③
cerrado domingo y del 8 al 30 septiembre – Com carta 2200 a 3350.

X Sant Agustí, pl. Independencia 3, ✉ 17001, ✆ 20 59 62 – ▤ Y **e**

X **L'Hostalet del Call,** Travessía Dr. Oliva i Prat 4, ✉ 17004, ✆ 21 26 88 – 𝗩𝗜𝗦𝗔 Y **s**
cerrado domingo noche y lunes no festivos – Com carta 1680 a 2200.

X Casa Marieta, pl. Independencia 5, ✉ 17001, ✆ 20 10 16, 🍽 Y **n**

X **Bronsom's,** av. de Sant Francesc 7, ✉ 17001, ✆ 21 24 93, 🍽 – ◑ 🖪 𝗩𝗜𝗦𝗔 Z **u**
cerrado sábado noche, domingo noche, festivos noche y del 14 al 31 agosto – Com carta 1430 a 2490.

X **La Penyora,** Nou del Teatre 3, ✉ 17004, ✆ 21 89 48 – 🖪 𝗩𝗜𝗦𝗔 Z **s**
cerrado martes noche, miércoles y del 5 al 25 septiembre – Com carta 2025 a 3075.

en la carretera N II por ② : 5 km – ✉ 17458 Fornells de la Selva – ✪ 972 :

🏨 **Fornells Park,** ✉ 17458, ✆ 47 61 25, « Pinar », 🏊, 🎾 – ▯ ▤ rest 🆃🆅 ☎ 🅿 🖭 ◑ 🖪 𝗩𝗜𝗦𝗔 ⋘ rest
Com 2000 – ➡ 510 – **33 hab** 4250/6600 – P 6900/7850.

en la carretera del aeropuerto por ② : 12 km – ✉ 17457 Riudellots de la Selva – ✪ 972 :

🏨 **Novotel Gerona,** ✆ 47 71 00, Telex 57238, Fax 47 72 96, 🏊 – ▤ 🆃🆅 ☎ 🅿 – 🔏. 🖭 ◑ 🖪 𝗩𝗜𝗦𝗔
Com 2000 – ➡ 775 – **81 hab** 8300/9900 – P 8550/11900.

ALFA-ROMEO carret. Barcelona ✆ 21 81 27
AUSTIN ROVER Ampurias 14 ✆ 24 05 13
BMW Emilio Grahit 26 ✆ 20 50 14
CITROEN carret. Barcelona 204-206 ✆ 20 68 08
FIAT-LANCIA carret. Gerona-Anglés ✆ 23 15 61
FORD carret. N II km 727 (Sarria de Ter) ✆ 21 20 62
GENERAL MOTORS carret. N II km 718,5 ✆ 47 62 28

MERCEDES-BENZ carret. N II km 711 ✆ 47 61 26
PEUGEOT-TALBOT carret. N II km 718,5 ✆ 47 64 75
RENAULT carret. N II km 718,5 (Fornells) ✆ 47 60 50
SEAT-AUDI-VOLKSWAGEN carret. de Barcelona 39 ✆ 21 35 62
SEAT-AUDI-VOLKSWAGEN carret. de Santa Coloma km 0,7 ✆ 24 12 11

GETAFE 28901 Madrid **444** L 18 – 127 060 h. – ۞ 91 – ♦Madrid 13 – Aranjuez 38 – Toledo 56.

※ **Puerta del Sol,** San José 73 ℰ 695 70 62, ☜ – ▤ ㏂ 𝗩𝗜𝗦𝗔 ⚹
cerrado martes y agosto – Com carta 1575 a 2600.

en la carretera N IV SE : 5,5 km – ⊠ 28901 Getafe – ۞ 91 :

🏨 **Motel Los Angeles,** ℰ 696 38 15, ☄, ⚞, ※ – ▤ 📺 ☜ ℗. ㏂ 𝗘 𝗩𝗜𝗦𝗔 ⚹
Com 1600 – ☲ 800 – **46 hab** 5840/7300.

AUSTIN-ROVER av. de España 5 ℰ 696 28 15
CITROEN Oriente 21 ℰ 695 85 68
FIAT carret. de Toledo km 14,5 ℰ 681 62 63
FORD carret. de Toledo km 11,6 ℰ 696 36 15
FORD Rojas 17 ℰ 682 20 64
OPEL-GM Madrid 121 ℰ 681 69 12
PEUGEOT-TALBOT carret. de Andalucía km 14,3 ℰ 695 73 66
PEUGEOT-TALBOT Leganes 22 ℰ 695 31 82
PEUGEOT-TALBOT Concepción Arenal 8 ℰ 695 72 61

PEUGEOT-TALBOT Isaac Peral 4 ℰ 696 61 84
RENAULT carret. de Toledo km 10 ℰ 695 86 00
RENAULT Andalucía 17 ℰ 695 45 46
RENAULT Perate 7 ℰ 681 41 72
RENAULT Toledo 40 ℰ 695 14 40
SEAT-AUDI-VOLKSWAGEN carret. de Toledo km 13,7 ℰ 695 24 54
SEAT-AUDI-VOLKSWAGEN av. de Aragón 17 ℰ 696 94 68

Pour un bon usage des plans de ville, voir les signes conventionnels p. 39.

GETARIA Guipúzcoa **442** C 23 – ver Guetaria.

GETXO Vizcaya **442** B 20 – ver Algorta.

GIBRALTAR **446** X 13 y 14 – 28 339 h. – ۞ 956.

✈ de Gibraltar N : 2,7 km – G.B. Airways y B. Airways, Cloister Building Irish Town ℰ 792 00 Air Europe Pegasus Bravo, Suice 8, Gibraltar Heights Church ℰ 722 52 Iberia 30-38 Main Street, Unit L ℰ 776 66.

🛈 Cathedral Square ℰ 764 00 – R.A.C.E. Main Street 260 ℰ 790 05.

♦Madrid 673 – ♦Cádiz 144 – ♦Málaga 127.

🏨 The Rock H., 3 Europa Road ℰ 730 00, Telex 2238, ≼ puerto, estrecho y costa española, « Terraza y jardin con flores », ☄ – ▤ ▤ 📺 ☎ ℗ – ㏂ **160 hab** **a**

🏨 **Holiday Inn,** Governor's Parade Gibraltar ℰ 705 00, Telex 2242, Fax 702 43, ☄ – ▤ ▤ 📺 ☎ ℗ – ㏂. ㏂ ⓞ 𝗘 𝗩𝗜𝗦𝗔 ⚹
Com 2480 – ☲ 1290 – **120 hab** 12400/14700. **e**

🏨 **Caleta Palace** ❦, Catalan Bay Road ℰ 765 01, Telex 2345, Fax 710 50, ≼, ☄ – ▤ 📺 ☎ ℗ ㏂ ⓞ 𝗘 𝗩𝗜𝗦𝗔. ⚹ rest **b**
Com (sólo cena) 1760 – **167 hab** ☲ 9300/11370.

🏨 **Continental** sin rest, Enginer Lane (esquina Main Street) ℰ 769 00, Telex 2303, Fax 753 66 – ▤ ▤ 📺 ☎. ㏂ ⓞ 𝗘 𝗩𝗜𝗦𝗔 **u**
17 hab ☲ 7000/10000.

🏨 **Bristol** sin rest, con cafeteria, 10 Cathedral Square ℰ 768 00, Telex 2253, ☄ – ▤ 📺 ☎. ㏂ ⓞ 𝗘 𝗩𝗜𝗦𝗔 **v**
☲ 500 – **60 hab** 6000/7875.

※※ Wintson's, Cornwall's Parade 4 ℰ 776 55 – ▤ **r**

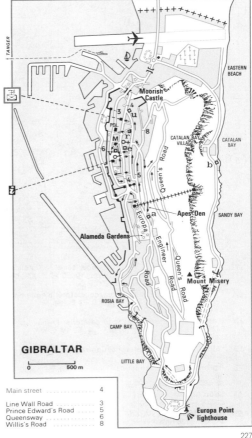

LA LÍNEA DE LA CONCEPCIÓN

EASTERN BEACH

Moorish Castle

CATALAN BAY VILLAGE

CATALAN BAY

Apes'Den

SANDY BAY

Alameda Gardens

Mount Misery

ROSIA BAY

CAMP BAY

GIBRALTAR

0   500 m

LITTLE BAY

Europa Point lighthouse

Main street 4

Line Wall Road 3
Prince Edward's Road 5
Queensway 6
Willis's Road 8

GIJÓN 33200 Asturias **4 1** B 13 – 255 969 h. – ✪ 985 – Playa – Plaza de toros.

⛳ de Castiello SE : 5 km ℰ 36 63 13 – ⛳ Club La Barganiza : 14 km ℰ 25 63 61 (ext. 34) – Iberia : Alfredo Truán 8 AZ ℰ 35 18 46 – 🚂 ℰ 31 13 33.

🚢 Marqués de San Esteban ℰ 34 60 46 – **R.A.C.E.** Marqués de San Esteban 1, ⊠ 33206, ℰ 35 53 60.

◆Madrid 474 ③ – ◆Bilbao 296 ① – ◆La Coruña 341 ③ – ◆Oviedo 29 ③ – ◆Santander 193 ①.

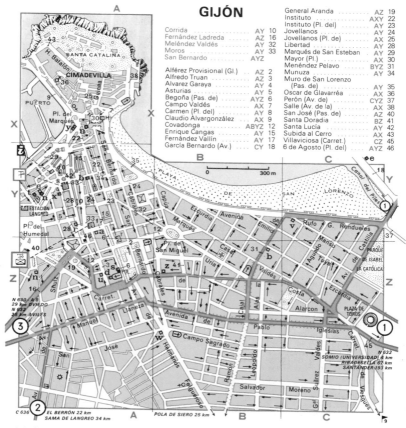

GIJÓN

Corrida	AY 10
Fernández Ladreda	AZ 16
Meléndez Valdés	AY 32
Moros	AY 33
San Bernardo	AYZ
Alférez Provisional (Gl.)	AZ 2
Alfredo Truan	AZ 3
Alvarez Garaya	AY 4
Asturias	AY 5
Begoña (Pas. de)	AYZ 6
Campo Valdés	AX 7
Carmen (Pl. del)	AY 8
Claudio Alvargonzález	AX 9
Covadonga	ABZY 12
Enrique Cangas	AY 15
Fernández Vallín	AY 17
García Bernardo (Av.)	CY 18

General Aranda	AZ 19
Instituto	AXY 22
Instituto (Pl. del)	AY 23
Jovellanos	AY 24
Jovellanos (Pl. de)	AX 25
Libertad	AY 28
Marqués de San Esteban	AY 29
Mayor (Pl.)	AX 30
Menéndez Pelayo	BYZ 31
Munuza	AY 34
Muro de San Lorenzo (Pas. de)	AY 35
Oscar de Glavarréa	AX 36
Perón (Av. de)	CYZ 37
Salle (Av. de la)	AX 38
San José (Pas. de)	AZ 40
Santa Doradia	BZ 41
Santa Lucía	AY 42
Subida al Cerro	AX 43
Villaviciosa (Carret.)	CZ 45
6 de Agosto (Pl. del)	AYZ 46

🏨 **Parador El Molino Viejo,** Parque Isabel la Católica, ⊠ 33204, ℰ 37 05 11, Fax 37 02 33, ㄍ, « Junto al parque » – 🛗 🍴 rest 🅿. 🖭 ⓞ 🇪 𝘝𝘐𝘚𝘈. ⚶ por av. de Perón CY
Com 2500 – ⊒ 800 – **40 hab** 7200/9000.

🏨 **Príncipe de Asturias** sin rest, con cafetería en temporada, Manso 2, ⊠ 33203, ℰ 36 71 11, Telex 87473, ⪕ – 🛗 📺 🅿 – 🏧 🖭 ⓞ 🇪 𝘝𝘐𝘚𝘈. ⚶
⊒ 490 – **80 hab** 7500/10900. CY **v**

🏨 **Hernán Cortés** sin rest, con cafetería, Fernández Vallín 5, ⊠ 33205, ℰ 34 60 00, Telex 98201, Fax 318 73 38 – 🛗 📺 ☎ – 🏧 🖭 ⓞ 🇪 𝘝𝘐𝘚𝘈
⊒ 700 – **109 hab** 5500/6900. AY **a**

🏨 Pathos, sin rest, con cafetería, Contracay 5, ⊠ 33201, ℰ 35 25 46, Telex 87325 – 🛗 📺 ⚙
56 hab. AX **n**

🏨 Agüera sin rest, Hermanos Felgueroso 28, ⊠ 33209, ℰ 14 05 00 – 🛗 ⚙ ⟵⟶ 🖭 ⓞ 🇪 𝘝𝘐𝘚𝘈 ⚶
⊒ 480 – **35 hab** 6105/7635. BZ **w**

🏨 León sin rest, carret. de la Costa 45, ⊠ 33205, ℰ 37 01 11, Telex 84265 – 🛗 ⚙. 🖭 🇪 𝘝𝘐𝘚𝘈
⊒ 200 – **156 hab** 4950/6500. BZ **z**

🏨 Robledo sin rest, Alfredo Truán 2, ⊠ 33205, ℰ 35 59 40 – 🛗 ⚙. 🖭 ⓞ 🇪 𝘝𝘐𝘚𝘈. ⚶ AZ **u**
⊒ 300 – **138 hab** 4800/7000.

228

León II sin rest, Ezcurdia 88, ✉ 33203, ☎ 33 81 11, Telex 84265 – |♦| ☎. VISA — BZ **b**
☕ 200 – **56 hab** 4490.

Castilla sin rest, Corrida 50, ✉ 33206, ☎ 34 62 00 – |♦| ☎. VISA. ✂ — AY **r**
☕ 250 – **34 hab** 3000/4150.

Plaza sin rest y sin ☕, Prendes Pando 2 - 1° piso, ✉ 33207, ☎ 34 65 62 – VISA. ✂ — AZ **n**
12 hab 3000/3500.

XXX Piñera, paseo de Begoña 30, ✉ 33205, ☎ 14 90 38 – ▤ — AZ **s**

XX Zagal, Trinidad 6, ✉ 33201, ☎ 35 13 98 – ▤ — AX **y**

XX **Bella Vista,** av. García Bernardo 8, El Piles, ✉ 33203, ☎ 36 73 77, ≤, 舍, Decoración moderna – Ⓟ. E VISA. ✂ — CY **e**
cerrado miércoles – Com carta 2400 a 3000.

X **Casa Victor,** Carmen 11, ✉ 33206, ☎ 35 00 93 – AE ⓓ E VISA. ✂ — AY **t**
cerrado domingo noche, jueves y noviembre-8 diciembre – Com carta 1900 a 3750.

X **El Retiro,** Enrique Cangas 28, ✉ 33206, ☎ 35 00 30 – ▤. AE ⓓ E VISA. ✂ — AY **b**
cerrado diciembre – Com carta 1950 a 2550.

X Mercedes, Libertad 6, ✉ 33206, ☎ 35 01 39 — AY **x**

X El Faro, av. García Bernardo 11 - El Piles, ✉ 33202, ☎ 37 29 17, ≤, 舍 – Ⓟ
por Av. García Bernardo — CY

X **Casa Calixto,** Trinidad 6, ✉ 33201, ☎ 35 98 09 – AE E VISA. ✂ — AX **y**
cerrado lunes y octubre – Com carta 1700 a 2800.

X **El Trole,** Álvarez Garaya 6, ✉ 33206, ☎ 35 00 48 – AE ⓓ E VISA — AY **n**
Com carta 1550 a 2300.

X Manu, Carmen 3, ✉ 33206, ☎ 34 69 57, Cocina vasca — AY **e**

X **Tino,** Alfredo Truán 9, ✉ 33205, ☎ 34 13 87 – AE VISA. ✂ — AZ **d**
cerrado jueves y 21 junio-23 julio – Com carta 1800 a 3550.

en Somió por ① – ✉ 33203 Gijón – ☎ 985 :

XXX **Las Delicias,** Barrio Fuejo : 4 km ☎ 36 02 27, 舍 – ▤ Ⓟ. AE ⓓ E VISA. ✂
cerrado martes salvo fiestas, vísperas y verano – Com carta 3200 a 5100.

X **La Pondala,** av. Dioniso Cifuentes 29 : 3 km, ✉ 33203, ☎ 36 11 60, 舍 – AE ⓓ VISA ✂
cerrado jueves y noviembre – Com carta 1600 a 3375.

en la carretera de Oviedo N 630 por ③ : 4,5 km – ✉ 33199 Roces – ☎ 985 :

X Mari Eva, ☎ 14 25 96 – ▤ Ⓟ.

en La Providencia NE : 5 km por av. García Bernardo – CY – ✉ 33203 Gijón – ☎ 985 :

XX ✿ **Los Hórreos,** ☎ 33 08 98 – Ⓟ. AE ⓓ E VISA. ✂
cerrado lunes y 15 septiembre-15 noviembre – Com carta 3450 a 4950
Espec. Ensalada de langosta con huevos de oricio, Lomos de merluza a la asturiana, Lubina al cava con mariscos.

en Prendes - en la carretera de Avilés N 632 por ③ : 10 km – ✉ 33438 Prendes – ☎ 985 :

X **Casa Gerardo,** ☎ 87 02 29 – Ⓟ. AE. ✂
cerrado lunes y del 10 al 30 junio – Com (sólo cena viernes y sábado) carta 1900 a 2650.

CITROEN carret. N 630 km 467,6 - Puente Seco ☎ 38 73 22
FIAT-LANCIA Adaro 6 ☎ 35 35 10
FORD Magnus Blikstad A-1 ☎ 39 99 11
FORD Mariano Pola 16 ☎ 32 81 11
GENERAL MOTORS carret. de Porceyo km 4,5 ☎ 14 11 92
MERCEDES-BENZ Alto de Pumarín ☎ 14 42 29
PEUGEOT-TALBOT av. de Portugal ☎ 32 07 76
PEUGEOT-TALBOT Guipúzcoa 45 ☎ 38 66 49
PEUGEOT-TALBOT Puente Roces ☎ 15 13 21
RENAULT carret. Gijón - Oviedo km 4,4 ☎ 38 86 88
RENAULT Magnus Blikstad 53 ☎ 34 59 97
RENAULT Manso 13 ☎ 36 49 59
SEAT-AUDI-VOLKSWAGEN Roces-carret. Oviedo N 630 km 4 ☎ 38 56 99
SEAT-AUDI-VOLKSWAGEN Balmes 29 ☎ 33 40 90

GINES 41960 Sevilla 446 T 11 – 4 108 h. – ☎ 954.

♦Madrid 544 – Huelva 83 – ♦Sevilla 8.

Gines ⛱ sin rest, El Vicario 2 ☎ 71 36 58, « Agradable terraza con ⛱ » – ▤ ☎ Ⓟ. VISA ✂
☕ 350 – **20 hab** 3300/4200.

GIRONA 17000 Gerona 443 G 38 – ver Gerona.

GOIURIA Vizcaya – ver Durango.

GOLA (Playa de) Gerona – ver Torroella de Montgri.

GOMERA Santa Cruz de Tenerife – ver Canarias.

GONDAR Pontevedra – ver Sangenjo.

El GRADO 22390 Huesca **448** F 30 – 656 h. – ۞ 974 – ◆Madrid 460 – Huesca 70 – ◆Lérida/Lleida 86.

⸙ Tres Caminos, barrio del Cinca 17 𝒫 30 40 31, ≼, 🍽 – ☜ ℗ – **29 hab**.

en la carretera C 139 SE : 2 km – ✉ 22390 El Grado – ۞ 974 :

🏨 **Hostería El Tozal** 🦌, 𝒫 30 40 00, ≼, 🍽, 🐎 – 📶 🗐 ☎ ℗. 🖭 ⓪ 🗲 **VISA**. 🛇 rest
Com 1500 – 🖙 450 – **35 hab** 4950/6500 – P 6050/7750.

GRADO 33820 Asturias **441** B 11 – 13 009 h. alt. 47 – ۞ 985 – ◆Madrid 461 – ◆Oviedo 26.

en Vega de Anzo - carretera de Oviedo E : 7 km – ✉ 33892 Vega de Anzo – ۞ 985 :

XX **Loan,** 𝒫 75 03 25, ≼, 🍽 – ℗. 🖭 ⓪ 🗲 **VISA**. 🛇
cerrado lunes y del 6 al 26 noviembre – Com carta 1550 a 2900.

CITROEN carret. General (Recta de Peña Flor) 𝒫
75 02 42
FORD carret. General (Recta de Peña Flor) 𝒫
75 16 81

PEUGEOT-TALBOT pl. Vista Alegre 𝒫 75 03 83
RENAULT carret. General (Recta de Peña Flor) 𝒫
75 08 73

GRANADA 18000 ℗ **446** U 19 – 262 182 h. alt. 682 – ۞ 958 – Deportes de invierno en la Sierra Nevada : ⚑2 ⛷11 – Plaza de toros.

Ver : Emplazamiento★★ – Alhambra ★★★ (bosque ★, Puerta de la Justicia★) CX , Alcazar ★★★ – ≼★), jardines y torres de la Alhambra★★, Alcazaba★ (⚐★★) – Palacio de Carlos V : museo Hispano-musulmán (jarrón azul★) – Generalife★★ CX – Capilla Real★★ (sepulcros★★, sacristía★★, reja★, retablo★) AX C – Catedral (capilla mayor★) AX – Cartuja★ (sacristía★★) S R – San Juan de Dios★ AV K – Albaicín BCV (terraza de la iglesia de San Nicolás ≼★★★) S.

Alred. : carretera en cornisa★★ de Granada a Almuñécar por ③.

Excurs. : Sierra Nevada (pico de Veleta★★) SE : 46 km T.

✈ de Granada por ④ : 17 km 𝒫 27 33 22 – Iberia : pl. Isabel la Católica 2, ✉ 18009, 𝒫 22 14 52.
🚂 Pavaneras 19. ✉ 18009. 𝒫 22 10 22 – R.A.C.E. pl. de la Pescadería 1. ✉ 18001. 𝒫 26 21 50.
◆Madrid 430 ① – ◆Málaga 127 ④ – ◆Murcia 286 ② – ◆Sevilla 261 ④ – ◆Valencia 541 ①.

Planos páginas siguientes

en la ciudad :

🏨 **Luz Granada,** av. de la Constitución 18, ✉ 18012, 𝒫 20 40 61, Telex 78424 – 📶 🗐 📺 🚗 –
🏊. 🖭 ⓪ 🗲 **VISA**. 🛇
Com 2500 – 🖙 775 – **173 hab** 8700/11500 – P 13600/21300.   AU **a**

🏨 **Meliá Granada** (posible cierre por reformas), Angel Ganivet 7, ✉ 18009, 𝒫 22 74 00, Telex
78429 – 📶 🗐 – 🏊. 🖭 ⓪ 🗲 **VISA**. 🛇
Com 2600 – 🖙 850 – **221 hab** 8000/11500 – P 10890/13140.   AY **n**

🏨 **Carmen,** Acera del Darro 62, ✉ 18005, 𝒫 25 83 00, Telex 78546 – 📶 🗐 📺 🚗 – 🏊. 🖭 ⓪
🗲 **VISA**. 🛇 rest
Com 2800 – 🖙 850 – **205 hab** 9000/12000.   AZ **a**

🏨 **Princesa Ana,** av. de la Constitución 37, ✉ 18012, 𝒫 28 74 47, Fax 27 39 54, « Elegante
decoración » – 📶 🗐 📺 🚗. 🖭 ⓪ 🗲 **VISA**   S **a**
Com 2300 – 🖙 800 – **61 hab** 8200/12000.

🏨 **Juan Miguel y Rest. Don Paco,** acera del Darro 24, ✉ 18005, 𝒫 25 89 12, Telex 78527 –
📶 🗐 📺 🚗. 🖭 ⓪ 🗲 **VISA**. 🛇
Com 1100 – 🖙 475 – **66 hab** 6800/8300 – P 7825/10475.   AZ **e**

🏨 **Cóndor** sin rest, con cafetería, av. de la Constitución 6, ✉ 18012, 𝒫 28 37 11 – 📶 🗐 📺 🚗.
🖭 ⓪ 🗲 **VISA**. 🛇
🖙 470 – **104 hab** 4600/6900.   AU **b**

🏨 **Los Ángeles,** Escoriaza 17, ✉ 18008, 𝒫 22 14 24, Telex 78562, ⚎ – 📶 🗐 ℗. 🖭 ⓪ 🗲 **VISA**.
🛇 rest
Com 1800 – 🖙 450 – **100 hab** 4600/6500 – P 7300/8650.   CZ **f**

🏨 **Victoria,** Puerta Real 3, ✉ 18005, 𝒫 25 77 00, Telex 78427 – 📶 🗐 📺 🚗 – 🏊. 🖭 ⓪ 🗲 **VISA**.
🛇
Com 1600 – 🖙 475 – **69 hab** 4900/7500 – P 6650/7800.   AY **a**

🏨 **Dauro** sin rest, Acera del Darro 19, ✉ 18005, 𝒫 22 21 56, Telex 78565, Fax 22 85 19 – 📶 🗐
📺 🚗. 🖭 ⓪ 🗲 **VISA**. 🛇
🖙 450 – **36 hab** 5000/8000.   BZ **a**

🏨 **Universal** sin rest, Recogidas 16, ✉ 18002, 𝒫 26 00 16 – 📶 🗐 📺 🚗. 🖭 ⓪ 🗲 **VISA**   AY **z**
🖙 400 – **56 hab** 4800/7000.

🏨 **Brasilia** sin rest, Recogidas 7, ✉ 18005, 𝒫 25 84 50 – 📶 🗐 📺 🚗. 🖭 ⓪ 🗲 **VISA**. 🛇   AY **r**
🖙 410 – **68 hab** 4700/7400.

🏨 Ana María, sin rest, paseo de Ronda 101, ✉ 18003, 𝒫 28 99 11 – 🗐 📺 🚗 🚗   T **v**
30 hab.

🏨 **Rallye** sin rest, paseo de Ronda 107, ✉ 18003, 𝒫 27 28 00 – 📶 🗐 🚗 🚗. 🖭 ⓪ 🗲 **VISA**   T **v**
🖙 400 – **44 hab** 3540/5450.

🏨 **Montecarlo** sin rest, Acera del Darro 44, ✉ 18005, 𝒫 25 79 00, Telex 78546, Fax 25 83 00 –
📶 📺 🚗. 🖭 ⓪ 🗲 **VISA**
🖙 400 – **74 hab** 3960/6200.   AZ **u**

🏥 Ana Maria II, sin rest, Socrates 10, ⊠ 18002, 𝒫 20 98 61 – 🗏 📺 ⟵⟶ – **25 hab**.　　　T **c**

🏥 **Don Juan,** Martínez de la Rosa 9, ⊠ 18002, 𝒫 28 58 11, Telex 78562 – 📶 🗏 rest ⚛. ⓞ **E**
VISA. 🍴 rest　　　T **e**
Com 850 – 🍽 250 – **64 hab** 3500/5000 – P 4450/5450.

🏥 Kenia, Molinos 65, ⊠ 18009, 𝒫 22 75 06, 🌿 – ⚛ ⓟ. 🆑 ⓞ **E** *VISA*　　CZ **p**
enero-septiembre – 🍽 450 – **19 hab** 3400/6500.

🏥 Presidente, sin rest, Recogidas 11, ⊠ 18002, 𝒫 25 36 12 – 🗏 📺 ⚛ ⟵⟶　　AZ **m**
30 hab.

🏥 **Macía** sin rest, pl. Nueva 4, ⊠ 18010, 𝒫 22 75 35 – 📶 ⚛. 🆑 ⓞ **E** *VISA*. 🍴　　BX **a**
🍽 325 – **40 hab** 3025/4700.

🏥 **Sacromonte** sin rest, pl. del Lino 1, ⊠ 18002, 𝒫 26 64 11 – 📶 ⚛. 🆑 **E** *VISA*. 🍴　　AY **e**
🍽 325 – **33 hab** 3000/5500.

🏥 **Carlos V,** pl. de los Campos 4 - 4° piso, ⊠ 18009, 𝒫 22 15 87, 🌿 – 📶 ⚛. 🆑 ⓞ **E**. 🍴 rest
Com 1000 – 🍽 275 – **28 hab** 2400/4100 – P 3850/4200.　　　BZ **s**

🏥 **Niza** sin rest, Navas 16, ⊠ 18009, 𝒫 22 54 30 – ⓞ **E** *VISA*　　BY **b**
🍽 300 – **24 hab** 2200/3300.

🏥 **Salvador** sin rest y sin 🍽, Duende 6, ⊠ 18005, 𝒫 25 87 08 – 🗏 ⚛. 🆑 ⓞ **E** *VISA*. 🍴　　AZ **b**
21 hab 1800/3800.

🏥 **Los Girasoles** sin rest, Cardenal Mendoza 22, ⊠ 18001, 𝒫 28 07 25 – 🍴　　AV **r**
23 hab 1500/2900.

🏥 **Verona** sin rest y sin 🍽, Recogidas 9 - 1° piso, ⊠ 18005, 𝒫 25 55 07 – 📶 ⟵⟶. *VISA*. 🍴　　AY **r**
11 hab 2200/3500.

XXX **Horno de Santiago,** pl. de los Campos 8, ⊠ 18009, 𝒫 22 34 76 – 🗏. 🆑 ⓞ **E** *VISA*. 🍴　　BZ **t**
cerrado domingo noche – Com carta 2200 a 3150.

XXX **Baroca,** Pedro Antonio de Alarcón 34, ⊠ 18002, 𝒫 26 50 61, Telex 78535 – 🗏. 🆑 ⓞ **E** *VISA*.
🍴　　　T **n**
cerrado domingo y agosto – Com carta 1950 a 4490.

XX **Aldebarán,** San Antón 10, ⊠ 18005, 𝒫 25 46 87 – 🗏. 🆑 ⓞ **E** *VISA*. 🍴　　AZ **s**
cerrado domingo, miércoles noche y agosto – Com carta 1975 a 3050.

XX **Sevilla,** Oficios 12, ⊠ 18001, 𝒫 22 12 23, 🌿, Decoración típica regional – 🗏. 🆑 ⓞ **E** *VISA*.
🍴　　　AY **x**
cerrado domingo noche – Com carta 1625 a 2725.

X Los Arcos, pl. Gran Capitán 4, ⊠ 18002, 𝒫 20 57 09, Decoración regional – 🗏　　　T **r**

X **Posada del Duende,** Duende 3, ⊠ 18005, 𝒫 26 66 10, Decoración rústica – 🗏. 🆑 ⓞ **E**
VISA. 🍴　　AZ **v**
Com carta 2140 a 2540.

X Zoraya, Panaderos 32, ⊠ 18010, 𝒫 29 35 03, 🌿, « Agradable terraza con sombra »　　CV **a**

X **Mesón Andaluz,** Elvira 10, ⊠ 18010, 𝒫 25 86 61, Decoración típica andaluza – 🗏. 🆑 **E**
VISA. 🍴　　BX **e**
cerrado lunes noche y martes – Com carta 1800 a 2900.

X Cunini, Pescadería 9, ⊠ 18001, 𝒫 26 37 01, Pescados y mariscos – 🗏　　AX **d**

X La Zarzamora, paseo de Ronda 98, ⊠ 18004, 𝒫 25 41 23, Pescados y mariscos – 🗏　　T **a**

X **La Barraca,** paseo de Ronda 100, ⊠ 18004, 𝒫 25 42 02, 🌿 – 🗏. *VISA*. 🍴　　T **a**
cerrado domingo noche – Com carta 1600 a 3100.

X **Casa Salvador,** Duende 16, ⊠ 18005, 𝒫 25 50 09 – 🗏. 🆑 ⓞ **E** *VISA*. 🍴　　AZ **y**
cerrado domingo noche y lunes – Com carta 1350 a 2000.

X **China,** Pedro Antonio de Alarcón 23, ⊠ 18004, 𝒫 25 02 00, Rest. chino – 🗏. 🆑 ⓞ **E** *VISA*.
🍴　　　T **d**
Com carta 1210 a 2675.

X **Los Leones,** Acera del Darro 10, ⊠ 18005, 𝒫 25 50 07 – 🗏. 🆑 ⓞ **E** *VISA*. 🍴　　AZ **t**
cerrado lunes noche y martes – Com carta 1625 a 2500.

en la Alhambra :

🏨 **Alhambra Palace,** Peña Partida 1, ⊠ 18009, 𝒫 22 14 68, Telex 78400, Fax 22 64 04, 🌿,
« Edificio de estilo árabe magníficamente situado con ≤ Granada y Sierra Nevada » – 📶 🗏
📺 – 🛄. 🆑 ⓞ **E** *VISA*. 🍴 hab　　CY **n**
Com 2850 – 🍽 750 – **140 hab** 9000/12000 – P 11480/14480.

🏨 **Parador de San Francisco** 🍸, Alhambra, ⊠ 18009, 𝒫 22 14 40, Telex 78792, Fax 22 22 64,
🌿, « Instalado en el antiguo convento de San Francisco (siglo XV), bonito jardín » – 🗏 📺
ⓟ – 🛄. 🆑 ⓞ **E** *VISA*. 🍴　　CY
Com 2700 – 🍽 800 – **39 hab** 11600/14500.

🏨 **Alixares** 🍸, av. de los Alixares, ⊠ 18009, 𝒫 22 55 75, Telex 78523, 🏊 – 📶 🗏 ⟵⟶ – 🛄. 🆑
ⓞ **E** *VISA*. 🍴 rest　　CY **a**
Com 1550 – 🍽 450 – **152 hab** 4525/7000 – P 6515/7540.

🏨 **Guadalupe** 🍸, av. de los Alixares, ⊠ 18009, 𝒫 22 34 23, Telex 78755 – 📶 🗏. 🆑 ⓞ **E** *VISA*
Com 1800 – 🍽 450 – **43 hab** 4300/7500 – P 7800/8350.　　CY **a**

🏥 **América** 🍸, Real de la Alhambra 53, ⊠ 18009, 𝒫 22 74 71, 🌿 – ⚛. 🍴　　CY **z**
marzo-octubre – Com 1200 – 🍽 400 – **13 hab** 3885/6300.

sigue →

GRANADA

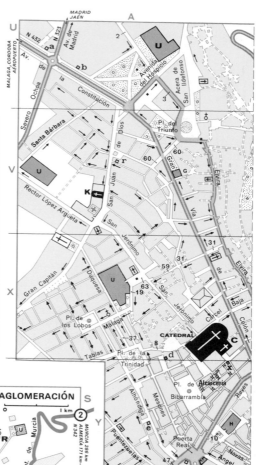

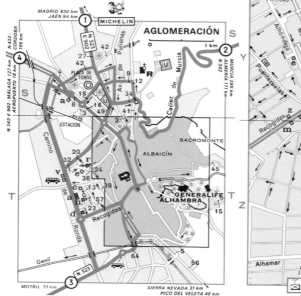

232

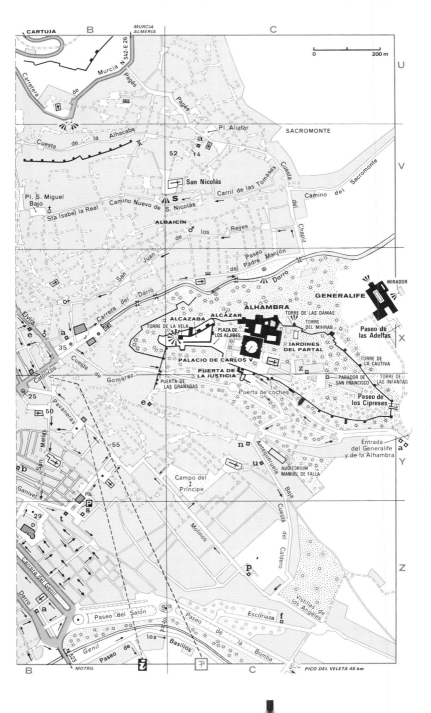

XXX **Carmen de San Miguel,** pl. de Torres Bermejas 3, ✉ 18009, ✆ 22 67 23, Telex 78535, ≤ Granada, 🍽 – ▤. AE ⓓ E VISA. ✻ BY **e**
Com carta 2325 a 4150.

XX **Colombia,** Antequeruela Baja 1, ✉ 18009, ✆ 22 74 33, ≤, Almuerzos con ambiente musical – ▤. AE ⓓ E VISA. ✻ CY **u**
cerrado domingo – Com carta 1750 a 3200.

en la carretera de Madrid por ① : 3 km – ✉ 18014 Granada – ⊛ 958 :

🏨 **Camping Motel Sierra Nevada,** ✆ 20 00 61, 🏊 – ▤ rest ☎ Ⓟ. VISA. ✻
15 marzo-15 octubre – Com 900 – ☕ 150 – **22 hab** 3360/4200.

en la carretera de Murcia por ② : 6 km – ✉ 18042 Granada – ⊛ 958 :

🏨 **San Gabriel,** ✆ 20 12 11, 🍽, 🏊 – |‡| ▤ Ⓟ. AE ⓓ E VISA
Com 900 – ☕ 380 – **59 hab** 3780/5725.

en la carretera de Motril por ③ : 4 km – ✉ 18100 Armilla – ⊛ 958 :

🏨 **Los Galanes,** ✆ 57 05 12 – ▤ rest ☎ Ⓟ. AE ⓓ E VISA
Com 750 – ☕ 300 – **27 hab** 2500/4000 – P 5600/6100.

en la carretera de Málaga por ④ : 5 km – ✉ 18015 Granada – ⊛ 958 :

🏨 **Alcano Sol,** ✆ 28 30 50, Telex 78600, 🍽, « Amplio patio con césped y 🏊 », 🎾 – ▤ TV Ⓟ. AE ⓓ E VISA. ✻ rest
Com 1500 – ☕ 500 – **100 hab** 6500/8100.

en la carretera de Sierra Nevada T – ✉ 18190 Cenes de la Vega – ⊛ 958 :

XXX **Ruta del Veleta,** SE : 6 km ✆ 48 61 34, « Decoración típica » – ▤ Ⓟ. AE ⓓ E VISA. ✻
cerrado domingo noche – Com carta 2450 a 3400.

XX **Los Pinillos,** SE : 6,4 km ✆ 48 61 09, 🍽 – ▤ Ⓟ. AE ⓓ E VISA. ✻
cerrado martes noche – Com carta 1875 a 3050.

Ver también : ***Sierra Nevada.***

S.A.F.E. Neumáticos MICHELIN, Sucursal, Polígono Industrial La Unidad de Asegra - PELIGROS por ①, ✉ 18210 ✆ **40 02 63 y 40 00 07**

ALFA-ROMEO Autopista Badajoz ✆ 29 40 23
AUSTIN ROVER av. del Sur - Edificio Lindaraja ✆ 28 79 11
AUSTIN-MG-MORRIS Emilio Muñoz 5 ✆ 27 79 77
BMW parque del Genil (edificio Diamante) ✆ 25 90 64
CITROEN av. de Andalucía ✆ 27 54 90
CITROEN carret. de Armilla - Santa Tuliana ✆ 11 01 11
FORD av. de Andalucía ✆ 27 76 50
GENERAL MOTORS-MG Autopista Badajoz ✆ 20 56 02
MERCEDES-BENZ av. de Andalucía ✆ 27 55 00
PEUGEOT-TALBOT Camino de Ronda 129 ✆ 20 17 61
RENAULT camino de Ronda 107 ✆ 27 28 58
RENAULT autopista de Badajoz ✆ 27 28 50
SEAT-AUDI-VOLKSWAGEN Arabial 103 ✆ 27 52 58
SEAT-AUDI-VOLKSWAGEN av. de Cádiz 1 ✆ 11 05 04
SEAT-AUDI-VOLKSWAGEN carret. de la Sierra 18 ✆ 22 84 91

La GRANADELLA 25177 Lérida 443 H 31 – 942 h. – ⊛ 973.
♦ Madrid 497 – ♦ Lérida/Lleida 37 – Tarragona 77.

X Ramón, av. Dr. Vives ✆ 11 03 15 – Ⓟ.

GRAN CANARIA Las Palmas – ver Canarias.

La GRANJA o **SAN ILDEFONSO** 40100 Segovia 444 J 17 – 4 588 h. alt. 1 192 – ⊛ 911.
Ver : Palacio (museo de tapices★★) – Jardines★★ (surtidores★★). – ♦Madrid 74 – ♦Segovia 11.

🏨 **Roma,** Guardas 2 ✆ 47 07 52, 🍽 – ☎. E VISA. ✻
cerrado 3 noviembre-15 diciembre – Com *(cerrado martes)* 1500 – ☕ 250 – **16 hab** 2600/4800.

XX Canónigos, edificio Canónigos ✆ 47 11 60 – ▤.

X Mesón Mariben, Cuartel Nuevo 2 ✆ 47 07 69 – ▤.

en Pradera de Navalhorno - carret. del Puerto de Navacerrada S : 2,5 km – ✉ 40100 La Granja – ⊛ 911 :

X **El Torreón,** ✆ 47 09 04, 🍽 – ⓓ VISA. ✻
cerrado miércoles y septiembre – Com carta 1750 a 2375.

en Valsain - carret. del Puerto de Navacerrada S : 3 km – ✉ 40109 Valsain – ⊛ 911 :

X **Hilaria,** ✆ 47 02 92, 🍽 – ✻
cerrado 10 noviembre-10 diciembre y lunes, salvo lunes mediodía en verano – Com carta 1750 a 2400.

GRANOLLERS 08400 Barcelona 443 H 36 – 45 300 h. alt. 148 – ⊛ 93.
♦Madrid 641 – ♦Barcelona 28 – Gerona/Girona 75 – Manresa 70.

🏨 **Europa** sin rest, Anselm Clavé 1 ✆ 870 03 12 – |‡| ☎. AE ⓓ E VISA – **60 hab** ☕ 1800/3600.

🏨 **Iris** sin rest, av. Sant Esteve 92 ✆ 870 70 51 – |‡| ▤ TV ☎ 🚗. AE ⓓ E VISA. ✻
☕ 300 – **35 hab** 2600/3900.

XX **L'Amperi,** pl. de la Font Verde ✆ 870 43 45 – 🗏 🅿 🖭 ⓪ 𝐄 𝘝𝘐𝘚𝘈 . ⚹⚹
cerrado domingo y del 1 al 21 agosto – Com carta 1850 a 3400.

XX **L'Ancora,** Aureli Font 3 ✆ 870 41 48 – 🗏. 🖭 ⓪ 𝐄 𝘝𝘐𝘚𝘈 ⚹⚹
cerrado domingo y del 5 al 21 febrero – Com carta 2500 a 4150.

X **Layon,** pl. de la Caserna 2 ✆ 870 20 82 – 𝐄 𝘝𝘐𝘚𝘈 . ⚹⚹
cerrado sábado salvo festivos y del 15 al 30 septiembre – Com carta 1100 a 2450.

X **Les Arcades,** Girona 29, ⊠ 08400, ✆ 870 91 56 – 🗏. 𝐄 𝘝𝘐𝘚𝘈
cerrado martes y 26 junio-13 julio – Com carta 1550 a 2300.

AUSTIN ROVER Murillo 62 ✆ 870 33 62
CITROEN Jorge Camp 40 ✆ 849 03 43
FIAT-LANCIA carret. N 152 km 26,5 ✆ 840 03 88
FORD av. Prat de la Riba ✆ 849 09 00
GENERAL MOTORS-OPEL carret. N 152 km 25,5 ✆ 849 41 33
LADA Murillo 62 ✆ 870 33 62
MERCEDES-BENZ Jorge Camp 13 ✆ 849 67 55

PEUGEOT-TALBOT carret. de Ribas km 33 ✆ 849 41 00
RENAULT carret. de Barcelona-Puigcerdá km 25 ✆ 870 85 08
RENAULT Alfonso IV - 25 ✆ 870 24 23
SEAT-AUDI-VOLKSWAGEN carret. de Granollers a Mataró km 18 ✆ 870 19 00
VOLVO Aragón 10 ✆ 870 07 49

GRAUS 22430 Huesca 👫👫 F 31 – 3 540 h. alt. 468 – 🟢 974.
♦Madrid 475 – Huesca 85 – ♦Lérida/Lleida 85.

🕿 **Lleida,** Glorieta Joaquín Costa 26 ✆ 54 09 25 – 🗏 rest 🕾 ⇔ 🅿 . ⓪ 𝐄 𝘝𝘐𝘚𝘈 . ⚹⚹ rest
Com 990 – ⊯ 325 – **27 hab** 1900/3250 – P 3610/3885.

CITROEN Joaquin Costa 19 ✆ 54 09 20
FORD Mártires 14 ✆ 54 02 16
PEUGEOT-TALBOT Muro 1 ✆ 54 01 68

RENAULT Miguel Cuervo 6 ✆ 54 01 46
SEAT-AUDI-VOLKSWAGEN Joaquín Costa 14 ✆ 54 08 84

GRAZALEMA 11610 Cádiz 👫👫 V 13 – 2 111 h. – 🟢 956.
♦Madrid 567 – ♦Cádiz 136 – Ronda 27 – ♦Sevilla 135.

🏠 **Grazalema** 🍴, ✆ 14 11 36, ≼, ⛴, – 🕾 🅿 . 𝘝𝘐𝘚𝘈 . ⚹⚹
Com 1400 – ⊯ 225 – **24 hab** 3435/4420 – P 5235/6460.

GREDOS 05132 Ávila 👫👫 K 14 – 🟢 918.

Ver : Emplazamiento★★.

Alred. : Hoyos del Collado (carretera del Barco de Ávila ≼★) O : 10 km – Carretera del puerto del Pico★ (≼★) SE : 18 km.

♦Madrid 169 – Ávila 63 – Béjar 71.

🏨 **Parador de Gredos** 🍴, alt. 1 650, ⊠ 05132 Parador de Gredos, ✆ 34 80 48, Fax 34 82 05, ≼ Sierra de Gredos, ⚹⚹ ← 🛗 ⇔ 🅿 – 🔬. 🖭 ⓪ 𝐄 𝘝𝘐𝘚𝘈 ⚹⚹
Com 2500 – ⊯ 800 – **77 hab** 6400/8000.

Ver también : *Hoyos del Espino.*

GRIÑÓN 28970 Madrid 👫👫 L 18 – 1 311 h. – 🟢 91.
♦Madrid 30 – Aranjuez 36 – Toledo 47.

X **El Mesón de Griñón,** General Primo de Rivera 12 ✆ 814 01 13 – 🗏 🅿 . 🖭 ⓪ 𝐄 𝘝𝘐𝘚𝘈 .
cerrado lunes y julio – Com (sólo almuerzo) carta 2100 a 3050.

X **El Lechal,** carret. de Navalcarnero O : 1 km ✆ 814 01 62 – 🗏 🅿 . 🖭 𝘝𝘐𝘚𝘈 . ⚹⚹
cerrado jueves y agosto – Com carta 1625 a 2750.

EL GROVE 36989 Pontevedra 👫👫 E 3 – 9 917 h. – 🟢 986 – Playa.
🚹 Reboredo ✆ 73 74 15.
♦Madrid 635 – Pontevedra 31 – Santiago de Compostela 71.

🏠 **Amandi** sin rest, Castelao 94 ✆ 73 19 42 – 🛗 📺 ⇔. 𝐄 𝘝𝘐𝘚𝘈 . ⚹⚹
⊯ 350 – **25 hab** 4500/6300.

🏠 **El Molusco,** Castelao 206 - Puente de la Toja ✆ 73 07 61 – 🛗 🅿. 🖭 ⓪ 𝐄 𝘝𝘐𝘚𝘈 . ⚹⚹
cerrado 20 diciembre-febrero – Com (cerrado lunes) 1800 – ⊯ 400 – **29 hab** 3400/5200 – P 5500/6300.

X **La Posada del Mar,** Castelao 202 ✆ 73 01 06 – 🗏. 🖭 ⓪ 𝐄 𝘝𝘐𝘚𝘈 . ⚹⚹
cerrado domingo noche y 15 diciembre-enero – Com carta 1950 a 2750.

X **Casa Pepe,** Castelao 149 ✆ 73 02 35, ≼ – 🅿. 🖭 ⓪ 𝐄 𝘝𝘐𝘚𝘈 . ⚹⚹
Com carta 2300 a 3000.

X **Finisterre,** Marqués de Valterra 4 ✆ 73 07 48, Pescados y mariscos – 🖭 𝐄 𝘝𝘐𝘚𝘈 . ⚹⚹
cerrado 10 diciembre-10 enero – Com carta 1650 a 2600.

X **Combatiente,** pl. de Corgo 10 ✆ 73 07 41, Pescados y mariscos.

X **O Piorno,** av. Castelão 151 ✆ 73 04 94, 🌳, Pescados y mariscos – 🖭 ⓪ 𝐄 𝘝𝘐𝘚𝘈 . ⚹⚹
cerrado miércoles y enero – Com carta 1850 a 2450.

en la carretera de Pontevedra S : 3 km – ⊠ 36989 El Grove – 🟢 986 :

🏨 **Touris** sin rest, Ardia 133 ✆ 73 02 51, ≼, ⛴, ⚹⚹ – 🛗 🕾 🅿. 🖭 ⓪ 𝐄 𝘝𝘐𝘚𝘈 . ⚹⚹
cerrado enero-febrero – ⊯ 450 – **48 hab** 4800/6750.

en Reboredo SO : 3 km – ✉ 36989 El Grove – ☎ 986 :

Bosque-Mar ⛰, carret. de San Vicente ☎ 73 10 55, 🏊 – ☎ 🅿. E VISA. ✗ rest
15 mayo-septiembre – Com 1700 – ☕ 350 – **29 hab** 4500/6000 – P 6000/7500.

Mirador Ría de Arosa ⛰, ☎ 73 08 38, ≤ – 🚗 🅿. AE E VISA. ✗
abril-octubre – Com 1500 – ☕ 350 – **29 hab** 2800/4200 – P 4600/5000.

en San Vicente del Mar SO : 9 km – ✉ 36989 El Grove – ☎ 986 :

XX **El Pirata,** praia Barrosa, urb. San Vicente do Mar ☎ 73 00 52, 🏞 – AE E VISA. ✗
Semana Santa-septiembre – Com *(cerrado domingo noche y lunes salvo julio y agosto)* carta 2300 a 3450.

RENAULT Seoane 49 ☎ 73 09 04

SEAT-AUDI-VOLKSWAGEN carret. de Pontevedra km 29,2 ☎ 73 10 91

GUADALAJARA 19000 🅿 444 K 20 – 56 922 h. alt. 679 – ☎ 911 – Plaza de toros.

ℹ Travesía de Beladiez 1, ✉ 19001, ☎ 22 06 98 – **R.A.C.E.** Dr. Benito Hernando 25, ✉ 19001, ☎ 22 92 96.

♦Madrid 55 – Aranda de Duero 159 – Calatayud 179 – Cuenca 156 – Teruel 245.

XX **El Ventorrero,** Alfonso López de Haro 4, ✉ 19001, ☎ 21 22 51, Decoración castellana – ▤. ⊙ E VISA. ✗
Com carta 1200 a 3200.

en la carretera de circunvalación N II – ☎ 911 :

Pax ⛰, ✉ 19005, ☎ 22 18 00, Telex 27521, Fax 564 04 97, ≤, 🏊, 🌳, 🎾 – |‡| ▤ rest 🚗 🅿 – 🎤. AE ⊙ E VISA. ✗ rest
Com 1850 – ☕ 460 – **51 hab** 3200/5400 – P 6200/6700.

XX **Mesón Hernando,** ✉ 19004, ☎ 22 27 67, 🏞, Decoración castellana, 🏊 de pago – ▤ 🅿. E VISA. ✗
cerrado lunes y 19 diciembre-11 enero – Com carta 1650 a 2650.

X **Los Faroles,** ✉ 19004, ☎ 21 30 32, 🏞, Decoración castellana – ▤ 🅿. AE ⊙ E VISA. ✗
Com carta 1850 a 2550.

ALFA-ROMEO Francisco Aritio 44 ☎ 21 52 19
AUSTIN-ROVER Francisco Aritio 98 ☎ 21 56 76
BMW paseo de la Estación 21 ☎ 21 11 01
CITROEN Francisco Aritio 12 ☎ 21 17 43
FIAT-LANCIA Francisco Aritio 16 ☎ 21 29 00
FORD Francisco Aritio 58 ☎ 21 25 10
GENERAL MOTORS Polígono Industrial El Balconcillo - Trafalgar ☎ 22 81 00
MERCEDES-BENZ Polígono Industrial El Balconcillo - Trafalgar ☎ 22 21 58
PEUGEOT-TALBOT Travesía de Madrid 10 ☎ 21 31 50
PEUGEOT-TALBOT Francisco Aritio 10 ☎ 21 00 00
RENAULT Polígono Industrial El Balconcillo -Trafalgar ☎ 22 43 50
SEAT-AUDI-VOLKSWAGEN Polígono Industrial El Balconcillo - Trafalgar ☎ 22 48 96

GUADALEST 03517 Alicante 445 P 29 – ☎ 96.

Ver : Situación ★.

♦Madrid 441 – Alcoy 36 – ♦Alicante 65 – ♦Valencia 145.

X **Xorta,** carret. de Callosa de Ensarriá ☎ 588 13 87, ≤, 🏊 – 🅿. AE E VISA
cerrado 15 mayo-15 junio – Com (sólo almuerzo salvo en verano) carta 1650 a 2500.

GUADALUPE 10140 Cáceres 444 N 14 – 2 765 h. alt. 640 – ☎ 927.

Ver : Pueblo★ – Monasterio★★ : Sacristía★★ (cuadros de Zurbarán★) camarin★, claustro mudéjar (museo de bordados★★, lavabo★) – Sala Capitular (cuadros de Zurbarán★).

Alred. : Carretera★ de Guadalupe a Puerto de Vicente ≤★.

♦Madrid 225 – ♦Cáceres 129 – Mérida 129.

Parador Zurbarán ⛰, Marqués de la Romana 10 ☎ 36 70 75, Fax 36 70 76, ≤, 🏞, « Instalado en un edificio del siglo XVI, bonito jardín », 🏊, 🎾 – |‡| ☎ 🚗 🅿 – 🎤. AE ⊙ E VISA. ✗
Com 2500 – ☕ 800 – **40 hab** 6400/8000.

Hospedería Real Monasterio ⛰, pl. Juan Carlos I ☎ 36 70 00, 🏞, « Instalado en el antiguo monasterio » – |‡| ▤ rest ☎ 🅿. E VISA. ✗
cerrado 16 enero-16 febrero – Com 1650 – ☕ 385 – **40 hab** 3000/4400 – P 5330/6130.

X **Cerezo** con hab, Gregorio López 20 ☎ 36 73 79 – ▤ rest. E VISA. ✗
Com carta 1125 a 1325 – ☕ 175 – **15 hab** 1590/2540 – P 3100/3250.

GUADARRAMA 28440 Madrid 444 J 17 – 6 682 h. alt. 965 – ☎ 91.

Alred. : Puerto de Guadarrama (o Alto de los Leones) ✳★, ≤★ NO : 7 km.

♦Madrid 48 – ♦Segovia 43.

en la carretera N VI SE : 4,5 km – ✉ 28440 Guadarrama – ☎ 91 :

XX **Miravalle** con hab, ☎ 850 03 00, 🏞 – ▤ rest ☎ 🅿. VISA. ✗
Com *(cerrado miércoles)* carta 2100 a 3000 – ☕ 350 – **11 hab** 2900/3900 – P 6200/7150.

Ver también : ***Navacerrada NE : 12 km.***

CITROEN carret. de La Coruña km 48 ☎ 854 11 53
PEUGEOT-TALBOT carret. de La Coruña km 48 ☎ 854 00 50
RENAULT Alfonso Senra 57 ☎ 854 00 67
SEAT-AUDI-VOLKSWAGEN José Antonio 27 ☎ 854 05 28

GUADIX 18015 Granada **446** U 20 − 19 860 h. alt. 949 − 🕸 958.

Ver : Catedral★ (fachada★) − Barrio troglodita★.

Alred. : Carretera★★ de Guadix a Purullena (pueblo troglodita★) O : 5 km − Carretera de Purullena a Granada ≤★ − Lacalahorra (castillo★ : patio★★) SE : 17 km.

♦Madrid 436 − ♦Almería 112 − ♦Granada 57 − ♦Murcia 226 − Úbeda 119.

🏨 **Carmen,** sin rest, con cafetería, carret. de Granada 🖉 66 15 11 − 📳 📺 📭 ⇌ 🅿. 🆎 **E** ᴠɪꜱᴀ. ⠻
　⌨ 150 − **20 hab** 2400/3600.

🏠 **Comercio,** Mira de Amezcua 3 🖉 66 05 00 − 📺 rest ☎. 🅞 **E** ᴠɪꜱᴀ
　Com 800 − ⌨ 250 − **21 hab** 1900/2900 − P 3020/3470.

CITROEN carret. de Murcia 5 🖉 66 14 77　　　　　RENAULT carret. de Murcia 🖉 66 02 58
MERCEDES-BENZ carret. de Murcia 🖉 66 06 12　　　SEAT-AUDI-VOLKSWAGEN carret. de Granada km
PEUGEOT-TALBOT carret. de Granada 41 🖉 66 09 62　　226 🖉 66 11 00

GUALCHOS 18614 Granada **446** V 19 − 2 912 h. − 🕸 958.

♦Madrid 518 − ♦Almería 94 − ♦Granada 88 − ♦Málaga 113.

❌ La Posada ⌂ , con hab, pl. de la Constitución 9 🖉 64 60 34, « Acogedor rincón de tipo regional », ⤶, ☀ − **9 hab**.

GUAMASA Santa Cruz de Tenerife − ver Canarias (Tenerife).

GUARDAMAR DEL SEGURA 03140 Alicante **445** R 28 − 5 708 h. − 🕸 96 − Playa.

♦Madrid 442 − ♦Alicante 36 − Cartagena 74 − ♦Murcia 52.

🏨 Guardamar, av. Puerto Rico 11 🖉 572 95 30, ≤, ⤶ − 📳 ☎ ⇌ − **52 hab**.

🏨 **Meridional,** urb. Las Dunas S : 1 km 🖉 572 83 40, ≤ − 📳 ☎ 🅿. **E** ᴠɪꜱᴀ. ⠻
　Com 1100 − ⌨ 400 − **56 hab** 2800/4300 − P 4230/4880.

🏠 Oasis, av. de Europa 33 🖉 572 88 60 − **40 hab**.

🏠 Eden-Mar, sin rest, Mediterráneo 20 🖉 572 92 13 − **25 hab**.

🏠 **Delta,** Blasco Ibañez 63 🖉 572 87 12, 🍽, ⁂ − ⠻
　abril-septiembre − Com 1000 − ⌨ 250 − **16 hab** 2300/4000 − P 3950/4250.

🍴 **Europa,** Jacinto Benavente 1 🖉 572 90 55, ≤ − ⠻
　marzo-septiembre − Com 1100 − **13 hab** ⌨ 2500/3900 − P 3250/3950.

SEAT-AUDI-VOLKSWAGEN av. José Antonio 104 🖉 572 89 32

La GUARDIA o **A GARDA** 36780 Pontevedra **441** G 3 − 9 275 h. alt. 40 − 🕸 986 − Playa.

Alred. : Monte de Santa Tecla★ (≤★★) S : 3 km − Carretera★ de La Guardia a Bayona.

🛈 Concepción Arenal 79.

♦Madrid 628 − Orense 129 − Pontevedra 72 − ♦Porto 148 − ♦Vigo 53.

🏠 **Eli-Mar** sin rest, Vicente Sobrino 12 🖉 61 30 00 − ☎. 🆎 ᴠɪꜱᴀ. ⠻
　⌨ 275 − **23 hab** 2100/3800.

🏠 **Resid. Bruselas y Rest. Albatros,** Orense 7 🖉 61 11 21 − ⇌. 🆎 ᴠɪꜱᴀ. ⠻
　Com 800 − ⌨ 150 − **40 hab** 1200/2500 − P 2950/3000.

🍴 **Anduriña,** Calvo Sotelo 48 🖉 61 11 08, ≤, 🍽, Pescados y mariscos − 🆎 ᴠɪꜱᴀ.
　Com carta 1450 a 2450.

CITROEN Diego Antonio González 55 🖉 61 31 11　　　PEUGEOT-TALBOT Puerto Rico 🖉 61 12 50
FIAT-LANCIA San Roque 12 🖉 61 12 07　　　　　　　RENAULT San Roque 🖉 61 00 26
FORD Bajada a la Guía 🖉 61 08 09　　　　　　　　　SEAT-AUDI-VOLKSWAGEN San Roque 13 🖉
OPEL-GENERAL-MOTORS San Roque 4 🖉 61 10 01　　61 10 75

La GUDIÑA o **A GUDIÑA** 32540 Orense **441** F 8 − 2 051 h. − 🕸 988.

♦Madrid 389 − Benavente 132 − Orense 110 − Ponferrada 117 − Verín 39.

🏠 **Relojero 2,** carret. N 525 🖉 42 10 01 − 🅿. ᴠɪꜱᴀ. ⠻
　Com 850 − ⌨ 250 − **25 hab** 1800/2850 − P 3200/3700.

CITROEN carret. de Madrid 110 🖉 42 11 41　　　　SEAT-AUDI-VOLKSWAGEN carret. de Madrid 🖉
PEUGEOT-TALBOT carret. de Madrid 🖉 42 10 31　　42 10 68
RENAULT carret. Nacional 🖉 42 10 22

GUERNICA Y LUNO o **GERNIKA LUNO** 48300 Vizcaya **442** C 21 − 17 836 h. alt. 10 − 🕸 94.

Alred. : N : Carretera de Bermeo ≤★, Ría de Guernica★ − Cueva de Santimamiñe (formaciones calcáreas★) NE : 5 km − Balcón de Vizcaya ≤★★ SE : 18 km.

♦Madrid 429 − ♦Bilbao 36 − ♦San Sebastián/Donostia 84 − ♦Vitoria/Gasteiz 69.

🍴 **El Faisán de Oro,** Adolfo Urioste 4 🖉 685 10 01 − 🆎 🅞 **E** ᴠɪꜱᴀ
　cerrado martes noche, miércoles, 10 días en primavera y del 2 al 25 en noviembre − Com carta 2350 a 3350.

🍴 **Zallo Barri,** Señorío de Vizcaya 79 🖉 685 18 00 − 📺. 🆎 🅞 ᴠɪꜱᴀ. ⠻
　cerrado miércoles y domingo noche − Com carta 1850 a 2500.

GUERNICA Y LUNO o GERNIKA LUNO

en la carretera de Bermeo N : 2 km – ⊠ 48300 Guernica y Luno – ✪ 94 :

✗ **Torre Barri,** Forua ✗ 685 25 07 – 🍽 ⚑ 🇪 𝗩𝗜𝗦𝗔. ✑
   cerrado miércoles – Com carta 1950 a 2800.

FORD Vega Alta ✗ 685 05 80
GENERAL MOTORS Señorío de Vizcaya 105 ✗
685 09 26

RENAULT carret. Guernica-Bilbao km 1,5 ✗
685 17 91
SEAT-AUDI-VOLKSWAGEN B. Amona 2 ✗ 685 09 62

GUETARIA o **GETARIA** 20808 Guipúzcoa 🔢🔢 C 23 – 2 407 h. – ✪ 943.
Alred. : Carretera en cornisa** de Guetaria a Zarauz.
◆Madrid 487 – ◆Bilbao 77 – ◆Pamplona 107 – ◆San Sebastián/Donostia 26.

✗ **Kaia y Asador Kai-Pe,** General Arnao 10 ✗ 83 24 14, ≤, 🏡, Decoración rústica, Pescados
   y mariscos – 🍽. ⚑ ⓞ 🇪 𝗩𝗜𝗦𝗔. ✑
   cerrado octubre – Com carta 2950 a 3950.

✗ **Talai - Pe,** Puerto Viejo ✗ 83 16 13, ≤, 🏡, Decoración rústica marinera, Pescados y mariscos
   – ⚑ ⓞ 🇪 𝗩𝗜𝗦𝗔. ✑
   cerrado domingo noche en invierno – Com carta 2500 a 3300.

✗ Masoparri, Sagatzaga 1 ✗ 83 57 07, ≤, 🏡, Pescados y mariscos.

✗ **Elkano,** Herrerieta 2 ✗ 83 16 14, 🏡, Pescados y mariscos – 🍽. ⚑ ⓞ 🇪 𝗩𝗜𝗦𝗔. ✑
   cerrado noviembre – Com carta 2300 a 3500.

al Suroeste : 2 km por carretera N 634 – ⊠ 20808 Guetaria – ✪ 943 :

✗ **San Prudencio** 🦢 con hab, ✗ 83 24 11, ≤, 🏡 – 🅿. 𝗩𝗜𝗦𝗔. ✑
   marzo-octubre – Com carta 1510 a 2320 – 🍽 450 – **10 hab** 2500 – P 5900.

GUIJUELO 37770 Salamanca 🔢🔢 K 12 – 4 900 h. – ✪ 923.
◆Madrid 206 – Ávila 99 – Plasencia 83 – ◆Salamanca 49.

🏠 **Torres** sin rest y sin 🍽, Ramón Torres 3 ✗ 58 14 51 – 📶 📺 ☎. ⚑ ⓞ 🇪 𝗩𝗜𝗦𝗔. ✑
   37 hab 2300/3800.

✗ **Casa Manolo,** Gabriel y Galán 7 ✗ 58 14 76 – 🍽. ⚑ 🇪 𝗩𝗜𝗦𝗔. ✑
   cerrado lunes y septiembre – Com carta 1175 a 2225.

✗ **La Amistad,** Teso de Las Reses 25 ✗ 58 04 02, Rest. típico – 🍽. ⚑ 🇪 𝗩𝗜𝗦𝗔. ✑
   cerrado domingo – Com carta 2150 a 3150.

CITROEN Filiberto Villalobos 175 ✗ 58 01 94
FORD carret. Valdelacasa ✗ 58 02 03
RENAULT Filiberto Villalobos 183 ✗ 58 09 07

SEAT-AUDI-VOLKSWAGEN Filiberto Villalobos 146
✗ 58 04 05

HARO 26200 La Rioja 🔢🔢 E 21 – 8 581 h. alt. 479 – ✪ 941.
Alred. : Balcón de la Rioja ✳* E : 26 km – 🅱 pl. Hermanos Florentino Rodríguez ✗ 31 27 26.
◆Madrid 330 – ◆Burgos 87 – ◆Logroño 49 – ◆Vitoria/Gasteiz 43.

✗✗ Beethoven II, Santo Tomás 3 ✗ 31 00 18 – 🍽.

✗ **Terete,** Lucrecia Arana 17 ✗ 31 00 23, Rest. típico con bodega, Cordero asado – ✑
   cerrado domingo noche, lunes y octubre – Com carta 1400 a 2350.

en la carretera de circunvalación N 232 SE : 1 km – ⊠ 26200 Haro – ✪ 941 :

🏠 Iturrimurri, ✗ 31 12 13, Telex 37021, ≤, 🏊 – 🍽 📺 ☎ 🅿 – 🔬 – **24 hab**.

CITROEN Santa Lucía 18 ✗ 31 07 46
FIAT Polígono Industrial Entrecassetesos - Industria
12 ✗ 31 24 33
FORD Santa Lucía 18 ✗ 31 07 46
OPEL La Ventilla 87 ✗ 31 12 92

PEUGEOT pl. Castañares 1 ✗ 31 02 92
RENAULT carret. de Logroño km 41 ✗ 31 04 16
SEAT-AUDI-VOLKSWAGEN carret. de Logroño ✗
31 02 38

HELLÍN 02400 Albacete 🔢🔢 Q 24 – 22 651 h. alt. 566 – ✪ 967.
◆Madrid 306 – ◆Albacete 59 – ◆Murcia 84 – ◆Valencia 186.

🏠 **Hellín,** antigua carret. N 301 ✗ 30 01 42 – 🍽 rest 🅿. ✑
   Com (cerrado domingo noche) 1000 – 🍽 250 – **25 hab** 1250/2400 – P 3000/3200.

CITROEN Conde Guadalhorce 185 ✗ 30 05 23
FORD Poeta Mariano Tomas 28 ✗ 30 11 83
GENERAL MOTORS av. Conde Guadalhorce 187 ✗
30 11 16
MERCEDES-BENZ Nuestra Señora de Lourdes 2
✗ 30 10 72

PEUGEOT-TALBOT carret. Murcia 26 ✗ 30 12 19
RENAULT av. Conde Guadalhorce 138 ✗ 30 01 58
SEAT-AUDI-VOLKSWAGEN av. Conde Guadalhorce
35 ✗ 30 04 93

HERNANI 20120 Guipúzcoa 🔢🔢 C 24 – 30 272 h. – ✪ 943.
◆Madrid 465 – ◆Bilbao 100 – ◆San Sebastián/Donostia 11 – ◆Vitoria/Gasteiz 110.

en la carretera de Lasarte NO : 2,5 km – ⊠ 20120 Hernani – ✪ 943 :

✗✗ Galarreta, Frontón ✗ 55 10 29 – 🅿.

CITROEN Cardaveraz 60 ✗ 55 69 10
FORD Carmelo Labaca 14 ✗ 55 46 92
GENERAL MOTORS Barrio Akarregui 25 ✗ 55 25 46
MERCEDES-BENZ av. de Navarra 19 ✗ 55 04 95

PEUGEOT-TALBOT Larramendi 15 ✗ 55 11 39
SEAT-AUDI-VOLKSWAGEN B. Akarregui 26 ✗
55 50 12

La HERRADURA 18697 Granada 👁👁👁 V 18 – 🔵 958 – Playa.
◆Madrid 523 – Almería 138 – ◆Granada 93 – ◆Málaga 66.

por la carretera N 340 y desvío urbanización Cerro Gordo O : 7 km – ✉ 18697 La Herradura – 🔵 958 :

✕ Los Globos, 🍴 64 02 16, ⩽ montaña y mar, 🍽 – 🅿.

HERRERA DE PISUERGA 34400 Palencia 👁👁 E 16 y 17 – 2 696 h. alt. 840 – 🔵 988.
◆Madrid 298 – ◆Burgos 68 – Palencia 72 – ◆Santander 129.

🏠 **La Piedad,** carret. N 611 🍴 13 01 22 – 🅿. 🍽
Com 725 – ⭗ 150 – **27 hab** 1200/2500 – P 2800/2850.

FIAT-LANCIA av. Eusebio Salvador 87 🍴 13 02 15
RENAULT Cervera 6 🍴 13 01 90

SEAT-AUDI-VOLKSWAGEN Victorio Macho 2 🍴 13 03 11

HIERRO Santa Cruz de Tenerife – ver Canarias.

HONDARRIBIA Guipúzcoa 👁👁 B 24 – ver Fuenterrabia.

HONRUBIA DE LA CUESTA 40541 Segovia 👁👁 H 18 – 120 h. alt. 1 001 – 🔵 911.
◆Madrid 143 – Aranda de Duero 18 – ◆Segovia 97.

en El Miliario - carretera N I S : 4 km – ✉ 40541 Honrubia de la Cuesta – 🔵 911 :

✕ Mesón Las Campanas, con hab, 🍴 54 30 00, 🍽, Decoración rústica regional – ☎ 🅿
7 hab

HORCHE 19140 Guadalajara 👁👁👁 K 20 – 1 179 h. – 🔵 911.
◆Madrid 68 – Guadalajara 13.

🏨 **La Cañada** ⬙, 🍴 29 01 96, ⩽, 🍽, ⬛ – ▣ ☎ – 🔺. 🆎 𝐕𝐈𝐒𝐀. 🍽
Com 1700 – ⭗ 500 – **26 hab** 4500/7000 – P 6500/7500.

HORNA Burgos 👁👁 D 19 – ver Villarcayo.

HOSPITALET DEL INFANTE o **L'HOSPITALET DEL INFANT** 43890 Tarragona 👁👁👁 J 32 – 🔵 977 – Playa.
◆Madrid 579 – Castellón de la Plana 151 – Tarragona 37 – Tortosa 52.

🏩 **Pino Alto,** urb. Pino Alto NE : 1 km, ✉ 43300 Mont Roig, 🍴 81 10 00, Fax 81 09 07, « Terraza », ⬛, ✕ – ▤ ▤ rest ☎ ⬅ – 🔺. 🆎 ⓞ 🅴 𝐕𝐈𝐒𝐀
Com 1700 – ⭗ 900 – **128 hab** 6780/11200 – P 9040/10220.

🏨 **Les Barques** ⬙ sin rest, Les Barques 14 🍴 82 02 11 – ▤ ☎ ⬅. 🆎 ⓞ 🅴 𝐕𝐈𝐒𝐀. 🍽
⭗ 700 – **40 hab** 5000/7000.

🏨 **Infante** ⬙, Del Mar 24 🍴 82 30 00, Fax 82 32 75, ⩽, 🍽, ⬛, ✕ – ▤ ☎ ⬅ 🅿. 🆎 🅴 𝐕𝐈𝐒𝐀. 🍽 rest
Com 1100 – ⭗ 500 – **71 hab** 2900/5000 – P 4800/5200.

✕✕ **Les Barques,** Comandante Gimeno 21 🍴 82 02 11, ⩽, Pescados y mariscos – 🆎 ⓞ 🅴 𝐕𝐈𝐒𝐀. 🍽
cerrado domingo noche, lunes y 19 diciembre-20 enero – Com carta 2700 a 3300.

en Miami Playa N : 2 km – ✉ 43892 Miami Playa – 🔵 977 :

🏠 **Tropicana,** carret. N 340 🍴 81 03 40, ⬛ – ▤ rest ⬅ 🅿. 🍽 rest
Com 985 – ⭗ 350 – **34 hab** 2600/3355 – P 3650/4570.

OPEL-GM Estación 🍴 82 32 85
RENAULT carret. Valencia km 217 🍴 82 32 13

SEAT-AUDI-VOLKSWAGEN carret. Valencia - Miami Playa 🍴 81 07 23

HOSTALRICH o **HOSTALRIC** 17850 Gerona 👁👁👁 G 32 – 2 668 h. alt. 189 – 🔵 972.
◆Madrid 678 – ◆Barcelona 65 – Gerona/Girona 39.

✕✕✕ **La Fortaleza,** El Castillo 🍴 86 41 22, ⩽ valle y montes, « Instalado en la antigua fortaleza, interior rústico » – 🅿. 🆎 ⓞ 🅴 𝐕𝐈𝐒𝐀. 🍽
cerrado martes – Com carta 2375 a 3700.

HOYOS DEL ESPINO 05634 Ávila 👁👁👁 K 14 – 369 h. – 🔵 918.
◆Madrid 174 – Ávila 68 – Plasencia 107 – ◆Salamanca 130 – Talavera de la Reina 87.

✕ Mira de Gredos, ⬙, con hab, 🍴 34 81 24, ⩽ Sierra de Gredos – 🅿
16 hab

HOZNAYO 39716 Cantabria 👁👁 B 18 – 🔵 942.
◆Madrid 399 – ◆Bilbao 86 – ◆Burgos 156 – ◆Santander 21.

🏨 Adelma, carret. N 634 🍴 52 40 96, ⩽ – 🖼 🅿
36 hab

239

HUARTE Navarra 442 D 25 – ver Pamplona.

HUELVA 21000 ℗ 446 U 9 – 127 806 h. – ✆ 955 – Plaza de toros.

🛝 Bellavista, Aljaraque O : 7 km ♪ 31 80 83.

🛈 Vázquez López 5, ⊠ 21001, ♪ 25 74 03 – **R.A.C.E.** Puerto 24, ⊠ 21001, ♪ 25 49 47.

♦Madrid 629 ② – ♦Badajoz 248 ② – Faro 105 ① – Mérida 282 ② – ♦Sevilla 92 ②.

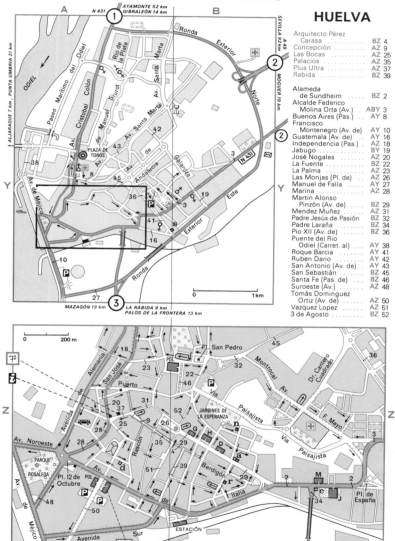

HUELVA

🏨 **Luz Huelva** sin rest, av. Sundheim 26, ⊠ 21003, ♪ 25 00 11, Telex 75527, Fax 25 81 10 – 🛗
📺 ☎ 🚗 – 🔬 AE ① E VISA ﹪
🍴 600 – **106 hab** 7130/9500.   BZ **e**

🏨 **Tartessos** sin rest, av. Martín Alonso Pinzón 13, ⌖ 21003, 🕾 24 56 11, Fax 25 06 17 – 🛗 ▤ 🕾, 𝔸𝔼 ⓞ 🄴 𝚅𝙸𝚂𝙰, ⛾ — BZ **a**
⌷ 350 – **112 hab** 3200/5750.

🏠 **Costa de la Luz** sin rest y sin ⌷, José María Amo 8, ⌖ 21001, 🕾 25 64 22 – 🛗 🕾. ⛾
35 hab 2600/4400. — AZ **d**

🗙🗙 **La Muralla,** San Salvador 17, ⌖ 21003, 🕾 25 50 77 – ▤. 𝚅𝙸𝚂𝙰. ⛾ — BZ **n**
cerrado domingo y agosto – Com carta 1225 a 1550.

🗙 **Las Meigas,** pl. América, ⌖ 21003, 🕾 23 00 98 – ▤. 𝔸𝔼 ⓞ 🄴 𝚅𝙸𝚂𝙰. ⛾ — ABY **s**
Com carta 1650 a 3500.

🗙 **La Cazuela,** Garci Fernández 5, ⌖ 21003, 🕾 25 80 96 – ▤. 𝔸𝔼 ⓞ 🄴 𝚅𝙸𝚂𝙰. ⛾ — BZ **r**
cerrado domingo noche y del 15 al 30 junio – Com carta 1225 a 1550.

🗙 **Doñana,** av. Martín Alonso Pinzón 13, ⌖ 21003, 🕾 24 27 73 – ▤. 𝔸𝔼 𝚅𝙸𝚂𝙰. ⛾ — BZ **a**
cerrado domingo – Com carta 1600 a 2450.

ALFA ROMEO carret. Sevilla 🕾 23 22 09
AUSTIN-ROVER Polígono San Diego, nave 33 🕾 22 90 90
BMW av. Escultora Miss Whitney 9 🕾 26 07 05
CITROEN carret. de Sevilla km 637 🕾 22 65 44
FIAT av. Cristóbal Colón 138 🕾 24 37 66
FORD carret. de Sevilla, Políg. San Diego Nave 41-42 🕾 22 85 12

GENERAL MOTORS carret. de Sevilla km 638 🕾 23 10 13
MERCEDES-BENZ Las Metas 48 🕾 25 83 00
PEUGEOT-TALBOT carret. de Sevilla km 637,1 🕾 22 19 88
RENAULT carret. de Sevilla km 638 🕾 22 61 58
SEAT-AUDI-VOLKSWAGEN carret. N 431 km 637,5 🕾 22 08 00

HUÉRCAL-OVERA 04600 Almería 𝟜𝟜𝟝 y 𝟜𝟜𝟞 T 24 – 12 045 h. alt. 320 – ⓒ 951.
◆Madrid 490 – Almería 117 – ◆Murcia 104.

🏠 Avenida, carret. N 340 🕾 47 04 15, � – ⇔ ℗
30 hab.

en la carretera N 340 SO : 6 km – ⌖ 04600 Huércal Overa – ⓒ 951 :

🏠 Overa, 🕾 47 08 79 – ▤ rest ℗
11 hab.

CITROEN av. Guillermo Reyna 🕾 47 05 30

SEAT-AUDI-VOLKSWAGEN carret. N 340 km 232 🕾 47 03 00

HUESCA 22000 ℗ 𝟜𝟜𝟛 F 28 – 44 372 h. alt. 466 – ⓒ 974 – Plaza de toros.
Ver : Catedral★ (retablo★★) A – Museo provincial★ (colección de primitivos★) M1 – Monasterio de San Pedro el Viejo (claustro★) B.
Alred. : Carretera★ de Huesca a Sabiñánigo (embalse de Arguis★).
🄱 Coso Alto 23, ⌖ 22003, 🕾 22 57 78 – R.A.C.E. Miguel Servet 1, ⌖ 220021, 🕾 22 55 76.
◆Madrid 392 ② – ◆Lérida/Lleida 123 ① – ◆Pamplona 164 ③ – Pau 211 ③ – ◆Zaragoza 72 ②.

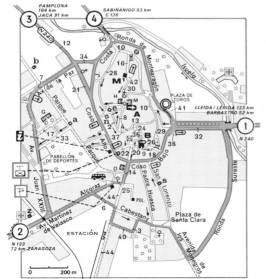

HUESCA

Coso Alto

🏨 **Pedro I de Aragón,** Parque 34, ⊠ 22003, ℰ 22 03 00, Telex 58626 – 🕌 📺 ☎ ⇦. ① Ε 𝑉𝐼𝑆𝐴
    🍴 rest
    Com 2050 – ☷ 475 – **52 hab** 4650/7850 – P 7815/8540.
a

🏨 Sancho Abarca, pl. de Lizana 13, ⊠ 22002, ℰ 22 06 50 – 🕌 ▤ rest 📺 ⊛
    44 hab.
n

🏤 **Lizana** sin rest y sin ☷, pl. de Lizana 8, ⊠ 22002, ℰ 22 14 70 – ⇦. 𝐴Ε ① Ε 𝑉𝐼𝑆𝐴
    19 hab 1700/3500.
e

XX **Navas,** San Lorenzo 15, ⊠ 22002, ℰ 22 47 38 – ▤. 𝐴Ε ① Ε 𝑉𝐼𝑆𝐴
    Com carta 2575 a 5350.
s

X **Parrilla Gombar,** av. Martinez de Velasco 32, ⊠ 22003, ℰ 24 39 12 – ▤. Ε 𝑉𝐼𝑆𝐴. 🍴
    Com carta 1775 a 2875.
z

X Casa Vicente, pl. de Lérida 2, ⊠ 22004, ℰ 22 98 11 – ▤
b

    en la carretera N 240 por ① : 2,5 km – ⊠ 22000 Huesca – ✪ 974 :

🏨 **Montearagón,** ℰ 22 23 50, 🏊, – 🕌 ▤ rest 📺 ⊛ ⇦ 🅿. 𝑉𝐼𝑆𝐴. 🍴
    Com 1200 – ☷ 350 – **27 hab** 3500/5250 – P 4975/5850.

ALFA-ROMEO Martínez de Velasco 9 ℰ 24 07 66
AUSTIN-ROVER Martínez de Velasco 23 ℰ 24 48 42
BMW Almudevar 4 ℰ 24 28 46
CITROEN Monreal 6 - 12 ℰ 24 02 02
CITROEN Ramón y Cajal 40 ℰ 22 38 07
FIAT-LANCIA pl. San Antonio 2 ℰ 24 25 11
FORD Zona Industrial - calle Alcampel 14 ℰ 24 47 62

GENERAL MOTORS Alcubierre 12-14 ℰ 24 29 49
LANCIA Badajoz (zona industrial) ℰ 24 45 54
PEUGEOT-TALBOT carret. de Zaragoza ℰ 24 32 94
RENAULT Zona Industrial - Almudevar 18 ℰ 24 36 62
SEAT-AUDI-VOLKSWAGEN Ingeniero le Figuera 4
ℰ 24 41 42

HUMANES 19220 Guadalajara 🅲🅵🅵 J 20 – 1 295 h. alt. 746 – ✪ 911.

♦Madrid 78 – Guadalajara 22 – Soria 149.

🏤 **Campiña,** av. Juan XXIII ℰ 85 01 68, �, 🏊 de pago, 🍴 – 𝑉𝐼𝑆𝐴. 🍴
    Com 700 – ☷ 220 – **30 hab** 1300/2600.

SEAT-AUDI-VOLKSWAGEN Don Pedro Main Simon ℰ 85 00 97

HÚMERA Madrid 🅲🅵🅵 K 18 – ver Pozuelo de Alarcón.

IBI 03440 Alicante 🅲🅵🅵 Q 28 – 19 846 h. alt. 820 – ✪ 96.

♦Madrid 380 – ♦Alicante 59 – ♦Albacete 133 – ♦Valencia 130.

🏤 Plata, sin rest, San Roque 1 ℰ 555 06 00 – 🕌 🅿
    30 hab.

CITROEN av. División Azul 87 ℰ 55 22 75
PEUGEOT-TALBOT av. Principes de España ℰ
555 00 26
PEUGEOT-TALBOT Picasso 3 ℰ 55 28 43

RENAULT av. La Providencia ℰ 555 00 26
SEAT-AUDI-VOLKSWAGEN Espronceda 97 ℰ
555 25 57

IBIZA Baleares 🅲🅵🅱 P 34 – ver Baleares.

ICOD DE LOS VINOS Santa Cruz de Tenerife – ver Canarias (Tenerife).

IGORRE 48140 Vizcaya 🅲🅵🅱 C 21 – ver Yurre.

IGUALADA 08700 Barcelona 🅲🅵🅱 H 34 – 31 451 h. alt. 315 – ✪ 93.

♦Madrid 562 – ♦Barcelona 67 – ♦Lérida/Lleida 93 – Tarragona 93.

X ✿ **El Jardí de Granja Plá,** rambla de Sant Isidre 12 -1° piso ℰ 803 18 64 – ▤. 𝐴Ε ① Ε 𝑉𝐼𝑆𝐴
    cerrado domingo noche, lunes y del 26 julio al 15 agosto – Com carta 2100 a 3275
    Espec. Galets con bacón y salmón ahumado, Poupietas de lenguado a la suprema, Conejo con cigalas y caracoles.

    en la carretera N II – ⊠ 08700 Igualada – ✪ 93 :

🏨 **América,** ℰ 803 10 00, 🏊, 🌳 – 🕌 ▤ 📺 🅿 – 🛄. ① Ε 𝑉𝐼𝑆𝐴. 🍴
    Com 1650 – ☷ 475 – **52 hab** 2800/6600.

CITROEN av. Maestre Montaner 88 ℰ 804 55 50
FIAT Balmes 56 ℰ 803 10 86
FORD carret. N II km 556,2 ℰ 803 00 50
OPEL carret. N II km 553,3 ℰ 803 15 50
PEUGEOT-TALBOT Bisbe Torres i Bages 5 ℰ
803 30 00

RENAULT carret. N II km 556,9 ℰ 803 27 08
SEAT-AUDI-VOLKSWAGEN carret. N II km 556,5
ℰ 803 06 04

ILLETAS Baleares 🅲🅵🅱 N 37 – ver Baleares (Mallorca).

INCA Baleares 🅲🅵🅱 M 38 – ver Baleares (Mallorca).

INFIESTO 33530 Asturias **441** B 13 – alt. 150 – 🕿 985.

Alred. : Amandi (iglesia San Juan : decoración★ del pórtico, ábside★) NO : 23 km.

♦Madrid 446 – ♦Oviedo 47 – ♦Santander 158.

 ✗ **Tamanaco,** Martínez Agostí 4 🖉 71 01 61 – 𝖵𝖨𝖲𝖠 . ✀
   Com carta 1500 a 1800.

RENAULT El Horreón 🖉 71 01 68   SEAT-AUDI-VOLKSWAGEN   Evaristo San Miguel 10
                                              🖉 71 02 33

IRÚN 20300 Guipúzcoa **442** B y C 24 – 53 445 h. alt. 20 – 🕿 943 – ver aduanas p. 14 y 15.

Alred. : Ermita de San Marcial ✳★★ E : 3 km.

🖪 Puente de Santiago 🖉 62 22 39 y barrio de Behobia 🖉 62 26 27.

♦Madrid 509 – ♦Bayonne 34 – ♦Pamplona 90 – ♦San Sebastián/Donostia 20.

 🏨 **Alcázar y Rest. Jantokia,** av. Iparralde 11 🖉 62 09 00 – 🛗 ☎ 🅿 . 𝖠𝖤 𝖵𝖨𝖲𝖠
   Com 1500 – 🖙 350 – **48 hab** 3475/5875 – P 5620/6155.

 🏠 **Lizaso,** sin rest, Aduana 5 🖉 61 16 00 – ✀
   🖙 235 – **20 hab** 1340/3585.

 ✗✗ **Mertxe,** Francisco Gainza 7 - Barrio Beraun 🖉 62 46 82, 🏡 – 𝖠𝖤 𝖤 𝖵𝖨𝖲𝖠 . ✀
   cerrado domingo noche, miércoles, del 15 al 31 marzo y del 5 al 22 noviembre – Com
   carta 2700 a 3700.

 ✗✗ **Romantxo,** pl. Urdanibia 🖉 62 09 71, Decoración rústica regional – 🖳 . 𝖠𝖤 ⓪ 𝖤 𝖵𝖨𝖲𝖠 . ✀
   cerrado domingo noche, lunes, 15 agosto-3 septiembre y 26 diciembre-10 enero – Com
   carta 1925 a 3550.

 ✗ Antxon, pl. San Juan 1 Piso 1 🖉 62 06 59 – 🖳 .

   en Behobia E : 2 km – ✉ 20300 Irún – 🕿 943 :

 ✗ **Trinquete,** barrio de Behobia 79 🖉 62 20 20, 🏡 – 𝖠𝖤 𝖤 𝖵𝖨𝖲𝖠 . ✀
   cerrado lunes, del 3 al 18 julio y del 8 al 23 enero – Com carta 2200 a 3800.

   en la carretera de Fuenterrabía a San Sebastián O : 2,5 km – ✉ 20300 Irún – 🕿 943 :

 ✗✗ **Jaizubia,** poblado vasco de Urdanibia 🖉 61 80 66 – 𝖠𝖤 ⓪ 𝖤 𝖵𝖨𝖲𝖠
   cerrado lunes y febrero – Com carta 2350 a 4700.

ALFA ROMEO   Barrio Mendelu 🖉 64 15 00
CITROEN   Alto de Arreche 🖉 62 42 00
FIAT-LANCIA   José Eguino Trasera 🖉 61 32 17
FORD   carret. de Behobia 🖉 62 92 00
GENERAL MOTORS   Alto de Arreche 🖉 62 84 22

PEUGEOT-TALBOT   B. Ventas Belascoenea 1 🖉
62 84 63
RENAULT   Alto de Arreche 🖉 62 72 33
SEAT-AUDI-VOLKSWAGEN   Alto de Arreche 🖉
62 70 22

ISABA 31417 Navarra **442** D 27 – 558 h. alt. 813 – 🕿 948 – ver aduanas p. 14 y 15.

Alred. : O : Valle del Roncal★ – SE : Carretera★ del Roncal a Ansó.

♦Madrid 467 – Huesca 129 – ♦Pamplona 97.

 🏨 **Isaba** ✦, 🖉 89 30 00, ≤ – 🛗 ☎ 🅿 . ⓪ 𝖤 𝖵𝖨𝖲𝖠 . ✀ rest
   cerrado noviembre – Com 1375 – 🖙 400 – **50 hab** 3635/5830 – P 5595/6315.

 🏠 Lola ✦, Mendigacha 17 🖉 89 30 12
   26 hab .

ISLA – ver a continuación y el nombre propio de la isla.

ISLA 39195 Cantabria **442** B 19 – 🕿 942 – Playa.

♦Madrid 426 – ♦Bilbao 81 – ♦Santander 48.

   en la playa E : 3 km – ✉ 39195 Isla – 🕿 942 :

 🏨 **Astuy** ✦, 🖉 67 95 40, ≤, 🏡, 🏊 – 🛗 ☎ 🅿 . 𝖠𝖤 ⓪ 𝖤 𝖵𝖨𝖲𝖠 . ✀ hab
   Com *(cerrado martes en invierno)* 1400 – 🖙 400 – **53 hab** 4300/5500.

 🏠 Isabel ✦, barrio de Quejo 🖉 63 01 59, 🏡 – 🅿
   40 hab .

 🏠 **Beni-Mar** ✦, barrio de Quejo 131 🖉 67 95 76, ≤, 🏡 – 🅿 . 𝖵𝖨𝖲𝖠 . ✀
   abril-15 octubre – Com 900 – 🖙 290 – **18 hab** 1850/3900.

La ISLA (Playa de) Murcia – ver Puerto de Mazarrón.

ISLA CRISTINA 21410 Huelva **446** U 8 – 16 335 h. – 🕿 955 – Playa.

♦Madrid 672 – Beja 138 – Faro 69 – Huelva 56.

 🏨 Los Geranios ✦, sin rest, carret. de la playa : 1 km 🖉 33 18 00 – ☎ 🅿
   24 hab .

 🏠 **El Paraíso** ✦, camino de la playa : 1 km 🖉 33 02 35 – 🅿 . 𝖤 𝖵𝖨𝖲𝖠 . ✀
   cerrado 15 diciembre-10 enero – Com 1000 – 🖙 300 – **35 hab** 2800/4650.

RENAULT   Conde de Barbate 26 🖉 33 12 47

ISLA PLANA 30868 Murcia − ver Puerto de Mazarrón.

ISPASTER 48288 Vizcaya **442** B 22 − 628 h. − 🌣 94.
♦Madrid 455 − ♦Bilbao 58 − ♦San Sebastián/Donostia 64.

   ✗ Areitz-Bi, pl. Elegalde ✒ 684 09 43.

JACA 22700 Huesca **443** E 28 − 13 771 h. alt. 820 − 🌣 974.
Ver : Catedral (capiteles historiados*).
Alred. : Monasterio de San Juan de la Peña** : monasterio de arriba (≤**) − Monasterio de abajo : Paraje** − Claustro* (capiteles**) SO : 28 km.
🛈 av. Regimiento de Galicia 2 ✒ 36 00 98.
♦Madrid 481 − Huesca 91 − Oloron-Ste-Marie 87 − ♦Pamplona 111.

🏨 **Aparthotel Oroel,** av. de Francia 37 ✒ 36 24 11, Telex 57954, 🏊, ✗ − 🛗 🍽 rest 📺 ☎ ⇔.
AE ① E VISA ⬦⬦
  Com 1750 − 🍽 400 − **124 hab** 5500/7000 − P 6800/8800.

🏨 **Gran Hotel,** paseo del General Franco 1 ✒ 36 09 00, Telex 57954, 🏊, ⚓ − 🛗 📺 ☎ 🅿. AE
① E VISA ⬦⬦
  cerrado noviembre − Com 1750 − 🍽 550 − **166 hab** 4500/7000 − P 6925/7925.

🏨 **Mallo Blanco,** sin rest, con autoservicio, av. Juan XXIII - 30 ✒ 36 33 61, ≤, 🏊, ✗ − 🛗 📺 ⬦
⇔ 🅿
  50 apartamentos.

🏨 **Pradas** sin rest, Obispo 12 ✒ 36 11 50 − 🛗 ⬦. AE ① E VISA ⬦⬦
  🍽 275 − **39 hab** 2700/3700.

🏨 **Conde Aznar,** paseo General Franco 3 ✒ 36 10 50 − ⬦. AE E VISA ⬦⬦ rest
  Com 1300 − 🍽 350 − **23 hab** 3500/4950 − P 4775/5800.

🏨 **Mur,** Santa Orosia 1 ✒ 36 01 00 − 🛗 ⬦. ⬦⬦
  Com 950 − 🍽 275 − **68 hab** 3000/5000.

🏨 **Ramiro I,** Carmen 23 ✒ 36 13 67 − 🛗 ⬦. E VISA. ⬦⬦
  Com 900 − 🍽 300 − **28 hab** 2400/3950 − P 3760/4185.

🏨 **La Paz,** Mayor 41 ✒ 36 07 00 − ⬦. AE ① E VISA. ⬦⬦
  Com 900 − 🍽 300 − **34 hab** 3950.

🏨 **A Boira,** Valle de Anso 3 ✒ 36 35 28 − 🛗. ⬦⬦
  Com 850 − 🍽 275 − **30 hab** 1700/3400.

🏨 **El Abeto** sin rest y sin 🍽, Bellido 15 ✒ 36 16 42 − ⇔. ⬦⬦
  cerrado 15 septiembre-15 noviembre − **25 hab** 1500/2600.

✗✗ **La Cocina Aragonesa,** Cervantes 5 ✒ 36 10 50, « Decoración regional » − 🍽. AE E VISA.
⬦⬦
  cerrado martes fuera de temporada − Com carta 2650 a 4450.

✗ **José,** av. Domingo Miral 4 ✒ 36 11 12 − 🍽. AE E VISA. ⬦⬦
  cerrado lunes salvo festivos y noviembre − Com carta 1675 a 3600.

✗ Gaston, av. Primo de Rivera 14 ✒ 36 29 09, 🍽 − 🍽.

✗ **El Rancho Grande,** del Arco 2 ✒ 36 01 72, Decoración rústica − E VISA. ⬦⬦
  cerrado lunes y 17 octubre-17 noviembre − Com carta 1700 a 2600.

ALFA-ROMEO Oloron Santa Maria ✒ 31 13 69
CITROEN Infanta Doña Sancha ✒ 36 15 95
FIAT-LANCIA Pico de Aneto 3 ✒ 36 36 72
FORD Ferrocarril 4 ✒ 36 08 95
GENERAL MOTORS Ramiro I - 21 ✒ 36 27 94
PEUGEOT-TALBOT carret. de Sabiñanigo ✒ 36 09 13

RENAULT av. de Zaragoza 7 ✒ 36 07 44
SEAT-AUDI-VOLKSWAGEN av. Juan XXIII - 18 ✒ 36 06 70
SEAT-AUDI-VOLKSWAGEN av. Regimiento Galicia ✒ 36 14 95

JAÉN 23000 🅿 **446** S 18 − 96 429 h. alt. 574 − 🌣 953 − Plaza de toros.
Ver : Museo provincial* (colecciones arqueológicas*, mosaico romano*) AY M − Catedral (sillería*, museo*) AZ E − Alameda de Calvo Sotelo ≤* BZ − Capilla de San Andrés (capilla de la Inmaculada**) AYZ B.
Alred. : Castillo de Santa Catalina (carretera* de acceso, ⚹*) O : 4,5 km AZ.
🛈 Av. de Madrid 10 A. ✉ 23001, ✒ 22 27 37 − R.A.C.E. av. de Madrid 5, ✉ 23001, ✒ 25 29 92.
♦Madrid 336 ① − Almeria 232 ② − ♦Córdoba 107 ③ − ♦Granada 94 ② − Linares 51 ① − Úbeda 57 ②.

Plano página siguiente

🏨 **Condestable Iranzo,** paseo de la Estación 32, ✉ 23008, ✒ 22 28 00 − 🛗 🍽 ☎ ⇔. 🚗.
VISA. ⬦⬦   BY **r**
  Com 1800 − 🍽 375 − **147 hab** 4000/7000 − P 6600/7100.

🏨 **Xauen** sin rest, pl. Deán Mazas 3, ✉ 23001, ✒ 26 40 11 − 🛗 🍽 ⬦ ⇔. VISA   BZ **s**
  🍽 275 − **35 hab** 3550/4900.

🏨 **Europa** sin rest y sin 🍽, pl. Belén 1, ✉ 23001, ✒ 22 27 00 − 🛗 ⬦ ⇔. AE ① E VISA   BZ **b**
  36 hab 2550/3700.

🏨 **Reyes Católicos** sin rest y sin 🍽, av. de Granada 1 - 6° piso, ✉ 23001, ✒ 22 22 50 − 🛗 🍽
⬦. AE ① E VISA. ⬦⬦   BZ **b**
  cerrado 23 diciembre-9 enero − **28 hab** 2100/3600.

JAÉN

*Para el buen uso
de los planos de ciudades,
consulte los signos
convencionales, p. 23.*

XX **Jockey Club,** paseo de la Estación 20, ⊠ 23008, ℰ 25 10 18 – ▤. 𝐀𝐄 ⓞ 𝐄 𝘝𝘐𝘚𝘈   BY **e**
Com carta 1850 a 2850.

X **Los Mariscos,** Nueva 2, ⊠ 23001, ℰ 25 32 06 – ▤. 𝐀𝐄 ⓞ 𝘝𝘐𝘚𝘈   BZ **n**
Com carta 1700 a 2600.

X Dover, Maestro Cebrián 1, ⊠ 23008, ℰ 25 76 13 – ▤   BY **u**

X **Mesón Río Chico,** Nueva 12, ⊠ 23001, ℰ 22 85 02 – ▤. 𝐄 𝘝𝘐𝘚𝘈. ⅏   BZ **n**
cerrado agosto – Com carta 1350 a 2100.

en la carretera N 323 – ⊠ 23080 Jaén – ✆ 953 :

🏨 **La Yuca** sin rest, por ② : 5 km, ⊠ 23080, ℰ 22 19 50 – ▤ ⊛ 🅿. 𝐀𝐄 ⓞ 𝐄 𝘝𝘐𝘚𝘈
⟳ 290 – **23 hab** 3390/4875.

X Ruta del Sol, por ① : 2 km ℰ 25 10 02 – ▤ 🅿.

en el Castillo de Santa Catalina O : 5 km – ⊠ 23000 Jaén – ✆ 953 :

🏨 **Parador de Santa Catalina** ⅏, ℰ 26 44 11, ≤ Jaén, sus olivares y montañas, « Imitación
de un castillo de época dominando un extenso paisaje », 🛆 – 🛗 ▤ 🅿. 𝐀𝐄 ⓞ 𝐄 𝘝𝘐𝘚𝘈
⅏
Com 2500 – ⟳ 800 – **43 hab** 7200/9000.

ALFA-ROMEO   carretera Torrequebradilla 2 ℰ
25 81 01
AUSTIN-MG-MORRIS-MINI   carret. Madrid km 332,7
Polígono Los Rosales ℰ 25 60 20
BMW   Beas de Segura 10 - Polígono Los Olivares
ℰ 25 53 11
CITROEN   carret. de Madrid km 332,6 ℰ 25 25 42
FIAT-LANCIA   Beas de Segura 2 - Polígono Los Oli-
vares ℰ 25 41 02
FORD   Polígono Industrial Los Olivares ℰ 22 35 54

GENERAL MOTORS   Torredonjimeno 17, Polígono
Los Olivares ℰ 25 73 16
MERCEDES-BENZ   Torredonjimeno, Polígono
Industrial Los Olivares ℰ 22 21 16
PEUGEOT-TALBOT   Torredonjimeno 7 - Polígono Los
Olivares ℰ 25 13 30
RENAULT   carret. de Granada km 336 ℰ 22 15 50
SEAT-AUDI-VOLKSWAGEN   Polígono Industrial Los
Olivares ℰ 22 47 12

L'EUROPE en une seule feuille
Carte Michelin nº 𝟿𝟸𝟶.

JARANDILLA DE LA VERA 10450 Cáceres **444** L 12 − 3 144 h. alt. 660 − ⚙ 927.

♦Madrid 213 − ♦Cáceres 132 − Plasencia 53.

🏰 **Parador Carlos V** ⟨⟩, 𝒫 56 01 17, « Instalado en un castillo feudal del siglo XV », 🍽, 🐎,
   ⟨⟩ − ▤ ☎ 𝐏, ⏻ ⓞ ⪤ VISA. ⟨⟩
   Com 2500 − ⟨⟩ 800 − **53 hab** 6800/8500.

JÁTIVA o **XÀTIVA** 46800 Valencia **445** P 28 − 23 755 h. alt. 110 − ⚙ 96.

Ver : Capilla de San Félix (primitivos★, pila de agua bendita★).

🚗 Noguera 1 − ♦Madrid 379 − ♦Albacete 132 − ♦Alicante 108 − ♦Valencia 59.

🏨 **Vernisa** sin rest, Académico Maravall 1 𝒫 227 10 11 − ▤ ☎. ⏻ ⓞ VISA. ⟨⟩
   ⟨⟩ 250 − **39 hab** 3150/4200.

✗ **Casa La Abuela**, Reina 17 𝒫 227 05 25 − ▤. ⏻ ⓞ ⪤ VISA. ⟨⟩
   cerrado domingo y 15 julio-5 agosto − Com carta 1900 a 2300.

CITROEN   Bajada Estación 11 𝒫 227 13 20
FORD   Reina 4 𝒫 227 21 61
PEUGEOT-TALBOT   carret. de Llosa 𝒫 227 08 61

RENAULT   carret. de Llosa 𝒫 227 06 61
SEAT-AUDI-VOLKSWAGEN   carret. de Llosa - bajada
Estación 6 𝒫 227 01 11

JÁVEA 03730 Alicante **445** P 30 − 10 964 h. − ⚙ 96.

Alred. : Cabo de San Antonio★ (≼★) N : 5 km − Cabo de la Nao★ (≼★) SE : 10 km.

🏌 urb. El Tosalet 4,5 km.

🚗 en el puerto : pl. Almirante Basterreche 𝒫 579 07 36.

♦Madrid 457 − ♦Alicante 87 − ♦Valencia 109.

   en la carretera de Benitachell y camino particular S : 3 km − ✉ 03730 Jávea − ⚙ 96 :

✗✗ Lázaro, ⟨⟩ con hab, 𝒫 579 01 74, ⟨⟩ − 𝐏 − **5 hab**.

   en la carretera de Jesús Pobre O : 2,5 km − ✉ 03730 Jávea − ⚙ 96 :

✗✗ **El Gaucho**, Valls 62 𝒫 579 04 31, ⟨⟩, Carnes a la brasa − 𝐏. ⪤ VISA. ⟨⟩
   cerrado lunes no festivos, martes mediodía y 2 noviembre-3 diciembre − Com (sólo cena en
   verano) carta 1895 a 2880.

   en la playa del Arenal − ✉ 03730 Jávea − ⚙ 96 :

🏰 **Parador de la Costa Blanca** ⟨⟩, SE : 4 km 𝒫 579 02 00, ≼, ⟨⟩, « Amplio jardin con
   césped y palmeras », 🍽 − ⧉ ▤ ☎ ⟨⟩ 𝐏 − ⧄. ⏻ ⓞ ⪤ VISA. ⟨⟩
   Com 2700 − ⟨⟩ 800 − **65 hab** 8400/10500.

✗ New Capricho, SE : 4 km 𝒫 579 38 86, ⟨⟩.

   en la carretera del Cabo de la Nao − ✉ 03730 Jávea − ⚙ 96 :

🏨 Bahía Vista ⟨⟩, Portichol 76 SE : 7,5 km 𝒫 577 04 61, ≼, ⟨⟩, « Terraza con 🍽 » − ☎ 𝐏
   17 hab.

✗✗✗ Tosalet Casino Club, urb. El Tosalet SE : 7 km 𝒫 577 09 58, ⟨⟩ − ▤ 𝐏.

✗✗ **La Fonda**, urb. El Tosalet SE : 5 km 𝒫 577 09 37, ⟨⟩, Cocina francesa, « Terraza con flores »
   − 𝐏. ⏻ ⓞ ⪤ VISA. ⟨⟩
   cerrado miércoles salvo en verano y 15 enero-15 febrero − Com (sólo cena en verano)
   carta 2900 a 4000.

✗✗ **El Rancho**, SE : 4 km 𝒫 577 04 39, ⟨⟩, « Terraza con flores » − 𝐏. ⪤ VISA. ⟨⟩
   Semana Santa-octubre − Com (sólo cena) carta 1900 a 2250.

✗✗ **Chez Angel**, Arenal 54 − SE : 3 km 𝒫 579 27 23 − ▤. ⏻ ⪤ VISA. ⟨⟩
   cerrado martes y 20 diciembre-25 enero − Com carta 1925 a 2875.

✗ **La Guardia,** urb. Costa Nova − SE : 8 km 𝒫 577 16 46, ⟨⟩, Cocina francesa − 𝐏. ⏻ ⓞ ⪤
   VISA
   cerrado miércoles en invierno, 10 noviembre-diciembre y 30 enero-febrero − Com (sólo cena
   en verano) carta 1800 a 2625.

RENAULT   San Vicente 12 𝒫 579 05 67

SEAT-AUDI-VOLKSWAGEN   carret. Cabo de la Nao
(Partida Mezquida) 𝒫 79 06 00

JAVIER 31411 Navarra **442** E 26 − 171 h. alt. 475 − ⚙ 948.

♦Madrid 411 − Jaca 68 − ♦Pamplona 51.

✗ **El Mesón** ⟨⟩ con hab, Explanada 𝒫 88 40 35, 🐎 − VISA. ⟨⟩
   marzo-15 diciembre − Com carta 1500 a 2350 − ⟨⟩ 365 − **8 hab** 2570/3630 − P 4425/5180.

Neun Michelin-Abschnittskarten :

Spanien : Nordwesten **441**, *Norden* **442**, *Nordosten* **443**, *Zentralspanien* **444**,
         Zentral- und Ostspanien **445**, *Süden* **446**,
         Kanarische Inseln **451**.
Portugal **437**.

Die auf diesen Karten rot unterstrichenen Orte sind im vorliegenden Führer erwähnt.
Für die gesamte Iberische Halbinsel benutzen Sie die **Michelin-Karte** **990**
im Maßstab 1 : 1 000 000.

JEREZ DE LA FRONTERA 11400 Cádiz 446 V 11 – 176 238 h. alt. 55 – ☺ 956 – Plaza de toros.

Ver : Bodegas★ AZ – Iglesia de Santiago (portada★) AY.

🛫 de Jerez, por la carretera N IV ① : 11 km ℰ 33 22 10 – Iberia : pl. Reyes Católicos 2 ℰ 33 99 08 BZ y Aviaco, aeropuerto ℰ 34 88 97.

◆Madrid 613 ② – Antequera 176 ② – ◆Cádiz 35 ③ – Écija 155 ② – Ronda 116 ② – ◆Sevilla 90 ①.

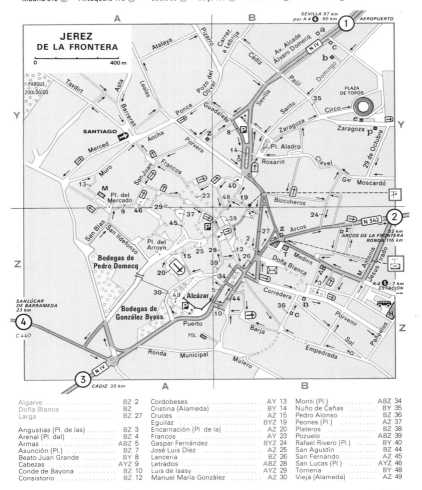

🏨 **Jerez,** av. Alcalde Álvaro Domecq 35, ☒ 11405, ℰ 30 06 00, Telex 75059, Fax 30 50 01, « Jardín con ⌇ », ⚒ – ⧈ ▤ 🅣🅥 ☎ 🅟 – 🔏. 🅐🅔 ⓞ 🆅🅸🆂🅰 ⚘ por ① Com 3150 – ☑ 1050 – **121 hab** 11300/15800 – P 14100/17500.

🏨 **Royal Sherry Park,** av. Alcalde Álvaro Domecq 11 Bis, ☒ 11405, ℰ 30 30 11, Telex 75001, Fax 31 13 00, ☕, « Jardín con ⌇ » – ⧈ ▤ 🅣🅥 🅟 – 🔏. 🅐🅔 ⓞ 🅴 🆅🅸🆂🅰 ⚘ BY **a** Com 2250 – ☑ 1000 – **173 hab** 12000/15000.

🏨 **Avenida Jerez** sin rest, con cafetería, av. Alcalde Álvaro Domecq 10, ☒ 11405, ℰ 34 74 11, Telex 75157 – ⧈ ▤ 🅣🅥 ☎ ⟺ 🅐🅔 ⓞ 🅴 🆅🅸🆂🅰 ⚘ BY **c** ☑ 500 – **95 hab** 5900/8500.

🏨 **Capele,** Corredera 58, ☒ 11402, ℰ 34 64 00, Telex 75032 – ⧈ ▤ hab 🅣🅥 ⟐ BZ **n** **30 hab**.

sigue →

247

🏠 **El Coloso** sin rest y sin ⌷, Pedro Alonso 13, ⌧ 11402, ℘ 34 90 08 – 🍽 📾. ⌷⌷ ⓞ 🅴 𝑉𝐼𝑆𝐴
34 hab 2300/3850.
BZ **c**

🏠 **Ávila** sin rest, Ávila 3, ⌧ 11401, ℘ 33 48 08 – 🍽 📾. 🅴 𝑉𝐼𝑆𝐴. ⅋
⌷ 300 – **30 hab** 3000/4700.
BZ **r**

🏠 **Joma** sin rest y sin ⌷, Medina 28, ⌧ 11402, ℘ 34 96 89 – 🛗 🍽 ☎. ⌷⌷ ⓞ 🅴 𝑉𝐼𝑆𝐴. ⅋
29 hab 2800/4900.
BZ **v**

🏠 **Virt** sin rest y sin ⌷, Higueras 20, ⌧ 11402, ℘ 32 28 11 – 🍽 📾. ⌷⌷ ⓞ 🅴 𝑉𝐼𝑆𝐴. ⅋
20 hab 2800/4900.
BZ **v**

✗✗✗ El Bosque, av. Alcalde Álvaro Domecq 26 por ①, ⌧ 11405, ℘ 30 33 33, 🌲, « Junto a un
parque » – 🍽
por ①

✗✗ **La Mesa Redonda,** Manuel de la Quintana 3, ⌧ 11405, ℘ 30 22 22 – 🍽 ⌷⌷ 🅴 𝑉𝐼𝑆𝐴. ⅋
cerrado domingo, festivos y 30 julio-5 septiembre – Com carta 2150 a 2550.
BY **b**

✗✗ El Buen Comer, Zaragoza 38, ⌧ 11405, ℘ 32 33 59 – 🍽
BY **p**

✗✗ **Tendido 6,** Circo 10, ⌧ 11405, ℘ 34 48 35, Patio andaluz – 🍽. ⌷⌷ ⓞ 🅴 𝑉𝐼𝑆𝐴. ⅋
cerrado domingo – Com carta 2250 a 3000.
BY **e**

✗ **Gaitán,** Gaitán 3, ⌧ 11403, ℘ 34 58 59, Decoración regional – 🍽. ⌷⌷ ⓞ 🅴 𝑉𝐼𝑆𝐴. ⅋
cerrado domingo noche – Com carta 1710 a 2290.
AY **z**

✗ El Colmado, Arcos 1, ⌧ 11404, ℘ 33 76 74 – 🍽
BZ **z**

en la carretera N 342 por ② : 10,5 km – ⌧ 11400 Jerez de la Frontera – ⚙ 956 :

✗✗ **Mesón La Cueva,** frente al circuito de velocidad permanente, ⌧ apartado 536, ℘ 32 16 20,
🌲, ⌱. – 🍽 ⓟ. ⌷⌷ ⓞ 𝑉𝐼𝑆𝐴 ⅋
cerrado lunes – Com carta 1650 a 2700.

en la carretera de Sanlúcar de Barrameda por ④ : 6 km – ⌧ 11408 Jerez de la Frontera –
⚙ 956 :

✗✗ **Venta Antonio,** ⌧ apartado 618, ℘ 33 05 35, 🌲, Pescados y mariscos – 🍽 ⓟ. ⌷⌷ ⓞ 🅴
𝑉𝐼𝑆𝐴. ⅋
cerrado lunes en invierno – Com carta 1850 a 2550.

ALFA-ROMEO   av. de Sanlúcar, naves 1 y 2 ℘
33 06 05
AUSTIN-ROVER-MG carret. de Sanlúcar km 0,05 ℘
32 08 00
CITROEN   carret. Madrid-Cádiz (Alcubilla) ℘ 34 44 01
FIAT-LANCIA   carret. N IV km 634 - Polígono Indus-
trial Santa Cruz ℘ 30 00 69
FORD   carret. Madrid-Cádiz km 634,8 ℘ 30 52 00
GENERAL MOTORS   carret. Madrid-Cádiz km 635 ℘
30 37 11

MERCEDES-BENZ Alcubilla ℘ 34 92 00
PEUGEOT-TALBOT   carret. de Cádiz - Alcubilla ℘
34 90 00
PEUGEOT-TALBOT   Ronda de Mulero 12 ℘ 34 46 63
RENAULT   carret. Madrid-Cádiz km 634 ℘ 30 74 86
SEAT-AUDI-VOLKSWAGEN   carret. de Madrid-Cádiz
km 635 ℘ 30 63 00

JESÚS Baleares – ver Baleares (Ibiza).

La JONQUERA 17700 Gerona 🆃🆃🆃 E 38 – ver La Junquera.

JUBIA o **XUBIA** 15570 La Coruña 🆃🆃🆃 B 5 – ⚙ 981 – Playa.
◆Madrid 601 – ◆La Coruña 64 – Ferrol 8 – Lugo 97.

✗✗ Casa Tomás, carret. N VI ℘ 38 02 40, ◁, Pescados y mariscos – ⓟ.

✗✗ **Casa Paco,** carret. N VI ℘ 38 02 30 – ⓟ. ⌷⌷ 𝑉𝐼𝑆𝐴. ⅋
Com carta 1475 a 2450.

La JUNQUERA o **La JONQUERA** 17700 Gerona 🆃🆃🆃 E 38 – 2 420 h. alt. 112 – ⚙ 972 – ver
aduanas p. 14 y 15.
🅵 autopista A17 - área La Porta Catalana ℘ 54 06 42.
◆Madrid 762 – Figueras/Figueres 21 – Gerona/Girona 55 – ◆Perpignan 36.

🏠🏠 **Puerta de España,** carret. N II - 68 ℘ 54 01 20, ◁ – 🍽 rest 📾 ⓟ. 𝑉𝐼𝑆𝐴. ⅋ rest
cerrado domingo en invierno – Com 1350 – ⌷ 425 – **20 hab** 3550/5450 – P 5375/6200.

✗ **Ca l'Agustí,** carret. N II ℘ 54 06 52, Decoración rústica – ⓟ. ⌷⌷ ⓞ 🅴 𝑉𝐼𝑆𝐴
cerrado domingo noche, lunes excepto festivos y 30 enero-febrero – Com carta 2175 a 3650.

en la autopista A 7 : S : 2 km – ⌧ 17700 La Junquera – ⚙ 972 :

🏠🏠 **Porta Catalana,** ℘ 54 06 40 – 🛗 🍽 ☎. ⌷⌷ ⓞ 𝑉𝐼𝑆𝐴. ⅋
Com 2650 – ⌷ 575 – **81 hab** 7700/11000.

en la carretera N II S : 5 km – ⚙ 972 :

🏠🏠 **Mercé Park H.,** ⌧ apartado 100 Figueras, ℘ 54 90 38, ◁, 🌲 – 🛗 📾 ⓟ. ⌷⌷ ⓞ 𝑉𝐼𝑆𝐴
Com 1250 – ⌷ 465 – **48 hab** 4900/7000 – P 6020/7420.

CITROEN   urb. Horta d'en Geli ℘ 54 02 95

SEAT-AUDI-VOLKSWAGEN   carret. N II km 780
℘ 54 06 47

LAGUARDIA 01300 Álava 442 E 22 – 1 667 h. – ☎ 94.
♦Madrid 348 – ♦Logroño 17 – ♦Vitoria 66.

XX **Marixa** con hab, Sancho Abarca 8 ☎ 10 01 65, ≤ – ▤ rest TV ☎. AE ① E VISA. ⅋
cerrado 23 diciembre-enero – Com carta 1825 a 2950 – ☕ 490 – **10 hab** 2900/3950 – P 4950/5500.

La LAGUNA Santa Cruz de Tenerife – ver Canarias (Tenerife).

Las LAGUNAS Ciudad Real 444 P 21 – ver Ruidera.

La LAJITA Las Palmas – ver Canarias (Fuenteventura).

LANJARÓN 18420 Granada 446 V 19 – 4 094 h. alt. 720 – ☎ 958 – Balneario.
Ver : Emplazamiento★.
♦Madrid 475 – ♦Almería 157 – ♦Granada 46 – ♦Málaga 140.

Miramar, av. Generalísimo 10 ☎ 77 01 61, ⛱ – |‡| ▤ ☎ 🚗
60 hab.

Paraíso, av. Generalísimo 18 ☎ 77 00 12 – |‡| ▤ rest ☎ 🚗. AE ① E VISA. ⅋ rest
Com 1140 – ☕ 240 – **49 hab** 1975/3750 – P 4020/4120.

Royal, av. de Andalucía 36 ☎ 77 00 08 – |‡|. VISA. ⅋
Com 950 – ☕ 180 – **28 hab** 1250/2200 – P 2750/3000.

La LANZADA (Playa de) Pontevedra – ver Sangenjo.

LANZAROTE Las Palmas – ver Canarias.

LAREDO 39770 Cantabria 442 B 19 – 12 278 h. – ☎ 942 – Playa.
Alred. : Santuario★ de Nuestra Señora la Bien Aparecida ※★ SO : 18 km – Cuevas de Covalanas (paraje★) S : 23 km.
ℹ Alameda de Miramar ☎ 60 54 92.
♦Madrid 427 – ♦Bilbao 58 – ♦Burgos 184 – ♦Santander 49.

Ramona, alameda José Antonio 4 ☎ 60 71 89 – ⅋ rest
cerrado noviembre – Com 1200 – ☕ 210 – **13 hab** 2100/4000 – P 4100/5000.

Salmón, Menéndez Pelayo 11 - 1° piso ☎ 60 50 81
17 hab.

XX **Mesón del Marinero,** Zamanillo 6 ☎ 60 60 08, 🍽 – ▤. AE ① E VISA. ⅋
Com carta 2700 a 3700.

X Mesón Sancho, Santa María 12 ☎ 60 70 88, Decoración rústica.

en el barrio de la playa

El Ancla 🐦 sin rest, González Gallego 10 ☎ 60 55 00, « Amplia terraza con césped y árboles » – ☎. ① E VISA
☕ 495 – **25 hab** 5600/8450.

Cosmopol, av. Victoria 27 ☎ 60 54 00, ≤, 🍽, ⛱ – |‡| ☎ Ⓟ
60 hab.

El Cortijo 🐦, González Gallego 3 ☎ 60 56 00 – ☎. AE. ⅋ rest
julio-15 septiembre – Com 1500 – ☕ 300 – **21 hab** 2700/5300.

en la antigua carretera de Bilbao – ✉ 39770 Laredo – ☎ 942 :

XX **Risco** 🐦 con hab, Alto de Laredo S : 1 km, ✉ 39770, ☎ 60 50 30, ≤ Laredo y bahía – ☎ Ⓟ. AE ① E VISA
Com carta 2600 a 4200 – ☕ 500 – **25 hab** 4550/7300 – P 8110/9010.

RENAULT carret. General (La Pesquera) ☎ 60 55 62

LARRABASTERRA Vizcaya 442 B 21 – ver Sopelana.

Per viaggiare in Europa, utilizzate :
Le carte Michelin **Le Grandi Strade ;**
Le carte Michelin dettagliate ;
Le guide Rosse Michelin *(alberghi e ristoranti) :*
Benelux, Deutschland, España Portugal, main cities **Europe, France, Great Britain and Ireland, Italia.**
Le guide Verdi Michelin *che descrivono le curiosità e gli itinerari di visita :* musei, monumenti, percorsi turistici interessanti.

LASARTE 20160 Guipúzcoa 👁️👁️ C 23 – alt. 42 – ✿ 943 – Hipódromo.
◆Madrid 491 – ◆Bilbao 98 – ◆San Sebastián/Donostia 9 – Tolosa 22.

🏨 **Txartel**, antigua carret. N I 🖉 36 23 40 – 📶 📺 ☎ ⇔ 🅿 **E** 💳 . 🍴
Com (ver Rest. **Txartel Txoko**) – 🍽 350 – **61 hab** 4000/6000.

🏠 Ibiltze, sin rest, Arrate 2 - polígono Sasoeta 🖉 36 56 44 – 🖼️
20 hab.

✗ **Txartel Txoko,** antigua carret. N I 🖉 37 01 92 – 🗐 🅿 . **E** 💳 . 🍴
Com carta 1950 a 2875.

CITROEN carretera General 🖉 37 27 11
PEUGEOT-TALBOT carretera General 🖉 37 18.36
RENAULT Iñigo de Loyola 11 🖉 36 15 07

SEAT-AUDI-VOLKSWAGEN San Miguel 14 🖉 36 24 74

LASTRES 33330 Asturias 👁️👁️ B 14 – ✿ 985 – Puerto pesquero.
◆Madrid 497 – Gijón 46 – ◆Oviedo 62.

🏛️ **Miramar** sin rest, bajada al puerto 🖉 85 01 20, ≤ – 🍴
🍽 250 – **17 hab** 1700/3000.

✗ Eutimio, carret. del puerto 🖉 85 00 12, ≤, Pescados y mariscos.

✗ **El Cafetín,** Matemático Pedrayes 🖉 85 00 85, 🍽 – 🕮 ⓞ **E** 💳
cerrado octubre – Com carta 1700 a 2350.

SEAT-AUDI-VOLKSWAGEN carret. de Lastres 🖉 85 62 24

LEGUTIANO Álava 👁️👁️ D 22 – ver Villarreal de Álava.

LEIZA 31880 Navarra 👁️👁️ C 24 – 3 240 h. alt. 450 – ✿ 948.
Alred. : Santuario de San Miguel in Excelsis★ (iglesia : frontal de altar★★) SO : 28 km.
◆Madrid 446 – ◆Pamplona 51 – ◆San Sebastián/Donostia 47.

en el puerto de Usateguieta E : 5 km – alt. 695 – 🖂 31880 Leiza – ✿ 948 :

🏠 **Basa-Kabi** 🍴, alt. 695 🖉 51 01 25, ≤, 🛝 – 🗐 rest 🖼 🅿 . **E** 💳 . 🍴
Com 1275 – 🍽 350 – **24 hab** 2100/3750 – P 4250/4565.

CITROEN Manuel Lasarte 6 🖉 51 04 90
RENAULT Elgoyen 15 🖉 51 02 59

LEKEITIO Vizcaya 👁️👁️ B 22 – ver Lequeitio.

LEÓN 24000 🅿 👁️👁️ E 13 – 131 134 h. alt. 822 – ✿ 987 – Plaza de toros.
Ver : Catedral★★★ BY (claustro★★, vidrieras★★, trascoro★, retablo del altar mayor : Deposición del Cuerpo de Cristo★) – San Isidoro★ BY (panteón real★ y tesoro★ : frescos★★, capiteles★, cáliz de Doña Urraca★) – Antiguo Monasterio de San Marcos AY (fachada★★, museo Arqueológico★ : Cristo de Carrizo★★★, sacristía★).
Alred. : Virgen del Camino (fachada★) 5 km por ④.
Excurs. : Cuevas de Valporquero★★ N : 42 km.
🛈 pl. de Regla 4. 🖂 24003, 🖉 23 70 82 – R.A.C.E. General Sanjurjo 40. 🖂 24001, 🖉 24 71 22.
◆Madrid 327 ② – ◆Burgos 192 ② – ◆La Coruña 325 ④ – ◆Salamanca 197 ③ – ◆Valladolid 139 ② – ◆Vigo 367 ④.

Plano página siguiente

🏰 **Parador San Marcos,** pl. San Marcos 7, 🖂 24001, 🖉 23 73 00, Telex 89809, Fax 23 34 58,
« Lujosa instalación en un magnífico monasterio del siglo XVI », 🍴 – 📶 🗐 rest ☎ 🅿 – 🏛️ .
🕮 ⓞ **E** 💳 . 🍴
Com 2700 – 🍽 800 – **253 hab** 9200/11500.   AY

🏨 **Conde Luna y Rest. Mesón,** Independencia 7, 🖂 24003, 🖉 20 65 12, Telex 89888, 🔲 – 📶
🗐 rest ☎ ⇔ – 🏛️ . 🕮 ⓞ **E** 💳 . 🍴
Com 1200 – 🍽 500 – **150 hab** 4600/8300.   BZ **e**

🏨 **Quindós,** av. José Antonio 24, 🖂 24002, 🖉 23 62 00 – 📶 📺 ☎ . 🕮 ⓞ **E** 💳 . 🍴 rest   AY **f**
Com *(cerrado domingo)* 1300 – 🍽 350 – **96 hab** 3600/5400 – P 5300/6200.

🏨 **Riosol,** av. de Palencia 3, 🖂 24001, 🖉 22 36 50 – 📶 ☎ – 🏛️ . 🕮 ⓞ **E** 💳 . 🍴   AZ **s**
Com 1350 – 🍽 350 – **141 hab** 3600/5400.

🏠 **Don Suero,** Suero de Quiñones 15, 🖂 24002, 🖉 23 06 00 – 📶 ☎ ⇔ . 🍴   AY **c**
Com 800 – 🍽 240 – **106 hab** 1800/2750.

🏛️ **Guzmán El Bueno** sin rest, López Castrillón 6, 🖂 24003, 🖉 23 64 12 – 🖼 . 🕮 ⓞ **E** 💳 . 🍴
🍽 175 – **29 hab** 1800/3000.   BY **z**

✗✗✗ **Independencia,** Independencia 4, 🖂 24001, 🖉 25 47 52 – 🗐 . **E** 💳 . 🍴   BZ **b**
cerrado lunes – Com carta 2045 a 2245.

✗✗ **Adonías,** Santa Nonia 16, 🖂 24003, 🖉 20 67 68 – 🗐 . 🕮 ⓞ **E** 💳 . 🍴   BZ **s**
cerrado domingo y 15 julio-15 agosto – Com carta 1650 a 3650.

✗✗ Bitácora, García I - 8, 🖂 24003, 🖉 21 27 58, Pescados y mariscos, Decoración interior de un
barco – 🗐   BZ **y**

✗✗ Patricio, Condesa de Sagasta 24, 🖂 24001, 🖉 24 16 51 – 🗐   AY **a**

✗✗ Patricio, Arco de Ánimas 1 - 1° piso, 🖂 24003, 🖉 25 53 06 – 🗐   BZ **v**

250

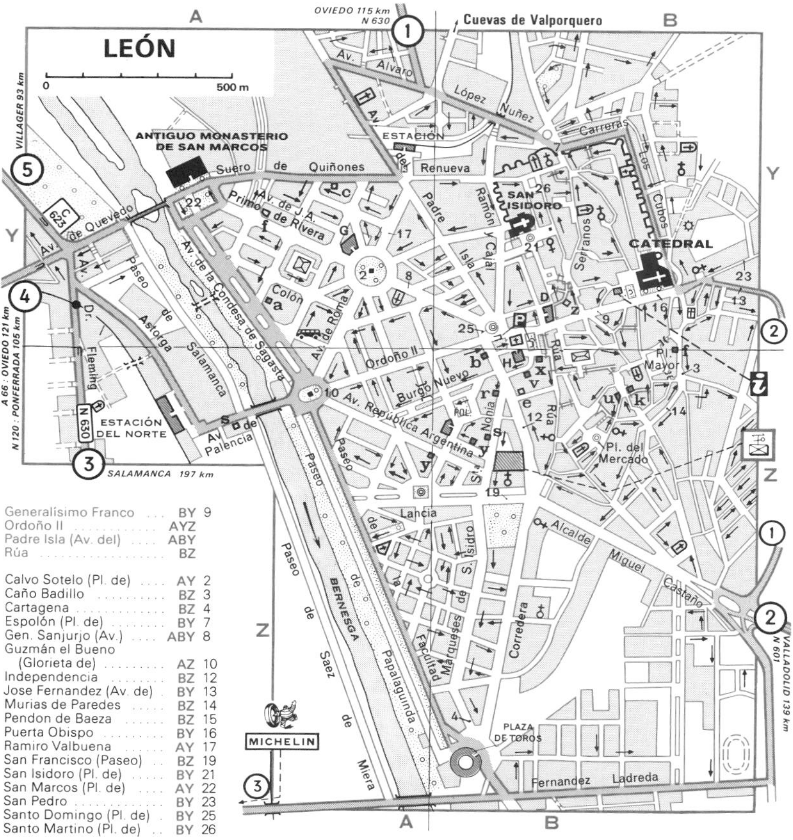
LEÓN
0
500 m
OVIEDO 115 km
N 630
Cuevas de Valporquero
VILLAGER 93 km
A 66 : OVIEDO 121 km
N 120 : PONFERRADA 105 km
SALAMANCA 197 km
VALLADOLID 139 km
N 601
ANTIGUO MONASTERIO
DE SAN MARCOS
ESTACIÓN
ESTACIÓN
DEL NORTE
SAN
ISIDORO
CATEDRAL
PLAZA
DE TOROS
Av. Alvaro López Nuñez
Carreras
Renueva
Suero de Quiñones
Av. de Quevedo
Av. de J. A. Primo de Rivera
Padre Isla
Ramón y Cajal
Serranos
Los Cubos
Av. de la Condesa de Sagasta
Paseo de Salamanca
Paseo de Astorga
Dr. Fleming
Colón
Av. de Roma
Ordoño II
Burgo Nuevo
Av. República Argentina
Av. de Palencia
Rúa
Pl. Mayor
Pl. del Mercado
Sta. Nonia
Lancia
S. Isidro
Alcalde Miguel Castaño
Paseo de la Facultad
Marqueses
Corredera
Paseo de Saenz de Miera
Paseo de Papalaguinda
BERNESGA
Fernandez Ladreda
MICHELIN

Generalísimo Franco	BY	9
Ordoño II	AYZ	
Padre Isla (Av. del)	ABY	
Rúa	BZ	
Calvo Sotelo (Pl. de)	AY	2
Caño Badillo	BZ	3
Cartagena	BZ	4
Espolón (Pl. de)	BY	7
Gen. Sanjurjo (Av.)	ABY	8
Guzmán el Bueno (Glorieta de)	AZ	10
Independencia	BZ	12
Jose Fernandez (Av. de)	BY	13
Murias de Paredes	BZ	14
Pendon de Baeza	BZ	15
Puerta Obispo	BY	16
Ramiro Valbuena	AY	17
San Francisco (Paseo)	BZ	19
San Isidoro (Pl. de)	BY	21
San Marcos (Pl. de)	AY	22
San Pedro	BY	23
Santo Domingo (Pl. de)	BY	25
Santo Martino (Pl. de)	BY	26

✗ **Casa Pozo,** pl. San Marcelo 15, ✉ 24003, ✆ 22 30 39 – ▤. AE ◑ E VISA. ✗ — BZ **x**
cerrado domingo y del 1 al 15 julio – Com carta 1900 a 2850.

✗ **Mesón Leonés del Racimo de Oro,** Caño Vadillo 2, ✉ 24006, ✆ 25 75 75, ⛱, Decoración rústica – AE E VISA. ✗ — BYZ **f**
cerrado domingo noche y martes – Com carta 1650 a 3000.

✗ Nuevo Racimo de Oro, pl. San Martín 8, ✉ 24003, ✆ 21 47 67, Decoración castellana – ▤ — BZ **u**

✗ Mesón San Martín, pl. San Martín 8, ✉ 24003, ✆ 25 60 55, Decoración rústica — BZ **k**

✗ **Emperador** con hab, Santa Nonia 2, ✉ 24003, ✆ 20 54 60 – VISA. ✗ — BZ **r**
cerrado domingo en verano, martes fuera de temporada y octubre – Com carta 1025 a 1425 – ☕ 130 – **9 hab** 1100/2000.

en Virgen del Camino - en la carretera N 120 por ④ : 6 km – ✉ 24198 Virgen del Camino – ☎ 987 :

✗✗ **Las Redes,** ✆ 30 01 64, Pescados y mariscos – ▤. AE E VISA. ✗ — BZ **r**
cerrado domingo noche, lunes y del 1 al 15 julio – Com carta 1750 a 2350.

en San Andrés del Rabanedo por ⑤ : 4,5 km – ✉ 24191 San Andrés del Rabanedo – ☎ 987 :

✗ **Casa Teo,** ✆ 22 30 05, ⛱ – ✗
cerrado domingo noche, lunes y marzo – Com carta 1450 a 2500.

S.A.F.E. Neumáticos MICHELIN, Sucursal, carret. de Alfageme, ✉ 24010, Edificio Leonesa de Piensos, ✉ 24010 AZ ✆ **23 43 16 y 22 39 62**

sigue ⟶

LEÓN

ALFA ROMEO Lope de Vega 11 *&* 24 16 04
AUSTIN-MG-MORRIS-MINI Parroco Pablo Diez
146-148 *&* 22 95 18
BMW Lucas de Tuy 19 *&* 22 54 00
CITROEN carret. de Madrid 85 *&* 21 48 00
FIAT carret. Alfageme *&* 24 56 51
FORD av. Antibióticos 45 *&* 20 41 12

GENERAL MOTORS av. Padre Isla 23 *&* 22 43 00
MERCEDES-BENZ carret. León-Astorga km 4 *&* 23 99 09
PEUGEOT-TALBOT av. de Madrid 107 *&* 20 18 00
RENAULT av. de Madrid 116 *&* 20 91 12
SEAT-AUDI-VOLKSWAGEN Circunvalación *&* 20 57 12

LEPE 21440 Huelva **446** U 8 – 13 669 h. alt. 28 – ⚙ 955.

♦Madrid 657 – Faro 72 – Huelva 41 – ♦Sevilla 121.

🏠 **La Noria,** av. Diputación *&* 38 04 25 – 🅿. *VISA*. 🛇
 Com 750 – **18 hab** 2500/4000.

CITROEN Rábida 44 *&* 38 01 14
PEUGEOT-TALBOT carret. Huelva-Ayamonte km 683 *&* 38 09 81

SEAT-AUDI-VOLKSWAGEN carret. de circunvalación km 682,9 *&* 38 01 19

LEQUEITIO o **LEKEITIO** 48280 Vizcaya **442** B 22 – 6 874 h. – ⚙ 94.

Ver : Iglesia (retablo★).

Alred. : Carretera en cornisa★ de Lequeitio a Deva ≤★.

♦Madrid 452 – ♦Bilbao 59 – ♦San Sebastián/Donostia 61 – ♦Vitoria/Gasteiz 82.

🏠 **Beitia,** av. Pascual Abaroa 25 *&* 684 01 11, 🌤 – 🌤 🐸. 🆑 *VISA*. 🛇
 3 abril-15 octubre – Com 1150 – 🍽 420 – **30 hab** 2900/5100 – P 5075/7275.

✗ Egaña, Santa Catalina 4 *&* 684 01 03.

en la carretera de Marquina S : 1 km – ✉ 48280 Lequeitio – ⚙ 94 :

✗ **Arropain,** *&* 684 03 13, Decoración rústica – 🅿. 🆑 🅾 🅴 *VISA*. 🛇
 cerrado miércoles y 15 diciembre-15 enero – Com carta 2275 a 3625.

RENAULT Buenaventura Zapirain *&* 684 15 06

SEAT-AUDI-VOLKSWAGEN Sabino Arana 10 *&* 684 14 09

LÉRIDA o **LLEIDA** 25000 🅿 **443** H 31 – 109 573 h. alt. 151 – ⚙ 973.

Ver : Seo antigua (Seu Vella) (claustro : decoración de los capiteles y de los frisos★, iglesia : capiteles★★) Y.

🅱 Arc del Pont, ✉ 25007, *&* 24 81 20 – R.A.C.C. av. del Segre 6, ✉ 25007, *&* 24 12 45.

♦Madrid 470 ⑤ – ♦Barcelona 169 ⑤ – Huesca 123 ④ – ♦Pamplona 314 ⑤ – ♦Perpignan 340 ⑤ – Tarbes 276 ① – Tarragona 97 ⑤ – Toulouse 323 ① – ♦Valencia 350 ⑤ – ♦Zaragoza 150 ⑤.

Plano página siguiente

🏨 **Pirineos** sin rest, con cafetería, Gran passeig de Ronda 63, ✉ 25006, *&* 27 31 99, Telex 53484, Fax 26 20 43 – 🌤 🈳 📺 ☎ 🚗 – 🔬. 🆑 🅾 🅴 *VISA*   Y **c**
 🍽 500 – **94 hab** 4900/6200.

🏨 **Sansi Park H.,** av. Alcalde Porqueras 4, ✉ 25008, *&* 24 40 00 – 🌤 🈳 📺 ☎ 🚗. 🆑 🅾 🅴 *VISA*. 🛇 rest   Y **a**
 Com 1500 – 🍽 400 – **102 hab** 3700/5350.

🏨 **Royal** sin rest, Blondel 22, ✉ 25002, *&* 23 94 05 – 🌤 🈳 📺 ☎ – 🔬. 🆑 🅴 *VISA*   Z **d**
 🍽 325 – **41 hab** 3000/5100.

🏨 **Segrià,** II passeig de Ronda 23, ✉ 25004, *&* 23 89 89 – 🌤 🈳 📺 ☎ 🚗   Y **h**
 49 hab.

🏠 **Principal** sin rest, pl. Paheria 8, ✉ 25007, *&* 23 08 00, Fax 23 08 03 – 🌤 🐸. *VISA*   Z **n**
 🍽 350 – **52 hab** 2300/3600.

🏠 **Ramón Berenguer IV** sin rest, pl. Ramón Berenguer IV-2, ✉ 25007, *&* 23 73 45 – 🌤 🐸. 🆑 🅾 🅴 *VISA*   Y **z**
 🍽 270 – **60 hab** 1450/3000.

XXX **Sheyton Pub,** av. Prat de la Riba 37 - 1° piso, ✉ 25008, *&* 23 81 97, « Interior de estilo inglés » – 🈳. 🆑 🅾 🅴 *VISA*   Y **f**
 cerrado del 1 al 14 julio – Com carta 2300 a 2700.

XXX ⚙ **La Mercé,** av. Navarra 1, ✉ 25006, *&* 24 84 41, 🌤 – 🈳. 🆑 🅾 🅴 *VISA*. 🛇   Y **e**
 cerrado miércoles y 25 agosto-15 septiembre – Com carta 2300 a 4000.
 Espec. Steak tartaro de trucha, Cabrito asado al horno de leña a la antigua usanza, Mousse de escalivada con caviar de berenjenas y arenques adobados.

XX **Forn del Nastasi,** Salmerón 10, ✉ 25004, *&* 23 45 10 – 🈳. 🆑 🅾 🅴 *VISA*. 🛇   Y **s**
 cerrado domingo noche, lunes y del 1 al 15 agosto – Com carta 1900 a 3100.

XX **El Pati de Noguerola,** pl. Noguerola 5, ✉ 25007, *&* 23 74 32, 🌤 – 🈳. 🆑 🅾 *VISA*. 🛇   Y **r**
 cerrado domingo, miércoles noche y agosto – Com carta 1750 a 3450.

XX **L'Antull,** Cristóbal de Boleda 1, ✉ 25006, *&* 26 96 36 – 🈳. 🅾 🅴 *VISA*. 🛇   Y **v**
 cerrado jueves – Com carta 2250 a 3000.

✗ **San Bernardo,** Saracíbar 2 - 1° piso, estación de autobuses, ⊠ 25002, 🖉 27 10 31 – 🗏 🖭 ⓪ 🗲 𝐕𝐼𝐒𝐀 ✄
Z b
cerrado Navidad – Com carta 1950 a 3450.

✗ **Callarriba,** Cami Mariola 9A, ⊠ 25003, 🖉 26 19 00, 🍽, Cocina tipica – 🗏 🅿. 🖭 ⓪ 🗲 𝐕𝐼𝐒𝐀 ✄
por Pío XII YZ
cerrado jueves – Com carta 2100 a 3000.

✗ **La Huerta,** av. Tortosa 9, ⊠ 25005, 🖉 24 24 13 – 🗏 🖭 ⓪ 🗲 𝐕𝐼𝐒𝐀 ✄
cerrado Navidad – Com carta 1850 a 3400.
por av. del Segre Y

✗ **Casa Luis,** pl. Berenguer IV - 8, ⊠ 25007, 🖉 24 00 26 – 🗏 🗲 𝐕𝐼𝐒𝐀 ✄
Y b
cerrado lunes y 15 noviembre-10 diciembre – Com carta 1750 a 2200.

✗ **Xalet Suis,** Alcalde Rovira Roure 9, ⊠ 25006, 🖉 23 55 67 – 🗏 🖭 ⓪ 🗲 𝐕𝐼𝐒𝐀 ✄
Y x
cerrado Navidades – Com carta 2290 a 2870.

en la carretera de Barcelona N II por ② – ⊠ 25001 Lleida – ✆ 973 :

🏨 **Condes de Urgel y Rest. El Sauce,** por ② : 1 km, ⊠ 25001, 🖉 20 23 00 – 🛗 🗏 📺 ☎ 🅿 – 🔬. 🖭 ⓪ 🗲 𝐕𝐼𝐒𝐀 ✄
Com carta 1650 a 2675 – ☲ 550 – **105 hab** 4200/5900.

🏨 **Ilerda,** por ② : 1,5 km, ⊠ 25001, 🖉 20 07 50, Telex 57506 – 🛗 🗏 📺 ☎ ⇔ 🅿 – 🔬 **106 hab**.

en la carretera de Huesca N 240 por ④ : 3 km – ⊠ 25000 Lleida – ✆ 973 :

✗✗ **Fonda del Nastasi,** 🖉 24 92 22, 🍽 – 🗏 🅿. 🖭 ⓪ 🗲 𝐕𝐼𝐒𝐀 ✄
cerrado domingo noche, lunes y del 1 al 15 agosto – Com carta 1750 a 3000.

en la autopista A2 S : 10 km – ⊠ 25000 Lleida – ✆ 973 :

🏨 **Lleida** Ⓜ sin rest, área de Lérida 🖉 11 60 23, Telex 54136 – 🛗 🗏 📺 ☎ ⇔ 🅿 – 🔬. 🖭 ⓪ 🗲 𝐕𝐼𝐒𝐀
☲ 500 – **75 hab** 4950/5975.

253

en Vilanova de la Barca - carretera de Puigcerdá C 1313 por ② : 10,5 km – ✉ 25690
Vilanova de la Barca – 🏭 973 :

XX ❀ **Molí de la Nora,** 🕿 19 00 17, 🍴, Pescados y mariscos – 🗏 🄿. 🖭 🕦 E 𝑉𝐼𝑆𝐴. ⚘
   cerrado domingo noche, lunes y 22 diciembre-24 enero – Com carta 4400 a 5050
   Espec. Ensalada Moli, Lubina al horno, Rueda Moli.

ALFA ROMEO av. Valencia 24 🕿 20 58 99
ALFA-ROMEO Príncipe de Viana 51 🕿 23 31 51
AUSTIN-MG-MORRIS-MINI General Brito 3 🕿 23 71 55
AUSTIN-ROVER carret. Huesca 68 🕿 24 34 00
BMW Dr. Fleming 51 🕿 26 89 99
CITROEN av. Garrigas 40 🕿 20 19 36
FORD av. Garrigas 68 🕿 20 28 63
GENERAL MOTORS av. Barcelona 17 🕿 20 08 50
LANCIA av. Garrigas 15 🕿 20 54 20
MERCEDES Santa Cecilia 22 🕿 20 02 12

PEUGEOT-TALBOT carret. de Zaragoza km 463 🕿 26 13 00
RENAULT carret. N II km 467,3 🕿 20 48 00
RENAULT Unió 1 🕿 26 12 11
SEAT-AUDI-VOLKSWAGEN av. de Madrid 50 🕿 26 80 68
SEAT-AUDI-VOLKSWAGEN av. Ejército 44 🕿 26 16 11
SEAT-AUDI-VOLKSWAGEN av. Garrigas 🕿 20 37 43
VOLVO Alcalde Sol 13 🕿 26 62 39

LERMA 09340 Burgos 🏭🄸🄸 F 18 – 2 591 h. alt. 844 – 🏭 947 – Plaza de toros.

◆Madrid 206 – ◆Burgos 37 – Palencia 72.

🏨 **Alisa,** carret. N I 🕿 17 02 75, 🍴 – 🕿 ⟲ 🄿. E 𝑉𝐼𝑆𝐴. ⚘
   Com 1500 – ⊡ 250 – **26 hab** 2500/4200 – P 4860/5260.

X **Lis-2,** carret. N I 🕿 17 01 75 – 🗏. 🖭 🕦 E 𝑉𝐼𝑆𝐴. ⚘
   cerrado jueves mediodía – Com carta 1500 a 2925.

CITROEN carret. N I km 203 🕿 17 00 62
FORD carret. N I km 200 🕿 17 00 29

PEUGEOT-TALBOT carret. N I km 203 🕿 17 00 85
RENAULT carret. N I km 203 🕿 17 00 89

LES 25540 Lérida 🏭🄸🄸 D 32 – 559 h. alt. 630 – 🏭 973 – ver aduanas p. 14 y 15.

◆Madrid 616 – Bagnères-de-Luchon 23 – ◆Lérida/Lleida 184.

🏨 **Del Ysard,** San Jaime 20 🕿 64 80 00, ⇐ – 📧 ⬓
   cerrado 10 enero-marzo – Com 1300 – ⊡ 300 – **35 hab** 2900/3500 – P 3750/4500.

🏠 **Europa,** bajada de San Jaime 8 🕿 64 80 16 – E 𝑉𝐼𝑆𝐴
   cerrado noviembre – Com 1000 – ⊡ 300 – **39 hab** 1200/2700 – P 2800/2950.

🏠 **Talabart,** Baños 1 🕿 64 80 11 – 🄿
   30 hab.

LEVANTE (Playa de) Valencia – ver Valencia.

LEYRE (Monasterio de) 31410 Navarra 🏭🄸🄸 E 26 – alt. 750 – 🏭 948.

Ver : ❋** – Monasterio** (cripta**, iglesia*, portada oeste*).

◆Madrid 419 – Jaca 68 – ◆Pamplona 51.

🏨 Hospedería ⚘, 🕿 88 41 00 – 🗏 rest
   30 hab.

LIERTA 22161 Huesca 🏭🄸🄸 F 28 – 🏭 974.

◆Madrid 405 – Huesca 15.

X Bogeda de Gratal, 🕿 27 02 90, 🍴 – 🗏 🄿.

LINARES 23700 Jaén 🏭🄸🄸 R 19 – 54 547 h. alt. 418 – 🏭 953 – Plaza de toros.

◆Madrid 297 – Ciudad Real 154 – ◆Córdoba 122 – Jaén 51 – Úbeda 27 – Valdepeñas 96.

🏨 **Anibal,** Cid Campeador 11 🕿 65 04 00, Telex 78667 – 📧 🗏 📺 🕿 ⟲ – 🏋. 🖭 🕦 E 𝑉𝐼𝑆𝐴. ⚘
   Com 1000 – ⊡ 250 – **126 hab** 3500/4500 – P 4090/5340.

🏠 **Victoria** sin rest, Cervantes 7 🕿 69 25 00 – 🗏 📺 ⬓. 𝑉𝐼𝑆𝐴
   39 hab 2300/3600.

X **Mesón Campero,** Pozo Ancho 5 🕿 69 35 02 – 🗏. 🖭 🕦 E 𝑉𝐼𝑆𝐴. ⚘
   cerrado lunes noche y festivos noche – Com carta 1675 a 2950.

X Mesón Castellano, Puente 5 🕿 69 00 09, Decoración rústica.

ALFA-ROMEO República Argentina 18 🕿 69 29 21
CITROEN Julio Burell 41 🕿 69 23 00
FIAT Polígono Industrial Los Jarales - carret. Bailén 🕿 69 03 17
FORD Polígono Industrial Los Jarales 🕿 69 25 50
GENERAL-MOTORS-OPEL Julio Burell 101 🕿 69 12 00

PEUGEOT-TALBOT Polígono Industrial Los Jarales 🕿 69 49 50
RENAULT av. San Cristóbal 🕿 69 06 62
SEAT-AUDI-VOLKSWAGEN Julio Burell 1 🕿 69 09 00

LINAS DE BROTO 22378 Huesca 🏭🄸🄸 E 29 – alt. 1 215 – 🏭 974.

◆Madrid 475 – Huesca 85 – Jaca 47.

🏠 **Jal** ⚘ sin rest, carret. de Ordesa 31 🕿 48 61 06 – ⟲. 🖭 🕦 E 𝑉𝐼𝑆𝐴. ⚘
   ⊡ 275 – **18 hab** 3115.

a sus necesidades

M

MXV

Series 80, 70, 65, 60 y 55

Neumático de "alta veloci-dad", para vehículos potentes. Excelente conjunto de cuali-dades: precisión, resistencia, confort.

MXX

Series 55, 50, 45, 40 y 35

El MXX está concebido para vehículos de "élite", cuya velocidad máxima se sitúa alrededor de 240 Km/h. Neumático de prestaciones excepcionales.

Neumáticos de invierno

Neumáticos Michelin para invierno, que pueden llevar clavos (M+S 200 y M+S 45), o con adherencia por laminillas (M+S 100), para afrontar con toda seguridad la lluvia, la nieve y el hielo.

XM+S 100   **XM+S 200**   **XM+S 244**   **TRX M+S 45**

Consejos Michelin

Vigile las presiones regularmente

Están calculadas en función de la carga, de la velocidad y del tipo de coche. Debe Vd. aumentar sus presiones de 0,2 a 0,3 bar (3 a 4 p.s.i.) delante y detrás cuando vaya sobrecargado (durante las vacaciones, por ejemplo) o si va a rodar mucho tiempo seguido a alta velocidad (autopistas).
El control de las presiones debe hacerse siempre cuando los neumáticos están fríos.
No desinfle nunca un neumático caliente.
Solamente el tapón de válvula asegura la estanqueidad.

Consejos para el montaje de neumáticos radiales Michelin

Lo ideal es equipar totalmente su coche con neumáticos del mismo tipo.
En caso de equipo mixto de neumáticos radiales y de neumáticos diagonales (convencionales), montar los radiales en el eje trasero.
En caso de equipo mixto de neumáticos radiales de tipos diferentes, aconsejamos montar los neumáticos nuevos o los menos usados en el eje trasero, para obtener un comportamiento más seguro.
Sobre un mismo eje, aconsejamos montar los neumáticos del mismo tipo y desgaste sensiblemente igual.

Caravanas

Aumentar la presión de los neumáticos traseros del vehículo en 0,4 bar (7 p.s.i.) con relación a la presión de utilización normal, salvo si la presión recomendada a plena carga para el eje trasero fuera superior, en cuyo caso utilizar esta última.

Conselhos Michelin

Verifique as pressões regularmente

Elas estão calculadas em função da carga, da velocidade e do tipo de viatura.
Deve aumentar as pressões de 3 a 4 p.s.i. (0,2 a 0,3 bar) à frente e atrás em caso de sobrecarga (durante as férias por exemplo) ou se tem de rodar muito tempo a grande velocidade (auto-estrada).
A revisão das pressões deve fazer-se sempre com os pneus frios.
Nunca diminuir a pressão de um pneu quente.
Fixe bem o tampão de válvula, indispensável para assegurar a estanquicidade.

Conselhos para montagem de pneus radiais Michelin

O ideal é equipar totalmente a viatura com pneus do mesmo tipo.
No caso de equipamento misto de pneus radiais e diagonais (convencionais), montar os radiais no eixo traseiro.
No caso de equipamento misto de pneus radiais de tipos diferentes, aconselhamos montar os pneus novos ou os menos gastos no eixo traseiro, para obter um comportamento mais seguro.
Num mesmo eixo, aconselhamos montar os pneus do mesmo tipo e com desgaste sensivelmente igual.

Caravanas

Aumentar a pressão dos pneus traseiros do veículo em 7 p.s.i. (0,4 bar), relativamente à pressão de utilização normal, salvo se a pressão recomendada no eixo traseiro para plena carga fora superior. Neste caso, utilizar esta última.

Lo PAGAN Murcia – ver San Pedro del Pinatar.

LORCA 30800 Murcia **445** S 24 – 60 627 h. alt. 331 – ✪ 968 – Plaza de toros.

🖪 López Gisbert ✆ 46 61 57.

♦Madrid 460 – ♦Almería 157 – Cartagena 83 – ♦Granada 221 – ♦Murcia 64.

🏢 **Alameda** sin rest, con cafetería, Musso Valiente 8 ✆ 46 75 00 – |🛗| ☎. 🆔 ⓪ **E** ***VISA***. ⋘
⇌ 250 – **43 hab** 2700/4500.

🏢 **Félix**, av. Fuerzas Armadas 146 ✆ 46 76 50 – 🍽 rest ☎ ⇦ **🅿**. ⓪ **E** ***VISA***. ⋘
cerrado 20 diciembre-7 enero – Com 850 – ⇌ 185 – **32 hab** 1485/2500 – P 2850/3085.

⚘ La Alberca, sin rest y sin ⇌, pl. Juan Moreno 1 ✆ 46 88 50 – ☎
30 hab.

%% Los Naranjos, Jerónimo Santa Fé 43 ✆ 46 93 22, ☂ – 🍽.

%% Calderón, pl. Calderón de la Barca ✆ 46 37 56 – 🍽.

% El Teatro, pl. Colón 12 ✆ 46 99 09 – 🍽.

% **Mesón Lorquino**, carret. de Granada N 340 ✆ 46 74 05, ☂ – 🆔 **E** ***VISA***. ⋘
cerrado jueves – Com carta 1250 a 1900.

% Cándido, Santo Domingo 13 ✆ 46 90 07.

en la carretera Murcia - La Hoya NE : 10 km – ✉ 30816 La Hoya – ✪ 968 :

🏢 **La Hoya,** ✆ 46 27 05, ⤳ de pago – **🅿**. **E** ⋘ rest
Com 750 – ⇌ 300 – **36 hab** 2500/3750 – P 4300/5450.

AUSTIN-ROVER-MG carret. de Granada 119 ✆ 46 24 72
CITROEN carret. de Granada ✆ 46 76 86
FIAT carret. de Granada km 266 ✆ 46 92 85
FORD carret. de Granada km 267 ✆ 46 89 54
GENERAL MOTORS carret. de Granada ✆ 46 73 40
MERCEDES-BENZ carret. de Águilas (Diputación Cazalla) ✆ 46 99 74

PEUGEOT carret. de Granada 22 ✆ 46 17 61
RENAULT carret. de Granada km 267 ✆ 46 84 16
RENAULT carret. de Granada ✆ 46 74 67
SEAT-AUDI-VOLKSWAGEN carret. de Granada 32 ✆ 46 62 77

LOSAR DE LA VERA 10460 Cáceres **444** L 13 – 2 904 h. – ✪ 927.

♦Madrid 199 – Ávila 138 – ♦Cáceres 139 – Plasencia 60.

🏢 Vadillo, pl. General Franco 1 ✆ 56 09 01 – 🍽 rest
28 hab.

CITROEN carret. de Plasencia ✆ 56 07 32

LOYOLA Guipúzcoa **442** C 23 – ver Azpeitia.

LUANCO 33440 Asturias **441** B 12 – ✪ 985 – Playa.

♦Madrid 478 – Gijón 15 – ♦Oviedo 43.

% **Casa Nestor**, Conde Real Agrado 6 ✆ 88 03 15 – 🆔 ⓪ **E** ***VISA***. ⋘
cerrado lunes salvo en verano y del 1 al 15 octubre – Com carta 2000 a 2900.

RENAULT La Cruz 59 ✆ 88 06 83

SEAT-AUDI-VOLKSWAGEN carret. Avilés ✆ 88 08 38

LUARCA 33700 Asturias **441** B 10 – 19 920 h. – ✪ 985 – Playa.

Ver : Emplazamiento* – ≼* desde la carretera del faro.

Excurs. : SO : Valle del Navia : Recorrido de Navia a Boal (☼** Embalse de Arbón, Vivedro ☼**, confluencia** del Navia y del Río Frío).

🖪 pl. Alfonso X el Sabio ✆ 64 00 83.

♦Madrid 536 – ♦La Coruña 226 – Gijón 97 – ♦Oviedo 101.

🏨 **Gayoso,** paseo de Gómez 4 ✆ 64 00 50 – |🛗| ☎. ⓪ **E** ***VISA***
Com 1000 – ⇌ 400 – **30 hab** 4500/7500.

⚘ **Rico** sin rest, pl. Alfonso X El Sabio ✆ 64 17 69 – **E** ***VISA***. ⋘
⇌ 200 – **15 hab** 4500.

⚘ Oria, Crucero 7 ✆ 64 03 85
13 hab.

% **Leonés,** Alfonso X El Sabio 1 ✆ 64 09 95, ☂ – 🆔 ⓪ **E** ***VISA***. ⋘
Com carta 2175 a 3400.

en Otur O : 6 km – ✉ 33792 Otur – ✪ 985 :

🏢 **Casa Consuelo,** carret. N 634 ✆ 64 08 44, ≼ – **🅿**. 🆔 ⓪ **E** ***VISA***. ⋘
cerrado 18 septiembre-10 octubre – Com (cerrado lunes) carta 2800 a 3900 – ⇌ 300 – **26 hab** 3100/5700 – P 6100/8700.

FORD Almuña ✆ 64 02 26
PEUGEOT-TALBOT Nicanor del Campo 23 ✆ 64 09 05

RENAULT av. de Galicia ✆ 64 03 29
SEAT-AUDI-VOLKSWAGEN La Capitana ✆ 64 08 46

9

LUCENA 14900 Córdoba 446 T 16 – 29 717 h. alt. 485 – 🔾 957 – Plaza de toros.

◆Madrid 471 – Antequera 57 – ◆Córdoba 73 – ◆Granada 150.

🏠 **Baltanás** sin rest, av. José Solís - 1° piso ℰ 50 05 24 – 🖭. 🗲 𝘝𝘐𝘚𝘈
⊡ 200 – **39 hab** 2200/3500.

ALFA ROMEO Corazón de Jesús 2 ℰ 50 28 49
AUSTIN ROVER carret. N 331 km 470 ℰ 50 25 18
CITROEN carret. N 331 km 473 ℰ 50 13 12
FIAT carret. N 331 km 474
FORD carret. N 331 km 471 ℰ 50 04 53
GENERAL MOTORS carret. Madrid-Málaga N 331 km 474 ℰ 50 14 41

PEUGEOT-TALBOT carret. N 331 km 472 ℰ 50 08 57
RENAULT carret. Madrid-Málaga N 331 km 473,3 ℰ 50 15 14
SEAT-AUDI-VOLKSWAGEN av. José Solís 14 ℰ 50 04 41

LUGO 27000 🅿 441 C 7 – 73 986 h. alt. 485 – 🔾 982.

Ver : Catedral★ (Cristo en Majestad★) Z **A** – Murallas★.

🛈 pl. de España 27, ⊠ 27001, ℰ 23 13 61 – **R.A.C.E.** Progreso 33, ⊠ 27001, ℰ 22 26 08.

◆Madrid 506 ② – ◆La Coruña 97 ④ – Orense 96 ③ – ◆Oviedo 255 ① – Santiago de Compostela 107 ③.

LUGO

🏨🏨 **G.H. Lugo y Rest. Os Marisqueiros** 🅜, av. Ramón Ferreiro 21, ⊠ 27002, ℰ 22 41 52, Telex 86128, Fax 24 16 60, 🎿 – 🛗 🖿 🖭 ☎ 🚗 🅿 – 🔬. 🖭 ❶ 🗲 𝘝𝘐𝘚𝘈. ⫽ rest
Com 2000 – ⊡ 525 – **168 hab** 5825/7150 – P 7425/9675. por av. Ramón Ferreiro Z

🏨 **Méndez Núñez**, sin rest, Reina 1, ⊠ 27001, ℰ 23 07 11 – 🛗 🖭 – **94 hab**. Z **a**

🏨 **España**, sin rest y sin ⊡, Villalba 2 bis, ⊠ 27002, ℰ 23 15 40 – 🖭. ⫽
17 hab 2000/3200. Z **h**

🏨 **Buenos Aires**, sin rest y sin ⊡, pl. Comandante Manso 17 - 2° piso, ⊠ 27001, ℰ 22 54 68 –
🛗 🖭. 🖭 ❶ 🗲 𝘝𝘐𝘚𝘈. ⫽ Z **e**
15 hab 1900/2900.

🏨 **Mar de Plata** sin rest y sin ⊡, Ronda da Muralla 6 - 1° piso, ⊠ 27001, ℰ 22 89 10 – 🛗
13 hab 3000. Z **s**

🍴🍴 La Barra, San Marcos 27, ⊠ 27001, ℰ 24 24 29 – 🍽 Y **d**

🍴 **Mesón de Alberto**, Cruz 4, ⊠ 27001, ℰ 22 83 10 – 🖭 ❶ 🗲 𝘝𝘐𝘚𝘈. ⫽
Com carta 1925 a 2825. Z **c**

🍴 **Verruga**, Cruz 12, ⊠ 27001, ℰ 22 98 55 – 🖭 ❶ 🗲 𝘝𝘐𝘚𝘈. ⫽
cerrado lunes – Com carta 2050 a 3800. Z **c**

🍴 **España**, General Franco 10, ⊠ 27001, ℰ 22 60 16 – 🍽. 🖭 ❶ 🗲 𝘝𝘐𝘚𝘈. ⫽
posible cerrado lunes – Com carta 1750 a 2450. Y **r**

🍴 **Campos**, Rua Nova 4, ⊠ 27001, ℰ 22 97 43 – 🖭 ❶ 🗲 𝘝𝘐𝘚𝘈. ⫽
Com carta 2125 a 4500. Z **u**

🍴 **La Coruñesa**, Dr. Castro 16, ⊠ 27001, ℰ 22 10 87 – 🖭 ❶ 🗲 𝘝𝘐𝘚𝘈. ⫽
Com carta 1500 a 2450. Z **k**

🍴 **Parrillada Antonio**, carretera nueva de Santiago 87, ⊠ 27004, ℰ 21 64 70 – 🍽 🅿. 𝘝𝘐𝘚𝘈. ⫽
Com carta 1200 a 1800. por ③

en la carretera N VI S : 2 km – ⊠ 27004 Lugo – 🔾 982 :

🍴🍴 Mesón O'Muiño, ℰ 23 05 50, 🌴, Al borde del río - Vivero propio – 🅿. 🖭 𝘝𝘐𝘚𝘈. ⫽ Z *en la carretera N 640* por ① : 4 km – ✉ 27000 Lugo – ☎ 982 :

Portón do Recanto, La Campiña ✆ 22 34 55, ≤ – ▤ rest TV ☎ P. ⓓ E VISA. ✗
Com 1000 – ☕ 250 – **30 hab** 3200/4200 – P 4600/5700.

ALFA-ROMEO av. de La Coruña 399 ✆ 21 12 50
AUSTIN-ROVER-LAYLAND 18 de Julio 139 ✆ 21 69 41
BMW 18 de Julio 125 ✆ 21 24 60
CITROEN Castelao 45-47 ✆ 24 24 09
CITROEN Polígono del Ceao ✆ 21 26 62
CITROEN Chantada 38 ✆ 21 59 94
CITROEN carret. N VI km 507 - Conturiz ✆ 22 36 86
FIAT-LANCIA av. de La Coruña 47 ✆ 21 21 31
FORD av. de La Coruña km 515,4 ✆ 21 49 36
GENERAL MOTORS carret. N VI 124 ✆ 21 36 48
MERCEDES-BENZ av. de La Coruña ✆ 21 16 57
PEUGEOT-TALBOT carret. de La Coruña km 552 ✆ 21 24 40
RENAULT carret. de Santiago 346 ✆ 22 15 50
SEAT-AUDI-VOLKSWAGEN carret. de La Coruña 790 ✆ 21 33 41
SEAT-AUDI-VOLKSWAGEN av. de La Coruña 402 ✆ 21 61 20

LLADÓ 17745 Gerona 443 J 30 – 509 h. – ☎ 972.
♦Madrid 757 – Figueras/Figueres 13 – Gerona/Girona 50.

✗ **Kan Kiku,** pl. Mayor 1 ✆ 56 51 04 – ▤. VISA. ✗
cerrado lunes y 20 diciembre-20 enero – Com carta 1150 a 1650.

LLAFRANCH Gerona 443 G 39 – ver Palafrugell.

La **guía verde turística Michelin ESPAÑA**
Paisajes, monumentos
Rutas turísticas
Geografía
Historia, Arte
Itinerarios de viaje
Planos de ciudades y de monumentos
Una guía para sus vacaciones.

LLAGOSTERA 17240 Gerona 443 G 10 – 5 013 h. – ☎ 972.
♦Madrid 699 – ♦Barcelona 86 – Gerona/Girona 20.

✗ **Can Meri,** Almogávares 17 ✆ 83 01 80, 🏵 – E VISA
cerrado martes en invierno y 2 noviembre-4 diciembre – Com carta 1590 a 2275.

en la carretera de Sant Feliú de Guixols E : 5 km – ✉ 17240 Llagostera – ☎ 972 :

✗✗ ✿ **Els Tinars,** ✆ 83 06 26, 🏵, Decoración rústica – P. AE ⓓ E VISA
cerrado del 30 enero al 23 febrero y lunes noche de octubre a mayo – Com carta 1985 a 3110
Espec. Rape con judías secas y almejas, Rossejat de fideos con gambitas, Soufles de frutas de temporada.

CITROEN Girona 32 ✆ 83 01 48
PEUGEOT-TALBOT carret. Gerona-San Feliú de Guixols km 19,5 ✆ 83 01 67
RENAULT paseo Tomás de A. Boada 16 ✆ 83 04 75
SEAT-AUDI-VOLKSWAGEN Camprodón 49 ✆ 83 02 25

LLÁNAVES DE LA REINA 24912 León 441 C 15 – Deportes de invierno.
♦Madrid 373 – ♦León 118 – ♦Oviedo 133 – ♦Santander 147.

San Glorio, carret. N 621 ✆ 74 04 18, ≤ – ⇅ ▤ hab ☎ P. VISA. ✗
Com 1200 – ☕ 250 – **26 hab** 3000.

✗ **Mesón Llanaves,** carret. N 621 ✆ 74 04 18 – P. VISA. ✗
Com carta 1300 a 1700.

LLANÇÀ Gerona 443 E 39 – ver Llansá.

LLANES 33500 Asturias 441 B 15 – 14 218 h. – ☎ 985 – Playa.
ℹ Nemesio Sobrino 1 ✆ 40 01 64.
♦Madrid 453 – Gijón 103 – ♦Oviedo 113 – ♦Santander 96.

Don Paco, Posada Herrera 1 ✆ 40 01 50 – ⇅ ☎. AE ⓓ E VISA. ✗
junio-septiembre – Com 1600 – ☕ 400 – **42 hab** 4350/6000 – P 5750/7100.

Paraíso sin rest, Pidal 2 ✆ 40 19 71 – ⇅ ▤ TV ☎ 🚗 P. AE ⓓ E VISA. ✗
10 marzo-octubre – ☕ 350 – **19 hab** 12900.

Montemar sin rest, con cafetería, Genaro Riestra 8 ✆ 40 01 00, Telex 87326, ≤ – ⇅ ☎ P. AE ⓓ E VISA. ✗
☕ 350 – **41 hab** 4100/5600.

Peñablanca sin rest, Pidal 1 ✆ 40 01 66 – ☎. E VISA
15 junio-20 septiembre – ☕ 300 – **31 hab** 2700/4500.

✗ **Las Torres,** av. de La Paz ✆ 40 11 16 – ⓓ E VISA. ✗
Com carta 1525 a 2050.

en La Arquera S : 2 km – ✉ 33500 Llanes – ☎ 985 :

🏨 **Las Brisas,** ℰ 40 17 26 – 🛗 ☜ 🅿. 🗚 🆅🆂🅰. ⚘
Com 1300 – ☲ 325 – **35 hab** 4900/5900 – P 5550/7500.

en la playa de Barro O : 7 km – ✉ 33595 Barro – ☎ 985 :

🏠 **Kaype** 🦢, ℰ 40 09 00, ≤ – ☜ 🅿. 🆅🆂🅰. ⚘
abril-septiembre – Com 1150 – ☲ 315 – **32 hab** 3465/5250 – P 4500/5500.

en San Roque - carretera N 634 SE : 4 km – ✉ 33500 Llanes – ☎ 985 :

🏤 **Europa,** ℰ 40 09 45 – 🅿. 🅴 🆅🆂🅰. ⚘
Com 750 – ☲ 325 – **48 hab** 2000/3900.

en Buelna - carretera N 634 SE : 14 km – ✉ 33554 Buelna : – ☎ 985 :

✗ **El Horno,** ℰ 41 10 33, 🍴, « Decoración típica regional » – 🅿. 🗚 🅴 🆅🆂🅰. ⚘
Com carta 2000 a 4300.

CITROEN La Arquera ℰ 40 05 51
FORD carret. N 634 km 93 (San Roque del Acebal) ℰ 40 03 69
PEUGEOT-TALBOT carret. N 634 km 94 (San Roque del Acebal) ℰ 40 07 67

RENAULT La Arquera ℰ 40 01 59
SEAT-AUDI-VOLKSWAGEN carret. N 634 km 96 (San Roque del Acebal) ℰ 40 07 80

Los LLANOS DE ARIDANE Santa Cruz de Tenerife – ver Canarias (La Palma).

LLANSÁ o **LLANÇÀ** 17490 Gerona 🏷 E 39 – 3 001 h. – ☎ 972 – Playa.
Alred. : San Pedro de Roda (paraje★★) S : 15 km.
🛈 av. de Europa ℰ 38 01 81.
◆Madrid 767 – Banyuls 31 – Gerona/Girona 60.

🏠 **Beri,** Creu 17 ℰ 38 01 98, 🦢 – ▤ rest 🅿
abril-septiembre – Com 900 – ☲ 300 – **36 hab** 1400/2700 – P 3000/3200.

🏤 **Gran Sol,** Figueres 4 ℰ 38 01 51 – 🅿
19 hab.

en la carretera de Port-Bou N : 1 km – ✉ 17490 Llançá – ☎ 972 :

🏨 **Gri-Mar,** ℰ 38 01 67, ≤, 🦢, 🌳, ⚘ – ☎ 🚗 🅿. 🅴 🆅🆂🅰
abril-octubre – Com 1760 – ☲ 450 – **39 hab** 4100/5800 – P 6435/6910.

en el Puerto NE : 1,5 km – ✉ 17490 Llançá – ☎ 972 :

🏨 **Berna,** passeig Marítim 13 ℰ 38 01 50, ≤, 🍴 – ☎. ⚘ rest
Semana Santa y 15 mayo-septiembre – ☲ 475 – **38 hab** 3200/5400.

🏠 **La Goleta,** Pintor Terruella 22 ℰ 38 01 25, Telex 56322 – 🛗 🅿. 🗚 🅾 🅴 🆅🆂🅰. ⚘ rest
cerrado enero – Com *(cerrado lunes)* 1220 – ☲ 425 – **35 hab** 2635/4200 – P 4995/5500.

✗ **La Brasa,** pl. Catalunya 6 ℰ 38 02 02, 🍴 – 🅴 🆅🆂🅰. ⚘
15 marzo-15 noviembre – Com carta 1640 a 2825.

✗ **Dany,** passeig Marítim 4 ℰ 38 03 96, ≤.

✗ **Can Manel,** pl. del Port 5 ℰ 38 01 12, ≤, Pescados y mariscos.

RENAULT Roger de Lluria ℰ 38 05 46

LLEIDA 🏷 H 31 – ver Lérida.

LLESSUY o **LLESSUI** 25567 Lérida 🏷 E 33 – alt. 1 400 – ☎ 973 – Deportes de invierno ⚐9.
Ver : Valle de Llessui★★.
◆Madrid 603 – ◆Lérida/Lleida 150 – Seo de Urgel 66.

en Bernúi - carretera de Sort E : 3 km – ✉ 25560 Sort – ☎ 973 :

✗ **Can Joana,** ℰ 62 08 68, 🌳 – 🅿. ⚘
cerrado lunes – Com carta 1450 a 2000.

en Altrón E : 7,5 km – ✉ 25560 Sort – ☎ 973 :

🏤 **Roch** 🦢, La Font 4 ℰ 62 02 99 – 🚗
23 hab.

🏤 **Vall d'Assua** 🦢, carret. de Sort ℰ 62 08 98, ≤ – ▤ rest 🅿. ⚘
Com 1160 – ☲ 325 – **16 hab** 800/1900 – P 2950/3100.

Dans ce guide
un même symbole, un même mot,
imprimé en **noir** ou en rouge, en maigre ou en **gras**,
n'ont pas tout à fait la même signification.
Lisez attentivement les pages explicatives (p. 20 à 27).

🏨 🏨
Karte **25**/45

LLIVIA 17527 Gerona 448 E 35 – 921 h. alt. 1 224 – ⊕ 972.

♦Madrid 658 – Gerona/Girona 156 – Puigcerdá 6.

🏨 **Llivia** ⬧, av. de Catalunya 𝒫 89 60 00, ≼, ⣕, 🐟, 🎇 – 🛗 ⇌ ℗. 𝘝𝘐𝘚𝘈. 🎇 rest
cerrado noviembre – Com *(cerrado miércoles)* 1800 – ⚏ 400 – **63 hab** 2800/5450 – P 5925/6000.

🏚 **L'Esquirol** ⬧, av. de Catalunya 𝒫 89 63 03, ≼ – ℗. 𝘝𝘐𝘚𝘈. 🎇
cerrado 3 octubre-3 noviembre – Com *(cerrado miércoles)* 900 – **13 hab** ⚏ 5000.

🍴🍴 **Can Ventura,** pl. Major 1 𝒫 89 61 78, Decoración rústica antigua - edificio de 1791, Cocina regional – 𝘝𝘐𝘚𝘈.
cerrado martes y octubre – Com carta 1800 a 2500.

🍴 **Llivia,** av. de Catalunya 37 𝒫 89 60 96, Carnes a la brasa – **E** 𝘝𝘐𝘚𝘈
cerrado lunes salvo vísperas de festivos – Com carta 1950 a 2950.

🍴 La Ginesta (Casa David), av. de Catalunya, ✉ 17527, 𝒫 89 62 87.

LLODIO 01400 Álava 442 C 22 – ⊕ 94.

♦Madrid 385 – ♦Bilbao 21 – ♦Burgos 142 – ♦Vitoria/Gasteiz 49.

🍴 **Martina,** Zubiaur 1, ✉ 01400, 𝒫 672 22 68 – ▤. 🅰🅴 ⑩ **E** 𝘝𝘐𝘚𝘈. 🎇
cerrado agosto – Com carta 1725 a 3000.

AUSTIN-ROVER Goikoetxe 3 𝒫 672 36 55
CITROEN Areta 4 𝒫 672 05 98
FORD Barrio Gardea 𝒫 672 36 54
OPEL Polígono Industrialdea 𝒫 672 48 24

PEUGEOT-TALBOT Barrio Sardea - Polígono Industrialdea 𝒫 672 38 64
RENAULT Larrazabal 2 𝒫 672 00 57
SEAT-AUDI-VOLKSWAGEN Ugarte 28 𝒫 672 17 96

LLOFRIU Gerona 448 G 39 – ver Palafrugell.

LLORET DE MAR 17310 Gerona 448 G 38 – 10 480 h. – ⊕ 972 – Playa.

Alred. : Carretera en cornisa★★ de Lloret de Mar a Tossa de Mar : 12 km por ①.

🔰 pl. de la Vila 1 𝒫 36 47 35 y Estación de Autobuses 𝒫 36 57 88.

♦Madrid 695 ② – ♦Barcelona 67 ② – Gerona/Girona 39 ③.

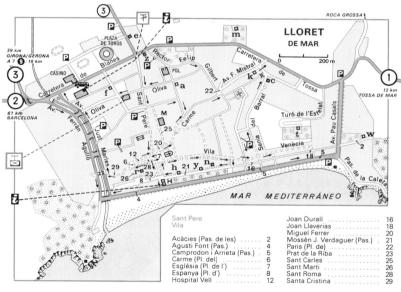

Sant Pere
Vila

Acàcies (Pas. de les)	2
Agusti Font (Pas.)	4
Camprodon i Arrieta (Pas.)	5
Carme (Pl. del)	6
Església (Pl. de l')	7
Espanya (Pl. d')	8
Hospital Vell	12
Joan Durall	16
Joan Llaverias	18
Miguel Ferrer	20
Mossèn J. Verdaguer (Pas.)	21
Paris (Pl. de)	22
Prat de la Riba	23
Sant Carles	25
Sant Marti	26
Sant Roma	28
Santa Cristina	29

🏨🏨 **G. H. Monterrey,** carret. de Tossa de Mar 𝒫 36 40 50, Telex 57374, Fax 36 35 12, 🐟, « Amplio jardín », ⣕, 🎇 – 🛗 ▤ ☎ ℗ – 🕍, 🅰🅴 ⑩ **E** 𝘝𝘐𝘚𝘈. 🎇 rest   **m**
15 marzo-5 noviembre – Com 2500 – ⚏ 900 – **228 hab** 7000/12000.

🏨🏨 **Roger de Flor** ⬧, Turó de l'Estelat 𝒫 36 48 00, Telex 57173, « Grandes terrazas con ≼ mar », ⣕, 🎇 – ▤ rest ⇌ ℗. 🅰🅴 ⑩ **E** 𝘝𝘐𝘚𝘈. 🎇   **t**
cerrado 8 enero-17 marzo – Com 3500 – **93 hab** ⚏ 7650/16300.

🏨 **Cluamarsol,** passeig Mossèn J. Verdaguer 7 𝒫 36 57 50, Telex 57173, Cenas amenizadas al piano, ⣕ climatizada – 🛗 ▤ rest ☎. 🅰🅴 ⑩ **E** 𝘝𝘐𝘚𝘈. 🎇   **h**
cerrado noviembre-enero – Com 2200 – **87 hab** ⚏ 5700/10200.

LLORET DE MAR

🏨 **Mercedes,** av. F. Mistral 32 🏛 36 43 12, Telex 57045, 🛁 – 🛗 📞. 🅰🅴 ⓞ 𝑉𝐼𝑆𝐴. 🛎   **k**
   marzo-octubre – Com 1450 – 🍽 500 – **88 hab** 2900/4600.

🏨 **Excelsior,** passeig Mossèn J. Verdaguer 16 🏛 36 41 37, Telex 97061, ≪ – 🛗 📞. 🅰🅴 ⓞ **E**
   𝑉𝐼𝑆𝐴. 🛎 hab   **y**
   abril-octubre – Com 1350 – 🍽 425 – **45 hab** 3600/6900.

🏨 Mundial, Vicenc Bou 15 🏛 36 43 50, 🛁 – 🛗 📞   **f**
   100 hab.

🏠 **Acácias** sin rest, passeig de les Acácies 21 🏛 36 41 50, 🛁, 🛎 – 🛗 ℗. 🛎   **w**
   mayo-octubre – 🍽 385 – **43 hab** 3650.

🏠 **Santa Ana** sin rest, Sénia del Rabich 26 🏛 36 53 39 – 🛗   **a**
   mayo-octubre – **48 hab** 🍽 3500.

✗ Can Bolet, Sant Mateu 12 🏛 36 49 93, Pescados y mariscos – 🍽   **r**

✗ Mas Vell, Sant Roc 3 🏛 36 82 20, 🏡, Decoración rústica   **z**

✗ La Bodega Vella, Na Marina 14 🏛 36 74 78, 🏡, Decoración rústica   **c**

✗ **Taverna del Mar,** Pescadors 5 🏛 36 40 90, 🏡 – 🅰🅴 ⓞ **E** 𝑉𝐼𝑆𝐴. 🛎   **n**
   marzo-octubre – Com carta 1800 a 3100.

✗ **Ca L'Avi,** av. de Vidreres 30 🏛 36 53 55 – 🅰🅴 ⓞ 𝑉𝐼𝑆𝐴. 🛎   **e**
   cerrado 25 diciembre-24 enero – Com carta 2300 a 3850.

   en la carretera de Blanes por ② : 1,5 km – ✉ 17310 Lloret de Mar – ☎ 972 :

🏨 **Fanals,** 🏛 36 41 12, Telex 57362, 🛁, 🛁, 🏡, 🛎 – 🛗 📞 ⇔ ℗. ⓞ **E** 𝑉𝐼𝑆𝐴. 🛎 rest
   28 abril-octubre – Com 1700 – 🍽 500 – **81 hab** 3700/6500.

   en la playa de Fanals por ② : 2 km – ✉ 17310 Lloret de Mar – ☎ 972 :

🏨 **Rigat Park H.** 🌊, 🏛 36 52 00, Telex 57015, ≪, 🏡, « Parque con arbolado », 🛁 climatizada,
   🛎 – 🛗 ☎ ℗ – 🅰 🅰🅴 ⓞ **E** 𝑉𝐼𝑆𝐴. 🛎 rest
   marzo-octubre – Com 3000 – **100 hab** 🍽 10000/14000 – P 12000/14000.

🏨 **Surf Mar** 🌊, 🏛 36 53 62, « 🛁 rodeada de un amplio césped », 🏡, 🛎 – 🛗 🍽 rest ☎ ℗.
   🅰🅴 ⓞ **E** 𝑉𝐼𝑆𝐴. 🛎 rest
   15 marzo-octubre – Com 1500 – 🍽 600 – **215 hab** 3300/5600 – P 5600/6100.

   en la playa de Santa Cristina por ② : 3 km – ✉ 17310 Santa Cristina – ☎ 972 :

🏨 **Santa Marta** 🌊, 🏛 36 49 04, Telex 57394, Fax 36 92 80, « Gran pinar », 🛁, 🏡, 🛎 – 🛗
   🍽 rest ☎ ⇔ ℗ – 🅰 🅰🅴 ⓞ **E** 𝑉𝐼𝑆𝐴. 🛎 rest
   cerrado 15 diciembre-20 enero – Com 4350 – 🍽 1200 – **78 hab** 10000/18000.

   en Playa Canyelles (Urbanización) por ① : 3 km – ✉ 17310 Lloret de Mar – ☎ 972 :

✗✗ **El Trull,** ✉ apartado 429, 🏛 36 49 28, ≪, 🏡, Decoración rústica, 🛁, 🛎 – 🍽 ℗. 🅰🅴 ⓞ **E**
   𝑉𝐼𝑆𝐴. 🛎
   Com carta 2200 a 3200.

FIAT-LANCIA carret. Blanes-Lloret 🏛 36 93 12	RENAULT Joaquín Lluhi y Rissech 4 🏛 36 78 08
FORD carret. Blanes-Lloret km 10,4 🏛 36 44 94	SEAT-AUDI-VOLKSWAGEN carret. de Blanes 100 🏛
GENERAL MOTORS carret. de Blanes 🏛 36 53 61	36 54 70
MERCEDES-BENZ av. Vidreres 3 🏛 36 58 26	TALBOT av. Vidreres 22-26 🏛 36 53 97

MAÇANET DE CABRENYS Gerona – ver Massanet de Cabrenys.

MADRID

MADRID 🅟 **444** K 19 – 3 188 297 h. alt. 646 – ⊛ 91 – Plaza de toros.

Ver : Museo del Prado★★★ (p. 9) NZ – Parque del Buen Retiro★★ (p. 7) HY – Paseo del Prado (Plaza de la Cibeles) p. 9 NXYZ – Paseo de Recoletos (p. 9) NVX – Paseo de la Castellana (p. 9) NV – Puerta del Sol (p. 8) y Calle de Alcalá (p. 9) LMNY – Plaza Mayor★ (p. 8) KYZ – Palacio Real★★ (p. 8) KY – Convento de las Descalzas Reales★★ (p. 8) KYL – San Antonio de la Florida (frescos de Goya★) p. 6 DX R.

Otros museos : Arqueológico Nacional★★ (p. 9) NV M²² – Lázaro Galdiano★★ (p. 7) HV M⁷ – de América★ (p. 6) DV M⁸ – Español de Arte Contemporáneo★ (p. 2) AL M⁹ – del Ejército★ (p. 9) NY M².

Alred. : El Pardo (Palacio★) NO : 13 km por C 601 AL

Hipódromo de la Zarzuela AL – ⟦₁₈⟧, ⟦₁₈⟧ Puerta de Hierro 𝒫 216 17 45 AL – ⟦₉⟧, ⟦₁₈⟧ Club de Campo 𝒫 207 03 95 AL – ⟦₁₈⟧ La Moraleja por ① : 11 km 𝒫 650 07 00 – ⟦₉⟧ Club Barberán por ⑥ : 10 km 𝒫 218 85 05 – ⟦₁₈⟧ Las Lomas – El Bosque por ⑥ : 18 km 𝒫 616 21 70 – ⟦₁₈⟧ Real Automóvil Club de España por ① : 28 km 𝒫 652 26 00 – ⟦₁₈⟧ Nuevo Club de Madrid, Las Matas por ⑦ : 26 km 𝒫 630 08 20 – ⟦₉⟧ de Somosaguas O : 10 km por Casa de Campo 𝒫 212 16 47.

✈ de Madrid-Barajas por ② : 13 km 𝒫 205 40 90 – Iberia : pl. de Cánovas 5, ⊠ 28014, 𝒫 585 85 85 NZ y Aviaco, Modesto Lafuente 76, ⊠ 28003, 𝒫 234 46 00 FV – 🚄 Atocha 𝒫 228 52 37 – Chamartín 𝒫 733 11 22 – Príncipe Pío 𝒫 248 87 16.

Compañías Marítimas : Cía. Trasmediterránea, Pedro Muñoz Seca 2 NX, ⊠ 1, 𝒫 431 07 00, Telex 23189.

🛈 Princesa 1, ⊠ 28008, 𝒫 241 23 25, Duque de Medinaceli 2, ⊠ 28006, 𝒫 429 49 51, pl. Mayor 3, ⊠ 28012, 𝒫 266 48 74, Caballero de Gracia 7, ⊠ 28013, 𝒫 231 44 57 y aeropuerto de Barajas 𝒫 205 86 56 – **R.A.C.E.** José Abascal 10, ⊠ 28003, 𝒫 447 32 00, Telex 27341.

♦Barcelona 627 ② – ♦Bilbao 397 ① – ♦La Coruña 603 ⑦ – ♦Lisboa 653 ⑥ – ♦Málaga 548 ④ – Paris 1310 ① – ♦Porto 599 ⑦ – ♦Sevilla 550 ④ – ♦Valencia 351 ③ – ♦Zaragoza 322 ②.

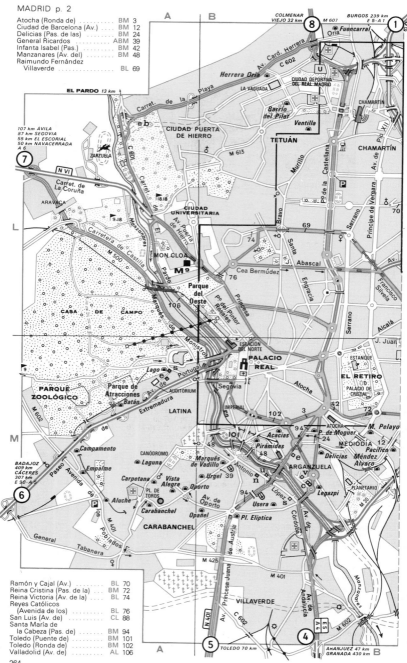

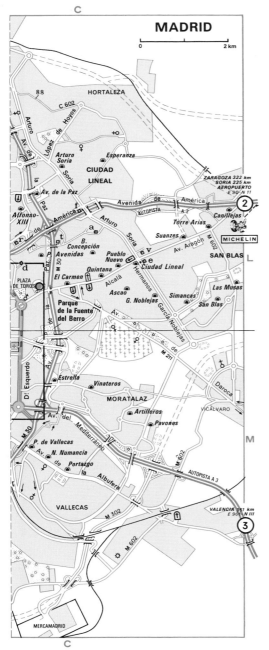

MADRID

0   2 km

Continuación Madrid p. 4

265

MADRID

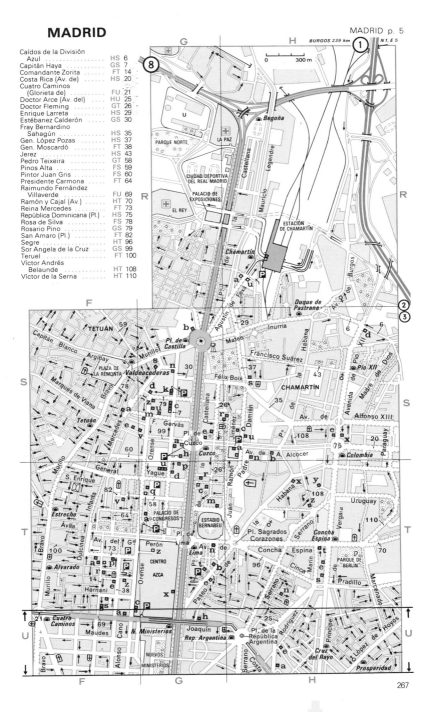

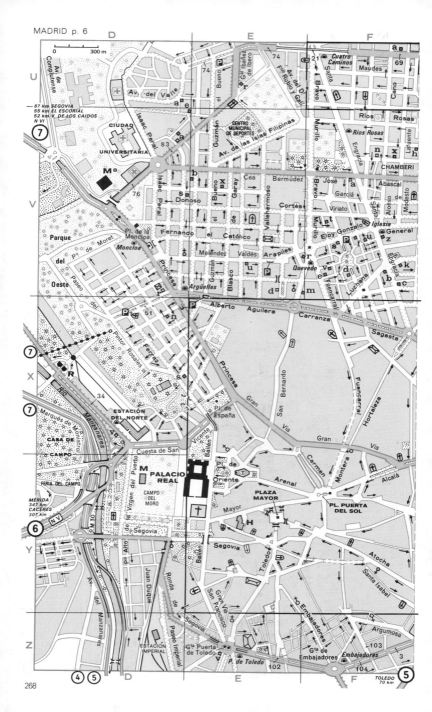

MADRID

269

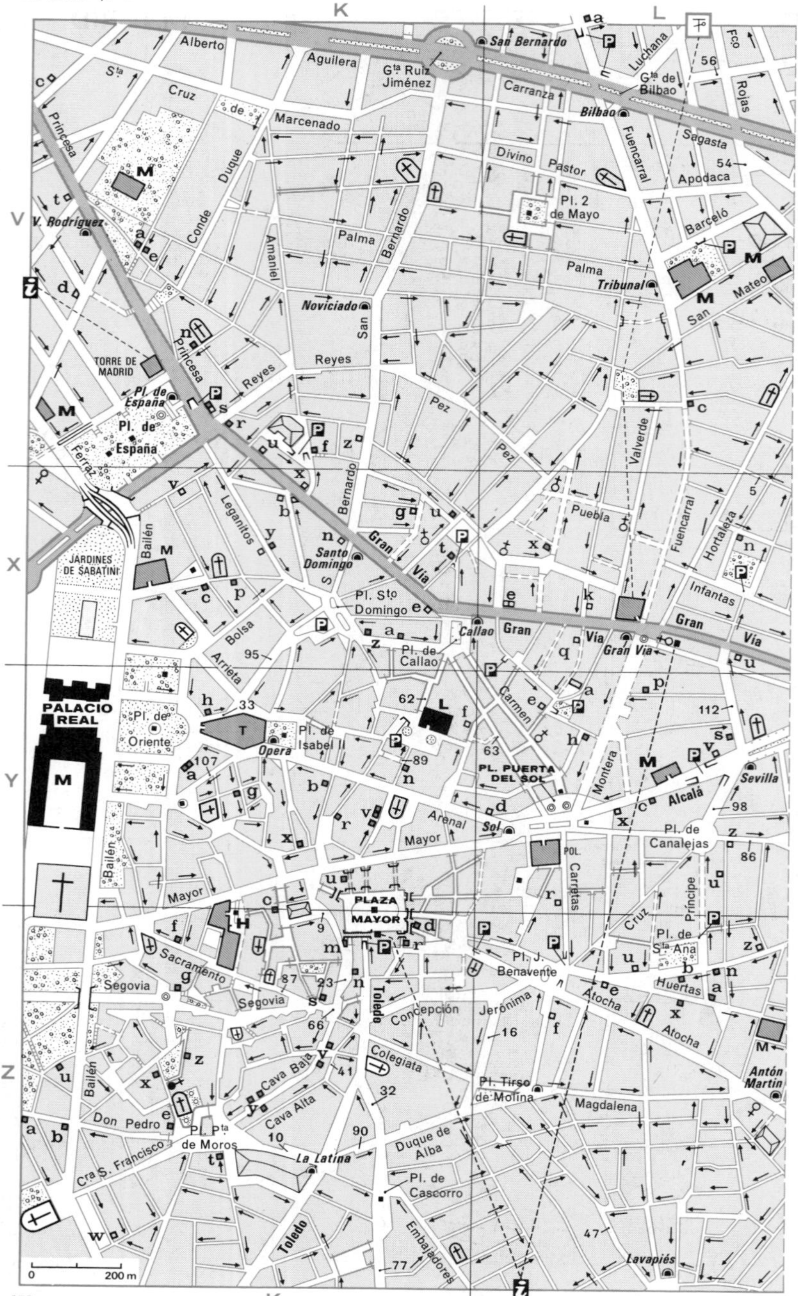

K

L

Alberto
Aguilera
Gta Ruiz Jiménez
San Bernardo
Luchana
Fco
56
Sta Cruz
de
Marcenado
Princesa
Carranza
Gta de Bilbao
Bilbao
Rojas
Sagasta
M
Divino Pastor
Pl. 2 de Mayo
Fuencarral
54
Apodaca
V. Rodríguez
V
Conde Duque
Amaniel
San Bernardo
Palma
Palma
Barceló
M
d
Princesa
San Mateo
Noviciado
Reyes
Reyes
San
Pez
Tribunal
Valverde
TORRE DE MADRID
Pl. de España
Princesa
Pez
Puebla
Fuencarral
Hortaleza
5
Pl. de España
Reyes
Gran
Via
Infantas
M
Ferraz
Bailén
Leganitos
San Bernardo
Santo Domingo
Gran
Via
Callao
Gran
Via
Gran Via
X
JARDINES DE SABATINI
Bolsa
Arrieta
Pl. Sto Domingo
Pl. de Callao
Carmen
Gran Via
95
PALACIO REAL
M
Pl. de Oriente
33
Opera
Pl. de Isabel II
62
L
63
PL. PUERTA DEL SOL
Montera
M
Alcalá
Sevilla
112
107
89
Sol
98
Y
Bailén
Mayor
Arenal
Mayor
Pl. de Canalejas
86
Carretas
Príncipe
Cruz
PLAZA MAYOR
Pl. J. Benavente
Pl. de Sta Ana
H
9
Sacramento
87
23
Toledo
Concepción
Jerónima
Huertas
Segovia
Segovia
66
Colegiata
16
Atocha
Atocha
M
Cava Baja
32
Pl. Tirso de Molina
Magdalena
Antón Martín
Bailén
Don Pedro
Cava Alta
90
Cra S. Francisco
Pl. Pta de Moros
10
La Latina
Duque de Alba
Pl. de Cascorro
Toledo
Embajadores
47
Lavapiés
77

0   200 m

K

L

MADRID

Para circular en ciudad,

utilice los planos

de la **Guía Michelin** :

vías de penetración

y circunvalación,

cruces y plazas

importantes,

nuevas calles,

aparcamientos,

calles peatonales...

un sinfín de

datos puestos

al día cada año.

LISTA ALFABÉTICA DE HOTELES Y RESTAURANTES

MAPAS Y GUÍAS MICHELIN

Oficina de información y venta

Doctor Esquerdo 157, 28007 Madrid - ℰ 409 09 40

Abierto de lunes a viernes de 8 h. a 16 h. 30

HOTELES

Y RESTAURANTES

Centro : Paseo del Prado, Puerta del Sol, Gran Vía, Alcalá, Paseo de Recoletos, Plaza Mayor, Leganitos (planos p. 8 a 9)

Palace, pl. de las Cortes 7, ⊠ 28014, ℰ 429 75 51, Telex 22272, Fax 429 82 66 – 🛗 ≡ 📺 ☎
⟵ – 🔬. 📭 ⊕ 🗲 𝑉𝐼𝑆𝐴. ⁒ rest   MY **e**
Com 4500 – ⊏⊐ 1400 – **508 hab** 17000/21500 – P 19590/25840.

Princesa Plaza, Serrano Jover 3, ⊠ 28015, ℰ 542 21 00, Telex 44377, Fax 542 35 01 – 🛗 ≡
☎ ⟵ – 🔬. 📭 ⊕ 🗲 𝑉𝐼𝑆𝐴.   KV **c**
Com 4450 – ⊏⊐ 1120 – **406 hab** 15930/19910.

Plaza sin rest, con cafetería, pl. de España, ⊠ 28013, ℰ 247 12 00, Telex 27383, Fax 248 23 89,
≼, 🝰 (sólo verano) – 🛗 ≡ 📺 ☎ – 🔬. 📭 ⊕ 🗲 𝑉𝐼𝑆𝐴. ⁒   KV **s**
⊏⊐ 880 – **306 hab** 11665/14580.

Liabeny, Salud 3, ⊠ 28013, ℰ 532 53 06, Telex 49024, Fax 532 74 21 – 🛗 ≡ 📺 ☎ ⟵ 📭 🗲
𝑉𝐼𝑆𝐴. ⁒   LY **e**
Com 1700 – ⊏⊐ 690 – **209 hab** 5900/9100 – P 8150/9500.

Suecia y Rest. Bellman, Marqués de Casa Riera 4, ⊠ 28014, ℰ 531 69 00, Telex 22313,
Fax 521 71 41 – 🛗 ≡ 📺 ☎ – 🔬. 📭 ⊕ 🗲 𝑉𝐼𝑆𝐴. ⁒   MY **b**
Com *(cerrado sábado, domingo y agosto)* carta 2475 a 3425 – ⊏⊐ 950 – **127 hab** 13850/15500.

Emperador sin rest, Gran Vía 53, ⊠ 28013, ℰ 247 28 00, Telex 46261, Fax 247 28 17, 🝰 – 🛗
≡ 📺 ☎ – 🔬. 📭 ⊕ 🗲 𝑉𝐼𝑆𝐴. ⁒   KX **n**
⊏⊐ 740 – **232 hab** 9885/12320.

Washington sin rest, Gran Vía 72, ⊠ 28013, ℰ 266 71 00, Telex 48773 – 🛗 ≡ 📺 ☎. 📭 ⊕
🗲 𝑉𝐼𝑆𝐴. ⁒   KV **u**
120 hab ⊏⊐ 8225/10675.

Victoria, pl. del Angel 7, ⊠ 28012, ℰ 231 60 00 – 🛗 ≡ ☎ – **110 hab.**   LZ **u**

Arosa sin rest, con cafetería, Salud 21, ⊠ 28013, ℰ 532 16 00, Telex 43618, Fax 531 31 27 –
🛗 ≡ 📺 ⟵ 📭 ⊕ 🗲 𝑉𝐼𝑆𝐴. ⁒   LX **q**
⊏⊐ 650 – **126 hab** 6700/9950.

El Prado sin rest, Prado 11, ⊠ 28014, ℰ 429 35 68 – 🛗 ≡ ☎ ⟵ 📭 ⊕ 🗲 𝑉𝐼𝑆𝐴   LZ **z**
⊏⊐ 600 – **45 hab** 8000/10000.

Mayorazgo, Flor Baja 3, ⊠ 28013, ℰ 247 26 00, Telex 45647, Fax 241 24 85 – 🛗 ≡ 📺 ☎
⟵ – 🔬. 📭 ⊕ 🗲 𝑉𝐼𝑆𝐴. ⁒   KX **b**
Com 2775 – ⊏⊐ 600 – **200 hab** 7400/10375 – P 11340/13550.

El Coloso, Leganitos 13, ⊠ 28013, ℰ 248 76 00, Telex 47017, Fax 247 49 68 – 🛗 ≡ 📺 ☎
⟵ 📭 ⊕ 🗲 𝑉𝐼𝑆𝐴. ⁒   KX **y**
Com 1500 – ⊏⊐ 890 – **84 hab** 9160/11450.

Regina, sin rest, Alcalá 19, ⊠ 28014, ℰ 521 47 25 – 🛗 ≡ 📺 ☎ – **142 hab.**   LY **v**

Casón del Tormes sin rest, Río 7, ⊠ 28013, ℰ 241 97 46 – 🛗 ≡ ☎ ⟵ 𝑉𝐼𝑆𝐴. ⁒   KX **v**
⊏⊐ 375 – **61 hab** 4475/6600.

Mercator sin rest, con cafetería, Atocha 123, ⊠ 28012, ℰ 429 05 00, Telex 46129 – 🛗 ≡ ☎
📵 📭 ⊕ 🗲 𝑉𝐼𝑆𝐴   NZ **b**
⊏⊐ 425 – **90 hab** 4500/6500.

Capitol, sin rest, Gran Vía 41, ⊠ 28013, ℰ 521 83 91, Telex 41499 – 🛗 ≡ 📺 ⟵   KX **e**
146 hab.

Los Condes sin rest, Los Lebreros 7, ⊠ 28004, ℰ 521 54 55, Telex 42730 – 🛗 ≡ 📺 ☎. 📭 🗲
𝑉𝐼𝑆𝐴. ⁒   KX **g**
⊏⊐ 450 – **68 hab** 5250/7625.

Atlántico sin rest, Gran Vía 38 - 3° piso, ⊠ 28013, ℰ 522 64 80, Telex 43142 – 🛗 ≡ ☎. 📭
⊕ 🗲 𝑉𝐼𝑆𝐴. ⁒   LX **e**
62 hab ⊏⊐ 4845/6990.

Carlos V sin rest, Maestro Vitoria 5, ⊠ 28013, ℰ 531 41 00, Telex 48547 – 🛗 ≡ 📺 ☎. 📭 ⊕
🗲 𝑉𝐼𝑆𝐴 – ⊏⊐ 450 – **67 hab** 5800/7300.   KY **f**

Moderno sin rest, Arenal 2, ⊠ 28013, ℰ 531 09 00 – 🛗 ≡ ⟵. 📭 ⊕ 🗲 𝑉𝐼𝑆𝐴. ⁒   LY **d**
⊏⊐ 250 – **98 hab** 3600/5800.

Cortezo sin rest, con cafetería, Dr Cortezo 3, ⊠ 28012, ℰ 239 38 00, Telex 48704 – 🛗 ≡ ☎
⟵. 📭 🗲 𝑉𝐼𝑆𝐴. ⁒   LZ **f**
⊏⊐ 400 – **90 hab** 5200/6500.

🏨 **Reyes Católicos** sin rest, Angel 18, ⊠ 28005, 𝒫 265 86 00, Telex 44474 – 🛗 🗏 ☎. 🖭 ① **E**
VISA. 🦄   KZ **w**
⌿ 450 – **38 hab** 4245/6605.

🏨 **Madrid** sin rest, Carretas 10, ⊠ 28012, 𝒫 521 65 20, Telex 43142 – 🛗 🐾. 🖭 ① **E** **VISA**. 🦄
⌿ 325 – **71 hab** 4550/6650.   LY **r**

🏨 **París**, Alcalá 2, ⊠ 28014, 𝒫 521 64 96, Telex 43448 – 🛗 🗏 hab ☎. **VISA**. 🦄   LY **x**
Com 1600 – **114 hab** ⌿ 4200/6000 – P 5500/6700.

🏨 **Italia,** Gonzálo Jiménez de Quesada 2 - 2° piso, ⊠ 28004, 𝒫 522 47 90 – 🛗 🗏 rest ☎. 🖭 ①
E **VISA**. 🦄   LX **k**
Com 1400 – ⌿ 250 – **59 hab** 3400/4400 – P 4790/5990.

🏨 **Inglés** sin rest, Echegaray 8, ⊠ 28014, 𝒫 429 65 51 – 🛗 🐾 🚗. 🖭 ① **E** **VISA**. 🦄   LY **u**
⌿ 275 – **58 hab** 3700/5900.

🏨 **Alexandra** sin rest, San Bernardo 29, ⊠ 28015, 𝒫 542 04 00 – 🛗 ☎. **VISA**   KV **z**
⌿ 300 – **69 hab** 3830/5100.

🏨 Lope de Vega, sin rest, Gran Vía 59 - 9° piso, ⊠ 28013, 𝒫 247 70 00, ≼ – 🛗 🐾   KX **b**
47 hab.

🏨 Anaco, sin rest, con cafetería, Tres Cruces 3, ⊠ 28013, 𝒫 522 46 04 – 🛗 🗏 📺 ☎   LY **a**
39 hab.

🏨 **California** sin rest, Gran Vía 38 - 1° piso, ⊠ 28013, 𝒫 522 47 03 – 🛗 ☎. 🖭 ① **E** **VISA**. 🦄
⌿ 300 – **27 hab** 3600/5300.   LX **e**

🏨 **Mónaco** sin rest, Barbieri 5, ⊠ 28004, 𝒫 522 46 30 – 🛗 🐾. **VISA**. 🦄   MX **b**
⌿ 300 – **32 hab** 3000/5000.

🏨 **Fontela** sin rest, Gran Vía 11 - 2° piso, ⊠ 28013, 𝒫 521 64 00 – 🛗 🗏 🐾. 🖭 **E** **VISA**. 🦄
⌿ 200 – **66 hab** 3000/4100.   LX **u**

🏨 **Amberes** sin rest, Gran Vía 68 - 7° piso, ⊠ 28013, 𝒫 247 61 00 – 🛗 ☎. 🖭 ① **E** **VISA**   KX **x**
⌿ 290 – **44 hab** 4800.

🏨 Santander, sin rest, Echegaray 1, ⊠ 28014, 𝒫 429 95 51 – 🛗 🐾 – **38 hab**.   LY **z**

🏨 **Persal** sin rest, pl. del Angel 12 - 1° piso, ⊠ 28012, 𝒫 230 31 08, Telex 23261 – 🛗 ☎. 🖭 **VISA**.
🦄   LZ **e**
⌿ 390 – **100 hab** 3700/4900.

🍴🍴🍴 🕸 **El Cenador del Prado,** Prado 4, ⊠ 28014, 𝒫 429 15 61 – 🗏. 🖭 ① **E** **VISA**. 🦄   LZ **n**
cerrado domingo, festivos y del 8 al 23 agosto – Com carta 4400 a 5100
Espec. Patatas importancia con almejas, Medallones de venado con salsa de caza, Solomillo marinado con pan de
ajo.

🍴🍴🍴 **Pierre Laporte,** Prado 27, ⊠ 28014, 𝒫 429 92 10, Telex 47017 – 🗏. 🖭 ① **E** **VISA**. 🦄 MYZ **a**
cerrado sábado mediodía, domingo, festivos y 29 julio-4 septiembre – Com carta 5000 a 7000.

🍴🍴🍴 🕸 **Café de Oriente,** pl. de Oriente 2, ⊠ 28013, 𝒫 241 39 74, Fax 247 77 07, Cocina vasco-
francesa, Decoración elegante – 🗏. 🖭 ① **E** **VISA**. 🦄   KY **a**
cerrado sábado mediodía, domingo y agosto – Com carta 3950 a 5750
Espec. Terrina de foie gras fresco al Jerez, Rodaballo a la papillote con duxel de calabacín, Helado de almendras
amargas.

🍴🍴🍴 🕸 **Jaun de Alzate,** Princesa 18, ⊠ 28008, 𝒫 247 00 10 – 🗏. 🖭 ① **E** **VISA**. 🦄   KV **a**
Com carta 2750 a 3750
Espec. Ensalada de bogavante al aroma de sandalo y vinagre de sidra, Lubina al azafrán, Pato azulon a la salsa de
mango y mariscos (temporada de caza).

🍴🍴🍴 **Korynto,** Preciados 36, ⊠ 28013, 𝒫 521 20 41, Pescados y mariscos – 🗏. 🖭 ① **E** **VISA**. 🦄
Com carta 2950 a 3725.   KX **a**

🍴🍴🍴 **Bajamar,** Gran Vía 78, ⊠ 28013, 𝒫 248 59 03, Telex 22818, Fax 248 90 90, Pescados y mariscos
– 🗏. 🖭 ① **E** **VISA**. 🦄   KV **r**
Com carta 3300 a 4850.

🍴🍴🍴 **Irizar,** Jovellanos 3 - 1° piso, ⊠ 28014, 𝒫 531 45 69, Cocina vasco - francesa – 🗏. 🖭 ①
VISA. 🦄   MY **d**
cerrado sábado mediodía, domingo, festivos noche, Semana Santa y del 22 al 27 diciembre –
Com carta 3175 a 4300.

🍴🍴🍴 **El Landó,** pl. Gabriel Miró 8, ⊠ 28005, 𝒫 266 76 81, Decoración elegante – 🗏. 🖭 ① **E** **VISA**.
🦄   KZ **a**
cerrado domingo y agosto – Com carta 2655 a 4080.

🍴🍴 **El Espejo,** paseo de Recoletos 31, ⊠ 28004, 𝒫 410 25 25, « Evocación de un antiguo café
parisino » – 🗏. 🖭 ① **E** **VISA**. 🦄   NV **a**
Com carta 2850 a 4275.

🍴🍴 **El Descubrimiento,** pl. Colón 1, ⊠ 28004, 𝒫 410 28 51, �, En verano cenas amenizadas
en terraza – 🗏. 🖭 ① **VISA**. 🦄   NV **M**
Com (sólo almuerzo) carta 2300 a 4000.

🍴🍴 **Ainhoa,** Bárbara de Braganza 12, ⊠ 28004, 𝒫 410 54 55, Cocina vasca – 🗏. **E** **VISA**. 🦄
cerrado domingo y agosto – Com carta 2150 a 3150.   NV **s**

🍴🍴 **Horno de Santa Teresa,** Santa Teresa 12, ⊠ 28004, 𝒫 419 10 61 – 🗏. 🖭 ① **E** **VISA**. 🦄
cerrado sábado, domingo y agosto – Com carta 2275 a 3350.   MV **t**

🍴🍴 **Posada de la Villa,** Cava Baja 9, ⊠ 28005, 𝒫 266 18 80, « Antigua posada de estilo castellano » – 🗏. 🖭 ① **E** **VISA**. 🦄   KZ **v**
cerrado domingo noche y 24 julio-23 agosto – Com carta 2550 a 3650.

XX **Moaña,** Hileras 4, ⊠ 28013, ℰ 248 29 14, Cocina gallega – 🍽 ℗ 🖭 ⓪ Ɛ 𝘝𝘐𝘚𝘈. ⅏   KY **r**
    cerrado domingo y agosto – Com carta 2540 a 3895.

XX Don Pelayo, Alcalá 33, ⊠ 28014, ℰ 231 00 31 – 🍽   MY **s**

XX **Café de Oriente (Horno de Leña),** pl. de Oriente 2, ⊠ 28013, ℰ 247 15 64, Fax 247 77 07,
    En una bodega – 🍽. 🖭 ⓪ 𝘝𝘐𝘚𝘈. ⅏   KY **a**
    Com carta 2200 a 3075.

XX **Platerías,** pl. de Santa Ana 11, ⊠ 28012, ℰ 429 70 48, Evocación de un café de principio de
    siglo – 🍽. 🖭 ⓪ Ɛ 𝘝𝘐𝘚𝘈   LZ **b**
    cerrado domingo – Com carta 2550 a 4850.

XX **Da Nicola,** pl. de los Mostenses 11, ⊠ 28015, ℰ 242 25 74, Cocina italiana – 🍽. 🖭 ⓪ Ɛ
    𝘝𝘐𝘚𝘈. ⅏   KV **f**
    Com carta 1500 a 1890.

XX **El Asador de Aranda,** Preciados 44, ⊠ 28013, ℰ 247 21 56, Cordero asado, « Decoración
    castellana » – 🍽. 𝘝𝘐𝘚𝘈. ⅏   KX **z**
    cerrado lunes noche y del 15 al 31 julio – Com carta 1690 a 2325.

XX A Priori, Argensola 7, ⊠ 28004, ℰ 410 36 71, Cocina francesa – 🍽   MV **t**

XX **Botín,** Cuchilleros 17, ⊠ 28005, ℰ 266 42 17, Decoración viejo Madrid, bodega típica – 🍽.
    🖭 ⓪ Ɛ 𝘝𝘐𝘚𝘈   KZ **n**
    Com carta 1750 a 3770.

XX **La Rioja,** Las Negras 8, ⊠ 28015, ℰ 248 06 68, Decoración rústica medieval – 🍽 ℗ 🖭 ⓪
    Ɛ 𝘝𝘐𝘚𝘈   KV **e**
    cerrado domingo – Com carta 2350 a 3775 .

XX **La Fonte del Cai,** Farmacía 2 - 2° piso - Edificio Asturias, ⊠ 28004, ℰ 522 42 18, Cocina
    asturiana – 🍽. 🖭 ⓪ 𝘝𝘐𝘚𝘈. ⅏   LV **c**
    cerrado domingo noche, lunes y agosto – Com carta 2480 a 2960.

XX **Valentín,** San Alberto 3, ⊠ 28013, ℰ 521 16 38 – 🍽. 🖭 ⓪ Ɛ 𝘝𝘐𝘚𝘈. ⅏   LY **h**
    Com carta 2425 a 4200.

XX **Sixto Gran Mesón,** Cervantes 28, ⊠ 28014, ℰ 429 22 55, Decoración castellana – 🍽. 🖭
    ⓪ Ɛ 𝘝𝘐𝘚𝘈. ⅏   MZ **n**
    cerrado domingo noche – Com carta 2200 a 2800.

XX **Casa Gallega,** pl. de San Miguel 8, ⊠ 28005, ℰ 247 30 55, Cocina gallega – 🍽. 🖭 ⓪ Ɛ
    𝘝𝘐𝘚𝘈. ⅏   KYZ **c**
    Com carta 1900 a 3800 .

XX **La Toja,** Siete de Julio 3, ⊠ 28012, ℰ 266 30 34, Cocina gallega – 🍽. 🖭 ⓪ Ɛ 𝘝𝘐𝘚𝘈. ⅏
    cerrado julio – Com carta 2375 a 3825.   KY **u**

XX **Casa Gallega,** Bordadores 11, ⊠ 28013, ℰ 241 90 55, Cocina gallega – 🍽. 🖭 ⓪ Ɛ 𝘝𝘐𝘚𝘈. ⅏
    Com carta 2100 a 3400.   KY **v**

XX **Zarauz,** Fuentes 13, ⊠ 28013, ℰ 247 72 70, Cocina vasca – 🍽. 🖭 ⓪ Ɛ 𝘝𝘐𝘚𝘈. ⅏   KY **b**
    cerrado domingo noche, lunes y 15 julio-8 septiembre – Com carta 2150 a 3250.

XX **La Gastroteca,** pl. de Chueca 8, ⊠ 28004, ℰ 532 25 64, Cocina francesa – 🍽. 🖭 ⓪ Ɛ 𝘝𝘐𝘚𝘈
    cerrado sábado mediodía, domingo y agosto – Com carta 2780 a 4520.   MVX **e**

XX **Pazo de Monterrey,** Alcalá 4, ⊠ 28014, ℰ 522 30 10, Cocina gallega – 🍽. 🖭 ⓪ Ɛ 𝘝𝘐𝘚𝘈. ⅏
    Com carta 2650 a 3500.   LY **c**

XX **Café de Chinitas,** Torija 7, ⊠ 28013, ℰ 248 51 35, Tablao flamenco – 🍽. 🖭 Ɛ. ⅏   KX **p**
    cerrado domingo y 24 diciembre – Com (sólo cena) (suplemento espectáculo) carta 4200 a 6300.

XX **La Grillade,** Jardines 3, ⊠ 28013, ℰ 521 22 17, Telex 43618, Fax 531 31 27 – 🍽. 🖭 ⓪ Ɛ 𝘝𝘐𝘚𝘈.
    ⅏   LY **p**
    Com carta 2240 a 3970.

XX Il Boccalino, Gran Via 86, ⊠ 28013, ℰ 241 22 99, Cocina italiana – 🍽   KV **s**

XX ⊛ **Gure-Etxea,** pl. de la Paja 12, ⊠ 28005, ℰ 265 61 49, Cocina vasca – 🍽. 🖭 ⓪ 𝘝𝘐𝘚𝘈. ⅏
    cerrado domingo y agosto – Com carta 2425 a 4150   KZ **x**
    Espec. Foie de canard, Cocochas al pil-pil, Bacalao al pil-pil.

XX **El Buda Feliz,** Tudescos 5, ⊠ 28013, ℰ 232 44 75, Cocina china – 🍽. 🖭 ⓪ 𝘝𝘐𝘚𝘈. ⅏   KX **t**
    Com carta 1510 a 2210.

XX **Le Chateaubriand,** Virgen de los Peligros 1, ⊠ 28014, ℰ 532 33 41, Decoración inspirada
    en los clásicos bistros franceses, Carnes – 🍽. 𝘝𝘐𝘚𝘈. ⅏   LY **s**
    cerrado domingo y festivos – Com carta 2175 a 3450.

X **Carpanta,** Bailen 20, ⊠ 28005, ℰ 265 82 37 – 🍽. 🖭 ⓪ Ɛ 𝘝𝘐𝘚𝘈   KZ **b**
    cerrado domingo noche y 16 agosto-6 septiembre – Com carta 2170 a 3220.

X **El Mentidero de la Villa,** Santo Tomé 6, ⊠ 28004, ℰ 419 55 06 – 🍽. 🖭 ⓪ Ɛ 𝘝𝘐𝘚𝘈. ⅏
    cerrado sábado mediodía, domingo y del 15 al 30 agosto – Com carta 2580 a 3350.   MV **b**

X Casa Lucio, Cava Baja 35, ⊠ 28005, ℰ 265 32 52, Decoración castellana – 🍽   KZ **y**

X **Esteban,** Cava Baja 36, ⊠ 28005, ℰ 265 92 91 – 🍽. 🖭 ⓪ 𝘝𝘐𝘚𝘈. ⅏   KZ **y**
    cerrado domingo y julio – Com carta 1900 a 3050.

X **El Caldero,** Huertas 15, ⊠ 28012, ℰ 429 50 44 – 🍽. 🖭 ⓪ Ɛ 𝘝𝘐𝘚𝘈   LZ **a**
    cerrado domingo y lunes noche – Com carta 1975 a 2925.

X **La Opera de Madrid,** Amnistia 5, ⊠ 28013, ℰ 248 50 92 – 🍽. 🖭 ⓪ Ɛ 𝘝𝘐𝘚𝘈. ⅏   KY **g**
    cerrado domingo y del 1 al 15 agosto – Com carta 2400 a 3100.

✗ **Juan Agustín,** San Leonardo 12, ✉ 28015, ℘ 248 49 49, Cenas amenizadas al piano – ▣.
AE ⑩ E VISA. ⋇ KV **n**
cerrado domingo – Com carta 2800 a 3625.

✗ Mesón Gregorio III, Bordadores 5, ✉ 28013, ℘ 242 59 56 – ▣ KY **v**

✗ **Las Cuevas de Luis Candelas,** Cuchilleros 1, ✉ 28012, ℘ 266 54 28, Decoración viejo
Madrid - Camareros vestidos como los antiguos bandoleros – ▣. **AE ⑩ E VISA**. ⋇ KZ **m**
Com carta 2450 a 3875.

✗ **Pazo de Gondomar,** San Martín 2, ✉ 28013, ℘ 532 31 63, Cocina gallega – ▣. **AE ⑩ E
VISA** KY **n**
Com carta 1700 a 2700.

✗ **Casablanca,** Barquillo 29, ✉ 28004, ℘ 521 15 68 – ▣. **AE ⑩ E VISA** MV **s**
Com carta 1825 a 3500.

✗ **Del Valle,** Humilladero 4, ✉ 28005, ℘ 266 90 25 – ▣. **AE E VISA**. ⋇ KZ **t**
cerrado domingo y agosto – Com carta 1950 a 3450.

✗ Corral de la Morería, Morería 17, ✉ 28005, ℘ 265 11 37, Tablao flamenco – ▣ KZ **u**
Com (sólo cena).

✗ El Arcón, Silva 25, ✉ 28004, ℘ 522 60 05 – ▣ KX **u**

✗ Viejo Madrid, Cava Baja 32, ✉ 28005, ℘ 266 38 38 – ▣ KZ **y**

✗ **Bar del Teatro,** Prim 5, ✉ 28004, ℘ 531 17 97, En una bodega – ▣. **AE ⑩ E VISA**. ⋇
cerrado sábado mediodía y domingo – Com carta 2500 a 3700. NX **r**

✗ **El Schotis,** Cava Baja 11, ✉ 28005, ℘ 265 32 30 – ▣. **AE ⑩ E VISA**. ⋇ KZ **v**
cerrado lunes y agosto – Com carta 1850 a 3050.

✗ La Gran Tasca, Ballesta 1, ✉ 28004, ℘ 231 00 44 LX **x**
Com (sólo almuerzo).

✗ **Taberna del Alabardero,** Felipe V - 6, ✉ 28013, ℘ 247 25 77, Taberna típica – ▣. **AE ⑩ E
VISA**. ⋇ KY **h**
Com carta 3400 a 4200.

✗ **Cava del Almirante,** Almirante 11, ✉ 28004, ℘ 531 62 76, En una bodega – ▣. **AE ⑩ E
VISA**. ⋇ MNX **x**
cerrado domingo – Com carta 2500 a 3550.

✗ **Guría,** Huertas 12, ✉ 28012, ℘ 429 12 36, Cocina vasca – ▣. **VISA**. ⋇ LZ **x**
cerrado domingo y julio-15 septiembre – Com carta 1800 a 2800.

✗ **Pipo,** Augusto Figueroa 37, ✉ 28004, ℘ 521 71 18 – ▣. **AE ⑩ E VISA** MX **c**
cerrado domingo y agosto – Com carta 1550 a 2200.

✗ **Berrio,** Costanilla de Capuchinos 4, ✉ 28004, ℘ 521 20 35, Rest. andaluz – ▣. **AE ⑩ E VISA**.
⋇ LX **n**
cerrado domingo y 10 agosto-10 septiembre – Com carta 2250 a 3100.

✗ **La Quintana,** Bordadores 7, ✉ 28013, ℘ 242 04 88 – ▣. **AE ⑩ VISA**. ⋇ KY **v**
Com carta 2250 a 3350.

✗ **Dómine Cabra,** Huertas 54, ✉ 28014, ℘ 429 43 65 – ▣. **AE ⑩ E VISA**. ⋇ MZ **s**
cerrado domingo noche y del 6 al 20 agosto – Com carta 2400 a 3350.

✗ **Los Galayos,** Botoneras 5, ✉ 28012, ℘ 266 30 28, 斎 – ▣. **AE ⑩ E VISA**. ⋇ KZ **r**
Com carta 2525 a 3800.

✗ **La Argentina,** Gravina 18, ✉ 28004, ℘ 521 37 63 – ▣. ⋇ MX **d**
cerrado lunes y 20 julio-agosto – Com carta 1670 a 3100 .

✗ **Aroca,** pl. de los Carros 3, ✉ 28005, ℘ 265 26 26 – ▣. ⋇ KZ **e**
cerrado domingo y 25 julio-5 septiembre – Com carta 1725 a 2450.

✗ **Casa Paco,** Puerta Cerrada 11, ✉ 28005, ℘ 266 31 66 – ▣. ⑩ **VISA**. ⋇ KZ **s**
cerrado domingo – Com carta 2750 a 3800.

✗ El Brasero, pl. de la Cruz Verde 3, ✉ 28005, ℘ 248 65 18, 斎, Cocina catalana – ▣ KZ **g**

✗ **El Buey II,** pl. de la Marina Española 1, ✉ 28013, ℘ 241 30 41 – ▣. **E VISA**. ⋇ KX **c**
cerrado domingo noche y festivos – Com carta 2000 a 2500.

✗ **Salvador,** Barbieri 12, ✉ 28004, ℘ 521 45 24, Cuadros y fotos del mundo taurino – ▣. **AE E
VISA**. ⋇ MX **b**
cerrado domingo y 16 julio-7 septiembre – Com carta 1900 a 3150.

✗ **Valdés,** Libertad 3, ✉ 28004, ℘ 532 20 52 – ▣. **AE E VISA**. ⋇ MX **f**
cerrado domingo – Com (sólo almuerzo) carta 1600 a 2200.

✗ Taberna Carmencita, Libertad 16, ✉ 28004, ℘ 231 66 12, Taberna típica MX **u**

✗ **Plaza Mayor,** Gerona 4, ✉ 28012, ℘ 265 21 58, 斎 – ▣. **AE ⑩ E VISA**. ⋇ KZY **d**
Com carta 2200 a 3500.

✗ **La Quinta del Sordo,** Sacramento 10, ✉ 28012, ℘ 248 18 52 – ▣. **AE ⑩ VISA**. ⋇ KZ **f**
cerrado domingo noche – Com carta 1950 a 2900.

✗ **El Cosaco,** pl. de la Paja 2, ✉ 28005, ℘ 265 35 48, Rest. ruso – ▣. ⑩ KZ **z**
Com (sólo cena salvo domingo) carta 1595 a 2890.

✗ **Mi Pueblo,** Costanilla de Santiago 2, ✉ 28013, ℘ 248 20 73 – ▣. **VISA**. ⋇ KY **x**
cerrado domingo noche, lunes y del 1 al 15 agosto – Com carta 1375 a 2300.

✗ **El Ingenio,** Leganitos 10, ✉ 28013, ℘ 241 91 33 – ▣. **AE ⑩ E VISA**. ⋇ KX **y**
cerrado domingo, festivos y agosto – Com carta 1590 a 2300.

Retiro-Salamanca-Ciudad Lineal : Castellana, Velázquez, Serrano, Goya, Príncipe de Vergara, Narvaez, Don Ramón de la Cruz (plano p.7 salvo mención especial)

🏨🏨🏨 **Ritz,** pl. de la Lealtad 5, ⊠ 28014, ℰ 521 28 57, Telex 43986, Fax 523 87 76, 佘 – 🛗 🗏 📺 ☎ ⇦ (del Hotel Palace) – 🛄. 🕮 ⓪ 🖅 𝘝𝘐𝘚𝘈. 🛠 rest　　　　plano p. 9　NY **k**
Com 3800 – � 1950 – **153 hab** 48000/59000.

🏨🏨🏨 **Villa Magna,** paseo de la Castellana 22, ⊠ 28046, ℰ 261 49 00, Telex 22914, Fax 275 95 04, « Decoración elegante » – 🛗 🗏 📺 ☎ ⇦ – 🛄. 🕮 ⓪ 🖅 𝘝𝘐𝘚𝘈. 🛠 rest　　plano p. 9　NV **x**
Com carta 4035 a 5350 – ⊒ 2400 – **182 hab** 41000/51000.

🏨🏨🏨 **Wellington,** Velázquez 8, ⊠ 28001, ℰ 275 44 00, Telex 22700, Fax 276 41 64, ⅀ – 🛗 🗏 📺 ☎ ⇦ – 🛄. 🕮 ⓪ 🖅 𝘝𝘐𝘚𝘈. 🛠　　　　　　　　　　　　　　HX **t**
Com (ver **Rest. El Fogón**) – ⊒ 1170 – **258 hab** 12520/19800.

🏨🏨 **Fenix,** Hermosilla 2, ⊠ 28001, ℰ 431 67 00, Telex 45639, Fax 276 06 61 – 🛗 🗏 hab 📺 ☎ – 🛄. 🕮 ⓪ 🖅 𝘝𝘐𝘚𝘈. 🛠　　　　　　　　　　　　　　　　NV **c**
Com carta 2550 a 3500 – ⊒ 875 – **228 hab** 13850/17325.

🏨🏨 **Los Galgos Sol y Rest. Diabolo,** Claudio Coello 139, ⊠ 28006, ℰ 262 66 00, Telex 43957, Fax 261 76 62 – 🛗 🗏 📺 ☎ ⇦ – 🛄. 🕮 ⓪ 🖅 𝘝𝘐𝘚𝘈. 🛠　　　　　　　HV **a**
Com (cerrado domingo) 3100 – ⊒ 875 – **358 hab** 9500/14200 – P 12750/15150.

🏨🏨 **Sanvy,** Goya 3, ⊠ 28001, ℰ 276 08 00, Telex 44994, Fax 275 24 43, ⅀ – 🛗 🗏 📺 ☎ ⇦ – 🛄. 🕮 ⓪ 🖅 𝘝𝘐𝘚𝘈. 🛠　　　　　　　　　　　　　　plano p. 9　NV **r**
⊒ 900 – **141 hab** 9800/13800.

🏨🏨 **Príncipe de Vérgara** Ⓜ, Príncipe de Vérgara 92, ⊠ 28001, ℰ 563 26 95, Telex 27064, Fax 563 72 53 – 🛗 🗏 📺 ☎ ⇦ – 🛄. 🕮 ⓪ 🖅 𝘝𝘐𝘚𝘈. 🛠　　　　　　　　HV **c**
Com carta aprox. 3300 – ⊒ 900 – **173 hab** 11100/13800.

🏨🏨 **G. H. Velázquez,** Velázquez 62, ⊠ 28001, ℰ 275 28 00, Telex 22779 – 🛗 🗏 📺 ☎ ⇦ – 🛄. 🕮 ⓪ 🖅 𝘝𝘐𝘚𝘈. 🛠 rest　　　　　　　　　　　　　　HX **s**
Com 2350 – ⊒ 600 – **144 hab** 8500/14100.

🏨🏨 **Agumar** sin rest, con cafetería, paseo Reina Cristina 7, ⊠ 28014, ℰ 552 69 00, Telex 22814, Fax 433 60 95 – 🛗 🗏 📺 ☎ ⇦ 🕮 ⓪ 🖅 𝘝𝘐𝘚𝘈. 🛠　　　　　　　HZ **a**
⊒ 650 – **252 hab** 7960/9950.

🏨🏨 **Novotel Madrid,** Albacete 1, ⊠ 28027, ℰ 405 46 00, Telex 41862, Fax 404 11 05, 佘, ⅀ – 🛗 🗏 📺 ☎ ⇦ 🅿 – 🛄. 🕮 ⓪ 🖅 𝘝𝘐𝘚𝘈. 🛠　　　　　　　　plano p. 3　CL **t**
Com 2750 – ⊒ 775 – **236 hab** 9600/12000 – P 11300/14900.

🏨🏨 **Convención** sin rest, con cafetería, O'Donnell 53, ⊠ 28009, ℰ 274 68 00, Telex 23944, Fax 274 56 01 – 🛗 🗏 📺 ☎ ⇦ – 🛄. 🕮 ⓪ 🖅 𝘝𝘐𝘚𝘈. 🛠　　　　　　　　JX **a**
⊒ 645 – **790 hab** 8265/11160.

🏨🏨 **G. H. Colón,** Pez Volador 11, ⊠ 28007, ℰ 273 86 00, Telex 22984, ⅀, 🔥 – 🛗 🗏 📺 ☎ ⇦ – 🛄. 🕮 ⓪ 🖅 𝘝𝘐𝘚𝘈. 🛠　　　　　　　　　　　　　　JY **x**
Com 2200 – ⊒ 500 – **390 hab** 5800/8200 – P 8265/9965.

🏨🏨 **Alcalá y Rest. Basque,** Alcalá 66, ⊠ 28009, ℰ 435 10 60, Telex 48094, Fax 435 11 05 – 🛗 🗏 📺 ☎ ⇦ – 🛄. 🕮 ⓪ 🖅 𝘝𝘐𝘚𝘈. 🛠　　　　　　　　　　　HX **w**
Com (cerrado domingo) carta 2250 a 3625 – ⊒ 625 – **153 hab** 7800/11500.

🏨🏨 **Pintor,** Goya 79, ⊠ 28001, ℰ 435 75 45, Telex 23281 – 🛗 🗏 📺 ☎ ⇦ – 🛄. 🕮 🖅 𝘝𝘐𝘚𝘈. 🛠　　　　　　　　　　　　　HX **c**
Com 1500 – ⊒ 760 – **176 hab** 8815/11595.

🏨🏨 **Emperatriz,** López de Hoyos 4, ⊠ 28006, ℰ 563 80 88, Telex 43640, Fax 563 13 17 – 🛗 🗏 📺 ☎ – 🛄. 🕮 ⓪ 🖅 𝘝𝘐𝘚𝘈. 🛠　　　　　　　　　　　GV **z**
Com 2250 – ⊒ 750 – **169 hab** 6800/11000.

🏨🏨 **Serrano** sin rest, Marqués de Villamejor 8, ⊠ 28006, ℰ 435 52 00, Telex 27521 – 🛗 🗏 📺 ☎. 🕮 ⓪ 🖅 𝘝𝘐𝘚𝘈. 🛠　　　　　　　　　　　　　HV **b**
⊒ 550 – **34 hab** 6900/8700.

🏨 **Balboa** Ⓜ, Nuñez de Balboa 112, ⊠ 28006, ℰ 563 03 24, Telex 27063, Fax 262 69 80 – 🛗 🗏 📺 ☎ ⇦ – 🛄. 🕮 ⓪ 🖅 𝘝𝘐𝘚𝘈. 🛠 rest　　　　　　　　　HV **n**
Com 2000 – ⊒ 700 – **122 hab** 7800/10900 – P 10150/12500.

🏨 **Claridge** sin rest, con cafetería, pl. del Conde de Casal 6, ⊠ 28007, ℰ 551 94 00, Telex 44970, Fax 501 03 85 – 🛗 🗏 📺 ☎ ⇦. 🕮 ⓪ 🖅 𝘝𝘐𝘚𝘈　　　　　　　JZ **a**
⊒ 450 – **150 hab** 5160/6450.

🏨 **Abeba** sin rest, Alcántara 63, ⊠ 28006, ℰ 401 16 50 – 🛗 🗏 📺 ☎ ⇦. 🕮 ⓪ 🖅 𝘝𝘐𝘚𝘈. 🛠　　　　　　　　　　　　　HV **r**
⊒ 425 – **90 hab** 5000/7700.

🏨 **Don Diego** sin rest, Velázquez 45 - 5° piso, ⊠ 28001, ℰ 435 07 60 – 🛗 ☎. 🛠　　HX **k**
⊒ 300 – **58 hab** 4500/6400.

🏗🏗🏗🏗 **Horcher,** Alfonso XII - 6, ⊠ 28014, ℰ 522 07 31, « Decoración elegante » – 🗏. 🕮 ⓪ 𝘝𝘐𝘚𝘈. 🛠　　　　　　　　　　　　　　　　　　　　NY **n**
cerrado domingo – Com carta 3425 a 5325.

🏗🏗🏗 Bidasoa, Claudio Coello 24, ⊠ 28001, ℰ 431 20 81, Telex 42948, Cenas amenizadas al piano – 🗏　　　　　　　　　　　　　　　　　　　　　　　HX **h**

🏗🏗🏗 Suntory, Castellana 36, ⊠ 28046, ℰ 435 90 85, Rest. japonés – 🗏 🅿　　　GHV **d**

🏗🏗🏗 **Club 31,** Alcalá 58, ⊠ 28014, ℰ 531 00 92 – 🗏. 🕮 ⓪ 🖅 𝘝𝘐𝘚𝘈. 🛠　　plano p. 9　NX **e**
cerrado agosto – Com carta 3800 a 5400.

XXX ❀ **El Amparo,** Puigcerdá 8, ✉ 28001, ℰ 431 64 56, Cocina vasco-francesa – 🗐. 🖭 𝗩𝗜𝗦𝗔. ✎
cerrado sábado mediodía, domingo, Semana Santa y agosto – Com carta 4050 a 5975   HX **h**
Espec. Rollitos de langosta en salsa de soja, Kokotxas de merluza en salsa verde con huevas, Hojaldre de pera caramelizada.

XXX **Villa y Corte de Madrid,** Serrano 110, ✉ 28006, ℰ 261 29 77, Decoración elegante – 🗐.
🖭 ⓞ 𝗘 𝗩𝗜𝗦𝗔. ✎   HV **a**
cerrado domingo y agosto – Com carta 2275 a 3940.

XXX **El Gran Chambelán,** Ayala 46, ✉ 28001, ℰ 431 77 45 – 🗐. 🖭 ⓞ 𝗩𝗜𝗦𝗔. ✎   HX **r**
cerrado domingo – Com carta 3100 a 4100.

XXX **Lucca,** José Ortega y Gasset 29, ✉ 28006, ℰ 276 01 44 – 🗐. 🖭 ⓞ 𝗘 𝗩𝗜𝗦𝗔. ✎   HV **f**
Com carta 2700 a 3430.

XXX **Belagua,** Hermosilla 4, ✉ 28001, ℰ 276 08 00, Telex 44994, Fax 275 24 43 – 🗐. 🖭 ⓞ 𝗘 𝗩𝗜𝗦𝗔.
✎   NV **r**
cerrado domingo y agosto – Com carta 4000 a 5200.

XXX **Balzac,** Moreto 7, ✉ 28014, ℰ 239 19 22, 🏠 – 🗐. 🖭 ⓞ 𝗩𝗜𝗦𝗔. ✎   plano p. 9 NZ **a**
cerrado sábado mediodía y domingo – Com carta 3890 a 4725.

XXX **El Comedor,** Montalbán 9, ✉ 28014, ℰ 531 69 68, 🏠 – 🗐. 🖭 ⓞ 𝗘 𝗩𝗜𝗦𝗔. ✎   NY **a**
cerrado sábado mediodía y domingo – Com carta 3400 a 4250.

XX **Ponteareas,** Claudio Coello 96, ✉ 28006, ℰ 275 58 73, Cocina Gallega – 🗐. 🖭 ⓞ 𝗘 𝗩𝗜𝗦𝗔.
✎   HV **w**
cerrado domingo – Com carta 2640 a 4050.

XX **A Roda de Xan,** Dr. Esquerdo 70, ✉ 28007, ℰ 274 18 22, Cocina gallega – 🗐. 🖭 ⓞ 𝗘 𝗩𝗜𝗦𝗔.
✎   JY **t**
Com carta 2600 a 3400.

XX **Caruso,** Serrano 70, ✉ 28001, ℰ 435 52 62 – 🗐. 🖭 ⓞ 𝗩𝗜𝗦𝗔. ✎   HVX **p**
cerrado domingo y festivos – Com carta 2350 a 4675 .

XX **La Gamella,** Alfonso XII-4, ✉ 28014, ℰ 532 45 09 – 🗐. 🖭 ⓞ 𝗘 𝗩𝗜𝗦𝗔. ✎   NY **r**
cerrado sábado mediodía – Com carta 3900 a 5100.

XX **St.-James,** Juan Bravo 26, ✉ 28020, ℰ 275 60 10, 🏠, Arroces – 🗐. 🖭. ✎   HV **t**
cerrado domingo – Com carta 2450 a 3900.

XX **La Abuelita,** av. de Badajoz 25, ✉ 28027, ℰ 405 49 94 – 🗐. 🖭 ⓞ 𝗩𝗜𝗦𝗔. ✎
cerrado domingo, festivos noche y agosto – Com carta 2360 a 3860 .   plano p. 3 CL **a**

XX Schwarzwald (Selva Negra), O'Donnell 46, ✉ 28009, ℰ 409 56 13, « Decoración original » –
🗐   JX **n**

XX **Al Mounia,** Recoletos 5, ✉ 28001, ℰ 435 08 28, Cocina maghrebi, « Ambiente oriental » –
🗐. 🖭 ⓞ 𝗘 𝗩𝗜𝗦𝗔. ✎   plano p. 9 NX **s**
cerrado domingo, lunes y agosto – Com carta 1975 a 3350.

XX **El Fogón,** Villanueva 34, ✉ 28001, ℰ 275 44 00, Telex 22700, Fax 276 41 64, « Estilo rústico
español » – 🗐. 🖭 ⓞ 𝗘 𝗩𝗜𝗦𝗔. ✎   HX **t**
Com carta 2600 a 5025.

XX Il Salotto, Velázquez 61, ✉ 28001, ℰ 431 53 33, Cocina italiana – 🗐   HX **j**

XX **Abedul,** Jorge Juan 13, ✉ 28001, ℰ 276 09 00 – 🗐. 🖭 ⓞ 𝗩𝗜𝗦𝗔. ✎   HX **g**
cerrado domingo – Com carta 2350 a 3550.

XX Gerardo, D. Ramón de la Cruz 86, ✉ 28006, ℰ 401 89 46 – 🗐   JX **s**

XX **Tristana,** Montalbán 9, ✉ 28014, ℰ 532 82 88 – 🗐. 🖭 ⓞ 𝗩𝗜𝗦𝗔. ✎   NY **a**
cerrado sábado mediodía, domingo y del 7 al 31 agosto – Com carta 2300 a 3250.

XX **El Vagón del Retiro,** Espalter 8, ✉ 28014, ℰ 420 02 06 – 🗐   NZ **c**
cerrado sábado mediodía y domingo – Com carta 2725 a 3425.

XX **La Fonda,** Lagasca 11, ✉ 28001, ℰ 403 83 07, Cocina catalana – 🗐. 🖭 ⓞ 𝗘 𝗩𝗜𝗦𝗔. ✎
cerrado domingo noche – Com carta 2050 a 3000.   HX **f**

XX **Casa Quinta,** Padilla 3, ✉ 28006, ℰ 276 74 18 – 🗐. 🖭 ⓞ 𝗘 𝗩𝗜𝗦𝗔. ✎   HV **m**
cerrado domingo – Com carta 2075 a 3400.

XX **Cordero,** av. de Aragón 2, ✉ 28027, ℰ 742 27 16 – 🗐. 🖭 ⓞ 𝗩𝗜𝗦𝗔. ✎   CL **e**
Com carta 3150 a 3500.

XX **Oter,** Claudio Coello 71, ✉ 28001, ℰ 431 67 71 – 🗐. 🖭 ⓞ 𝗘 𝗩𝗜𝗦𝗔. ✎   HX **n**
cerrado del 15 al 31 agosto – Com carta 2600 a 3675.

XX **Rafa,** Narváez 68, ✉ 28009, ℰ 273 10 87, 🏠 – 🗐. 🖭 ⓞ 𝗘 𝗩𝗜𝗦𝗔. ✎   HY **a**
Com carta 2200 a 4150.

XX **Alkalde,** Jorge Juan 10, ✉ 28001, ℰ 276 33 59, En una bodega – 🗐. 🖭 ⓞ 𝗘 𝗩𝗜𝗦𝗔. ✎
Com carta 2220 a 3780.   HX **v**

X **El Chiscón de Castelló,** Castelló 3, ✉ 28001, ℰ 275 56 62 – 🗐. ⓞ 𝗩𝗜𝗦𝗔. ✎   HX **e**
cerrado domingo y agosto – Com carta 2400 a 3200 .

X **Don Victor,** Emilio Vargas 18, ✉ 28043, ℰ 415 47 47, 🏠 – 🗐. 🖭 ⓞ 𝗘 𝗩𝗜𝗦𝗔. ✎
cerrado sábado mediodía, domingo y agosto – Com carta 3950 a 5100.   plano p. 3 CL **f**

X **Asador Velate,** Jorge Juan 91, ✉ 28009, ℰ 435 10 24, Cocina vasca – 🗐. 🖭 ⓞ 𝗘 𝗩𝗜𝗦𝗔. ✎
cerrado domingo y agosto – Com carta 1815 a 2740 .   HJX **x**

- ✕ Casa Portal, Dr. Castelo 26, ✉ 28009, ☎ 274 20 26 – ▤ — HX **b**
- ✕ El Vagón, Narvaez 57, ✉ 28009, ☎ 274 22 07 – ▤ — HY **u**
- ✕ **Sixto,** José Ortega y Gasset 83, ✉ 28006, ☎ 402 15 83, 🏠 – ▤. AE ⓓ E VISA. ✂ — JV **e**
  cerrado domingo noche – Com carta 2050 a 2575.
- ✕ Chiquito Riz, Coslada 3, ✉ 28028, ☎ 245 18 23 – ▤ Ⓟ — HV **u**
- ✕ Samuel, Lagasca 46, ✉ 28001, ☎ 276 41 35 – ▤ — HX **a**
- ✕ **Casa Domingo,** Alcalá 99, ✉ 28009, ☎ 431 18 95, 🏠 – ▤. VISA. ✂ — HX **d**
  Com carta 1845 a 2695.
- ✕ **La Hoja,** Dr. Castelo 48, ✉ 28009, ☎ 409 25 22 – ▤. E VISA — HJX **y**
  cerrado domingo y julio – Com carta 2000 a 3200.
- ✕ O Grelo, Menorca 39, ✉ 28009, ☎ 409 72 04, Cocina gallega – ▤ — HX **y**
- ✕ **Jota Cinco,** Arzobispo Cos 6, ✉ 28027, ☎ 742 93 85 – ▤ Ⓟ. AE E VISA. ✂
  Com carta 2200 a 3300. — plano p. 3 CL **v**
- ✕ China City, Dr. Esquerdo 66, ✉ 28007, ☎ 409 79 43, Cocina china – ▤ — JY **t**
- ✕ **La Panocha,** Alonso Heredia 4, ✉ 28028, ☎ 245 10 32 – ▤. ✂ — JV **x**
  cerrado domingo y agosto – Com carta 1600 a 2190.
- ✕ **Brasserie de Lista,** José Ortega y Gasset 6, ✉ 28001, ☎ 435 28 18 – ▤. AE E VISA. ✂
  Com carta 1925 a 2575. — HV **z**
- ✕ ✿ **La Trainera,** Lagasca 60, ✉ 28001, ☎ 276 05 75, Pescados y mariscos – ▤. VISA. ✂ — HX **k**
  cerrado domingo y agosto – Com carta 2850 a 4000
  Espec. Caldos, sopas y cremas de productos del mar, Pescados finos a la plancha, Mariscos a la plancha o a la americana.
- ✕ ✿ **El Pescador,** José Ortega y Gasset 75, ✉ 28006, ☎ 402 12 90, Pescados y mariscos – ▤. ✂ — JV **t**
  cerrado domingo y 10 agosto-15 septiembre – Com carta 2875 a 4425
  Espec. Crema tres eles, Lenguado Evaristo, Langosta a la americana.
- ✕ Villalobillos, María Teresa 9, ✉ 28028, ☎ 245 66 22 – ▤ — plano p. 3 CL **d**
- ✕ **Prosit,** José Ortega y Gasset 8, ✉ 28001, ☎ 276 17 85 – ▤. VISA. ✂ — HV **z**
  cerrado domingo y festivos noche – Com carta 2275 a 2650.
- ✕ Chevalier, Don Ramón de la Cruz 9, ✉ 28001, ☎ 275 21 07 – ▤ — HX **p**
- ✕ **L'Entrecote-Goya,** Claudio Coello 41, ✉ 28001, ☎ 409 73 70 – ▤. VISA. ✂ — HX **u**
  cerrado domingo y festivos – Com carta 2075 a 3015.
- ✕ **Casa Julián,** Don Ramón de la Cruz 10, ✉ 28001, ☎ 275 01 27 – ▤. VISA. ✂ — HX **q**
  cerrado domingo y festivos – Com carta 1725 a 3200 .
- ✕ ✿ **Viridiana** (posible traslado a Juan de Mena 14), Fundadores 23, ✉ 28028, ☎ 256 77 73 – ▤ — JX **c**
  cerrado domingo y agosto – Com carta 3000 a 4200.
- ✕ **Magerit,** Dr. Esquerdo 140, ✉ 28007, ☎ 433 48 04 – ▤. AE E VISA. ✂ — JZ **b**
  cerrado domingo y agosto – Com carta 2400 a 2900.

Arganzuela, Carabanchel, Villaverde : Antonio López, paseo de Las Delicias, Santa María de la Cabeza (plano p. 2 salvo mención especial)

- 🏨 **Carlton,** paseo de las Delicias 26, ✉ 28045, ☎ 239 71 00, Telex 44571 – 🛗 ▤ 📺 ☎. AE ⓓ E VISA — plano p. 7 GZ **n**
  Com 1750 – ☕ 725 – **112 hab** 8800/11000 – P 8880/12180.
- 🏨 **Praga** sin rest, con cafetería, Antonio López 65, ✉ 28019, ☎ 469 06 00, Telex 22823, Fax 469 83 25 – 🛗 ▤ ☎ 🚗 – 🏛. AE ⓓ E VISA. ✂ — BM **u**
  ☕ 530 – **428 hab** 5200/6900.
- 🏨 **Aramo,** paseo Santa María de la Cabeza 73, ✉ 28045, ☎ 473 91 11, Telex 45885 – 🛗 ▤ 📺 ☎ 🚗. AE ⓓ E VISA. ✂ rest — BM **e**
  Com 1600 – ☕ 500 – **105 hab** 9300/15400.
- 🏨 **Puerta de Toledo,** glorieta Puerta de Toledo 4, ✉ 28005, ☎ 474 71 00, Telex 22291, Fax 474 07 47 – 🛗 ▤ ☎ 🚗. AE ⓓ E VISA. ✂ — plano p. 6 EZ **v**
  Com (ver Rest. **Puerta de Toledo**) – ☕ 430 – **152 hab** 3800/6600.
- 🏠 **Hostal Auto,** paseo de la Chopera 69, ✉ 28045, ☎ 239 66 00 – 🛗 ☎ 🚗. AE VISA. ✂ — BM **c**
  Com (ver Rest. **Mesón Auto**) – ☕ 250 – **106 hab** 3100/4800.
- 🏠 **Isis,** Antonio López 168, ✉ 28026, ☎ 476 32 11 – 🛗 ▤ 📺 ☎ 🚗. AE ⓓ E VISA. ✂ — BM **s**
  Com 600 – ☕ 125 – **45 hab** 3500/5500.
- ✕✕ **Puerta de Toledo,** glorieta Puerta de Toledo 4 ☎ 474 76 75 – ▤. ⓓ E VISA. ✂
  Com carta 1875 a 2900. — plano p. 6 EZ **v**
- ✕ Las Carnes, pl. General Maroto 2, ✉ 28045, ☎ 473 54 47, Decoración rústica, Carnes – ▤ Ⓟ — BM **v**
- ✕ Los Cigarrales, Antonio López 52, ✉ 28019, ☎ 469 74 52 – ▤ — BM **n**
- ✕ **Mesón Auto,** paseo de la Chopera 69, ✉ 28045, ☎ 239 66 00, Decoración rústica – ▤ Ⓟ. AE VISA. ✂ — BM **c**
  Com carta 1675 a 2650.

Moncloa : Princesa, Rosales, paseo Florida, Casa de Campo (plano p. 6 salvo mención especial)

🏨🏨 **Meliá Madrid,** Princesa 27, ✉ 28008, 𝒫 241 82 00, Telex 22537, Fax 241 19 88, 😊 – 🏢 🗐
📺 ☎ – 🔬 – 🛏 1200 – **266 hab** 15680/19600 – P 20000/25880.
Com carta 2600 a 4200 – 🛏 1200 – **266 hab** 15680/19600 – P 20000/25880.
plano p. 8   KV   **t**

🏨 **Florida Norte,** paseo de la Florida 5, ✉ 28008, 𝒫 542 83 00, Telex 23675, Fax 247 78 33 – 🏢
🗐 📺 ☎ 🔙 . 🝐 🕕 🝏 🗷 rest
Com 1750 – **399 hab** 🛏 8800/12700.
DX   **v**

🏨 **Pullman Calatrava** sin rest, Tutor 1, ✉ 28008, 𝒫 241 98 80, Telex 43190 – 🏢 🗐 ☎ 🔙 .
🝐 🕕 E 𝒱𝒮𝒜 . 🗷
🛏 625 – **99 hab** 9100/11650.
KV   **d**

🏨 **Tirol** sin rest , con cafeteria, Marqués de Urquijo 4, ✉ 28008, 𝒫 248 19 00 – 🏢 🗐 ☎ 🔙 . E
𝒱𝒮𝒜 . 🗷
93 hab 4400/6200.
DV   **r**

🍴🍴🍴 **Café Viena,** Luisa Fernanda 23, ✉ 28008, 𝒫 248 15 91, Cenas amenizadas al piano, « Evocación de un antiguo café » – 🗐 🝐 🕕 E 𝒱𝒮𝒜 . 🗷
cerrado sábado mediodía, domingo y agosto – Com carta 2850 a 4275.
DX   **s**

🍴🍴 **Izaro,** Buen Suceso 3, ✉ 28008, 𝒫 542 44 00, Telex 41651, Decoración moderna – 🗐 🝐 .🝐
🕕 E 𝒱𝒮𝒜 . 🗷
cerrado domingo noche – Com carta 2350 a 3775.
DX   **n**

🍴 **Currito,** casa de Campo - Pabellón de Vizcaya, ✉ 28011, 𝒫 464 57 04, 😊 , Cocina vasca –
🝐 🕕 E 𝒱𝒮𝒜 . 🗷
Com carta 2850 a 3800.
plano p. 2   AM   **s**

🍴 **Guipúzcoa,** Casa de Campo - Pabellón de Guipúzcoa, ✉ 28011, 𝒫 470 04 21, 😊 , Cocina
vasca – 🝐 🕕 E 𝒱𝒮𝒜 . 🗷
cerrado domingo noche – Com carta 2700 a 3750.
plano p. 2   AM   **e**

🍴 **A' Casiña,** Puente de los Franceses, ✉ 28040, 𝒫 449 05 76, 😊 , Cocina gallega – 🗐 🝐 🝐
Com carta 1925 a 4400.
plano p. 2   AL   **t**

Chamberí : San Bernardo, Fuencarral, Alberto Aguilera, Santa Engracia (planos p. 6 a 9)

🏨🏨🏨 **Miguel Angel** Ⓜ, Miguel Angel 31, ✉ 28010, 𝒫 442 00 22, Telex 44235, Fax 442 53 20, 🔲 –
🏢 🗐 📺 ☎ 🔙 – 🔬 🝐 🕕 E 𝒱𝒮𝒜 . 🗷
Com 4250 – 🛏 1150 – **280 hab** 15000/22300 – P 20800/24650.
GV   **c**

🏨🏨🏨 **Mindanao,** paseo San Francisco de Sales 15, ✉ 28003, 𝒫 449 55 00, Telex 22631, Fax
244 55 96, 🔼, 🔲 – 🏢 – 🗐 📺 ☎ 🔙 – 🔬 . 🝐 🕕 E 𝒱𝒮𝒜 . 🗷
Com 4100 – 🛏 1200 – **289 hab** 16000/20000 – P 17525/23525.
DV   **a**

🏨🏨🏨 **Castellana Intercontinental,** paseo de la Castellana 49, ✉ 28046, 𝒫 410 02 00, Telex
27686, Fax 419 58 53, 😊 – 🏢 🗐 📺 ☎ 🔙 – 🔬 . 🝐 🕕 E 𝒱𝒮𝒜 . 🗷 rest
Com 3000 – 🛏 1200 – **305 hab** 20500/24500.
GV   **a**

🏨🏨🏨 **Tryp Palacio,** paseo de la Castellana 57, ✉ 28046, 𝒫 442 51 00, Telex 27207 – 🏢 🗐 📺 ☎
🔙 – 🔬 – **182 hab.**
GV   **p**

🏨🏨 **Escultor y Rest. Vanity,** Miguel Angel 3, ✉ 28010, 𝒫 410 42 03, Telex 44285, Fax 419 25 84
– 🏢 🗐 📺 ☎ . 🝐 🕕 E 𝒱𝒮𝒜 . 🗷
cerrado agosto – Com (cerrado domingo) 3000 – 🛏 825 – **82 hab** 8200/13900 – P 13100/14350.
GV   **a**

🏨🏨 **Las Alondras Sol** sin rest, con cafetería, José Abascal 8, ✉ 28003, 𝒫 447 40 00, Telex
49454 – 🏢 🗐 📺 ☎ . 🝐 🕕 E 𝒱𝒮𝒜 . 🗷
🛏 700 – **72 hab** 9860/12350.
FV   **a**

🏨 **Bretón,** sin rest, Bretón de los Herreros 29, ✉ 28003, 𝒫 442 83 00, Telex 43036 – 🏢 🗐 📺 ☎
56 hab.
FV   **n**

🏨 **Conde Duque** sin rest, pl. Conde Valle de Suchil 5, ✉ 28015, 𝒫 447 70 00, Telex 22058 – 🏢
☎ – 🔬 . 🝐 🕕 E 𝒱𝒮𝒜
🛏 400 – **138 hab** 3650/7165.
EV   **d**

🏨 **Zurbano,** Zurbano 79, ✉ 28003, 𝒫 441 45 00, Telex 27578, Fax 441 32 24 – 🏢 🗐 ☎ 🔙 . 🝐
🕕 E 𝒱𝒮𝒜
Com 2000 – 🛏 700 – **261 hab** 7000/10000.
GV   **x**

🏨 **Embajada,** sin rest, Santa Engracia 5, ✉ 28010, 𝒫 447 33 00 – 🏢 🙰 – **65 hab.**
MV   **r**

🏨 **Trafalgar** sin rest, Trafalgar 35, ✉ 28010, 𝒫 445 62 00 – 🏢 🗐 ☎ . 🝐 🕕 𝒱𝒮𝒜 . 🗷
🛏 250 – **45 hab** 4250/7470.
FV   **s**

🏨 **Galiano,** sin rest, Alcalá Galiano 6, ✉ 28010, 𝒫 419 20 00 – 🏢 🗐 📺 ☎ 🔙 – 🔬
29 hab.
NV   **p**

🍴🍴🍴🍴🍴 ✤ **Fortuny,** Fortuny 34, ✉ 28010, 𝒫 410 77 07, 😊 , « Antiguo palacete decorado con elegancia - Agradable terraza » – 🗐 🝐 🕕 E 𝒱𝒮𝒜 . 🗷
cerrado sábado mediodía, vísperas y festivos – Com carta 3725 a 6275
Espec. Ensalada de bogavante aliñada al vinagre de trufas, Bacalao con almejas al estilo de la casa, Hígado de oca a nuestro estilo.
GV   **n**

🍴🍴🍴🍴 ✤ **Jockey,** Amador de los Rios 6, ✉ 28010, 𝒫 419 24 35, « Decoración elegante » – 🗐 🝐
🝐 E 𝒱𝒮𝒜 . 🗷
cerrado domingo, festivos y agosto – Com carta 4450 a 6650
Espec. Envuelto de lechuga con frutos del mar, Lomos de lubina con compota de tomate natural, Chop de cordero a las chalotas y verduras del tiempo.
NV   **k**

XXX ❀ **Lúculo,** Génova 19, ⊠ 28004, ✆ 419 40 29, 🍽 – ▤. 🖭 ⓞ **E** 𝕍𝕀𝕊𝔸. 🍴   NV **d**
cerrado sábado mediodía, domingo, Semana Santa y 15 agosto-15 septiembre – Com
carta 5100 a 7300
Espec. Escabeche de hígado de pato, Cocido madrileño (octubre-abril), Carro de postres.

XXX ❀ **Las Cuatro Estaciones,** General Ibañez Ibero 5, ⊠ 28003, ✆ 253 63 05, Telex 43709, Fax
253 32 98, Decoración moderna – ▤. 🖭 ⓞ 𝕍𝕀𝕊𝔸. 🍴   EU **r**
cerrado agosto – Com carta 3675 a 5450
Espec. Foie gras caliente con uvas, Ostras tibias al vapor de algas y blanc de blancs (octubre-mayo), Medallones
de liebre rellenos de farça fina en civet (octubre-febrero).

XXX **Lur Maitea,** Fernando el Santo 4, ⊠ 28010, ✆ 419 09 38, Cocina vasca – ▤. 🖭 ⓞ **E** 𝕍𝕀𝕊𝔸.
🍴   MNV **u**
cerrado sábado mediodía, domingo, festivos y agosto – Com carta 3150 a 4300.

XXX New Yorker, Amador de los Rios 1, ⊠ 28010, ✆ 410 15 22, Decoración moderna – ▤   NV **p**

XX **Aymar,** Fuencarral 138, ⊠ 28010, ✆ 445 57 67, Pescados y mariscos – ▤. 🖭 ⓞ **E** 𝕍𝕀𝕊𝔸. 🍴
Com carta 2400 a 3700.   FV **e**

XX **Las Reses,** Orfila 3, ⊠ 28010, ✆ 419 10 13 – ▤. 🖭 𝕍𝕀𝕊𝔸. 🍴   NV **e**
cerrado domingo y agosto – Com carta 2280 a 3380.

XX **Solchaga,** pl. Alonso Martínez 2, ⊠ 28004, ✆ 447 14 96 – ▤. 🖭 ⓞ **E** 𝕍𝕀𝕊𝔸. 🍴   MV **x**
cerrado sábado mediodía, domingo y festivos – Com carta 2200 a 3425.

XX **La Cava Real,** Espronceda 34, ⊠ 28003, ✆ 442 54 32 – ▤. 🖭 ⓞ 𝕍𝕀𝕊𝔸. 🍴   FV **h**
cerrado domingo, festivos y agosto – Com carta 3125 a 3975.

XX L'Alsace, Doménico Scarlatti 5, ⊠ 28003, ✆ 244 40 75, « Decoración alsaciana » – ▤   DV **a**

XX Paolo, General Rodrigo 3, ⊠ 28003, ✆ 254 44 28, Cocina italiana – ▤ ⓟ   DUV **e**

XX **Kulixka,** Fuencarral 124, ⊠ 28010, ✆ 447 25 38, Pescados y mariscos – ▤. 🖭 ⓞ **E** 𝕍𝕀𝕊𝔸.
🍴   LV **a**
Com carta 2300 a 3100.

XX **O'Xeito,** paseo de la Castellana 47, ⊠ 28046, ✆ 419 83 87, Decoración de estilo gallego,
Pescados y mariscos – ▤. 🖭 ⓞ **E** 𝕍𝕀𝕊𝔸. 🍴   GV **e**
cerrado sábado mediodía, domingo y agosto – Com carta 2220 a 3350.

XX **Asador Fabián,** San Bernardo 106, ⊠ 28015, ✆ 447 20 80 – ▤. 🖭 ⓞ **E** 𝕍𝕀𝕊𝔸. 🍴   EFV **m**
cerrado domingo – Com carta 2340 a 3600.

XX **Porto Alegre 2,** Trafalgar 15, ⊠ 28010, ✆ 445 19 74 – ▤ ⓟ. 🖭 ⓞ **E** 𝕍𝕀𝕊𝔸. 🍴   FV **d**
cerrado agosto – Com carta 2400 a 3300.

XX Jeromin, San Bernardo 115, ⊠ 28015, ✆ 448 98 43, 🍽 – ▤   EFV **r**

XX **La Plaza de Chamberí,** pl. de Chamberí 10, ⊠ 28010, ✆ 446 06 97, 🍽 – ▤. 🖭 ⓞ **E**
𝕍𝕀𝕊𝔸   FV **k**
cerrado domingo y Semana Santa – Com carta 2300 a 3175.

XX **Antonio,** Santa Engracia 54, ⊠ 28010, ✆ 447 40 68 – ▤. 🖭 ⓞ **E** 𝕍𝕀𝕊𝔸. 🍴   FV **z**
cerrado lunes y agosto – Com carta 2150 a 3200.

XX **Parrillón,** Santa Engracia 41, ⊠ 28010, ✆ 446 02 25 – ▤. 🖭 ⓞ 𝕍𝕀𝕊𝔸. 🍴   FV **b**
cerrado domingo y agosto – Com carta 2000 a 3450.

X La Parra, Monte Esquinza 34, ⊠ 28010, ✆ 419 54 98 – ▤   NV **z**

X **Toralla,** Amador de los Rios 8, ⊠ 28010, ✆ 410 28 88 – 🖭 ⓞ **E** 𝕍𝕀𝕊𝔸. 🍴   NV **k**
cerrado sábado noche y festivos – Com carta 2045 a 3350.

X El Timbal, Andrés Mellado 69, ⊠ 28015, ✆ 244 36 15 – ▤   EV **b**

X **Horno de Juan,** Joaquín María López 30, ⊠ 28015, ✆ 243 30 43 – ▤. 🖭 **E** 𝕍𝕀𝕊𝔸. 🍴   EV **x**
cerrado domingo noche – Com carta 2150 a 3400.

X Quattrocento, General Ampudia 18, ⊠ 28003, ✆ 234 91 06, Cocina italiana – ▤   DU **a**

X **Casa Félix,** Bretón de los Herreros 39, ⊠ 28003, ✆ 441 24 79 – ▤ ⓟ. 🖭 𝕍𝕀𝕊𝔸. 🍴   FV **x**
Com carta 1750 a 2975.

X **La Gran Tasca,** Santa Engracia 22, ⊠ 28010, ✆ 448 77 79 – ▤. 🖭 ⓞ **E** 𝕍𝕀𝕊𝔸. 🍴   FV **c**
cerrado domingo – Com carta 2300 a 3650.

X O'Grelo, Gaztambide 50, ⊠ 28015, ✆ 243 13 01, Cocina gallega – ▤   DV **s**

X **El Pedrusco de Aldealcorvo,** Juan de Austria 27, ⊠ 28010, ✆ 446 88 33 – ▤. 🖭 ⓞ 𝕍𝕀𝕊𝔸.
🍴   FV **f**
cerrado domingo y agosto – Com carta 1900 a 2750.

X Casa Quinta Dos, Gónzalo de Córdoba, ⊠ 28010, ✆ 446 89 93 – ▤   FV **v**

X **Don Sancho,** Bretón de los Herreros 58, ⊠ 28003, ✆ 441 37 94 – ▤. **E** 𝕍𝕀𝕊𝔸. 🍴   GV **u**
cerrado domingo, festivos y agosto – Com carta 2000 a 2800.

X **Nicolas,** Cardenal Cisneros 82, ⊠ 28010, ✆ 448 36 64 – ▤. 🖭 ⓞ **E** 𝕍𝕀𝕊𝔸. 🍴   FV **t**
cerrado sábado mediodía, domingo y agosto – Com carta 1875 a 2500.

X **Bene,** Castillo 19, ⊠ 28010, ✆ 448 08 78 – ▤. 🖭 **E** 𝕍𝕀𝕊𝔸. 🍴   FV **u**
cerrado domingo y agosto – Com carta 1950 a 2850.

Chamartín, Tetuán : Capitán Haya, Orense, Alberto Alcocer, paseo de la Habana (plano p. 5 salvo mención especial)

Eurobuilding, Padre Damián 23, ⊠ 28036, ℘ 457 31 00, Telex 22548, Fax 457 97 29, « Jardin y terraza con ⊥ » – 🛗 🗐 hab 📺 ☎ ⇦ – ⚑ 🖭 ⑩ 🖃 𝓥𝓘𝓢𝓐. ✀ hab HS **a**
Com (ver Rest. **La Taberna**) – 🖵 3025 – **520 hab** 18800/23600.

Meliá Castilla, Capitán Haya 43, ⊠ 28020, ℘ 571 22 11, Telex 23142, Fax 571 22 10, ⊥ – 🛗 🗐 ⇦ – ⚑ 🖭 ⑩ 🖃 𝓥𝓘𝓢𝓐. GS **c**
Com (ver Rest. **L'Albufera** y Rest. **La Fragata**) – 🖵 1050 – **921 hab** 18700/22400.

Holiday Inn, pl. Carlos Trías Beltrán 4 (acceso por Orense 22-24), ⊠ 28020, ℘ 597 01 02, Telex 44709, Fax 597 02 92, ⊥ – 🛗 🗐 📺 ☎ – ⚑ 🖭 ⑩ 🖃 𝓥𝓘𝓢𝓐. ✀ rest GT **z**
Com 3750 – 🖵 1325 – **313 hab** 16400/20800.

Cuzco sin rest con cafetería, paseo de la Castellana 133, ⊠ 28046, ℘ 456 06 00, Telex 22464, Fax 456 03 72 – 🛗 🗐 📺 ☎ ⇦ 🅿 – ⚑ 🖭 ⑩ 🖃 𝓥𝓘𝓢𝓐. ✀ GS **a**
🖵 850 – **330 hab** 9880/12600.

Chamartín, estación de Chamartín, ⊠ 28036, ℘ 733 90 11, Telex 49201 – 🛗 🗐 hab 📺 ☎ – ⚑ – Com (ver Rest. **Cota 13**) – **378 hab.** HR

Orense 38 Ⓜ sin rest con cafetería, Pedro Teixeiras 5, ⊠ 28020, ℘ 571 22 19, Telex 49939 – 🛗 🗐 📺 ☎ 🅿 – **140 hab.** GT **q**

Foxá 32 Ⓜ sin rest, Agustín de Foxá 32, ⊠ 28036, ℘ 733 10 60, Telex 49366 – 🛗 🗐 📺 ☎ ⇦ – ⚑ 🖭 ⑩ 🖃 𝓥𝓘𝓢𝓐. ✀ HR **u**
🖵 450 – **161 hab** 8960/11200.

Foxá 25 Ⓜ sin rest, con cafetería, Agustín de Foxá 25, ⊠ 28036, ℘ 733 70 64, Telex 44911 – 🛗 🗐 📺 ☎ ⇦ 🖭 ⑩ 🖃 𝓥𝓘𝓢𝓐. ✀ HR **a**
🖵 450 – **121 hab** 8960/11200.

El Gran Atlanta, sin rest, Comandante Zorita 34, ⊠ 28020, ℘ 253 59 00, Telex 45210 – 🛗 🗐 📺 ☎ ⇦ – **180 hab.** FT **p**

Apartotel El Jardín Ⓜ sin rest, carret. N I (vía de servicio) - av. de Burgos 5, ⊠ 28050, ℘ 202 83 36, ⊥, 🎝, ✾ – 🛗 🗐 📺 ☎ ⇦ 🅿 🖭 ⑩ 🖃 𝓥𝓘𝓢𝓐. ✀ por ① BL **a**
🖵 350 – **41 hab** 10800.

Aitana sin rest, paseo de la Castellana 152, ⊠ 28046, ℘ 250 71 07, Telex 49186 – 🛗 🗐 📺 ☎ 🖭 ⑩ 🖃 𝓥𝓘𝓢𝓐. ✀ GT **c**
🖵 600 – **111 hab** 7000/10000.

Aristos y Rest. El Chaflán, av. Pío XII-34, ⊠ 28016, ℘ 457 04 50, 🍴 – 🛗 🗐 📺 ⇍. 🖭 ⑩ 𝓥𝓘𝓢𝓐. ✀ HS **d**
Com *(cerrado domingo)* carta 3050 a 4250 – 🖵 480 – **24 hab** 5700/8800.

XXXXX ❀❀❀ **Zalacaín,** Álvarez de Baena 4, ⊠ 28006, ℘ 261 48 40, 🍴, « Decoración elegante » – 🗐 🖭 ⑩ 🖃 𝓥𝓘𝓢𝓐. ✀ plano p. 7 GV **b**
cerrado sábado mediodía, domingo y agosto – Com carta 5675 a 7500
Espec. Sopa de pescados y mariscos, Bacalao Tellagorri, Carré de cordero lechal asado con su riñon.

XXXX **El Bodegón,** Pinar 15, ⊠ 28006, ℘ 262 31 37 – 🗐 🖭 ⑩ 🖃 𝓥𝓘𝓢𝓐. ✀ plano p. 7 GV **q**
cerrado sábado mediodía, domingo, festivos y agosto – Com carta 3290 a 4480.

XXXX ❀ **Príncipe de Viana,** Manuel de Falla 5, ⊠ 28036, ℘ 259 14 48, 🍴, Cocina vasca – 🗐, 🖭 ⑩ 𝓥𝓘𝓢𝓐. ✀ GT **c**
cerrado sábado mediodía, Semana Santa y agosto – Com carta 4775 a 5525
Espec. Menestra de verduras, Merluza Príncipe de Viana, Mollejas de ternera al Jerez.

XXXX **Príncipe y Serrano,** Serrano 240, ⊠ 28016, ℘ 250 41 03 – 🗐 🖭 ⑩ 𝓥𝓘𝓢𝓐 HT **a**
cerrado sábado mediodía, domingo, festivos y agosto – Com carta 4500 a 6800.

XXX **Nicolasa,** Velázquez 150, ⊠ 28002, ℘ 261 99 85 – 🗐. 🖭 ⑩ 🖃 𝓥𝓘𝓢𝓐. ✀ HU **a**
cerrado domingo y agosto – Com carta 4340 a 4805.

XXX **Nuevo Valentín,** av. Concha Espina 8, ⊠ 28036, ℘ 259 74 16, 🍴 – 🗐. 🖭 ⑩ 🖃 𝓥𝓘𝓢𝓐. ✀
Com carta 2350 a 4600. GT **n**

XXX **O'Pazo,** Reina Mercedes 20, ⊠ 28020, ℘ 234 37 48, Pescados y mariscos – 🗐. ✀ FT **p**
cerrado domingo – Com carta 2550 a 3150.

XXX **L'Albufera,** Capitán Haya 45, ⊠ 28020, ℘ 279 63 74, Telex 23142, Fax 571 22 10, Cenas amenizadas al piano, Arroces – 🗐 🅿. 🖭 ⑩ 🖃 𝓥𝓘𝓢𝓐. ✀ GS **c**
cerrado agosto – Com carta 3590 a 5500.

XXX **La Fragata,** Capitán Haya 45, ⊠ 28020, ℘ 270 98 34, Telex 23142, Cenas amenizadas – 🗐 🅿. 🖭 ⑩ 🖃 𝓥𝓘𝓢𝓐. ✀ GS **c**
Com carta 2940 a 4650.

XXX **La Máquina,** Sor Angela de la Cruz 22, ⊠ 28020, ℘ 270 61 05 – 🗐. 🖭 ⑩ 🖃 𝓥𝓘𝓢𝓐. ✀ FS **e**
cerrado domingo y festivos noche – Com carta 2725 a 4500.

XXX Cicero, Capitán Haya 45, ⊠ 28020, ℘ 270 68 16, Cenas amenizadas, Cocina italiana – 🗐 🅿 GS **c**

XXX **José Luis,** Rafael Salgado 11, ⊠ 28036, ℘ 250 02 42, Fax 250 99 11 – 🗐. 🖭 ⑩ 🖃 𝓥𝓘𝓢𝓐. ✀
cerrado domingo – Com carta 2425 a 4050. GT **m**

XXX **La Boucade,** Capitán Haya 30, ⊠ 28020, ℘ 456 02 45 – 🗐. 🖭 ⑩ 🖃 𝓥𝓘𝓢𝓐. ✀ GS **a**
cerrado sábado mediodía, domingo y agosto – Com carta 2650 a 4400.

XXX **La Pera,** Santiago Barnabeu 16, ⊠ 28016, ℘ 262 72 90 – 🗐. 🖭 ⑩ 🖃 𝓥𝓘𝓢𝓐. ✀ GT **t**
cerrado domingo – Com carta 2395 a 4195.

XXX **Cota 13,** estación de Chamartin, ⊠ 28036, ✆ 315 10 83, Telex 49201, Fax 733 02 14 – 🗏. 🖭 ① Ⓔ 𝑉𝐼𝑆𝐴. ⅏ HR
cerrado sábado, domingo y agosto – Com carta 2475 a 3550.

XXX **Bogavante,** Capitán Haya 20, ⊠ 28020, ✆ 456 21 14, Pescados y mariscos – 🗏. 🖭 ① Ⓔ 𝑉𝐼𝑆𝐴. ⅏ GT **d**
cerrado domingo noche – Com carta 2500 a 4150.

XXX ❀ **Senorío de Bertiz,** Comandante Zorita 6, ⊠ 28020, ✆ 233 27 57 – 🗏. 🖭 ① 𝑉𝐼𝑆𝐴. ⅏ FT **s**
cerrado sábado mediodía, domingo y agosto – Com carta 3250 a 5550
Espec. Ensalada de bogavante aliñada a la española, Pimientos del piquillo rellenos de merluza y gambas, Mollejas de ternera a la pimienta rosa.

XXX **Amalur,** Padre Damián 37, ⊠ 28036, ✆ 457 62 98 – 🗏 HS **c**

XXX **Señorío de Alcocer,** Alberto Alcocer 1, ⊠ 28036, ✆ 457 16 96 – 🗏. 🖭 ① Ⓔ 𝑉𝐼𝑆𝐴. GS **e**
cerrado domingo, festivos y agosto-5 septiembre – Com carta 2515 a 4125.

XXX **Gaztelubide,** Comandante Zorita 37, ⊠ 28020, ✆ 233 01 85 – 🗏. 🖭 ① Ⓔ 𝑉𝐼𝑆𝐴. ⅏ FT **a**
cerrado domingo noche – Com carta 3350 a 4000.

XXX **La Taberna,** Padre Damian 23, ⊠ 28036, ✆ 457 78 00, Telex 22548, Fax 457 97 29 – 🗏. 🖭 ① Ⓔ 𝑉𝐼𝑆𝐴. ⅏ HS **a**
Com carta 3135 a 3655.

XX Buganvilla, Apolonia Morales 1, ⊠ 28036, ✆ 458 15 88, ⇲ – 🗏 HS **s**

XX El Hostal, Principe de Vérgara 285, ⊠ 28016, ✆ 259 11 94, ⇲ – 🗏 HS **e**

XX ❀ **Cabo Mayor,** Juan Hurtado de Mendoza 11 (posterior), ⊠ 28036, ✆ 250 87 76, Telex 49784, « Decoración original » – 🗏. 🖭 ① Ⓔ. ⅏ GHS **r**
cerrado del 15 al 30 agosto y Semana Santa – Com carta 3600 a 4800
Espec. Ensalada de foie gras fresco, Calamar a la parrilla con vinagre de Jerez, Pichón en pepitoria.

XX **Fass,** Rodriguez Marín 84, ⊠ 28002, ✆ 457 74 25, Decoración estilo bávaro, Cocina alemana – 🗏. 🖭 ① Ⓔ 𝑉𝐼𝑆𝐴. ⅏ HT **t**
Com carta 2140 a 2640.

XX **Rugantino,** Velázquez 136, ⊠ 28006, ✆ 261 02 22, Cocina italiana – 🗏. 🖭 ① Ⓔ 𝑉𝐼𝑆𝐴. ⅏
Com carta 2400 a 3400. plano p. 7 HV **e**

XX **De Funy,** Serrano 213, ⊠ 28016, ✆ 259 72 25, Telex 44885, ⇲, Rest. libanés, Cenas amenizadas al piano – 🗏. 🖭 ① Ⓔ 𝑉𝐼𝑆𝐴. ⅏ HT **z**
Com carta 2350 a 4250.

XX **Rheinfall,** Padre Damián 44, ⊠ 28036, ✆ 457 82 88, Cocina alemana, « Decoración regional alemana » – 🗏. 🖭 ① Ⓔ 𝑉𝐼𝑆𝐴. ⅏ HS **u**
Com carta 2325 a 3050.

XX **Aldaba,** Alberto Alcocer 5, ⊠ 28036, ✆ 259 73 86 – 🗏. 🖭 𝑉𝐼𝑆𝐴. ⅏ GS **e**
cerrado domingo – Com carta 2550 a 3350.

XX **La Estacion,** av. del Brasil 7, ⊠ 28020, ✆ 455 10 02, ⇲, « Agradable terraza » – 🗏. 🖭 ① Ⓔ 𝑉𝐼𝑆𝐴 GT **a**
cerrado sábado mediodía y domingo – Com carta 2500 a 4450.

XX Combarro, Reina Mercedes 12, ⊠ 28020, ✆ 254 77 84, Cocina gallega – 🗏 FT **a**

XX **Los Doce Apóstoles,** Oruro 11, ⊠ 28016, ✆ 457 10 06, « Decoración original » – 🗏. 🖭 ① Ⓔ 𝑉𝐼𝑆𝐴. ⅏ HT **y**
Com carta 3350 a 4400.

XX **Paparazzi,** Sor Ángela de la Cruz 22, ⊠ 28020, ✆ 279 67 67, Cocina italiana – 🗏. 🖭 ① Ⓔ 𝑉𝐼𝑆𝐴. ⅏ FGS **v**
Com carta 2400 a 3190.

XX **La Tahona,** Capitán Haya 21 (Lateral), ⊠ 28020, ✆ 455 04 41, Cordero asado, « Bonita decoración » – 🗏. 𝑉𝐼𝑆𝐴. ⅏ GT **u**
cerrado domingo noche y agosto – Com carta 1690 a 2325.

XX **Jai-Alai,** Balbina Valverde 2, ⊠ 28002, ✆ 261 27 42, ⇲, Cocina vasca – 🗏. 🖭 ① Ⓔ 𝑉𝐼𝑆𝐴 GU **h**
cerrado lunes 7 agosto-7 septiembre – Com carta 2150 a 2750.

XX **Pedralbes,** Basílica 15, ⊠ 28020, ✆ 455 30 27, ⇲ – 🗏. 🖭 ① Ⓔ 𝑉𝐼𝑆𝐴. ⅏ FT **z**
cerrado domingo noche – Com carta 2050 a 3000.

XX **Serramar,** Rosario Pino 12, ⊠ 28020, ✆ 270 05 37, Pescados y mariscos – 🗏. 🖭 ① Ⓔ 𝑉𝐼𝑆𝐴. ⅏ GS **k**
cerrado domingo – Com carta 2975 a 4300.

XX **Tattaglia,** paseo de la Habana 17, ⊠ 28036, ✆ 262 85 90, Cocina italiana – 🗏. 🖭 ① Ⓔ 𝑉𝐼𝑆𝐴. ⅏ GT **b**
Com carta 2700 a 3950.

XX Bérriz, Francisco Gervás 12, ⊠ 28020, ✆ 270 71 71, Decoración neo-rústica – 🗏 GS **u**

XX La Marmite, pl. San Amaro 8, ⊠ 28020, ✆ 279 92 61, Cocina francesa – 🗏 FT **v**

XX **La Fonda,** Principe de Vergara 211, ⊠ 28002, ✆ 250 61 47, Cocina catalana – 🗏. 🖭 ① Ⓔ 𝑉𝐼𝑆𝐴. ⅏ HT **e**
cerrado domingo noche – Com carta 2050 a 3000.

XX Asador Castillo de Javier, Capitán Haya 19, ⊠ 28020, ✆ 593 35 01 – 🗏 GT **u**

XX O'Toxo, Hernani 60, ⊠ 28020, ✆ 234 69 22, Cocina gallega – 🗏 FT **s**

XX **Peñas Arriba,** Francisco Gervás 15, ⊠ 28020, ✆ 270 18 94 – 🗏. 🖭 ① Ⓔ 𝑉𝐼𝑆𝐴. ⅏ GS **m**
cerrado sábado mediodía, domingo y agosto – Com carta 2550 a 3850.

XX **Blanca de Navarra,** av. de Brasil 13, ⊠ 28020, ℰ 455 10 29, Cocina navarra – 🍽. 🖭 Ε 𝖵𝖨𝖲𝖠. ⅏
GT **q**
cerrado domingo y agosto – Com carta 3100 a 3650.

XX **Asador Errota-Zar,** Corazón de Maria 32, ⊠ 28002, ℰ 413 52 24 – 🍽. 🖭 ⓞ Ε 𝖵𝖨𝖲𝖠. ⅏
cerrado domingo – Com carta 2900 a 4100.
CL **r**

XX **El Puntal,** av. de Brasil 26, ⊠ 28020, ℰ 455 52 18 – 🍽. 🖭 ⓞ Ε 𝖵𝖨𝖲𝖠. ⅏
GT **u**
cerrado del 1 al 15 agosto – Com carta 2450 a 3100.

XX **Da Nicola,** Orense 4, ⊠ 28020, ℰ 455 76 37, Cocina italiana – 🍽. 🖭 ⓞ Ε 𝖵𝖨𝖲𝖠. ⅏
FTU **c**
Com carta 1500 a 1890.

XX **Toffanetti,** paseo de la Castellana 83, ⊠ 28046, ℰ 456 42 87, Cocina italiana – 🍽. 🖭 ⓞ Ε
𝖵𝖨𝖲𝖠. ⅏
GT **x**
Com carta 2150 a 3430.

XX **Le Tournedo,** General Moscardó 17, ⊠ 28020, ℰ 253 92 00, Inspirado en los clásicos bistros
franceses – 🍽. 𝖵𝖨𝖲𝖠. ⅏
FT **e**
cerrado domingo y festivos noche – Com carta 1825 a 2650.

XX **El Buda Feliz,** Pintor Juan Gris 5, ⊠ 28020, ℰ 455 78 13, Rest. Chino – 🍽. 🖭 ⓞ Ε 𝖵𝖨𝖲𝖠. ⅏
GT **p**
cerrado domingo noche y agosto – Com carta 1220 a 1675.

XX **Endavant,** Velázquez 160, ⊠ 28002, ℰ 261 27 38, Cocina catalana – 🍽. 🖭 ⓞ Ε 𝖵𝖨𝖲𝖠.
⅏ rest
HU **e**
cerrado sábado mediodía y domingo – Com carta 3300 a 4100.

XX **House of Ming,** paseo de la Castellana 74, ⊠ 28046, ℰ 261 10 13, Rest. chino – 🍽. 🖭 ⓞ
Ε 𝖵𝖨𝖲𝖠. ⅏
GV **f**
Com carta 1710 a 2610.

XX **Guten,** Orense 70, ⊠ 28020, ℰ 270 36 22, Cenas amenizadas – 🍽. 𝖵𝖨𝖲𝖠. ⅏
GS **z**
cerrado domingo y festivos – Com carta 2375 a 3175.

XX Café de la Habana, paseo de la Habana 28, ⊠ 28036, ℰ 262 55 64 – 🍽
GT **e**

XX **Barlovento,** paseo de la Habana 84, ⊠ 28036, ℰ 250 83 41 – 🍽. 🖭 ⓞ 𝖵𝖨𝖲𝖠. ⅏
HT **x**
cerrado domingo noche y del 15 al 30 agosto – Com (sólo almuerzo) carta 2525 a 3875.

XX L'Empordá, Comandante Zorita 32, ⊠ 28020, ℰ 253 93 42, Cocina catalana – 🍽
FT **r**

XX Mesón Txistu, pl. Angel Carbajo 6, ⊠ 28020, ℰ 270 96 51, 🍴, Decoración rústica –
🍽
GS **d**

XX **Prost,** Orense 6, ⊠ 28020, ℰ 455 29 24, Cenas amenizadas – 🍽. 𝖵𝖨𝖲𝖠. ⅏
FT **c**
cerrado domingo – Com carta 1725 a 3250.

X **Asador Guetaria,** Comandante Zorita 8, ⊠ 28020, ℰ 254 66 32, Decoración estilo rústico -
vasco, Cocina vasca – 🍽. 🖭 ⓞ 𝖵𝖨𝖲𝖠. ⅏
FT **s**
cerrado domingo y agosto – Com carta 2225 a 4075.

X Asador Donostiarra, Infanta Mercedes 79, ⊠ 28020, ℰ 279 73 40, Decoración rústica - vasca
– 🍽
FS **a**

X **Los Borrachos de Velázquez,** Príncipe de Vergara 205, ⊠ 28002, ℰ 458 10 76, Rest.
andaluz – 🍽. 🖭 ⓞ Ε 𝖵𝖨𝖲𝖠. ⅏
HT **x**
cerrado domingo – Com carta 2400 a 3500.

X Mesón El Caserio, Capitán Haya 49, ⊠ 28020, ℰ 270 96 29, Decoración rústica – 🍽
GS **k**

X **Sacha,** Juan Hurtado de Mendoza 11 (Posterior), ⊠ 28036, ℰ 457 59 52, 🍴 – 🍽. 🖭 𝖵𝖨𝖲𝖠
GHS **r**
cerrado domingo y agosto – Com carta 2450 a 3700.

X **La Villa,** Leizarán 19, ⊠ 28002, ℰ 563 55 99 – 🍽. 🖭 Ε 𝖵𝖨𝖲𝖠. ⅏
HT **n**
cerrado sábado mediodía, domingo, festivos y agosto – Com carta 2425 a 2650.

X **Las Cumbres,** av. de América 33, ⊠ 28002, ℰ 413 07 51, Taberna andaluza – 🍽. 🖭 𝖵𝖨𝖲𝖠. ⅏
HV **h**
cerrado domingo noche – Com carta 1915 a 3150.

X **Marbella,** Príncipe de Vergara 276, ⊠ 28016, ℰ 259 10 37, 🍴 – 🍽. 🖭 Ε 𝖵𝖨𝖲𝖠. ⅏
HS **x**
cerrado lunes – Com carta 2300 a 4000.

X **Bodegón Navarro,** paseo de la Castellana 121, entrada por Pintor Juan Gris, ⊠ 28020, ℰ
455 30 11, Decoración rústica – 🍽. 🖭 𝖵𝖨𝖲𝖠. ⅏
GS **h**
cerrado domingo y agosto – Com carta 2620 a 3740.

X **Asador Aljaba,** Padre Damián 38, ⊠ 28032, ℰ 457 36 42, 🍴 – 🍽. 🖭 ⓞ Ε 𝖵𝖨𝖲𝖠. ⅏
HS **n**
cerrado domingo y festivos noche – Com carta 2385 a 3500.

X Rianxo, Raimundo Fernández Villaverde 49, ⊠ 28003, ℰ 253 50 30, Cocina gallega –
🍽
FU **a**

X **Las Cumbres,** Alberto Alcocer 32, ⊠ 28036, ℰ 458 76 92, Taberna andaluza – 🍽. 🖭 Ε 𝖵𝖨𝖲𝖠.
⅏ – Com carta 1905 a 2970.
HS **b**

X **Asador Ansorena,** Capitán Haya 55 (interior), ⊠ 28020, ℰ 279 64 51 – 🍽. 🖭 ⓞ Ε 𝖵𝖨𝖲𝖠. ⅏
GS **n**
cerrado domingo y agosto – Com carta 2450 a 4050.

X **Asador La Brasa,** Infanta Mercedes 105, ⊠ 28020, ℰ 279 36 43 – 🍽. 🖭 ⓞ Ε 𝖵𝖨𝖲𝖠. ⅏
GS **s**
cerrado domingo y del 15 al 30 agosto – Com carta 2450 a 3800.

X **El Asador de Aranda,** pl. de Castilla 3, ⊠ 28046, ℰ 733 87 02, Cordero asado, Decoración
castellana – 🍽. 𝖵𝖨𝖲𝖠. ⅏
GS **b**
cerrado domingo noche y del 15 al 31 agosto – Com carta 1840 a 2575.

Alrededores

en Ciudad Puerta de Hierro : 8 km por N VI y por carretera de El Pardo – ⊠ 28035 Madrid – 🛑 91 :

🏨 Monte Real 🦢, Arroyofresno 17 𝒫 216 21 40, Telex 22089, 🍴, « Bonito jardín », 🔳 – 📳 📟 🕿 ⇔ 🅿 – 🕍 – **79 hab**. AL **b**

Por la salida ① : en Fuencarral : 9 km por N I o por Camino Viejo de Alcobendas - BL – ⊠ 28034 Madrid – 🛑 91 :

XX **Casa Pedro,** Nuestra Señora de Valverde 119 𝒫 734 02 01, 🍴 – 🔳. 🆔 ⓘ E 𝒱𝐼𝒮𝐀. 🍸 Com carta 1975 a 2825.

Por la salida ② : por la carretera N II y acceso carretera Coslada - San Fernando E : 12 km – ⊠ 28022 Madrid – 🛑 91 :

XX **Rancho Texano,** av. Aragón 364 𝒫 747 47 36, 🍴, Carnes a la brasa, « Agradable terraza » – 🔳 🅿. 🆔 ⓘ E 𝒱𝐼𝒮𝐀. 🍸 *cerrado domingo noche* – Com carta 1940 a 2910.

Por la salida ⑦ : en Aravaca – ⊠ 28023 Aravaca – 🛑 91 :

XX **Portonovo,** carret. N VI : 10,5 km 𝒫 207 01 73, 🍴, Cocina gallega – 🔳 🅿. 🆔 ⓘ E 𝒱𝐼𝒮𝐀. 🍸 *cerrado domingo noche* – Com carta 2640 a 4240.

en El Plantío – ⊠ 28023 El Plantío – 🛑 91 :

XX **Los Remos,** carret. N VI : 13 km 𝒫 207 72 30, Pescados y mariscos – 🔳 🅿. 𝒱𝐼𝒮𝐀 *cerrado domingo noche, festivos noche y del 15 al 31 agosto* – Com carta 2050 a 3100.

Por la salida ⑧ : en la carretera de Colmenar Viejo – ⊠ 28049 Madrid – 🛑 91 :

XX **El Mesón,** carret. C 607 : 14,5 km 𝒫 734 10 19, 🍴, Decoración rústica en una casa de campo castellana – 🔳 🅿. 🆔 ⓘ 𝒱𝐼𝒮𝐀. 🍸 Com carta 1925 a 3525.

Ver también : *Barajas* por ② : 13 km.

S.A.F.E. Neumáticos MICHELIN, Dirección Comercial, Dr. Esquerdo 157, ⊠ 28007 JY 𝒫 409 09 40, Telex 27582 y 409 18 40

S.A.F.E. Neumáticos MICHELIN, Sucursal av. José Gárate 7, COSLADA por ② o ③, ⊠ 28020 𝒫 671 80 11 y 673 00 12

ALFA ROMEO Galileo 23 𝒫 445 88 00	CITROEN Dr. Esquerdo 62 𝒫 273 76 00
ALFA ROMEO Príncipe de Vergara 253 𝒫 458 63 84	FORD Santa Engracia 117 𝒫 446 62 00
ALFA-ROMEO Príncipe de Vérgara 253 𝒫 259 94 17	MERCEDES-BENZ Mauricio Legendre 15 𝒫 215 83 29
AUSTIN-MG-MORRIS-MINI General Moscardó 35 𝒫 254 48 12	MERCEDES-BENZ av. Aragón 316 𝒫 741 50 00
AUSTIN-ROVER Galileo 104 𝒫 233 15 00	PEUGEOT-TALBOT av. de los Toreros 8 𝒫 255 66 00
AUSTIN-ROVER Padre Damián 7 𝒫 458 08 00	RENAULT av. de Burgos 93 𝒫 766 15 33
AUSTIN-ROVER Grupo Escobar 4 - Pozuelo 𝒫 715 78 50	SEAT-AUDI-VOLKSWAGEN paseo de la Castellana 278 𝒫 315 31 40
BMW av. Manoteras 2 𝒫 202 91 41	SEAT-AUDI-VOLKSWAGEN Alcalá 330 𝒫 408 96 46

Pour visiter une ville ou une région : utilisez les guides Michelin.

MADRIDEJOS 45710 Toledo 🎴🎴🎴 N 19 – 9 906 h. – 🛑 925.
♦Madrid 118 – Ciudad Real 79 – Toledo 68.

🏨 **Contreras,** carret. N IV 𝒫 46 07 38 – 🔳 ☎ 🅿. 🆔 ⓘ E 𝒱𝐼𝒮𝐀. 🍸 Com 950 – ⊐ 175 – **38 hab** 3600/4500 – P 6150.

CITROEN carret. Andalucía km 119 𝒫 46 09 99	RENAULT carret. Andalucía km 118,7 𝒫 46 02 44
FORD carret. Andalucía km 119,2 𝒫 46 00 89	SEAT-AUDI-VOLKSWAGEN carret. Andalucía km 118 𝒫 46 02 67
PEUGEOT-TALBOT carret. Andalucía km 118 𝒫 46 02 23	

MAGALUF Baleares 🎴🎴🎴 N 37 – ver Baleares (Mallorca) : Palma Nova.

MAHÓN Baleares 🎴🎴🎴 M 42 – ver Baleares (Menorca).

MAJADAHONDA 28220 Madrid 🎴🎴🎴 K 18 – 22 949 h. – 🛑 91.
♦Madrid 18.

XX Paolo, pl. Colón 3 𝒫 638 27 24, Cocina italiana – 🔳.
XX La Barbacoa, Granadilla 14 (junto a la iglesia) 𝒫 638 60 02 – 🔳.
X **La Taberna del Cóndor,** av. Reyes Católicos 6 𝒫 638 17 44, 🍴 – 🔳. 𝒱𝐼𝒮𝐀. 🍸 Com carta 1600 a 2600.
X **Prost,** Mar Egeo 14 - El Zoco 𝒫 638 00 08, 🍴, Típica cervecería alemana – 🔳. 𝒱𝐼𝒮𝐀. 🍸 *cerrado domingo y festivos noche* – Com carta 2200 a 3775.

FORD carret. Pozuelo-Majadahonda km 5,1 𝒫 638 23 11   RENAULT San Andrés 4 𝒫 638 58 90

MÁLAGA 29000 🅿 **446** V 16 – 503 251 h. – ⚙ 952 – Playa – Plaza de toros.

Ver : Catedral★ CY – Museo de Bellas Artes★ DY **M** – Alcazaba★ (museo★)DY – Gibralfaro ⇐★★ DY.

Alred. : Finca de la Concepción★ por ④ : 7 km – Carretera★ de Málaga a Antequera ⇐★★ BU.

🏌 Club de Campo de Málaga por ② : 9 km ℰ 38 11 20 – 🏌 de El Candado por ① : 5 km ℰ 29 46 66.

✈ de Málaga por ② : 9 km ℰ 32 20 00 – Iberia : Molina Larios, ⊠ 29015, ℰ 21 37 31 CY y Aviaco : aeropuerto ℰ 31 78 58.

🚗 ℰ 31 62 49.

⛴ para Melilla : Cía. Trasmediterránea, Juan Díaz 4, ⊠ 29015 (CZ) ℰ 22 43 93, Telex 77042.

🛈 Larios 5, ⊠ 29015, ℰ 21 34 45, av. Cervantes, ⊠ 29016, ℰ 22 86 00 – R.A.C.E. Calderería 1, ⊠ 29008, ℰ 21 42 60.

♦Madrid 548 ④ – Algeciras 133 ② – ♦Córdoba 175 ④ – ♦Sevilla 217 ④ – ♦Valencia 651 ④.

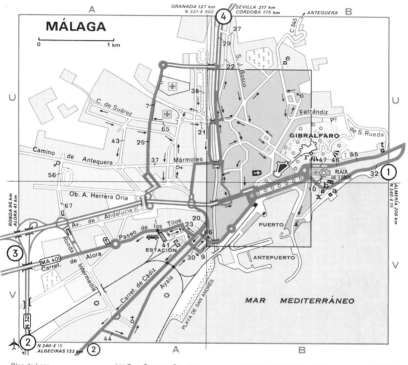

Blas de Lezo	AU 7	Guerrero Strachan	BU 27	Paloma (Av. de la)	AV 44
Canales	ABV 9	Jorge Silvela (Av. de)	BU 29	Pries (Av. de)	BU 46
Cánovas del Castillo (Paseo)	BV 10	Jovellanos	AV 30	Reding (Paseo de)	BU 47
Cuarteles	AV 20	Marítimo (Paseo)	BU 32	Sancha (Paseo de)	BU 55
Dr Gálvez Ginachero (Av.)	AU 21	Martínez Maldonado	AU 37	Santa Rosa (Av. de)	AU 56
Emilio Díaz	BU 22	Martiricos (Paseo de)	AU 38	Velarde	AU 65
Eslava	AV 23	Mendívil	AV 41	Vieja	ABV 66
Eugenio Gross	AU 25	Morales Villarrubia	AU 43	Virgen de la Cabeza	AV 67

Centro :

🏩 **Casa Curro** sin rest con cafetería, Sancha de Lara 7, ⊠ 29015, ℰ 22 72 00, Telex 77366 – 🛗 📺 📺 ☎. 🅰🄴 ⓘ 🄴 💳 ❄
🍽 500 – **105 hab** 5500/7700.　CZ **e**

🏨 **Venecia,** sin rest y sin 🍽, Alameda Principal 9, ⊠ 29001, ℰ 21 36 36 – 🛗 ⍾
40 hab.　CZ **u**

🏨 **Derby** sin rest y sin 🍽, San Juan de Dios 1 - 4° piso, ⊠ 29015, ℰ 22 13 01 – 🛗 ⍾. ❄
16 hab 2500/3500.　CZ **v**

🍴 **El Chinitas,** Moreno Monroy 4, ⊠ 29015, ℰ 21 09 72, 🌤 – 🗏. 🅰🄴 ⓘ 🄴 💳 ❄
Com carta 1900 a 3200.　CY **a**

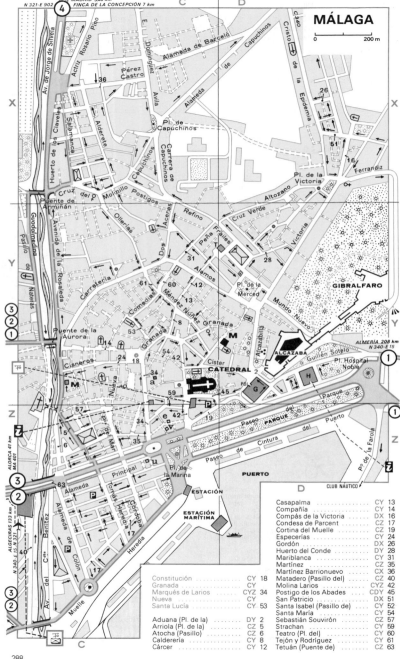

MÁLAGA

0　　　200 m

N 321-E 902
MADRID 548 km
FINCA DE LA CONCEPCIÓN 7 km

Av. de Jorge de Silvela
Actriz Rosario Pino
Huerto de los Claveles
Salamanca
Alderete
Capuchinos
Pérez Castro
Alameda de Barceló
Domínguez
E.U.E.
Capuchinos
de
Cristo de la
Epidemia
Pl. de Capuchinos
Carrera de Capuchinos
36
26
X
Pl. de la Victoria
51
16
Ferrándiz
Cruz del Molinillo
Postigos
Puente de Armiñán
Avenida de la Rosaleda
Ollerías
Dos Aceras
Refino
Cruz Verde
Peña Frailes
Altozano
Victoria
Guadalmedina
Pasillo
de
Natera
Y
Carretería
Álamos
Méndez Núñez
Comedias
31
28
Pl. de la Merced
Mundo Nuevo
GIBRALFARO
61
60
12
13
8
Granada
Puente de la Aurora
53
Granada
M
ALMERÍA 208 km
N 340-E 15
54
42
Cister
Alcazabilla
ALCAZABA
Guillén Sotelo
1
14
24
18
Cisneros
34
CATEDRAL
Pl. Hospital Noble
M
Nueva
a
59
POL
45
H
G
Parque
1
57
34
e
42
P
9
Paseo
del
PARQUE
Puerto
Pº de la Farola
ALORCA 41 km
MA 401
5
6
35
Pl. de Mar
Paseo
de
Cintura
del
Z
63
Alameda
Pl. de la Marina
ESTACIÓN
PUERTO
CLUB NÁUTICO
D
ALGECIRAS 133 km
N 340-E 15; N 321
40
Principal
Tomás Heredia
Córdoba
ESTACIÓN MARÍTIMA
17
Alameda de Colón
17
Muelle
Heredia

288

fuera del centro :

🏰 **Parador de Gibralfaro** ⬨, ✉ 29016, ✆ 22 19 03, 🍴, « Magnífica situación con ⬧ Málaga y mar » – ▤ hab 📺 ☎ 🅿. 🖭 ⓞ **E** 𝚅𝙸𝚂𝙰. ❄ BU **r**
Com 2500 – 🖙 800 – **12 hab** 7200/9000.

🏰 **Los Naranjos** sin rest, paseo de Sancha 35, ✉ 29016, ✆ 22 43 16, Telex 77030, Fax 22 59 75 – ▤ ▤ 📺 ☎ ⬌. 🖭 ⓞ **E** 𝚅𝙸𝚂𝙰. ❄ BU **t**
🖙 550 – **41 hab** 6975/9000.

🏰 **Olletas** sin rest, con cafetería, Cuba 3, ✉ 29013, ✆ 25 20 00, Telex 77151 – ▥ ☎ 🅿. **E** 𝚅𝙸𝚂𝙰. ❄ BU **e**
🖙 300 – **66 hab** 2600/4200.

🍴🍴 **Café de París,** Vélez Málaga 8, ✉ 29016, ✆ 22 50 43 – ▤. 🖭 ⓞ **E** 𝚅𝙸𝚂𝙰. ❄ BV **x**
cerrado miércoles y 21 junio-21 julio – Com carta 3150 a 4000.

🍴🍴 **Antonio Martin,** paseo Marítimo 4, ✉ 29016, ✆ 22 21 13, ⬧, 🍴, Amplias terrazas sobre el mar – ▤ 🅿. 🖭 ⓞ **E** 𝚅𝙸𝚂𝙰. ❄ BV **a**
cerrado domingo noche – Com carta 1725 a 2450.

🍴 **Taberna del Pintor,** Maestranza 6, ✉ 29016, ✆ 21 53 15, Decoración rústica, Carnes – ▤. BUV **b**
Com carta 1850 a 2345.

🍴 **Nuevo Bistrot,** Maestranza 16, ✉ 29016, ✆ 22 63 19 – ▤. 🖭 **E** 𝚅𝙸𝚂𝙰. ❄ BUV **b**
cerrado domingo y 10 agosto-10 septiembre – Com carta 2000 a 2800.

en la playa de El Palo por ① : 5 km – ✉ 29017 El Palo – ☎ 952 :

🍴 **Refectorium,** av. Juan Sebastián Elcano 146 ✆ 29 45 93, 🍴 – ▤.
🍴 **Casa Pedro,** Quitepanas 121 ✆ 29 00 13, ⬧ – 🅿. 🖭 ⓞ **E** 𝚅𝙸𝚂𝙰. ❄
cerrado lunes noche y noviembre – Com carta 1675 a 2550.

en Churriana por ② : 9 km y desvio 1 km – ✉ 29000 Málaga – ☎ 952 :

🍴🍴 **El Rumbar,** carret. de Coin 44 ✆ 43 50 60, 🍴 – 🅿. 🖭 ⓞ 𝚅𝙸𝚂𝙰
cerrado domingo noche, lunes y del 15 al 30 septiembre – Com carta 2750 a 3700.

en la carretera de Cádiz por ② : 11 km : Parador del Golf ver Torremolinos

ALFA-ROMEO carret. de Cádiz 31 ✆ 31 66 00
ALFA-ROMEO Alcalde Isidoro Encijo 8 ✆ 36 08 11
AUSTIN-ROVER Ayala 29 ✆ 32 03 00
BMW Polígono Guadalhorce - Jimenez Delgado 16 ✆ 32 45 08
CITROEN Bodegueros 60 ✆ 35 92 11
FIAT camino de San Rafael ✆ 36 05 09
FIAT av. de Los Guindos 8 ✆ 31 30 08
FORD carret. de Cádiz km 239 ✆ 32 84 00
FORD av. Jacinto Benavente ✆ 26 40 62
GENERAL MOTORS carret. de Cádiz - Polígono Villarosa ✆ 34 78 00
GENERAL MOTORS pl. de Toros Vieja 9 ✆ 32 12 31

LANCIA carret. de Cádiz 4 ✆ 31 58 00
MERCEDES-BENZ carret. de Cádiz km 242 ✆ 31 14 00
PEUGEOT-TALBOT carret. de Cádiz km 242 ✆ 31 33 00
PEUGEOT-TALBOT Bodegueros 19 ✆ 34 68 62
PEUGEOT-TALBOT paseo de los Tilos 11 ✆ 35 23 63
RENAULT carret. de Cádiz 178 ✆ 31 50 00
RENAULT carret. de Cartama km 4 - Polígono industrial El Viso ✆ 33 07 00
SEAT-AUDI-VOLKSWAGEN carret. de Cádiz km 242 ✆ 31 36 30

MALGRAT DE MAR 08380 Barcelona 👓 H 38 – 10 922 h. – ☎ 93 – Playa.
🛈 Carrer del Carme 30 ✆ 761 00 82.
♦Madrid 690 – ♦Barcelona 56 – Gerona/Girona 43.

🏨 **Mare Nostrum** sin rest, Desclapers 4 ✆ 761 04 38
junio-septiembre – 🖙 300 – **29 hab** 1100/2200.

CITROEN av. Costa Brava ✆ 761 06 37
FORD av. Tarragona 13 ✆ 761 03 99

RENAULT av. Costa Brava ✆ 761 06 40

MALLORCA Baleares 👓 L O 33-42 – ver Baleares.

La MANGA DEL MAR MENOR 30370 Murcia 👓 S 27 – ☎ 968 – Playa.
🛈, 🛈 La Manga SO : 11 km ✆ 56 45 11.
♦Madrid 473 – Cartagena 34 – ♦Murcia 83.

🏨 **Galúa** ⬨, Hacienda Dos Mares ✆ 14 02 00, Telex 67119, « Sobre un promontorio con ⬧ costa y mar », 🏊, – ▥ ☎ 🅿 – 🔬. 🖭 ⓞ **E** 𝚅𝙸𝚂𝙰. ❄ rest
20 marzo-14 septiembre – Com (sólo cena) 1750 – **177 hab** 🖙 5700/9300.

🏰 **Dos Mares,** pl. Bohemia ✆ 14 00 93 – ▤ ☎. 🖭 ⓞ **E** 𝚅𝙸𝚂𝙰. ❄
Com (ver Rest. Dos Mares Lucho's) – 🖙 250 – **28 hab** 3250/5250.

🍴🍴🍴 **Tropical,** Gran Via-Pol. R 8-Edificio La Martinique ✆ 14 03 45, Telex 67149, Fax 14 06 33, 🍴, ❄ – ▤ 🅿. 🖭 ⓞ **E** 𝚅𝙸𝚂𝙰. ❄
cerrado 7 enero-19 febrero – Com carta 2150 a 3375.

🍴🍴 **El Velero - Los Churrascos,** Gran Via - urb. Los Snipes ✆ 14 05 07 – ▤. 🖭 ⓞ 𝚅𝙸𝚂𝙰. ❄
cerrado jueves – Com carta 2500 a 3100.

🍴🍴 **Gran Borsalino,** edificio Babilonia ✆ 56 31 30, ⬧, 🍴, Cocina francesa – 🖭 ⓞ **E** 𝚅𝙸𝚂𝙰. ❄
julio-septiembre – Com carta 1825 a 2550.

sigue →

✗ Dos Mares Lucho's, pl. Bohemia 🎓 56 30 93, 🍽 – 🗔.

✗ **Chez Michel,** edificio Babilonia 🎓 56 30 02, ≼, 🍽, Cocina francesa – 🖭 ⑩ Ɛ 𝘝𝘐𝘚𝘈
cerrado 15 enero-febrero – Com carta 2050 a 2700.

✗ **San Remo,** subida al H. Galuá, Hacienda Dos Mares 🎓 14 08 13, 🍽 – 🖭 ⑩ Ɛ 𝘝𝘐𝘚𝘈. 🎉
Com carta 1500 a 2025.

✗ **Madrigal,** urbanización Las Sirenas 🎓 56 31 57, 🍽 – 𝘝𝘐𝘚𝘈. 🎉
marzo-15 diciembre – Com carta 1925 a 2625.

MANILVA 29691 Málaga 𝟜𝟜𝟞 W 14 – 3 768 h. – ✪ 952 – Playa.
♦Madrid 643 – Algeciras 40 – ♦ Málaga 97 – Ronda 61.

en el Puerto de la Duquesa SE : 3,5 km – ✉ 29692 Puerto de la Duquesa – ✪ 952 :

✗✗ Macues, 🎓 89 03 95, ≼, 🍽 – Com (en verano sólo cena).

MANRESA 08240 Barcelona 𝟜𝟜𝟛 G 35 – 67 014 h. alt. 205 – ✪ 93.
♦Madrid 591 – ♦Barcelona 67 – ♦Lérida/Lleida 122 – ♦Perpignan 239 – Tarragona 115 – Sabadell 67.

🏨 **Pedro III,** Muralla Sant Francesc 49 🎓 872 40 00 – 🛗 🗔 rest 🅰 ⓟ. Ɛ 𝘝𝘐𝘚𝘈. 🎉 rest
Com 1300 – 🖵 275 – **113 hab** 3800/5500 – P 5150/6200.

✗✗ La Cuina, Alfons XII - 18 🎓 872 89 69 – 🗔.

✗✗ **Aligué,** carret. de Vic-barriada El Guix 8 🎓 873 25 62 – 🗔 ⓟ. 🖭 ⑩ Ɛ 𝘝𝘐𝘚𝘈. 🎉
cerrado domingo noche – Com carta 2050 a 2850.

ALFA-ROMEO Sant Magi 20-22 🎓 874 68 31
AUSTIN-ROVER-VOLVO Sant Cristofol 16 🎓 874 55 51
CITROEN Séquia 32 🎓 873 85 00
FIAT Rubio i Ors 3 🎓 875 03 42
FORD carret. Sampedor 141 🎓 874 43 12
GENERAL MOTORS carret. Pont Vilomara 33-35 🎓 873 42 00

LANCIA passeig del Riu 46 🎓 872 99 43
MERCEDES-BENZ Polígono Industrial Bufalvent 🎓 874 35 12
RENAULT carret. de Vich 225 🎓 874 40 51
SEAT-AUDI-VOLKSWAGEN paseo del Río 48-52 🎓 872 03 41

MANZANARES 13200 Ciudad Real 𝟜𝟜𝟜 O 19 – 17 721 h. alt. 645 – ✪ 926 – Plaza de toros.
♦Madrid 173 – Alcázar de San Juan 63 – Ciudad Real 52 – Jaén 159.

en la carretera N IV – ✉ 13200 Manzanares – ✪ 926 :

🏨 **Parador de Manzanares,** 🎓 61 04 00, Fax 61 09 35, 🏊 – 🛗 🗔 📺 ☎ ⟷ ⓟ – 🅰. 🖭 ⑩ Ɛ 𝘝𝘐𝘚𝘈. 🎉
Com 1900 – 🖵 800 – **50 hab** 4800/6000.

🏨 **El Cruce,** 🎓 61 19 00, « Amplio jardín con césped y 🏊 » – 🗔 ⓟ – 🅰. 🖭 𝘝𝘐𝘚𝘈. 🎉
Com 1700 – 🖵 450 – **37 hab** 3000/5500 – P 6600/6850.

🏨 Manzanares, sin rest, 🎓 61 08 00, 🏊 – 🗔 📺 🅰 ⓟ – **34 hab**.

CITROEN carret. N IV km 171 🎓 61 19 30
FIAT-LANCIA Polígono Industrial 🎓 61 44 64
FORD Polígono Industrial 🎓 61 16 00
GENERAL-MOTORS carret. de Madrid km 171 🎓 61 13 15

MERCEDES-BENZ Goya 🎓 61 28 15
PEUGEOT-TALBOT carret. N IV km 171 🎓 61 14 85
RENAULT carret. de Madrid 9 🎓 61 19 20
SEAT-AUDI-VOLKSWAGEN Clérigo Camarena 46 🎓 61 14 53

MANZANARES EL REAL 28410 Madrid 𝟜𝟜𝟜 J 18 – 1 515 h. alt. 908 – ✪ 91.
Ver : Castillo★.
♦Madrid 53 – Ávila 85 – El Escorial 34 – ♦Segovia 51.

✗ **Taurina,** pl. Generalísimo 8 - 1° piso 🎓 853 07 73 – 🗔. 𝘝𝘐𝘚𝘈. 🎉
cerrado lunes y agosto – Com (sólo almuerzo) carta 1750 a 3100.

SEAT-AUDI-VOLKSWAGEN av. de Madrid 20 🎓 853 01 98

MANZANERA 44420 Teruel 𝟜𝟜𝟝 L 27 – 566 h. alt. 700 – ✪ 974 – Balneario.
♦Madrid 352 – Teruel 51 – ♦Valencia 120.

en la carretera de Abejuela S : 4 km – ✉ 44420 Manzanera – ✪ 974 :

🏨 **Baln. El Paraíso** 🌿, 🎓 78 03 31, Telex 62025, Fax 369 08 50, 🏊, 🎾 – 🅰 ⓟ. 𝘝𝘐𝘚𝘈. 🎉
20 junio-20 septiembre y fines de semana de noviembre a mayo – Com 1500 – 🖵 300 – **61 hab** 2800/4800 – P 5250/5650.

MARANGES o **MERANGES** 17539 Gerona 𝟜𝟜𝟛 E 35 – 64 h. – ✪ 972.
♦Madrid 652 – Gerona/Girona 166 – Puigcerdá 18 – Seo de Urgel 50.

✗✗ ✿ **Can Borrell** 🌿 con apartamentos, Regreso 3 🎓 88 00 33, ≼, 🍽, Cocina catalana, Decoración rústica, « En un típico pueblo de montaña » – ☎ ⓟ. 🖭 ⑩ Ɛ 𝘝𝘐𝘚𝘈
cerrado domingo noche y lunes fuera de temporada – Com *(sólo fines de semana del 15 enero a Semana Santa)* (es necesario reservar) carta 2850 a 4000 – 🖵 600 – **8 apartamentos** 5000/6000 – P 9000/11000
Espec. Brandada de bacalao, Civet de rebeco con setas y confitura, Quesos de leche de cabra con confituras artesanas.

MATALEBRERAS 42113 Soria **442** G 23 − 209 h. alt. 1 200 − 🕿 975.

♦Madrid 262 − ♦Logroño 134 − ♦Pamplona 133 − Soria 36 − ♦Zaragoza 122.

- 🏠 **Mari Carmen,** carret. N 122 ℰ 38 30 68 − 🅿. 𝐕𝐼𝐒𝐀 ⋙
  Com 540 − � 175 − **30 hab** 2400.

MATARÓ 08300 Barcelona **443** H 37 − 96 467 h. − 🕿 93 − Playa.

🖫 de Llavaneras NE : 4 km ℰ 792 60 50.

♦Madrid 661 − ♦Barcelona 28 − Gerona/Girona 72 − Sabadell 47.

- 🟅🟅 **Gumer's,** Nou de les Caputxines 10 ℰ 796 23 61 − ▤. 𝐄 𝐕𝐈𝐒𝐀 ⋙
  cerrado domingo, Semana Santa y del 1 al 20 agosto − Com carta 2525 a 4075.
- 🟅 **El Nou Cents,** El Torrent 21 ℰ 799 37 51, 🏛 − 𝔸𝔼 ⓞ 𝐄 𝐕𝐈𝐒𝐀 ⋙
  cerrado domingo noche, lunes y 29 julio-16 agosto − Com carta 1750 a 3250.

  en la carretera N II NE : 2,5 km − ✉ 08300 Mataró − 🕿 93 :

- 🟅 **El Delfin,** ℰ 790 32 65, ≤, 🏛 − 🅿. ⓞ 𝐄 𝐕𝐈𝐒𝐀 ⋙
  cerrado lunes y 15 septiembre-11 octubre − Com carta 1760 a 2890.
- 🟅 **El Celler,** Vecindario Mata 59 ℰ 790 37 91, 🏛, Decoración rústica regional − 🅿. ⓞ 𝐄 𝐕𝐈𝐒𝐀.
  ⋙
  cerrado miércoles − Com carta 1590 a 2200.

CITROEN av. Maresma 63-69 ℰ 790 19 71
FIAT-LANCIA Ronda Barcelona 17 ℰ 798 48 12
FORD av. Maresma 93-99 ℰ 798 21 54
GENERAL MOTORS-OPEL av. Maresma 30 ℰ 798 11 12

PEUGEOT-TALBOT Tolon 26 ℰ 796 16 12
SEAT-AUDI-VOLKSWAGEN av. Maresma 475 ℰ 790 38 40

MAYORGA 47680 Valladolid **442** F 14 − 1 708 h. − 🕿 983.

♦Madrid 259 − ♦León 58 − Palencia 70 − ♦Valladolid 77.

- 🏠 **Madrileño,** carret. N 601 ℰ 75 10 39 − 🅿
  15 hab.

SEAT av. San Agustín 12 ℰ 75 10 25

MAZAGÓN 21130 Huelva **446** U 9 − 🕿 955 − Playa.

♦Madrid 638 − Huelva 23 − ♦Sevilla 102.

- 🏛🏛 **Parador Cristóbal Colón** ⋙, por la carret. de Matalascañas SE : 6,5 km ℰ 37 60 00, ≤ mar, « Jardin con 🟂 », ⋇ − ▤ 🅿 𝔸𝔼 ⓞ 𝐄 𝐕𝐈𝐒𝐀. ⋙
  Com 2500 − ⊒ 800 − **23 hab** 8000/10000.

EL MÉDANO Santa Cruz de Tenerife − ver Canarias (Tenerife).

MEDINACELI 42240 Soria **442** I 22 − 1 036 h. alt. 1 201 − 🕿 975.

Ver : Arco de Triunfo★.

♦Madrid 154 − Soria 76 − ♦Zaragoza 178.

- 🟅 **Hostería Medinaceli** ⋙ con hab, Campo San Nicolás ℰ 32 62 64, ≤ − 🅿. 𝔸𝔼 ⓞ 𝐄 𝐕𝐈𝐒𝐀. ⋙
  Com carta 1350 a 1650 − ⊒ 250 − **5 hab** 1800/2500.
- 🟅 **Medinaceli y Rest. Mesón del Arco Romano** ⋙ con hab y sin ⊒, Portillo 1 ℰ 32 61 02,
  ≤ − 𝐄 𝐕𝐈𝐒𝐀 ⋙
  cerrado 15 noviembre-15 diciembre − Com carta 1300 a 2000 − **7 hab** 1500/2500.

  en la carretera N II SE : 3,5 km − ✉ 42240 Medinaceli − 🕿 975 :

- 🏛🏛 **Nico-H. 70,** ℰ 32 60 11, 🟂 − 🕿 🅿. 𝐕𝐈𝐒𝐀 ⋙
  cerrado 7 enero-7 febrero − Com 1750 − ⊒ 450 − **22 hab** 4300/5800.
- 🏠 **Duque de Medinaceli,** ℰ 32 61 11 − 🕿 ⇦. 𝔸𝔼 ⓞ 𝐄 𝐕𝐈𝐒𝐀. ⋙
  cerrado 7 febrero-7 marzo − Com 1350 − ⊒ 400 − **12 hab** 2300/4800 − P 4780/4880.

MEDINA DEL CAMPO 47400 Valladolid **442** I 15 − 19 237 h. alt. 721 − 🕿 983 − Plaza de toros.

Ver : Castillo de la Mota★.

♦Madrid 154 − ♦Salamanca 81 − ♦Valladolid 43.

- 🏛🏛 **La Mota** sin rest y sin ⊒, Fernando el Católico 4 ℰ 80 04 50 − ▐▌ ▧ 🅿. 𝐕𝐈𝐒𝐀
  40 hab 2000/2700.
- 🐝 **El Orensano,** Claudio Moyano 20 - 1° piso ℰ 80 03 41 − ⇦. 𝐕𝐈𝐒𝐀. ⋙
  Com *(cerrado domingo)* 1000 − ⊒ 250 − **24 hab** 2000/2500 − P 3050/3800.
- 🟅🟅 El Paso, Claudio Moyano 1 ℰ 80 18 95 − ▤.
- 🟅🟅 **Madrid,** Fernando El Católico 1 ℰ 80 01 34 − ▤ 🅿. 𝐕𝐈𝐒𝐀
  Com carta 1800 a 3600.

CITROEN carret. N VI km 160 ℰ 80 32 29
FORD av. José Antonio 33 ℰ 80 03 87
PEUGEOT-TALBOT av. Lope de Vega 43 ℰ 80 08 29

RENAULT carret. Madrid-La Coruña km 160 - Polígono Industrial 25 ℰ 80 21 04
SEAT-AUDI-VOLKSWAGEN Valladolid 3 ℰ 80 04 24

MEDINA DE RÍOSECO 47800 Valladolid 442 G 14 – 5 016 h. alt. 735 – ⊛ 983 – Plaza de toros.

Ver : Iglesia de Santa María (capilla de los Benavente★).

ℹ pl. del Generalísimo (Ayuntamiento) ☎ 70 08 25.

♦Madrid 223 – ♦León 94 – Palencia 50 – ♦Valladolid 41 – Zamora 80.

Los Almirantes, paseo de San Francisco 2 ☎ 70 01 25, ⛱, 🏊, 🌳 – ▤ rest ☎ Ⓟ. AE ⓓ E VISA. ✂ rest
Com 1750 – ☕ 375 – **30 hab** 3400/6100 – P 6550/6900.

CITROEN carret. de Adanero-Gijón km 232 ☎ 70 08 74
FIAT-LANCIA carret. de Adanero-Gijón km 233 ☎ 70 07 32
PEUGEOT-TALBOT av. Juan Carlos I - 3 ☎ 70 00 54
RENAULT av. Ruiz de Alda 24 ☎ 70 10 15
SEAT-AUDI-VOLKSWAGEN carret. N 601 km 230 ☎ 70 01 37

MELILLA 29800 169 ⑧ – 58 449 h. – ⊛ 952 – Playa – Plaza de toros.

Ver : Ciudad Antigua★ (✻★) BZ.

✈ de Melilla, carret. de Jasinen por av. Gen. Mola 4 km AY : ☎ 68 35 64 – Iberia : Cándido Lobera 2 ☎ 68 15 07.

⛴ para Almería y Málaga : Cia. Trasmediterránea : General Marina 1 ☎ 68 19 18, Telex 77084 AY.

ℹ av. General Aizpuru 20 ☎ 68 40 13 – R.A.C.E. Cardenal Cisneros 2-1° ☎ 68 42 14.

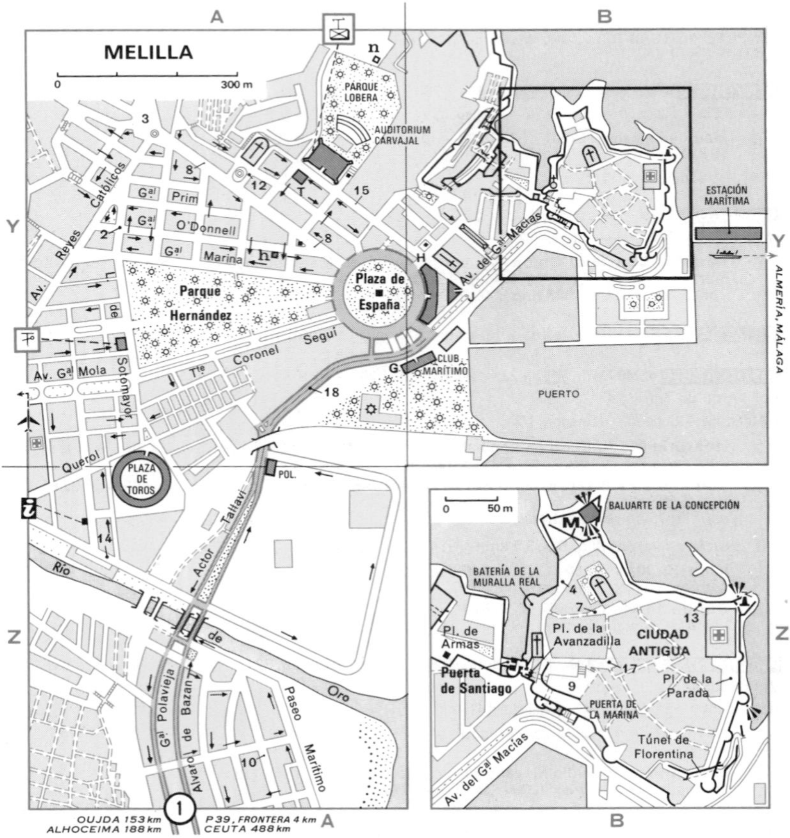

Juan Carlos I, Rey (Av. de) .... AY 8
Castillejos .... AY 2
Comandante Benítez (Pl.) .... AY 3
Concepción .... BZ 4
Iglesia .... BZ 7
Maestranza (Pl. de la) .... BZ 9
Marqués de Montémar .... AZ 10
Menéndez y Pelayo (Pl.) .... AY 12
Miguel Acosta .... BZ 13
Músico Granados .... AZ 14
Pablo Vallescá .... AY 15
San Miguel .... BZ 17
Tte. Gen. García-Valiño .... AY 18

🏨 **Parador Don Pedro de Estopiñán** 🦢, sin rest, con cafetería, av. Cándido Lobera
𝒫 68 49 40, Fax 68 34 86, ≤, ⅄, 🎋 – 🛗 🗐 🅿. 🖭 ⓪ E 🎫. 🛠
☲ 800 – **27 hab** 6400/8000.
AY **n**

✗ **Granada,** Marqués de Montemar 30 𝒫 68 10 37 – 🗐. 🖭 🎫. 🛠
cerrado miércoles y 25 julio-25 agosto – Com carta 1750 a 2350.
por Av. Marqués de Montemar AZ

✗ Los Salazones, Conde Alcaudete 15 𝒫 68 36 52, Pescados y mariscos – 🗐
por Av. Marqués de Montemar AZ

✗ La Montillana, O'Donnell 9 𝒫 68 49 92 – 🗐
AY **h**

BMW carret. Alfonso XIII - 3 𝒫 68 30 34
CITROEN Astilleros 28 𝒫 68 11 87
FIAT General Astillero 𝒫 68 19 81
FORD Marqués de Montemar 26 𝒫 68 13 03
GENERAL-MOTORS pl. Martín de Córdoba 𝒫 68 36 08

MERCEDES-BENZ General Astillero km 2 𝒫 68 19 81
PEUGEOT-TALBOT Actor Tallavi 𝒫 68 14 37
RENAULT Carlos V-7 𝒫 68 53 38
SEAT-AUDI-VOLKSWAGEN García Morato 1 𝒫 68 41 85

▄ **MENORCA** Baleares 🐛🐛🐛 L O 33-42 – ver Baleares.

▄ **MERANGES** Gerona 🐛🐛🐛 E 35 – ver Maranges.

▄ **MERCADAL** 07740 Baleares – ver Baleares (Menorca).

▄ **MÉRIDA** 06800 Badajoz 🐛🐛🐛 P 11 – 41 783 h. alt. 221 – ✆ 924 – Plaza de toros.
Ver : Teatro romano ★★ BZ – Anfiteatro romano ★ BZ – Puente romano ★ AZ.
🛈 Pedro María Plano 𝒫 31 53 53.

♦Madrid 347 ② – ♦Badajoz 62 ③ – ♦Cáceres 71 ① – Ciudad Real 252 ② – ♦Córdoba 254 ③ – ♦Sevilla 194 ③.

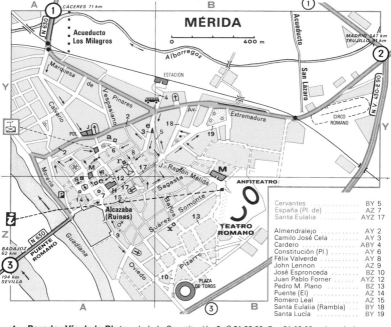

Cervantes	BY 5
España (Pl. de)	AZ 7
Santa Eulalia	AYZ 17
Almendralejo	AY 2
Camilo José Cela	AY 3
Cardero	ABY 4
Constitución (Pl.)	AY 6
Félix Valverde	AY 8
John Lennon	AZ 9
José Espronceda	BZ 10
Juan Pablo Forner	AYZ 12
Pedro M. Plano	BZ 13
Puente (El)	AZ 14
Romero Leal	AZ 15
Santa Eulalia (Rambla)	BY 18
Santa Lucía	BY 19

🏨 **Parador Vía de la Plata,** pl. de la Constitución 3 𝒫 31 38 00, Fax 31 92 08, « Instalado en un antiguo convento », 🎋 – 🛗 🗐 📺 ☎ ⟷ 🅿 – 🛔. 🖭 ⓪ E 🎫. 🛠
Com 2500 – ☲ 800 – **82 hab** 7600/9500.
AY **a**

🏨 **Emperatriz y Mesón El Emperador,** pl. de España 19 𝒫 31 31 11 – ☎. 🖭 🎫
Com 1500 – ☲ 375 – **41 hab** 3050/5500.
AZ **e**

🏨 **Nova Roma** sin rest, Suárez Somonte 42 𝒫 31 12 61 – 🛗 🗐 ☎ ⟷. 🖭 ⓪ E 🎫. 🛠
☲ 375 – **28 hab** 3500/5200.
BZ **x**

🏨 Cervantes, sin rest, Camilo José Cela 10 𝒫 31 49 01 – 🛗 🗐 ☏ 🅿 – **30 hab**.
AY **e**

297

XX **Nicolás,** Félix Valverde Lillo 11 ☎ 31 96 10 – ▤. AE ⓓ E VISA. ✱ AY r
cerrado domingo noche y del 6 al 19 septiembre – Com carta 1700 a 2950.

X **Rufino,** pl. de Santa Clara 2 ☎ 31 20 01 – ▤. AE ⓓ E VISA. ✱ AZ s
cerrado domingo y del 5 al 28 agosto – Com (sólo almuerzo) carta 1575 a 2550.

en la carretera N V por ② : 3 km – ✉ 06800 Merida – ✆ 924 :

Las Lomas, ☎ 31 10 11, Telex 28840, Fax 30 08 41, ⛱ – |¢| ▤ ☎ P – 🚶. AE ⓓ E VISA. ✱
Com 2000 – ☕ 500 – **134 hab** 6900/8700 – P 7950/10500.

CITROEN carret. Madrid-Lisboa km 345,2 ☎ 31 17 11
FORD carret. Madrid-Lisboa km 345,2 ☎ 31 29 50
OPEL-MG carret. Madrid-Lisboa km 342 ☎ 30 14 11
PEUGEOT-TALBOT carret. de Madrid km 340 ☎ 31 05 52
RENAULT av. de Juan Carlos I ☎ 31 16 11

La MEZQUITA o A MEZQUITA 32549 Orense 441 F 8 – 1 845 h. – ✆ 988.

♦ Madrid 386 – Orense 123 – Ponferrada 130.

en Villavieja - carretera N 525 NE : 7 km – ✉ 32590 Villavieja – ✆ 988 :

Porta Galega, ☎ 42 11 38 – 🚗 P. AE ⓓ E VISA. ✱
Com 850 – ☕ 150 – **38 hab** 1800/3000.

MIAJADAS 10100 Cáceres 444 O 12 – 8 460 h. alt. 297 – ✆ 927.

♦Madrid 291 – ♦Cáceres 60 – Mérida 52.

Triana, carret. N V ☎ 34 80 10 – ▤. VISA. ✱
Com 1100 – ☕ 200 – **35 hab** 1500/3000 – P 3500.

X El Cortijo , con hab, carret. de Don Benito S : 1 km ☎ 34 79 95 – ▤ P – **13 hab**.

en la carretera N V SO : 2 km – ✉ 10100 Miajadas – ✆ 927 :

La Torre, ☎ 34 78 55 – ▤ ☎. VISA. ✱
Com 900 – ☕ 200 – **32 hab** 2000/3000 – P 3500/4500.

PEUGEOT-TALBOT carret. Madrid-Lisboa km 290 ☎ 34 70 44
RENAULT carret. Miajadas-Don Benito km 0,4 ☎ 34 74 43
SEAT-AUDI-VOLKSWAGEN carret. Don Benito km 1,05 ☎ 34 70 68

MIAMI PLAYA Tarragona 443 I 32 – ver Hospitalet del Infante.

MIJAS 29650 Málaga 446 W 16 – 14 896 h. alt. 475 – ✆ 952 – Plaza de toros.

Ver : Emplazamiento★ (≤★).

⛳18 Golf Mijas S : 5 km ☎ 47 68 43.

♦Madrid 585 – Algeciras 115 – ♦Málaga 30.

Mijas, urbanización Tamisa ☎ 48 58 00, Telex 77393, ≤ montañas, Fuengirola y mar, 🍽, « Conjunto de estilo andaluz », ⛱, 🌳, 🎾 – TV ☎ P – 🚶. AE ⓓ E VISA. ✱
Com 3000 – **100 hab** ☕ 8560/12410 – P 11440/13895.

XX **El Padrastro,** paseo del Compás ☎ 48 50 00, ≤ Fuengirola y mar, 🍽, ⛱ – AE ⓓ E VISA
Com carta 1820 a 3450.

X **El Olivar,** av. Virgen de la Peña - Edificio El Rosario ☎ 48 61 96, ≤, 🍽 – AE E VISA. ✱
cerrado viernes – Com carta 1325 a 1950.

X **El Capricho,** Los Caños 5 - 1° piso ☎ 48 51 11 – AE E VISA. ✱
cerrado miércoles y 15 noviembre-15 diciembre – Com carta 1775 a 2475.

en la carretera de Fuengirola S : 4 km – ✉ 29650 Mijas – ✆ 952 :

XX **Valparaíso,** ☎ 48 59 96, ≤ Fuengirola y mar, 🍽, Cenas amenizadas, ⛱ – P. AE E VISA. ✱
cerrado domingo y 7 enero-10 febrero – Com (sólo cena) carta 1850 a 3200.

MIJAS COSTA Málaga – ver Fuengirola.

El MILIARIO Segovia – ver Honrubia de la Cuesta.

MIRAFLORES DE LA SIERRA 28792 Madrid 444 J 18 – 2 334 h. alt. 1 150 – ✆ 91.

♦Madrid 52 – El Escorial 50.

Refugio 🐦, carret. de Madrid ☎ 844 42 11, ≤, 🍽, ⛱ – |¢| ▤ rest – 🚶. VISA. ✱
Com 1200 – ☕ 350 – **46 hab** 3100/4700.

X Asador La Fuente, Mayor 12 ☎ 844 42 16, 🍽, Cordero y cochinillo asado – ▤. AE E VISA. ✱
cerrado lunes.

X **Mesón Maito,** Calvo Sotelo 5 ☎ 844 35 67, Decoración castellana – ▤. E VISA. ✱
Com carta 1530 a 2450.

X **Las Llaves,** Calvo Sotelo 4 ☎ 844 40 57 – ▤. AE E VISA. ✱
cerrado 15 septiembre-octubre – Com carta 2075 a 2200.

CITROEN carret. Madrid ☎ 844 32 01
RENAULT Río 2 ☎ 844 40 27

MIRANDA DE EBRO 09200 Burgos **442** D 20 y 21 − 36 812 h. alt. 463 − 🐌 947.

Alred. : Embalse de Sobrón★★ NO : 15 km.

🛢 carret. N I 🖉 31 18 86.

♦Madrid 322 − ♦Bilbao 84 − ♦Burgos 79 − ♦Logroño 71 − ♦Vitoria/Gasteiz 33.

🏨 **Tudanca,** carret. N I 🖉 31 18 43, Telex 39442 − 🛗 🗐 rest ☎ ⇦ **P**. 🖭 ⓞ **E** **VISA**. 🛠
　　Com *(cerrado domingo noche)* 1160 − 🖭 **120 hab** 3465/4950 − P 4340/5180.

XX **Neguri,** Estación 80 🖉 32 25 12 − 🗐. 🖭 ⓞ **VISA**. 🛠
　　cerrado domingo noche, lunes y del 16 al 31 agosto − Com carta 2200 a 3150.

X **Achuri** con hab, Estación 86 🖉 31 00 40 − ☎. 🖭 ⓞ **E** **VISA**. 🛠
　　cerrado 20 diciembre-10 enero − Com *(cerrado domingo noche)* carta 2050 a 2515 − 🖭 240 −
　　30 hab 1550/2500 − P 4000/4300.

X **Casa Rafael,** Estación 23 🖉 31 01 71.

ALFA ROMEO　carret. Madrid - Irún 318 🖉 31 10 12
CITROEN　carret. N I km 319 🖉 32 08 08
FIAT-BMW　carret. de Madrid 🖉 31 05 69
FORD　carret. N I km 317 🖉 32 48 13
OPEL-GENERAL MOTORS　California 25 🖉 32 18 00

PEUGEOT-TALBOT　Santa Lucía 53 🖉 31 01 12
RENAULT　Colón 3 🖉 31 02 03
SEAT-AUDI-VOLKSWAGEN　carret. N I km 317 🖉 32 02 12

MIRANDA DEL CASTAÑAR 37660 Salamanca **444** K 12 − 914 h. alt. 649 − 🐌 923.

♦Madrid 249 − ♦Ávila 142 − Ciudad Rodrigo 68 − Plasencia 100 − ♦Salamanca 73.

🏠 **Condado de Miranda** 🍴, paraje de la Perdiza 🖉 43 20 26, ⩽ valle y montaña, 🍽 − **P**. 🛠
　　Com 1000 − 🖭 250 − **22 hab** 2000/3000 − P 3150/3650.

SEAT-AUDI-VOLKSWAGEN　La Regajera 🖉 43 22 96

MOGUER 21800 Huelva **446** U 9 − 10 004 h. alt. 50 − 🐌 955.

Ver : Iglesia del convento de Santa Clara (sepulcros★).

♦Madrid 618 − Huelva 19 − ♦Sevilla 82.

🏠 **Platero** sin rest y sin 🖭, Aceña 2 🖉 37 01 27 − 🛠
　　19 hab 1440/1800.

RENAULT　carret. San Juan del Puerto-La Rábida km 6,1 🖉 37 02 00

MOIÁ Barcelona **443** G 38 − ver Moyá.

MOJÁCAR 04638 Almería **446** U 24 − 1 581 h. alt. 175 − 🐌 951.

Ver : Paraje★.

🏌 Club Cortijo Grande, Turre 🖉 99 Turre.

♦Madrid 527 − ♦Almería 95 − ♦Murcia 141.

🏨 El Moresco, 🖉 47 80 25, ⩽ montañas, valle y mar, 🍽, 🏊 climatizada − 🛗
　　147 hab.

en la carretera de la playa E : 2 km − ✉ 04638 Mojácar − 🐌 951 :

X **El Álamo,** Albardinal 🖉 47 81 33, 🍽 − **P**. 🖭 ⓞ **E** **VISA**
　　cerrado domingo y 15 noviembre-25 diciembre − Com carta 1500 a 2500.

en la playa :

🏨 **Parador Reyes Católicos,** carret. de Carboneras SE : 2,5 km 🖉 47 82 50, Fax 47 81 83, ⩽,
　　🍽, 🏊, 🚲, 🛠 − 🛗 ☎ **P**. 🖭 ⓞ **E** **VISA**. 🛠
　　Com 2500 − 🖭 800 − **98 hab** 7200/9000.

🏠 Saturno, carret. de Carboneras SE : 5,5 km 🖉 47 82 02, ⩽, 🍽
　　16 hab.

🏠 **El Puntazo,** carret. de Carboneras SE : 4,5 km, ✉ 04630 Garrucha, 🖉 47 82 29, 🍽 − 🗐 rest
　　P. 🖭 **E** **VISA**. 🛠
　　Com 900 − 🖭 200 − **21 hab** 3900.

RENAULT　carret. Garrucha - Carboneras 🖉 47 83 35

La MOLINA 17537 Gerona **443** E 35 − alt. 1 300 a 1700 − 🐌 972 − Deportes de invierno ⚡1 ⚡21.

♦Madrid 651 − ♦Barcelona 148 − Gerona/Girona 131 − ♦Lérida/Lleida 180.

🏨 Roc Blanc 🍴, alt. 1 450 🖉 89 20 75, ⩽, 🏊 − 🛗 ☎ **P**. 🖭 **E** **VISA**. 🛠 rest
　　julio-20 septiembre y enero-20 abril − Com 1130 − 🖭 450 − **30 hab** 3370/5590.

🏨 Solana 🍴, alt. 1 650 🖉 89 20 00, ⩽ montaña, 🏊 − 🛗 **P**. **VISA**. 🛠
　　julio-agosto y enero-marzo − Com 1400 − 🖭 500 − **29 hab** 1750/4800 − P 4450/5100.

🏨 **Adserá y Rest. El Tirol** 🍴, alt. 1 600 🖉 89 20 01, ⩽ montaña, 🏊 − 🛗 ☎ **P**. ⓞ. 🛠 rest
　　julio-12 septiembre y 15 diciembre-20 abril − Com 1600 − 🖭 450 − **41 hab** 4000/6000.

🏨 **El Cau** 🍴, Supermolina - alt. 1700 🖉 89 21 78, ⩽ − ☎ **P**. 🖭 ⓞ **E** **VISA**. 🛠
　　Com 2000 − 🖭 500 − **12 hab** 4000/6000 − P 7000/8000.

🏠 **Els 4 Vents** 🍴, alt. 1 600 🖉 89 20 97, ⩽ valle y montaña, 🏊 − **P**. 🖭 ⓞ **E** **VISA**. 🛠 rest
　　Com 1250 − 🖭 350 − **16 hab** 2250/3850 − P 4110/4600.

MOLINA DE ARAGÓN 19300 Guadalajara ☻☻☻ J 24 – 3 795 h. alt. 1 050 – ☻ 911.
♦Madrid 197 – Guadalajara 141 – Teruel 104 – ♦Zaragoza 144.

🏨 **Rosanz**, paseo de los Adarves 12 ☎ 83 08 36 – ☜ – **33 hab**.

CITROEN P. Alameda ☎ 83 01 54
FORD carret. de Tarragona km 196,5 ☎ 83 17 53
GENERAL MOTORS carret. Madrid-Teruel km 194,6 ☎ 83 07 44

PEUGEOT-TALBOT San Juan 14 ☎ 83 08 20
RENAULT carret. de Teruel km 197,6 ☎ 83 03 22
SEAT-AUDI-VOLKSWAGEN Carmen 12 ☎ 83 00 85

El MOLINAR Baleares – ver Baleares (Mallorca) : Palma de Mallorca.

MOLLERUSA 25230 Lérida ☻☻☻ H 32 – 8 349 h. – ☻ 973.
♦Madrid 492 – ♦Barcelona 137 – ♦Lérida/Lleida 23 – Tarragona 86.

✗ **Cal Jaume** con hab, San Ramón 27 ☎ 60 18 80 – ▤ rest. ⓞ 𝘝𝘐𝘚𝘈. ⚘
   cerrado Semana Santa – Com carta 1225 a 2425 – ⚌ 260 – **14 hab** 950/1800 – P 2450/3300.

CITROEN carret. N II ☎ 60 10 26
FORD Joaquina Vedruña 15 ☎ 60 07 38
MERCEDES-BENZ San Isidro 8 ☎ 60 06 30
PEUGEOT-TALBOT Jaime I - 2 ☎ 60 07 01

RENAULT Ferrer y Busquets 96 ☎ 60 07 39
SEAT-AUDI-VOLKSWAGEN av. Generalitat 7 ☎ 60 01 79

MOLLET o **MOLLET DEL VALLÉS** 08100 Barcelona ☻☻☻ H 36 – 35 494 h. – ☻ 93.
♦Madrid 631 – ♦Barcelona 17 – Gerona/Girona 80 – Sabadell 25.

✗ Can Prat, Polígono Industrial Can Prat - av. Pío XII ☎ 593 05 00, ♒, ☀ – ▤ ☻.

CITROEN Félix Ferrán 4 ☎ 593 09 98
FORD Antonia Canet 23-25 ☎ 593 12 97

PEUGEOT-TALBOT Francesc Macià 87 ☎ 593 23 66
RENAULT Berenguer III - 75 ☎ 593 61 52

MOLLÓ 17868 Gerona ☻☻☻ E 37 – 401 h. – ☻ 972.
Alred. : carretera ★ del collado de Ares.
♦Madrid 707 – ♦Barcelona 135 – Gerona/Girona 88 – Prats de Molló 24.

🏨 **François** ⚘, carret. de Camprodón ☎ 74 03 88, ≼ montaña y valle del río Tort – ⇱ ☻. **E**
   𝘝𝘐𝘚𝘈. ⚘
   cerrado del 20 al 30 noviembre – Com (cerrado lunes) 1000 – ⚌ 300 – **28 hab** 2675/3245 – P 3000/3500.

✗ **Calitxó** ⚘ con hab, El Serrat ☎ 74 03 86, ≼ montañas – ☻. 𝘝𝘐𝘚𝘈. ⚘
   cerrado 15 enero-15 febrero – Com (cerrado lunes) carta 1890 a 3285 – **19 hab** 3850.

MONASTERIO – ver el nombre propio del monasterio.

MONBUEY 49310 Zamora ☻☻☻ F 11 – 535 h. – ☻ 988.
♦Madrid 320 – ♦León 124 – Orense 181 – ♦Valladolid 138 – Zamora 86.

en la carretera N 525 SE : 1 km – ⌧ 49310 Monbuey – ☻ 988 :

☝ La Ruta, ☎ 64 27 30, ≼ – ☻ – **14 hab**.

MONDARIZ-BALNEARIO 36890 Pontevedra ☻☻☻ F 4 – 650 h. alt. 174 – ☻ 986 – Balneario.
♦Madrid 574 – Orense 75 – Pontevedra 58.

🏨 Avelino ⚘, Ramón Peinador 15 ☎ 65 61 32, ☀ – ☻
   temp. – **46 hab**.

CITROEN Ramón y Cajal ☎ 65 63 80

MONDOÑEDO 27740 Lugo ☻☻☻ B 8 – 6 988 h. – ☻ 982.
Ver : Catedral★ – Museo★.
♦Madrid 546 – ♦La Coruña 120 – Lugo 71 – ♦Oviedo 205.

en la carretera N 634 SO : 2 km – ⌧ 27740 Mondoñedo – ☻ 982 :

🏨 **Mirador de los Paredones** ⚘, ☎ 52 17 00, ≼ población, valle y montaña, ☂ – ☜ ☻. ⚘
   Com 900 – ⚌ 400 – **19 hab** 3000/4000 – P 3750/4750.

GENERAL MOTORS carret. Santander-Coruña km 416 ☎ 52 10 80
RENAULT San Lázaro ☎ 52 18 36

SEAT-AUDI-VOLKSWAGEN Julia Pardo 30 ☎ 52 17 58

MONDRAGÓN 20500 Guipúzcoa ☻☻☻ C 22 – 26 045 h. alt. 211 – ☻ 943.
♦Madrid 390 – ♦San Sebastián/Donostia 79 – Vergara 9 – ♦Vitoria/Gasteiz 34.

en Santa Águeda O : 3,5 km – ⌧ 20509 Santa Águeda – ☻ 943 :

🏨 **Txirrita** ⚘, barrio Guesalibar ☎ 79 52 11, ≼ – ☜. ⒶⒺ ⓞ 𝘝𝘐𝘚𝘈. ⚘ rest
   Com (cerrado domingo noche) 825 – ⚌ 210 – **16 hab** 2750/4125.

ALFA ROMEO Barrio Zalpide 2 ☎ 79 97 12
AUSTIN-ROVER-MG av. de Álava ☎ 79 53 98
CITROEN av. de Álava ☎ 79 06 57
FIAT-LANCIA av. de Vizcaya ☎ 79 41 98
FORD av. de Álava ☎ 79 07 44

PEUGEOT-TALBOT San Andrés ☎ 79 95 65
RENAULT av. de Álava ☎ 79 59 99
SEAT-AUDI-VOLKSWAGEN Barrio de Musakola ☎ 79 21 25

MONESTERIO 06260 Badajoz **444** R 11 – 6 065 h. – 🕲 924.

◆Madrid 444 – ◆Badajoz 126 – Cáceres 150 – ◆Córdoba 197 – Merida 82 – ◆Sevilla 97.

🏨 **Moya,** paseo de Extremadura 278 ℰ 51 61 36 – 🗐 **ℙ**. 🎗
Com 1600 – 🖙 150 – **16 hab** 1300/2100 – P 2650/2900.

SEAT paseo de Extremadura 122 ℰ 51 62 21

MONISTROL o **MONISTROL DE MONTSERRAT** 08691 Barcelona **443** H 35 – 2 641 h. alt. 61 – 🕲 93.

◆Madrid 603 – ◆Barcelona 52 – ◆Lérida/Lleida 134 – Manresa 15.

en la carretera de Barcelona SE : 1 km – ⊠ 08691 Monistrol – 🕲 93 :

✗ Hostal Monistrol, con hab, ℰ 835 04 77
7 hab.

RENAULT Balmes 27-29 ℰ 835 02 57

MONNEGRE 03115 Alicante **445** Q 28 – 🕲 96.

◆Madrid 435 – ◆Alicante 18 – ◆Valencia 176.

🏨 **Valle del Sol** 🍴, ℰ 565 18 85, 🍴, 🏊, 🐎, 🎾 – **ℙ**. 🎗
Com 1200 – **26 hab** 🖙 3000/4600 – P 5000/5700.

MONREAL DEL CAMPO 44300 Teruel **445** J 25 – 2 477 h. alt. 939 – 🕲 974.

◆Madrid 245 – Teruel 56 – ◆Zaragoza 126.

🏨 **El Botero,** av. de Madrid 2 ℰ 86 31 66 – 🛗 🗐 rest 🕾 🚗 **ℙ**. 𝗩𝗜𝗦𝗔. 🎗
Com 650 – 🖙 200 – **30 hab** 1500/2750 – P 2875/3000.

RENAULT carret. N 234 km 174,7 ℰ 86 31 14

MONTALVO (Playa de) Pontevedra – ver Sangenjo.

MONTANEJOS 12448 Castellón **443** L 29 – 568 h. – 🕲 964.

◆Madrid 408 – Castellón de la Plana 62 – Teruel 106 – ◆Valencia 95.

🏨 **Rosaleda del Mijares** 🍴, carret. de Tales 28 ℰ 13 10 79 – 𝗩𝗜𝗦𝗔. 🎗
Com 900 – 🖙 250 – **50 hab** 1450/2360 – P 3230/3500.

🏨 **Xauen** 🍴, av. Fuente de los Baños 26 ℰ 13 11 51 – 𝗔𝗘 𝗩𝗜𝗦𝗔. 🎗
abril-12 octubre – Com 1100 – 🖙 300 – **27 hab** 1500/2600 – P 3700/3900.

MONTAÑAS DEL FUEGO Las Palmas – ver Canarias (Lanzarote).

MONTBLANCH o **MONTBLANC** 43400 Tarragona **443** H 33 – 5 244 h. – 🕲 977.

Ver : Iglesia de Santa María : interior★.

🄴 pl. Mayor 1 ℰ 86 00 09.

◆Madrid 518 – ◆Barcelona 112 – ◆Lérida/Lleida 61 – Tarragona 36.

🏨 **Ducal,** Diputación 11 ℰ 86 00 25 – 🗐 rest 🅰 **ℙ** 𝗔𝗘 ⓞ **E** 𝗩𝗜𝗦𝗔
Com 800 – 🖙 270 – **39 hab** 1900/3200 – P 3300/3600.

en la carretera N 240 – ⊠ 43400 Montblanch – 🕲 977 :

🏨 **Coll de Lilla,** SE : 7,5 km ℰ 86 09 07, Telex 53506, ≤, 🎾 – 🗐 📺 🕾 **ℙ** – 🔬. 𝗔𝗘 ⓞ **E** 𝗩𝗜𝗦𝗔.
🎗
Com 1500 – **16 hab** 🖙 6000/9250 – P 8900/10150.

✗ **Les Fonts de Lilla,** SE : 6 km ℰ 86 03 03, ≤, Decoración rústica – **ℙ**. 𝗔𝗘 ⓞ **E** 𝗩𝗜𝗦𝗔. 🎗
Com carta 1700 a 2825.

CITROEN carret. de Lérida ℰ 86 01 16
FORD muralla Santa Tecla 42 ℰ 86 04 11
PEUGEOT-TALBOT muralla Santa Tecla 15 ℰ 86 02 15

RENAULT muralla Santa Tecla 5 ℰ 86 08 67
SEAT-AUDI-VOLKSWAGEN muralla Santa Tecla 24 ℰ 86 00 41

MONTE – ver el nombre propio del monte.

MONTEAGUDO 30160 Murcia **445** R 26 – 🕲 968.

◆Madrid 400 – ◆Alicante 77 – ◆Murcia 5.

✗ **Monteagudo,** Alicante 107 ℰ 85 00 64 – 🗐. 𝗔𝗘 ⓞ **E** 𝗩𝗜𝗦𝗔. 🎗
cerrado lunes y agosto – Com carta 1700 a 2350.

MONTE HACHO Ceuta – ver Ceuta.

MONTFERRER Lérida **443** E 34 – ver Seo de Urgel.

MONTILLA 14550 Córdoba **446** T 16 – 21 373 h. alt. 400 – **957**.

♦Madrid 443 – ♦Córdoba 45 – Jaén 117 – Lucena 28.

🏨 **Don Gonzalo,** carret. N 331, SO : 2,5 km 🥂 65 06 58, ⌂, 🔟, ℁ – 🛗 🍽 rest 🚗 **🅿**. 🆀 ⓪ **E**
VISA. ℁
Com 1100 – ⊊ 275 – **28 hab** 3000/4700 – P 7300/7950.

XX **Las Camachas,** carret. N 331 🥂 65 00 04, ⌂ – 🍽 **🅿**. 🆀 ⓪ **E VISA**. ℁
Com carta 1700 a 2800.

ALFA ROMEO carret. N 331 Córdoba-Málaga km
446 🥂 65 20 51
CITROEN av. Andalucía 40 🥂 65 01 87
FIAT San Francisco 39 🥂 65 16 22
FORD av. de Boucau 5 🥂 65 04 27
GENERAL MOTORS av. Andalucía 48 🥂 65 09 57

LANCIA av. de Boucau 24 🥂 65 17 03
PEUGEOT-TALBOT av. de Italia 7 🥂 65 18 12
RENAULT carret. N 331 km 447 🥂 65 06 12
SEAT-AUDI-VOLKSWAGEN carret. N 331 km 446 🥂
65 07 90

MONT-RÀS Gerona – ver Palafrugell.

MONTSENY 08460 Barcelona **443** G 37 – 269 h. alt. 522 – **93**.

Alred. : Sierra de Montseny★★.

♦Madrid 673 – ♦Barcelona 60 – Gerona/Girona 68 – Vich/Vic 36.

al Sureste : 4,5 km – ✉ 08460 Montseny – **93** :

XX **Hostal la Cartoixa** ⌂ con hab, 🥂 847 30 00, 🔟 – **🅿**. **E VISA**. ℁ rest
Com carta 1450 a 2100 – ⊊ 480 – **16 hab** 3300/4600 – P 5000/6000.

en la carretera de Tona NO : 8 km – ✉ 08460 Montseny – **93** :

🏨 **San Bernat** ⌂, 🥂 847 30 11, ≤ valle y montañas, « Magnífica situación en la sierra del
Montseny », 🌴 – 🚗 ⌂ **🅿**. ⓪ **E VISA**. ℁
Com 2000 – ⊊ 500 – **20 hab** 5600/7000 – P 7100/9200.

MONTSERRAT 08691 Barcelona **443** H 35 – alt. 725 – **93**.

Ver : Lugar★★★.

Alred. : Carretera de acceso ≤★★.

♦Madrid 594 – ♦Barcelona 53 – ♦Lérida/Lleida 125 – Manresa 22.

🏨 **Abat Cisneros** ⌂, pl. Monasterio 🥂 833 02 01 – 🛗 🍽 rest ☎. 🆀 ⓪ **E VISA**. ℁ rest
Com 1800 – ⊊ 450 – **41 hab** 3250/5400 – P 5850/6400.

🏨 **Monestir** ⌂ sin rest, pl. Monasterio 🥂 833 02 01 – 🚗. 🆀 ⓪ **E VISA**
⊊ 450 – **34 hab** 3400.

XX Montserrat, pl. Apostols 🥂 835 02 51 (ext. 165), ≤
Com (sólo almuerzo).

en la carretera de Casa Masana NO : 3,5 km – ✉ 08691 Montserrat – **93** :

X Santa Cecilia, 🥂 835 03 09, ≤, ⌂ – **🅿**
temp.

MONZON 22400 Huesca **443** G 30 – 14 480 h. alt. 368 – **974**.

♦Madrid 463 – Huesca 70 – ♦Lérida/Lleida 50.

🏨 **Vianetto,** av. de Lérida 25 🥂 40 19 00 – 🛗 🍽 rest 🚗 ⌂. 🆀 ⓪ **E VISA**. ℁
Com 1000 – ⊊ 300 – **84 hab** 2300/3925 – P 3950/4300.

XX **Piscis,** pl. de Aragón 1 🥂 40 00 48 – 🍽. 🆀 ⓪ **E VISA**. ℁
Com carta 1900 a 3300.

AUSTIN-ROVER Calvario 29 🥂 40 03 86
CITROEN San Juan Bosco 57 🥂 40 08 02
FIAT-LANCIA av. de Fonz 27 🥂 40 35 80
FORD Polígono Industrial Las Paules 19 🥂 40 23 81
GENERAL MOTORS av. el Pueyo 60 🥂 40 17 97

PEUGEOT-TALBOT av. Lérida 41 🥂 40 03 00
RENAULT paseo San Juan Bosco 🥂 40 02 34
SEAT-AUDI-VOLKSWAGEN carret. Tarragona-San
Sebastián km 147 🥂 40 14 74

MONZÓN DE CAMPOS 34410 Palencia **442** F 16 – 1 036 h. alt. 750 – **988**.

♦Madrid 237 – ♦Burgos 95 – Palencia 11 – ♦Santander 190.

XXX **Castillo de Monzón** ⌂ con hab, 🥂 80 80 75, « Instalado en un castillo medieval dominando
la Tierra de Campos » – 🚗 **🅿**. 🆀 ⓪ **E VISA**. ℁
Com carta 1950 a 3300 – ⊊ 500 – **10 hab** 5000/7000 – P 7500/9000.

MORA 45400 Toledo **444** M 18 – 9 328 h. – **925**.

♦Madrid 100 – Ciudad Real 92 – Toledo 31.

🍴 **Agripino,** pl. Príncipe de Asturias 8 🥂 30 00 00 – 🛗 🍽 rest 🚗. **VISA**. ℁
Com 1200 – ⊊ 200 – **22 hab** 2000/3000 – P 3700/4000.

CITROEN Toledo 117 🥂 30 08 70
RENAULT Manzaneque 87 🥂 30 16 58

SEAT-AUDI-VOLKSWAGEN carret. de Toledo km 30
🥂 30 02 30

MORA DE RUBIELOS 44400 Teruel 4️⃣4️⃣5️⃣ L 27 − 1 393 h. − 🌞 974.

♦Madrid 341 − Castellón de la Plana 92 − Teruel 40 − ♦Valencia 129.

🏨 Jaime I, pl. de la Villa 🖋 80 00 92 − 📶 📺 ☎ − **35 hab.**

en la carretera de Puebla de Valverde SO : 1 km − ✉ 44400 Mora de Rubielos − 🌞 974 :

🏠 Mora de Aragón 🦢, 🖋 80 01 77 − 🅿 − **30 hab.**

MORAIRA 03724 Alicante 4️⃣4️⃣5️⃣ P 30 − 🌞 96 − Playa − Alred. : Carretera★ de Moraira a Calpe.

🛟 Club Ifach SO : 8 km − 🅱 av. del Portet 12 🖋 574 51 68.

♦Madrid 483 − ♦Alicante 75 − Gandía 65.

✗ **Mesón Cap d'Or,** Castillo 8 🖋 574 41 09 − 📖. 🆎 ⓞ Ε 𝘝𝘐𝘚𝘈. 🦟
cerrado febrero y miércoles en invierno − Com carta 2000 a 2600.

por la carretera de Calpe − ✉ 03724 Moraira − 🌞 96 :

🏨 Swiss H. Moraira y Rest. Ama Lur 🦢, O : 2,5 km 🖋 574 71 04, Telex 66665, 😋, 🏊, 🎾 − 📖
📺 ☎ ⟺ 🅿 − 🎿 − **25 hab.**

🏠 **Moradix** 🦢 sin rest, O : 1,5 km 🖋 574 40 56, ≤ − 📶 ☎ 🅿. Ε 𝘝𝘐𝘚𝘈. 🦟
🛏 375 − **30 hab** 2600/4000.

🏠 **Dan H.** 🦢, SO : 2,5 km 🖋 574 71 88, ≤, 😋, 🏊, 🐎, 🎾 − 📶 🅿. 🆎 Ε 𝘝𝘐𝘚𝘈. 🦟 rest
Com 1000 − 🛏 340 − **42 hab** 3750/5600.

✗✗✗ 🌺🌺 **Girasol,** SO : 1,5 km 🖋 574 43 73, 😋, « Villa acondicionada con elegancia » − 📖 🅿. 🆎
ⓞ Ε 𝘝𝘐𝘚𝘈. 🦟
marzo-15 noviembre − Com *(cerrado lunes)* carta 3000 a 4650
Espec. Lasaña de salmón en crema a la acedera, Merluza rellena con langosta sobre salsa de mejillones y gratin
de calabacín, Carro de postres y sorbetes caseros.

✗ **La Chulleta,** SO : 3 km, 😋 − 🆎 ⓞ Ε 𝘝𝘐𝘚𝘈. 🦟
15 mayo-15 octubre − Com (sólo cena) carta 1900 a 3000.

en la carretera de Benitachell N : 3,5 km − ✉ 03724 Moraira − 🌞 96 :

✗✗ **El Corregidor,** urbanización Villotel 🖋 574 40 01, ≤, 😋 − 🅿
cerrado lunes, martes mediodía salvo en verano y 10 enero-4 marzo − Com (sólo cena en
verano) carta 1625 a 2325.

MORALZARZAL 28411 Madrid 4️⃣4️⃣4️⃣ J 18 − 1 600 h. − 🌞 91.

♦Madrid 42 − Ávila 77 − ♦Segovia 57.

✗✗✗ 🌺 **El Cenador de Salvador,** av. de España 30 🖋 857 77 22, 😋 − 🅿. 🆎 ⓞ 𝘝𝘐𝘚𝘈. 🦟
cerrado lunes − Com carta 3100 a 3900
Espec. Albóndigas de rape con almeiras, Lomo de merluza al pil-pil, Surtido de sorbetes.

MORELLA 12300 Castellón 4️⃣4️⃣5️⃣ K 29 − 3 337 h. alt. 1 004 − 🌞 964 − Plaza de toros.

Ver : Emplazamiento★ − Basílica de Santa María la Mayor★ − Castillo ≤★.

🅱 Torres de San Miguel 🖋 16 01 25.

♦Madrid 440 − Castellón de la Plana 98 − Teruel 139.

🏨 Cardenal Ram, Cuesta Suñer 1 🖋 16 00 00, « Antigua casa señorial » − 🕾 − **19 hab.**

🏠 **Elías** sin rest y sin 🛏, Colomer 7 🖋 16 00 92 − 🆎 ⓞ Ε 𝘝𝘐𝘚𝘈
17 hab 1150/2600.

✗ Mesón del Pastor, cuesta Jovani 5 🖋 16 02 49 − 📖.

FIAT-LANCIA Hostal Nou 🖋 16 02 93
FORD Hostal Nou 🖋 16 00 37
GENERAL MOTORS carret. Castellón 🖋 16 02 30
PEUGEOT-TALBOT carret. de Castellón 2 🖋 16 01 17

RENAULT Hostal Nou 🖋 16 01 91
SEAT-AUDI-VOLKSWAGEN carret. de Vinaroz 🖋
16 01 75

MÓSTOLES 28900 Madrid 4️⃣4️⃣4️⃣ L 18 − 149 649 h. − 🌞 91.

♦Madrid 19 − Toledo 64.

✗ Mesón Gregorio, Reyes Católicos 16 🖋 613 22 75, Decoración típica − 📖.

AUSTIN-ROVER Arroyo Molinos 6 🖋 613 05 15
CITROEN antigua carret. de Extremadura km 21,4
🖋 614 60 11
FIAT-LANCIA av. Dos de Mayo 69 🖋 613 67 66
FORD av. de Portugal 15 🖋 646 65 22
OPEL av. Dos de Mayo 62 🖋 617 04 11

PEUGEOT-TALBOT Simón Hernandez 41 🖋 645 70 92
RENAULT Juan Ocaña 29 🖋 613 44 33
RENAULT az. Cámara de la Industria 5 🖋 618 96 16
SEAT-AUDI-VOLKSWAGEN av. de Portugal 60 🖋
613 41 12

MOTA DEL CUERVO 16630 Cuenca 4️⃣4️⃣4️⃣ N 21 − 5 496 h. alt. 750 − 🌞 967.

Alred. : Belmonte (castillo : artesonados★ mudéjares, Antigua colegiata : sillería★) NE : 14 km −
Villaescusa de Haro (capilla de la Asunción★) NE : 20 km.

♦Madrid 139 − ♦Albacete 108 − Alcázar de San Juan 36 − Cuenca 113.

🏨 **Mesón de Don Quijote,** carret. N 301 🖋 18 02 00, Telex 44050, Fax 18 07 11, Decoración
regional, 🏊 − 📖 ☎ 🅿. 🆎 ⓞ Ε 𝘝𝘐𝘚𝘈. 🦟
Com 1850 − 🛏 375 − **36 hab** 4600/7150 − P 6950/7970.

PEUGEOT-TALBOT carret. Alcázar 19 🖋 18 05 20

MOTILLA DEL PALANCAR 16200 Cuenca 444 N 24 – 4 392 h. alt. 900 – ☎ 966 – Plaza de toros.
♦Madrid 202 – Cuenca 68 – ♦Valencia 146.

Del Sol, carret. N III ☎ 33 10 25 – ▤ rest ☎ ⇔ **P**. AE ⓓ E VISA. ⁂
Com 1400 – ☕ 325 – **37 hab** 2000/3400 – P 4200/4500.

CITROEN carret. Madrid-Valencia 130 ☎ 33 14 33
FORD carret. Madrid-Valencia 45 ☎ 33 15 79
PEUGEOT-TALBOT carret. Madrid-Valencia km 196 ☎ 33 12 71
RENAULT carret. Madrid-Valencia km 198 ☎ 33 11 27
SEAT-AUDI-VOLKSWAGEN carret. Madrid-Valencia 143 ☎ 33 10 07

MOTRICO o **MUTRIKU** 20830 Guipúzcoa 442 C 22 – 5 244 h. – ☎ 943 – Playa.
♦Madrid 464 – ♦Bilbao 75 – ♦San Sebastián/Donostia 46.

✗ **Mendixa,** pl. Churruca 13 ☎ 60 34 94, Fax 60 38 01, 🏡, Pescados y mariscos – AE ⓓ E VISA
abril-15 diciembre – Com *(cerrado lunes)* carta 2250 a 3850.

en la carretera de Deva E : 1 km – ✉ 20830 Motrico – ☎ 943 :

✗✗ **Jarri-Toki,** ☎ 60 32 39, ≤ mar, 🏡 – AE E VISA. ⁂
cerrado miércoles noche y domingo noche – Com carta 2150 a 3825.

CITROEN av. Ttes Churruca 15 ☎ 60 31 00

MOTRIL 18600 Granada 446 V 19 – 39 784 h. alt. 65 – ☎ 958 – Plaza de Toros.
⛳9 Playa Granada SO : 8 km ☎ 60 04 12 – ⛳9 Los Moriscos, carret. de Bailen : 8 km ☎ 60 04 12.
♦Madrid 501 – ♦Almería 112 – Antequera 147 – ♦Granada 71 – ♦Málaga 96.

Tropical sin ☕, Rodríguez Acosta 23 ☎ 60 04 50 – |‡| ▤ ☎. AE ⓓ E VISA. ⁂
Com *(cerrado domingo y junio-julio)* 1000 – **21 hab** 2600/3900.

✗ La Caramba, av. de Salobreña 19 ☎ 60 25 78, 🏡 – ▤.

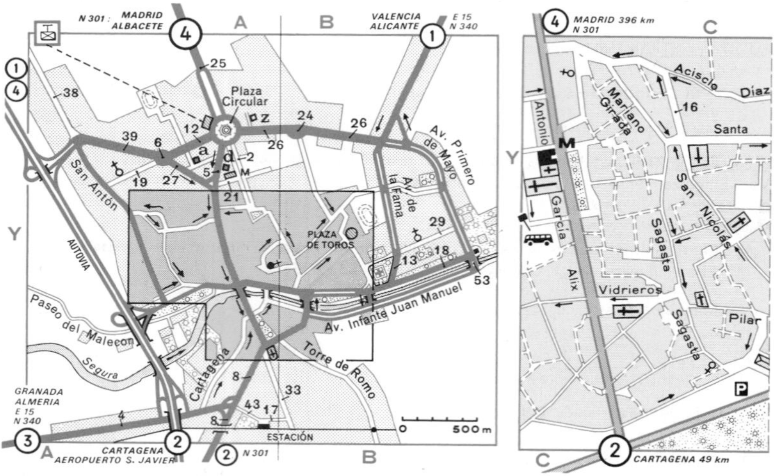

ALFA ROMEO paseo de la Habana 1 ℰ 60 52 05
CITROEN Colombia ℰ 60 06 43
FORD carret. Motril-Almería km 1,6 ℰ 60 15 50
PEUGEOT-TALBOT carret. Almería km 1,4 ℰ 60 19 50

RENAULT Rodríguez Acosta 11 ℰ 60 11 66
SEAT-AUDI-VOLKSWAGEN carret. Málaga 20 ℰ 60 07 94

MOYÁ o **MOIÁ** Barcelona **443** G 38 – 3 076 h. alt. 776 – ۞ 93.

Alred. : Estany (iglesia : capiteles★★) N : 8 km.

♦Madrid 611 – ♦Barcelona 72 – Manresa 26.

FORD av. Verge de Montserrat ℰ 830 00 56
PEUGEOT-TALBOT carretera de Vic ℰ 830 08 78
RENAULT carret. Manresa 11 ℰ 830 05 03

SEAT-AUDI-VOLKSWAGEN carret. Manresa 42-44 ℰ 830 01 44

MUNDACA o **MUNDAKA** 48360 Vizcaya **442** B 21 – 1 501 h. – ۞ 94 – Playa.

♦ Madrid 436 – ♦ Bilbao 35 – ♦ San Sebastian/Donostia 105.

    XX La Fonda, pl. Olazábal ℰ 687 65 43.

    X Jaten, Goiko 19 ℰ 687 60 10.

MURCIA 30000 **P** **445** S 26 – 288 631 h. alt. 43 – ۞ 968 – Plaza de toros.

Vér : Catedral★ (fachada★, museo de la catedral : San Jerónimo★, Campanario ☀★) DEY – Museo Salzillo★ CY **M.**

Alred. : Cresta del Gallo★ (☀★) SE : 18 km – Sierra de Columbares (☀★) SE : 23 km por ② y por La Alberca.

✈ de Murcia-San Javier por ② : 50 km ℰ 57 00 73 – Iberia : av. Alfonso X El Sabio, ℰ 30008, ℰ 24 00 50 DY.

🛈 Alejandro Seiquier 4, ✉ 30001, ℰ 21 37 16 – **R.A.C.E.** av. de la Libertad 2, ✉ 30009, ℰ 23 02 66.

♦Madrid 395 ④ – ♦Albacete 146 ④ – ♦Alicante 81 ① – Cartagena 49 ② – Lorca 64 ③ – ♦Valencia 256 ①.

Meliá 7 Coronas, paseo de Garay 5, ⌧ 30003, ☏ 21 77 71, Telex 67067, 🏤, « Terraza jardín » – 🕭 🗏 📺 ☏ ⇌ – 🍴, 🝙 ⓘ 🄴 𝘝𝘐𝘚𝘈, ⅊ EZ **x**
Com 2500 – ⌑ 750 – **120 hab** 8000/10000.

Rincón de Pepe Ⓜ sin rest, pl. Apóstoles 34, ⌧ 30001, ☏ 21 22 39, Telex 67116, Fax 22 17 44 – 🕭 🗏 📺 ☏ ⇌ – 🍴, 🝙 ⓘ 🄴 𝘝𝘐𝘚𝘈, ⅊ EY **r**
⌑ 800 – **117 hab** 7000/9200.

Conde de Floridablanca sin rest, Corbalán 7, ⌧ 30002, ☏ 21 46 26, « Bonita decoración » – 🕭 🗏 📺 ☏ ⇌, 🝙 ⓘ 🄴 𝘝𝘐𝘚𝘈, ⅊ DZ **v**
⌑ 525 – **60 hab** 5185/7700.

Hispano 2 Ⓜ sin rest, Radio Murcia 3, ⌧ 30001, ☏ 21 61 52, Telex 67042 – 🕭 🗏 📺 ☏ – 🍴, 🝙 ⓘ 🄴 𝘝𝘐𝘚𝘈, ⅊ DY **e**
⌑ 500 – **35 hab** 6000/8500.

Fontoria, sin rest, Madre de Dios 4, ⌧ 30004, ☏ 21 77 89 – 🕭 🗏 ☏ ⇌ – 🍴 DY **a**
120 hab.

El Churra, Obispo Sancho Dávila 2, ⌧ 30007, ☏ 23 84 00 – 🕭 🗏 📺 ☏ ⇌, 🝙 ⓘ 🄴 𝘝𝘐𝘚𝘈 ⅊ AY **z**
Com 1000 – ⌑ 300 – **97 hab** 3200/5000.

Las Palmeras sin rest, carret. de Beniaján - Ciudad del Transporte, ⌧ 30011, ☏ 26 03 35 – 🕭 🗏 🅿, ⅊ por Av. Infante Juan Manuel BY
⌑ 150 – **30 hab** 1900/2650.

Universal Pacoche, Cartagena 23, ⌧ 30002, ☏ 21 76 05 – 🕭 🗏 ☏ ⇌, ⅊ DZ **b**
Com *(cerrado sábado)* 700 – ⌑ 175 – **59 hab** 1400/3000.

Hispano 1 sin rest, Trapería 8, ⌧ 30001, ☏ 21 61 52, Telex 67042 – 📺 ☏, 🝙 ⓘ 🄴 𝘝𝘐𝘚𝘈 DY **h**
⌑ 300 – **51 hab** 1800/4000.

XXX ❀ **Rincón de Pepe,** pl. Apóstoles 34, ⌧ 30001, ☏ 21 22 39, Telex 67116, Fax 22 17 44, 🏤, Terraza en el 7° piso – 🗏 ⇌ 🅿, 🝙 ⓘ 🄴 𝘝𝘐𝘚𝘈 EY **r**
cerrado domingo en verano y domingo noche fuera de temporada – Com carta 3700 a 4300
Espec. Lomos de dorada con ajos tiernos confitados (noviembre- abril), Patito al horno con perfume de naranja, Pera rellena Ramón Goya.

XXX Los Apóstoles, pl. de los Apóstoles 1, ⌧ 30001, ☏ 26 69 73 – 🗏 EY **s**

XX Baltasar, Apóstoles 10, ⌧ 30001, ☏ 22 09 24 – 🗏 EY **g**

XX **Hispano,** Radio Murcia 7, ⌧ 30001, ☏ 21 61 52, Telex 67042, 🏤 – 🗏, 🝙 ⓘ 🄴 𝘝𝘐𝘚𝘈 ⅊ DY **e**
Com carta 1800 a 3100.

XX **Pacopepe,** Madre de Dios 15, ⌧ 30004, ☏ 21 95 87 – 🗏, ⓘ 🄴 𝘝𝘐𝘚𝘈, ⅊ DY **c**
cerrado domingo – Com carta 1850 a 3000.

X **Rocío,** Batalla de las Flores, ⌧ 30008, ☏ 24 29 30 – 🗏, 🝙 🄴 𝘝𝘐𝘚𝘈, ⅊ AY **a**
cerrado domingo y del 1 al 21 agosto – Com carta 1525 a 2700.

X **Acuario,** pl. Puxmarina 1, ⌧ 30004, ☏ 21 99 55 – 🗏, 🝙 ⓘ 🄴 𝘝𝘐𝘚𝘈, ⅊ DY **y**
cerrado domingo – Com carta 1875 a 2500.

X Roses, pl. de Camachos 17, ⌧ 30002, ☏ 21 13 25 – 🗏, 🝙 🄴 𝘝𝘐𝘚𝘈, ⅊ DZ **a**

X **Morales,** av. de la Constitución 12, ⌧ 30008, ☏ 23 10 26 – 🗏, 🄴 𝘝𝘐𝘚𝘈, ⅊ AY **d**
cerrado sábado noche y domingo – Com carta 1600 a 2500.

X **Torro's,** Jerónimo Yáñez de Alcalá, ⌧ 30003, ☏ 21 02 62 – 🗏, 🝙 ⓘ 🄴 𝘝𝘐𝘚𝘈, ⅊ EY **f**
cerrado domingo y del 15 al 31 agosto – Com carta 1850 a 2900.

X **La Huertanica,** Infante 5, ⌧ 30001, ☏ 21 74 77 – 🗏, 🝙 ⓘ 🄴 𝘝𝘐𝘚𝘈, ⅊ EY **u**
cerrado martes y agosto – Com carta 1850 a 2350.

X **Taberna del Conde,** Princesa 18, ⌧ 30002, ☏ 21 46 26 – 🗏, 🝙 ⓘ 🄴 𝘝𝘐𝘚𝘈, ⅊ DZ **v**
cerrado domingo y agosto – Com (sólo almuerzo) carta 1170 a 2765.

X **Mares del Sur,** Conde de Roche 2, ⌧ 30004, ☏ 21 13 10 – 🗏, 𝘝𝘐𝘚𝘈, ⅊ DY **b**
Com carta 2575 a 2875.

ALFA ROMEO carretera de Alicante km 2 ☏ 23 04 20
AUSTIN-ROVER-MG carretera barrio la Victoria ☏ 84 53 54
BMW carret. de Madrid km 382 ☏ 83 16 04
CITROEN carret. de Madrid km 384 ☏ 83 47 12
CITROEN Ronda Levante 21 ☏ 23 73 72
FIAT carret. de Alicante km 1 ☏ 23 14 50
FORD carret. de Madrid km 384 ☏ 83 06 00
GENERAL MOTORS carret. Madrid - Cartagena km 384 ☏ 83 34 01
MERCEDES-BENZ carret. de Alicante 97 ☏ 23 66 00

PEUGEOT-TALBOT carret. de Alicante km 119 ☏ 24 12 12
PEUGEOT-TALBOT carret. de Alicante km 117 ☏ 23 04 50
RENAULT av. Ronda Norte 24 ☏ 29 46 00
RENAULT Cartagena 45 ☏ 21 56 39
RENAULT carret. Madrid km 383 ☏ 83 25 00
SEAT-AUDI-VOLKSWAGEN carret. Alicante 6 ☏ 24 12 00
SEAT-AUDI-VOLKSWAGEN av. J. Ibañez Martín 19 ☏ 23 17 50

Avec ce guide, utilisez les **cartes** Michelin :

n° **990** ESPAGNE PORTUGAL Grandes routes à 1/1 000 000,

n°s **441**, **442**, **443**, **444**, **445**, **446** et **447** ESPAGNE (cartes de détail) à 1/400 000,

n° **449** Iles CANARIES (carte/guide) à 1/200 000,

n° **437** PORTUGAL à 1/400 000.

MURGUIA 01130 Álava **442** D 21 – alt. 620 – ✪ 945.

◆Madrid 362 – ◆Bilbao 45 – ◆Vitoria/Gasteiz 19.

🏠 **Zuya Hostal** ⚨, Domingo Sautu 30 ℰ 43 00 27 – 📺 **P**. 🖭 ⓞ 𝘃𝘐𝘚𝘈. ❄ rest
   Com 1100 – ⴱ 380 – **15 hab** 2100/3500 – P 4110/4460.

   en la autopista A 68 NO : 5 km – ✉ 01130 Murguia – ✪ 945 :

🏠 **Motel Altube,** ℰ 43 01 50 – 🍴 rest ☎ **P**. 🖭 ⓞ **E** 𝘃𝘐𝘚𝘈. ❄
   Com 850 – ⴱ 250 – **20 hab** 6000.

🏠 **Altube,** ℰ 43 01 73 – 🍴 rest ☎ **P**. 🖭 ⓞ **E** 𝘃𝘐𝘚𝘈. ❄
   Com 800 – ⴱ 250 – **20 hab** 4200/5000 – P 4075/5775.

RENAULT autopista Vitoria - Altube km 20 ℰ 43 02 75

MURIEDAS 39600 Cantabria **442** B 18 – ✪ 942.

◆Madrid 392 – ◆Bilbao 102 – ◆Burgos 149 – ◆Santander 7.

🏠 **Romano II,** av. Santander 4 (cruce carret. N 623 y N 634) ℰ 25 48 50, 🏠 – ☎ **P**. 🖭 ⓞ **E**
   𝘃𝘐𝘚𝘈. ❄
   cerrado 22 diciembre-8 enero – Com 750 – ⴱ 250 – **18 hab** 2500/2700 – P 3335/3985.

🏠 Parayas, sin rest, con cafetería, José Antonio 6 - 1° piso ℰ 25 13 00 – ⵗ ☎ ⬅ – **22 hab**.

MUTRIKU Guipúzcoa **442** C 22 – ver Motrico.

NÁJERA 26300 La Rioja **442** E 21 – 6 172 h. – ✪ 941.

◆Madrid 324 – ◆Burgos 85 – ◆Logroño 28 – ◆Vitoria 84.

✗ **Mesón Duque Forte,** Calvo Sotelo 15 ℰ 36 15 20 – 𝘃𝘐𝘚𝘈. ❄
   cerrado martes noche – Com carta 1800 a 2525.

NARÓN 15578 La Coruña **441** B 5 – 28 984 h. alt. 20 – ✪ 981.

◆Madrid 617 – ◆La Coruña 65 – Ferrol 6 – Lugo 113.

⛺ **Excelsior,** pl. Ayuntamiento 1 ℰ 38 21 04
   Com 800 – ⴱ 200 – **14 hab** 1800/2900 – P 2250/3000.

ALFA ROMEO carret. de Castilla 635 - El Ponto ℰ   RENAULT carret. de Cedeira km 1 - Freixeiro ℰ
38 18 05   38 03 84
MERCEDES-BENZ carret. de Castilla 534-540 ℰ   SEAT-AUDI-VOLKSWAGEN carret. Catabois San
38 10 56   Mateo 7 ℰ 32 89 89
RENAULT San Mateo de Trasancos ℰ 31 69 06

NAVA 33520 Asturias **441** B 13 – 5 786 h. – ✪ 985.

◆Madrid 463 – Gijón 41 – ◆Oviedo 32 – ◆Santander 173.

   en la carretera N 634 E : 7 km – ✉ 33582 Ceceda – ✪ 985 :

✗ Las Cuevas de Narciso, con hab, ℰ 70 41 37 – **P** – **19 hab**.

RENAULT La Vega 14 ℰ 71 70 03   SEAT-AUDI-VOLKSWAGEN El Rulo 25 ℰ 71 70 30

NAVACERRADA 28491 Madrid **444** J 17 – 1 270 h. alt. 1 203 – ✪ 91.

◆Madrid 50 – El Escorial 21 – ◆Segovia 35.

🏨 Arcipreste de Hita, carret. N 601, NO : 1,5 km ℰ 856 01 25, ≤, 🏊, 🎾, ✗ – ⵗ 🍴 hab ☎ **P** –
   🏤 – **30 hab**.

🏨 **Las Postas,** carret. N 601, SO : 1 km ℰ 856 02 50, ≤ – 🍴 rest ☎ **P** – 🏤. 🖭 **E** 𝘃𝘐𝘚𝘈. ❄
   Com carta 2240 a 2700 – ⴱ 340 – **20 hab** 2640/4730.

✗✗✗ **La Fonda Real,** carret. del Puerto, NO : 2 km ℰ 856 03 05, Cocina castellana, « Decoración
   castellana del siglo XVIII » – **P**. 🖭 **E** 𝘃𝘐𝘚𝘈. ❄
   Com carta 2800 a 3750.

✗ **Felipe,** av. de Madrid ℰ 856 08 34 – 🍴. 🖭 𝘃𝘐𝘚𝘈. ❄
   Com carta 2075 a 3550.

✗ Espinosa, Santísimo 6 ℰ 856 08 02.

✗ La Galería, Iglesia 9 ℰ 856 05 79 – 🍴.

✗ **La Cocina del Obispo,** Dr Villasante 7 ℰ 856 09 36, 🏠 – 🖭 𝘃𝘐𝘚𝘈. ❄
   Com carta 2050 a 2725.

   en el valle de la Barranca NE : 3,5 km – ✉ 28491 Navacerrada – ✪ 91 :

🏨 **La Barranca** ⚨, alt 1 470 ℰ 856 00 00, ≤, 🏊, ✗ – ⵗ **P** – 🏤. 🖭 **E** 𝘃𝘐𝘚𝘈. ❄
   Com 1750 – ⴱ 450 – **56 hab** 5200/6500 – P 6750/8700.

NAVACERRADA (Puerto de) 28470 Madrid-Segovia **444** J 17 – alt. 1 860 – ✪ 91 – Deportes de
invierno : ✦ 11.

Ver : Puerto★ (≤★).

◆Madrid 57 – El Escorial 28 – ◆Segovia 28.

🏠 **Pasadoiro** ⚨, carret. N 601 ℰ 852 14 27, ≤ – **P**. 🖭 𝘃𝘐𝘚𝘈
   Com 1650 – ⴱ 250 – **36 hab** 3000/4200 – P 5200/6100.

NAVAHERMOSA 45150 Toledo 444 N 16 – 3 731 h. – ✿ 925.
♦Madrid 120 – Toledo 51.

  🏯 Alonso, carret. de Toledo 54 ✆ 41 00 13 – 🍽 rest 🅿, AE ⓞ E VISA. ✀
  Com 650 – ⌷ 125 – **22 hab**.

PEUGEOT-TALBOT carret. de Toledo 48 ✆ 41 01 28   RENAULT carret. de Toledo km 49,3 ✆ 41 00 57

NAVAJAS 12470 Castellón 445 M 28 – 542 h. – ✿ 964.
♦Madrid 383 – Castellón de la Plana 58 – Teruel 90 – ♦Valencia 63.

  🏚 Navas Altas ⊗, Rodríguez Fornos 3 ✆ 11 09 66, ⌸ – ▤ ☎
  30 hab.

NAVAL 22320 Huesca 443 F 30 – 305 h. alt. 637 – ✿ 974.
♦Madrid 471 – Huesca 81 – ♦Lérida/Lleida 108.

  🏚 Olivera ⊗, Mayor 1 ✆ 30 40 72, ≤, ✀ – 🍽 rest 🅿
  30 hab.

NAVALCARNERO 28600 Madrid 444 L 17 – 8 034 h. alt. 671 – ✿ 91.
♦Madrid 32 – El Escorial 42 – Talavera de la Reina 85.

  XX Hostería de las Monjas, pl. de la Iglesia 1 ✆ 811 18 19, 🍴, Decoración castellana – ▤.
  AE ⓞ E VISA. ✀
  cerrado jueves y del 15 al 30 julio – Com carta 1800 a 2600.

  en la carretera N V – ⊠ 28600 Navalcarnero – ✿ 91 :

  🏚 El Labrador, SO : 5 km ✆ 811 01 12, 🍴, ⌸ – 🍽 rest 🅿, AE ⓞ E VISA. ✀
  Com 1150 – ⌷ 200 – **38 hab** 1800/3500.

  XX Felipe IV, E : 3 km ✆ 811 09 13, 🍴, « Edificio de estilo castellano » – ▤ 🅿, AE ⓞ E VISA
  Com carta 2500 a 3250.

CITROEN carret. N V km 30,7 ✆ 811 09 20   RENAULT Sebastián Muñoz 13 ✆ 811 03 75
FIAT Iglesia 4 ✆ 811 17 25   SEAT-AUDI-VOLKSWAGEN carret. N V km 29,8
FORD paseo de San Damián ✆ 811 10 54   ✆ 811 03 12
PEUGEOT-TALBOT Beatas 2 ✆ 811 17 94

NAVALMORAL DE LA MATA 10300 Cáceres 444 M 13 – 12 922 h. alt. 514 – ✿ 927.
♦Madrid 180 – ♦Cáceres 121 – Plasencia 69.

  en la carretera N V – ⊠ 10300 Navalmoral de la Mata – ✿ 927 :

  🏚 Brasilia, ✆ 53 07 50, ⌸ de pago – ▤ ☎ 🅿. ✀ rest
  Com 1980 – ⌷ 260 – **43 hab** 2695/4320.

  🏚 La Parrilla, O : 1 km ✆ 53 00 00 – ▤ ☎ 🅿
  78 hab.

FORD carret. Madrid-Lisboa km 179 ✆ 53 07 40   RENAULT carret. Madrid-Lisboa km 180 ✆ 53 14 62
OPEL carret. Madrid-Lisboa km 181 ✆ 53 05 71   SEAT-AUDI-VOLKSWAGEN carret. Madrid-Lisboa
PEUGEOT-TALBOT carret. N V km 179,6 ✆ 53 18 62   km 179,8 ✆ 53 02 07

Las NAVAS DEL MARQUÉS 05230 Ávila 444 K 17 – 3 888 h. alt. 1 318 – ✿ 91.
♦Madrid 81 – Ávila 40 – El Escorial 26.

  X Montecarlo, Garcia del Real 22 ✆ 897 06 49 – ▤. AE VISA. ✀.

CITROEN av. de Madrid 60 ✆ 897 06 29   SEAT-AUDI-VOLKSWAGEN carret. Villalba-Ávila km
PEUGEOT-TALBOT Regajo ✆ 897 03 22   37 ✆ 897 02 62
RENAULT Aniceto Marinas 17 ✆ 897 00 45

NAVIA 33710 Asturias 441 B 9 – 8 728 h. – ✿ 985 – Playa.
🛈 Parque El Regueral ✆ 63 00 94.
♦Madrid 565 – ♦La Coruña 203 – Gijón 118 – ♦ Oviedo 122.

  X El Sotanillo, Mariano Luiña 24 ✆ 63 08 84 – AE ⓞ E VISA. ✀
  cerrado sábado – Com carta 1750 a 2550.

FORD carret. General El Espin ✆ 63 06 11   SEAT-AUDI-VOLKSWAGEN av. José Antonio 28
                                              ✆ 63 01 39

NA XAMENA (Urbanización) Baleares – ver Baleares (Ibiza) : San Miguel.

NEGREIRA 15830 La Coruña 441 D 3 – 7 711 h. – ✿ 981.
♦Madrid 633 – ♦La Coruña 92 – Santiago de Compostela 20.

  🏚 Tamara, carret. de Santiago ✆ 88 52 01 – ▤ 🅿. VISA
  Com 700 – ⌷ 150 – **62 hab** 2000/3500 – P 3000/3500.

NEGURI Vizcaya – ver Algorta.

NERJA 29780 Málaga **446** V 18 – 12 012 h. – ✪ 952 – Playa.

Alred. : Cuevas de Nerja★★ NE : 4 km – Carretera★ de Nerja a La Herradura ⬿★★.

🇫₉ Golf Nerja ✒ 52 02 08.

🚢 Puerta del Mar 4 ✒ 52 15 31.

◆Madrid 549 – ◆Almeria 169 – ◆Granada 120 – ◆Málaga 52.

🏨 **Parador de Nerja** ⌕, playa de Burriana - Tablazo ✒ 52 00 50, Fax 52 19 97, ⬿ mar, « Césped frente al mar », ⌕, ✖ – 🕴 ▤ 📺 🕿 🅟 – 🔬. 🆎 ⓞ 🄴 𝚅𝙸𝚂𝙰. ✖
Com 2700 – ⌑ 800 – **73 hab** 8800/11000.

🏨 **Balcón de Europa** sin rest, paseo Balcón de Europa 1 ✒ 52 04 00, Telex 79503, ⬿ – 🕴 ▤ 🕿 ⬿ – 🔬. ⓞ 𝚅𝙸𝚂𝙰
⌑ 400 – **105 hab** 5500/7300.

🏠 **Don Peque,** Diputación Provincial 13 - 1° piso ✒ 52 13 18, 🏤 – ▤ hab. 𝚅𝙸𝚂𝙰. ✖
Com (abril-septiembre) (sólo cena) 950 – ⌑ 275 – **10 hab** 2700/3300.

XX **Pepe Rico,** Almirante Ferrándiz 28 ✒ 52 02 47, 🏤 – 🆎 𝚅𝙸𝚂𝙰. ✖
cerrado martes y noviembre-20 diciembre – Com (sólo cena) carta 2095 a 3490.

XX De Miguel, Pintada 2 ✒ 52 29 96 – ▤.

XX Rey Alfonso, paseo Balcón de Europa ✒ 52 01 95, ⬿ mar y costa – ▤.

X **Casa Luque,** pl. Cavana 2 ✒ 52 10 04, 🏤, Decoración regional – 🆎 🄴 𝚅𝙸𝚂𝙰. ✖
cerrado lunes – Com carta 2200 a 2900.

X **Portofino** con hab, Puerta del mar 4 ✒ 52 01 50, ⬿, 🏤 – 🄴 𝚅𝙸𝚂𝙰
marzo-octubre – Com carta 2000 a 3050 – ⌑ 400 – **11 hab** 4000/4500.

X Paco y Eva, El Barrio 50 ✒ 52 15 24 – ▤.

X **Verano Azul,** Almirante Ferrándiz 31 ✒ 52 18 95 – 🆎 ⓞ 🄴 𝚅𝙸𝚂𝙰. ✖
cerrado domingo y noviembre – Com carta 1750 a 2375.

en la carretera N 340 E : 1,5 km – ✉ 29780 Nerja – ✪ 952 :

🏨 **Nerja Club,** ✒ 52 01 00, ⬿, ⌕, ✖ – 🕴 🕿 🅟. 🆎 ⓞ 🄴 𝚅𝙸𝚂𝙰. ✖
Com 1400 – ⌑ 450 – **67 hab** 5150/6575 – P 6035/7900.

por la carretera N 340 – ✉ 29780 Nerja – ✪ 952 :

X **La Cita,** Punta Lara 20 - O : 2,5 km ✒ 52 10 77, ⬿, 🏤 – 🅟
cerrado diciembre-febrero – Com (sólo cena) carta 2060 a 3520.

CITROEN Animas 15 ✒ 52 04 32   SEAT-AUDI-VOLKSWAGEN Granada 42 ✒ 52 00 44
RENAULT Cuesta del Ingenio 12 ✒ 52 18 31

NEVADA (Sierra) Granada **446** U 19 a 21 – ver Sierra Nevada.

Los NOGALES o **AS NOGAIS** 27677 Lugo **441** D 8 – 2 283 h. – ✪ 982.

◆Madrid 451 – Lugo 53 – ◆Ponferrada 69.

🏠 **Fonfria,** carret. N VI ✒ 36 00 44 – ⬿ 🅟. 𝚅𝙸𝚂𝙰. ✖
Com 800 – ⌑ 135 – **27 hab** 1500/2300 – P 2650/3000.

NOIA 15200 La Coruña **441** D 3 – ver Noya.

NOJA 39180 Cantabria **442** B 19 – 1 273 h. – ✪ 942 – Playa.

◆Madrid 422 – ◆Bilbao 79 – ◆Santander 44.

en la playa de Ris NO : 2 km – ✉ 39184 Ris – ✪ 942 :

🏠 **Montemar** ⌕, ✒ 63 03 20, ✖ – 🅟
15 junio-15 septiembre – Com 1200 – ⌑ 300 – **55 hab** 2700/4400 – P 4040/4540.

🏠 **La Encina** ⌕, ✒ 63 01 41, ⬿ – 🅟. ✖
20 mayo-5 septiembre – Com 900 – ⌑ 175 – **50 hab** 2700/4600.

NOREÑA 33180 Asturias **441** B 12 – 4 155 h. – ✪ 985.

◆Madrid 447 – ◆Oviedo 12.

🏠 **Cabeza,** Javier Lauzurica 4 ✒ 74 02 74, Fax 74 12 71 – 🕴 ⬿ ⬿. 🆎 🄴 𝚅𝙸𝚂𝙰. ✖
Com (cerrado domingo) 900 – ⌑ 350 – **40 hab** 2700/4400.

NOYA o **NOIA** 15200 La Coruña **441** D 3 – 13 867 h. – ✪ 981.

Ver : Iglesia de San Martín★.

Alred. : O : Ria de Muros y Noya★ (orilla Norte★★).

Excurs. : Mirador del Curota ⬿★★★ SO : 35 km.

◆Madrid 639 – ◆La Coruña 109 – Pontevedra 62 – Santiago de Compostela 35.

🏠 **Ceboleiro,** General Franco 15 ✒ 82 05 31 – 🆎 ⓞ 🄴 𝚅𝙸𝚂𝙰. ✖ rest
cerrado 20 diciembre-20 enero – Com 900 – ⌑ 200 – **22 hab** 2300/3000.

CITROEN carret. Noya-Padrón ✒ 82 18 54   RENAULT av. República Argentina ✒ 82 01 90
FORD av. de La Coruña ✒ 82 01 32   SEAT-AUDI-VOLKSWAGEN San Bernardo ✒
PEUGEOT-TALBOT La Rasa - carret. de Santiago   82 00 86
✒ 82 11 87

NUEVA EUROPA (Urbanización) Las Palmas – ver Canarias (Gran Canaria) : Maspalomas.

NUÉVALOS Zaragoza **443** I 24 – ver Piedra (Monasterio de).

NUEVO GUADIARO 11311 Cádiz **446** X 14 – alt. 107 – 🌳 956 – Playa.
◆Madrid 653 – Algeciras 27 – ◆Cádiz 151 – ◆Málaga 107.

   ✗   **Bernardo** con hab, carret. N 340 🖋 79 21 32 – 🍽 rest 🅿 E 𝗩𝗜𝗦𝗔 ✵
      cerrado noviembre – Com/1000 – ⊆ 200 – **8 hab** 1800/3500 – P 3500/3600.

NULES 12520 Castellón **445** M 29 – 10 957 h. – 🌳 964.
◆Madrid 402 – Castellón de la Plana 19 – Teruel 125 – ◆Valencia 54.

   ✗   **Barbacoa,** carret. de Burriana 🖋 67 05 04 – 🍽 🅿. 🆎 ⓞ E 𝗩𝗜𝗦𝗔 ✵
      cerrado domingo noche y lunes noche – Com carta 1525 a 2400.

CITROEN carret. N 340 - Purísima 8 🖋 67 02 46   RENAULT carret. N 340 🖋 67 01 24
OPEL Marco Antonio 12 🖋 67 25 15   SEAT-AUDI-VOLKSWAGEN San Isidro 11 🖋 67 02 52
PEUGEOT-TALBOT av. Castellón 48 🖋 67 00 56

OCHAGAVIA 31680 Navarra **442** D 26 – 577 h. – 🌳 948 – ver aduanas p. 14 y 15.
◆Madrid 457 – ◆Pamplona 76 – St-Jean-de-Pied-de-Port 68.

   ✗   **Laspalas** 🐾 con hab, Urrutia 🖋 89 00 15 – 𝗩𝗜𝗦𝗔 ✵
      Com carta 1350 a 1600 – ⊆ 250 – **9 hab** 1500/3000 – P 3300.

OJEDO Cantabria – ver Potes.

OJEN 29610 Málaga **446** W 15 – 2 038 h. alt. 780 – 🌳 952.
◆Madrid 610 – Algeciras 85 – ◆Málaga 64 – Marbella 8.

   en la Sierra Blanca NO : 10 km por C 337 y carretera particular – ✉ 29610 Ojen – 🌳 952 :

   🏨   **Refugio de Juanar** 🐾, 🖋 88 10 00, « Refugio de caza », 🏊, 🎾, ✗ – 🅿. 🆎 ⓞ E 𝗩𝗜𝗦𝗔 ✵
      Com 1850 – ⊆ 575 – **22 hab** 4850/5950 – P 7025/8900.

OLABERRIA Guipúzcoa **442** C 23 – ver Beasain.

OLITE 31390 Navarra **443** E 29 – 2 829 h. alt. 380 – 🌳 948.
Ver : Castillo de los Reyes de Navarra★ – Iglesia de Santa María la Real (fachada oeste★).
🛈 Castillo 🖋 74 00 35.
◆Madrid 370 – ◆Pamplona 43 – Soria 140 – ◆Zaragoza 140.

   🏨   **Parador Príncipe de Viana** 🐾, pl. de los Teobaldos 2 🖋 74 00 00, Fax 74 02 01, « Instalado
      parcialmente en el antiguo castillo de los reyes de Navarra » – 📶 🍽. 🆎 ⓞ E 𝗩𝗜𝗦𝗔 ✵
      Com 2500 – ⊆ 800 – **39 hab** 7200/9000.

   ✗   **Castillo Casa Zanito** con hab, Mayor 16 - 1° piso 🖋 74 00 02 – 🍽 hab. 𝗩𝗜𝗦𝗔
      Com carta 1700 a 2250 – ⊆ 250 – **9 hab** 2200 – P 2675.

OLIVA 46780 Valencia **445** P 29 – 19 580 h. – 🌳 96.
◆Madrid 424 – ◆Alicante 101 – Gandia 8 – ◆Valencia 76.

   ✗   Cavall Bernat, carret. de Gandia 22 🖋 285 18 47 – 🍽.

   en la playa E : 2 km – ✉ 46780 Oliva – 🌳 96 :

   🏨   **Pau-Pi,** Roger de Lauria 2 🖋 285 12 02 – 🅿. E 𝗩𝗜𝗦𝗔 ✵ rest
      Com 1050 – ⊆ 230 – **37 hab** 1815/2975 – P 3470/3795.

SEAT-AUDI-VOLKSWAGEN Juanot Martorell 3 🖋 285 07 65

La OLIVA (Monasterio de) 31310 Navarra **442** E 25.
Ver : Monasterio★★ (iglesia★★, claustro★).
◆Madrid 366 – ◆Pamplona 73 – ◆Zaragoza 117.

OLOT 17800 Gerona **443** F 37 – 24 892 h. alt. 443 – 🌳 972 – Plaza de toros.
Alred. : Castellfullit de la Roca (emplazamiento★) NE : 7 km – Carretera★ de Olot a San Juan de
las Abadesas.
🛈 Mulleras 🖋 26 01 41.
◆Madrid 700 – ◆Barcelona 130 – Gerona/Girona 55.

   🏨   Montsacopa, Mulleras 🖋 26 07 62 – 📶 🍽 rest
      70 hab.

   🏨   **La Perla,** carret. La Deu 9 - S : 1 km por la carret. de Vich 🖋 26 23 26 – 📶 ⟺ 🅿. E 𝗩𝗜𝗦𝗔. ✵
      cerrado junio – Com 750 – ⊆ 230 – **30 hab** 1000/1900 – P 2330/2380.

   ✗✗   **Purgatori,** Bisbe Serra 58 🖋 26 16 06 – 🍽. 🆎 ⓞ E 𝗩𝗜𝗦𝗔 ✵
      cerrado domingo noche, lunes y 15 julio-1 agosto – Com carta 2300 a 3150.

por el camino de la Font Moixina S : 2 km – ⊠ 17800 Olot – ☎ 972 :

✗ Font Moixina, 𝒫 26 10 00, 🍴 – **P**.

AUSTIN-MG-MORRIS-MINI av. de Gerona 7 𝒫 26 23 40
CITROEN carret. de Las Trías 56 𝒫 26 32 62
FIAT-LANCIA av. Reyes Católicos 9 𝒫 26 41 45
FORD carret. de Las Trias 96-98 𝒫 26 01 91
MERCEDES-BENZ carret. San Juan de las Abadesas 𝒫 26 22 64

PEUGEOT-TALBOT carret. de Las Trías 43 𝒫 26 46 69
RENAULT carret. de la Canya 𝒫 26 49 50
SEAT-AUDI-VOLKSWAGEN Polígono Industrial Pla d'en Baix 𝒫 26 01 98

OLVEGA 42110 Soria **442** G 24 – 3 038 h. – ☎ 976.
◆Madrid 257 – ◆Pamplona 127 – Soria 45 – ◆Zaragoza 114.

🏠 Los Infantes, La Pista 𝒫 64 53 87 – **P**
15 hab.

RENAULT carret. de Almazán 35 𝒫 64 55 13

ONDÁRROA 48700 Vizcaya **442** C 22 – 12 150 h. – ☎ 94 – Playa.
Ver : Pueblo típico★.
Alred. : Carretera en cornisa★ de Ondárroa a Deva ⩽★ – Carretera en cornisa★ de Ondárroa a Lequeitio ⩽★.
◆Madrid 427 – ◆Bilbao 61 – ◆San Sebastián/Donostia 49 – ◆Vitoria/Gasteiz 72.

✗ Vega, av. Antigua 8 𝒫 683 00 02, ⩽, 🍴.
✗ Ametza, Artabide 24 𝒫 683 06 08.

GENERAL MOTORS Artabide 52 𝒫 683 06 28

ONTENIENTE o **ONTINYENT** 46870 Valencia **445** P 28 – 28 123 h. alt. 400 – ☎ 96.
◆Madrid 369 – ◆Albacete 122 – ◆Alicante 91 – ◆Valencia 84.

✗ **Rincón de Pepe,** av. de Valencia 1 𝒫 238 32 10 – 🍽. AE ◑ E VISA. ✋
cerrado lunes y primera semana de septiembre – Com carta 1800 a 2300.

✗ **El Nido,** pl. de la Concepción 7 𝒫 238 37 16 – 🍽. E VISA. ✋
cerrado domingo y agosto – Com carta 1700 a 2700.

CITROEN av. Ramón y Cajal 80-82 𝒫 248 12 12
FORD av. Ramón y Cajal 𝒫 248 15 34
PEUGEOT-TALBOT Llano de San Vicente 𝒫 248 13 00

RENAULT av. Ramón y Cajal 𝒫 248 06 48
SEAT-AUDI-VOLKSWAGEN av. Ramón y Cajal 44 𝒫 238 53 11

OÑATE o **OÑATI** 20560 Guipúzcoa **442** C 22 – 10 770 h. alt. 231 – ☎ 943.
◆Madrid 401 – ◆San Sebastián/Donostia 74 – ◆Vitoria/Gasteiz 45.

en la carretera de Aránzazu SO : 4 km – ⊠ 20560 Oñate – ☎ 943 :

✗ Urtiagain, 𝒫 78 08 14 – 🍽 **P**.

CITROEN Obispo Otaduy 𝒫 78 07 05
FORD carretera de Berezano 𝒫 78 19 50
PEUGEOT-TALBOT Barrio Goribar 𝒫 78 13 50

RENAULT B. Goribar 𝒫 78 10 51
SEAT-AUDI-VOLKSWAGEN B. Goribar 𝒫 78 13 50

ORDENES u **ORDES** 15680 La Coruña **441** C 4 – ☎ 981.
◆ Madrid 599 – ◆La Coruña 39 – Santiago de Compostela 27.

🏠 **Nogallas,** Alfonso Senra 110 𝒫 68 01 55 – 🛗. AE E VISA. ✋
Com 1000 – ☲ 250 – **38 hab** 2000/3500.

ORDESA (Parque Nacional de) Huesca **443** E 29 y 30 – alt. 1 320.
Ver : Parque Nacional★★★.
◆Madrid 490 – Huesca 100 – Jaca 62.

Hoteles y restaurantes ver : Torla SO : 8 km.

ORDINO Andorra **443** E 34 – ver Andorra (Principado de).

ORDUÑA 48460 Vizcaya **442** D 20 – 4 396 h. alt. 283 – ☎ 945.
Alred. : S : Carretera del Puerto de Orduña ❄★.
◆Madrid 357 – ◆Bilbao 41 – ◆Burgos 111 – ◆Vitoria/Gasteiz 40.

✗✗ Llarena, Urdanegui 6 𝒫 89 39 99 – 🍽 **P**.

ORENSE u **OURENSE** 32000 🅿 **441** E 6 – 96 085 h. alt. 125 – ✪ 988.

Ver : Catedral★ (pórtico del Paraíso★★) AY **B** – Museo Arqueológico y de Bellas Artes (Camino del Calvario★) AZ **M**.

Alred. : Gargantas del Sil★ 26 km por ② – Ribas del Sil (monasterio de San Esteban★ : paraje★) 27 km por ② y por Luintra – Iberia ℰ 22 84 00.

🛈 Curros Enríquez 1, Torre de Orense, ⊠ 32003, ℰ 23 47 17 – R.A.C.E. parque de San Lázaro 18-1°, ⊠ 32003, ℰ 23 39 05.

◆Madrid 499 ④ – Ferrol 198 ① – ◆La Coruña 183 ① – Santiago de Compostela 111 ① – ◆Vigo 101 ⑤.

OURENSE-ORENSE

🏨 **San Martín** sin rest, Curros Enríquez 1, ⊠ 32003, ℰ 23 56 90 – 🛗 🗐 ☎ 🚗 ⟵ – 🔬 🖭 ⓞ 🄴 🌇 🛪
⊊ 500 – **60 hab** 5500/8300.
AY **a**

🏨 **Sila**, av. de La Habana 61, ⊠ 32003, ℰ 23 63 11 – 🛗 🕾 🖭 🄴 🌇 🛪
Com 1650 – ⊊ 500 – **64 hab** 3100/5500 – P 5980/6330.
AY **e**

🏨 **Padre Feijóo** sin rest, pl. Eugenio Montes 1, ⊠ 32005, ℰ 22 31 00 – 🛗 📺 ☎ ⓞ 🄴 🌇 🛪
⊊ 450 – **71 hab** 2850/4250.
AY **p**

🏨 **Barcelona,** av. Pontevedra 13, ⊠ 32005, ℰ 22 08 00 – 🛗 ☎ ⓞ 🄴 🌇 🛪
Com 1000 – ⊊ 245 – **40 hab** 1475/3600 – P 3455/3780.
AZ **m**

🏨 **Riomar** sin rest, con cafetería, Mateo Prado 15, ⊠ 32005, ℰ 22 07 00 – 🛗 🕾 🚗 🛪
⊊ 225 – **39 hab** 2300/3400.
B **d**

XX ❀ **Sanmiguel,** San Miguel 12, ✉ 32005, ℰ 22 12 45, 🍴 – ▤ 🅿. 🆎 ⓞ E 𝗩𝗜𝗦𝗔   AY **s**
   Com *(cerrado martes excepto festivos o víspera)* carta 3050 a 4650
   Espec. Rodaballo en escabeche, Merluza rellena con gambas, Solomillo Farsirda.

XX   **Martin Fierro,** Sáenz Diez 65, ✉ 32003, ℰ 23 48 20, 🍴 – ▤ 🅿. 🆎 ⓞ E 𝗩𝗜𝗦𝗔. ⊗   AY **b**
   cerrado domingo – Com carta 1750 a 2850.

ALFA-ROMEO Curros Enriquez 36 ℰ 23 25 50
AUSTIN-ROVER av. Buenos Aires 107 ℰ 22 51 40
BMW carret. de Vigo km 542,1 ℰ 21 44 72
CITROEN av. Zamora ℰ 23 07 00
FIAT-LANCIA-SEAT Florentino L. Cuevillas 14 ℰ 21 13 56
FORD av. de Zamora 244 ℰ 22 39 00
GENERAL MOTORS carret. de Madrid km 534 ℰ 22 78 00
MERCEDES-BENZ Samuel Eiján 10 ℰ 23 49 50

PEUGEOT-TALBOT Rio Camba ℰ 21 45 16
PORSCHE av. Almirante Carrero Blanco 27 ℰ 21 76 61
RENAULT carret. de Vigo km 558 ℰ 21 61 47
RENAULT av. Zamora 146 ℰ 22 45 33
RENAULT av. Buenos Aires 260 ℰ 23 02 45
RENAULT Capitán Cortes 56 ℰ 22 87 04
SEAT-AUDI-VOLKSWAGEN carret. de Zamora 187 ℰ 22 39 50

ORGANA u **ORGANYÁ** 25794 Lérida 𝟰𝟰𝟯 F 33 – 1 143 h. alt. 558 – ✆ 973.
Alred. : N : Garganta de Organñá★ – Grau de la Granta★ S : 6 km.
♦Madrid 579 – ♦Lérida/Lleida 110 – Seo de Urgel 23.

🏠   **La Cabana,** av. de Montaña 2 ℰ 38 30 00, ≤ – ⇦. 𝗩𝗜𝗦𝗔. ⊗
   Com 1000 – ⊒ 350 – **13 hab** 1000/2900 – P 3000/3450.

X   **El Portal,** carret. C 1313 ℰ 38 31 43 – ▤. E 𝗩𝗜𝗦𝗔
   cerrado martes y 20 mayo-10 junio – Com carta 1300 a 1700.

ÓRGIVA 18400 Granada 𝟰𝟰𝟲 V 19 – 4 859 h. – ✆ 958.
♦Madrid 485 – ♦Almeria 121 – ♦Granada 55 – ♦Málaga 121.

🏠   **Alpujarras,** El Empalme ℰ 78 55 49 – ▤ rest 🅿. 𝗩𝗜𝗦𝗔. ⊗
   cerrado del 9 al 30 enero – Com 1000 – ⊒ 250 – **22 hab** 2000/3500 – P 4000/4250.

ORIENT Baleares 𝟰𝟰𝟯 M 28 – ver Baleares (Mallorca).

ORIHUELA 03300 Alicante 𝟰𝟰𝟱 R 27 – 49 851 h. alt. 24 – ✆ 96 – Plaza de toros.
Ver : Palmeral★.
🛈 Francisco Diez 25 ℰ 530 27 47.
♦Madrid 415 – ♦Alicante 59 – ♦Murcia 25.

🏠   **Rey Teodomiro** sin rest y sin ⊒, av. Teodomiro 10 - 1° piso ℰ 530 03 48 – 🛗. ⊗
   30 hab 1000/3000.

X   Los Barriles, Sal 1 ℰ 530 64 98, Decoración neo-rústica – ▤.

X   Oasis, av. de Garcia Rogel, urbanización Orcelis NE : 1,5 km ℰ 530 21 59, Bajo las palmeras – ▤ 🅿.

CITROEN carret. de Murcia-Alicante km 28 ℰ 530 21 40
FIAT carret. Murcia-Alicante km 26 ℰ 530 58 43
FORD carret. Murcia-Alicante km 28,8 ℰ 530 32 10
GENERAL MOTORS carret. Murcia - Alicante km 22,4 ℰ 530 04 98

PEUGEOT-TALBOT carret. Orihuela-Alicante km 2 ℰ 530 01 19
RENAULT carret. Murcia-Alicante km 26 ℰ 530 07 58

ORIO 20810 Guipúzcoa 𝟰𝟰𝟮 C 23 – 4 358 h. – ✆ 943.
Alred. : Carretera de Zarauz ≤★.
♦Madrid 479 – ♦Bilbao 85 – ♦Pamplona 100 – ♦San Sebastian/Donostia 20.

X   **Aitzondo,** carret. de Zarauz N 634 ℰ 83 27 00 – 🅿. 🆎 ⓞ E 𝗩𝗜𝗦𝗔. ⊗
   cerrado miércoles y 21 diciembre-21 enero – Com carta 2950 a 4200.

OROPESA 45560 Toledo 𝟰𝟰𝟰 M 14 – 3 069 h. alt. 420 – ✆ 925.
♦Madrid 149 – ♦Cáceres 152 – Mérida 194 – Toledo 106.

🏰   **Parador Virrey Toledo** ⊗, pl. del Palacio 1 ℰ 43 00 00, Fax 43 07 77, « Elegantemente instalado en un castillo feudal » – 🛗 ▤ 📺 ☎ 🅿 – ⚠. 🆎 ⓞ E 𝗩𝗜𝗦𝗔. ⊗
   Com 2500 – ⊒ 800 – **44 hab** 6400/8000.

OROPESA DEL MAR 12594 Castellón 𝟰𝟰𝟱 L 30 – 1 724 h. alt. 16 – ✆ 964 – Playa.
🛈 av. de la Plana 4 ℰ 31 00 20.
♦Madrid 447 – Castellón de la Plana 22 – Tortosa 100.

🏠   **Sancho Panza,** carret. N 340 ℰ 31 04 94, 🍴 – 🅿. 𝗩𝗜𝗦𝗔
   cerrado del 1 al 17 octubre – Com *(cerrado domingo en invierno)* 850 – ⊒ 275 – **15 hab** 1925/2750 – P 3600/6100.

sigue →

en la zona de la playa – ⊠ 12594 Oropesa del Mar – ✪ 964 :

🏨 **Oropesa Sol** ⤳ sin rest, av. de Madrid 11 ℘ 31 01 50 – 🛗 🕾 🅿. ≫
marzo-septiembre – ⊑ 175 – **50 hab** 2550/3500.

XX Blasori, carret. del Faro 66 ℘ 31 00 81 – ▤
temp.

X Mervi, paseo Mediterráneo 18 ℘ 31 01 58, 🛱.

en la autopista A 7 NO : 5 km – ⊠ 12594 Oropesa del Mar – ✪ 964 :

🏨 **La Ribera,** sin rest y sin ⊑, con cafetería, ℘ 31 00 25 – ▤ 🅿. ≫
13 hab 1600/2450.

SEAT-AUDI-VOLKSWAGEN Leoncio Serrano 45 ℘ 31 03 92

La OROTAVA Santa Cruz de Tenerife – ver Canarias (Tenerife).

ORTIGUEIRA 15330 La Coruña 𝟜𝟜𝟙 A 6 – 15 576 h. – ✪ 981 – Playa.
♦Madrid 601 – ♦La Coruña 110 – Ferrol 54 – Lugo 97.

🏨 La Perla, sin rest, av. de la Penela ℘ 40 01 50 – 🕾 🚗 🅿 – **22 hab**.

CITROEN carret. Ferrol-San Claudio km 40,8 ℘ 40 08 19
FIAT Estación Servicio Santa Marta ℘ 40 01 08
FORD av. de la Penela ℘ 40 01 23

PEUGEOT-TALBOT Puente de Mera ℘ 41 30 29
RENAULT av. de la Penela 39 ℘ 40 01 91
SEAT-AUDI-VOLKSWAGEN Puente de Mera ℘ 41 30 52

OSEJA DE SAJAMBRE 24916 León 𝟜𝟜𝟙 C 14 – 505 h. alt. 760.
Alred. : Mirador ≤** N : 2 km – Desfiladero de los Beyos*** NO : 5 km – Puerto del Pontón*
(≤*) S : 11 km – Puerto de Panderruedas** (mirador de Piedrafitas ≤** 15 mn a pie) SE : 17 km.
♦Madrid 385 – ♦León 122 – ♦Oviedo 108 – Palencia 159.

OSERA DE EBRO 50175 Zaragoza 𝟜𝟜𝟛 H 28 – 309 h. alt. 174 – ✪ 976.
♦Madrid 353 – ♦Lérida/Lleida 115 – ♦Zaragoza 32.

en la carretera N II – ⊠ 50175 Osera de Ebro – ✪ 976 :

🏨 Portal de Monegros, ℘ 16 72 37, ⬪, ≫ – ▤ rest 🕾 🅿 – **52 hab**.

OSORNO LA MAYOR 34460 Palencia 𝟜𝟜𝟚 E 16 – 2 075 h. – ✪ 988.
♦Madrid 277 – ♦Burgos 58 – Palencia 51 – ♦Santander 150.

🏨 **Tierra de Campos,** La Fuente ℘ 81 72 16 – 🛗 🕾 🅿. 𝘝𝘐𝘚𝘈. ≫
Com carta 1350 a 2200 – ⊑ 275 – **30 hab** 2500/3300 – P 4150/5000.

OSUNA 41640 Sevilla 𝟜𝟜𝟞 U 14 – 15 668 h. – ✪ 954.
Ver : Zona monumental* – Colegiata (sepulcro Ducal*).
🅱 Sepulcro Ducal ℘ 81 04 44.
♦Madrid 489 – ♦Córdoba 85 – ♦Granada 169 – ♦Málaga 123 – ♦Sevilla 92.

X **Mesón del Duque,** pl. de la Duquesa 2 ℘ 81 13 01, 🛱 – ▤. 𝘝𝘐𝘚𝘈. ≫
cerrado lunes y del 9 al 24 septiembre – Com carta 845 a 1600.

OTUR Asturias – ver Luarca.

OTURA 18630 Granada 𝟜𝟜𝟞 V 18 – 1 979 h. – ✪ 958.
♦Madrid 443 – ♦Almería 172 – ♦Granada 13 – ♦Málaga 148.

al Suroeste : – ⊠ 18630 Otura – ✪ 958 :

X Mesón Mayerling, cruce carret. de Malá : 1 km ℘ 57 62 81 – 🅿.
X **Suspiro del Moro,** carret. de Motril N 323 : 3 km ℘ 57 61 05, ≤, 🛱 – ▤ 🅿. 𝘈𝘌 ⓞ 𝘝𝘐𝘚𝘈. ≫
Com carta 1250 a 1750.

OURENSE ℙ 𝟜𝟜𝟙 E 6 – ver Orense.

OVIEDO 33000 ℙ Asturias 𝟜𝟜𝟙 B 12 – 190 123 h. alt. 236 – ✪ 985 – Plaza de toros.
Ver : Catedral* (Cámara Santa** : estatuas-columnas**, tesoro**, Interior : retablo*) BYZ –
Antiguo Hospital del Principado (fachada : escudo*) AY P.
Alred. : Santuarios del Monte Naranco* (Santa María de Naranco ⋇*, San Miguel de Lillo) NO :
4 km.
🖪 Club Deportivo La Barganiza : 12 km – ℘ 25 63 61 (ext. 54).
✈ de Asturias por ① : 47 km ℘ 56 34 03 – Iberia : Uría 21 (AY), ⊠ 33003, ℘ 23 24 00.
🅱 pl. de la Catedral 6, ⊠ 33007, ℘ 21 33 85 – R.A.C.E. pl. Congoría Carbajal 3, ⊠ 33004, ℘ 22 31 06.
♦Madrid 445 ③ – ♦Bilbao 306 ② – ♦La Coruña 326 ④ – Gijón 29 ① – ♦León 121 ③ – ♦Santander 203 ②.

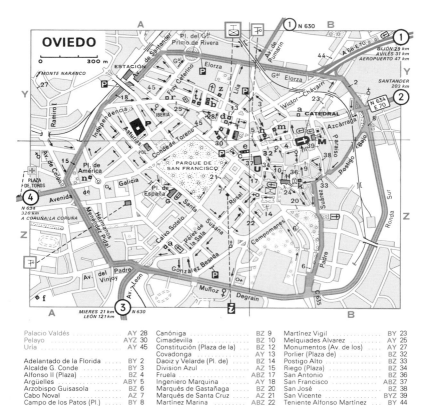

Palacio Valdés	AY 28	Canóniga	BZ 9	Martínez Vigil	BY 23
Pelayo	AYZ 30	Cimadevilla	BZ 10	Melquiades Alvarez	AY 25
Uría	AY 45	Constitución (Plaza de la)	BZ 12	Monumentos (Av. de los)	BZ 27
		Covadonga	AY 13	Porlier (Plaza de)	BZ 32
Adelantado de la Florida	BY 2	Daoiz y Velarde (Pl. de)	BZ 14	Postigo Alto	BZ 33
Alcalde G. Conde	BY 3	Division Azul	AZ 15	Riego (Plaza)	BZ 34
Alfonso II (Plaza)	BZ 4	Fruela	ABZ 17	San Antonio	BZ 36
Argüelles	ABY 5	Ingeniero Marquina	AY 18	San Francisco	ABZ 37
Arzobispo Guisasola	BZ 6	Marqués de Gastañaga	BZ 20	San José	BZ 38
Cabo Noval	AZ 7	Marqués de Santa Cruz	AZ 21	San Vicente	BYZ 39
Campo de los Patos (Pl.)	BY 8	Martínez Marina	ABZ 22	Teniente Alfonso Martínez	BY 44

⚜⚜⚜⚜ De la Reconquista Ⓜ, Gil de Jaz 16, ☒ 33004, ℱ 24 11 00, Telex 84328, Fax 24 11 66, « Lujosa instalación en un magnífico edificio del siglo XVIII » – 🛗 ▤ ⟷ – 🅰. 🅰🅴 ⓪ 🆅🅸🆂🅰 ⚘
AY **p**
Com 3700 – ☲ 950 – **139 hab** 12000/16000 – P 15000/19000.

⚜⚜⚜ G. H. España sin rest, Jovellanos 2, ☒ 33003, ℱ 22 05 96, Telex 84310, Fax 22 05 96 – 🛗 ▤ 📺 ⟷ – 🅰. 🅰🅴 ⓪ 🅴 🆅🅸🆂🅰 ⚘
BY **m**
☲ 490 – **83 hab** 7200/10900.

⚜⚜ Ramiro I sin rest, con cafetería, av. Calvo Sotelo 13, ☒ 33007, ℱ 23 28 50, Telex 84042 – 🛗 ⟷. 🅰🅴 ⓪ 🅴 🆅🅸🆂🅰
AZ **a**
☲ 500 – **83 hab** 5800/8000.

⚜⚜ Regente Ⓜ sin rest, Jovellanos 31, ☒ 33003, ℱ 22 23 43, Telex 84310, Fax 22 05 96 – 🛗 📺 ⟷ Ⓟ. 🅰🅴 ⓪ 🅴 🆅🅸🆂🅰. ⚘
BY **a**
☲ 490 – **88 hab** 6200/8990.

⚜⚜ La Jirafa, sin rest, Pelayo 6, ☒ 33002, ℱ 22 22 44, Telex 89951 – 🛗 – 🅰
AY **v**
89 hab.

⚜⚜ Principado, San Francisco 6, ☒ 33003, ℱ 21 77 92, Telex 84003 – 🛗 ▤ rest
AZ **e**
66 hab.

⚜ Tropical sin rest y sin ☲, 19 de Julio 6 - 1° piso, ☒ 33002, ℱ 21 87 79 – 🛗 ☎. 🅰🅴 ⓪ 🅴 🆅🅸🆂🅰. ⚘
AY **d**
44 hab 3040/4335.

⚜ Barbón, sin rest, Covadonga 7, ☒ 33002, ℱ 22 52 93 – ☎
AY **d**
40 hab.

✗✗✗ Del Arco, pl. de América, ☒ 33005, ℱ 25 55 22 – ▤. 🅰🅴 ⓪ 🅴 🆅🅸🆂🅰. ⚘
AZ **n**
cerrado domingo y agosto – Com carta 2450 a 3100.

✗✗✗ ❀ Casa Fermín, San Francisco 8, ☒ 33003, ℱ 21 64 52 – ▤. 🅰🅴 ⓪ 🅴 🆅🅸🆂🅰. ⚘
AZ **c**
cerrado domingo noche – Com carta 2750 a 3700
Espec. Fabada asturiana, Merluza a la sidra, Venado austriaca (temp. de caza).

XX **Marchica,** Dr Casal 10, ✉ 33004, ℰ 21 30 27 – ▤. AE ⓓ E VISA. ⚹ AY **t**
Com carta 2450 a 3700.

XX ✿ **Trascorrales,** pl. de Trascorrales 19, ✉ 33009, ℰ 22 24 41, Decoración rústica – ▤. AE ⓓ E VISA. ⚹ BZ **k**
cerrado domingo y 20 agosto-5 septiembre – Com carta 4500 a 6000
Espec. Angulas con patatas (noviembre-abril), Hígado de pato fresco al vinagre de sidra, Solomillo de buey a la mostaza dulce.

XX **Pelayo,** Pelayo 15, ✉ 33002, ℰ 21 26 52 – ▤. AE ⓓ E VISA. ⚹ AY **v**
cerrado domingo – Com carta 2300 a 3300.

XX **Casa Conrado,** Argüelles 1, ✉ 33003, ℰ 22 39 19 – ▤. AE ⓓ E VISA. ⚹ BY **h**
cerrado domingo y del 1 al 27 agosto – Com carta 1875 a 3150.

XX Casa Lobato, av. de los Monumentos, ✉ 33012, ℰ 29 77 45, ≤, 🏡 – Ⓟ
hacia Monte Naranco AY

XX **La Goleta,** Covadonga 32, ✉ 33002, ℰ 22 07 73, Pescados y mariscos – ▤. AE ⓓ E VISA. ⚹
cerrado domingo y julio – Com carta 2175 a 3850. AY **b**

X **La Querencia,** av. del Cristo 29, ✉ 33006, ℰ 25 73 70, Carnes a la brasa – E VISA. ⚹ AZ **f**
Com carta 1650 a 3000.

X **Cabo Peñas,** Melquíades Álvarez 24, ✉ 33003, ℰ 22 03 20, Rest. típico – ▤. AE ⓓ E VISA. ⚹ AY **r**
Com carta 1750 a 2645.

X **La Campana,** San Bernabé 7, ✉ 33002, ℰ 22 49 31 AY **t**
cerrado domingo y agosto – Com carta 1550 a 2000.

X **Logos,** San Francisco 10, ✉ 33003, ℰ 21 20 70 – ▤. AE ⓓ E VISA. ⚹ AZ **c**
Com carta 2900 a 4000.

en el Alto de Buenavista por ④ – ✉ 33006 Oviedo – ☎ 985 :

🏨 **La Gruta,** ℰ 23 24 50, ≤ – |‡| ▤ rest ☎ Ⓟ. AE ⓓ E VISA. ⚹
Com 2350 – ☕ 375 – **55 hab** 5000/7700.

ALFA-ROMEO carret. Oviedo - Santander km 202 ℰ 79 26 50
AUSTIN-MG-MORRIS-MINI av. del Cristo 49 ℰ 23 18 66
AUSTIN-MG-MORRIS-MINI-ROVER carret. Gijón km 10 -Pruvia-Llanera ℰ 26 23 69
BMW Bermudez de Castro 114 ℰ 28 98 99
CITROEN carret. Santander-Oviedo km 205 ℰ 79 36 08
FIAT Menéndez Pelayo 2 ℰ 28 46 50
FORD Foncalada 15 ℰ 22 22 71
GENERAL MOTORS carret. Santander - Oviedo km 205 ℰ 79 26 91
LANCIA-AUTOBIANCHI Fuertes Acevedo 37 ℰ 23 46 54
MERCEDES-BENZ carret. N 630 km 448,3 - Lugones ℰ 26 23 11
PEUGEOT-TALBOT carret. Oviedo-San Cerdeño ℰ 28 77 16
RENAULT Campomanes 20 ℰ 22 26 47
RENAULT pontón de Vaqueros - av. del Mar ℰ 28 17 50
SEAT La Corredoira ℰ 28 02 50
SEAT-AUDI-VOLKSWAGEN av. de Gijón ℰ 26 21 18

OYARZUN 20180 Guipúzcoa 442 C 24 – 7 664 h. alt. 81 – ☎ 943.

•Madrid 481 – •Bayonne 42 – •Pamplona 98 – •San Sebastián/Donostia 13.

XX ✿ **Zuberoa,** barrio Iturrioz ℰ 49 12 28, 🏡, Caserío vasco – Ⓟ. AE ⓓ VISA. ⚹
cerrado domingo noche, lunes, del 15 al 31 mayo y del 15 al 31 octubre – Com carta 3050 a 4500
Espec. Ensalada de ostras y caviar (noviembre-mayo), Bogavante asado al vino tinto, Tarta de pera.

X ✿ **Mateo,** barrio Ugaldetxo ℰ 49 11 94 – ▤ Ⓟ. AE ⓓ E VISA. ⚹
cerrado domingo noche, lunes y 21 diciembre-9 enero – Com carta 2900 a 4450
Espec. Ensalada de salmón a la vinagreta de naranja, Lomitos de bacalao a la muselina de txakoli, Solomillo con foie y hongos al oporto.

X **Albistur,** pl. Martintxo-barrio de Alcibar ℰ 49 07 11, 🏡 – ⓓ E VISA. ⚹
cerrado domingo noche, martes y finales de junio-15 de julio – Com carta 2150 a 2800.

en la carretera de Irún NE : 2 km – ✉ 20180 Oyarzun – ☎ 943 :

XXX **Gurutze-Berri** ⛔ con hab, ℰ 49 06 25 – ▤ rest Ⓟ. AE ⓓ E VISA. ⚹
cerrado febrero – **Relais** Com *(cerrado domingo noche y lunes)* carta 2500 a 3500 **Restaurante** 3100 – ☕ 275 – **18 hab** 2950/4200.

CITROEN Barrio Alcibar ℰ 35 48 25
FORD Barrio Alcibar ℰ 49 12 23
OPEL-GENERAL MOTORS Barrio Arragua ℰ 49 00 01
PEUGEOT-TALBOT carret. N I km 476 ℰ 49 21 25
RENAULT Arraskularre 18 ℰ 35 50 33
RENAULT Polígono Lintzirin km 475 ℰ 49 27 67
RENAULT Alfonso XI-11 ℰ 51 40 66
SEAT-AUDI-VOLKSWAGEN Industrialdea 1 ℰ 49 18 48

OYEREGUI 31720 Navarra 442 C 25 – ☎ 948.

Alred. : NO : Valle del Bidasoa★.

•Madrid 449 – •Bayonne 68 – •Pamplona 50.

🏠 **Mugaire,** ℰ 59 20 50 – ▤ rest. AE E VISA. ⚹
cerrado lunes y octubre – Com 1800 – ☕ 350 – **14 hab** 2800/4500 – P 5850/6400.

OYÓN 01320 Álava **442** E 22 – 2 250 h. alt. 440 – ✦ 941.

✦Madrid 339 – ✦Logroño 4 – ✦Pamplona 90 – ✦Vitoria/Gasteiz 89.

🏠 **Felipe IV,** av. Navarra 28 ℰ 11 00 56, ⤳ – 🍴 🚗 **🅿**. ⚒
cerrado 3 diciembre-8 enero – Com 1375 – � 300 – **30 hab** 2400/4125.

🍴🍴 **Mesón La Cueva,** Concepción 15 ℰ 11 00 22, « Instalado en una antigua bodega » – 🍴.
⚒
Com carta 1540 a 2290.

PADRÓN 15900 La Coruña **441** D 40 – 9 796 h. – ✦ 981.

Excurs. : Mirador del Curota (⚡***) SO : 39 km.

✦Madrid 634 – ✦La Coruña 94 – Orense 135 – Pontevedra 37 – Santiago de Compostela 20.

🍴 **Chef Rivera** con hab, enlace Parque 7 ℰ 81 04 13 – 🛗 🍴 rest. 🆔 ⑪ ℰ 𝘝𝘐𝘚𝘈. ⚒
Com carta 1850 a 2800 – ⊡ 250 – **17 hab** 2100/3100.

en la carretera N 550 N : 2,5 km – ✉ 15900 Padrón – ✦ 981 :

🏠 **Scala,** ℰ 81 13 12, < – 🍴 rest 🚗 **🅿**. 𝘝𝘐𝘚𝘈. ⚒
Com 2200 – ⊡ 225 – **24 hab** 1600/3800 – P 3800/4100.

en Rois carretera de Noya - NO : 3 km – ✉ 15911 Rois – ✦ 981 :

🍴 Ramallo, Castro 5 ℰ 81 12 10, 🍴 – **🅿**.

CITROEN carret. La Coruña-Vigo ℰ 81 03 07
PEUGEOT-TALBOT av. Compostela 17 ℰ 81 01 59
RENAULT av. Compostela 39 ℰ 81 02 59

SEAT-AUDI-VOLKSWAGEN carret. La Coruña-Vigo
km 80,8 ℰ 81 14 51

PAGUERA Baleares **443** N 37 – ver Baleares (Mallorca).

En esta guía,
un mismo símbolo en rojo o en negro, una misma palabra en
*fino o en **grueso,** no significan lo mismo.*

Lea atentamente los detalles de la introducción.

PAJARES (Puerto de) 33693 León-Asturias **441** C 12 – alt. 1 364 – ✦ 985 – Deportes de invierno : ≤13.

Ver : Puerto** – Carretera del puerto** – Colegiata de Santa Miria de Arbos (capiteles*) SE : 1 km.

✦Madrid 378 – ✦León 59 – ✦Oviedo 59.

🏨 **Puerto de Pajares,** carret. N 630 ℰ 49 60 23, < valle y montañas – 🍴 **🅿** – 🏌. 🆔 ⑪ ℰ
𝘝𝘐𝘚𝘈. ⚒
Com 800 – ⊡ 350 – **34 hab** 2750/6000.

PALAFRUGELL 17200 Gerona **443** G 39 – 15 030 h. alt. 87 – ✦ 972 – Playas : Calella, Llafranch y Tamariu.

Alred. : Cabo Roig (Cap Roig) : jardín botánico** SE : 5 km.

🚉 Carrilet 2 ℰ 30 02 28.

✦Madrid 736 ② – ✦Barcelona 123 ② – Gerona/Girona 39 ① – Port-Bou 108 ①.

Plano página siguiente

🏠 **Costa Brava,** sin rest, Sant Sebastiá 14 ℰ 30 05 58 – 🍴 🚗. ⚒   **v**
⊡ 350 – **30 hab** 3000/3600.

🍴 **Reig,** Torres Jonama 53 ℰ 30 07 95, Telex 57077 – 🍴   **a**
cerrado 24 diciembre-7 enero – Com carta 1675 a 2425.

🍴 **La Casona,** paraje La Sauleda 4 ℰ 30 36 61, 🍴 – 🍴 **🅿**. ℰ 𝘝𝘐𝘚𝘈. ⚒   **c**
cerrado miércoles y noviembre-15 diciembre – Com carta 1650 a 2550.

en Llofriu-carretera de Gerona C 255 – ✉ 17121 Llofriu – ✦ 972 :

🍴 **Sala Gran,** Barceloneta 44, por ① : 3 km ℰ 30 16 38, Decoración rústica catalana – 🍴 **🅿**. 🆔
⑪ ℰ 𝘝𝘐𝘚𝘈. ⚒
cerrado lunes salvo festivos y del 1 al 15 febrero – Com carta 1420 a 2600.

🍴 **La Resclosa,** por ① : 2,5 km - Estación 6 ℰ 30 29 68, 🍴, Decoración regional – **🅿**. 🆔 ⑪
ℰ 𝘝𝘐𝘚𝘈
cerrado jueves y octubre-noviembre – Com carta 1925 a 3500.

en Mont-Rás - carretera de Palamós C 255 – ✉ 17253 Mont-Rás – ✦ 972 :

🍴 **Madame Zozo,** por ② : 2 km ℰ 30 01 17, 🍴, Decoración rústica regional – **🅿**. 🆔 ⑪ ℰ
𝘝𝘐𝘚𝘈. ⚒
20 marzo-septiembre – Com carta 1730 a 3050.

🍴 **Petit Empordà,** por ② : 1,5 km ℰ 30 24 12, Masia típica – 🍴 **🅿**. ℰ 𝘝𝘐𝘚𝘈. ⚒
11 marzo-2 noviembre y fines de semana el resto del año – Com (cerrado martes)
carta 2650 a 3000.

sigue →

en la playa de Calella SE : 3,5 km – ⊠ 17210 Calella – ✪ 972 :

🏨🏨 **Alga y Rest. El Cantir** ⊜, Costa Blanca 43 ℰ 30 00 58, Telex 57077, ⅍, « Bonito jardín », ⊼, ⅍ – 🛗 ▤ rest ☎ 🅟 🅴 💳. ⅍ rest
Semana Santa-octubre – Com 1800 – **54 hab** ⊡ 7340/10400.

🏨 **Garbi** ⊜, av. Costa Dorada 20 ℰ 30 01 00, ⅍, « En el centro de un pinar », ⊼, ⅍ – 🛗 ⊛ 🅟. 🅰🅴 🅴 💳. ⅍ rest
19 marzo-15 octubre – Com 1550 – **30 hab** ⊡ 5175/7950 – P 7550/8750.

🏨 **Sant Roc** ⊜, pl. Atlántic 2 - barri Sant Roc ℰ 30 05 00, Telex 57077, « Terraza dominando la costa con ⩽ mar » – ▤ rest ⊛. 🅰🅴 ⓞ 🅴 💳. ⅍ rest
mayo-20 octubre – Com 1500 – ⊡ 500 – **42 hab** 3450/6700.

🏨 **Port Bo** ⊜, August Pi y Suñer 6 ℰ 30 02 50, Telex 57077, ⊼, ⅍ – 🛗 ▤ rest ⊛ 🅟 🅴 💳. ⅍.
mayo-octubre – Com 1300 – **56 hab** ⊡ 3300/6200.

🏠 **La Torre y Rest. Tres Pins** ⊜, passeig de la Torre 28 ℰ 30 03 00, Telex 57077, ⩽, ⅍ – ⊛ 🅟. ⅍
junio-septiembre – Com 1275 – **28 hab** ⊡ 3600/7100.

🏠 **Mediterráneo,** Francesc Estrabau 38 ℰ 30 01 50, ⩽, ⅍ – ⊛ 🅟. 🅴 💳. ⅍ rest
15 mayo-septiembre – Com 1450 – ⊡ 425 – **38 hab** 3250/6500.

🏠 Batlle, sin rest, Les Voltes 2 ℰ 30 19 05, ⩽
18 hab.

✕ Rems, pintor Serra 5 ℰ 30 23 22.

✕ **Can Pep,** Lladó 22 ℰ 30 20 00, Decoración rústica – ▤. 🅰🅴 ⓞ 🅴 💳
cerrado miércoles y 15 noviembre-15 diciembre – Com carta 1700 a 2150.

en la playa de Llafranch SE : 3,5 km – ⊠ 17211 Llafranch – ✪ 972 :

🏨🏨 **Terramar,** passeig de Cipsela 1 ℰ 30 02 00, ⩽ – 🛗 ▤ rest ☎ ⟾. 🅰🅴 ⓞ 🅴 💳. ⅍
Semana Santa y junio-septiembre – Com 1800 – **56 hab** ⊡ 5070/9900.

🏨 **El Paraíso** ⊜, Font d'en Xecu ℰ 30 04 50, Telex 57077, ⊼, ⅍ – 🛗 ⊛ 🅟. 🅰🅴 ⓞ 🅴 💳. ⅍ rest
mayo-15 octubre – Com 1400 – ⊡ 550 – **55 hab** 3450/6900.

🏠 **Llevant,** Francesc de Blanes 5 ℰ 30 03 66, ⅍ – ☎. 🅰🅴 ⓞ 🅴 💳. ⅍ rest
cerrado 25 octubre-16 diciembre – Com *(cerrado domingo noche de enero a marzo)* 1400 – ⊡ 575 – **20 hab** 3350/7500.

🏠 **Casamar** ⊜, Nero 3 ℰ 30 01 04, Telex 57077, ⅍ – ⊛. 🅴 💳. ⅍ rest
abril-septiembre – Com 950 – ⊡ 400 – **20 hab** 3200/5000.

en el cabo de San Sebastián - cerca del Faro E : 4,5 km – ⊠ 17200 Palafrugell – ✪ 972 :

✕ San Sebastián, ℰ 30 05 86, Decoración rústica – 🅟.

en la playa de Tamariú E : 4,5 km – ⊠ 17212 Tamariu – ✪ 972 :

🏨 **Hostalillo,** Bellavista 6 ℰ 30 01 58, « Terrazas con ⩽ cala » – 🛗 ▤ rest ⊛ ⟾. 💳. ⅍
junio-25 septiembre – Com 1660 – ⊡ 475 – **70 hab** 8000/9000 – P 7600/11100.

🏠 **Janó,** passeig del Mar 5 ℰ 30 04 62, ⅍ – ⊛ ⟾. 💳. ⅍
15 mayo-septiembre – Com 1250 – ⊡ 350 – **49 hab** 3100/5900 – P 5200/10100.

🏠 **Tamariú,** paseo del Mar 3 ℰ 30 01 08, ⅍ – ⊛ ⟾. ⅍
15 mayo-septiembre – Com 1550 – ⊡ 325 – **54 hab** 2485/4570 – P 4830/5000.

Cavallers 3
Bruc 2
Cementiri 4
Cervantes 5
Dels Valls 6
Església (Pl. de l') 8
Nova (Pl.) 12
Quatre Cases 13
Sant Antoni 14
Sant Martí 15
Santa Margarida 17

CITROEN Bagur 45 ℰ 30 02 48
FIAT-LANCIA Clavé 17 ℰ 30 34 50
FORD carret. Gerona-Palamós km 37,9 (Mont-Ras) ℰ 30 27 00

PEUGEOT-TALBOT Joan Maragall 7 ℰ 30 07 86
RENAULT Torres Jonama 42 ℰ 30 00 77
SEAT-AUDI-VOLKSWAGEN carret. Gerona-Palamós km 7,3 (Mont-Ras) ℰ 30 06 82

PALAMÓS 17230 Gerona **448** G 39 – 12 178 h. – ✆ 972 – Playa.

🛈 av. President Macià 11 ✆ 31 43 90 – ♦Madrid 726 – ♦Barcelona 109 – Gerona/Girona 49.

🏨 **Trias,** passeig del Mar ✆ 31 41 00, Fax 31 65 17, ≤, 🏊, – |🛄| 🛏 rest ☎ 🚗 🅿. 🖭 ⓪ 🄴 *VISA*. ⅍ rest
18 marzo-15 octubre – Com 2600 – ⌑ 600 – **70 hab** 4500/10000.

🏨 **Marina,** av. 11 de Setembre 48 ✆ 31 42 50 – |🛄| 🛏 rest 🕾 🚗 🖭 ⓪ 🄴 *VISA*. ⅍ rest
cerrado 23 diciembre-enero – Com 1175 – ⌑ 375 – **62 hab** 3600/4500 – P 4175/5525.

🏨 **Vostra Llar,** av. President Macià 12 ✆ 31 42 62, 🌳 – |🛄|. 🄴 *VISA*
30 marzo-septiembre – Com 750 – **45 hab** ⌑ 2900/4200 – P 3900/4700.

XX **La Cuineta,** Adrià Álvarez 111 ✆ 31 40 01 – 🍽. 🖭 ⓪ 🄴 *VISA*. ⅍
15 junio-15 septiembre – Com carta 2350 a 3850.

XX **La Gamba,** pl. Sant Pere 1 ✆ 31 46 33, 🌳, Pescados y mariscos – 🍽. 🖭 ⓪ 🄴 *VISA*
cerrado miércoles salvo en verano – Com carta 2350 a 3650.

XX **Plaça Murada,** pl. Murada 5 ✆ 31 53 76, ≤, 🌳 – 🍽. 🖭 ⓪ 🄴 *VISA*
cerrado noviembre-15 diciembre – Com carta 1775 a 3350.

X Xivarri, Roda 24 ✆ 31 56 16, 🌳 – 🍽.

X **La Menta,** Tauler i Servià 1 ✆ 31 47 09 – 🍽. 🖭 ⓪ 🄴 *VISA*
cerrado miércoles y noviembre – Com carta 1750 a 2600.

X **María de Cadaqués,** Notaries 39 ✆ 31 40 09, Pescados y mariscos – 🍽. 🖭 ⓪ 🄴 *VISA*
cerrado lunes y 15 diciembre-15 enero – Com carta 2100 a 3100.

X **L'Art,** passeig del Mar 7 ✆ 31 55 32 – 🍽. 🖭 ⓪ 🄴 *VISA*
cerrado jueves y 15 noviembre-15 diciembre – Com carta 1900 a 3250.

X **El Delfín,** av. 11 de Setembre 93 ✆ 31 64 74, 🌳 – 🄴 *VISA*
15 marzo-25 octubre – Com *(cerrado jueves)* carta 1300 a 2450.

en La Fosca NE : 2 km – ⌧ 17230 La Fosca – ✆ 972 :

🏠 **Ancora** ⅏, Josep Pla ✆ 31 48 58, ≤, 🏊, ⅍ – ☎ 🅿. 🄴 *VISA*. ⅍ rest
cerrado diciembre-enero – Com 1420 – ⌑ 415 – **34 hab** 3680/5020 – P 5170/6340.

en Pla de Vall-Llobrega - carretera de Palafrugell C 255 N : 3,5 km – ⌧ 17253 Vall Llobrega – ✆ 972 :

XX **Mas dels Arcs,** ✆ 31 51 35 – 🍽 🅿. *VISA*. ⅍
cerrado jueves en invierno y 15 enero-15 febrero – Com carta 1525 a 3000.

CITROEN Maragall 12 ✆ 31 41 73
PEUGEOT-TALBOT carret. Gerona-Palamos km 40
✆ 31 71 68
RENAULT carret. de La Fosca ✆ 31 53 47

PALAU SAVERDERA 17495 Gerona **448** F 39 – 666 h. – ✆ 972.

♦Madrid 763 – Figueras/Figueres 17 – Gerona/Girona 56.

X **Terra Nostra,** San Onofre ✆ 53 03 04, 🌳 – 🅿. 🖭 🄴 *VISA*. ⅍
cerrado 6 noviembre-20 diciembre, domingo noche en invierno y miércoles mediodía – Com carta 1410 a 2150.

PALENCIA 34000 🅿 **442** F 16 – 79 080 h. alt. 781 – ✆ 988 – Plaza de toros.

Ver : Catedral★★ (interior★★, museo★ : tapices★).

Alred. : Baños de Cerrato (Basilica de San Juan Bautista★) por ② : 14 km.

🛈 Mayor 105, ⌧ 34001, ✆ 72 00 68 – R.A.C.E. Mayor 2, ⌧ 34001, ✆ 74 69 50.

♦Madrid 235 ② – ♦Burgos 88 ② – ♦León 128 ③ – ♦Santander 203 ① – ♦Valladolid 47 ②.

Plano página siguiente

🏨 **Rey Sancho de Castilla,** av. Ponce de León, ⌧ 34005, ✆ 72 53 00, 🌳, 🏊, ⅍ – |🛄| 🛏 rest 📺 🚗 🅿 – 🔬. 🖭 ⓪ 🄴 *VISA*. ⅍   **a**
Com 1850 – ⌑ 420 – **100 hab** 3900/6500 – P 7370/8020.

🏨 **Castilla Vieja,** av. Casado del Alisal 26, ⌧ 34001, ✆ 74 90 44, Telex 26595 – |🛄| 🛏 rest 📺 ☎ – 🔬. 🖭 ⓪ 🄴 *VISA*. ⅍ rest   **x**
Com 1500 – ⌑ 420 – **87 hab** 3900/6500.

🏨 **Monclús** sin rest, Menéndez Pelayo 3, ⌧ 34001, ✆ 74 43 00 – |🛄| 🕾. *VISA*   **c**
⌑ 250 – **40 hab** 2400/4000.

🏠 **Colón 27** sin rest y sin ⌑, Colón 27, ⌧ 34002, ✆ 74 07 00 – |🛄| 📺 ☎ 🅿. *VISA*. ⅍   **f**
22 hab 2695/4180.

🏠 **Los Jardinillos** sin rest y sin ⌑, Eduardo Dato 2, ⌧ 34005, ✆ 75 00 22 – |🛄| 📺 ☎ 🚗. 🖭 *VISA*. ⅍ – **39 hab** 3150/4400.   **v**

XXX **Gran San Bernardo,** av. República Argentina 14, ⌧ 34002, ✆ 72 58 99 – 🍽. 🖭 ⓪ 🄴 *VISA*   **s**
cerrado domingo noche y del 15 al 30 agosto – Com carta 1675 a 2250.

XXX **La Fragata,** Alonso Fernández del Pulgar 6, ⌧ 34005, ✆ 75 01 29 – 🖭 ⓪ 🄴 *VISA*. ⅍   **u**
cerrado domingo – Com carta 1500 a 2300.

XX **Lorenzo,** av. Casado del Alisal 10, ⌧ 34001, ✆ 74 35 45 – 🍽. 🖭 ⓪ 🄴 *VISA*. ⅍   **h**
cerrado domingo y 5 septiembre-6 octubre – Com carta 1950 a 2850.

XX **Mesón del Concejo,** Martinez de Azcoitia 5, ⌧ 34001, ✆ 74 32 39, Decoración castellana – 🄴 *VISA*. ⅍   **d**
cerrado jueves y octubre – Com carta 1750 a 2700.

319

PALENCIA

Mayor
Mayor (Pl.) 24
Mayor Principal

Asturias (Av. de) 2
Barrio y Mier 3
Cardenal Almaraz 4
Cardenal Cisneros (Av.) ... 5
Cervantes (Pl.) 8
Doctor Cajal 9
Don Sancho 10
Eduardo Dato 14
España (Pl. de) 15
General Franco 16
Ignacio Martinez
de Azcoitia 20
Jorge Manrique 21
José Antonio Primo
de Rivera (Av.) 22
Mayor (Puente) 26
Miguel Primo
de Rivera (Av.) 27
Padre Faustino
Calvo (Pas. del) 28
Republica Argentina (Av.) ... 32
Salvino Sierra 33
San Marcos 34
Santander (Av. de) 38

Los nombres de las principales calles comerciales figuran en rojo al principio del repertorio de calles de los planos de ciudades.

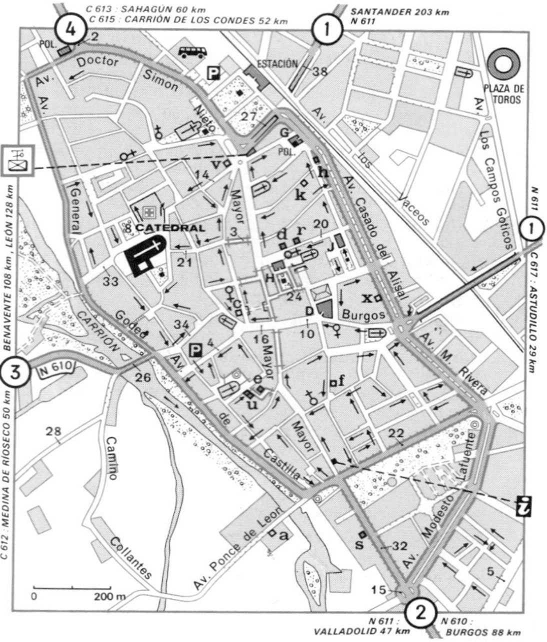

X **Casa Damián,** Martínez de Azcoitia 9, ✉ 34001, ☎ 74 46 28 – AE ⓓ E VISA. — **r**
cerrado lunes y 24 julio-24 agosto – Com carta 1750 a 2350.

X **José Luis,** Alonso Fernández del Pulgar 11, ✉ 34005, ☎ 74 15 10 – ▤. AE E VISA. — **u**
Com carta 1350 a 2150.

X **Braulio,** Alonso Fernández del Pulgar 6, ✉ 34005, ☎ 74 15 48, 🍽 – ▤. AE ⓓ E VISA. — **e**
cerrado lunes y del 15 al 30 octubre – Com carta 1200 a 2100.

X Peñafiel, Martin Calleja 18, ✉ 34001, ☎ 74 56 30 – ▤ — **k**

ALFA ROMEO Polígono Industrial Na Sra de los Angeles ☎ 72 81 08
BMW Pisuerga 5 - Polígono Industrial ☎ 72 12 54
CITROEN av. de Cuba 46 - Polígono Industrial ☎ 73 01 50
FIAT-LANCIA av. de Cuba 61 ☎ 72 26 50
FORD carret. de Valladolid km 4,5 ☎ 77 07 80
GENERAL-MOTORS-OPEL Casado de Alisal 13 ☎ 74 02 11
MERCEDES-BENZ carret. Santander km 12,3 ☎ 75 18 00
PEUGEOT-TALBOT av. de Madrid 2 ☎ 72 14 00
RENAULT Extremadura Polígono Industrial ☎ 72 00 50
SEAT-AUDI-VOLKSWAGEN av. de Madrid ☎ 72 42 35

La PALMA Santa Cruz de Tenerife – ver Canarias.

PALMA DEL RIO 14700 Córdoba 446 S 14 – 17 359 h. – ☎ 957.
♦Madrid 462 – ♦Cordoba 55 – ♦Sevilla 92.

XX **Hospedería de San Francisco** con hab, av. Pío XII 35 ☎ 64 41 85, 🍽, Antiguo convento – ▤ ☎ 🚗 Ⓟ. AE E VISA
cerrado domingo noche – Com carta 2800 a 3350 – ☕ 400 – **8 hab** 4000/6000 – P 7000.

PALMA DE MALLORCA Baleares 443 N 37 – ver Baleares (Mallorca).

PALMA NOVA Baleares 443 N 37 – ver Baleares (Mallorca).

El PALMAR (Playa de) 46012 Valencia 445 O 29 – ☎ 96.
♦Madrid 368 – Gandía 48 – ♦Valencia 20.

X **Racó de l'Olla,** carret. de El Saler N : 1,5 km ☎ 161 00 72, ≤, 🍽 – ▤ Ⓟ. AE VISA.
cerrado lunes y del 9 al 29 enero – Com (sólo almuerzo) carta 1900 a 3000.

Las PALMAS DE GRAN CANARIA Las Palmas – ver Canarias (Gran Canaria).

PALMONES (Playa de) Cádiz 👊👊👊 X 13 – ver Algeciras.

El PALO (Playa de) Málaga – ver Málaga.

PALS 17256 Gerona 👊👊👊 G 39 – 1 722 h. – ❀ 972.

📸 de Pals 🏌 63 60 06.

◆Madrid 744 – Gerona/Girona 41 – Palafrugell 8.

   XX **Alfred,** La Font 7 🏌 63 62 74 – ▤ **Ⓟ**. 👁 **E** 𝘝𝘐𝘚𝘈. 🍴
       cerrado miércoles y 15 octubre-25 noviembre – Com carta 1450 a 2850.

       en la playa E : 6 km – ✉ 17256 Pals – ❀ 972 :

   XXX ❀ **Sa Punta,** 🏌 63 64 10, 🏊, 🍴 – ▤ **Ⓟ**. 👁 **E** 𝘝𝘐𝘚𝘈. 🍴
       cerrado 15 enero-15 febrero y lunes no festivos en invierno – Com carta 2640 a 3600
       Espec. Ensalada con colitas de gambas al vinagre de Modena, Suquet de rascassa con patatas tiernas, Filete de
       cerdo al grill con ciruelas y al agridulce.

PALLEJÁ 08780 Barcelona 👊👊👊 H 35 – 5 728 h. – ❀ 93.

◆Madrid 606 – ◆Barcelona 20 – Manresa 48 – Tarragona 89.

   XX **Pallejá Paradis,** av. Prat de la Riba 119 🏌 668 15 02, Telex 99406, 🏊 – ▤ **Ⓟ**. 👁 **Ⓞ E** 𝘝𝘐𝘚𝘈
       🍴
       Com carta 2200 a 2900.

PAMPANEIRA 18411 Granada 👊👊👊 V 19 – 645 h. – ❀ 958.

◆Madrid 499 – ◆Granada 70 – Motril 45.

   🏠 **Ruta del Mulhacén** 🌄 sin rest, José Antonio 3 🏌 76 30 10, ≤ – 𝘝𝘐𝘚𝘈
       🛏 145 – **14 hab** 1000/2000.

PAMPLONA 31000 Ⓟ Navarra 👊👊👊 D 25 – 183 126 h. alt. 415 – ❀ 948 – Plaza de toros.

Ver : Catedral★ (interior : sepulcro★) BY – Claustro★ BY A – Museo de Navarra★ (planta baja : mosaicos★, capiteles★, segundo piso : pinturas murales★) AY **M**.

Alred. : Carretera de Izurzu ≤★ Valle del Arga por④.

📸 de Ulzama por ① : 21 km 🏌 30 51 62.

✈ de Pamplona por ② : 7 km 🏌 31 72 02 – Aviaco : aeropuerto ✉ 31003, 🏌 31 71 82.

🏢 Duque de Ahumada 3, ✉ 31002, 🏌 22 07 41 – R.A.C.E. (A.C. Vasco-Navarro) Sancho el Fuerte 29, ✉ 31007, 🏌 26 65 62.

◆Madrid 385 ② – ◆Barcelona 471 ② – ◆Bayonne 118 ① – ◆Bilbao 157 ④ – ◆San Sebastián/Donostia 94 ④ – ◆Zaragoza 169 ②.

Plano página siguiente

  🏨🏨 **Tres Reyes,** jardines de la Taconera, ✉ 31001, 🏌 22 66 00, Telex 37720, Fax 22 29 30,
      🏊 climatizada – 🛗 ▤ 📺 ☎ ⇔ **Ⓟ** – 🔬. 👁 **Ⓞ E** 𝘝𝘐𝘚𝘈. 🍴   AY **x**
      Com 3900 – 🛏 980 – **168 hab** 12500/24000 – P 19400/25900.

  🏨🏨 **Ciudad de Pamplona** 🅼, Iturrama 21, ✉ 31007, 🏌 26 60 11, Telex 37913, Fax 17 36 26 – 🛗
      ▤ 📺 ☎ ⇔ – 🔬. 👁 **Ⓞ** 𝘝𝘐𝘚𝘈   por Esquíroz AZ
      Com 1600 – 🛏 600 – **119 hab** 4900/7700.

  🏨 **Maisonnave,** Nueva 20, ✉ 31001, 🏌 22 26 00, Telex 37994 – 🛗 ▤ rest 📺 ☎ ⇔. 👁 **Ⓞ E**
      𝘝𝘐𝘚𝘈. 🍴 rest   AY **e**
      Com 2000 – 🛏 600 – **152 hab** 6200/7800 – P 7810/10110.

  🏨 **Sancho Ramírez,** Sancho Ramírez 11, ✉ 31008, 🏌 27 17 12 – 🛗 ▤ rest 📺 ☎ ⇔ – 🔬. 👁
      Ⓞ E 𝘝𝘐𝘚𝘈. 🍴   por ③
      Com 2000 – 🛏 450 – **85 hab** 4500/7300 – P 7210/8060.

  🏨 **Orhi** sin rest, Leyre 7, ✉ 31002, 🏌 22 85 00 – 🛗 📺 ☎. 👁 **Ⓞ E** 𝘝𝘐𝘚𝘈. 🍴   BZ **c**
      🛏 450 – **55 hab** 5300/7800.

  🏨 **Yoldi** sin rest, con cafetería, av. San Ignacio 11, ✉ 31002, 🏌 22 48 00 – 🛗 📺 ☎. 👁 **Ⓞ E** 𝘝𝘐𝘚𝘈
      🛏 500 – **48 hab** 5800/7250.   BZ **n**

  🏢 **Eslava** 🌄 sin rest, pl. Virgen de la O-7, ✉ 31001, 🏌 22 22 70 – 🛗 ☎. 👁 **E** 𝘝𝘐𝘚𝘈. 🍴
      🛏 350 – **28 hab** 2750/5500.   AY **r**

  XXX ❀ **Josetxo,** pl. Príncipe de Viana 1, ✉ 31002, 🏌 22 20 97, « Decoración elegante » – ▤. 👁
      Ⓞ E 𝘝𝘐𝘚𝘈. 🍴   BY **d**
      cerrado domingo y agosto-2 septiembre – Com carta 3975 a 5950
      Espec. Ensalada de langosta, Zarzuela de mariscos, Pichón de la Ulzama relleno de foie.

  XXX **Rodero,** Arrieta 3, ✉ 31002, 🏌 22 80 35 – ▤. 👁 **Ⓞ E** 𝘝𝘐𝘚𝘈. 🍴   BY **s**
      cerrado domingo y agosto – Com carta 3200 a 4400.

  XXX **Alhambra,** Francisco Bergamín 7, ✉ 31003, 🏌 24 50 07 – ▤. 👁 **Ⓞ E** 𝘝𝘐𝘚𝘈. 🍴   BZ **e**
      cerrado domingo – Com carta 3350 a 4650.

  XX **Europa,** Espoz y Mina 11 - 1° piso, ✉ 31002, 🏌 22 18 00 – ▤. 👁 **Ⓞ E** 𝘝𝘐𝘚𝘈. 🍴   BY **r**
      cerrado domingo – Com carta 3300 a 4450.

  XX **Grill Don Pablo,** Navas de Tolosa 19, ✉ 31002, 🏌 22 52 99 – ▤. 👁 **Ⓞ E** 𝘝𝘐𝘚𝘈. 🍴 AY **n**
      cerrado domingo noche y agosto – Com carta 2900 a 3725.

sigue →

PAMPLONA

XX ❀ **Hartza,** Juan de Labrit 19, ⊠ 31001, ℰ 22 45 68 – 🍴. 🆎 ⓪ 🖃 𝓥𝓘𝓢𝓐   BY **b**
cerrado lunes, 15 julio-4 agosto y 24 diciembre-4 enero – Com carta 3200 a 5100
Espec. Hongos al vino (temporada), Merluza crema de almejas, Cuajada a la crema de arándano.

XX **Grill Tres Reyes,** en sótano, Navas de Tolosa, ⊠ 31001, ℰ 22 66 00, Telex 37720, Fax
22 29 30 – 🍴 🅿. 🆎 ⓪ 🖃 𝓥𝓘𝓢𝓐 𝒮𝒳   AY **x**
Com carta 1950 a 3325.

XX **Juan de Labrit,** Juan de Labrit 29, ⊠ 31001, ℰ 22 90 92 – 🍴. 🆎 ⓪ 🖃 𝓥𝓘𝓢𝓐 𝒮𝒳   BY **b**
cerrado domingo noche y del 8 al 31 agosto – Com *(cerrado domingo en verano)*
carta 2100 a 3300.

X **Castillo de Javier,** bajada de Javier 2 -1° piso, ⊠ 31001, ℰ 22 18 94 – 🆎 🖃 𝓥𝓘𝓢𝓐   BY **m**
cerrado domingo salvo julio y agosto – Com carta 2000 a 3000.

X **Sarasate,** García Castañón 12 - 1° piso, ⊠ 31002, ℰ 22 51 02 – 🍴. 🆎 🖃 𝓥𝓘𝓢𝓐 𝒮𝒳   BZ **t**
cerrado domingo y Semana Santa – Com carta 3400 a 4500.

X **Otano,** San Nicolás 5 - 1° piso, ⊠ 31001, ℰ 22 70 36, Decoración rústica regional – 🍴. 🆎
⓪ 🖃 𝓥𝓘𝓢𝓐   AY **b**
cerrado domingo noche – Com carta 2200 a 3000.

X **Shanti,** Castillo de Maya 39, ⊠ 31003, ℰ 23 10 04 – 🍴. 🆎 🖃 𝓥𝓘𝓢𝓐 𝒮𝒳   BZ **u**
cerrado domingo noche, lunes noche y julio – Com carta 2050 a 3250.

X Vista Bella, jardines de la Taconera, ⊠ 31001, ℰ 25 05 81, 🍽, En un parque – 🅿   AY **a**

en Huarte NE : 6 km por ① y carretera C 135 – ⊠ 31620 Huarte – ❀ 948 :

X **Iriguibel,** ℰ 33 14 14 – 🍴 🅿. 🆎 ⓪ 🖃 𝓥𝓘𝓢𝓐 𝒮𝒳
cerrado martes y miércoles noche de octubre a mayo – Com carta 2000 a 3500.

en Beriain por ② : 8 km – ✉ 31191 Beriain – ☻ 948 :

🏨 **Alaiz**, carret. de Zaragoza 🖉 31 01 75 – 🔧 ▤ rest ☜ ⟵ 🅿. 🗚 ⑩ 🄴 𝘝𝘐𝘚𝘈. 🍴
cerrado 23 diciembre-7 enero – Com *(cerrado domingo)* 950 – ☲ 400 – **71 hab** 8000/13000.

S.A.F.E. Neumáticos MICHELIN, Sucursal, Polígono Industrial de Burlada - BURLADA por ①.
✉ 31600 🖉 11 24 22 y 12 15 81

ALFA-ROMEO El Rosario 11 (Villava) 🖉 11 00 28
AUSTIN-MG-MORRIS-MINI av. Zaragoza 84 🖉 23 73 00
BMW av. Zaragoza 93 🖉 24 14 00
CITROEN carret. de Zaragoza km 3 (Cordovilla) 🖉 24 93 00
FORD carret. Francia km 4 Arre 🖉 33 00 11
GENERAL MOTORS carret. Guipúzcoa km 6 Berrioplano 🖉 30 09 61
LANCIA av. Villalba 🖉 25 04 46

MERCEDES-BENZ carret. Francia km 4 Arre 🖉 33 00 11
PEUGEOT-TALBOT av. Guipúzcoa 5 🖉 11 40 78
PEUGEOT-TALBOT Pedro I - 19 Polígono Industrial Burlada 🖉 11 72 11
RENAULT Mayor-Burlada 🖉 23 48 00
RENAULT carret. Zaragoza-Cordovilla 🖉 23 97 00
SEAT-AUDI-VOLKSWAGEN av. Guipúzcoa km 4 🖉 30 01 12

La PANADELLA 08289 Barcelona 𝟺𝟺𝟹 H 34 – ☻ 93.
◆Madrid 539 – ◆Barcelona 94 – ◆Lérida/Lleida 70.

🏨 **Bayona**, carret. N II, ✉ 08289 Montmaneu, 🖉 809 20 11 – ▤ rest ☜ 🅿. 🗚 ⑩ 🄴 𝘝𝘐𝘚𝘈. 🍴 hab
Com 1150 – ☲ 425 – **64 hab** 2000/3500 – P 4825/5075.

PANCORBO 09280 Burgos 𝟺𝟺𝟸 E 20 – 728 h. alt. 635 – ☻ 947 – Ver : Paisaje★ – Desfiladero★.
◆Madrid 308 – ◆Bilbao 99 – ◆Burgos 65 – ◆Vitoria/Gasteiz 49.

🏨 **Pancorbo**, carret. N I 🖉 35 40 00 – ☎ ⟵ 🅿. 🗚 ⑩ 𝘝𝘐𝘚𝘈
Com 1100 – ☲ 325 – **30 hab** 1850/3250 – P 3625/3850.

PEUGEOT-TALBOT carret. Madrid-Irún 🖉 35 40 64

PANES 33570 Asturias 𝟺𝟺𝟷 C 16 – alt. 50 – ☻ 985.
Alred. : Desfiladero de la Hermida★★ SO : 12 km – O : Gargantas del Cares★★ : carretera de Poncebos (desfiladero★) y camino de Bulnes (desfiladero★★).
🄸 Mayor 🖉 41 40 08.
◆Madrid 427 – ◆Oviedo 128 – ◆Santander 89.

🍴 **Covadonga** con hab, Virgilio Linares 🖉 41 40 35, 🍴 – 𝘝𝘐𝘚𝘈. 🍴
Com carta 1700 a 3050 – ☲ 200 – **10 hab** 2000/3800.

en la carretera de Cangas de Onis C 6312 – ☻ 974 :

🏨 **La Molinuca**, O : 6 km, ✉ 33570 Panes, 🖉 41 40 30, ≤, 🍴 – 🅿. 🍴
Com 900 – ☲ 250 – **18 hab** 2000/3500 – P 3800/4050.

🍴 **Casa Julián** con hab, O : 9 km, ✉ 33578 Llanes-Niserias, 🖉 41 41 79, ≤ – 🅿. 𝘝𝘐𝘚𝘈. 🍴
Com carta 1650 a 2250 – ☲ 300 – **4 hab** 1750/3500 – P 4745/5100.

PANTICOSA 22661 Huesca 𝟺𝟺𝟹 D 29 – 749 h. alt. 1 185 – ☻ 974 – Balneario – Deportes de invierno : ⚐ 17 – Alred. : Balneario de Panticosa★ – N : Garganta del Escalar★★ (carretera★).
◆Madrid 481 – Huesca 86.

🏨 **Escalar** ⑅, La Cruz 🖉 48 70 08, ≤, ⊿ climatizada – 🅿. 🍴
cerrado 15 abril-15 junio y septiembre-15 diciembre – Com 900 – ☲ 300 – **30 hab** 2800/3300 – P 3350/4450.

🏨 **Arruebo** ⑅, La Cruz 8 🖉 48 70 52, ≤ – ☜. 𝘝𝘐𝘚𝘈. 🍴
temp. – Com 1200 – ☲ 325 – **18 hab** 2750/4000 – P 4000/4750.

🏨 **Panticosa** ⑅, La Cruz 🖉 48 70 00, ≤ – 🅿. 🍴
julio-15 septiembre y 21 diciembre-2 abril – Com 900 – ☲ 300 – **30 hab** 2500/3300 – P 3350/4200.

🏨 **Valle de Tena** ⑅, La Cruz 🖉 48 70 73, ≤ – 🅿. 𝘝𝘐𝘚𝘈. 🍴
20 junio-20 septiembre y 20 diciembre-20 abril – Com 900 – ☲ 300 – **28 hab** 2500/3300 – P 3350/4200.

🏨 **Morlans** ⑅, La Laguna 🖉 48 70 57, ≤ – 🅿. 𝘝𝘐𝘚𝘈. 🍴
cerrado mayo-20 junio y octubre-noviembre – Com 900 – ☲ 300 – **18 hab** 2500/3300 – P 3350/4200.

PARAISO (Playa de) Santa Cruz de Tenerife – ver Canarias (Tenerife) : Adeje.

El PARDO 28048 Madrid 𝟺𝟺𝟺 K 18 – ☻ 91.
Ver : Convento de Capuchinos : Cristo yacente★.
◆Madrid 13 – ◆Segovia 93.

🍴 **Pedro's**, av. de la Guardia 🖉 736 08 83, 🍴 – ▤. 🗚 𝘝𝘐𝘚𝘈. 🍴
Com carta 1940 a 3075.

🍴 **Menéndez**, av. de la Guardia 25 🖉 216 32 84, 🍴 – ▤.

sigue →

El PARDO

%% **La Marquesita,** av. de la Guardia 29 🜆 736 03 77, 🍴 – ▤. 🅰🅴 ⓪ 🄴 𝗩𝗜𝗦𝗔. ✁
Com carta 2600 a 3750.

%% **El Gamo,** av. de la Guardia 27 🜆 736 03 27, 🍴 – ▤. 🅰🅴 ⓪ 🄴 𝗩𝗜𝗦𝗔. ✁
Com carta 2100 a 2550.

PAREDES Pontevedra – ver Vilaboa.

PASAJES DE SAN JUAN o **PASAI DONIBANE** 20110 Guipúzcoa 🄐🄑🄒 B 24 – 20 696 h. – 🔆 943.
Ver : Localidad pintoresca★.

Alred. : Trayecto★★ de Pasajes de San Juan a Fuenterrabia por el Jaizkibel : Subida al Jaizkíbel
≤★, Hostal de Jaizkíbel ≤★ – Capilla de Nuestra Señora de Gualalupe ≤★★.

🚢 para Canarias : Cía. Trasmediterránea, zona Portuaria, calle Herrera 🜆 39 92 40, Telex 36165.

♦Madrid 477 – ♦Pamplona 100 – St-Jean-de-Luz 27 – ♦San Sebastián/Donostia 10.

%%% **Casa Cámara,** San Juan 79 🜆 52 36 99, ≤, Pescados y mariscos – ✁
cerrado domingo noche y lunes – Com carta 1950 a 2550.

%% **Txulotxo,** San Juan 82 🜆 52 39 52, ≤, Pescados y mariscos – 🅰🅴 𝗩𝗜𝗦𝗔. ✁
cerrado martes y octubre – Com carta 1300 a 2400.

%% Nicolasa, San Juan 59 🜆 35 44 92, ≤, Pescados y mariscos – ▤.

PAS DE LA CASA Andorra 🄐🄑🄒 E 35 – ver Andorra (Principado de).

PAU 17494 Gerona 🄐🄑🄒 F 39 – 312 h. – 🔆 972.
♦Madrid 760 – Figueras/Figueres 14 – Gerona/Girona 53.

%%% **L'Olivar d'En Norat,** carret. de Rosas E : 1 km 🜆 53 03 00, 🍴 – ▤ 🅿. ⓪ 🄴 𝗩𝗜𝗦𝗔
cerrado lunes – Com carta 2350 a 3400.

El PAULAR (Monasterio de) 28741 Madrid 🄐🄑🄒 J 18 – alt. 1 073 – 🔆 91.
Ver : Monasterio★ (retablo★★).

♦Madrid 76 – ♦Segovia 55.

🏛 **Santa María de El Paular** ⌕, 🜆 869 10 11, Telex 23222, Fax 869 10 06, « Antigua cartuja
del siglo XIV », 🏊 climatizada, ⛳, %% – 📺 🅿 – 🏌. 🅰🅴 ⓪ 𝗩𝗜𝗦𝗔. ✁
Com 3500 – 🍽 1200 – **58 hab** 8800/13000 – P 13400/15700.

en la carretera N 604 S : 4 km – 🖂 28740 Rascafria :

%% **Pinosaguas,** 🜆 869 13 28, 🍴, « En un pinar » – 🅿. 𝗩𝗜𝗦𝗔. ✁
cerrado martes del 15 al 30 septiembre – Com carta 1420 a 2470.

PEDRAZA DE LA SIERRA 40172 Segovia 🄐🄑🄒 I 18 – 481 h. alt. 1 073.
Ver : Pueblo histórico★★.

♦Madrid 126 – Aranda de Duero 85 – ♦Segovia 35.

%%% **Hostería Pintor Zuloaga,** 🜆 50 40 88, ≤, 🍴, « Casa señorial de estilo castellano » – 🅰🅴
⓪ 🄴 𝗩𝗜𝗦𝗔. ✁
Com carta 2200 a 2850.

PEDREZUELA 28723 Madrid 🄐🄑🄒 J 19 – 727 h. – 🔆 91.
♦Madrid 44 – Aranda de Duero 117 – Guadalajara 72.

%% **Los Nuevos Hornos (Angel),** carret. NI-N : 2 km, 🖂 28710 El Molar, 🜆 843 33 38, 🍴 –
▤ 🅿. 🅰🅴 🄴 𝗩𝗜𝗦𝗔
cerrado del 1 al 15 agosto – Com carta 2550 a 3650.

Las PEDROÑERAS 16660 Cuenca 🄐🄑🄒 N 21-22 – 6 241 h. – 🔆 967.
♦Madrid 160 – ♦Albacete 89 – Alcázar de San Juan 58 – Cuenca 111.

%% **Las Rejas,** av. del Brasil 🜆 16 10 89 – ▤. 🅰🅴 ⓪ 🄴 𝗩𝗜𝗦𝗔
Com carta 2200 a 3800.

PEUGEOT-TALBOT carret. Madrid-Alicante km 158
🜆 16 05 13
RENAULT carret. Madrid-Alicante km 157 🜆 16 08 09

SEAT-AUDI-VOLKSWAGEN Sebastián Molina 9 🜆
16 08 71

PEÑARANDA DE BRACAMONTE 37300 Salamanca 🄐🄑🄒 J 14 – 6 114 h. alt. 730 – 🔆 923.
♦Madrid 164 – Ávila 56 – ♦Salamanca 43.

%% **Las Cabañas,** Carmen 10 🜆 54 02 03, 🍴 – 🅰🅴 ⓪ 🄴 𝗩𝗜𝗦𝗔
cerrado martes – Com carta 1200 a 2300.

CITROEN carret. de Medina 🜆 54 16 32
FORD carret. de Medina (travesía) 🜆 54 18 31
PEUGEOT-TALBOT carret. de Medina 23 🜆 54 02 77

RENAULT General Serrador 🜆 54 11 27
SEAT-AUDI-VOLKSWAGEN carret. de Madrid km
168 🜆 54 06 62

PEÑÍSCOLA 12598 Castellón **445** K 31 – 3 077 h. – ✿ 964 – Playa.

Ver : Ciudad Vieja★★ (castillo ⟨★⟩).

🛈 paseo Marítimo ℰ 48 02 08.

◆Madrid 494 – Castellón de la Plana 76 – Tarragona 124 – Tortosa 63.

🏨 Porto Cristo, av. Papa Luna 2 ℰ 48 07 18, ⟨, � – 🕴 ▤ rest ❸ – **40 hab**.

🏨 **Prado,** av. Papa Luna 3 ℰ 48 02 89, ⟨, � – 🕴 ▤ rest. ⛷
abril-15 octubre – Com 1100 – ☲ 300 – **32 hab** 1650/2800 – P 3500/3750.

🏨 **Playa,** av. Primo de Rivera 32 ℰ 48 00 00, ⟨ – ☎. **E** **VISA**. ⛷
Com 1200 – ☲ 350 – **38 hab** 2200/3850 – P 4260/4540.

🏨 **Marina,** av. José Antonio 42 ℰ 48 08 90 – ▤ rest. ⓞ **E** **VISA**. ⛷
abril-15 octubre – Com 1100 – ☲ 300 – **19 hab** 1650/2800 – P 3500/3750.

🏨 Ciudad de Gaya, av. Papa Luna 1 ℰ 48 00 24, ⟨ – ❸ – **29 hab**.

🏨 **Tío Pepe,** av. José Antonio 32 ℰ 48 06 40 – **AE** ⓞ **E** **VISA** ⛷ rest
cerrado domingo y 20 diciembre-10 enero – Com 1000 – ☲ 250 – **10 hab** 2000/3000 – P 4000/4500.

🏨 Dos Bahías, carret. Estación ℰ 48 00 79 – ❸ – **18 hab**.

✗ **Simó** con hab, Porteta 5 ℰ 48 09 57, ⟨, 🌿 – ⓞ **E** **VISA** ⛷
marzo-septiembre – Com 1200 – ☲ 350 – **10 hab** 1320/2750 – P 4125/5100.

✗ Ama Lur, Lacova 42 ℰ 48 02 26, 🌿.

en la carretera de Benicarló – ✉ 12598 Peñíscola – ✿ 964 :

🏨 **Hostería del Mar** (Parador Colaborador), N : 1 km ℰ 48 06 00, Telex 65750, ⟨ mar y Peñíscola, 🌿, Cenas medievales los sábados, « Interior castellano », 🏊 climatizada, 🎾, ⛷ – 🕴 ▤ rest 📺 ☎ ❸. **AE** ⓞ **E** **VISA** ⛷ rest
Com 2600 – ☲ 750 – **85 hab** 7500/10500 – P 10250/12500.

🏨 **Cartago,** av. Papa Luna 104, N : 4 km ℰ 47 33 11, ⟨, 🌿, 🏊, ⛷ – ☁ ⟨⟩ ❸. **AE** ⓞ **E** **VISA**. ⛷ rest
20 junio-20 septiembre – Com 1600 – ☲ 450 – **26 hab** 3900/5750 – P 5975/7000.

✗✗ **Les Doyes,** ℰ 48 07 95 – ▤. **AE** ⓞ **E** **VISA**. ⛷
15 marzo-septiembre – Com carta 2050 a 3200.

hacia la carretera N 340 – ✉ 12598 Peñíscola – ✿ 964 :

🏨 **Benedicto XIII** ⟨⟩, urb. Las Atalayas NO : 1 km ℰ 48 08 01, Telex 65783, ⟨, 🌿, 🏊, ⛷ – 🕴 ▤ rest 📺 ☎ ❸. **AE** **E** **VISA** ⛷
marzo-diciembre – Com 1400 – ☲ 450 – **30 hab** 3900/6000.

✗ **Casa Severino,** urb. Las Atalayas NO : 1 km ℰ 48 07 03 – ▤ ❸. **AE** **E** **VISA**. ⛷
cerrado 3 noviembre-3 diciembre y miércoles salvo en temporada – Com carta 2600 a 3640.

✗ **Las Atalayas,** urb. Las Atalayas NO : 1,5 km ℰ 48 07 81, Telex 65783, Fax 22 82 18, 🌿, 🏊, ⛷ – ❸. ⛷
18 marzo-28 octubre – Com carta 1650 a 3525.

PERALES DE TAJUÑA 28540 Madrid **444** L 19 – 1 821 h. alt. 585 – ✿ 91.

◆Madrid 40 – Aranjuez 44 – Cuenca 125.

✗✗ **Las Vegas,** carret. N III ℰ 874 83 90, 🌿 – ▤ ❸. ⓞ **VISA**. ⛷
Com carta 1600 a 2900.

CITROEN carret. N III km 38,5 ℰ 873 73 53

PERALTA 31350 Navarra **442** E 24 – 4 298 h. alt. 292 – ✿ 948.

◆Madrid 347 – ◆Logroño 70 – ◆Pamplona 59 – ◆Zaragoza 122.

✗✗ **Atalaya** con hab, Dabán 11 - 1° piso ℰ 75 01 52 – ▤ rest. **AE** ⓞ **E** **VISA**
cerrado domingo noche, festivos noche, del 7 al 15 septiembre y 24 diciembre-7 enero – Com carta 2250 a 3150 – **29 hab** ☲ 2000/2500 – P 2750/3450.

PERAMOLA 25790 Lérida **443** F 33 – 450 h. alt. 566 – ✿ 973.

◆Madrid 567 – ◆Lérida/Lleida 98 – Seo de Urgel 47.

✗✗ **Can-Boix** ⟨⟩ con hab, NO : 2,5 km ℰ 47 02 66, Fax 47 05 41, ⟨, 🏊, ⛷ – ▤ rest ☎ ❸. ⓞ **E** **VISA**. ⛷ resto
cerrado 10 enero-12 febrero – Com carta 2450 a 3700 – ☲ 400 – **29 hab** 2460/3265 – P 4020/4860.

PERATALLADA 17113 Gerona **443** G 39 – ✿ 972.

◆Madrid 752 – Gerona/Girona 33 – Palafrugell 16.

✗✗ **La Riera,** pl. las Voltas 9 ℰ 63 41 42, Decoración rústica, « Instalado en una antigua casa medieval » – ❸. ⓞ **E** **VISA**
cerrado lunes y enero-8 marzo – Com carta 1680 a 2900.

✗ **Can Nau,** Den Bas 12 ℰ 63 40 35, « Instalado en una antigua casa de estilo regional » – ⛷
cerrado miércoles salvo festivos y 30 enero-10 mayo – Com carta 1800 a 3150.

✗ **El Borinot,** del Forn 15 ℰ 63 40 84 – **VISA**. ⛷
cerrado martes salvo festivos y 15 noviembre-3 diciembre – Com carta 1140 a 2625.

PERELADA 17491 Gerona 🅰🅸🅹 F 39 – 1 248 h. – ✪ 972.

◆Madrid 738 – Gerona/Girona 42 – Perpignan 61.

✗ Cal Sagristà, Rodona 2 𝒫 53 83 01.

PERELLÓ o **El PERELLÓ** 43519 Tarragona 🅰🅸🅵 J 32 – 3 524 h. – ✪ 977.

◆Madrid 519 – Castellón de la Plana 132 – Tarragona 59 – Tortosa 33.

✗ **Censals,** carret. N 340 𝒫 49 00 59 – ▦ 🅟 🄴 𝗩𝗜𝗦𝗔 ⚘
cerrado miércoles salvo verano y del 2 al 17 noviembre – Com carta 1400 a 2800.

El PERELLÓ 46420 Valencia 🅰🅸🅵 O 29 – ✪ 96 – Playa.

◆Madrid 373 – Gandia 38 – ◆Valencia 25.

🏠 **Antina** sin rest, Buenavista 20 𝒫 177 00 19 – 🛗 🕿 🅞 🄴 𝗩𝗜𝗦𝗔 ⚘
julio-septiembre – ⥩ 225 – **40 hab** 3115/4295.

PERILLO La Coruña – ver la Coruña.

PIEDRA (Monasterio de) Zaragoza 🅰🅸🅹 I 24 – alt. 720 – ✉ 50210 Nuévalos – ✪ 976.

Ver : Parque y cascadas★★.

◆Madrid 231 – Calatayud 29 – ◆Zaragoza 118.

🏨 **Monasterio de Piedra** ⤬, 𝒫 84 90 11, « Instalado en el antiguo monasterio », ⤫, ✗ –
🕿 🄰🄴 🅞 🄴 𝗩𝗜𝗦𝗔 ⚘ rest
Com 1500 – ⥩ 375 – **61 hab** 4500/6500 – P 6000/7200.

en Nuévalos N : 3 km – ✉ 50210 Nuévalos – ✪ 976 :

✗ **Mirador,** 𝒫 84 90 48, ⛲ – 🅟 ⚘
3 marzo-15 noviembre – Com carta 990 a 2250.

PIEDRAFITA DEL CEBRERO o **PEDRAFITA DEL CEBREIRO** 27670 Lugo 🅰🅸🅸 D – 2 500 h. alt.
1 062 – ✪ 982.

◆Madrid 433 – Lugo 71 – Ponferrada 51.

☂ **Rebollal,** carret. N VI 𝒫 36 90 15 – ⚘
Com 700 – ⥩ 150 – **18 hab** 1000/2500.

PIEDRALAVES 05440 Ávila 🅰🅸🅸 L 15 – 2 096 h. alt. 730 – ✪ 91.

◆Madrid 95 – Ávila 83 – Plasencia 159.

🏨 **Almanzor,** Progreso 4 𝒫 866 50 00, « Terraza con arbolado y ⤫ » – ▦ rest 🕿 🅟 ⚘
cerrado noviembre – Com 1050 – ⥩ 300 – **59 hab** 2200/3200 – P 3500/4100.

PIEDRAS ALBAS Cáceres – ver aduanas p. 14 y 15.

PIEDRAS BLANCAS 33450 Asturias 🅰🅸🅸 B 12 – ✪ 985 – Playa.

◆ Madrid 481 – Gijón 31 – Oviedo 38.

en playa de Santa María del Mar – ✉ 33450 Piedras Blancas – ✪ 985 :

✗ **Román** con hab, paseo Marítimo 11 𝒫 53 06 01, ≼ – 🄰🄴 🅞 🄴 𝗩𝗜𝗦𝗔 ⚘
Com carta 1750 a 2500 – ⥩ 250 – **12 hab** 3000.

RENAULT Edificio La Curva 5 𝒫 53 10 19

PINEDA (Playa de) Tarragona 🅰🅸🅹 I 36 – ver Salou.

PINEDA DE MAR 08397 Barcelona 🅰🅸🅹 H 38 – 11 739 h. – ✪ 93 – Playa.

🅱 carret. N II 𝒫 762 34 90.

◆Madrid 694 – ◆Barcelona 51 – Gerona/Girona 46.

🏠 **Mont Palau,** Roig i Jalpi 1 𝒫 762 33 87, ⤫ – 🛗 🅟 🅞 🄴 𝗩𝗜𝗦𝗔 ⚘ rest
abril-octubre – Com 650 – ⥩ 300 – **101 hab** 1900/3200.

🏠 **Mercé,** Rdo Antoni Doltra 2 𝒫 762 31 62, ⤫, ✗ – 🛗 🅟 🄰🄴 🅞 🄴 𝗩𝗜𝗦𝗔 ⚘
mayo-22 octubre – Com 925 – ⥩ 400 – **114 hab** 1700/2800 – P 3375/3675.

FORD av. Mediterráneo 101 𝒫 769 14 48
OPEL Riera 22 𝒫 762 49 55
PEUGEOT-TALBOT carret. N II km 669,450 - Benavente 2 𝒫 762 64 11

RENAULT Riera 98 𝒫 762 37 85
SEAT-AUDI-VOLKSWAGEN Garbi 165 𝒫 769 20 00

PINETA (Valle de) Huesca 🅰🅸🅹 E 30 – ver Bielsa.

PLA DE VALL - LLOBREGA Gerona – ver Palamós.

El PLANTIO Madrid 🅰🅸🅸 K 18 – ver Madrid.

326

PLASENCIA 10600 Cáceres **444** L 11 – 32 178 h. alt. 355 – ✿ 927 – Plaza de toros.

Ver : Catedral★ (retablo★, sillería★) – 🔟 Trujillo 17 ℰ 41 27 66.

◆Madrid 257 – ◆Ávila 150 – ◆Cáceres 85 – Ciudad Real 332 – ◆Salamanca 132 – Talavera de la Reina 136.

🏨 **Alfonso VIII,** Alfonso VIII-34 ℰ 41 02 50, Telex 28960 – 🕴 🗐 📺 ☎ ⇔ – 🔬 🖭 ⓞ 🗲 𝑉𝐼𝑆𝐴.
⋟⋟
Com 1850 – ⋤ 475 – **57 hab** 4775/8275.

✗ **Florida 2,** av. de España 22 ℰ 41 38 58 – 🗐. 𝑉𝐼𝑆𝐴. ⋟⋟
Com carta 1100 a 2000.

en la carretera de Salamanca N : 1,5 km – ✉ 10600 Plasencia – ✿ 927 :

🏠 **Real,** ℰ 41 29 00 – 🗐 rest ☎ 🅿 🗲 𝑉𝐼𝑆𝐴. ⋟⋟
Com 740 – ⋤ 240 – **55 hab** 1850/3100 – P 3010/3310.

FORD Polígono Industrial parc. N 10 ℰ 41 18 36
PEUGEOT-TALBOT av. de España 21 ℰ 41 06 00
RENAULT carret. de Cáceres km 131 ℰ 41 13 00

SEAT-AUDI-VOLKSWAGEN carret. de Cáceres km 132 ℰ 41 03 87

PLASENCIA DEL MONTE 22810 Huesca **443** F 28 – alt. 535 – ✿ 974.

◆Madrid 407 – Huesca 17 – ◆Pamplona 147.

✗ El Cobertizo, con hab, carret. N 240 ℰ 27 00 11 – 📺 🅿 – **13 hab**.

PLATJA D'ARO Gerona **443** G 39 – ver Playa de Aro.

PLAYA BARCA Las Palmas – ver Canarias (Fuerteventura).

PLAYA BLANCA Las Palmas – ver Canarias (Fuerteventura) : Puerto del Rosario.

PLAYA BLANCA DE YAIZA Las Palmas – ver Canarias (Lanzarote).

PLAYA CANYELLES (Urbanización) Gerona **443** G 38 – ver Lloret de Mar.

PLAYA DE AREA Lugo – ver Vivero.

PLAYA DE ARO o **PLATJA D'ARO** 17250 Gerona **443** G 39 – ✿ 972 – Playa.

🝊 Costa Brava, Santa Cristina de Aro O : 6 km ℰ 83 71 50.

🔟 Jacinto Verdaguer 11 ℰ 81 71 79.

◆Madrid 715 – ◆Barcelona 102 – Gerona/Girona 37.

🏨 **Columbus** ⋟, passeig del Mar ℰ 81 71 66, Telex 57162, ≼, 🛱, ⅃ climatizada, ⋟ – 🕴
🗐 rest ☎ 🅿. 🖭 ⓞ 🗲 𝑉𝐼𝑆𝐴. ⋟⋟ rest
Com 2900 – ⋤ 750 – **110 hab** 8900/13300.

🏨 **Aromar** ⋟, passeig del Mar ℰ 81 70 54, Telex 57017, Fax 32 45 33, ≼, ⅃ – 🕴 🗐 rest ☎ 🅿 –
🔬. 🖭 ⓞ 🗲 𝑉𝐼𝑆𝐴. ⋟⋟ rest
cerrado 11 noviembre-25 diciembre – Com 1700 – **155 hab** ⋤ 5800/8500 – P 7950/9500.

🏨 **Platjapark H.,** av. d'Estrasburg ℰ 81 72 20, ⅃ – 🕴 🗐 ☎ ⇔ – 🔬. 🖭 ⓞ 🗲 𝑉𝐼𝑆𝐴. ⋟⋟
cerrado 6 enero-4 febrero – Com 1800 – ⋤ 500 – **198 hab** 4700/7400 – P 6700/7700.

🏠 **Cosmopolita,** Pinar del Mar 1 ℰ 81 73 50, ≼, 🛱, 🛩 – 🕴 🗐 rest ⊛. 🗲 𝑉𝐼𝑆𝐴. ⋟⋟ rest
cerrado 10 noviembre-22 diciembre y 3 enero-febrero – Com 1300 – ⋤ 650 – **90 hab** 4900/8200.

🏠 La Terrassa, carret. de Santa Cristina 2 ℰ 81 81 29 – 🕴 🗐 rest ⊛ – temp. – **102 hab**.

🏠 **Costa Brava y Rest. Can Poldo** ⋟, carret. de Palamós - Punta d'en Ramis ℰ 81 70 70,
Telex 57017, Fax 32 45 33, ≼, « Al borde del mar » – ⊛ 🅿. 🖭 ⓞ 🗲 𝑉𝐼𝑆𝐴. ⋟⋟ rest
cerrado 11 noviembre-25 diciembre – Com 1700 – **57 hab** ⋤ 3700/7500.

🏠 **Mar Condal II** ⋟, Lérida ℰ 81 80 69, ≼ – 🕴 🗐 rest ⊛ ⇔ 🅿. 🖭 ⓞ 🗲 𝑉𝐼𝑆𝐴. ⋟⋟
mayo-octubre – Com 850 – ⋤ 350 – **90 hab** 2900/4900 – P 5450/5900.

🏠 **S'Agoita,** carret. de Palamós 9 ℰ 81 71 54, ⅃ – 🕴 🗐 rest ⊛ 🅿. 🖭 ⓞ 🗲 𝑉𝐼𝑆𝐴. ⋟⋟ rest
Semana Santa-15 noviembre – Com 850 – **70 hab** ⋤ 4100/5900 – P 5330/6480.

🏠 **Els Pins,** Nostra Señora del Carme 3 ℰ 81 72 19, Fax 81 75 46 – 🕴 ⊛. 🖭 🗲 𝑉𝐼𝑆𝐴. ⋟⋟ rest
15 marzo-octubre – Com 890 – ⋤ 450 – **60 hab** 4600/6810.

🏠 **Rosamar,** pl. Major 3 ℰ 81 73 04 – 🕴 ⊛ ⇔. 𝑉𝐼𝑆𝐴. ⋟⋟ rest
15 mayo-15 octubre – Com 1000 – ⋤ 300 – **61 hab** 3000/5500.

🏠 **Miramar,** Nostra Señora del Carme 12 ℰ 81 71 50, ≼ – 🕴 ⊛. 🖭 ⓞ 𝑉𝐼𝑆𝐴
mayo-10 octubre – Com 1300 – ⋤ 375 – **48 hab** 2500/5300.

🏠 **Bell Repos,** Nostra Señora del Carme 21 ℰ 81 71 00 – ⊛ 🅿. 🗲. ⋟⋟ rest
junio-septiembre – Com 1375 – ⋤ 440 – **32 hab** 2750/4950 – P 5225/5500.

🏠 **La Masía,** Santa María de Fanals 8 ℰ 81 75 00, Telex 57017, Fax 32 45 33, 🛱 – 🕴 ⊛. 🖭 ⓞ
🗲 𝑉𝐼𝑆𝐴. ⋟⋟ rest
cerrado 11 noviembre-25 diciembre – Com 1300 – **38 hab** ⋤ 3700/5500 – P 5650/6600.

🏠 **Clara-Mar** sin rest, Pinar del Mar 10 ℰ 81 71 58 – 🕴 ⊛. 𝑉𝐼𝑆𝐴
cerrado 10 noviembre-22 diciembre y 3 enero-febrero – ⋤ 600 – **36 hab** 4200/6700.

🏠 Royal Playa, sin rest, carret. de Palamós 11 ℰ 81 73 12 – 🕴 ⊛ – temp. – **42 hab**.

🏠 **Xaloc** 🦐, carret. de Palamós - playa de Rovira 🕿 81 73 00, Fax 769 51 08, ≤ – 🅿 🖪 𝓥𝓘𝓢𝓐.
🦐 rest
15 abril-octubre – Com 950 – 🖙 450 – **41 hab** 4300/7250.

🏠 **Japet,** carret. de Palamós 18 🕿 81 73 66, 🏠 – 🕾 🅿 🖽 🖪 𝓥𝓘𝓢𝓐. 🦐 rest
cerrado noviembre-10 enero – Com *(cerrado domingo noche y lunes en invierno)* 1300 – 🖙
250 – **22 hab** 3500/5600 – P 5200/5900.

🏠 **La Nau** sin rest, Rafael Casanova 8 🕿 81 73 58 – 🕾
15 junio-15 septiembre – 🖙 390 – **30 hab** 4800/5000.

🏠 **Montkiko** sin rest, carret. de Santa Cristina 10 🕿 81 71 56, 🏊 – 🛗 🕾. 🦐
15 mayo-15 septiembre – 🖙 300 – **45 hab** 1600/3600.

🏗 El Racó d'En Rupert, carret. de San Feliú 41 - 1° piso 🕿 81 41 02, 🏠 – 🗐.

🏗 **Aradi,** carret. de Palamós 🕿 81 73 76, Telex 57017, 🏠 – 🅿 🖽 🅞 🖪 𝓥𝓘𝓢𝓐
Com carta 1700 a 2950.

🏗 **Can Tuca,** carret. de San Feliú 1 🕿 81 98 04, 🏠, « Decoración rústica » – 🗐 🖽 🖪 𝓥𝓘𝓢𝓐. 🦐
cerrado martes y del 9 al 29 enero – Com carta 2150 a 3600.

🏗 **La Grillade,** Pinar del Mar 14 🕿 81 73 33, 🏠 – 🗐 🖽 🅞 🖪 𝓥𝓘𝓢𝓐. 🦐
cerrado lunes en invierno y noviembre – Com carta 2125 a 3000.

🏗 Can Peñas, carret. de Palamós 23 🕿 81 60 01, 🏠.

🏗 El Refugi, Miramar 🕿 81 85 64, 🏠 – 🗐.

en la carretera de Mas Nou O : 1,5 km – ⊠ 17250 Playa de Aro – ✪ 972 :

🏗🏗🏗 ✿ **Carles Camós-Big Rock** Ⓜ 🦐 con hab, Barri de Fanals 5 🕿 81 80 12, Telex 57260, Fax
81 89 71, « Antigua masía señorial », 🏊 – 🗐 📺 🕿 🅿 🖽 🖪 𝓥𝓘𝓢𝓐
cerrado lunes y enero – Com carta 3250 a 4600 – 🖙 750 – **5 hab** 25000
Espec. Suquet de langosta y los fideos al final, Solomillo Carles Camós, La naranja a topos.

en Condado de San Jorge NE : 2 km – ⊠ 17250 Playa de Aro – ✪ 972 :

🏨 **Park H. San Jorge,** 🕿 65 23 11, Telex 54136, Fax 65 25 76, « Agradable terraza con arbolado,
≤ rocas y mar », 🏊 climatizada, 🦐 – 🛗 🗐 rest 🕿 🅿 – 🏂 🖽 🅞 🖪 𝓥𝓘𝓢𝓐. 🦐 rest
8 mayo-15 octubre – Com 2800 – 🖙 860 – **103 hab** 7800/15600.

en la carretera de San Feliú de Guixols – ⊠ 17250 Playa de Aro – ✪ 972 :

🏠 **Panamá** sin rest, SO : 1 km 🕿 81 76 39, 🏊 – 🛗 🕾. 🖽 𝓥𝓘𝓢𝓐
15 marzo-septiembre – **42 hab** 🖙 4960/7000.

🏗 **Mas Candell,** desvío a la derecha SO : 2,5 km 🕿 81 88 81, 🏠, « Masía típica » – 🗐 🅿. 🖽
🖪 𝓥𝓘𝓢𝓐. 🦐
cerrado miércoles y enero-marzo – Com carta 1750 a 4075.

🏗 **Don Diego,** SO : 2 km 🕿 81 75 48, 🏠, 🏊, 🦐 – 🅿 🅞 🖪 𝓥𝓘𝓢𝓐. 🦐
mayo-septiembre – Com carta 1700 a 3150.

en Mas Nou (Urbanización) NO : 4 km – ⊠ 17250 Playa de Aro – ✪ 972 :

🏗🏗🏗 **Mas Nou,** 🕿 81 78 53, Telex 57205, ≤, Decoración rústica, 🏊, 🦐 – 🗐 🅿 🖽 🅞 🖪 𝓥𝓘𝓢𝓐
cerrado miércoles y 10 enero-10 febrero – Com carta 1850 a 3300.

▮PLAYA DE LAS AMÉRICAS▮ Santa Cruz de Tenerife – ver Canarias (Tenerife).

▮PLAYA DEL INGLÉS▮ Las Palmas – ver Canarias (Gran Canaria) : Maspalomas.

▮PLAYA DE SAN JUAN▮ 03540 Alicante **▮4▮4▮5▮** ◎ 28 – 10 522 h. – ✪ 96 – Playa.

◆Madrid 424 – ◆Alicante 7 – Benidorm 33.

🏨 **Sidi San Juan** 🦐, 🕿 16 13 00, Telex 66263, Fax 16 33 46, ≤ mar, 🏠, « Amplias zonas
verdes », 🏊, 🏊, 🛥, 🦐 – 🛗 🗐 📺 🕿 🅿 – 🏂 🖽 🅞 🖪 𝓥𝓘𝓢𝓐. 🦐 rest
Com 🖙 1000 – **176 hab** 9700/12700 – P 11500/14500.

🏨 **Almirante y Rest. Pocardy** 🦐, av. de Niza 38 🕿 565 01 12, ≤, 🏠, 🏊, 🛥, 🦐 – 🛗 🗐 🕿
🅿 – 🏂 🖽 🅞 🖪 𝓥𝓘𝓢𝓐. 🦐
Com 1605 – 🖙 355 – **64 hab** 3625/6040 – P 6050/6650.

🏨 **Castilla,** av. Paises Escandinavos 7 🕿 516 20 33, Telex 66305, 🏠, 🏊 – 🛗 🕿 🅿 🖽 🖪 𝓥𝓘𝓢𝓐.
🦐 – Com 1610 – 🖙 375 – **155 hab** 4130/6300 – P 6175/7155.

🏠 Babieca, av. de Cataluña 20 🕿 516 12 22, 🏠, 🏊 – 🗐 rest 🕾 🅿 – 🏂 – **90 hab**.

🏡 **Bahía Blanca** 🦐, Cabo de las Huertas - urb. Bahía del Rey, ⊠ 03016, 🕿 516 00 37, 🏠, 🏊
– 🅿 🖽 🖪 𝓥𝓘𝓢𝓐
Com 800 – 🖙 250 – **16 hab** 3000/3500 – P 3550/4800.

🏗 Tamaris, playa de Muchavista, ⊠ 03560 Campello, 🕿 565 67 03, Cocina francesa – 🗐.

🏗 **Estella,** av. Costa Blanca 125 🕿 516 04 07, 🏠 – 🖽 🅞 🖪 𝓥𝓘𝓢𝓐. 🦐
cerrado diciembre-enero, lunes noche y martes salvo julio y agosto – Com carta 1835 a 3050.

🏗 Max's, Cabo La Huerta - Torre Estudis 🕿 516 59 15, Cocina francesa

🏗 **Ranchito Vera-Cruz,** Jaime I El Conquistador 84, ⊠ 03560 Campello, 🕿 565 22 36, 🏠,
Cocina francesa – 🖽 🖪 𝓥𝓘𝓢𝓐
cerrado lunes – Com carta 1900 a 2500.

🏗 Regina, av. de Niza 17 🕿 526 41 39, 🏠 – 🗐.

PLAYA GRANDE Murcia – ver Puerto de Mazarrón.

PLAYA MIAMI Tarragona – ver San Carlos de la Rápita.

PLAYA MITJORN Baleares – ver Baleares (Formentera).

Las PLAYAS Santa Cruz de Tenerife – ver Canarias (Hierro) : Valverde.

PLENCIA o **PLENTZIA** 48620 Vizcaya **442** B 21 – 3 040 h. – 🌐 94 – Playa.
◆Madrid 425 – ◆Bilbao 26.

  ✗ **Txurrua**, El Puerto 1 🔗 677 00 11, ≼ – 🖭 **E** 𝘝𝘐𝘚𝘈. ✸
     cerrado del 2 al 17 noviembre y del 1 al 15 febrero – Com carta 1450 a 2875.

RENAULT Itxasbide 4 - Gorliz 🔗 677 16 79

La POBLA DE CLARAMUNT 08787 Barcelona **443** H 35 – 1 683 h. – 🌐 93.
◆Madrid 570 – ◆Barcelona 71 – ◆Lérida/Lleida 101 – Manresa 35.

     en la carretera C 244 S : 2 km – ✉ 08787 La Pobla de Claramunt – 🌐 93 :

  ✗ Corral de la Farga, residencial El Xaro 🔗 808 61 85, « Amplio césped con 🏊 », ✸ – ▤ **P**

POBLET (Monasterio de) 43448 Tarragona **443** H 33 – alt. 490 – 🌐 977.
Ver : Monasterio★★★ (claustro★★ : capiteles★, iglesia★★), panteón real★★, retablo del altar
mayor★★.
◆Madrid 528 – ◆Barcelona 122 – ◆Lérida/Lleida 51 – Tarragona 46.

  🏠 **Hostal del Centro** ⤦, Las Masias, ✉ 43440 L'Espluga de Francolí, 🔗 87 00 58, 🍽, 🏊, 🌳
     – 🚗 **P**. **E** 𝘝𝘐𝘚𝘈
     abril-octubre – Com 1300 – ☷ 375 – **47 hab** 2200/4500 – P 4700/4750.

  ✗ **Fonoll** ⤦, ✉ 43448 L'Espluga de Francolí, 🔗 87 03 33, 🍽 – 𝘝𝘐𝘚𝘈. ✸
     cerrado jueves y 15 diciembre-20 enero – Com carta 1410 a 2100.

POBOLEDA 43376 Tarragona **443** I 32 – 398 h. alt. 343 – 🌐 977.
◆Madrid 533 – ◆Lérida/Lleida 82 – Tarragona 45.

  🏠 **Antic Priorat** ⤦, carret. Comarcal 702 🔗 82 70 06, ≼, 🏊 – **P**. 𝘝𝘐𝘚𝘈. ✸ rest
     Com 1300 – ☷ 400 – **15 hab** 3500.

Los POCILLOS Las Palmas – ver Canarias (Lanzarote) : Puerto del Carmen.

POLOP DE LA MARINA 03520 Alicante **445** Q 29 – 1 766 h. alt. 230 – 🌐 96.
Alred. : Castell de Guadalest ★ NO : 14 km.
◆Madrid 449 – ◆Alicante 57 – Gandia 63.

  🏠 Les Fonts, av. Sagi-Barba 32 🔗 587 00 75, ≼, 🏊, ✸ – 🛗 ⊕ **P**
     56 hab.

POLLENSA Baleares **443** M 39 – ver Baleares (Mallorca).

PONFERRADA 24400 León **441** E 10 – 52 499 h. alt. 543 – 🌐 987.
🛈 av. de la Puebla 1 🔗 41 22 50.
◆Madrid 385 – Benavente 125 – ◆León 105 – Lugo 121 – Orense 159 – ◆Oviedo 210.

  🏨 **Del Temple**, av. de Portugal 2 🔗 41 00 58, Telex 89658, « Decoración original evocadora de
     la época de los Templarios » – 🛗 ▤ rest 🚗. 🖭 ⊙ **E** 𝘝𝘐𝘚𝘈. ✸
     Com 1500 – ☷ 400 – **114 hab** 4400/6500.

  🏨 **Madrid**, av. de la Puebla 44 🔗 41 15 50 – 🛗 ▤ rest 🚗. 🖭 ⊙ **E** 𝘝𝘐𝘚𝘈. ✸
     Com *(cerrado domingo noche)* 800 – ☷ 250 – **54 hab** 1800/3000 – P 2575/3375.

  🏨 **Bérgidum** sin rest, con cafetería, av. de la Plata 2 🔗 40 15 12, Fax 42 30 05 – 🛗 🚗 🚗.
     🖭 ⊙ **E** 𝘝𝘐𝘚𝘈
     ☷ 350 – **71 hab** 4400/6500.

  🏨 **Conde Silva** sin rest, con cafetería, av. de Astorga 2 🔗 41 04 07 – 🛗 🚗 🚗. 🖭 ⊙ 𝘝𝘐𝘚𝘈. ✸
     ☷ 250 – **60 hab** 2700/4500.

  🏠 **Marán**, sin rest, Antolín López Peláez 29 🔗 41 18 00 – 🚗. ✸
     cerrado del 23 al 31 diciembre – ☷ 150 – **24 hab** 1000/2500.

  ✗ **Gaucho**, vía Nueva 1 🔗 41 60 03, Carnes a la brasa – ▤. **E** 𝘝𝘐𝘚𝘈. ✸
     cerrado lunes – Com carta 1450 a 2350.

  ✗ **Ballesteros**, Fueros de León 12 🔗 41 11 60 – ▤. 🖭 ⊙ **E** 𝘝𝘐𝘚𝘈. ✸
     cerrado domingo – Com carta 1800 a 2200.

     en la carretera N VI – ✉ 24400 Ponferrada – 🌐 987 :

  ✗✗ **Azul Montearenas**, 🔗 41 70 12, ≼ – ▤ **P**. 🖭 ⊙ **E** 𝘝𝘐𝘚𝘈. ✸
     cerrado domingo noche – Com carta 1800 a 2300.

ALFA ROMEO antigua carret. Madrid-La Coruña km 393 ℰ 40 18 78
AUSTIN-ROVER-MG av. General Vives 7 ℰ 42 51 42
BMW carret. de la Espina 96 ℰ 41 04 00
CITROEN av. de Galicia 259 ℰ 41 35 77
FIAT carret. N VI km 392 ℰ 46 31 21
FORD carret. Madrid-La Coruña 388 ℰ 41 41 77
GENERAL MOTORS-OPEL Montearenas ℰ 41 33 17

MERCEDES-BENZ carret. de la Espina km 2 ℰ 41 03 05
PEUGEOT-TALBOT Montearenas ℰ 41 06 18
RENAULT carret. Madrid-La Coruña km 387 ℰ 41 05 20
SEAT-AUDI-VOLKSWAGEN av. España 25 ℰ 41 00 09

PONS o **PONTS** 25740 Lérida 𝟒𝟒𝟑 G 33 – 2 230 h. alt. 363 – ✪ 973.
◆Madrid 533 – ◆Barcelona 131 – ◆Lérida/Lleida 64.

☝ **Jardi,** pasaje Piñola ℰ 46 01 16 – ▤ rest ⇔. **E** 𝑽𝑰𝑺𝑨
   Com 650 – ⇄ 200 – **24 hab** 900/1800 – P 2300.

✗ **Ventureta** con hab, av. Valldans ℰ 46 03 45 – 𝑽𝑰𝑺𝑨. ⚒ hab
   Com carta 1550 a 2300 – ⇄ 300 – **14 hab** 1000/2500 – P 4000/4250.

en la carretera de Seo de Urgel NE : 1 km – ✉ 25740 Pons – ✪ 973 :

🏠 **Pedra Negra,** ℰ 46 01 00, ⚒ – ▤ rest ⊛ **❷. E** 𝑽𝑰𝑺𝑨. ⚒
   Com (cerrado lunes) carta aprox. 1290 – ⇄ 275 – **18 hab** 1850/3750 – P 4350/8750.

GENERAL MOTORS carret. Seo de Urgel ℰ 46 02 14
PEUGEOT-TALBOT carret. Calaf ℰ 46 00 34

SEAT-AUDI-VOLKSWAGEN carret. de Seo de Urgel ℰ 46 02 04

PONT D'ARRÓS Lérida 𝟒𝟒𝟑 D 32 – ver Viella.

PONT DE MOLINS 17706 Gerona 𝟒𝟒𝟑 F 38 – 353 h. – ✪ 972.
◆Madrid 749 – Figueras/Figueres 6 – Gerona/Girona 42.

✗ **El Moli** ◔ , con hab del 16 marzo al 15 octubre, carret. les Escaules O : 2 km ℰ 52 80 11,
   ☂, Antiguo molino, ⚒ – **❷.** 𝐀𝐄 ⓞ **E** 𝑽𝑰𝑺𝑨. ⚒
   cerrado 15 octubre-15 noviembre – Com (cerrado martes noche y miércoles) carta 1575 a 2225
   – ⇄ 550 – **9 hab** 2000/4000.

PONT DE SUERT 25520 Lérida 𝟒𝟒𝟑 E 32 – 2 879 h. alt. 838 – ✪ 973.
Alred. : Embalse de Escales✶ S : 5 km.
◆Madrid 555 – ◆Lérida/Lleida 123 – Viella 40.

en la carretera de Boí N : 2,5 km – ✉ 25520 Pont de Suert – ✪ 973 :

✗ **Mesón del Remei,** ℰ 69 02 55, Carnes a la brasa – **❷.** ⚒
   Com carta 1000 a 1775.

RENAULT av. Victoriano Muñoz 2 ℰ 69 02 47

SEAT-AUDI-VOLKSWAGEN carret. N 230 km 126,5 ℰ 69 01 09

PONT D'INCA 07009 Baleares – ver Baleares (Mallorca).

PONTEAREAS Pontevedra 𝟒𝟒𝟏 F 4 – ver Puenteareas.

PONTEDEUME 15600 La Coruña – ver Puentedeume.

PONTEVEDRA 36000 ℙ 𝟒𝟒𝟏 E 4 – 65 137 h. – ✪ 986 – Plaza de toros.
Ver : Santa Maria la Mayor✶ (fachada oeste✶) Y A.
Alred. : Mirador de Coto Redondo ⚒✶✶ 14 km por ③ – Carretera✶✶ de Pontevedra a La Cañiza
⚒✶✶ por C 531 ② – Iberia ℰ 85 66 22.
🚗 ℰ 85 76 02.
🅱 General Mola 3, ✉ 36002, ℰ 85 08 14 – R.A.C.E. av. de Vigo 31, ✉ 36003, ℰ 85 25 12.
◆Madrid 599 ② – Lugo 146 ① – Orense 100 ② – Santiago de Compostela 57 ① – ◆Vigo 27 ③.

Plano página siguiente

🏛 **Parador Casa del Barón** ◔, pl. de Maceda, ✉ 36002, ℰ 85 58 00, ☂, « Antiguo pazo
   acondicionado », ✍ – ▮▮ **❷** – 🔬 𝐀𝐄 ⓞ **E** 𝑽𝑰𝑺𝑨. ⚒   Y a
   Com 2500 – ⇄ 800 – **47 hab** 6800/8500.

🏨 **Rías Bajas** sin rest, con cafetería, Daniel de la Sota 7, ✉ 36001, ℰ 85 51 00, Telex 88068,
   Fax 85 51 00 – ▮▮ 📺 ☎ **❷** ⓞ **E** 𝑽𝑰𝑺𝑨. ⚒   Z n
   ⇄ 400 – **100 hab** 4500/6600.

🏨 **Virgen del Camino** sin rest, Virgen del Camino 55, ✉ 36001, ℰ 85 59 00 – ▮▮ 📺 ⊛ **❷. E**
   𝑽𝑰𝑺𝑨   Z v
   ⇄ 400 – **53 hab** 4500/6600.

🏨 **Don Pepe** sin rest, carret. de La Toja, ✉ 36163, ℰ 84 17 11 – ▮▮ 📺 ☎ **❷.** 𝐀𝐄 ⓞ **E** 𝑽𝑰𝑺𝑨. ⚒
   ⇄ 475 – **25 hab** 4500/5800.   Y e

🏠 **México,** sin rest, Andrés Muruais 10, ✉ 36001, ℰ 85 90 06 – ▮▮ 📺 ⊛   Z e
   29 hab.

🏠 **Comercio,** Augusto Gonzalez Besada 3, ✉ 36001, ℰ 85 12 17 – ▮▮ ▤ 📺 ☎. 𝐀𝐄 ⓞ 𝑽𝑰𝑺𝑨
   Com 1500 – ⇄ 300 – **40 hab** 3500/4500 – P 5450/6700.   Z r

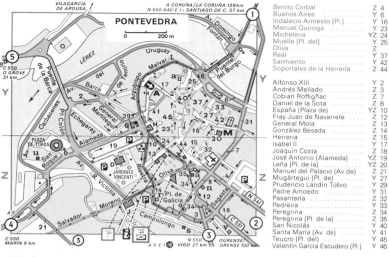

XX **Casa Román,** Augusto García Sánchez 12, ⊠ 36001, ℰ 84 35 60 – 🆀 ⓞ 🅴 🆅🅸🆂🅰 ⚱   Z s
  cerrado domingo – Com carta 1725 a 2175.

XX ✿ **Doña Antonia,** soportales de la Herrería 9 - 1° piso, ⊠ 36002, ℰ 84 72 74 – 🆀 🅴 🆅🅸🆂🅰 ⚱
  cerrado domingo – Com carta 2450 a 3650   Z x
  Espec. Ensalada marinada de lubina, Rodaballo azafrán, Hígado de pato con manzana.

X Rua, Corbaceiras 12, ⊠ 36002, ℰ 85 62 61, 🍽 – 🆀 🅴 🆅🅸🆂🅰   Z u

X Chipen, Peregrina 3, ⊠ 36001, ℰ 85 26 61   Z a

  en San Salvador de Poyo por ⑤ – ⊠ 36000 Pontevedra – ✿ 986 :

🏠 **Las Golondrinas** sin rest, carret. de la Toja : 1,5 km ℰ 85 03 25, Telex 88151 – 🛗 📺 🕿 ⇐⇒
  🄿. 🆀 ⓞ 🅴 🆅🅸🆂🅰 ⚱
  ⊇ 300 – **52 hab** 3500/4500.

🏠 **París** sin rest, carret. de la Toja : 3 km ℰ 85 68 62 – 🕿 🄿 🅴 🆅🅸🆂🅰 ⚱
  ⊇ 300 – **34 hab** 1900/3800.

XX ✿ **Casa Solla,** carret. de la Toja : 2 km ℰ 85 26 78, 🍽, Pescados y mariscos – 🄿 🅴 🆅🅸🆂🅰 ⚱
  cerrado jueves noche, domingo noche y Navidades – Com carta 2400 a 3300
  Espec. Crema de grelos (noviembre-abril), Caldereta de almejas, Mandarinas al caramelo (noviembre-marzo).

  en San Juan de Poyo por ⑤ : 4 km – ⊠ 36000 Pontevedra – ✿ 986 :

🏠 **San Juan** sin rest, Casal 29 ℰ 77 00 20 – 🛗 🕿 ⇐⇒ 🄿 🆅🅸🆂🅰 ⚱
  ⊇ 300 – **24 hab** 2500/4000.

  en la carretera N 550 por ① : 4 km – ⊠ 36000 Pontevedra – ✿ 986 :

X **Corinto** con hab, ⊠ 36157, ℰ 84 53 45 – 🄿. 🅴 🆅🅸🆂🅰 ⚱
  Com *(cerrado lunes)* carta 1300 a 2150 – ⊇ 250 – **16 hab** 2000/2500.

PONTS Lérida 🏵🏵🏵 G 33 – ver Pons.

PORRIÑO 36400 Pontevedra 🏵🏵🏵 F 4 – 13 517 h. alt. 29 – ✿ 986.

◆Madrid 585 – Orense 86 – Pontevedra 34 – ◆Porto 142 – ◆Vigo 15.

🏠 **Parque** sin rest, con cafetería, parque del Cristo ℰ 33 15 04 – 🛗 📺 🕿 ⇐⇒. 🆀 ⓞ 🅴 🆅🅸🆂🅰 ⚱
  ⊇ 400 – **32 hab** 4800/6100.

  en la carretera N 120 NE : 1 km – ⊠ 36400 Porriño – ✿ 986 :

🏠 **Motel Acapulco y Rest. Albariño,** ℰ 33 15 07, 🍽 – ▤ 📺 🕿 ⇐⇒ 🄿. 🆀 ⓞ 🅴 🆅🅸🆂🅰 ⚱
  Com 990 – ⊇ 350 – **40 hab** 2900/5600.

331

PORRIÑO

CITROEN La Guía - Atios ℮ 33 39 68
FORD carret. Porriño-Tuy km 1 ℮ 33 17 00
GENERAL MOTORS av. de Galicia ℮ 33 01 86
PEUGEOT-TALBOT Sanguiñeda - carret. Vigo-
Orense ℮ 33 18 75

RENAULT Sanguiñeda ℮ 33 02 11
SEAT-AUDI-VOLKSWAGEN Sequeiros 14 ℮
33 18 53

PORTALS NOUS 07015 Baleares − ver Baleares (Mallorca).

PORTALS VELLS Baleares **443** H 37 − ver Baleares (Mallorca) : Palma Nova.

PORT-BOU 17497 Gerona **443** E 39 − 2 281 h. − ● 972 − Playa − ver aduanas p. 14 y 15.
♦Madrid 782 − Banyuls 17 − Gerona/Girona 75.

🏨 **Comodoro,** Méndez Núñez 1 ℮ 39 01 87, ⌂ − **E** *VISA*
        junio-15 octubre − Com 1000 − ⌸ 400 − **15 hab** 2500/5000 − P 4500/5500.

☗ **Bahía** sin rest y sin ⌸, Cerbere 2 ℮ 39 01 96, ≼
        junio-septiembre − **33 hab** 1400.

☗ **Costa Brava,** Cerbere 20 ℮ 39 03 86 − **E** *VISA*. ✆
        junio-septiembre − Com 1100 − ⌸ 300 − **23 hab** 1500/2800 − P 3400/3500.

✕ L'Ancora, passeig de la Sardana 3 ℮ 39 00 25, ⌂, Decoración rústica.

PORT DE LA SELVA Gerona **443** E 39 − ver Puerto de la Selva.

PORTELA 24524 León − ver Vega de Valcarce.

PORTO CRISTO Baleares **443** N 20 − ver Baleares (Mallorca).

PORTOMARIN 27170 Lugo − ver Puertomarín.

PORTONOVO Pontevedra **441** E 3 − ver Sangenjo.

PORTO PETRO Baleares **443** N 39 − ver Baleares (Mallorca).

PORTO PI Baleares − ver Baleares (Mallorca) : Palma de Mallorca.

PORT SALVI Gerona − ver San Feliú de Guixols.

POTES 39570 Cantabria **442** C 16 − 1 444 h. alt. 291 − ● 942.
Ver : Paraje★.
Alred. : Desfiladero de la Hermida★★ N : 18 km − Puerto de San Glorio (Mirador de Llesba ☀★★)
SO : 27 km y 30 mn a pie − Santo Toribio de Liébana ≼★ SO : 3 km.
🏯 pl. Capitán Palacios ℮ 73 00 06.
♦Madrid 399 − Palencia 173 − ♦Santander 115.

🏨🏨 **Picos de Valdecoro y Rest. Paco Wences,** Roscabado ℮ 73 00 25, ≼ − ⌻ ☎ **P**. *AE* *O*
        E *VISA*. ✆
        Com 2000 − ⌸ 300 − **24 hab** 3700/4400 − P 6700/10400.

        en Ojedo NE : 1 km − ✉ 39585 Ojedo − ● 942 :

✕ **Martín,** carret. N 621 ℮ 73 02 33, ≼ − *VISA*. ✆
        cerrado enero − Com carta 1250 a 2000.

        en la carretera de Fuente Dé O : 1,5 km − ✉ 39570 Potes − ● 942 :

🏨 **La Cabaña** ⌂ sin rest, ℮ 73 03 15, ≼, ⌿ − ☎ **P**. *AE* *O* **E** *VISA*. ✆
        Semana Santa y junio-septiembre − ⌸ 300 − **24 hab** 3700/4400.

SEAT-AUDI-VOLKSWAGEN Las Vegas ℮ 73 01 40

POZOBLANCO 14400 Córdoba **446** Q 15 − 13 612 h. − ● 957.
🇨₅ Club de Pozoblanco : 3 km ℮ 10 02 39.
♦Madrid 361 − Ciudad Real 164 − ♦Córdoba 67.

🏨 **Los Godos,** Villanueva de Córdoba 32 ℮ 10 00 22 − ⌻ ▤ rest ☎. *VISA*. ✆
        Com 800 − ⌸ 300 − **21 hab** 3000/4000.

        en la carretera de Alcaracejos O : 2,3 km − ✉ 14400 Pozoblanco − ● 957 :

🏨 **San Francisco** ⌂, ℮ 10 14 35, ✆ − ⌻ ▤ rest ☎ ⇔ **P** *VISA*. ✆
        Com 800 − ⌸ 300 − **40 hab** 3000/4000.

ALFA ROMEO Polígono Industrial San Gregorio B
℮ 10 10 03
CITROEN carret. Villanueva Serena - Andújar ℮
10 05 32
FIAT carret. de Pedroche ℮ 10 11 16
FORD Polígono Industrial San Gregorio B ℮ 10 15 02
GENERAL MOTORS Mayor 69 ℮ 10 03 75

LANCIA carret. Villanueva de la Serena-Andújar km
129
PEUGEOT-TALBOT Segunda 17 ℮ 10 04 24
RENAULT carret. Villánueva Serena - Andújar km
131 ℮ 10 09 76
SEAT-AUDI-VOLKSWAGEN av. Villanueva de Córdoba 69 ℮ 10 03 31

POZUELO DE ALARCÓN 28023 Madrid **444** K 18 – 31 228 h. – ⊕ 91.
♦Madrid 10.

- ※※ La Española, av. Juan XXIII - Estación 🖋 715 87 85, 🛱, Carnes a la brasa – 🗏 **⊕**.
- ※ Tere, av. Generalisimo 64 🖋 352 19 98, 🛱 – 🗏.
- ※ Bodega la Salud, Jesús Gil González 36 🖋 715 33 90, Carnes a la brasa – 🗏.

  en la carretera C 602 SE : 2,5 km – ✉ 28023 Pozuelo de Alarcón – ⊕ 91 :

- ※※ **Chaplin,** Zoco 🖋 715 75 59, 🛱 – 🗏. *VISA* ⪛
  cerrado domingo y festivos noche – Com carta 2050 a 3175.

  en Húmera SE : 3 km – ✉ 28023 Pozuelo de Alarcón – ⊕ 91 :

- ※ El Montecillo, 🖋 715 18 18, 🛱, « En un pinar » – 🗏 **⊕**.

CITROEN Campomanes 8 🖋 715 01 39
FORD Cándido Castan 2 🖋 715 92 70
PEUGEOT-TALBOT Dr Cornago 29 🖋 212 08 14

RENAULT av. Italia 6 🖋 715 12 11
SEAT-AUDI-VOLKSWAGEN General Mola 18 🖋 715 35 50

PRADERA DE NAVALHORNO Segovia **444** J 17 – ver la Granja.

PRADES 43364 Tarragona **443** I 32 – 547 h. – ⊕ 977.
♦Madrid 530 – ♦Lérida/Lleida 68 – Tarragona 50.

- ※ **L'Estanc,** pl. Mayor 9 🖋 86 81 67 – **E** *VISA* ⪛
  cerrado miércoles y 15 enero-15 febrero – Com carta 1575 a 2375.

PRADO 33344 Asturias **441** B 14 – alt. 135 – ⊕ 985.
♦ Madrid 498 – Gijón 56 – ♦ Oviedo 96 – ♦ Santander 141.

- 🕿 **Caravia,** carret. N 632, ✉ 33344 Caravia Alta, 🖋 85 30 14 – **⊕**. ⪛
  cerrado domingo noche en invierno – Com 1000 – ⪌ 300 – **20 hab** 1500/2800 – P 3400/3500.

El PRAT DE LLOBREGAT 08820 Barcelona **443** I 36 – 60 419 h. – ⊕ 93.
♦Madrid 621 – ♦Barcelona 13 – Tarragona 89.

  por la carretera de Castelldefels y cruce a Sant Boi O : 3,5 km – ✉ 08820 El Prat de Llobregat – ⊕ 93 :

- ※※ Cal Picasal, 🖋 379 15 97, Cocina vasco-navarra – 🗏 **⊕**
  Com (sólo almuerzo).

PRATS DE CERDANYA o **PRATS DE CERDANYÁ** 25721 Lérida **443** E 35 – alt. 1 100 – ⊕ 972 – Deportes de invierno en Masella E : 9 km : ⚐ 7.
♦Madrid 639 – ♦Lérida/Lleida 170 – Puigcerdá 14.

- 🏨 Moixaró ⪦, carret. de Alp, ✉ 25720 Bellver de Cerdaña, 🖋 89 02 38, ⪦, ⪲ – ⪎ **⊕**
  32 hab.

PRAVIA 33120 Asturias **441** B 11 – 12 407 h. alt. 17 – ⊕ 985.
Alred. : Cabo de Vidio★★ (⪦★★) – Cudillero (típico pueblo pesquero★) N : 15 km – Ermita del Espíritu Santo★ (⪦★) N : 15 km.
♦Madrid 490 – Gijón 49 – ♦Oviedo 55.

- ※ **Balbona,** Vital Aza 2 🖋 82 11 62 – 🗏. *AE* ⓞ **E** *VISA*. ⪛
  cerrado martes – Com carta 1800 a 2425.
- ※ **Sagrario** con hab, Valdés Bazán 10 🖋 82 00 38 – *AE* *VISA*. ⪛
  cerrado 10 septiembre-10 octubre – Com *(cerrado domingo noche)* carta 1400 a 2200 – ⪌ 150 – **14 hab** 2000/3000 – P 2700/3200.

CITROEN av. Prahua 🖋 82 07 18

RENAULT Agustín Bravo 25 🖋 82 06 55

PREMIÁ DE DALT 08338 Barcelona **443** H 37 – ⊕ 93.
♦Madrid 627 – ♦Barcelona 10 – Gerona/Girona 82.

- ※ **L'Avi Pep,** Carretera 136 🖋 751 34 91 – 🗏. *AE* ⓞ **E** *VISA*. ⪛
  cerrado lunes, festivos noche y agosto – Com carta 2100 a 3150.

  en la carretera de Premiá de Mar S : 2 km – ✉ 08338 Premiá de Dalt – ⊕ 93 :

- ※※ **Sant Antoni,** Penedés 43 🖋 751 04 81, 🛱, Decoración regional – **⊕**. *AE* ⓞ **E** *VISA*. ⪛
  cerrado domingo noche, martes y del 1 al 20 agosto – Com carta 2175 a 2900.

PREMIÁ DE MAR 08330 Barcelona **443** H 37 – 19 935 h. – ⊕ 93 – Playa.
♦Madrid 653 – ♦Barcelona 20 – Gerona/Girona 82.

- ※※ **Jordi,** Mosén Jacinto Verdaguer 128 🖋 751 09 10, Pescados y mariscos – *AE* **E** *VISA*
  cerrado domingo noche, lunes y 15 diciembre-15 enero – Com carta 2550 a 3900.

RENAULT P. San Juan Bautista La Salle 9 - carret. N II 🖋 751 02 28

PRENDES Asturias – ver Gijón.

La PROVIDENCIA Asturias **441** B 13 – ver Gijón.

PRULLÁNS 25727 Lérida **443** E 35 – 183 h. alt. 1 096 – ✪ 973.
◆Madrid 632 – ◆Lérida/Lleida 163 – Puigcerdá 22.

🏨 **Montaña** ॐ, Puig 3 ℰ 51 02 60, ≤, 🐎 – ➋. *VISA*
15 marzo-septiembre – Com 1250 – ☑ 275 – **33 hab** 2000/3200 – P 3900/4300.

PUÇOL Valencia **445** N 29 – ver Puzol.

La PUEBLA DE ARGANZÓN 09294 Burgos **442** D 21 – 481 h. – ✪ 945.
◆Madrid 338 – ◆Bilbao 75 – ◆Burgos 95 – ◆Logroño 75 – ◆Vitoria/Gasteiz 17.

✗ **Palacios, carret.** N I - km 333 ℰ 37 30 30 – ➋. **E** *VISA*. ⫸
cerrado domingo, del 15 al 30 agosto y del 24 diciembre al 7 enero – Com carta 1350 a 2450.

PUEBLA DE FARNALS 46137 Valencia **445** N 29 – 971 h. – ✪ 96 – Playa.
◆Madrid 369 – Castellón de la Plana 58 – ◆Valencia 18.

en la playa E : 5 km – ✉ 46137 Puebla de Farnals – ✪ 96 :

✗ **Bergamonte,** ℰ 146 16 12, �です, « Típica barraca valenciana », ⤳ de pago, ✗ – ➋. **AE** *VISA*. ⫸
cerrado lunes – Com carta 1950 a 2690.

PUEBLA DEL CARAMIÑAL 15940 La Coruña **441** E 3 – 9 813 h. – ✪ 981 – Playa.
◆Madrid 665 – ◆La Coruña 123 – Pontevedra 68 – Santiago de Compostela 51.

✗ O Lagar, urbanización Lagar ℰ 83 00 37.

PUEBLA DE SANABRIA 49300 Zamora **441** F 10 – 1 858 h. alt. 898 – ✪ 988.
Alred. : San Martín de Castaneda ≤★ NE : 20 km.
◆Madrid 341 – ◆León 126 – Orense 158 – ◆Valladolid 183 – Zamora 110.

🏛 **Parador Puebla de Sanabría** ॐ, ℰ 62 00 01, ≤, � – 🛗 ⬅ ➋. **AE ➋ E** *VISA*. ⫸
Com 2500 – ☑ 800 – **44 hab** 6000/7500.

RENAULT carret. N 525 km 84,5 ℰ 62 01 48   SEAT-AUDI-VOLKSWAGEN carret. N 525 km 86,0
                                                  ℰ 62 01 27

PUENTE ARCE Cantabria **442** B 18 – ver Santander.

PUENTEAREAS o **PONTEAREAS** 36860 Pontevedra **441** F 4 – 15 013 h. – ✪ 986.
◆Madrid 576 – Orense 75 – Pontevedra 45 – ◆Vigo 26.

✗ **La Fuente,** carret. N 120 ℰ 64 09 32 – *VISA*. ⫸
Com carta 900 a 1350.

CITROEN Real ℰ 64 07 99   PEUGEOT-TALBOT av. del Puente ℰ 64 07 18
FIAT Alcazar de Toledo 30 ℰ 64 01 66   RENAULT carret. Madrid-Vigo km 672 ℰ 64 08 62
FORD carret. Madrid-Vigo ℰ 64 02 02   SEAT-AUDI-VOLKSWAGEN carret. Madrid-Vigo
OPEL-GENERAL-MOTORS Las Cachadas - carret.   ℰ 64 08 50
de Mondariz ℰ 64 17 79

PUENTE CESURES 36640 Pontevedra **441** D 4 – 2 611 h. – ✪ 986.
◆Madrid 632 – Orense 133 – Pontevedra 35 – Santiago de Compostela 22.

✗ Casa Castaño, Victor Garcia 20 ℰ 55 70 05 – ➋.

FORD Redondo 27 ℰ 55 71 99   RENAULT Torre 44 - Campaña ℰ 55 72 79
PEUGEOT-TALBOT pl. Pontevedra 2 ℰ 55 72 57

PUENTE DEL PASAJE 15170 La Coruña – ver La Coruña.

PUENTE DE SANABRIA 49350 Zamora **441** F 10 – ✪ 988.
Alred. : N : Valle de Sanabria (carretera de Puebla de Sanabria a San Martín de Castañeda ≤★).
◆Madrid 347 – Benavente 90 – ◆León 132 – Orense 164 – Zamora 116.

🏨 **El Ministro,** carret. del Lago ℰ 62 02 60 – 📺. *VISA*. ⫸
cerrado del 15 al 30 septiembre – Com 1190 – ☑ 270 – **14 hab** 2160/3770.

PUENTEDEUME o **PONTEDEUME** 15600 La Coruña **441** B 5 – 8 459 h. – ✪ 981 – Playa.
🛈 Saavedra Meneses 23 ℰ 43 02 70.
◆Madrid 599 – ◆La Coruña 48 – Ferrol 15 – Lugo 95 – Santiago de Compostela 85.

🏨 **Eumesa** sin rest, carret. N VI ℰ 43 09 25, ≤ – 🛗 ⬅. **AE E** *VISA*. ⫸
62 hab ☑ 3700/5000.

✗✗ **Brasilia,** carret. N VI ℰ 43 02 49, Decoración moderna – **AE E** *VISA*. ⫸
Com carta 1350 a 1875.

✗ Yoli, José Antonio Primo de Rivera 8 - 1° piso ℰ 43 01 86.

en Cabañas – ⊠ 15621 Cabañas – ⚙ 981 :

🏨 **Sarga,** carret. N VI ℰ 43 10 00, ⊼ – 🛗 📺 ⊛ ⇐ ℗. 𝓥𝓘𝓢𝓐. ⅍ rest
abril-septiembre – Com 1600 – ⊡ 400 – **72 hab** 3750/5500 – P 5750/6750.

en la playa de Ber O : 5 km – ⊠ 15600 Pontedeume – ⚙ 981 :

🏠 **Mar Molino** ⌕, ℰ 43 07 07, ≤, 😤 – ⊛ ℗. 𝖠𝖤 ⓞ 𝗘 𝓥𝓘𝓢𝓐. ⅍
Com 2000 – ⊡ 300 – **37 hab** 2900/3450 – P 3725/4900.

PUENTE GENIL 14500 Córdoba **446** T 15 – 25 615 h. – ⚙ 957.

♦Madrid 469 – ♦Córdoba 71 – ♦Málaga 102 – ♦Sevilla 128.

🏠 **Xenil** sin rest y sin ⊡, Poeta García Lorca 3 ℰ 60 02 00 – 🛗 ⊟ ⊛ ℗. 𝓥𝓘𝓢𝓐. ⅍
35 hab 2800/4000.

CITROEN   Cuesta del Molino ℰ 60 33 16
FIAT   Cuesta del Molino ℰ 60 30 52
FORD   cuesta del Molino ℰ 60 11 20
GENERAL MOTORS   carret. de la Rambla ℰ 60 14 83
LANCIA   Doctor Moyano Cruz 53 ℰ 60 24 50

PEUGEOT-TALBOT   carret. Osuna-Lucena km 44 ℰ 60 32 11
RENAULT   cuesta del Molino ℰ 60 18 19
SEAT-AUDI-VOLKSWAGEN   General Franco ℰ 60 15 74

PUENTE LA REINA 31100 Navarra **442** y **443** D 24 – 1 987 h. alt. 346 – ⚙ 948.

Ver : Iglesia del Crucifijo (Cristo ★) – Iglesia Santiago (portada ★).
Alred. : Ermita de Eunate ★ E : 5 km – Cirauqui ★ (iglesia de San Román : portada ★) O : 6 km.

♦Madrid 403 – ♦Logroño 68 – ♦Pamplona 24.

XX **Mesón del Peregrino** con hab, carret. de Pamplona, NE : 1 km ℰ 34 00 75, Decoración rústica, ⊼, 🛲 – ⊟ rest ⊛ ℗. 𝖠𝖤 ⓞ 𝗘 𝓥𝓘𝓢𝓐. ⅍
Com carta 1725 a 3100 – ⊡ 400 – **15 hab** 4200/6000.

PUENTE LA REINA DE JACA 22753 Huesca **442** y **443** E 27 – 304 h. alt. 707 – ⚙ 974.

Alred. : Valle del Roncal ★ y de Ansó : carretera ★ NO : 15 km – Hoz de Biniés ★.

♦Madrid 467 – Huesca 72 – Jaca 19 – ♦Pamplona 92.

🏠 **Del Carmen,** carret. N 240 ℰ 37 70 05, ≤, ⊼ – ⊛ ℗. 𝗘 𝓥𝓘𝓢𝓐. ⅍ rest
cerrado noviembre – Com 975 – ⊡ 245 – **32 hab** 1800/3250 – P 3325/3500.

PUENTE VIESGO 39670 Cantabria **442** C 18 – 2 497 h. alt. 71 – ⚙ 942 – Balneario.

Alred. : Cueva del Castillo ★ NO : 1,5 km.

🛈 Floranes 48 ℰ 23 36 23.

♦Madrid 370 – ♦Bilbao 115 – ♦Burgos 127 – ♦Santander 29.

🏠 Puente Viesgo y Rest El Coto, barrio de la Iglesia ℰ 59 80 11 – ℗
temp. – Com (abierto todo el año) – **20 hab**.

PUERTO – Puerto de montaña, ver el nombre propio del puerto.

PUERTO – Puerto de mar, ver a continuación.

PUERTO BANUS Málaga **446** W 15 – ⊠ 29660 Nueva Andalucía – ⚙ 952 – Playa.

♦Madrid 622 – Algeciras 69 – ♦Málaga 67 – Marbella 8.

XXX **Taberna del Alabardero,** muelle Benabola ℰ 81 27 94, 😤 – ⊟. 𝖠𝖤 ⓞ 𝗘 𝓥𝓘𝓢𝓐. ⅍
cerrado domingo salvo en verano y febrero – Com carta 3250 a 4550.

XX **Michel's,** muelle Ribera 48 ℰ 81 55 19, 😤 – ⊟. 𝖠𝖤 ⓞ 𝗘 𝓥𝓘𝓢𝓐. ⅍
cerrado febrero – Com carta 2650 a 3325.

XX **Cipriano,** Edificio Levante - local 4 y 5 ℰ 81 10 77, 😤, Pescados y mariscos – ⊟. 𝖠𝖤 ⓞ 𝗘 𝓥𝓘𝓢𝓐. ⅍
Com carta 2000 a 2650.

X Prost, centro comercial Cristamar, 😤 – ⊟.

PUERTO COLOM 07670 Baleares – ver Baleares (Mallorca).

PUERTO DE ALCUDIA Baleares **443** M 39 – ver Baleares (Mallorca).

PUERTO DE ANDRAITX Baleares **443** N 37 – ver Baleares (Mallorca).

PUERTO DE LA CRUZ Santa Cruz de Tenerife – ver Canarias (Tenerife).

PUERTO DE LA DUQUESA Málaga **446** W 14 – ver Manilva.

PUERTO DE LA SELVA o **El PORT DE LA SELVA** 17489 Gerona **443** E 39 – 725 h. – ✪ 972 – Playa.

♦Madrid 776 – Banyuls 39 – Gerona/Girona 69.

  🏤 **Amberes** ⤴, Selva de Mar 🏠 38 70 30, ☆ – **P**. 🍴 rest
    20 marzo-septiembre – Com 1100 – 🍽 375 – **21 hab** 3800/5500 – P 4940/5990.

  ✗ **Ca l'Herminda,** Isla 7 🏠 38 70 75, ☆, Decoración rústica – 🍽. ⓘ **E** 𝗩𝗜𝗦𝗔. 🍴
    15 marzo-12 octubre – Com *(cerrado domingo noche y lunes de marzo a junio)* carta 1975 a 2985.

  ✗ **Comercio,** Moll d'en Balleu 3 🏠 38 70 14, ☆ – 🍽. ⓘ **E** 𝗩𝗜𝗦𝗔
    cerrado 15 noviembre-15 enero – Com carta 1155 a 2600.

  ✗ Bellavista, Platja 3 🏠 38 70 50, ≤, ☆.

PUERTO DE LAS NIEVES Las Palmas – ver Canarias (Gran Canaria) : Agaete.

PUERTO DEL CARMEN Las Palmas – ver Canarias (Lanzarote).

PUERTO DEL ROSARIO Canarias – ver Canarias (Fuerteventura).

PUERTO DE MAZARRÓN 30860 Murcia **445** T 26 – ✪ 968 – Playa.

🛈 San Hilario 24 🏠 59 45 08.

♦Madrid 459 – Cartagena 33 – Lorca 55 – ♦Murcia 69.

  ✗ **Virgen del Mar,** paseo Marítimo 2 🏠 59 50 57, ≤, ☆, Pescados y mariscos – 🍽. **E** 𝗩𝗜𝗦𝗔. 🍴
    cerrado noviembre-3 diciembre – Com carta 1150 a 1850.

  en la playa de la Isla O : 1 km – ✉ 30860 Puerto de Mazarrón – ✪ 968 :

  🏠 **Durán,** 🏠 59 40 50 – ☎ **P**
    temp. – Com (ver **Rest. Miramar**) – 🍽 250 – **29 hab** 2550/3900.

  ✗ **Miramar,** 🏠 59 40 08, ≤ – **P**. 𝗔𝗘 ⓘ **E** 𝗩𝗜𝗦𝗔. 🍴
    marzo-octubre – Com carta 1750 a 2300.

  ✗ Ponderosa, 🏠 59 41 74, ≤.

  en la playa de la Reya O : 1,5 km – ✉ 30860 Puerto de Mazarrón – ✪ 968 :

  🏨 **Bahía** ⤴, 🏠 59 40 00, ≤ – 📶 🍽 hab ☎ **P**. ⓘ 𝗩𝗜𝗦𝗔 🍴
    Com 1810 – 🍽 300 – **54 hab** 2620/6680 – P 5770/9830.

  en Playa Grande O : 3 km – ✉ 30860 Mazarrón – ✪ 968 :

  🏨 Playa Grande, carret. de Balnuevo 🏠 59 44 63, ≤, ☪, – 📶 🍽 ☎ ⇦ – 🅰
    38 hab.

  en Isla Plana E : 6 km – ✉ 30868 Isla Plana :

  ✗ **La Chara** ⤴ con hab, ☆ – 🍽 rest **P**. 𝗩𝗜𝗦𝗔. 🍴
    Com carta 1750 a 2550 – 🍽 250 – **18 hab** 1750/3500 – P 3665.

PUERTO DE POLLENSA Baleares **443** M 29 – ver Baleares (Mallorca).

El PUERTO DE SANTA MARIA 11500 Cádiz **446** W 11 – 61 032 h. – ✪ 956 – Plaza de toros - Playa.

🛈 Vista Hermosa O : 1,5 km 🏠 85 00 11.

🛈 Guadalete 🏠 85 75 45.

♦Madrid 610 – ♦Cádiz 22 – Jerez de la Frontera 12 – ♦Sevilla 102.

  🏨 **Los Cántaros** sin rest , con cafetería, Curva 2 🏠 86 42 40 – 📶 🍽 ☎ **P**. 𝗔𝗘 ⓘ **E** 𝗩𝗜𝗦𝗔. 🍴
    🍽 450 – **39 hab** 6000/8000.

  🏤 Sherry , sin rest, pl. del Carmen 1 🏠 87 09 02
    24 hab.

  ✗✗✗ **Alboronía,** Santo Domingo 24 🏠 85 16 09, ☆, Instalado en una típica casa andaluza – 🍽.
    𝗔𝗘 ⓘ **E** 𝗩𝗜𝗦𝗔
    cerrado sábado mediodía, domingo y enero-febrero – Com carta 2350 a 2825.

  ✗ **El Patio,** pl. de la Herrería 🏠 86 45 06, Instalado en una antigua posada – 🍽. 𝗔𝗘 ⓘ **E** 𝗩𝗜𝗦𝗔.
    🍴
    Com carta 1495 a 2125.

  ✗ Casa Flores, Ribera del Rio 9 🏠 86 35 12 – 🍽.

  ✗ **Los Portales,** Ribera del Rio 13 🏠 86 21 16 – 🍽. 𝗔𝗘 ⓘ **E** 𝗩𝗜𝗦𝗔. 🍴
    Com carta 1750 a 2550.

  ✗ El Resbaladero, Aurora 1 🏠 85 68 53, ☆, Instalado en las antiguas lonjas del pescado – 🍽.

  en la carretera de Cádiz S : 2,5 km – ✉ 11500 El Puerto de Santa María – ✪ 956 :

  🏩 **Meliá Caballo Blanco,** 🏠 86 37 45, Telex 76070, ☆, « Jardin con ☪ » – 📶 🍽 📺 ☎ **P**. 𝗔𝗘
    ⓘ **E** 𝗩𝗜𝗦𝗔. 🍴
    Com 2150 – 🍽 800 – **94 hab** 9600/12000 – P 10335/13935.

en Valdelagrana por la carretera de Cádiz – ⊠ 11500 Valdelagrana – 🟦 956 :

🏨 **Puertobahía,** playa S : 3,5 km 🖉 86 27 21, ≼, 🏠, 🗻, 🛋, 🛎 – 🅿 ▤ rest 🅿 – 🔼 🔳. 🛴
Com 1800 – 🖃 350 – **330 hab** 4400/6050 – P 6425/7800.

✕ **El Fogón,** av. de la Paz 20, S : 3 km 🖉 86 39 02, 🏠. 🛴
cerrado martes y 9 enero-20 febrero – Com carta 2150 a 2900.

en la carretera de Rota – ⊠ 11500 El Puerto de Santa María – 🟦 956 :

✕✕ **La Goleta,** O : 1,5 km 🖉 85 42 32, 🏠 – ▤ 🅿 🔳 🔵 🄴 🔳. 🛴
cerrado lunes y del 1 al 15 noviembre – Com carta 1700 a 2200.

✕✕ El Faro del Puerto, O : 0,5 km 🖉 87 09 52, 🏠, Pescados y mariscos – ▤ 🅿.

✕ Asador de Castilla, O : 3 km 🖉 87 16 01, 🏠, Cordero asado – ▤ 🅿.

BMW carret. N IV - km 656 🖉 86 40 46
CITROEN Rivera del Río 15 🖉 86 18 05
FIAT-LANCIA Ribera del Río 20 🖉 86 26 17
FORD carret. de Rota km 4,2 🖉 85 07 51

PEUGEOT-TALBOT carret. N IV km 652,8 🖉 86 40 46
RENAULT carret. N IV km 636,7 🖉 86 45 43
SEAT-AUDI-VOLKSWAGEN Espíritu Santo 33 🖉 86 18 49

PUERTO DE SANTIAGO Santa Cruz de Tenerife – ver Canarias (Tenerife).

PUERTO DE SÓLLER Baleares 🔢 M 38 – ver Baleares (Mallorca).

PUERTO LÁPICE 13650 Ciudad Real 🔢 O 19 – 1 267 h. alt. 676 – 🟦 926.
◆Madrid 135 – Alcázar de San Juan 25 – Ciudad Real 62 – Toledo 85 – Valdepeñas 65.

🏨 Aprisco, carret. N IV - N : 1 km 🖉 57 61 50,« Conjunto de estilo manchego » , 🗻 – ▤ rest 🍽 🅿
17 hab.

✕ **Venta del Quijote,** Encinar 4 🖉 57 61 10, 🏠, Cocina regional,« Antigua venta manchega » – 🔳 🔵 🄴 🔳. 🛴
Com carta 2050 a 3175.

PEUGEOT-TALBOT Cervantes 75 🖉 57 60 33

SEAT-AUDI-VOLKSWAGEN carret. N IV km 135 🖉 57 60 69

PUERTO LUMBRERAS 30890 Murcia 🔢 T 24 – 8 495 h. alt. 333 – 🟦 968.
◆Madrid 466 – ◆Almería 141 – ◆Granada 203 – ◆Murcia 80.

🏨 **Parador de Puerto Lumbreras,** carret. N 340 🖉 40 20 25, Fax 40 28 36, 🗻, 🛋 – 🛎 ▤ 🍽 🅿 🄰🄴 🔳 🔳. 🛴
Com 2500 – 🖃 800 – **60 hab** 5200/6500.

🏨 **Riscal,** carret. N 340 🖉 40 20 50, Telex 67713 – ▤ 🍽 🅿. 🔳. 🛴 rest
Com 1100 – 🖃 350 – **48 hab** 2600/4075 – P 4235/4800.

🏨 **Salas,** carret. N 340 🖉 40 21 00 – ▤ rest 🍽 🅿. 🄰🄴 🔵 🄴 🔳. 🛴 rest
Com 950 – 🖃 250 – **48 hab** 2000/4000.

✕ **Estación de Servicio,** carret. N 340 🖉 40 21 04, 🏠 – ▤ 🅿. 🄰🄴 🄴 🔳. 🛴
Com carta 1125 a 2300.

RENAULT carret. de Almería 🖉 40 22 03

SEAT-AUDI-VOLKSWAGEN av. Juan Carlos I, 130 🖉 40 22 54

PUERTOLLANO 13500 Ciudad Real 🔢 P 17 – 48 747 h. – 🟦 926.
◆Madrid 235 – Ciudad Real 38.

🏨 **Léon** sin rest, Alejandro Prieto 6 🖉 42 73 00 – 🛎 ▤ ☎ – 🔼. 🄰🄴 🔵 🔳. 🛴
🖃 160 – **101 hab** 3200/5000.

🏨 **Cabañas,** carret. de Ciudad Real 3 🖉 42 06 50 – 🛎 ▤ rest 🍽. 🔳. 🛴
Com 800 – 🖃 200 – **63 hab** 2280/4105.

✕ **Casa Gallega,** Vélez 5 🖉 42 01 00 – ▤. 🔳. 🛴
cerrado lunes – Com carta 1375 a 2450.

AUSTIN-ROVER Miguel Servet 22 🖉 42 00 26
CITROEN carret. de Puertollano-Argamasilla 🖉 47 73 40
FORD carret. Puertollano-Argamasilla 🖉 47 71 00
OPEL-GENERAL MOTORS carret. Puertollano-Argamasilla 🖉 47 75 00

PEUGEOT-TALBOT Glorieta Virgen de Gracia 34 🖉 42 69 50
RENAULT carret. de Ciudad Real km 163 🖉 42 03 79
SEAT-AUDI-VOLKSWAGEN carret. N 420 km 16465 🖉 47 77 50

PUERTOMARÍN o **PORTOMARÍN** 27170 Lugo 🔢 D 7 – 2 499 h. – 🟦 982.
Ver : Iglesia★.
◆Madrid 515 – Lugo 40 – Orense 80.

✕ **Mesón de Rodríguez,** Fraga Iribarne 6 🖉 54 50 54 – 🔳. 🛴
Com carta 750 a 1150.

PUERTO RICO Las Palmas – ver Canarias (Gran Canaria).

PUIGCERDA 17520 Gerona **443** E 35 – 5 818 h. alt. 1 152 – ✿ 972 – ver aduanas p. 14 y 15.

↱₈ de Cerdaña SO : 1 km ✗ 88 09 50.

🖪 Querol 1 ✗ 88 05 42.

♦Madrid 653 – ♦Barcelona 169 – Gerona/Girona 152 – ♦Lérida/Lleida 184.

🏦 **Maria Victoria,** Querol 9 ✗ 88 03 00, ⇐ – ⧄ ☜. ﹐ 🝐 ⓞ Ꭼ 🆅🅸🆂🅰. ⚌ hab
Com 1650 – ⊆ 400 – **50 hab** 2200/4250.

🏠 **Del Lago** ⚘ sin rest, av. Dr Piguillem ✗ 88 10 00, « Amplio jardin con ⚊ » – 📺 ☜ Ⓟ. ⚌
⊆ 400 – **15 hab** 3250/4900.

🏦 Estación, pl. Estación 2 ✗ 88 03 50
26 hab.

✗✗ Casa Clemente, av. Dr. Piguillem 6 ✗ 88 11 66.

en la carretera de Llivia NE : 1 km – ✉ 17520 Puigcerdá – ✿ 972 :

🏦 **Del Prado** ⚘, ✗ 88 04 00, ⚊, ☀, ✗ – ⧄ ☎ ⟵ Ⓟ. 🝐 ⓞ Ꭼ 🆅🅸🆂🅰. ⚌ rest
Com *(cerrado noviembre)* 1800 – ⊆ 400 – **48 hab** 3200/4600 – P 5600/6500.

por la carretera de la Seu d'Urgell y camino particular SO : 4,5 km – ✉ 17463 Bolvir –
✿ 972 :

🏦 Chalet del Golf ⚘, ✗ 88 09 62, ⇐, ↱₈ – ⧄ ☜ Ⓟ
16 hab.

CITROEN av. Catalunya 27 ✗ 88 03 24
GENERAL MOTORS carret. Puigcerdá-Seu de Urgell
✗ 88 05 06
MERCEDES av. de los Pirineos 20 ✗ 88 05 72

RENAULT Cadi 5 ✗ 88 06 25
SEAT-AUDI-VOLKSWAGEN carret. Barcelona-Puigcerdá km 168,5 ✗ 88 19 16

PUNTA PINET Baleares **443** P 33 – ver Baleares (Ibiza) : San Antonio Abad.

PUNTA PRIMA Baleares **443** P 34 – ver Baleares (Formentera) : Es Pujols.

PUNTA UMBRIA 21100 Huelva **446** U 9 – 8 490 h. – ✿ 955 – Playa.

♦Madrid 648 – Huelva 21.

🏠 **Ayamontino,** av. de Andalucia 35 ✗ 31 14 50, ☂ – ☜ ⟵ Ⓟ. 🝐 ⓞ Ꭼ 🆅🅸🆂🅰. ⚌
Com 1600 – ⊆ 275 – **45 hab** 3200/4800 – P 5400/6200.

🏠 **Ayamontino Ría,** paseo de la Ria 1 ✗ 31 14 58, ☂ – ☜. ⟵ Ⓟ. 🝐 ⓞ Ꭼ 🆅🅸🆂🅰. ⚌
Com 1600 – ⊆ 275 – **20 hab** 3200/4800 – P 5400/6200.

PUZOL o **PUÇOL** 46760 Valencia **445** N 29 – 11 466 h. – ✿ 96.

♦Madrid 373 – Castellón de la Plana 54 – ♦Valencia 25.

🏨 **Monte Picayo** ⚘, urbanización Monte Picayo ✗ 142 01 00, Telex 62087, Fax 142 21 68, ☂,
« En la ladera de un monte con ⇐ naranjales, Puzol y mar », ⚊, ☀, ✗ – ⧄ 🍽 📺 ☎ Ⓟ –
⚘. 🝐 ⓞ Ꭼ 🆅🅸🆂🅰. ⚌
Com 2500 – ⊆ 800 – **83 hab** 12000/15000 – P 12900/17400.

✗ **Rincón del Faro,** carret. de Barcelona 49 ✗ 142 01 20 – 🍽. 🝐 ⓞ Ꭼ 🆅🅸🆂🅰. ⚌
cerrado domingo noche, lunes noche y septiembre – Com carta 1600 a 2350.

QUART DE POBLET 46930 Valencia **445** N 28 – ✿ 96.

♦Madrid 343 – ♦Valencia 8.

✗ **Casa Gijón,** Juanet Martorell 16 ✗ 154 50 11, ☂, Decoración típica – 🍽. 🝐 ⓞ Ꭼ 🆅🅸🆂🅰. ⚌
Com carta 1800 a 2800.

QUIJAS 39590 Cantabria **442** B 17 – ✿ 942.

♦Madrid 386 – ♦Burgos 147 – ♦Oviedo 172 – ♦Santander 32.

🏦 **Hostería de Quijas,** carret. N 634 ✗ 82 08 83, « En una antigua casa señorial del siglo
XVIII », ⚊, ☀ – 📺 ☜ Ⓟ. ⓞ Ꭼ 🆅🅸🆂🅰. ⚌
Com carta 2500 a 3150 – ⊆ 500 – **13 hab** 6800/8500.

QUINTANAR DE LA ORDEN 45800 Toledo **444** N 20 – 8 673 h. alt. 691 – ✿ 925 – Plaza de toros.

♦Madrid 120 – ♦Albacete 127 – Alcázar de San Juan 27 – Toledo 98.

🏦 **Castellano,** carret. N 301 ✗ 18 00 50, ☂ – 🍽 rest ☜ Ⓟ. 🆅🅸🆂🅰. ⚌
Com 900 – ⊆ 325 – **38 hab** 1500/2900 – P 3050/3100.

🏠 Santa Marta, carret. N 301 ✗ 18 03 50 – 🍽 rest ☜ Ⓟ
33 hab.

🏦 **La Giralda,** Principe 3 ✗ 18 07 96 – 🍽 rest Ⓟ. ⚌
Com 835 – **17 hab** ⊆ 1050/1650.

✗ **Costablanca,** carret. N 301 ✗ 18 05 19 – 🍽 Ⓟ. 🆅🅸🆂🅰. ⚌
Com carta 1490 a 2645.

CITROEN carret. Madrid-Alicante km 120 ✗ 18 10 08
PEUGEOT-TALBOT carret. N 301 km 121 ✗ 18 02 27
RENAULT carret. Alicante km 122 ✗ 18 04 63

SEAT-AUDI-VOLKSWAGEN Calvo Sotelo 88 ✗
18 00 81

QUINTANAR DE LA SIERRA 09670 Burgos **442** G 20 – 2 417 h. alt. 1 200.

Alred. : Laguna Negra de Neila★★ (carretera★★) NO : 15 km.

♦Madrid 253 – ♦Burgos 76 – Soria 70.

QUIROGA 27320 Lugo **441** E 8 – 5 037 h. – ✆ 982.

♦Madrid 461 – Lugo 89 – Orense 79 – Ponferrada 79.

en la carretera de Monforte de Lemos O : 13,5 km – ✉ Labrada de Lor – ✆ 982 :

🏠 **Río Lor,** ℘ 42 82 61 – **P**. *VISA*. ✍ hab
Com 1000 – ➯ 150 – **28 hab** 1250/2500 – P 3250.

RENAULT carret. Madrid-Santiago ℘ 42 81 84   SEAT-AUDI-VOLKSWAGEN San Clodio ℘ 42 82 66

QUIRUELAS DE VIDRIALES 49622 Zamora **441** F 12 – 1 130 h. – ✆ 988.

♦Madrid 274 – Benavente 15 – Zamora 79.

en la carretera C 620 SO : 1,5 km – ✉ 49622 Quiruelas de Vidriales – ✆ 988 :

🏠 Los Álamos, ℘ 65 30 85 – ⇐ **P**
28 hab.

La RÁBIDA (Monasterio de) 21819 Huelva **446** U 9 – ✆ 955 – Playa.

♦Madrid 630 – Huelva 8 – ♦Sevilla 94.

XX Hostería de la Rábida 🌿 con hab, ✉ 21810 Palos de la Frontera, ℘ 35 03 12, ≼, 🏭 – 🗐 🐦
P
7 hab.

La RÁBITA 18760 Granada **446** V 20 – ✆ 958 – Playa.

♦Madrid 549 – ♦Almería 69 – ♦Granada 120 – ♦Málaga 152.

🏠 **Las Conchas,** ℘ 60 25 58 (ext. 17), ≼ – 🐦 ⇐ **P**. **①** E *VISA*. ✍
abril-15 octubre – Com 1200 – ➯ 390 – **25 hab** 3000/5600 – P 4900/9400.

RACÓ DE SANTA LLUCIA Barcelona – ver Villanueva y Geltrú.

RAMALES DE LA VICTORIA 39800 Cantabria **442** C 19 – 2 439 h. alt. 84 – ✆ 942.

Ver : Cuevas de Covalanas (lugar)★ : 3 km.

♦Madrid 368 – ♦Bilbao 64 – ♦Burgos 125 – ♦Santander 51.

X **Río Asón** con hab, Barón de Adzaneta ℘ 64 61 57 – **P**. *AE* **①** *VISA*. ✍
cerrado 23 diciembre-enero – Com *(cerrado lunes salvo en verano)* carta 2150 a 2550 – ➯ 275
– **12 hab** 3600.

RAXO (Playa de) Pontevedra – ver Sangenjo.

Los REALEJOS 38410 Santa Cruz de Tenerife – ver Canarias (Tenerife).

REBOREDO Pontevedra – ver El Grove.

REDONDELA 36800 Pontevedra **441** F 4 – 27 202 h. – ✆ 986.

♦Madrid 601 – Orense 100 – Pontevedra 27 – ♦Vigo 14.

en Sotojusto N : 5 km – ✉ 36800 Redondela – ✆ 986 :

X **Casa Antón,** carret. N 550 ℘ 40 05 66, ≼, 🏭 – **P**. *AE* **①** E *VISA*. ✍
cerrado miércoles – Com carta 1400 a 2100.

FORD av. de Alvedosa 21 ℘ 40 00 40   RENAULT Muro 50 ℘ 40 23 00
GENERAL MOTORS Quintela ℘ 40 06 72   SEAT-AUDI-VOLKSWAGEN El Muro 46 ℘ 40 00 12
PEUGEOT-TALBOT Coto Cesantes ℘ 40 18 54

REINOSA 39200 Cantabria **442** C 17 – 13 172 h. alt. 850 – ✆ 942 – Balneario en Fontibre –
Deportes de invierno en Alto Campóo O : 25 km : ≰5.

Alred. : Cervatos★ (colegiata★ : decoración escultórica★) S : 5 km.

Excurs. : Pico de Tres Mares ☀★★★ O : 26 km y telesilla.

🅱 pl. de España 5 ℘ 75 02 62.

♦Madrid 355 – ♦Burgos 116 – Palencia 129 – ♦Santander 74.

🏨 **Vejo,** av. Cantabria 15 ℘ 75 17 00, ≼ – 📱 🗐 rest ⇐ **P** – 🔬. *AE* **①** E *VISA*
Com 1650 – ➯ 370 – **71 hab** 3860/5850 – P 6025/6960.

🏡 **Tajahierro,** sin rest y sin ➯, Pelilla 8 - 1° piso ℘ 75 35 24 – ✍
13 hab 1300/2000.

en Fontibre O : 4 km – ✉ 39212 Fontibre – ✆ 942 :

X Fontibre, Nacimiento del Ebro ℘ 75 19 40.

REINOSA

en Soto de Campóo O : 10 km – ⊠ 39211 Soto de Campóo – 🟢 942 :

🏠 **El Montero** 🦌 sin rest, 🖋 75 18 79 – 🅿. 🎦
🛏 250 – **30 hab** 1500/2500.

en Alto Campóo O : 25 km – ⊠ 39200 Reinosa – 🟢 942 :

🏨 **Corza Blanca** 🦌, alt. 1 660 🖋 75 10 99, ≤, 🏊, – 🔔 ☎ 🅿. 🕮 ⓘ 🇪 VISA
Com 1750 – 🛏 390 – **69 hab** 3900/6000 – P 6300/7200.

CITROEN Matamorosa 🖋 75 10 91	SEAT-AUDI-VOLKSWAGEN prolongación General
PEUGEOT-TALBOT Matamorosa 🖋 75 07 50	Mola 70, carret. de Santander 🖋 75 03 34
RENAULT av. Cantabria 78 🖋 75 07 47	

RENTERÍA 20100 Guipúzcoa 🔢 C 24 – 45 789 h. alt. 11 – 🟢 943.

♦Madrid 479 – ♦Bayonne 45 – ♦Pamplona 98 – ♦San Sebastián/Donostia 8.

🏨 **Lintzirín,** carret. de Irún N I - E 1,5 km, ⊠ apartado 30, 🖋 49 20 00 – 🔔 🍽 rest 📺 🅿. 🕮 ⓘ
🇪 VISA. 🎦 rest
Com *(cerrado domingo noche)* 1225 – 🛏 420 – **110 hab** 4000/5400 – P 5140/6440.

ALFA ROMEO Amezqueta 3 🖋 51 48 96	FORD M. de Lezo 26 🖋 51 21 46
CITROEN Aita. Donosti 15 🖋 51 70 87	SEAT-AUDI-VOLKSWAGEN Bidasoa 5 🖋 51 93 54
FIAT-LANCIA Beraun 🖋 52 52 90	

REQUENA 46340 Valencia 🔢 N 26 – 18 152 h. alt. 292 – 🟢 96.

♦Madrid 279 – ♦Albacete 103 – ♦Valencia 69.

🏨 **Avenida** sin rest, San Agustín 10 🖋 230 04 80 – 🔔. VISA
36 hab 1375/2650.

CITROEN carret. Madrid-Valencia km 277 🖋 230 13 38	RENAULT carret. Madrid-Valencia km 276 🖋 230 12 66
GENERAL MOTORS carret. Madrid-Valencia km 277 🖋 230 10 50	SEAT-AUDI-VOLKSWAGEN carret. Madrid-Valencia km 277 🖋 230 04 50

REUS 43200 Tarragona 🔢 I 33 – 80 710 h. alt. 134 – 🟢 977.

🛫 de Reus E : 3 km 🖋 30 37 90.

🚩 San Juan 36 🖋 31 00 61.

♦Madrid 547 – ♦Barcelona 118 – Castellón de la Plana 177 – ♦Lérida/Lleida 90 – Tarragona 14.

🏨 **Simonet,** arrabal Santa Ana 18 🖋 30 21 31, 🛏 – 🍽 rest ➡. 🇪 VISA. 🎦
cerrado 22 diciembre-10 enero – Com 1200 – 🛏 325 – **45 hab** 3000/5000 – P 5200/6200.

🍴 Owen 's, Bertrán de Castellet 8 🖋 32 38 00 – 🍽.

en la carretera de Tarragona SE : 1 km – ⊠ 43200 Reus – 🟢 977 :

🍴 **Masía Típica Crusells,** 🖋 30 40 60, Decoración regional – 🍽 🅿. 🕮 ⓘ 🇪 VISA. 🎦
Com carta 1800 a 2600.

ALFA-ROMEO av. 11 de Septiembre 3 🖋 31 50 51	MERCEDES Roser 16 🖋 34 30 95
AUSTIN-ROVER carret. de Alcolea 6 🖋 32 22 53	OPEL-GM Autovía Reus-Tarragona 🖋 34 21 97
CITROEN av. Mariano Fortuny 89 🖋 30 63 45	PEUGEOT-TALBOT carret. de Salou km 1 🖋 34 21 11
FIAT carret. de Alcolea 142 🖋 31 96 11	RENAULT paseo Sunyer 30 🖋 32 25 54
FORD Cambrils 🖋 34 23 12	SEAT-AUDI-VOLKSWAGEN av. Pere el Ceremonioso
LANCIA Jaume I, 97 🖋 31 27 91	3 🖋 30 33 29

La REYA (Playa de) Murcia – ver Puerto de Mazarrón.

RIALP 25594 Lérida 🔢 E 33 – 375 h. alt. 725 – 🟢 973.

♦Madrid 593 – ♦Lérida/Lleida 141 – Sort 5.

🏨 **Condes del Pallars** 🦌, carret. de Sort 🖋 62 03 50, ≤, 🏊 climatizada, 🎾, 🦅 – 🔔 🍽 rest
🅿 – 🔬. 🕮 ⓘ 🇪 VISA. 🎦
cerrado 15 octubre-noviembre – Com 1700 – 🛏 400 – **100 hab** 3000/5600 – P 6000/6200.

RIAZA 40500 Segovia 🔢 I 19 – 1 434 h. alt. 1 200 – 🟢 911 – Deportes de invierno en la Pinilla
S : 9 km : 🚠2 🎿8.

Alred. : Ayllón (Palacio de Juan de Contreras : portada*) NE : 18 km.

♦Madrid 116 – Aranda de Duero 60 – ♦Segovia 70.

🏨 **La Trucha** 🦌, av. Dr. Tapia 17 🖋 55 00 61, ≤, 🛋, 🏊 – 📺. 🎦
Com 1450 – 🛏 325 – **30 hab** 3300/4600 – P 5000/5600.

🍴 Casaquemada, Isidro Rodríguez 18 🖋 55 00 51, Decoración rústica regional.

🍴 **Casa Marcelo,** pl. del Generalísimo 16 🖋 55 03 20, 🛋 – 🕮 🇪 VISA. 🎦
cerrado martes – Com carta 2100 a 2575.

🍴 La Taurina, pl. del Generalísimo 6 🖋 55 01 05.

340

RIBADAVIA 32400 Orense **441** F 5 – 6 222 h. – ✪ 988.
♦Madrid 532 – Orense 31 – Pontevedra 91 – ♦Vigo 70.

en la carretera de Vigo N 120 – ⊠ 32400 Ribadavia – ✪ 988 :

XX Oasis, ℰ 47 16 13, ≼ valle y montaña – ▤ **P**.

CITROEN San Cristóbal ℰ 47 10 62
FORD carret. Orense ℰ 47 15 50
OPEL Calvo Sotelo 44 ℰ 47 08 63

PEUGEOT-TALBOT Estación ℰ 47 09 80
RENAULT carret. Orense km 580 ℰ 47 02 90
SEAT-AUDI-VOLKSWAGEN Valdepereira ℰ 47 01 74

RIBADEO 27700 Lugo **441** B 8 – 9 068 h. alt. 46 – ✪ 982.
Alred. : Carretera en cornisa* de Ribadeo a Vegadeo ≼*.
🛈 pl. de España ℰ 11 06 89.
♦Madrid 591 – ♦La Coruña 158 – Lugo 90 – ♦Oviedo 169.

🏨 **Parador de Ribadeo** ⟫, ℰ 11 08 25, Fax 11 03 46, ≼ ria de Eo y montañas – 🛗 ⇐⇒ **P**. 🍽
① E 𝗩𝗜𝗦𝗔. ✻✻
Com 2500 – ⊇ 800 – **47 hab** 6800/8500.

🏨 **Eo** ⟫ sin rest, av. de Asturias 5 ℰ 11 07 50, ≼, ⻬ – ▨ ⇐⇒. 🍽 ① E 𝗩𝗜𝗦𝗔
abril-septiembre – ⊇ 350 – **24 hab** 4000/5000.

🏠 **Presidente** sin rest, Virgen del Camino 3 ℰ 11 00 92 – E 𝗩𝗜𝗦𝗔
⊇ 250 – **20 hab** 1500/4500.

X **O'Xardín,** Reinante 20 ℰ 11 02 22 – ① E 𝗩𝗜𝗦𝗔
cerrado febrero, Navidades y Año Nuevo – Com carta 1600 a 2275.

CITROEN Ramón González 39 ℰ 11 09 56
FORD Ramón González 28 ℰ 11 01 33
PEUGEOT-TALBOT carret. San Sebastián - La
Coruña km 381 ℰ 11 06 81

RENAULT carret. General km 383 -Dompiñor ℰ
11 10 13
SEAT-AUDI-VOLKSWAGEN El Cargadero ℰ
11 04 98

RIBADESELLA 33560 Asturias **441** B 14 – 6 688 h. – ✪ 985 – Playa.
Ver : Cuevas Tito Bustillo* (pinturas rupestres*).
🛈 Puente Río Sella - carret. de la Piconera ℰ 80 00 38.
♦Madrid 485 – Gijón 67 – ♦Oviedo 84 – ♦Santander 128.

🏨 **Marina,** Gran Vía 36 ℰ 86 01 57 – 🛗 ▨. 𝗩𝗜𝗦𝗔. ✻✻
Com 1575 – ⊇ 290 – **44 hab** 3100/4900 – P 4945/5595.

X **Náutico,** Marqués de Argüelles 9 ℰ 86 00 42, ≼ – ✻✻
Com carta 1850 a 2800.

X **Xico,** López Muñiz 27 ℰ 86 03 45 – 🍽 ① E 𝗩𝗜𝗦𝗔
Com carta 1400 a 2600.

en la playa :

🏨 **G.H. del Sella** ⟫, ℰ 86 01 50, Fax 86 01 76, ≼, ⻬, ⿻, ✻ – 🛗 📺 **P** – 🏛. 🍽 ① E 𝗩𝗜𝗦𝗔.
✻✻
abril-septiembre – Com 2300 – ⊇ 500 – **74 hab** 6880/9380 – P 9020/11200.

🏠 **Playa** ⟫, ℰ 86 01 00, ≼ – ▨ **P**. 𝗩𝗜𝗦𝗔. ✻✻
abril-septiembre – Com carta aprox. 1575 – ⊇ 290 – **11 hab** 2075/4900.

🏠 **Derby** sin rest, ℰ 86 00 92 – ✻✻
cerrado diciembre-enero – ⊇ 250 – **17 hab** 2400/3900.

FIAT La Gran Vía 37 ℰ 86 09 42
RENAULT El Cobayo ℰ 86 09 07
SEAT-AUDI-VOLKSWAGEN Manuel Caso de la Villa
15 ℰ 86 02 67

TALBOT-PEUGEOT Santianes ℰ 86 07 97

RIBAS DE FRESER o **RIBES DE FRESER** 17534 Gerona **443** F 36 – 2 810 h. alt. 920 – ✪ 972.
Balneario – Deportes de invierno en Núria (trayecto 1 h por ferrocarril de cremallera) ⬧1 ⬧3.
Alred. : N : Nuria (≼* del ferrocarril de cremallera) trayecto 1 h.
♦Madrid 689 – ♦Barcelona 118 – Gerona/Girona 101.

🏨 **Cataluña Park H.** ⟫, paseo Mauri 9 ℰ 72 71 98, ≼, « Césped con ⻬ » – 🛗 ⇐⇒. ✻✻
julio-septiembre – Com 1300 – ⊇ 500 – **41 hab** 2025/3575 – P 4235/4400.

🏠 **Cataluña,** San Quintín 37 ℰ 72 70 17, ⻬ – 🛗 ✻✻ rest
Com (sólo cena) 1250 – ⊇ 415 – **12 hab** 1980/3435.

🏠 **San Antonio,** San Quintín 55 ℰ 72 70 18, ☂ – E 𝗩𝗜𝗦𝗔. ✻✻
cerrado del 1 al 24 diciembre – Com *(cerrado martes)* 1350 – ⊇ 450 – **27 hab** 2200/4000 – P
4650.

en la carretera de Barcelona N 152 S : 3 km – ⊠ 17534 Aguas de Ribas – ✪ 972 :

🏠 **Baln. Montagut,** ℰ 72 70 21, « Gran parque », ✻ – ⇐⇒ **P**. 🍽 ① E 𝗩𝗜𝗦𝗔. ✻✻ rest
julio-15 septiembre – Com 1100 – ⊇ 550 – **100 hab** 2100/3500 – P 4250/4600.

en El Baiell SO : 6 km por carretera de Campellas – ⊠ 17534 Campellas – ✪ 972 :

🏠 **Terralta** ⟫, alt. 1 300 ℰ 72 73 50, ≼ valle y montañas, ⻬, ⿻ – **P**. ✻✻
julio-15 septiembre – Com 1500 – ⊇ 450 – **22 hab** 2750/4300 – P 5100.

RIBERA DE CARDÓS 25570 Lérida **443** E 33 – alt. 920 – ✪ 973.

Alred. : Valle de Cardós★.

♦Madrid 614 – ♦Lérida/Lleida 157 – Sort 21.

   🏠 **Cardós** ⚲, Reguera 2 ℰ 63 30 00, ≤, ⌃, ☞ – 🛗 ⟷. ℅ rest
      15 marzo-septiembre – Com 1200 – ⊑ 300 – **60 hab** 2200/3800 – P 4000/4300.

   🏠 **Sol i Neu** ⚲, Llimera 1 ℰ 63 30 37, ≤, ⌃, ℅ – ❷ *VISA*. ℅ rest
      marzo-20 diciembre – Com 1000 – ⊑ 275 – **36 hab** 2000/3300 – P 3250/3500.

RIBES DE FRESER Gerona **443** F 36 – ver Ribas de Freser.

RIELLS DEL FAI 08410 Barcelona **443** G 36 – ✪ 92.

♦Madrid 647 – ♦Barcelona 39.

   ✕ Can Oliveras, Sagrera ℰ 865 88 92, ≤.

RINCÓN DE LA VICTORIA 29730 Málaga **446** V 17 – 7 935 h. – ✪ 952 – Playa.

♦Madrid 568 – ♦Almeria 208 – ♦Granada 139 – ♦Málaga 13.

   🏨 **Rincón Sol** sin rest, con cafetería, av. del Mediterráneo 24 ℰ 40 11 00, ≤ – 🛗 ☎ ❷. 🅰🅴 ⓪
      E *VISA*
      ⊑ 350 – **60 hab** 4800/6000.

      junto a la cueva del Tesoro NO : 1 km – ✉ 29730 Rincón de la Victoria – ✪ 952 :

   ✕ **La Cueva del Tesoro,** Cantal Alto ℰ 40 23 96, ≤ mar, 🌫 – ❷. 🅰🅴 ⓪ **E** *VISA*. ℅
      Com carta 1600 a 3050.

PEUGEOT-TALBOT av. Mediterráneo 178 ℰ 40 12 26   SEAT-AUDI-VOLKSWAGEN Edelmira Castillo 20 ℰ
RENAULT Carril Dominguez 3 ℰ 40 11 46   40 22 74

RIPOLL 17500 Gerona **443** F 36 – 12 035 h. alt. 682 – ✪ 972.

Ver : Antiguo Monasterio de Santa María★ (portada★★, claustro★).

Alred. : San Juan de las Abadesas (iglesia de San Juan : descendimiento de la Cruz★★, claustro★)
NE : 10 km.

🛈 pl. de l'Abat Oliba 3 ℰ 70 23 51.

♦Madrid 675 – ♦Barcelona 104 – Gerona/Girona 86 – Puigcerdá 65.

   🏠 **Monasterio,** pl. Gran 4 ℰ 70 01 50 – ☎ ⟷. 🅰🅴 ⓪ **E** *VISA*. ℅ rest
      Com 1400 – ⊑ 300 – **39 hab** 2700/4200 – P 4750/5350.

      en la carretera N 152 S : 2 km – ✉ 17500 Ripoll – ✪ 972 :

   🏨 **Solana del Ter,** ℰ 70 10 62, ⌃, ☞, ℅ – ▤ rest ☎ ⟷ ❷. ℅
      cerrado noviembre – Com 1600 – ⊑ 450 – **28 hab** 4500/6000 – P 6200/7700.

      en la carretera N 152 NO : 3 km – ✉ 17500 Ripoll – ✪ 972 :

   ✕ **Grill El Gall,** ℰ 70 24 51, Carnes a la parrilla – ❷. 🅰🅴 ⓪ **E** *VISA*. ℅
      Com carta 1550 a 2075.

FIAT-LANCIA Josep M. Pellicer 55 ℰ 70 33 77   PEUGEOT-TALBOT carret. de Barcelona 66 ℰ
FORD carret. N 260 km 119,5 ℰ 70 05 09   70 02 06
MERCEDES-BENZ carret. de Ribas km 118 ℰ   RENAULT carret. de Barcelona 64 ℰ 70 06 40
70 04 21   SEAT-AUDI-VOLKSWAGEN carret. de Barcelona 68
OPEL carret. de Ribas km 118 ℰ 70 04 21   ℰ 70 01 71

RIS Cantabria **442** B 19 – ver Noja.

ROA DE DUERO 09300 Burgos **442** G 18 – 2 556 h. – ✪ 947.

♦Madrid 181 – Aranda de Duero 20 – ♦Burgos 82 – Palencia 72 – ♦Valladolid 76.

   ✕ **Chuleta,** av. de la Paz 7 ℰ 54 02 84 – *VISA*
      cerrado del 15 al 30 octubre – Com carta 1650 a 2550.

FORD carret. de la Horra ℰ 54 00 18   RENAULT carret. de la Horra ℰ 54 02 99
GENERAL MOTORS carret. de Burgos km 8 ℰ   SEAT-AUDI-VOLKSWAGEN carret. de La Horra ℰ
54 00 02   54 00 20

ROBREGORDO 28755 Madrid **444** I 19 – 101 h. alt. 1 300 – ✪ 91.

♦Madrid 89 – Aranda de Duero 72 – ♦Segovia 65.

   🏠 **La Matilla,** carret. N I - S : 1 km ℰ 869 90 06, ℅ – ❷. 🅰🅴 ⓪ **E** *VISA*
      Com 900 – ⊑ 350 – **16 hab** 1800/3600 – P 3950/5750.

La ROCA o **La ROCA DEL VALLES** 08430 Barcelona **443** H 36 – 5 709 h. – ✪ 93.

♦Madrid 648 – ♦Barcelona 30 – Gerona/Girona 69.

   ✕ **Roca Sol,** Anselmo Clavé ℰ 842 11 05 – ▤ ❷. 🅰🅴 *VISA*. ℅
      cerrado miércoles y agosto – Com carta 1675 a 2650.

PEUGEOT-TALBOT Anselmo Clavé 8 ℰ 842 02 18   RENAULT Tenor Viñas 6 ℰ 842 08 04

ROCABRUNA 17867 Gerona **443** E 37 – ⚙ 972.

♦Madrid 713 – ♦Barcelona 141 – Gerona/Girona 94.

🍴 Can Po, carret. de Beget 🌶 74 70 07, Decoración rústica
temp.

ROCAFORT 46111 Valencia **445** N 28 – 3 087 h. – ⚙ 96.

♦Madrid 361 – ♦Valencia 11.

🍴 **L'Eté,** Francisco Carbonell 33 🌶 131 11 90, Cocina francesa – ▤. 🕮 **E** *VISA*. ⅋⅋
cerrado domingo, 15 días en Semana Santa y del 1 al 15 octubre – Com carta 2325 a 2975.

La RODA 02630 Albacete **444** O 23 – 12 287 h. alt. 716 – ⚙ 967.

♦Madrid 210 – ♦Albacete 37.

🏠 **Juanito,** carret. N 301 🌶 44 12 40 – ▤ rest 🕿 ⇦. *VISA*. ⅋⅋
Com 725 – ⊑ 200 – **33 hab** 1250/3000.

🏠 **Hostal Molina,** carret. N 301 🌶 44 13 48, 🍽 – ▤ rest 🕿. *VISA*. ⅋⅋
Com 800 – ⊑ 175 – **25 hab** 975/2100 – P 2300/2400.

en la carretera N 301 NO : 2,5 km – ✉ 02630 La Roda – ⚙ 967 :

🍴 Juanito, 🌶 44 15 12 – ▤ ℗.

CITROEN Mártires 112 🌶 44 03 86
FIAT-LANCIA Villarrobledo 2 🌶 44 12 05
FORD Alfredo Atienza 111 🌶 44 04 40
MERCEDES-BENZ Alfredo Atienza 25 🌶 44 02 93

PEUGEOT-TALBOT Mártires 137 🌶 44 04 90
RENAULT carret. de Madrid km 208 🌶 44 05 88
SEAT-AUDI-VOLKSWAGEN Mártires 106 🌶 44 05 70

ROIS La Coruña – ver Padrón.

RONCESVALLES 31650 Navarra **442** C 26 – 44 h. alt. 952 – ⚙ 948.

Ver : Monasterio (tesoro*).

♦Madrid 446 – ♦Pamplona 47 – St-Jean-Pied-de-Port 29.

🏠 **La Posada** ⌂, 🌶 76 02 25 – ⅋⅋
cerrado noviembre – Com 1050 – ⊑ 300 – **11 hab** 3060.

🍴 Casa Sabina, 🌶 76 00 12 – ① **E** *VISA*. ⅋⅋
cerrado febrero.

RONDA 29400 Málaga **446** V 14 – 31 383 h. alt. 750 – ⚙ 952 – Plaza de toros.

Ver : Situación* – Ciudad* – Camino de los Molinos ≤* – Puente Nuevo ≤*.

Alred. : Cueva de la Pileta* (carretera de acceso ≤**, ≤*) SO : 27 km.

Excurs. : Serranía de Ronda** : Carretera** de Ronda a San Pedro de Alcántara (cornisa**) – Carretera* de Ronda a Ubrique – Carretera* de Ronda a Algeciras.

🛈 pl. de España 1 🌶 87 12 72.

♦Madrid 612 – Algeciras 102 – Antequera 94 – ♦Cádiz 149 – ♦Málaga 96 – ♦Sevilla 147.

🏨 **Reina Victoria** ⌂, Dr. Fleming 25 🌶 87 12 40, « Al borde del Tajo, ≤ valle y serranía de
Ronda », ⻩, – ▤ 🕿 ℗ – 🔬. 🕮 ① *VISA*. ⅋⅋
Com 2220 – ⊑ 525 – **88 hab** 5600/8900 – P 8890/10040.

🏨 **Polo,** Mariano Souvirón 8 🌶 87 24 47 – ▥ 🕿. 🕮 ① **E** *VISA*. ⅋⅋
Com (ver **Rest. Polo**) – ⊑ 440 – **33 hab** 4600/6500.

🏠 **El Tajo** sin rest, con cafetería, Cruz Verde 7 🌶 87 40 40 – ▥ 🕿 ⇦. 🕮 *VISA*. ⅋⅋
⊑ 200 – **70 hab** 2200/3300.

🏠 **Virgen de los Reyes** sin rest, Lorenzo Barrego 13 🌶 87 11 40 – ▥ ⇦. *VISA*. ⅋⅋
⊑ 150 – **30 hab** 1700/3000.

🍴🍴 **Don Miguel,** pl. de España 3 🌶 87 10 90, 🍽, « Terrazas sobre el Tajo » – ▤. 🕮 ① **E**
VISA
cerrado domingo en verano y 15 enero-15 febrero – Com (sólo almuerzo del 17 octubre al
15 marzo) carta 1900 a 2900.

🍴🍴 **Tenorio,** Tenorio 1 🌶 87 49 36, 🍽, Patio andaluz – 🕮 ① **E** *VISA*. ⅋⅋
cerrado 15 enero-febrero – Com carta 2000 a 2825.

🍴🍴 **Pedro Romero,** Virgen de la Paz 18 🌶 87 10 61, 🍽, « Decoración típica » – ▤. 🕮 ① **E**
VISA
Com carta 1585 a 2525.

🍴 **Alhambra,** Pedro Romero 9 🌶 87 69 34, 🍽 – ▤. 🕮 ① **E** *VISA*. ⅋⅋
cerrado lunes – Com carta 1625 a 2325.

🍴 Polo, Mariano Souviron 8 🌶 87 26 69.

AUSTIN-ROVER-MG av. de Málaga 34 🌶 87 53 81
FORD Polígono Industrial El Fuerte 🌶 87 39 42
GENERAL MOTORS av. de Málaga 🌶 87 24 39
PEUGEOT-TALBOT Polígono Industrial El Fuerte 🌶
87 27 58

RENAULT Polígono Industrial El Fuerte 🌶 87 12 44
SEAT-AUDI-VOLKSWAGEN Polígono Industrial El
Fuerte 🌶 87 62 40

ROQUETAS DE MAR 04740 Almería **[4][4][6]** V 22 − 19 006 h. − ☺ 951 − Playa.

⌘₈ Playa Serena ℰ 32 20 55.

♦Madrid 605 − ♦Almería 18 − ♦Granada 176 − ♦Málaga 208.

en la urbanización S : 4 km − ✉ 04740 Roquetas de Mar − ☺ 951 :

✗ **Al-Baida,** av. Las Gaviotas ℰ 32 28 81, 斧 − 🍽. 匹 ⓞ 🖪 𝘝𝘐𝘚𝘈. ⅍
cerrado martes en invierno y 24 diciembre-enero − Com carta 1700 a 3750.

✗ **La Colmena,** Lago Como - Edificio Concordia I ℰ 32 25 65, 斧, ☱ − 🍽. 匹 ⓞ 🖪 𝘝𝘐𝘚𝘈. ⅍
cerrado noviembre − Com (sólo almuerzo) carta 2150 a 2900.

FIAT carret. la Mojonera km 1,2 ℰ 32
FORD Nicolas Navas 3 ℰ 32 03 53
GENERAL MOTORS carret. La Mojonera km 1 ℰ 32 08 68

PEUGEOT-TALBOT carret. Alicún km 3 ℰ 32 20 90
RENAULT carret. Alicún km 1,5 ℰ 32 08 60
SEAT carret. Alicún km 3 ℰ 32 03 87

ROSAL DE LA FRONTERA Huelva **[4][4][6]** S 8 − ver aduanas p. 14 y 15.

ROSAS o **ROSES** 17480 Gerona **[4][4][3]** F 39 − 8 131 h. − ☺ 972 − Playa.

🛈 av. de Rhode ℰ 25 73 31.

♦Madrid 763 − Gerona/Girona 56.

🏨 **Terraza,** passeig Maritim 16 ℰ 25 61 54, Fax 25 68 66, ≤, 斧, ☱ climatizada, ⅍ − ⧮ 🍽 📺
☎ 🚗 Ⓟ. ⓞ 🖪 𝘝𝘐𝘚𝘈. ⅍ rest
Semana Santa-18 octubre − Com 1700 − ⌷ 650 − **111 hab** 6000/10000.

🏨 **Coral Playa,** av. de Rhode 28 (playa del Rastrillo) ℰ 25 62 50, Telex 57191, ≤ − ⧮ 🚗 Ⓟ. 匹
🖪 𝘝𝘐𝘚𝘈. ⅍ rest
abril-25 octubre − Com 1300 − ⌷ 330 − **128 hab** 4800/8500.

🏨 **Moderno,** av. de Rhode 141 ℰ 25 65 58, 斧 − ⧮ 🚗
60 hab.

🏨 **Parc,** av. de Rhode 85 ℰ 25 60 24, ≤ − ⧮ 🍽 ☎ 🚗
51 hab.

🏨 **Casa del Mar** sin rest, av. de Rhode 21 ℰ 25 64 50 − Ⓟ 匹 🖪 𝘝𝘐𝘚𝘈
19 marzo-octubre − ⌷ 500 − **28 hab** 3500/5000.

🏨 **Novel Risech,** av. de Rhode 183 ℰ 25 62 84, 斧, ≤ − ⧮ 🍽 rest − **81 hab.**

✗✗ **L'Antull,** pl. de Sant Pere 7 ℰ 25 75 73, 斧 − 🍽. 匹 ⓞ 🖪 𝘝𝘐𝘚𝘈
cerrado 28 noviembre-28 diciembre, domingo noche y miércoles salvo de abril a octubre −
Com carta 2250 a 3750.

✗✗ **Flor de Lis,** Cosconilles 47 ℰ 25 43 16, Cocina francesa, « Decoración rústica » − 🍽. ⓞ 🖪
𝘝𝘐𝘚𝘈. ⅍
cerrado martes, 30 octubre-17 diciembre y 6 enero-16 marzo − Com carta 2650 a 4025.

✗ **Garbi** con hab, av. de Rhode 193 ℰ 25 60 91, ≤, 斧 − 🍽 rest. 匹 ⓞ 🖪 𝘝𝘐𝘚𝘈. ⅍
15 febrero-15 noviembre − Com carta 2150 a 3900 − **15 hab** ⌷ 1500/3000 − P 3900.

✗ **Can Ramón,** Sant Elm 8 ℰ 25 69 18 − 🍽. ⅍
cerrado domingo noche, lunes y 15 octubre-noviembre.

✗ **LLevant,** av. de Rhode 145 ℰ 25 68 35, 斧 − 🍽 🖪 ⓞ 🖪 𝘝𝘐𝘚𝘈. ⅍
cerrado martes y 15 noviembre-26 diciembre − Com carta 1550 a 2900.

en Santa Margarita (Urbanización) O : 2 km − ✉ 17480 Roses − ☺ 972 :

🏨 **Sant Marc,** av. de la Bocana 42 ℰ 25 44 00, Telex 56246, Fax 25 47 02, ☱ − ⧮ 🍽 rest ☎ Ⓟ.
匹 ⓞ 🖪 𝘝𝘐𝘚𝘈. ⅍ rest
temp. − Com 1800 − **248 hab** ⌷ 5300/7600.

🏨 **Monterrey,** passeig Maritim 106 ℰ 25 66 76, Telex 56278, ≤, ☱ − ⧮ 🍽 rest 🚗 Ⓟ. 匹 ⓞ 🖪
𝘝𝘐𝘚𝘈. ⅍ rest
20 marzo-octubre − Com 1250 − **138 hab** ⌷ 4250/8500.

🏨 **Goya Park,** Port de Reig ℰ 25 75 50, Telex 56009, ≤, ☱ − ⧮ ☎ Ⓟ. 匹 ⓞ 🖪 𝘝𝘐𝘚𝘈. ⅍ rest
abril-octubre − Com 1100 − ⌷ 350 − **224 hab** 4200/6400.

🏨 **Marian Platja,** av. del Salatá ℰ 25 61 08, Telex 56269, ≤, ☱, ⅍ − ⧮ ☎ Ⓟ
temp. − **145 hab.**

🏨 **Rosamar,** av. Nautilus 25 ℰ 25 48 50, Telex 56013, 斧 − ⧮ Ⓟ. 匹 🖪 𝘝𝘐𝘚𝘈. ⅍ rest
10 marzo-octubre − Com 800 − ⌷ 350 − **56 hab** 3500/5300 − P 4300/5150.

en la playa de Canyelles Petites SE : 2,5 km − ✉ 17480 Canyelles Petites − ☺ 972 :

🏨 **Vistabella** 🌸, ℰ 25 62 00, ≤, 斧, « Terraza ajardinada », ☱, ⅍ − 🍽 rest 🚗 🚗 Ⓟ. 匹
ⓞ 🖪 𝘝𝘐𝘚𝘈. ⅍ rest
marzo-octubre − Com (sólo cena) 3175 − **46 hab** ⌷ 6330/12385.

🏨 **Canyelles Platja,** av. Diaz Pacheco 7 ℰ 25 65 00, ≤, 斧, ☱ − ⧮ 🍽 rest 🚗 🚗. 匹 ⓞ 🖪
𝘝𝘐𝘚𝘈. ⅍ rest
12 mayo-24 septiembre − Com 1750 − **99 hab** ⌷ 4300/7950.

en la playa de la Almadraba SE : 4 km − ✉ 17480 Roses − ☺ 972 :

🏨 **Almadraba Park H.** 🌸, ℰ 25 65 50, Telex 57032, ≤ mar, 斧, ☱, 🎾, ⅍ − ⧮ 🍽 🚗 Ⓟ −
🏊. 匹 ⓞ 🖪 𝘝𝘐𝘚𝘈. ⅍ rest
28 abril-16 octubre − Com 3200 − ⌷ 680 − **64 hab** 5160/8000 − P 10015/11175.

en Mas Busca (Urbanización) por la carretera de Cadaqués N : 3,5 km – ⊠ 17480 Roses – ⚙ 972 :

🏨 **San Carlos** ♦, ⊠ apartado 291, ☎ 25 43 00, Fax 25 30 86, ≼, ⤳, ⚒ – 🛗 🗏 rest 🕿 **Ⓟ**. 🖭 **E** **VISA** ⚕
mayo-15 octubre – Com 1100 – ⊇ 400 – **99 hab** 3300/5200 – P 4810/5510.

en la carretera de Figueres O : 4,5 km – ⊠ 17480 Roses – ⚙ 972 :

XXX ⚙ **La Llar,** ⊠ apartado 315, ☎ 25 53 68 – 🗏 **Ⓟ**. 🖭 **①** **E** **VISA** ⚕
cerrado febrero, del 15 al 30 noviembre y jueves – Com carta 3800 a 5800
Espec. Tarta de pescados al caviar, Rodaballo asado con salsa vermut, Magret de pato con confitura de cebolla a la miel.

en Cala Montjoi SE : 7 km – ⊠ 17480 Roses – ⚙ 972 :

XXX ⚙ **El Bulli,** ⊠ apartado 30, ☎ 25 76 51, ≼, 🍽, Decoración rústica – 🗏 **Ⓟ**. 🖭 **①** **E** **VISA**
15 marzo-15 octubre – Com carta 4600 a 5700
Espec. Raviolis de patatas con cigalas, Suquet de pescado, Carro de pastelería, frutas y sorbetes.

RENAULT   Luis Companys 16 ☎ 25 65 05

ROTA 11520 Cádiz **446** W 10 – 25 291 h. – ⚙ 956 – Playa.
♦Madrid 632 – ♦Cádiz 44 – Jerez de la Frontera 34 – ♦Sevilla 125.

en la carretera de Chipiona O : 2 km – ⊠ 11520 Rota – ⚙ 956 :

🏨 **Playa de la Luz** ♦, av. Diputación ☎ 81 05 00, Telex 76063, Fax 81 06 06, 🍽, « Conjunto típico andaluz », ⤳, 🌳, ⚒ – 🕿 **Ⓟ** – 🔬 🖭 **①** **E** **VISA** ⚕
Com 2000 – ⊇ 550 – **282 hab** 6150/8200 – P 7965/10015.

X Bodegón La Almadraba, av. Diputación 150 ☎ 81 18 82, 🍽 – 🗏.

CITROEN   av. San Fernando 62 ☎ 81 10 91
FIAT-LANCIA   Polígono Industrial - av. de la Libertad ☎ 81 29 66
FORD   av. San Fernando ☎ 81 28 90
PEUGEOT-TALBOT   Príncipes de España 16 ☎ 81 23 20

RENAULT   av. San Fernando 79 ☎ 81 23 61
SEAT-AUDI-VOLKSWAGEN   Polígono Industrial Parcela 12 ☎ 81 07 56

Las ROTAS Alicante – ver Denia.

La RÚA o **A RÚA** 32350 Orense **441** E 8 – 5 712 h. alt. 371 – ⚙ 988.
♦Madrid 448 – Lugo 114 – Orense 109 – Ponferrada 61.

🏨 **Espada,** Progreso ☎ 31 00 75, ≼, ⤳ – 🛗 🕿 **Ⓟ**. ⚕ rest
Com *(cerrado domingo)* 1200 – ⊇ 300 – **50 hab** 2000/4500.

CITROEN   pl. de Galicia 2 ☎ 31 04 24

SEAT-AUDI-VOLKSWAGEN   Progreso 54-58 ☎ 31 00 88

RUBIELOS DE MORA 44415 Teruel **445** L 28 – 666 h. – ⚙ 974.
🅸 pl. de Hispano América 1 ☎ 80 40 96.
♦Madrid 357 – Castellón de la Plana 93 – Teruel 56.

X **Portal del Carmen** ♦, con hab, Glorieta 2 ☎ 80 41 53, 🍽, Instalado en un convento del siglo XVII – 📺 🕿. 🖭 **①** **E** **VISA**. ⚕
cerrado 18 septiembre-6 octubre – Com *(cerrado jueves)* carta 1640 a 2400 – ⊇ 375 – **5 hab** 3000/6000.

RUIDERA 13249 Ciudad Real **444** P 21 – ⚙ 926.
♦Madrid 215 – ♦Albacete 106 – Ciudad Real 94.

🏚 León, av. Castilla la Mancha ☎ 58 80 65 – 🚗 **Ⓟ**
25 hab

en Las Lagunas – ⚙ 926 :

🏨 **Albamanjon** ♦, camino de Montesinos SE : 10 km, ⊠ 13326 Ossa de Montiel, ☎ 52 80 88 – 📺 **Ⓟ**
8 apartamentos.

🏚 **La Colgada** ♦, SE : 5 km, ⊠ 13249 Ruidera, ☎ 52 80 25, ≼ – 🗏 rest 🚗 **Ⓟ**. ⚕ rest
cerrado febrero-15 marzo – Com 850 – ⊇ 350 – **39 hab** 1800/3000 – P 3300/3600.

🏠 El Molino ♦, SE : 8 km, ⊠ 13249 Ruidera – **Ⓟ**
33 hab.

RUPIT 08569 Barcelona **443** F 37 – 409 h. – ⚙ 93.
♦Madrid 668 – ♦Barcelona 97 – Gerona/Girona 75 – Manresa 93.

🏠 **Estrella,** pl. Bisbe Font 1 ☎ 856 50 05 – 🖭 **E** **VISA**. ⚕
Com 1025 – **29 hab** ⊇ 3700/4000 – P 4300/6000.

SABADELL 08200 Barcelona **443** H 36 – 184 943 h. alt. 188 – ✿ 93 – Iberia : paseo Manresa 14
✆ 725 49 87.

♦Madrid 626 – ♦♦Barcelona 20 – ♦♦Lérida/Lleida 169 – Mataró 47 – Tarragona 108.

　🏨　**Urpi, av. 11 Setembre 38** ✆ 716 05 00 – 🛗 ▤ rest ☎ ⟵, 🝐 ⓞ **E** **VISA**. ❄ rest
　　Com 1000 – ☲ 400 – **79 hab** 2500/5000.

AUDI-VOLKSWAGEN   Federico Soler 89 ✆ 710 89 90
CITROEN   Prats 77 ✆ 716 27 30
FORD   Rambla Iberia 18-22 ✆ 726 39 00
PEUGEOT-TALBOT   carret. de Terrassa 183-201 ✆
726 35 00

RENAULT   paseo del Comercio 100 ✆ 710 48 00
RENAULT   Papa Pío XI - 59 ✆ 725 23 22
SEAT   carret. de Terrassa 101-131 ✆ 726 91 00

SABANELL Gerona **443** H 38 – ver Blanes.

SABIÑÁNIGO 22600 Huesca **443** E 28 – 9 538 h. alt. 798 – ✿ 974.
Alred. : Carretera★ de Sabiñánigo a Huesca (embalse de Arguis★).
♦Madrid 443 – Huesca 53 – Jaca 18.

　🏨　**La Pardina** ⚘, Santa Orosia 36 - carret. de Jaca ✆ 48 09 75, ☴, ☂ – 🛗 ☎ ❿. ⓞ **E** **VISA**
　　Com 1100 – ☲ 275 – **62 hab** 3400/5500 – P 5225/5875.

　🏨　**Mi Casa,** av. del Ejército 32 ✆ 48 04 00 – 🛗 ▤ rest ☎. 🝐 ⓞ **VISA**. ❄
　　Com 900 – ☲ 450 – **72 hab** 3500/4500.

　✕　La Corona, pl. Santa Ana 2 ✆ 48 13 11 – ▤.

CITROEN   General Franco 187 ✆ 48 07 21
FIAT-LANCIA   av. del Ejército 25 ✆ 48 00 38
FORD   General Franco 118 ✆ 48 01 18
GENERAL MOTORS   carret. de Biescas ✆ 48 11 18

PEUGEOT-TALBOT   Coli Escalona 10 ✆ 48 25 71
RENAULT   carret. de Biescas ✆ 48 07 16
SEAT-AUDI-VOLKSWAGEN   General Franco 120 ✆
48 10 15

SACEDÓN 19120 Guadalajara **444** K 21 – 1 806 h. alt. 740 – ✿ 911.
♦Madrid 107 – Guadalajara 51.

　🏨　**Mariblanca,** Glorieta de los Mártires 2 ✆ 35 00 44, ☂ – ▤ rest. 🝐. ❄
　　cerrado septiembre – Com 975 – ☲ 225 – **21 hab** 1300/2500 – P 3100/3150.

　✕　**Pino,** carret. de Cuenca ✆ 35 01 48, ⟵ – ▤ ❿. ❄
　　cerrado 20 diciembre-enero – Com carta 1300 a 2100.

RENAULT   Glorieta de los Mártires 12 ✆ 35 00 97

SADA 15160 La Coruña **441** B 5 – 7 998 h. – ✿ 981 – Playa.
♦Madrid 584 – ♦La Coruña 20 – Ferrol 38.

　🛖　Miramar, av. General Franco 34 ✆ 62 00 41 – **27 hab**.

RENAULT   El Tarabelo ✆ 62 36 01

SEAT-AUDI-VOLKSWAGEN   Sadadarea 5 ✆ 62 07 41

S' AGARÓ 17248 Gerona **443** G 39 – ✿ 972 – Playa.
Ver : Centro veraniego★ (⟨★).
🝐ᵣₛ Costa Brava, Santa Cristina de Aro O : 6 km ✆ 83 71 50.
♦Madrid 717 – ♦Barcelona 103 – Gerona/Girona 38.

　🏰　**La Gavina** ⚘, pl. de la Rosaleda ✆ 32 11 00, Telex 57132, Fax 32 15 73, ⟨, ☂, « Lujosa
　　instalación, mobiliario de gran estilo », ☴, ☂, ✕ – 🛗 ▤ rest 📺 ☎ ❿ – ⚕ 🝐 ⓞ **VISA**.
　　❄ rest
　　23 marzo-15 octubre – Com 4350 – ☲ 1350 – **74 hab** 21000/27500 – P 21710/28960.

　🏨　**S'Agaro H.** ⚘, platja de Sant Pol ✆ 32 52 00, Fax 32 45 33, ⟨, ☂, ☴, ☂ – 🛗 ▤ 📺 ☎
　　❿ – ⚕. 🝐 ⓞ **E** **VISA**. ❄ rest
　　cerrado 20 noviembre-26 diciembre – Com 2600 – ☲ 700 – **70 hab** 8500/12200 – P 10945/13345.

　✕　Sant Jordi, carret. de Palamós ✆ 32 11 18, ☂ – temp.

　✕　**Alicia - Can Joan,** carret. de Castell d'Aro 47, ✉ 17220, ✆ 32 48 99, Pescados y mariscos –
　　▤ ❿. **E** **VISA**. ❄
　　cerrado lunes y 2 noviembre-2 diciembre – Com carta 1900 a 3250.

SAGUNTO 46500 Valencia **445** M 29 – 54 759 h. alt. 45 – ✿ 96.
Ver : Ruinas★ (Acrópolis ☀★).
🛈 pl. Cronista Chabret ✆ 246 22 13.
♦Madrid 375 – Castellón de la Plana 56 – Teruel 126 – ♦Valencia 27.

　🏨　**Azahar,** av. Pais Valenciá 8 ✆ 266 33 68 – 🛗 ▤ rest ☎ ⟵. 🝐 ⓞ **E** **VISA**. ❄
　　Com 1200 – ☲ 275 – **25 hab** 2400/3600 – P 4070/4670.

　✕　**L'Armeler,** subida del Castillo 44 ✆ 266 43 82 – 🝐 ⓞ **E** **VISA**
　　cerrado lunes – Com carta 2030 a 3350.

　　en el puerto E : 6 km – ✉ 46520 Puerto de Sagunto – ✿ 96 :

　🏨　**Teide,** av. 9 de Octubre 53 ✆ 267 22 44 – ▤ rest. 🝐 **E** **VISA**. ❄
　　Com 850 – ☲ 250 – **27 hab** 1850/4200.

　🏨　**El Bergantín,** pl. del Sol 6 ✆ 267 33 23 – 🛗. ❄
　　cerrado 14 diciembre-14 enero – Com 1000 – ☲ 250 – **27 hab** 1500/3000 – P 3400.

　✕　Violeta, av. 9 de Octubre 40 ✆ 247 00 03, ☂ – ▤.

CITROEN carret. Valencia-Barcelona km 24,3 ℰ 266 47 91
FORD carret. Valencia-Barcelona km 25,7 ℰ 246 23 54
GENERAL MOTORS carret. N 340 km 25,5 ℰ 246 12 80
MERCEDES Valencia 69 ℰ 246 19 00

PEUGEOT-TALBOT carret. Valencia-Barcelona 67 ℰ 246 12 31
RENAULT carret. Valencia-Barcelona km 23,5 ℰ 246 18 66
SEAT-AUDI-VOLKSWAGEN carret. Valencia-Barcelona km 25 ℰ 266 43 63

Europe — Wenn der Name eines Hotels dünn gedruckt ist, hat uns der Hotelier Preise und Öffnungszeiten nicht angegeben.

SALAMANCA 37000 🅿 444 J 12 y 13 – 167 131 h. alt. 800 – ☎ 923 – Plaza de toros.

Ver : Patio de las Escuelas*** AZ – Plaza Mayor** BY – Catedral Nueva** AZ – Catedral Vieja* (retablo mayor**, sepulcro del obispo Anaya**) AZ B – Casa de las Conchas* AZ C – Convento de San Esteban* BZ E – Convento de las Dueñas (claustro**) BZ F – Casa de los Álvarez Abarca (museo de Salamanca*) AZ K.

🛈 Gran Vía 41, ⊠ 37001, ℰ 24 37 30 pl. Mayor 10, ⊠ 37002, ℰ 21 83 42 – R.A.C.E. España 6, ⊠ 37001, ℰ 21 29 25.

♦Madrid 205 ② – Ávila 98 ② – ♦Cáceres 217 ③ – ♦Valladolid 115 ① – Zamora 62 ⑤.

Anaya (Pl. de)	AZ 2		Libertad (Pl. de la)	BY 22
Arroyo de Santo Domingo	BZ 3		Libreros	AZ 23
Bandos (Pl. de los)	BY 5		Palominos	AZ 27
Bordadores	AY 7		Patio Chico	AZ 28
Calderón de la Barca	AZ 8		Ramón y Cajal	AY 32
Colón (Plaza de)	BZ 9		Reyes de España (Av.)	AZ 33
Comuneros (Av. de los)	BY 10		Rúa Antigua	AZ 35
Concilio de Trento	BZ 12		San Pablo (Puerta)	ABZ 36
Condes de Crespo Rascón	ABY 13		San Vicente (Paseo)	AY 37
Cuesta del Carmen	AY 14		Sancti Spiritus (Cuesta)	BY 38
Dr Torres Villarroel (Paseo)	BY 16		Santo Domingo (Pl.)	BZ 40
Ejército (Pl. del)	BY 17		Tostado	AZ 42

Azafranal	BY 4
Mayor (Pl.)	BY
Toro	BY 41
Zamora	BY 43

Parador de Salamanca, Teso de la Feria 2, ✉ 37008, 𝒫 26 87 00, Telex 23585, Fax 21 54 38, ≼, 🔄, 🌿, 🍽 – 🛗 ☰ 📺 ☎ ⟷ 🅟 – 🅰. 🖭 ⓪ 🅴 𝘝𝘐𝘚𝘈. ⠧
AZ **a**
Com 2500 – ⌑ 800 – **108 hab** 7200/9000.

Gran Hotel y Rest. Feudal, pl. Poeta Iglesias 5, ✉ 37001, 𝒫 21 35 00, Telex 26809 – 🛗 ☰ 📺. 🖭 ⓪ 🅴 𝘝𝘐𝘚𝘈. ⠧ rest
BY **r**
Com 2600 – ⌑ 800 – **100 hab** 8200/11000.

Monterrey y Rest. El Fogón, Azafranal 21, ✉ 37001, 𝒫 21 44 00, Telex 27836 – 🛗 ☰ 📺. 🖭 ⓪ 🅴 𝘝𝘐𝘚𝘈. ⠧
BY **u**
Com 2300 – ⌑ 600 – **89 hab** 7600/10300.

Castellano III sin rest, con cafetería, San Francisco Javier 2, ✉ 37001, 𝒫 25 16 11, Telex 48097 – 🛗 📺 ☕ ⟷ – 🅰. 🖭 🅴 𝘝𝘐𝘚𝘈. ⠧
BY **z**
⌑ 450 – **73 hab** 4300/6500.

Condal sin rest, con cafetería, pl. Santa Eulalia 3, ✉ 37002, 𝒫 21 84 00 – 🛗 ☕. 🅴 𝘝𝘐𝘚𝘈. ⠧
BY **v**
⌑ 325 – **70 hab** 2975/4975.

Gran Vía sin rest, con cafetería, Rosa 4, ✉ 37001, 𝒫 21 54 01 – 🛗 📺 ☕. 🖭 𝘝𝘐𝘚𝘈. ⠧
BY **h**
⌑ 275 – **47 hab** 3200/4500.

Milán, pl. del Ángel 5, ✉ 37001, 𝒫 21 77 79 – 🛗 ☰ rest ☕. 🅴 𝘝𝘐𝘚𝘈. ⠧
BYZ **c**
Com 850 – ⌑ 225 – **25 hab** 2150/3650 – P 3450/3775.

Castellano II sin rest, Pedro Mendoza 38, ✉ 37003, 𝒫 24 28 12, Telex 48097 – ☕ ⟷. 🖭 🅴 𝘝𝘐𝘚𝘈. ⠧
BY **a**
⌑ 350 – **29 hab** 3500/4500.

Ceylán, San Teodoro 7, ✉ 37001, 𝒫 21 26 03 – 🛗 ☕. 𝘝𝘐𝘚𝘈. ⠧ rest
BYZ **c**
Com 1100 – ⌑ 275 – **32 hab** 2560/3690 – P 3825/4540.

París sin rest, Padilla 1-5, ✉ 37001, 𝒫 25 29 70 – 📺 ☎. ⠧
BY **q**
⌑ 250 – **12 hab** 2400/3500.

Reyes Católicos sin rest, paseo de la Estación 32 - 1° piso, ✉ 37003, 𝒫 24 10 64 – 🛗 ☕ ⟷. ⠧
BY **y**
⌑ 325 – **33 hab** 2400/3300.

Castellano I sin rest, av. de Portugal 29, ✉ 37003, 𝒫 22 85 16, Telex 48097 – ☕. 🖭 🅴 𝘝𝘐𝘚𝘈. ⠧
BY **m**
⌑ 300 – **22 hab** 3120/3900.

Mindanao sin rest y sin ⌑, paseo de San Vicente 2, ✉ 37007, 𝒫 23 37 45
AY **b**
30 hab 1750/2550.

Chez Victor, Espoz y Mina 26, ✉ 37002, 𝒫 21 31 23 – 🖭 𝘝𝘐𝘚𝘈. ⠧
ABY **d**
cerrado domingo noche, lunes y agosto – Com carta 2800 a 3250
Espec. Terrina de bacalao y verduras con ali-oli, Medallones de ternera con limón confitado, Nougat de frutas.

Candil Nuevo, pl. de la Reina 1, ✉ 37001, 𝒫 21 90 27, Decoración castellana – ☰. 🖭 ⓪ 🅴 𝘝𝘐𝘚𝘈. ⠧
BY **t**
Com carta 1625 a 3225.

Albatros, Obispo Jarrín 10, ✉ 37001, 𝒫 26 93 87 – ☰. 🖭 ⓪ 🅴 𝘝𝘐𝘚𝘈. ⠧
BY **p**
Com carta 1850 a 2550.

Chapeau, España 20, ✉ 37001, 𝒫 27 18 33 – ☰. 🖭 ⓪ 𝘝𝘐𝘚𝘈. ⠧
BY **n**
Com carta 1950 a 3700.

La Posada, Aire 1, ✉ 37001, 𝒫 21 72 51 – ☰. 🖭 ⓪ 🅴 𝘝𝘐𝘚𝘈. ⠧
BY **k**
cerrado del 1 al 20 agosto – Com carta 1550 a 2400.

El Botón Charro, Hovohambre 4, ✉ 37001, 𝒫 21 64 62, Rest. típico – ☰. 🖭 🅴 𝘝𝘐𝘚𝘈. ⠧
BY **p**
cerrado domingo – Com carta 2400 a 3050.

Le Sablon, Espoz y Mina 20, ✉ 37002, 𝒫 26 29 52 – ☰. 🖭 ⓪ 🅴 𝘝𝘐𝘚𝘈
ABY **d**
cerrado martes y julio – Com carta 1800 a 3200.

Río de la Plata, pl. del Peso 1, ✉ 37001, 𝒫 21 90 05 – ☰. ⠧
BY **r**
cerrado lunes y julio – Com carta 1750 a 2800.

Asador Arandino, Azucena 5, ✉ 37002, 𝒫 21 73 82 – ☰
BY **v**

El Mesón, pl. Poeta Iglesias 10, ✉ 37001, 𝒫 21 72 22 – ☰. 🖭 𝘝𝘐𝘚𝘈. ⠧
BY **r**
cerrado del 10 al 30 enero – Com carta 1705 a 2325.

en la carretera N 620 por ① : 2,5 km – ✉ 37000 Salamanca – ☎ 923 :

El Quinto Pino con hab, 𝒫 22 86 93 – ☰ rest 🅟. ⠧
Com carta 1425 a 2425 – ⌑ 200 – **13 hab** 1400/2500 – P 2900/3050.

en la carretera N 501 por ② : 6 km – ✉ Santa Marta de Tormes – ☎ 923 :

Regio y Rest. Lazarillo de Tormes, 𝒫 20 02 50, Telex 22895, Fax 20 01 44, 🌿, 🔄, 🌿, 🍽 – 🛗 ☰ 📺 ☎ 🅟 – 🅰. 🖭 ⓪ 🅴 𝘝𝘐𝘚𝘈. ⠧ rest
Com 2200 – ⌑ 525 – **121 hab** 4800/7500 – P 7750/8800.

en la carretera de Béjar – ✉ 37000 Salamanca – ☎ 923 :

Lorenzo sin rest, por ③ : 1,5 km 𝒫 21 43 06 – ☕ ⟷ 🅟. 𝘝𝘐𝘚𝘈
⌑ 125 – **22 hab** 2100/3100.

Mesón Los Arapiles, por ③ : 7 km, ✉ 37796 Arapiles, 𝒫 21 18 07, 🌿 – 🅟. 🅴 𝘝𝘐𝘚𝘈. ⠧
Com carta 1800 a 3350.

en la carretera de Ciudad Rodrigo por ④ : 3 km – ⊠ 37008 Salamanca – ☻ 923 :

✕ **Picosa,** av. de la Salle 76 𝄐 21 67 87 – ▤ ℗. 𝘝𝘐𝘚𝘈. ✼
Com carta 1275 a 1800.

ALFA-ROMEO carret. Valladolid km 1,5 𝄐 23 62 00
BMW carret. de Madrid - (La Serna) km 208,5 𝄐 21 97 37
CITROEN av. Los Comuneros 30-32 𝄐 25 24 61
CITROEN carret. Valladolid km 2,8 (Polígono Ind. Los Villares) 𝄐 25 24 61
FIAT-LANCIA carret. Valladolid km 2,6 𝄐 24 12 11
FORD carret. de Valladolid km 3,2 𝄐 24 42 14
GENERAL MOTORS carret. de Valladolid km 2,1 𝄐 25 20 11
LANCIA paseo de Torres Villarroel 16 𝄐 22 76 40

MERCEDES-BENZ Polígono Industrial Montalvo 102 𝄐 21 56 00
PEUGEOT-TALBOT carret. de Madrid km 208 𝄐 21 27 06
PEUGEOT-TALBOT carret. de Valladolid km 2,8 𝄐 25 54 43
RENAULT carretera Valladolid km 2,5 𝄐 24 76 11
SEAT-AUDI-VOLKSWAGEN av. de Toro 13 - Polígono Industrial Los Villares 𝄐 21 10 55
SEAT-AUDI-VOLKSWAGEN av. Toro 𝄐 25 10 19
SEAT-AUDI-VOLKSWAGEN av. Toro 15 𝄐 24 98 12

SALARDÚ 25598 Lérida **443** D 32 – alt. 1 267 – ☻ 973 – Deportes de invierno en Baqueira Beret E : 6 km : ≰11.

♦Madrid 611 – ♦Lérida/Lleida 172 – Viella 9.

🏠 **Lacreu,** carret. de Viella 𝄐 64 50 06, ≤, 🐎 – ▯ ☎ ℗. 𝖠𝖤 𝘝𝘐𝘚𝘈. ✼
cerrado mayo-junio y octubre-noviembre – Com 1500 – **70 hab** 2500/4000 – P 4300/4800.

🏠 **Garona,** 𝄐 64 50 10, ≤ – ☎ ℗. 𝘝𝘐𝘚𝘈. ✼
cerrado mayo-junio y octubre-noviembre – Com 1500 – ☲ 400 – **28 hab** 2000/4000 – P 4300.

🏠 **Deth País** ⏚ sin rest, pl. de la Pica 𝄐 64 58 36, ≤ – ▯ ☎ ℗. 𝘝𝘐𝘚𝘈. ✼
diciembre-15 abril y 15 julio-septiembre – ☲ 375 – **18 hab** 3000/4650.

en Baqueira - carretera del Port de la Bonaigua E : 4 km – ⊠ 25598 Salardú – ☻ 973 :

🏨 **Montarto,** 𝄐 64 50 75, Telex 57707, ≤ alta montaña, ⴵ, ✕ – ▯ ▤ rest ℗ – 🄰. 𝖠𝖤 ⓞ 𝖤 𝘝𝘐𝘚𝘈 ✼
cerrado 16 abril-27 julio y septiembre-noviembre – Com (sólo cena) 1900 – ☲ 725 – **166 hab** 8500/11000.

🏨 Tuc Blanc, 𝄐 64 51 50 – ▯ ☎ ⇦ ℗ – 🄰 – **165 hab**.

🏨 **Val de Ruda** sin rest, 𝄐 64 58 11, ≤, Decoración típica aranesa – 📺 ☎ ℗. 𝖠𝖤 ⓞ 𝘝𝘐𝘚𝘈. ✼
agosto y diciembre-abril – **34 hab** ☲ 9100.

SALAS DE LOS INFANTES 09600 Burgos **442** F 20 – 2 010 h. – ☻ 947.

♦Madrid 230 – Aranda de Duero 69 – ♦Burgos 53 – ♦Logroño 118 – Soria 92.

🏠 **Moreno,** Filomena Huerta 5 𝄐 38 01 35 – ⇦. 𝘝𝘐𝘚𝘈. ✼
cerrado 15 enero-febrero – Com *(cerrado lunes)* 900 – ☲ 225 – **15 hab** 1800/3100 – P 3270/3520.

PEUGEOT-TALBOT Juan Yagüe 2 𝄐 38 07 96
RENAULT carret. Burgos 𝄐 38 08 52

SEAT-AUDI-VOLKSWAGEN pl. Condestable 9 𝄐 38 01 47

SALDAÑA 34100 Palencia **442** E 15 – 3 042 h. – ☻ 988.

♦Madrid 291 – ♦Burgos 92 – ♦León 101 – Palencia 65.

🏠 **Dipo's** ⏚, carret. de Relea N : 1,5 km 𝄐 89 01 44, ≤, �ᵉᵉ, ⴵ, ✕ – ⇨ ℗. 𝘝𝘐𝘚𝘈. ✼
Com 850 – ☲ 375 – **40 hab** 2500/3800 – P 4000/4600.

FIAT-LANCIA carretera de Osorno 𝄐 89 01 18
OPEL carretera Gudrao km 64,5 𝄐 89 05 47
PEUGEOT-TALBOT carretera de Osorno 𝄐 89 00 63

RENAULT av. Conde de Garay 19 𝄐 89 00 39
SEAT carretera Palencia 𝄐 89 04 50

EL SALER 46012 Valencia **445** N 29 – ☻ 96 – Playa.

🏠 El Saler, Parador Luis Vives S : 7 km 𝄐 161 11 86.
♦Madrid 356 – Gandía 55 – ♦Valencia 8.

en la playa SE : 3 km – ⊠ 46012 El Saler – ☻ 96 :

🏨 Sidi Saler ⏚, 𝄐 161 04 11, Telex 64208, ≤, ⴵ, ◪, 🐎, ✕ – ▯ ▤ 📺 ☎ ℗ – 🄰 – **276 hab**.

al Sur : 7 km – ⊠ 46012 El Saler – ☻ 96 :

🏨 **Parador Luis Vives** ⏚, 𝄐 161 11 86, ≤, « En el centro de un campo de golf », ⴵ, ✕, 🏠 –
▯ ▤ 📺 ☎ ℗ – 🄰. 𝖠𝖤 ⓞ 𝖤 𝘝𝘐𝘚𝘈. ✼
Com 2700 – ☲ 800 – **58 hab** 8800/11000.

SALINAS Asturias **441** B 12 – ver Avilés.

SALINAS DE LENIZ 20530 Guipúzcoa **442** D 22 – 207 h. – ☻ 943.

♦Madrid 377 – ♦Bilbao 66 – ♦San Sebastián/Donostia 83 – Vitoria/Gasteiz 22.

en el Puerto de Arlabán - carretera C 6213 SO : 3 km – ⊠ 20530 Salinas de Leniz – ☻ 943 :

✕✕ **Gure Ametza** con hab, 𝄐 79 20 97 – ▤ rest ℗. 𝖤 𝘝𝘐𝘚𝘈. ✼
cerrado del 10 al 31 agosto – Com *(cerrado lunes noche)* carta 2150 a 2550 – ☲ 350 – **6 hab** 2500/3500.

SALINAS DE SIN 22365 Huesca **443** E 30 – alt. 725 – ✪ 974.
◆Madrid 541 – Huesca 146.

   ✕ **Mesón de Salinas** ⌂, con hab, cruce carret. de Bielsa 𝒫 50 51 71, ≤ – *VISA*. ❉ rest
       Com carta 1250 a 2000 – 🍽 400 – **16 hab** 1500/3100 – P 3600.

SALOBREÑA 18680 Granada **446** V 19 – 8 119 h. alt. 100 – ✪ 958 – Playa.
Ver : Emplazamiento★.
🇫 Los Moriscos, SE : 5 km 𝒫 60 04 12.
◆Madrid 499 – Almería 119 – ◆Granada 70 – ◆Málaga 102.

   en la carretera de Málaga – ⊠ 18680 Salobreña – ✪ 958 :

   🏨 **Salobreña** ⌂, O : 4 km 𝒫 61 02 86, ≤ mar y costa, 🍴, ⌁, 🐎, ✕ – ❙ 🐎 **P**. 🆎 ⓪ **E** *VISA*.
       ❉ rest
       Com 1850 – 🍽 415 – **80 hab** 3950/6300 – P 6640/7440.

   🏠 **Salambina,** O : 1 km 𝒫 61 00 37, ≤ plantaciones de cañas y mar, 🍴 – ☎ **P**. 🆎 ⓪ **E** *VISA*.
       ❉
       Com 1450 – 🍽 390 – **13 hab** 2940/4305 – P 5570/9565.

SALOU 43840 Tarragona **443** I 33 – ✪ 977 – Playa.
Alred. : Cabo de Salou★ (paraje★) E : 3 km.
🅱 explanada del Muelle 𝒫 38 02 33 y Montblanc 𝒫 38 01 36.
◆Madrid 556 – ◆Lérida/Lleida 99 – Tarragona 10.

   🏨 **Planas,** pl. Bonet 3 𝒫 38 01 08, 🍴, « Terraza con arbolado » – ❙ 🐎. ❉
       15 abril-15 octubre – Com 1100 – 🍽 350 – **100 hab** 2400/4500.

   ✕✕ **Casa Font,** Colón 17, Edificio Els Pilons 𝒫 38 57 45, ≤ – 🍽 🆎 ⓪ **E** *VISA*
       cerrado lunes y 6 enero-12 febrero – Com carta 2300 a 3400.

   ✕✕ **Casa Soler,** Virgen del Carmen 𝒫 38 04 63, 🍴 – **P**. 🆎 ⓪ **E** *VISA*. ❉
       cerrado domingo noche en invierno – Com carta 2450 a 3750.

   ✕✕ **La Goleta,** Gavina - playa Capellans 𝒫 38 35 66, ≤, 🍴 – 🍽 **P**. 🆎 ⓪ **E** *VISA*
       Com carta 1700 a 3100.

   ✕ **Tolosa,** vía Augusta 18 𝒫 38 14 07.

   ✕ **Macarrilla,** paseo Jaime I - 24 𝒫 38 54 15, ≤, 🍴 – 🍽. 🆎 *VISA*. ❉
       abril-octubre – Com *(cerrado martes)* carta 1500 a 2800.

   en la playa de la Pineda E : 7 km – ⊠ 43840 Salou – ✪ 977 :

   🏨 **Carabela Roc** sin rest, con cafetería, Pau Casals 108 𝒫 37 01 66, Telex 56709, ≤, « Terraza
       bajo los pinos » – ❙ 🐎 **P**. **E** *VISA*
       15 marzo-octubre – **98 hab** 🍽 3500/6295.

SALLENT DE GÁLLEGO 22640 Huesca **443** D 29 – 1 142 h. alt. 1 305 – ✪ 974 – Deportes de
invierno en El Formigal 🎿4 – ver aduanas p. 14 y 15.
◆Madrid 485 – Huesca 90 – Jaca 52 – Pau 78.

   en El Formigal NO : 4 km – alt. 1 480 – ⊠ 22640 El Formigal – ✪ 974 :

   🏨 **Formigal** ⌂, 𝒫 48 80 00, Telex 58885, ≤ alta montaña – ❙ ☎ **P**. 🆎 ⓪ **E** *VISA*. ❉ rest
       15 diciembre-20 abril y junio-20 septiembre – Com 1650 – 🍽 525 – **125 hab** 4150/6950 – P
       6725/7400.

   🏨 **Eguzki-Lore** ⌂, 𝒫 48 80 75, ≤ alta montaña, « Ambiente acogedor », ⌁ – 🐎 – **30 hab**.

SAMIL Pontevedra – ver Vigo.

SAN ADRIÁN 31570 Navarra **442** E 24 – 4 362 h. – ✪ 948.
◆Madrid 324 – ◆Logroño 56 – ◆Pamplona 74 – ◆Zaragoza 131.

   ☎ **Ochoa,** Delicias 3 𝒫 67 08 26 – ❉
       Com 800 – 🍽 250 – **15 hab** 1300/2000 – P 2500/2800.

CITROEN carret. de Estella 42 𝒫 67 08 04   RENAULT General Franco 𝒫 67 04 81

SAN AGUSTÍN Las Palmas – ver Canarias (Gran Canaria) : Maspalomas.

SAN AGUSTÍN Baleares – ver Baleares (Mallorca) : Palma de Mallorca.

SAN AGUSTÍN Baleares – ver Baleares : Ibiza.

SAN AGUSTÍN DEL GUADALIX 28750 Madrid **444** J 19 – 1 920 h. alt. 648 – ✪ 91.
◆Madrid 35 – Aranda de Duero 128.

   ✕✕ **Araceli,** José Antonio 10 𝒫 841 85 31, 🍴 – 🍽 **P**. 🆎 ⓪ **E** *VISA*. ❉
       Com carta 2000 a 2950.

RENAULT Postas 16 𝒫 841 82 02

SAN ANDRÉS DEL RABANEDO León – ver León.

SAN ANTONIO ABAD Baleares 443 P 33 – ver Baleares (Ibiza).

SAN ANTONIO DE CALONGE o **SANT ANTONI DE CALONGE** 17250 Gerona 443 G 39 – ✪ 972.

Playa.

◆Madrid 717 – ◆Barcelona 107 – Gerona 47.

🏨 **Rosa dels Vents,** passeig Josep Mundet 🖉 65 13 11, Telex 57077, ≤, ❤️ – 🛗 ☎ ⇔ 🅿. ⓞ E VISA. ✳️
20 mayo-septiembre – Com 1000 – ⊑ 350 – **60 hab** 6950/8900.

🏨 **Rosamar** ⚲, passeig Josep Mundet 🖉 65 06 61, ≤ – 🛗 ▤ rest ☎ 🅿. AE ⓞ E VISA. ✳️
abril-15 octubre – Com 2000 – **60 hab** ⊑ 4500/6000 – P 6000/7500.

🏨 **Reymar,** paratge Torre Valentina 🖉 65 22 11, Telex 57077, ≤, ⤓, ❤️ – ☎ 🅿. AE ⓞ E VISA. ✳️
junio-septiembre – Com 1050 – ⊑ 375 – **49 hab** 4000/6000.

🏋 **Costa Brava,** carret. de San Feliù de Guixols C 253 🖉 65 10 61 – ▤ 🅿. AE ⓞ E VISA. ✳️
cerrado lunes y del 1 al 15 noviembre – Com carta 1550 a 2650.

🏋 **Refugi de Pescadors,** passeig Josep Mundet 44, ✉ 17252, 🖉 65 06 64, 🏡, Imitación del interior de un barco, Pescados y mariscos – ▤. AE ⓞ E VISA. ✳️
Com carta 2550 a 3175.

SAN BAUDILIO DE LLOBREGAT o **SANT BOI DE LLOBREGAT** 08030 Barcelona 443 H 36 – 74 550 h. – ✪ 93.

◆Madrid 626 – ◆Barcelona 11 – Tarragona 83.

🏨 **El Castillo** ⚲, circunvalación del Castillo 1 🖉 661 07 00, ≤, ⤓ – 🛗 ▤ rest ⇔ 🅿. AE ⓞ E VISA
Com 900 – ⊑ 350 – **48 hab** 5000/7000 – P 5650/7150.

CITROEN carret. enlace B 201 con C 245 🖉 661 45 12
FORD Francesc Macia esquina Sta Cruz de Calafell 🖉 654 52 61
FORD Juan Martí 35 🖉 661 06 38
RENAULT carret. de Santa Creu de Calafell km 11 🖉 652 20 51

SAN BAUDILIO DE LLUSANÉS o **SANT BOI DE LLUÇANES** 08589 Barcelona 443 F 36 – 519 h. alt. 750 – ✪ 93.

◆Madrid 661 – ◆Barcelona 89 – Vich/Vic 24.

🏠 **Els Munts,** pl. Nova 1 🖉 857 80 56, ⤓ – ⇔. ✳️
28 hab ⊑ 1450/2900.

🏠 **Montcel** ⚲, SE : 3 km 🖉 857 80 57, « En un pinar », ⤓ – ⇔ 🅿. AE ⓞ E VISA. ✳️ rest
19 marzo-28 diciembre – Com 1000 – ⊑ 300 – **32 hab** 1600/2800 – P 3400/3600.

SAN CARLOS DE LA RÁPITA o **SANT CARLES DE LA RÁPITA** 43540 Tarragona 445 y 446 K 31 – 9 960 h. – ✪ 977.

🛈 Constancia 3 (Ayuntamiento) 🖉 74 01 00.

◆Madrid 505 – Castellón de la Plana 91 – Tarragona 90 – Tortosa 29.

🏨 **Miami Park,** av. Constitución 33 🖉 74 03 51 – 🛗 ☎ ⇔. AE ⓞ E VISA
Com (ver **Rest. Miami**) – ⊑ 450 – **80 hab** 2900/5300.

🏠 **Llansola,** San Isidro 98 🖉 74 04 03 – ⇔ 🅿. E VISA. ✳️
Com 1000 – ⊑ 325 – **17 hab** 1500/4000.

🏠 **Plaça Vella y Rest. L'Ancora,** Madre de Dios de la Rápita 1 🖉 77 24 53 – 🛗 ▤ rest ☎
27 hab.

🏋 **Varadero,** av. Constitución 1 🖉 74 10 01, 🏡, Pescados y mariscos – ▤. AE ⓞ E VISA
cerrado lunes y 11 diciembre-11 enero – Com carta 2200 a 3100.

🏋 **Miami,** av. Constitución 37 🖉 74 05 51, Pescados y mariscos – ▤. AE ⓞ E VISA
cerrado febrero – Com carta 1850 a 3100.

🏋 **Casa Ramón,** Pou de les Figueretes 5 🖉 74 14 58, Pescados y mariscos – ▤. AE ⓞ E VISA
Com carta 1975 a 3000.

en Playa Miami S : 1 km – ✉ 43540 Sant Carles de la Rápita – ✪ 977 :

🏠 **Juanito** ⚲, 🖉 74 04 62, ≤, 🏡 – 🅿. VISA. ✳️ rest
abril-septiembre – Com 1100 – ⊑ 350 – **35 hab** 2500/4000 – P 4200.

en la carretera de Valencia S : 2 km – ✉ 43540 Sant Carles de la Rápita – ✪ 977 :

🏋 **Fernandel,** 🖉 74 03 58, ≤, Pescados y mariscos – 🅿. ⓞ E VISA. ✳️
cerrado lunes y febrero – Com carta 1800 a 2800.

CITROEN Sant Josep 60 🖉 74 10 37
PEUGEOT-TALBOT av. Generalísimo 51 🖉 74 04 26
RENAULT av. Constitución 38 🖉 74 09 64

SAN CELONI o **SANT CELONI** 08470 Barcelona **443** G 37 – 11 929 h. alt. 152 – ✿ 93.

Alred. : NO : Sierra de Montseny★★ : itinerario★★ de San Celoni a Santa Fé – Carretera★ de San Celoni a Tona por el Norte – Itinerario★ de San Celoni a Tona por el Sur.

◆Madrid 662 – ◆Barcelona 49 – Gerona/Girona 57.

XX ⊛ **El Racó de Can Fabes,** Sant Joan 6 ℰ 867 28 51, « Decoración rústica » – ▤. Æ ⓞ Ɛ
VISA. ⅋

cerrado domingo noche, lunes, 30 enero-13 febrero y 26 junio-10 julio – Com carta 3130 a 4630
Espec. El farcellet crustillante de salmonetes al romero, El pato a las especies y las hierbas del Montseny, Menú especial de setas (noviembre-diciembre).

X Les Tines, passeig dels Esports 16, ⊠ 08470, ℰ 867 01 97 – ▤ ⓟ.

en la carretera de Barcelona C 251 SO : 5,5 km – ⊠ 08460 Santa Maria de Palautordera –
✿ 93 :

X **Palautordera,** ℰ 867 04 51 – ▤ ⓟ. Ɛ VISA. ⅋
cerrado martes y febrero – Com carta 1475 a 2250.

CITROEN Santa Rosa 26 ℰ 867 08 44
FORD carret. Comarcal 251 km 19 ℰ 867 10 91
PEUGEOT-TALBOT Dr. Trueta 1 ℰ 867 00 47

RENAULT carret. Vieja 119 ℰ 867 01 46
SEAT-AUDI-VOLKSWAGEN Dr. Trueta 24 ℰ
867 06 73

SAN CLEMENTE DE LLOBREGAT o **SANT CLIMENT DE LLOBREGAT** 08849 Barcelona **443** H 35 – 2 080 h. – ✿ 93.

◆Madrid 595 – ◆Barcelona 17 – Sitges 29.

🏠 **Masía Can Bonet** ⅋, Miguel Martí ℰ 658 55 11, ≤, 🍽, ⅃, ⅋ – ☎ ⓟ. VISA. ⅋ rest
marzo-octubre – Com *(cerrado miércoles en invierno)* 1000 – � 400 – **20 hab** 2000/3600 – P 3800/4000.

SAN CRISTÓBAL Baleares **443** M 42 – ver Baleares (Menorca).

SAN CUGAT DEL VALLES o **SANT CUGAT DEL VALLÉS** 08190 Barcelona **443** H 36 – 31 184 h. alt. 180 – ✿ 93.

Ver : Monasterio★ (claustro★).

🏌 de Sant Cugat ℰ 674 39 08.

◆Madrid 615 – ◆Barcelona 18 – Sabadell 9.

en la autopista A7 NE : 3 km - área de Bellaterra – ⊠ 08290 Cerdanyola – ✿ 93 :

🏨 **Bellaterra,** ℰ 692 60 54, Telex 54136, « Césped con ⅃ », 🌳 – 🛗 ▤ ☎ ⓟ – 🔬. Æ ⓞ Ɛ
VISA. ⅋ rest
Com 1900 – ⊡ 600 – **116 hab** 6875/8475.

en Valldoreix SO : 3,5 km – ⊠ 08190 Valldoreix – ✿ 93 :

🏨 **Rossinyol** ⅋, av. Juan Borrás 64 ℰ 674 23 00, ≤, 🍽, ⅃ – ☎ ⓟ. ⓞ Ɛ VISA. ⅋
Com 1500 – ⊡ 400 – **40 hab** 3000/4500 – P 5050/5800.

por la carretera de Terrassa y desvío a la izquierda O : 3,5 km – ⊠ 08190 Sant Cugat del Vallés – ✿ 93 :

X **Can Ametller,** junto a la autopista A7 ℰ 674 91 51, 🍽 – ▤ ⓟ. Æ ⓞ Ɛ VISA. ⅋
cerrado domingo noche, lunes y del 1 al 21 agosto – Com carta 2000 a 3175.

CITROEN Francisco Moragas 11 ℰ 674 13 21
RENAULT Juan Buscalla ℰ 675 22 61

SEAT-AUDI-VOLKSWAGEN Alfonso Sala 29-35 ℰ
674 68 50

SAN ELMO o **SANT ELM** Gerona – ver San Feliú de Guixols.

SAN EMILIANO 24144 León **441** D 12 – 1 224 h. – ✿ 987.

◆Madrid 386 – ◆León 69 – ◆Oviedo 70 – Ponferrada 89.

🏦 **Asturias,** ℰ 59 40 05 – ⅋ rest
Com 900 – ⊡ 250 – **24 hab** 1500/2500 – P 2900/3150.

SAN FELIÚ DE GUIXOLS o **SANT FELIU DE GUIXOLS** 17220 Gerona **443** G 39 – 15 485 h. – ✿ 972 – Playa – Plaza de toros.

Alred. : Recorrido en cornisa★★★ de San Feliú de Guixols a Tossa de Mar (calas★) 23 km por ②.

🏌 Costa Brava, Santa Cristina de Aro por ③ : 4 km ℰ 83 71 50.

🎫 pl. d'Espanya 6 ℰ 32 03 80.

◆Madrid 713 ③ – ◆Barcelona 100 ③ – Gerona/Girona 35 ③.

Plano página siguiente

🏨 **Murlá Park H.,** passeig dels Guixols 22 ℰ 32 04 50, Telex 57364, ≤, ⅃ – 🛗 ▤ rest ☎. Æ ⓞ Ɛ VISA. ⅋ rest   B **n**
Com *(cerrado noviembre-marzo)* 2050 – ⊡ 500 – **89 hab** 4200/9600.

🏨 **Curhotel Hipócrates** ⅋, carret. de Sant Pol 229 ℰ 32 06 62, ≤, Servicios terapéuticos, 🔲 –
🛗 ☎ ⓟ – 🔬   B **c**
Com (buffet) – **90 hab**.

352

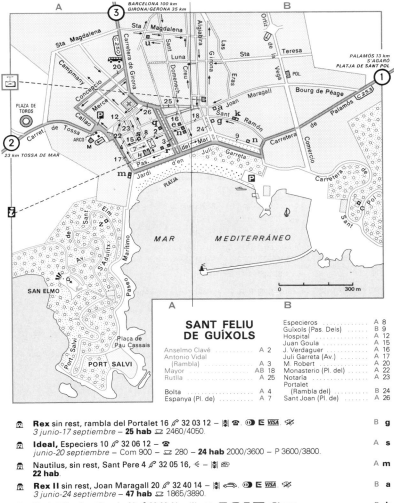

🏠 **Rex** sin rest, rambla del Portalet 16 𝒫 32 03 12 – 🛗 ☎. ⓪ E 𝘝𝘐𝘚𝘈. ⚘ — B **g**
3 junio-17 septiembre – **25 hab** ☲ 2460/4050.

🏠 **Ideal,** Especiers 10 𝒫 32 06 12 – ☎ — A **s**
junio-20 septiembre – Com 900 – ☲ 280 – **24 hab** 2000/3600 – P 3600/3800.

🏠 **Nautilus,** sin rest, Sant Pere 4 𝒫 32 05 16, ⇐ – 🛗 ⇔ — A **m**
22 hab.

🏠 **Rex II** sin rest, Joan Maragall 20 𝒫 32 40 14 – 🛗 ⇔, ⓪ E 𝘝𝘐𝘚𝘈. ⚘ — B **a**
3 junio-24 septiembre – **47 hab** ☲ 1865/3890.

🏠 **Turist H.,** Sant Ramón 39 𝒫 32 08 41 – 🛗 ⇔, 🅰🅴 ⓪ E 𝘝𝘐𝘚𝘈. ⚘ rest — B **k**
mayo-5 octubre y del 18 al 31 marzo – Com 945 – ☲ 260 – **24 hab** 1850/3670 – P 3670/3695.

🗙🗙 ✿ **Eldorado Petit,** Rambla Vidal 23 𝒫 32 18 18 – ☰. 🅰🅴 ⓪ E 𝘝𝘐𝘚𝘈. ⚘ — A **q**
cerrado noviembre y miércoles de octubre a abril – Com carta 3950 a 4350
Espec. Ensalada de gambas de Palamós al vinagre de cava, Suquet de pescado al estilo de la Costa Brava, Filete de buey a la mostaza y romero.

🗙🗙 **S'Adolitx,** Major 13 𝒫 32 18 53, Telex 57077, 🍴 – ☰. 🅰🅴 ⓪ E 𝘝𝘐𝘚𝘈. ⚘ — A **e**
marzo-octubre – Com carta 2300 a 3800.

🗙🗙 **Bahía,** passeig del Mar 18 𝒫 32 02 19, 🍴 – 🅰🅴 ⓪ E 𝘝𝘐𝘚𝘈 — A **r**
Com carta 1600 a 2605.

🗙 **Montserrat-Can Salvi,** passeig del Mar 23 𝒫 32 10 13, 🍴 – 🅰🅴 ⓪ E 𝘝𝘐𝘚𝘈 — A **r**
cerrado 15 noviembre-15 diciembre – Com carta 1600 a 3325.

🗙 **Amura,** pl. Sant Pere 7 𝒫 32 10 35, ⇐, 🍴 – 🅰🅴 ⓪ E 𝘝𝘐𝘚𝘈. ⚘ — A **m**
cerrado jueves – Com carta 1825 a 2950.

sigue →

※ ❀ **Can Toni,** Sant Martiriá 29 🖉 32 10 26 – 🖃. ꔥ ⦿ 🄴 𝗩𝗜𝗦𝗔   A   u
    cerrado martes de octubre a marzo – Com carta 2025 a 3200
    Espec. Sepia de Sant Feliu con fideos negros, Pollo de Payes con tripas de bacalao y gambas, Requesón casero
    con miel y panal.

※ Casa Buxó , con hab, Major 18 🖉 32 01 87   A   n
    temp. – **21 hab**.

※ **Can del Pescador,** Sant Domènec 11 🖉 32 40 52, Pescados y mariscos – ꔥ ⦿ 🄴 𝗩𝗜𝗦𝗔
    ♌   A   n
    cerrado domingo noche y lunes en invierno y 7 enero-7 febrero – Com carta 2300 a 3900.

※ **L'Infern,** Sant Ramón 41 🖉 32 03 01, 🍽 – ꔥ ⦿ 🄴 𝗩𝗜𝗦𝗔. ♌   B   k
    cerrado domingo noche de octubre a mayo – Com carta 2000 a 3100.

    en la playa de Sant Pol por ① : 2 km – ✉ 17220 S'Agaró – ❀ 972 :

🏨 **Caleta Park** ☽, 🖉 32 00 12, Telex 57366, Fax 32 40 96, ≼, ⤴, ※ – 🛗 ☎ ⇌ ⓟ – ♨. ꔥ .
    ⦿ 🄴 𝗩𝗜𝗦𝗔. ♌ rest
    19 marzo-24 octubre – Com 2000 – 🖙 400 – **105 hab** 5550/10800.

🏠 Barcarola, 🖉 32 10 48, 🍽 – ⓟ
    temp. – **46 hab**.

    en Sant Elm A – ✉ 17220 Sant Feliú de Guixols – ❀ 972 :

🏨 **Montjoi** ☽, 🖉 32 03 00, Telex 80433, ≼, « Terrazas escalonadas con árboles y ⤴ » – 🛗 ⇌
    ⓟ. ꔥ ⦿ 🄴 𝗩𝗜𝗦𝗔. ♌ rest   A   z
    mayo-octubre – Com 1350 – 🖙 500 – **64 hab** 3300/5500 – P 5500/6000.

    en Port Salvi – ✉ 17220 Port Salvi – ❀ 972 :

🏨 **Eden Roc** ☽, 🖉 32 01 00, Telex 57204, Fax 65 08 50, ≼, ⤴, 🍽 – 🛗 🖿 rest ☎ ⓟ. ꔥ ⦿ 🄴
    𝗩𝗜𝗦𝗔. ♌ rest
    18 marzo-9 octubre – Com 1670 – 🖙 610 – **140 hab** 7490/11740.

CITROEN   carret. de Palamós 166 🖉 32 06 24   SEAT-AUDI-VOLKSWAGEN   carret. de Gerona 185
PEUGEOT-TALBOT   Comercio 61 🖉 32 18 62   🖉 32 00 58
RENAULT   carret. Gerona 7 🖉 32 10 03

SAN FERNANDO Baleares 🅐🅐🅑 P 34 – ver Baleares (Formentera).

SAN FERNANDO 11100 Cádiz 🅐🅐🅖 W 11 – 78 845 h. – ❀ 956 – Playa.
◆Madrid 634 – Algeciras 108 – ◆Cádiz 13 – ◆Sevilla 126.

※ **Venta de Vargas,** carret. N IV km 677 🖉 88 16 22, 🍽, Decoración regional – 🖃. 𝗩𝗜𝗦𝗔 ♌
    cerrado lunes – Com carta 1400 a 1900.

RENAULT   Peris Junquera 🖉 88 27 48   SEAT-AUDI-VOLKSWAGEN   General Serrano 15 🖉
     88 13 40

SAN FERNANDO DE HENARES 28830 Madrid 🅐🅐🅐 L 20 – 19 310 h. – ❀ 91.
◆Madrid 17 – Guadalajara 40.

    en la carretera de Mejorada del Campo SE : 3 km – ✉ 28820 Coslada – ❀ 91 :

※※ **Palacio del Negralejo,** 🖉 673 18 11, 🍽, « Instalación rústica en una antigua casa de
    campo señorial » – 🖃 ⓟ. ꔥ ⦿ 🄴 𝗩𝗜𝗦𝗔. ♌
    cerrado domingo noche y agosto – Com carta 1975 a 3250.

SAN FRUCTUOSO DE BAGES o **SANT FRUITÓS DE BAGES** 08272 Barcelona 🅐🅐🅑 G 35 –
3 752 h. – ❀ 93.
◆Madrid 596 – ◆Barcelona 72 – Manresa 5.

※※ **La Cuina de l'Andreu,** carret. de Vic 73 🖉 876 00 32 – 🖃 ⓟ. ꔥ ⦿ 🄴 𝗩𝗜𝗦𝗔. ♌
    cerrado martes – Com carta 1800 a 2800.

PEUGEOT-TALBOT   carret. Manresa - Berga km 0,650 🖉 876 01 51

SANGENJO o **SANXENXO** 36960 Pontevedra 🅐🅐🅟 E 3 – 13 899 h. – ❀ 986 – Playa.
🛈 av. del Generalísimo 36 🖉 72 02 85.
◆Madrid 622 – Orense 123 – Pontevedra 18 – Santiago de Compostela 75.

🏨 **Rotilio,** av. del Puerto 🖉 72 02 00, ≼ – 🛗 ⇌. ꔥ ⦿ 🄴 𝗩𝗜𝗦𝗔. ♌
    cerrado 15 diciembre-15 enero – Com *(cerrado lunes fuera de temporada)* 1800 – 🖙 400 –
    45 hab 4200/6600 – P 6500/7500.

🏠 **Punta Vicaño** sin rest, con cafetería, Generalísimo 112 🖉 72 00 11 – ⇌ ⓟ. ⦿ 🄴 𝗩𝗜𝗦𝗔. ♌
    junio-septiembre – 🖙 325 – **24 hab** 2700/4800.

🏠 **Minso** sin rest, av. do Porto 1 🖉 72 01 50, ≼ – 🛗 ⇌. ꔥ ⦿ 🄴 𝗩𝗜𝗦𝗔. ♌
    cerrado 15 diciembre-15 enero – 🖙 300 – **40 hab** 3100/5100.

🏠 **Marycielo,** av. del Generalísimo 26 🖉 72 00 50 – ⇌. 𝗩𝗜𝗦𝗔. ♌
    abril-15 octubre – Com 1400 – 🖙 230 – **24 hab** 2300/4200.

🏠 **Cervantes** sin rest, Progreso 29 🖉 72 07 00 – ⇌. 𝗩𝗜𝗦𝗔. ♌
    julio-septiembre – 🖙 235 – **18 hab** 2500/4000.

✗✗ **La Taberna de Rotilio,** av. del Puerto ✗ 72 02 00 – ▤. 🄰🄴 ⓞ 🄴 𝗩𝗜𝗦𝗔. ✼
cerrado lunes fuera de temporada y 15 diciembre-15 enero – Com carta 2500 a 3300.

✗ **Royal,** av. Lis Rocafort ✗ 72 00 37 – 🄰🄴 ⓞ 🄴 𝗩𝗜𝗦𝗔. ✼
20 marzo-septiembre – Com carta 1075 a 1900.

✗ **Casa Román,** Carlos Casas 2 ✗ 72 00 31 – 🄰🄴 ⓞ 🄴 𝗩𝗜𝗦𝗔. ✼
abril-octubre – Com carta 1775 a 2475.

en Portonovo O : 1,5 km – ✉ 36970 Portonovo – 🌣 986 :

🏨 **Nuevo Cachalote** Ⓜ, Marina ✗ 72 34 54 – 🄸🄴 ☞. 🄴 𝗩𝗜𝗦𝗔. ✼
Com 1050 – 🖃 310 – **30 hab** 3050/4800 – P 4450/5100.

🏠 **Punta Lucero,** av. de Pontevedra 18 ✗ 72 02 24, ≤, – 🄸🄴. ✼
mayo-septiembre – Com 1300 – 🖃 275 – **36 hab** 2175/3700 – P 4725/5050.

🏡 **Cachalote,** Marina ✗ 72 08 52 – 🄴 𝗩𝗜𝗦𝗔. ✼
junio-septiembre – Com 2050 – 🖃 310 – **27 hab** 2330/3980.

🏡 **Sol y Mar** sin rest, playa Caneliñas ✗ 72 08 48 – ✼
15 junio-15 septiembre – 🖃 200 – **18 hab** 3000.

✗ Siroco, con hab, av. de Pontevedra 12 ✗ 72 08 43, ≤, – ▤ rest – **12 hab**.

en la playa de Montalvo O : 4 km – ✉ 36970 Portonovo – 🌣 986 :

🏠 Sixto ⤢, ✗ 72 30 37 – *temp.* – **38 hab**.

en Gondar NO : 5 km – ✉ 36990 Villalonga – 🌣 986 :

🏠 **Nuevo Astur,** ✗ 74 30 06, Telex 88136, 🏊, ← ☞. 𝗩𝗜𝗦𝗔. ✼
Com 1425 – 🖃 360 – **111 hab** 3800/4620 – P 5170/6660.

en la playa de La Lanzada NO : 9,5 km – ✉ 36990 Noalla – 🌣 986 :

🏠 **Marola** ⤢, ✗ 74 36 36, ≤, ← Ⓟ. ✼ rest
abril-15 octubre – Com 1450 – 🖃 275 – **25 hab** 3500/4200 – P 4800/6200.

🏠 **La Lanzada** ⤢, ✗ 74 32 32, ≤, ← 🖃 – Ⓟ. ⓞ 𝗩𝗜𝗦𝗔. ✼
15 marzo-octubre – Com 1400 – 🖃 300 – **26 hab** 2800/4000 – P 4200/5000.

🏠 **Con de Arbón** ⤢, ✗ 74 36 37, Telex 88395, Fax 74 32 45 – Ⓟ. 🄰🄴 ⓞ 🄴 𝗩𝗜𝗦𝗔. ✼
20 marzo-5 noviembre – Com 1500 – 🖃 350 – **25 hab** 4000/5000 – P 5650/7150.

🏠 **Delfín Azul,** ✗ 74 36 22, ≤ – ☞. 𝗩𝗜𝗦𝗔. ✼
Com 1400 – 🖃 200 – **40 hab** 3000/4500 – P 4650/5400.

en la playa de Raxó E : 5 km – ✉ 36994 Poyo – 🌣 986 :

🏠 **Gran Proa** ⤢, ✗ 74 04 33 – 🄴 𝗩𝗜𝗦𝗔. ✼
Com 1150 – 🖃 275 – **25 hab** 2700/4000 – P 4075/4775.

CITROEN Gondar-Villalonga-carret. Pont-Grove km 22 ✗ 74 30 15
FIAT carret. El Grove - Cambados (Villalonga) ✗ 74 30 76

FORD Vichona - Portonovo - carret. de Adigna ✗ 72 33 87
PEUGEOT-TALBOT Adigna - Portonovo ✗ 72 34 96
RENAULT Vichona ✗ 72 35 81

�◼ **SANGÜESA** 31400 Navarra 🄳🄳🄴 E 26 – 4 752 h. – 🌣 948.

Ver : Iglesia de Santa María la Real★ (portada sur★) – 🄱 Mercado 2 ✗ 87 03 29.

♦Madrid 408 – Huesca 128 – ♦Pamplona 46 – ♦Zaragoza 140.

🏠 **Yamaguchy,** carret. de Javier E : 0,5 km ✗ 87 01 27, 🏊, – ▤ rest ☎ ☞ Ⓟ. 𝗩𝗜𝗦𝗔. ✼
Com 1500 – 🖃 500 – **40 hab** 2600/4730 – P 6200.

✗ La Solana, antigua plaza de Toros 10 ✗ 87 10 43 – ▤.

CITROEN Príncipe de Viana 2 ✗ 87 07 31
FORD carret. Pamplona - av. Padre Raimundo Lumbier 12 ✗ 87 07 56

MERCEDES-BENZ av. de Aragón 22 ✗ 87 02 64
PEUGEOT-TALBOT av. de Aragón 5 ✗ 87 04 55
RENAULT av. de Aragón 20 ✗ 87 06 60

▪ **SAN HILARIO SACALM** o ▪ **SANT HILARI SACALM** 17403 Gerona 🄳🄳🄴 G 37 – 4 321 h. alt. 801
– 🌣 972 – Balneario – ♦Madrid 664 – ♦Barcelona 82 – Gerona/Girona 43 – Vich/Vic 36.

🏨 Suizo, pl. Verdaguer 8 ✗ 86 80 00 – 🄸🄴. ✼ – **39 hab**.

🏠 **Ripoll,** Vic 26 ✗ 86 80 25 – 🄸🄴. 🄴 𝗩𝗜𝗦𝗔. ✼
15 marzo-octubre – Com 1100 – 🖃 320 – **43 hab** 1450/2300 – P 3100/3400.

🏠 **Torrás y Tarres,** pl. Gravalosa 13 ✗ 86 80 96 – 🄸🄴. 🄴 𝗩𝗜𝗦𝗔. ✼
cerrado enero – Com *(cerrado viernes)* 1300 – 🖃 400 – **56 hab** 1500/2750 – P 3475/3600.

🏠 **Mi Mó,** Vic 9 ✗ 86 80 22 – 🄸🄴. ✼
Com 1300 – 🖃 250 – **38 hab** 1100/2200 – P 3000.

🏠 **Brugués,** Valls 4 ✗ 86 80 18 – 🄸🄴. ⓞ 🄴 𝗩𝗜𝗦𝗔. ✼ rest
Com *(cerrado Navidad)* 1050 – 🖃 290 – **48 hab** 750/2100 – P 2850.

🏡 Del Grevol, passeig de la Font Vella 5 ✗ 86 80 58 – **14 hab**.

CITROEN carret. Santa Coloma ✗ 86 88 73
RENAULT Juan Serras 12 ✗ 86 82 35

SEAT-AUDI-VOLKSWAGEN Piscina 83 ✗ 86 83 28

▪ **SAN ILDEFONSO** Segovia 🄳🄳🄳 J 17 – ver La Granja.

SAN JAVIER 30730 Murcia **445** S 27 – 12 500 h. – 🌣 968.

♦Madrid 440 – ♦Alicante 76 – Cartagena 34 – ♦Murcia 45.

  ✕ **Moderno,** pl. García Alix 🖉 57 00 49 – 📧 🕮 **E** 𝒱𝐼𝒮𝐴. 🕸
    Com carta 2000 a 3100.

SAN JOSÉ 04118 Almería **446** V 23 – 🌣 951 – Playa.

♦Madrid 590 – Almería 40.

  🏠 **San José** ⌂, Correo 🖉 36 69 74, ≤, 🏤, « Villa frente al mar » – **ɢ. E** 𝒱𝐼𝒮𝐴. 🕸
    cerrado febrero – Com 1000 – ⊊ 300 – **8 hab** 8000.

SAN JOSÉ 07830 Baleares – ver Baleares (Ibiza).

SAN JUAN (Balneario de) Baleares **443** N 39 – ver Baleares (Mallorca).

SAN JUAN 03550 Alicante **445** Q 28 – 10 522 h. – 🌣 96.

♦Madrid 426 – Alcoy 46 – ♦Alicante 9 – Benidorm 34.

  ✕ **La Quinteria,** Dr. Gadea 17 🖉 565 22 94, Cocina gallega – 📧 🕮 **E** 𝒱𝐼𝒮𝐴. 🕸
    cerrado domingo noche y 15 enero-15 febrero – Com (sólo almuerzo) carta 2000 a 2950.

    en la carretera de Alicante N 340 S : 1 km – ✉ 03550 San Juan – 🌣 965 :

  ✕ **El Jabalí,** 🖉 65 39 12, 🏤, Cocina francesa – **ɢ. E** 𝒱𝐼𝒮𝐴. 🕸
    cerrado lunes y noviembre – Com carta 1575 a 2625.

ALFA ROMEO Tomás Campelo 44 🖉 565 71 81
CITROEN Capitán Martí 30 🖉 565 57 43

PEUGEOT carret. de Valencia km 89 🖉 565 72 61
RENAULT Navarregui 6 🖉 565 17 04

SAN JUAN DE POYO Pontevedra **441** E 3 – ver Pontevedra.

SAN LORENZO Baleares – ver Baleares (Ibiza).

SAN LORENZO DE EL ESCORIAL 28200 Madrid **444** K 17 – 9 518 h. – 🌣 91.

🗺 La Herrería 🖉 890 51 11 – 🖪 Floridablanca 10 🖉 890 15 54.

♦Madrid 46 – ♦Ávila 64 – ♦Segovia 52.

  🏨 **Victoria Palace,** Juan de Toledo 4 🖉 890 15 11, Telex 22227, « Terraza con arbolado », ⤢
    – 📲 📺 ☎ **ɢ** – 🔒 🕮 ◉ **E** 𝒱𝐼𝒮𝐴. 🕸
    Com 2300 – ⊊ 480 – **87 hab** 6300/8200 – P 8600/10800.

  🏨 **Miranda y Suizo,** Floridablanca 18 🖉 890 47 11, 🏤 – 📲 ☎. 🕮 ◉ **E** 𝒱𝐼𝒮𝐴. 🕸
    Com 1700 – ⊊ 325 – **47 hab** 3800/5400 – P 5700/6800.

  🏠 **Hostal Cristina,** Juan de Toledo 6 🖉 890 19 61, 🏤 – 📲 🕮 **E** 𝒱𝐼𝒮𝐴. 🕸
    Com 1200 – ⊊ 250 – **16 hab** 3000 – P 7800.

  ✕✕ **Charolés,** Floridablanca 24 🖉 890 08 96, 🏤, Carnes – 🕮 ◉ **E** 𝒱𝐼𝒮𝐴. 🕸
    Com carta 2550 a 3850.

  ✕✕ **Mesón la Cueva,** San Antón 4 🖉 890 15 16, « Antigua posada castellana » – 🕸
    Com carta 1675 a 2875.

  ✕✕ **El Doblón de Oro,** pl. de la Constitución 5 🖉 890 42 16, 🏤 – ◉ **E** 𝒱𝐼𝒮𝐴. 🕸
    Com carta 2250 a 3450.

  ✕ **Parrilla Príncipe** con hab, Floridablanca 6 🖉 890 16 11, 🏤 – ☎. 🕮 ◉ 𝒱𝐼𝒮𝐴. 🕸
    Com 1800 – ⊊ 250 – **14 hab** 2800/3600.

  ✕ **Alaska,** pl. San Lorenzo 4 🖉 890 43 65, 🏤 – 🕮 ◉ **E** 𝒱𝐼𝒮𝐴. 🕸
    cerrado jueves del 11 noviembre a febrero – Com carta 1800 a 3330.

  ✕ **Mesón Serrano,** Floridablanca 4 🖉 890 17 04, 🏤 – 𝒱𝐼𝒮𝐴. 🕸
    Com carta 1950 a 2865.

  ✕ **Parque,** pl. Virgen de Gracia 1 🖉 890 17 01, 🏤, Rest. al aire libre – **E** 𝒱𝐼𝒮𝐴
    febrero-noviembre – Com carta 1675 a 3275.

CITROEN carret. Guadarrama - Polígono Industrial
Matacuervos 🖉 890 32 19
PEUGEOT-TALBOT carret. Guadarrama - El Escorial
km 18,8 🖉 890 28 46

SEAT-AUDI-VOLKSWAGEN carret. Guadarrama-
Polígono industrial 🖉 890 31 76

SANLÚCAR DE BARRAMEDA 11540 Cádiz **446** V 10 – 48 390 h. – 🌣 956 – Playa.

♦Madrid 669 – ♦Cádiz 45 – Jerez 23 – ♦Sevilla 106.

  🏠 **Tartaneros** sin rest, Tartaneros 8 🖉 36 20 44 – 📧 📺 ☎. 🕮 ◉ **E** 𝒱𝐼𝒮𝐴. 🕸
    ⊊ 400 – **22 hab** 5000/7500.

  🏠 **Los Helechos** sin rest, pl. Madre de Dios 9 🖉 36 13 49 – 📧 **ɢ** – **28 hab**.

  🏠 **Posada del Palacio** sin rest, Caballeros 11 (barrio alto) 🖉 36 48 40 – 𝒱𝐼𝒮𝐴
    cerrado 8 enero-febrero – ⊊ 500 – **11 hab** 7000/10000.

  ✕ El Veranillo, prolongación av. Cerro Falón 🖉 36 27 19, 🏤 – **E** 𝒱𝐼𝒮𝐴. 🕸
    Com (sólo fines de semana).

  ✕ Mirador Doñana, bajo de Guía 🖉 36 42 05, ≤, 🏤, Pescados y mariscos – 📧 🕮 ◉ **E** 𝒱𝐼𝒮𝐴.
    🕸.

SAN LUIS Baleares **443** M 42 – ver Baleares (Menorca).

SAN MARTÍN DE LA VIRGEN DE MONCAYO 50584 Zaragoza **442** y **443** G 24 – 332 h. alt. 813 – ✪ 976.

◆Madrid 292 – ◆Zaragoza 100.

🏤 Gomar ⬙, La Gallata 🥢 64 05 41, 🍴 – 🚗 🅿
20 hab.

SAN MARTÍN DE VALDEIGLESIAS 28680 Madrid **444** K 16 – 4 786 h. – ✪ 91.

◆Madrid 73 – Ávila 58 – Toledo 81.

✗ **Los Arcos,** pl. de la Corredera 1 🥢 861 04 34, 🍴 – 🔳. 🆎 ⓞ 🄴 **VISA**. 🧊
cerrado lunes del 15 septiembre al 15 abril – Com carta 1850 a 2750.

CITROEN Polígono Industrial La Colmena 🥢 861 07 34
FORD carret. de Ávila 🥢 861 00 88
PEUGEOT-TALBOT Polígono Industrial La Colmena 🥢 861 00 54

RENAULT carret. de Toledo - Polígono Industrial La Colmena 🥢 861 11 54

SAN MIGUEL Baleares **443** O 34 – ver Baleares (Ibiza).

SAN MIGUEL DE LUENA 39687 Cantabria **442** C 18 – ✪ 942.

◆Madrid 345 – ◆Burgos 102 – ◆Santander 54.

subida al Puerto del Escudo - carretera N 623 SE : 2,5 km – ✉ 39687 San Miguel de Luena – ✪ 942 :

✗ **Ana Isabel,** con hab, 🥢 59 41 96 – 🅿. ⓞ. 🧊
Com carta 1400 a 2150 – ☲ 200 – **9 hab** 2000/3250 – P 4385/4760.

SAN PEDRO DE ALCÁNTARA 29670 Málaga **446** W 14 – ✪ 952 – Playa.

Excurs. : Carretera★★ de San Pedro de Alcántara a Ronda (cornisa★★).

🏌 Guadalmina O : 3 km 🥢 78 13 77 – 🏌 Aloha O : 3 km 🥢 81 23 88 – 🏌 Atalaya Park O : 3,5 km 🥢 78 18 94 – 🏌 Nueva Andalucia NE : 7 km 🥢 78 72 00 – 🏌 Las Brisas, Nueva Andalucia 🥢 81 08 75.

◆Madrid 624 – Algeciras 69 – ◆Málaga 69.

🏨 **Golf H. Guadalmina** ⬙, carret. N 340 - SO : 2 km y desvio 1,2 km-urb. Guadalmina 🥢 78 14 00, Telex 77058, Fax 78 54 79, 🍴, ⌁, ☄, 🎾, 🏌 – 🔳 rest ☎ 🅿. 🆎 ⓞ 🄴 **VISA**. 🧊 rest
Com 3500 – ☲ 1000 – **80 hab** 10500/13000 – P 13300/17300.

en la carretera de Ronda C 339 N : 6 km – ✉ 29670 San Pedro de Alcántara – ✪ 952 :

✗ Venta de Alcuzcuz, 🥢 78 19 89, 🍴 – 🅿.

FORD Sevilla 15 🥢 78 01 45

RENAULT carret. de Cádiz km 177 - Linda Vista Alta 🥢 78 37 92

SAN PEDRO DEL PINATAR 30740 Murcia **445** S 27 – 8 959 h. – ✪ 968 – Playa.

🇪 av. Artero Guirao 43 🥢 18 23 01.

◆Madrid 441 – ◆Alicante 70 – Cartagena 40 – ◆Murcia 51.

🏠 **Mariana** sin rest, av. Dr. Artero Guirao 136 🥢 18 10 13 – 🔳 🅿. 🧊
cerrado 23 diciembre-10 enero – ☲ 240 – **25 hab** 1400/2650.

en Lo Pagán S : 2,5 km – ✉ 30740 San Pedro del Pinatar – ✪ 968 :

🏠 **Neptuno,** Generalisimo 6 🥢 18 19 11, ≤ – 🛎 ☎ 🚗. 🆎 🄴 **VISA**. 🧊 rest
Com 1500 – ☲ 380 – **32 hab** 2600/4800 – P 5000/5200.

🏤 **Arce** sin rest, Marqués de Santillana 117 🥢 18 22 47 – ☎ 🚗. **VISA**.
☲ 250 – **14 hab** 2120/4240.

✗✗ **La Chabola,** La Puntica 🥢 18 19 85, 🍴, Antigua casa habilitada – 🆎 **VISA**. 🧊
cerrado octubre – Com carta 1775 a 3175.

✗ **Venezuela,** Cataluña 2 🥢 18 15 15, 🍴 – 🔳. **VISA**. 🧊
cerrado 13 octubre-1 noviembre – Com carta 2350 a 3000.

CITROEN carret. Alicante - Arturo Guirao 134 🥢 18 05 78
FORD av. Doctor Arturo Guirao 132 🥢 18 15 83
GENERAL MOTORS av. Doctor Arturo Guirao 105 🥢 18 05 93

PEUGEOT av. Doctor Arturo Guirao 24 🥢 18 06 64
RENAULT av. Doctor Arturo Guirao 24 🥢 18 33 06
SEAT-AUDI-VOLKSWAGEN av. Doctor Arturo Guirao 129 🥢 18 23 61

SAN PEDRO DE RIBAS o **SANT PERE DE RIBES** 08810 Barcelona **443** I 35 – 10 557 h. alt. 44 – ✪ 93.

◆Madrid 596 – ◆Barcelona 46 – Sitges 4 – Tarragona 52.

✗✗ **La Clau,** carret. de Sitges 🥢 896 08 48, 🍴 – 🅿. 🄴 **VISA**
cerrado lunes no festivos y 20 diciembre-febrero – Com carta 1700 a 2950.

✗ **El Rebost,** av. Els Cars 14 🥢 896 08 35 – 🆎 ⓞ 🄴 **VISA**. 🧊
cerrado lunes y septiembre-octubre – Com carta 1800 a 3150.

SAN PEDRO DE RIBAS o SANT PERE DE RIBES

en la carretera de Olivella NE : 1,5 km – ⊠ 08810 San Pedro de Ribas – 🏠 93 :

✗ **Can Lloses,** ℰ 896 07 46, ← – **Ɓ**. **E** _VISA_. ⊗
cerrado martes y del 2 al 30 octubre – Com carta 1525 a 2450.

en la carretera de Villafranca NO : 2,5 km – ⊠ 08810 San Pedro de Ribas – 🏠 93 :

✗✗ Carnivor, ℰ 896 03 02, Carnes a la brasa, « Rústico elegante » – ▤ **Ɓ**.

PEUGEOT-TALBOT carret. Barna - Santa C. Calafell km 42 ℰ 893 12 69

SAN POL Gerona 443 G 39 – ver San Felíu de Guixols.

SAN POL DE MAR o **SANT POL DE MAR** 08395 Barcelona 443 H 37 – 2 248 h. – 🏠 93 – Playa.

♦Madrid 679 – ♦Barcelona 44 – Gerona/Girona 53.

🏨 **Gran Sol** (Hotel escuela) ⊗, carret. N II ℰ 760 00 51, Fax 760 09 85, ←, ⼮, ✗ – 🛗 ☎ **Ɓ** –
🅰 **AE** **E** _VISA_. ⊗ rest
Com 1650 – � 525 – **41 hab** 4400/6600 – P 6400/7500.

🏠 **La Costa,** Nou 32 ℰ 760 01 51, ←, 🍽 – 🛗 ☎ ⇐. ⊗
junio-septiembre – Com *(cerrado domingo noche)* 1200 – ⊷ 300 – **17 hab** 2000/3500 – P 3500/3750.

✗✗ Sant Pau, Nou 10 ℰ 760 06 62.

SAN QUIRICO DE BESORA o **SANT QUIRZE DE BESORA** 08580 Barcelona 443 F 36 – 2 064 h. alt. 550 – 🏠 93.

♦Madrid 661 – ♦Barcelona 90 – Puigcerdá 79.

✗ Casa Cándida, Berga 8 ℰ 855 04 11.

en la carretera N 152 S : 1 km – ⊠ 08580 Sant Quirze de Besora – 🏠 93 :

✗ **El Túnel,** ℰ 855 01 77 – ▤ **Ɓ**. **①** _VISA_. ⊗
cerrado martes y 25 junio-20 julio – Com carta 1360 a 2525.

RENAULT Rambla Concepción 39 ℰ 855 09 47

SAN RAFAEL 40410 Segovia 444 J 17 – alt. 1 260 – 🏠 911.

♦Madrid 59 – Ávila 51 – ♦Segovia 32.

🏠 **Avenida,** av. Capitán Perteguer 31 ℰ 17 10 11 – **Ɓ**. ⊗
Com 1400 – ⊷ 250 – **23 hab** 1100/2200 – P 3690.

FORD carret. Madrid-La Coruña, N VI km 64 ℰ
17 21 01
PEUGEOT-TALBOT av. Capitán Perteguer 18 ℰ
17 10 68

SEAT-AUDI-VOLKSWAGEN carret. de La Coruña km 64 ℰ 17 16 88

SAN RAFAEL Baleares 443 P 34 – ver Baleares (Ibiza).

SAN ROQUE 11360 Cádiz 446 X 13 – 20 604 h. alt. 110 – 🏠 956 – Playa.

🏌, 🏌 Sotogrande del Guadiaro NE : 12 km ℰ 79 20 50.

♦Madrid 678 – Algeciras 15 – ♦Cádiz 136 – ♦Málaga 123.

🏨 **La Solana** ⊗, O : 2,5 km por carret. de Algeciras y desvío ℰ 78 02 36, ←, 🍽, « Antigua casa de campo », ⼮, 🍽 – **Ɓ** **AE** **①** **E** _VISA_
Com 1550 – ⊷ 700 – **20 hab** 6600/9600.

✗ **Don Benito,** pl. de Armas 10 ℰ 78 07 78, 🍽, « Patio andaluz » – _VISA_
cerrado martes – Com carta 2450 a 3300.

por la carretera de La Línea S : 4 km – ⊠ 11360 San Roque – 🏠 956 :

✗✗✗ **Los Remos,** ℰ 76 05 28, 🍽, Pescados y mariscos – **Ɓ**. **AE** **①** **E** _VISA_. ⊗
Com carta 2450 a 3395.

✗✗ **Pedro,** Santa Rita 3 - barriada Campamento ℰ 76 24 53, 🍽 – **AE** **①** **E** _VISA_. ⊗
cerrado lunes y 15 febrero-1 marzo – Com carta 2100 a 2600.

SEAT-AUDI-VOLKSWAGEN carret. San Roque-La Línea km 7,6 ℰ 76 21 04

SAN ROQUE Asturias – ver Llanes.

SAN ROQUE TORREGUADIARO 11312 Cádiz 446 X 14 – 🏠 956 – Playa.

♦Madrid 650 – Algeciras 29 – ♦Cádiz 153 – ♦Málaga 104.

🏠 **Patricia** sin rest, ⊠ 11312 apartado 21 Sotogrande, ℰ 61 53 00, ←, 🖝 **Ɓ**. **①** **E** _VISA_
⊷ 400 – **30 hab** 3900/6500.

SAN SADURNÍ DE NOYA o **SANT SADURNI D'ANOIA** 08770 Barcelona **448** H 35 − 8 596 h. − ✪ 93.

♦Madrid 578 − ♦Barcelona 44 − ♦Lérida 120 − Tarragona 68.

en la carretera de Ordal SE : 4,5 km − ⊠ 08770 Els Casots − ✪ 93 :

✗ ✿ **Mirador de las Cavas,** ℰ 899 31 78, ≤ − ▤ 🅿. 🖭 ⓞ 🗲 𝖵𝖨𝖲𝖠
cerrado domingo, lunes noche y del 16 al 31 agosto − Com carta 2325 a 3000
Espec. Salmón en papillote, Rape con setas, Magret de pato al oporto.

SAN SALVADOR Baleares **448** N 39 − ver Baleares (Mallorca).

SAN SALVADOR (Playa de) Tarragona − ver Vendrell.

SAN SALVADOR DE POYO Pontevedra **441** E 3 − ver Pontevedra.

If you find you cannot take up a hotel booking you have made,
let the hotel know immediately.

SAN SEBASTIÁN o **DONOSTIA** 20000 🄿 Guipúzcoa **442** B 23 − 175 576 h. − ✪ 943 − Playa.

Ver : Emplazamiento★★★ − Monte Urgull ⁂★★ CY **M.**
Alred. : Monte Igueldo ⁂★★★ A − Monte Ulia ≤★ NE : 7 km B.
Hipódromo de Lasarte por ② : 9 km.

🏌 de San Sebastián, Jaizkibel por N I : 14 km (B) ℰ 61 68 45.

✈ de San Sebastián, Fuenterrabía por ① : 20 km ℰ 64 21 67 − Iberia : Bengoetxea 3, ⊠ 20004, ℰ 42 35 87 CZ y Aviaco : Aeropuerto ℰ 64 12 67 ⊠ 20004, ℰ 64 12 67.

🚂 ℰ 28 57 67.

🄴 Reina Regente, ⊠ 20003, ℰ 42 10 02 y Miramar ℰ 42 62 82 − R.A.C.E. (R.A.C. Vasco-Navarro) Echaide 12, ⊠ 20005, ℰ .

♦Madrid 488 ② − ♦Bayonne 54 ① − ♦Bilbao 100 ③ − ♦Pamplona 94 ② − ♦Vitoria/Gasteiz 115 ②.

Planos páginas siguientes

🏨 **María Cristina** Ⓜ, paseo República Argentina, ⊠ 20004, ℰ 29 33 00, Telex 38195, Fax 29 18 23, ≤ − 📶 ▤ 📺 ☎ ⇌ − 🔬 . 🖭 ⓞ 🗲 𝖵𝖨𝖲𝖠. ⁂   DY **h**
Com 5000 − ⇱ 1350 − **139 hab** 18000/25000.

🏨 **De Londres y de Inglaterra,** Zubieta 2, ⊠ 20007, ℰ 42 69 89, Telex 36378, Fax 42 00 31, ≤ − ▤ ▤ 📺 ☎. 🖭 ⓞ 🗲 𝖵𝖨𝖲𝖠 ⁂   CZ **z**
Com 2500 − ⇱ 700 − **130 hab** 8000/11500 − P 10210/12460.

🏨 Orly sin rest, con cafeteria, pl. Zaragoza, ⊠ 20007, ℰ 46 32 00, Telex 38033, ≤ − 📶 ☎ ⇌ −
🔬   CZ **a**
60 hab.

🏨 **Niza** sin rest, Zubieta 56, ⊠ 20007, ℰ 42 66 63 − 📶 ☎. 🖭 ⓞ 🗲 𝖵𝖨𝖲𝖠. ⁂   CZ **b**
⇱ 375 − **41 hab** 3550/7450.

🏨 **Parma** sin rest, General Jáuregui 11, ⊠ 20003, ℰ 42 88 93 − ☎. ⁂   DY **u**
⇱ 450 − **21 hab** 3800/7300.

🏨 **Terminus,** av. de Francia, ⊠ 20012, ℰ 29 19 00 − ☎. 🗲 𝖵𝖨𝖲𝖠   DZ
Com 1200 − ⇱ 170 − **18 hab** 4000/6000.

🏨 José Mari sin rest, San Bartolomé 3, ⊠ 20007, ℰ 46 46 00 − 📶 − **31 hab**.   DZ **k**

✗✗✗ ✿ **Casa Nicolasa,** Aldamar 4 - 1° piso, ⊠ 20003, ℰ 42 17 62 − ▤. 🖭 ⓞ 🗲 𝖵𝖨𝖲𝖠. ⁂   DY **w**
cerrado domingo, lunes noche y enero (salvo en febrero − Com carta 4075 a 5550
Espec. Huevos al plato con foie, Rodaballo sobre cama de col y caviar, Solomillo al foie y vino tinto.

✗✗ **Urepel,** paseo de Salamanca 3, ⊠ 20003, ℰ 42 40 40 − ▤. 🖭 ⓞ 🗲 𝖵𝖨𝖲𝖠. ⁂   DY **e**
cerrado domingo, martes noche, 4 días en Semana Santa, 3 semanas en julio y Navidad − Com
carta 2850 a 3975.

✗✗ ✿ **Panier Fleuri,** paseo de Salamanca 1, ⊠ 20003, ℰ 42 42 05 − ▤. 🖭 ⓞ 🗲 𝖵𝖨𝖲𝖠. ⁂   DY **e**
cerrado domingo noche, miércoles, 3 semanas en junio y Navidades − Com carta 3000 a 4125
Espec. Salmón marinado, Mero a la Donostiarra, Melocotón al vino con sabayón de Jerez (verano).

✗✗ **Lanziego,** Triunfo 3, ⊠ 20007, ℰ 46 23 84 − ▤. 🖭 ⓞ 🗲 𝖵𝖨𝖲𝖠. ⁂   CZ **s**
cerrado domingo noche y lunes − Com carta 2800 a 4100.

✗✗ Kokotxa, Campanario 11, ⊠ 20003, ℰ 42 01 73   CY **a**

✗✗ **Salduba,** Pescaderia 6, ⊠ 20003, ℰ 42 56 27 − 🖭 🗲 𝖵𝖨𝖲𝖠. ⁂   CY **p**
cerrado noviembre − Com carta 2100 a 3500.

✗ **Juanito Kojua,** Puerto 14, ⊠ 20003, ℰ 42 01 80, Pescados − ▤. 🖭 ⓞ 🗲 𝖵𝖨𝖲𝖠   CY **m**
cerrado domingo noche − Com carta 2400 a 3800.

✗ **Patxiku Kintana,** San Jerónimo 22, ⊠ 20003, ℰ 42 63 99 − ▤. 🖭 ⓞ 🗲 𝖵𝖨𝖲𝖠. ⁂   CY **y**
cerrado martes noche, miércoles, Semana Santa y Navidades − Com carta 2700 a 4000.

✗ **Barbarín,** Puerto 21, ⊠ 20003, ℰ 42 18 86, Decoración regional − ▤. 🖭 ⓞ 🗲 𝖵𝖨𝖲𝖠   CY **s**
cerrado lunes y del 15 al 30 marzo − Com carta 2300 a 3700.

sigue →

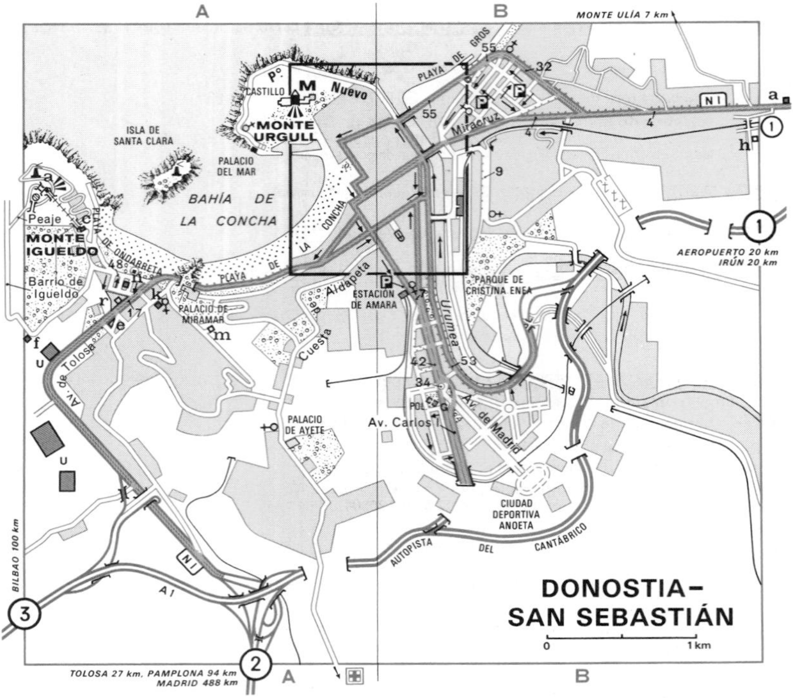

Andía	CZ	2	Euskadi (Pl. de)	DY	10	Puerto	CY	35
Boulevard (Alameda del)	CY	6	Fermín Calbetón	CY	12	Ramón María de Lili (Pas.)	DY	37
Garibay	CY		Gen. Zumalacárregui (Av.)	A	17	Reina Regente	DY	38
Hernani	CY		Guetaria	DZ	18	República Argentina (Pas.)	DY	41
Libertad (Av. de la)	CDYZ		Guipúzcoa (Pl. de)	DY	19	Sancho el Sabio (Av. de)	B	42
Urbieta	CDZ		Iñigo	CY	22	San Jerónimo	CY	44
			Kursaal (Puente del)	DY	27	San Juan	CY	45
			Lasala (Pl.)	CY	28	Santa Catalina (Puente de)	DY	47
Arrasate	CDZ	3	María Cristina (Puente de)	DZ	30	Satrústegui (Av. de)	A	48
Ategorrieta (Av. de)	B	4	Miramar	CZ	31	Urdaneta	DZ	51
Centenario (Pl. del)	B	7	Navarra (Av. de)	B	32	Vizcaya (Paseo de)	B	53
Constitucíon (Pl. de la)	CY	8	Pío XII (Pl. de)	B	34	Zabaleta	DY	54
Duque de Mandas (Pas.)	B	9				Zurriola (Paseo de)	B	55

✗ **Bodegón Alejandro,** Fermín Calbetón 4, ✉ 20003, ℰ 42 71 58 – ▤. E VISA. ✗ — CY **u**
cerrado domingo noche, lunes y del 10 al 25 febrero – Com carta 2100 a 3100.

✗ **Bretxa,** General Echagüe 5, ✉ 20003, ℰ 42 05 49, Pescados y mariscos – ▤. AE ⓓ E VISA. ✗ — DY **a**
cerrado domingo noche – Com carta 1800 a 2650.

✗ Arriola, Reyes Católicos 9, ✉ 20006, ℰ 45 71 37, Decoración rústica – ▤ — DZ **a**

✗ **Beti Jai,** Fermín Calbetón 22, ✉ 20003, ℰ 42 77 37, Pescados y mariscos – ▤. AE ⓓ E VISA. ✗ — CY **r**
cerrado lunes, martes, 20 junio-5 julio y 20 diciembre-5 enero – Com carta 2075 a 3000.

al Este de la población por ① – ✆ 943 :

🏠 **Resid. y Rest. Pellizar,** barrio de Inchaurrondo, ✉ 20015, ℰ 28 12 11 – |♦| ☎ **P** – 🏃. AE ⓓ E VISA. ✗ — B **h**
cerrado domingo noche y 9 diciembre-9 enero – Com 1200 – ☕ 350 – **46 hab** 3200/6000.

✗✗✗ ✿✿✿ **Arzak,** alto de Miracruz 21, ✉ 20015, ℰ 27 84 65 – ▤ **P**. AE ⓓ E VISA. ✗ — B **a**
cerrado domingo noche, lunes, 18 junio-4 julio y noviembre – Com carta 4625 a 5725
Espec. Langostinos salteados con ciruelas y pimiento dulce, Lenguado con escamas de patata sobre crema de puerros, Helado de queso fresco y crema de grosellas.

✗ **Mirador de Ulía,** subida al Monte Ulía NE : 5 km, ✉ 20013, ℰ 27 27 07, ≤ ciudad y bahía, 🍽 – **P**. VISA. ✗
marzo-noviembre – Com *(cerrado martes)* carta 1700 a 3000.

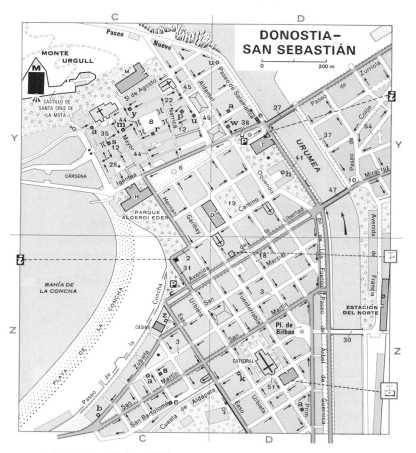

al Oeste de la población – ☎ 943 :

Monte Igueldo ⑤, O : 5 km, ⊠ 20008, ℰ 21 02 11, Telex 38096, ✻ mar, bahía y ciudad, « Magnífica situación dominando la bahía de San Sebastián », ⊤ – ⊯ ▤ rest ☎ ℗ – ⚒. ☒ ⑩ Ε 𝘝𝘐𝘚𝘈. ⚗ rest
A a
Com carta 2050 a 3700 – ⊇ 650 – **125 hab** 8400/10500.

Costa Vasca ⑤, av. Pío Baroja 15, ⊠ 20008, ℰ 21 10 11, Telex 36551, Fax 21 24 28, ☃, ⊤, ⚗ – ⊯ ▤ ⊤⊻ ☎ ⇔ ℗ – ⚒. ⚗
A m
Com 2500 – ⊇ 700 – **203 hab** 7200/11500.

San Sebastián sin rest, con cafetería, av. Zumalacárregui 20, ⊠ 20008, ℰ 21 44 00, Telex 36302, ⊤ – ⊯ ⊤⊻ ☎ ⇔. ☒ ⑩ Ε 𝘝𝘐𝘚𝘈. ⚗
A r
⊇ 700 – **92 hab** 6800/10500.

Codina, av. Zumalacárregui 21, ⊠ 20008, ℰ 21 22 00, Telex 38187 – ⊯ ☎. ☒ ⑩ Ε 𝘝𝘐𝘚𝘈. ⚗ rest
A e
Com 1250 – ⊇ 450 – **77 hab** 5100/6700 – P 5850/7350.

XXX **Chomin**, av. Infanta Beatriz 14, ⊠ 20008, ℰ 21 07 05, ☆ – ☒ ⑩ Ε 𝘝𝘐𝘚𝘈. ⚗
A n
cerrado domingo, jueves noche y octubre-6 noviembre – Com carta 3025 a 3825.

XXX ❀❀ **Akelarre**, O : 7,5 km por carret. barrio de Igueldo, ⊠ 20008, ℰ 21 20 52, ≤ mar – ▤ ℗. ☒ ⑩ Ε 𝘝𝘐𝘚𝘈. ⚗
A
cerrado domingo noche, lunes, del 1 al 15 junio y diciembre – Com carta 3670 a 4750
Espec. Calabacines y alcachofas rellenos, Filetes de lenguado al azafrán de Madridejos, Hojaldre de higos con salsa de nueces (septiembre-diciembre).

XX ❀ **Recondo**, paseo de Igueldo, ⊠ 20008, ℰ 21 29 07 – ▤ ℗. ☒ ⑩ Ε 𝘝𝘐𝘚𝘈. ⚗
A f
cerrado miércoles, del 20 al 30 junio y del 1 al 20 noviembre – Com carta 2875 a 4125
Espec. Arroz con almejas, Merluza Rekondo, Becada asada (octubre-marzo).

361

✕ **Buena Vista** 🦐 con hab, carret. barrio de Igueldo, O : 5 km, ✉ 20008, ℘ 21 06 00, ≼ – 🕾   A
🅟 🅴 𝘝𝘐𝘚𝘈 ❀
cerrado febrero-3 marzo – Com *(cerrado domingo noche y lunes)* carta 1800 a 2700 – ⇌ 250 –
8 hab 3000/5100.

✕ San Martín, plazoleta del Funicular, ✉ 20008, ℘ 21 40 84, ≼, 🛱   A   c

✕ **Errota Berri,** barrio de Igara, O : 6,5 km por av. de Tolosa, ✉ 20009, ℘ 21 41 07, 🛱 – 🅟 🅴   A
𝘝𝘐𝘚𝘈
cerrado lunes y 13 octubre-13 noviembre – Com carta 2750 a 3350.

✕ **Gure Arkupe,** Istingorra - bajo c, ✉ 20008, ℘ 21 15 09 – 🍽 🅰🅴 🅴 𝘝𝘐𝘚𝘈 ❀   A   k
Com carta 2450 a 2900.

ALFA-ROMEO pl. de los Marinos ℘ 45 45 17
AUSTIN ROVER Secundino Esnaola 40 ℘ 27 65 94
BMW Gloria 3 ℘ 27 01 95
CITROEN av. Tolosa ℘ 21 41 60
FIAT-LANCIA paseo Txingurri (barrio Herrera) ℘ 39 72 41
FORD av. de Zarauz 100 ℘ 21 15 61
FORD-MORRIS Peña y Goñi ℘ 27 15 00
GENERAL MOTORS av. Alcalde José Elosegui 108 ℘ 39 65 16

GENERAL MOTORS av. Tolosa ℘ 21 32 22
MERCEDES Barrio Recalde ℘ 37 18 00
PEUGEOT-TALBOT José María Barandiaran 3 ℘ 29 34 11
RENAULT av. de Tolosa ℘ 21 18 00
SEAT-AUDI-VOLKSWAGEN paseo Colón 31 ℘ 27 61 00
SEAT-AUDI-VOLKSWAGEN P. Duque de Mandas 3 ℘ 27 40 11
SEAT-AUDI-VOLKSWAGEN av. de Tolosa ℘ 21 45 00

SAN SEBASTIAN (Cabo de) Gerona – ver Palafrugell.

SAN SEBASTIÁN DE LA GOMERA Santa Cruz de Tenerife – ver Canarias (Gomera).

SAN SEBASTIÁN DE LOS REYES 28700 Madrid 🟦🟦🟦 K 19 – 39 866 h. – ✪ 91 – ◆Madrid 17.

✕✕✕ **Mesón Tejas Verdes,** carret. N I ℘ 652 73 07, 🛱, « Tipico mesón castellano, jardín con arbolado » – 🍽 🅟. 🅰🅴 🅞 𝘝𝘐𝘚𝘈 ❀
cerrado domingo noche, festivos y agosto – Com carta 2250 a 3400.

✕✕✕ **Izamar,** av. Matapiñonera 6 - carret. de Algete ℘ 654 38 93, 🛱, Pescados y mariscos – 🍽 🅟. 🅰🅴 𝘝𝘐𝘚𝘈 ❀
Com carta 2500 a 3750.

en la carretera N I – ✉ 28700 San Sebastián de Los Reyes – ✪ 91 :

✕✕ **Casa Vicente,** NE : 6,5 Km ℘ 657 02 62 – 🍽 🅟. 🅰🅴 🅞 🅴 𝘝𝘐𝘚𝘈 ❀
cerrado domingo noche – Com carta 2000 a 3500.

✕ Pamplona , con hab, NE : 7 Km ℘ 657 02 34 – 🍽 rest 🅟 – **12 hab** .

✕ Aterpe-Alai, NE : 7 Km ℘ 652 78 24, 🛱 – 🍽 🅟.

SANTA ÁGUEDA Guipúzcoa 🟦🟦🟦 C 22 – ver Mondragón.

SANTA BÁRBARA 43570 Tarragona 🟦🟦🟦 J 31 – 3 263 h. alt. 79 – ✪ 977.
◆Madrid 528 – Castellón de la Plana 106 – Tarragona 95 – Tortosa 12.

en la carretera de Ulldecona S : 4 km – ✉ 43558 Freginals – ✪ 977 :

✕ **Creu del Coll,** ℘ 71 80 27, 🛱, Decoración rústica regional – 🅟. 🅴 𝘝𝘐𝘚𝘈 ❀
cerrado martes salvo festivos y del 1 al 15 noviembre – Com carta 1100 a 1775.

SANTA BRÍGIDA Las Palmas – ver Canarias (Gran Canaria).

SANTA COLOMA Andorra 🟦🟦🟦 E 34 – ver Andorra (Principado de).

SANTA COLOMA DE FARNÉS o **SANTA COLOMA DE FARNERS** 17430 Gerona 🟦🟦🟦 G 38 – 6 990 h. alt. 104 – ✪ 972 – Balneario.
◆Madrid 700 – ◆Barcelona 87 – Gerona/Girona 30.

🏛 **Baln. Termas Orion** 🦐, S : 2 km ℘ 84 00 65, En un gran parque, ⌁ de agua termal, ❀ – 🎐 🍽 rest ☎ ⇆ 🅟. 𝘝𝘐𝘚𝘈 ❀
cerrado febrero – Com 1450 – ⇌ 300 – **40 hab** 2190/3170 – P 4285/4890.

🏛 **Central Park,** Verdaguer 2 ℘ 84 00 71, ⌁, 🌺 – 🍽 rest 🅟. ❀ rest
julio-septiembre – Com 1300 – ⇌ 325 – **30 hab** 1800/3200 – P 3350/3550.

✕ **Can Gurt,** con hab, carret. de Sils ℘ 84 02 60 – 🍽 rest. 🅰🅴 🅞 🅴 𝘝𝘐𝘚𝘈 ❀
Com carta 1420 a 2020 – ⇌ 200 – **17 hab** 950/3500 – P 2650/6900.

✕ **La Palmera,** carret. de Sils ℘ 84 23 16, 🛱 – 🅰🅴 🅴 𝘝𝘐𝘚𝘈
cerrado martes y del 10 al 31 enero – Com carta 1300 a 2250.

en la carretera de Sils SE : 2 km – ✉ 17430 Santa Coloma de Farners – ✪ 972 :

✕✕ Mas Sola, ✉ apartado 64, ℘ 84 08 48, 🛱, Decoración rústica regional, « Antigua masia », ⌁ de pago, ❀ – 🍽 🅟.

CITROEN carret. de Sils ℘ 84 22 22
FORD carret. Angles ℘ 84 06 89
GENERAL MOTORS carret. de Sils ℘ 84 02 74
PEUGEOT-TALBOT Camprodón 30 ℘ 84 01 12

RENAULT carret. de Sils km 1 ℘ 84 02 08
SEAT-AUDI-VOLKSWAGEN carret. de Sils ℘ 84 05 62

SANTA CRISTINA La Coruña − ver La Coruña.

SANTA CRISTINA Gerona **443** G 39 − ver Lloret de Mar.

SANTA CRISTINA DE ARO o **SANTA CRISTINA D'ARO** 17246 Gerona **443** G 39 − 1 269 h. − 🏵 972.

🏨 Club Costa Brava 🏌 83 71 50.

◆Madrid 709 − ◆Barcelona 96 − Gerona/Girona 31.

> *junto al golf* O : 2 km − ✉ 17246 Santa Cristina d'Aro − 🏵 972 :

🏨🏨 **Costa Brava Golf H.** 🏖, 🏌 83 70 52, Telex 57252, ≤, 🏛, ⌇, 🚗, 🎯, 🏌 − 🕴 ☰ ☎ 🅿 − 🔬, ⵚ 🄰🄴 ⑩ 🄴 *VISA*. ⅏ rest
> *18 marzo-15 octubre* − Com 1900 − ⌷ 600 − **91 hab** 4500/10000.

> *en la carretera de Gerona* NO : 2 km − ✉ 17246 Santa Cristina d'Aro − 🏵 972 :

🍴🍴 **Les Panolles,** 🏌 83 70 11, 🏛, « Masia típica decorada al estilo rústico de la región » − ☰ 🅿. 🄰🄴 ⑩ 🄴 *VISA*
> *cerrado miércoles y noviembre* − Com carta 1750 a 2625.

> *en la carretera de Romanyá* − ✉ 17246 Santa Cristina d'Aro − 🏵 972 :

🍴🍴 Bell-Lloch (chez Raymond's), urbanización Bell-Lloch 2a NO : 3 km 🏌 83 72 61, Decoración rústica − 🅿

🍴 **La Posada del Ferrer,** NO : 1,5 km 🏌 83 80 92, 🏛, Decoración rústica − 🅿. 🄰🄴 ⑩ 🄴 *VISA*
> *cerrado del 9 al 27 enero, lunes y martes en invierno* − Com carta 1900 a 2775.

FIAT-LANCIA carret. Playa d'Aro 🏌 83 70 23   GENERAL MOTORS carret. Girona km 28,5 🏌 83 71 08

SANTA CRUZ La Coruña − ver La Coruña.

SANTA CRUZ DE LA PALMA Santa Cruz de Tenerife − ver Canarias (La Palma).

SANTA CRUZ DE LA SERÓS 22792 Huesca **443** E 27 − 141 h. − 🏵 974.
Ver : Sitio★.

◆Madrid 480 − Huesca 85 − Jaca 14 − ◆Pamplona 105.

> *en la carretera C 134* N : 4,5 km − ✉ 22792 Santa Cruz de la Serós − 🏵 974 :

🏠 **Aragón,** 🏌 36 21 89, ⌇ − 🅿 ⅏
> *cerrado 15 septiembre-10 octubre* − Com 1000 − ⌷ 250 − **22 hab** 1900/3200 − P 3850/4150.

SANTA CRUZ DE LA ZARZA 45370 Toledo **444** M 20 − 4 134 h. − 🏵 925.
◆Madrid 74 − Cuenca 100 − Toledo 80 − ◆Valencia 285.

🏠 **Santa Cruz** sin rest, carret. N 400 🏌 14 31 18 − ⇐⇒ 🅿. ⅏
> *cerrado septiembre* − ⌷ 150 − **12 hab** 1520/2100.

SANTA CRUZ DE MUDELA 13730 Ciudad Real **446** Q 19 − 5 018 h. − 🏵 926.
◆Madrid 218 − Ciudad Real 77 − Jaén 118 − Valdepeñas 15.

🏠 **Santa Cruz,** carret. N IV 🏌 34 25 54 − ☰ rest 🅿. 🄰🄴 ⑩ 🄴 *VISA*. ⅏
> Com 775 − ⌷ 125 − **26 hab** 1900.

CITROEN carret. Madrid-Cádiz km 217 🏌 34 20   SEAT-AUDI-VOLKSWAGEN carret. Madrid-Cádiz
RENAULT carret. Madrid-Cádiz km 216,5 🏌 34 25 58   km 217,5 🏌 34 25 00

SANTA CRUZ DE TENERIFE Tenerife − ver Canarias (Tenerife).

SANTA ELENA 23213 Jaén **446** Q 19 − 1 045 h. alt. 742 − 🏵 953.
◆Madrid 255 − ◆Córdoba 143 − Jaén 78.

🍴 **El Mesón** con hab, 🏌 62 31 00, ≤, 🏛 − ⬲ 🅿. ⑩ *VISA*. ⅏ hab
> Com carta 1125 a 1600 − ⌷ 200 − **12 hab** 1900/3600.

SANTA EUGENIA DE BERGA Barcelona − ver Vich.

SANTA EULALIA DEL RIO Baleares **443** P 34 − ver Baleares (Ibiza).

SANTA FÉ 18320 Granada **446** U 18 − 10 582 h. − 🏵 958.
◆Madrid 441 − Antequera 8 − ◆Granada 11.

🏠 **Santa Fé,** carret. N 342 🏌 44 11 11, ⌇ − ☰ ☎ ⇐⇒ 🅿. ⑩ 🄴 *VISA*. ⅏
> Com 750 − ⌷ 130 − **20 hab** 2500/4000.

ALFA ROMEO Redonda 🏌 44 06 98   RENAULT carret. de Málaga 18 🏌 44 04 81
PEUGEOT-TALBOT carret. Granada-Málaga 🏌   SEAT-AUDI-VOLKSWAGEN carret. Granada-
44 03 95   Málaga km 8,3 🏌 44 03 50

SANTA GERTRUDIS Baleares – ver Baleares (Ibiza).

SANTA MARGARITA (Urbanización) Gerona – ver Rosas.

SANTA MARGARITA Y MONJÓS o **SANTA MARGARIDA i ELS MONJOS** 08730 Barcelona **443** I 34 y 35 – 3 325 h. alt. 161 – ۞ 93.
♦Madrid 571 – ♦Barcelona 59 – Tarragona 43.

🏨 **Hostal Del Panadés,** carret. N 340 ℰ 898 00 61 – 🍽 rest ☎ 🅟. 𝘝𝘐𝘚𝘈
Com 1000 – 🍽 350 – **32 hab** 2100/4000.

RENAULT Salvador Espriu ℰ 898 00 06

SANTA MARÍA DEL MAR Asturias – ver Piedras Blancas.

SANTANDER 39000 🅟 Cantabria **442** B 18 – 180 328 h. – ۞ 942 – Playas en El Sardinero – Plaza de toros.

Ver : Museo Provincial de Prehistoria y Arqueología★ (bastones de mando★) BY D – El Sardinero★ BX.

🏌 de Pedreña por ② : 24 km ℰ 50 00 01.

✈ de Santander por ② : 7 km ℰ 25 10 09 – Iberia : paseo de Pereda 18, 🖂 39004, ℰ 22 97 00 BY y BY y Aviaco : aeropuerto ℰ 25 10 07.

🚢 ℰ 22 71 61.

🅘 pl. Porticada 1, 🖂 39001, ℰ 31 07 08 – R.A.C.E. Santa Lucía 29, 🖂 39003, ℰ 21 03 00.
♦Madrid 393 ① – ♦Bilbao 116 ② – ♦Burgos 154 ① – ♦León 266 ① – ♦Oviedo 203 ① – ♦Valladolid 250 ①.

Plano página siguiente

🏨🏨 Bahia y Rest. Cabo Menor, av. Alfonso XIII - 6, 🖂 39002, ℰ 22 17 00, Telex 35859 – 🛗 🍽 rest 📺 ☎ – 🏊.   AZ **s**
181 hab.

🏨 **Alisas** sin rest, Nicolás Salmerón 3, 🖂 39009, ℰ 22 27 50, Telex 35771 – ☎. 🆀 ⓞ 🗲 𝘝𝘐𝘚𝘈. ❄   AX **r**
🍽 425 – **70 hab** 4300/6700.

🏨 **México** sin rest, Calderón de la Barca 3, 🖂 39002, ℰ 21 24 50 – 🛗 ☎. 𝘝𝘐𝘚𝘈   AZ **w**
🍽 300 – **35 hab** 2900/5500.

🏨 **Liébana** sin rest, Nicolás Salmerón 9 - 1° piso, 🖂 39009, ℰ 22 32 50 – 🛗 ☎. 🆀 ⓞ 𝘝𝘐𝘚𝘈. ❄   AX **r**
🍽 235 – **28 hab** 3300/4125.

🏨 **La Mexicana,** Juan de Herrera 3 - 3° piso, 🖂 39002, ℰ 22 23 50 – 🛗 ☎. ❄   AY **h**
Com 1300 – 🍽 240 – **30 hab** 2800/4000 – P 5100/8600.

🏨 Ibio, sin rest y sin 🍽, con cafetería, Federico Vial 8, 🖂 39009, ℰ 22 30 71 – 🏊   AX **g**
25 hab.

🏨 **Rivero** sin rest, Rualasal 23 - 2° piso, 🖂 39001, ℰ 22 30 94 – 🆀 ⓞ 🗲 𝘝𝘐𝘚𝘈. ❄   AY **n**
cerrado 20 diciembre-8 enero – 🍽 325 – **24 hab** 1950/4400.

XX **Puerto,** Hernán Cortés 63, 🖂 39003, ℰ 21 30 01, Pescados y mariscos – 🍽. 🆀 ⓞ 🗲 𝘝𝘐𝘚𝘈 ❄   BY **m**
Com carta 2400 a 3750.

XX **Iris,** Castelar 5, 🖂 39004, ℰ 21 52 25 – 🆀 ⓞ 🗲 𝘝𝘐𝘚𝘈. ❄   BY **e**
cerrado domingo noche salvo en verano – Com carta 2050 a 3000.

XX **Cañadío,** Gomez Oreña 15 (pl. Cañadío), 🖂 39003, ℰ 31 41 49 – 🍽. 🆀 ⓞ 🗲 𝘝𝘐𝘚𝘈. ❄   BY **c**
cerrado lunes – Com carta 2750 a 3700.

X **La Barca,** Hernan Cortés 40, 🖂 39003, ℰ 31 47 69, Pescados y mariscos – 🆀 ⓞ 🗲 𝘝𝘐𝘚𝘈. ❄   BY **x**
cerrado domingo – Com carta 2050 a 3200.

X **Posada del Mar,** Juan de la Cosa 3, 🖂 39004, ℰ 21 56 56, Decoración rústica – 🆀 ⓞ 🗲 𝘝𝘐𝘚𝘈. ❄   BY **p**
cerrado domingo y 10 septiembre-10 octubre – Com carta 1800 a 2800.

X **Mesón Segoviano,** Menéndez Pelayo 49, 🖂 39006, ℰ 31 10 10, Decoración castellana – 🍽. 🆀 ⓞ 🗲 𝘝𝘐𝘚𝘈. ❄   AX **a**
cerrado domingo – Com carta 1850 a 3450.

X Bodega del Riojano, Rio de la Pila, 🖂 39003, ℰ 21 67 50, « Mesón típico »   ABY **u**

X Casa Valentin, Isabel II - 19, 🖂 39002, ℰ 22 70 49   AZ **t**

X **Bodega Cigaleña,** Daoiz y Velarde 19, 🖂 39003, ℰ 21 30 62, Museo del vino-Decoración rústica – 🆀 ⓞ 🗲 𝘝𝘐𝘚𝘈. ❄   BY **a**
cerrado domingo y 20 octubre-20 noviembre – Com carta 1900 a 3100.

en El Sardinero NE : 3,5 km – BX – 🖂 39005 Santander – ۞ 942 :

🏨🏨🏨 **Real** ⬥, paseo Pérez Galdós 28 ℰ 27 25 50, Telex 39012, Fax 27 45 73, « Magnífica situación, ≤ bahia », 🌳 – 🛗 🅟. 🆀 ⓞ 🗲 𝘝𝘐𝘚𝘈. ❄   BX **v**
Com 3750 – 🍽 900 – **124 hab** 12400/20500 – P 17900/20050.

🏨🏨 Santemar, Joaquin Costa 28 ℰ 27 29 00, Telex 35963, Fax 27 86 04, ❄ – 🛗 🍽 📺 ☎ ⟲ – 🏊 🆀 ⓞ 🗲 𝘝𝘐𝘚𝘈. ❄   BX **u**
🍽 690 – **350 hab** 9800/12300.

364

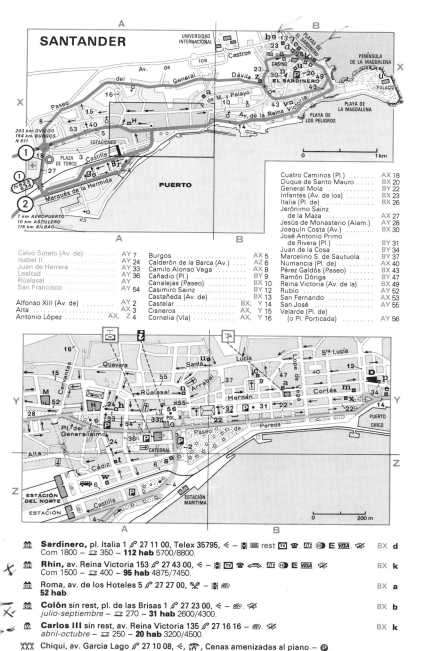

SANTANDER

UNIVERSIDAD INTERNACIONAL

PUERTO CHICO

ESTACIÓN DEL NORTE
ESTACIÓN
ESTACIÓN MARÍTIMA

0   200 m

🏨 **Sardinero,** pl. Italia 1 ℰ 27 11 00, Telex 35795, ≼ – 🛗 🍴 rest 📺 ☎. 🆎 ⓞ 🅔 🆅🆂🅰. 🦅
Com 1800 – 🖙 350 – **112 hab** 5700/8800.   BX **d**

🏨 **Rhin,** av. Reina Victoria 153 ℰ 27 43 00, ≼ – 🛗 📺 ☎ 🛋. 🆎 ⓞ 🅔 🆅🆂🅰. 🦅
Com 1500 – 🖙 400 – **95 hab** 4875/7450.   BX **k**

🏨 **Roma,** av. de los Hoteles 5 ℰ 27 27 00, 🍴 – 🛗 ☜
52 hab.   BX **a**

🏨 **Colón** sin rest, pl. de las Brisas 1 ℰ 27 23 00, ≼ – ☜. 🦅
julio-septiembre – 🖙 270 – **31 hab** 2600/4300.   BX **b**

🏠 **Carlos III** sin rest, av. Reina Victoria 135 ℰ 27 16 16 – ☜. 🦅
abril-octubre – 🖙 250 – **20 hab** 3200/4500.   BX **k**

🍴🍴🍴 **Chiqui,** av. García Lago ℰ 27 10 08, ≼, 😤, Cenas amenizadas al piano – ℗
por av. de Castañeda   BX

🍴🍴🍴 **La Concha,** av. Reina Victoria ℰ 27 37 37, ≼, 😤, Cenas amenizadas al piano – 🍴   BX **k**

12

365

XX **Rhin,** pl. de Italia 2 ℰ 27 30 34, ≤, 🍴 – 🝏 ⓪ **E** 𝘝𝘐𝘚𝘈. ❄️ BX **e**
Com carta 1700 a 3150.

XX **Il Giardinetto,** Joaquín Costa 18 ℰ 27 31 96, Cocina italiana – 🍴. ⓪ **E** 𝘝𝘐𝘚𝘈 BX **n**
cerrado domingo noche y lunes mediodía – Com carta 1945 a 2575.

XX Windsor, av. de Castañeda 25 ℰ 27 78 05 – 🍴 BX

XX **Piquío,** pl. de las Brisas ℰ 27 55 03, ≤ – 🍴. 🝏 ⓪ 𝘝𝘐𝘚𝘈. ❄️ BX **d**
cerrado lunes – Com carta 2400 a 2750.

X **La Sardina,** Dr Fleming 3 ℰ 27 10 35, Pescados y mariscos-Interior barco de pesca – 🝏 ⓪
E 𝘝𝘐𝘚𝘈. ❄️ por av. de Castañeda BX
cerrado domingo noche – Com carta 2300 a 3300.

X **Flor de Miranda,** av. de Los Infantes 1, ✉ 39004, ℰ 27 10 56 – 🍴. 🝏 ⓪ **E** 𝘝𝘐𝘚𝘈. ❄️ BX **z**
Com carta 1850 a 2900.

en Puente Arce - en la carretera N 611 por ① : 13 km – ✉ 39470 Renedo de Piélagos –
🌀 942 :

XXX ✦ **El Molino de Puente Arce,** ℰ 57 40 52, Telex 35707, « Instalado en un antiguo molino
acondicionado - Decoración original » – ⓟ
Com carta 3000 a 5000
Espec. Ensalada cantabra de pescado y almejas, Filetes de lenguado rellenos de centollo con salsa muselina,
Pastel de higos.

X **Puente Arce (Casa Setien),** barrio del Puente ℰ 57 40 01, 🍴, Decoración rústica – ⓟ.
🝏 ⓪ **E** 𝘝𝘐𝘚𝘈.
cerrado 2 octubre-4 noviembre – Com carta 1750 a 2400.

ALFA-ROMEO Castilla 31 ℰ 22 25 00
BMW Cisneros 89B ℰ 23 46 78
CITROEN Peñacastillo ℰ 33 19 33
FORD Castilla 62 ℰ 23 38 28
GENERAL MOTORS Castilla 71 ℰ 21 48 00

MERCEDES-BENZ av. de Parayas ℰ 33 01 11
PEUGEOT-TALBOT carret. Parayas km 1 ℰ 33 33 00
RENAULT carret. Parayas km 0,5 ℰ 33 62 00
RENAULT Floranes 4 ℰ 23 18 50

SANT ANTONI DE CALONGE Gerona 🄸🄸🄹 G 39 – ver Palamós.

SANTA OLALLA 45530 Toledo 🄸🄸🄸 L 16 – 1 928 h. alt. 487 – 🌀 925.

♦Madrid 81 – Talavera de la Reina 36 – Toledo 42.

🏨 **Recio,** carret. N V ℰ 79 72 09, 🍴, 💪, – 🍴 🕭 ⓟ. 🝏 ⓪. ❄️ rest
Com 1100 – 🍽 200 – **40 hab** 2500/3700 – P 3770/4420.

CITROEN San Roque ℰ 79 73 25   RENAULT Generalísimo 64 ℰ 79 73 81

SANTA POLA 03130 Alicante 🄸🄸🄵 R 28 – 12 022 h. – 🌀 96 – Playa.

🄴 pl. de la Diputación ℰ 41 49 84.

♦Madrid 423 – ♦Alicante 19 – Cartagena 91 – ♦Murcia 75.

🏨 **Pola-mar,** playa de Levante 6 ℰ 541 32 00, Fax 541 31 83, ≤, 🍴 – 🕭 🍴 🝏 ⓟ. 🝏 ⓪ **E** 𝘝𝘐𝘚𝘈.
❄️
Com 1870 – 🍽 415 – **76 hab** 4840/6300 – P 8370/13360.

🏨 **Patilla,** Elche 29 ℰ 541 10 15 – 🕭 🍴 rest ⊛ ⓟ. 🝏 ⓪ **E** 𝘝𝘐𝘚𝘈. ❄️
Com 1000 – 🍽 350 – **72 hab** 2800/3900 – P 4250/5100.

🏨 Suecia y Rest. Don Manuel, Carreteros 76 ℰ 541 59 61 – 🍴 ☎ – **34 hab**.

🏨 **Picola,** Alicante 64 ℰ 541 10 44 – 🍴 rest. 🝏 𝘝𝘐𝘚𝘈. ❄️
Com 1000 – 🍽 350 – **22 hab** 1575/2760.

XX **Miramar,** av. Peréz Ojeda ℰ 541 10 00, ≤, 🍴 – 🍴 ⓟ. 🝏 ⓪ **E** 𝘝𝘐𝘚𝘈. ❄️
Com carta 2025 a 3250.

XX **Batiste,** playa de Poniente ℰ 541 14 85, ≤, 🍴 – 🍴 ⓟ. 🝏 ⓪ **E** 𝘝𝘐𝘚𝘈. ❄️
Com carta 2150 a 3150.

X **Chez Antonio,** Sacramento 18 ℰ 541 44 40 – 🍴. 🝏 𝘝𝘐𝘚𝘈. ❄️
Com carta 2000 a 3200.

X **Gaspar's,** av. González Vicens 2 ℰ 541 35 44 – 🍴. 🝏 ⓪ **E** 𝘝𝘐𝘚𝘈. ❄️
cerrado domingo noche, lunes y octubre – Com carta 1900 a 2900.

en la playa del Varadero E : 1,5 km – ✉ 03130 Santa Pola – 🌀 96 :

XX **Varadero,** ℰ 541 17 66, ≤, 🍴 – 🍴 ⓟ. 🝏 ⓪ **E** 𝘝𝘐𝘚𝘈. ❄️
Com carta 1600 a 2700.

en la carretera de Alicante N 332 N : 2,5 km – ✉ 03130 Santa Pola – 🌀 96 :

X **El Faro,** ℰ 541 21 36, 🍴 – 🍴 ⓟ. 🝏 ⓪ **E** 𝘝𝘐𝘚𝘈. ❄️
Com carta 1600 a 2600.

en la carretera de Elche NO : 3 km – ✉ 03130 Santa Pola – 🌀 96 :

XX María Picola, ℰ 541 35 13, 🍴 – ⓟ.

CITROEN carret. de Elche 28 ℰ 541 45
OPEL-GM carret. de Elche 28 ℰ 541 45 18
PEUGEOT-TALBOT carret. Santa Pola-Elche km 26
ℰ 541 31 64

RENAULT carret. de Elche 10 ℰ 541 37 46
SEAT-AUDI-VOLKSWAGEN av. de Elche 29 ℰ
541 34 35

SANTA PONSA Baleares 四四图 N 37 − ver Baleares (Mallorca).

SANTA ÚRSULA Tenerife − ver Canarias (Tenerife).

SANT BOI DE LLOBREGAT Barcelona 四四图 H 36 − ver San Baudilio de Llobregat.

SANT BÓI DE LLUÇANÉS Barcelona 四四图 F 36 − ver San Baudilio de Llusanés.

SANT CARLES DE LA RÁPITA Tarragona 四四圆 K 31 − ver San Carlos de la Rápita.

SANT CELONI Barcelona 四四图 G 37 − ver San Celoni.

SANT CLIMENT DE LLOBREGAT Barcelona 四四图 H 35 − ver San Clemente de Llobregat.

SANT CUGAT DEL VALLÉS Barcelona 四四图 H 36 − ver San Cugat del Vallés.

SANT ELM Gerona 四四图 G 39 − ver San Feliu de Guixols.

SANTES CREUS (Monasterio de) 43815 Tarragona 四四图 H 34 − alt. 340 − ✆ 977.

Ver : Monasterio★★ (gran claustro★★ : sala capitular★ ; iglesia★ : rosetón★ ; claustro de la enfermería★ ; patio★).

♦Madrid 555 − ♦Barcelona 95 − ♦Lérida/Lleida 83 − Tarragona 32.

  🏦   **Grau** ⤦, Pere El Gran 3 ℰ 63 83 11 − VISA. ❄️
   cerrado 15 diciembre-15 enero − Com *(cerrado lunes)* 1000 − ⟷ 300 − **19 hab** 1700/2800 − P 3355/3655.

SANT FELÍU DE GUIXOLS Gerona 四四图 G 39 − ver San Feliu de Guixols.

SANT HILARI SACALM Gerona 四四图 G 37 − ver San Hilario Sacalm.

SANTIAGO DE COMPOSTELA La Coruña 四四口 D 4 − 93 695 h. alt. 264 − ✆ 981.

Ver : Catedral★★★ (fachada del Obradoiro★★★, interior : pórtico de la Gloria★★★, puerta de las Platerías★★, claustro★, museo : tapices★★) V − Barrio viejo★★ : Plaza del Obradoiro★★ V (Palacio Gelmírez A : salón sinodal★, Hostal de los Reyes Católicos B : fachada★) − Plaza de la Quintana★★ : puerta del Perdón★ VX − Colegiata Santa María del Sar (arcos★) Z S − Paseo de la Herradura ⇐★ Y.

Alred. : Pazo de Oca★ (parque★★) 25 km por ③.

🛪 Aero Club de Santiago por ② : 9 km ℰ 59 24 00.

✈ de Santiago de Compostela, Labacolla por ② : 12 km ℰ 59 75 54 − Iberia : General Pardiñas 24 ℰ 59 41 00 Z.

🛈 Rua del Villar 43 ℰ 58 40 81 − R.A.C.E. Carrera del Conde 6 ℰ 58 34 31.

♦Madrid 613 ② − ♦La Coruña 72 ② − Ferrol 103 ② − Orense 111 ③ − ♦Vigo 84 ④.

Plano página siguiente

🏨🏨🏨 **Reyes Católicos,** pl. de España 1, ⊠ 15705, ℰ 58 22 00, Telex 86004, Fax 56 30 94, « Lujosa instalación en un magnífico edificio del siglo XVI, mobiliario de gran estilo » − 🛗 📺 ⇔
  🅿 − 🔬 🝙 ⓪ 🄴 VISA. ❄️   V **B**
  Com 2700 − ⟷ 800 − **150 hab** 12800/16000 − P 14200/19000.

🏨🏨 **Araguaney** Ⓜ, Alfredo Brañas 5, ⊠ 15701, ℰ 59 59 00, Telex 86108, Fax 59 02 87, ⛲ climatizada − 🛗 🗐 📺 ⇔ − 🔬 🝙 ⓪ 🄴 VISA. ❄️   Z **c**
  Com 2500 − ⟷ 800 − **57 hab** 12300/15400 − P 16600/19700.

🏨🏨 **Peregrino,** av. Rosalía de Castro, ⊠ 15706, ℰ 59 18 50, Telex 82352, Fax 59 67 77, ⇐, 🏛, ⛲ climatizada, 🎾 − 🛗 🅿 − 🔬 🝙 ⓪ 🄴 VISA. ❄️ rest   Z **n**
  Com 2500 − ⟷ 600 − **148 hab** 6000/9000 − P 9250/10750.

🏨 **Compostela** sin rest, con cafetería, Calvo Sotelo 1, ⊠ 15702, ℰ 58 57 00, Telex 82387, Fax 56 32 69 − 📺 ⇔ − 🔬 🝙 ⓪ 🄴 VISA. ❄️   X **a**
  ⟷ 400 − **99 hab** 4500/7800.

🏨 **Gelmírez** sin rest, con cafetería, General Franco 92, ⊠ 15702, ℰ 56 11 00, Telex 82387, Fax 56 32 69 − 🛗 ⇔ − 🔬 🝙 ⓪ 🄴 VISA. ❄️   Z **a**
  ⟷ 300 − **138 hab** 4100/5900.

🏨 **Windsor** sin rest, República de El Salvador 16-A, ⊠ 15701, ℰ 59 29 39 − 🛗 ⇔. 🄴 VISA. ❄️
  ⟷ 350 − **50 hab** 3000/4700.   Z **x**

🏨 **Universal** sin rest, pl. de Galicia 2, ⊠ 15706, ℰ 58 58 00 − 🛗 ⇔. 🄴 ⓪ 🄴 VISA. ❄️   X **u**
  ⟷ 225 − **54 hab** 2300/3850.

🏨 **México** sin rest, República Argentina 33 - 4° piso, ⊠ 15706, ℰ 59 80 00 − 🛗 ⇔. ❄️   Z **d**
  ⟷ 250 − **57 hab** 2300/3700.

🏨 **Maycar** sin rest, Dr Teijeiro 15, ⊠ 15701, ℰ 56 34 44 − 🛗 ⇔. ❄️   Z **f**
  ⟷ 225 − **40 hab** 2300/3850.

sigue →

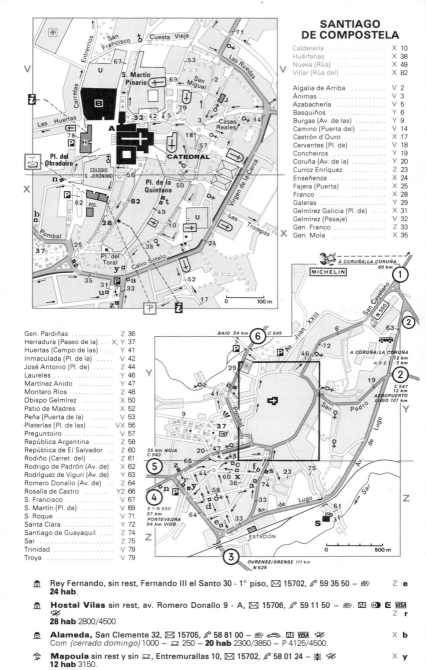

SANTIAGO DE COMPOSTELA

🏠 **Rey Fernando**, sin rest, Fernando III el Santo 30 - 1° piso, ⊠ 15702, 🌮 59 35 50 – 🕿   Z **e**
24 hab.

🏠 **Hostal Vilas** sin rest, av. Romero Donallo 9 - A, ⊠ 15706, 🌮 59 11 50 – 🕿. 🌮 ⌼. 🖭 ⓞ Ε 🚾
🌤   Z **r**
28 hab 2800/4500.

🏠 **Alameda,** San Clemente 32, ⊠ 15705, 🌮 58 81 00 – 🕿 ⟷. 🖭 🚾. 🌤   X **b**
Com *(cerrado domingo)* 1000 – 🍽 250 – **20 hab** 2300/3850 – P 4125/4500.

🏠 **Mapoula** sin rest y sin 🍽, Entremurallas 10, ⊠ 15702, 🌮 58 01 24 – |🕿|. 🌤   X **y**
12 hab 3150.

XXX **Retablo,** Nueva 13, ⌨ 15705, ✆ 56 59 50 – ▦. 🆎 ⑩ ☰ 𝘝𝘐𝘚𝘈.   X t
cerrado domingo noche, lunes y 15 días por Navidades – Com carta 2200 a 3450.

XXX **Don Gaiferos,** Nueva 23, ⌨ 15705, ✆ 58 38 94 – ▦. 🆎 ⑩ ☰ 𝘝𝘐𝘚𝘈. ✂   X t
cerrado 24 diciembre-15 enero – Com carta 1625 a 3200.

XX **Anexo Vilas,** av. Villagarcia 21, ⌨ 15706, ✆ 59 83 87 – 🆎 ⑩ ☰ 𝘝𝘐𝘚𝘈. ✂   Z y
cerrado lunes – Com carta 2100 a 3900.

XX **Fornos,** General Franco 24, ⌨ 15702, ✆ 56 57 21 – 🆎 ⑩ 𝘝𝘐𝘚𝘈. ✂   X z
cerrado domingo noche – Com carta 1700 a 3175.

X **Vilas,** Rosalia de Castro 88, ⌨ 15706, ✆ 59 21 70 – 🆎 ⑩ ☰ 𝘝𝘐𝘚𝘈. ✂   Z z
cerrado domingo – Com carta 2100 a 3900.

X **Alameda,** av. Figueroa 15 - 1° piso, ⌨ 15705, ✆ 58 66 57 – ▦. 🆎 ⑩ ☰ 𝘝𝘐𝘚𝘈   X e
Com carta 1850 a 3300.

X **La Tacita de Oro,** av. del General Franco 31, ⌨ 15702, ✆ 56 20 41 – ▦. 🆎 ⑩ ☰ 𝘝𝘐𝘚𝘈. ✂   Z s
Com carta 1600 a 3200.

X **Don Quijote,** Galeras 20, ⌨ 15705, ✆ 58 68 59 – 🆎 ⑩ ☰ 𝘝𝘐𝘚𝘈. ✂   Y e
Com carta 1500 a 2450.

X **San Clemente,** San Clemente 6, ⌨ 15705, ✆ 58 08 82, 🈂 – 🆎 ⑩ ☰ 𝘝𝘐𝘚𝘈. ✂   X n
Com carta 2010 a 3400.

en la carretera de La Estrada C 541 – ⌨ 15702 Santiago de Compostela – ❸ 981 :

🏨 **Los Tilos** ⚘ sin rest, con cafeteria, por ③ : 3 km ✆ 59 77 00, Telex 88169, Fax 80 15 14, ≤ –
|≣| 📺 ⇐⇒ ❷ – 🛁. 🆎 ⑩ ☰ 𝘝𝘐𝘚𝘈. ✂
⌓ 475 – **84 hab** 5400/7900.

🏠 **Congreso,** por ③ : 4,5 km ✆ 59 05 90 – ☏ ❷. 🆎 ⑩ ☰ 𝘝𝘐𝘚𝘈
Com 1500 – ⌓ 350 – **27 hab.**

en la carretera de Orense N 525 por ③ : 3,5 km – ⌨ 15701 Santiago de Compostela –
❸ 981 :

🏨 **Santa Lucía** sin rest, ✆ 59 79 83 – |≣| ☏ ❷. ✂
⌓ 250 – **81 hab** 2300/3400.

en la carretera de Pontevedra N 550 por ④ : 8,5 km – ⌨ 15866 Osebe – ❸ 981 :

XX **Pampin,** ✆ 80 31 80, ≤ – ❷. 🆎 ⑩ ☰ 𝘝𝘐𝘚𝘈. ✂
Com carta 1450 a 3300.

en la carretera del aeropuerto – ❸ 981 :

🏨 **Santiago Apostol,** por ② : 4 km, ⌨ 15820 Santiago de Compostela, ✆ 58 71 38, Telex
27521, ≤, 🈂 |≣| ⇐⇒ ❷ – 🛁. 🆎 ⑩ ☰ 𝘝𝘐𝘚𝘈. ✂
Com 1400 – ⌓ 400 – **91 hab** 3175/5450. – P 5285/5735.

XX **Ruta Jacobea,** por ② : 9 km, ⌨ 15820 Labacolla, ✆ 88 80 07 – ❷. 🆎 ⑩ ☰ 𝘝𝘐𝘚𝘈. ✂
Com carta 1650 a 2600.

S.A.F.E. Neumáticos MICHELIN, Sucursal, Polígono El Tambre, vía Edison-Parcela 68 por ①
✆ 58 02 57 y 58 84 10

CITROEN av. de Lugo 103 - Sar 74 ✆ 56 64 54
CITROEN Milladoiro ✆ 53 03 18
FIAT carret. La Coruña km 59 ✆ 56 60 03
FORD av. Romero Donallo 84 ✆ 59 14 00
GENERAL MOTORS carret. de La Coruña km 59 -
Boisaca ✆ 58 39 09
LANCIA Salgueiriños 14 ✆ 58 49 62
MERCEDES-BENZ Milladoiro 112 ✆ 53 10 32

PEUGEOT-TALBOT General Pardiñas 29 ✆ 56 27 00
RENAULT av. Rosalía de Castro 158 ✆ 59 19 94
RENAULT Polígono Industrial del Tambre, vía Isaac
Peral 6 ✆ 58 64 44
SEAT-AUDI-VOLKSWAGEN La Rocha 8 - carret. N
550 km 66,5 ✆ 53 00 78
SEAT-AUDI-VOLKSWAGEN Isaac Peral 8 - Polígono
Industrial del Tambre ✆ 58 90 44

■ **SANTIAGO DE LA RIBERA** 30720 Murcia 🗺 S 27 – ❸ 968 – Playa.
🏌 Club Mar Menor ✆ 57 00 21 – ♦Madrid 438 – ♦Alicante 76 – Cartagena 37 – ♦Murcia 48.

🏠 **Ribera,** explanada de Barnuevo 12 ✆ 57 02 00, ≤ – |≣| ☏. 𝘝𝘐𝘚𝘈. ✂ rest
16 marzo-15 noviembre – **40 hab** 2000/3700.

PEUGEOT carret. de Alicante 48 ✆ 57 21 54   RENAULT av. Carrero Branco 1 ✆ 57 03 26

■ **SANTILLANA DEL MAR** 39330 Cantabria 🗺 B 17 – 3 884 h. alt. 82 – ❸ 942.
Ver : Pueblo pintoresco** : Colegiata* (interior : cuatro Apóstoles*, retablo* ; claustro* : capiteles**) – Alred. : Cueva prehistórica** de Altamira (techo**) SO : 2 km.
🄓 pl. Mayor ✆ 81 82 51.

♦Madrid 393 – ♦Bilbao 130 – ♦Oviedo 171 – ♦Santander 30.

🏨 **Parador Gil Blas** ⚘, pl. Ramón Pelayo 11 ✆ 81 80 00, Fax 81 83 91, « Antigua casa señorial »,
🈂 – ❷. 🆎 ⑩ ☰ 𝘝𝘐𝘚𝘈. ✂
Com 2700 – ⌓ 800 – **56 hab** 8800/11000.

🏠 **Los Infantes,** av. Le Dorat 1 ✆ 81 81 00, « Bonita fachada de época » – ☏. 🆎 ⑩ ☰ 𝘝𝘐𝘚𝘈.
✂
Com 1300 – ⌓ 375 – **30 hab** 5000/6900 – P 6300/7850.

🏠 **Santillana,** El Cruce ✆ 81 80 11 – ☏ ❷. 🆎 ⑩ ☰ 𝘝𝘐𝘚𝘈. ✂
Com *(cerrado martes)* 1300 – ⌓ 325 – **38 hab** 4700/5900 – P 5425/7175.

Altamira ⤸, Cantón 1 𝒫 81 80 25, « Casa señorial del siglo XVII » – ☎. ᴬᴱ ⓪ Ɛ 𝑉𝐼𝑆𝐴. ⬗ rest
Com 1000 – ⤳ 375 – **30 hab** 4000/6500.

Los Hidalgos ⤸ sin rest, Campo de Revolgo 𝒫 81 81 01 – ℗. ᴬᴱ ⓪ Ɛ 𝑉𝐼𝑆𝐴. ⬗
Semana Santa-octubre – ⤳ 275 – **18 hab** 3000/4200.

Los Angeles ⤸, Revolgo 13 𝒫 81 81 40 – 𝑉𝐼𝑆𝐴. ⬗
cerrado enero-febrero – Com 900 – ⤳ 300 – **13 hab** 3300/4300 – P 3040/5085.

✗ **La Robleda,** Revolgo 𝒫 81 83 24 – ᴬᴱ ⓪ Ɛ 𝑉𝐼𝑆𝐴. ⬗
Com carta 1400 a 2650.

✗ **Los Blasones,** pl. de Gándara 𝒫 81 80 70 – ᴬᴱ 𝑉𝐼𝑆𝐴. ⬗
abril-octubre – Com carta 1775 a 3050.

SANT JULIA DE LORIA Andorra 𝟺𝟺𝟹 E 34 – ver Andorra (Principado de).

SANT MARTI D'EMPURIES Gerona – ver La Escala.

SANTO DOMINGO DE LA CALZADA 26250 La Rioja 𝟺𝟺𝟸 E 21 – 5 544 h. alt. 639 – ✪ 941.

Ver : Catedral★ (retablo mayor★).

Alred. : Nájera : monasterio de Santa María la Real★ (claustro★, iglesia : panteón real★, sepulcro de Blanca de Navarra★ – coro alto★ : sillería★) E : 21 km – San Millán de la Cogolla : monasterio de Yuso (marfiles tallados★) SE : 20 km.

◆Madrid 310 – ◆Burgos 67 – ◆Logroño 47 – ◆Vitoria/Gasteiz 65.

Parador de Santo Domingo de la Calzada, pl. del Santo 3 𝒫 34 03 00, Fax 34 03 25, Instalado en el antiguo hospital para peregrinos – ᴬᴱ ⓪ Ɛ 𝑉𝐼𝑆𝐴. ⬗
Com 2500 – ⤳ 800 – **27 hab** 6800/8500.

Santa Teresita, General Mola 2 𝒫 34 07 00, Regido por religiosas – |§| ☎
78 hab.

✗ **El Rincón de Emilio,** pl. Bonifacio Gil 7 𝒫 34 09 90 – ▤. ⬗
cerrado martes noche y febrero – Com carta 1900 a 2050.

✗ **Mesón El Peregrino,** Zumalacárregui 18 𝒫 34 02 02, Decoración rústica – ᴬᴱ ⓪ Ɛ 𝑉𝐼𝑆𝐴. ⬗
Com carta 2000 a 2525.

AUSTIN ROVER Beato Hermosilla 23 𝒫 34 07 67
CITROEN carret. de Logroño 𝒫 34 01 54
FIAT Palomasejos 4 𝒫 34 22 29
FORD carret. de Logroño km 43 𝒫 34 02 06
OPEL Beato Hermosilla 23 𝒫 34 07 67

PEUGEOT-TALBOT av. Cuerpo Obras Públicas 𝒫 34 09 00
RENAULT av. Cuerpo Obras Públicas 2 𝒫 34 00 92
SEAT-AUDI-VOLKSWAGEN av. Cuerpo Obras Públicas 15 𝒫 34 07 43

SANTO DOMINGO DE SILOS (Monasterio de) 09610 Burgos 𝟺𝟺𝟸 G 19 – 376 h. – ✪ 947.

Ver : Monasterio★★ (claustro★★).

Alred. : Garganta de la Yecla★ SE : 5 km.

◆Madrid 203 – ◆Burgos 58 – Soria 99.

Tres Coronas de Silos ⤸, pl. Mayor 6 𝒫 38 07 27, « Bonito conjunto castellano » – ☎. Ɛ 𝑉𝐼𝑆𝐴. ⬗ rest
Com 1800 – ⤳ 500 – **16 hab** 3500/5800 – P 6500/7100.

SANTO TOMÁS (Playa de) Baleares 𝟺𝟺𝟹 M 42 – ver Baleares (Menorca) : San Cristóbal.

SANTO TOMÉ DEL PUERTO 40590 Segovia 𝟺𝟺𝟺 I 19 – 424 h. – ✪ 911.

◆Madrid 100 – Aranda de Duero 61 – ◆Segovia 54.

Mirasierra, carret. N I 𝒫 55 50 05, ⌇ – ☎ ℗. ᴬᴱ ⓪ Ɛ 𝑉𝐼𝑆𝐴. ⬗
cerrado 24 diciembre-24 enero – Com 1200 – ⤳ 400 – **16 hab** 3000/4400.

SANTPEDOR 08251 Barcelona 𝟺𝟺𝟹 G 35 – 3 411 h. – ✪ 93.

◆Madrid 638 – ◆Barcelona 69 – Manresa 6 – Vich/Vic 54.

✗✗ **Ramón,** Camí de Juncadella 𝒫 832 08 50, ⛲, Pescados y mariscos – ▤ ℗. ᴬᴱ ⓪ Ɛ 𝑉𝐼𝑆𝐴. ⬗
cerrado domingo noche – Com carta 2450 a 2950.

RENAULT carret. de Catllús 18 𝒫 832 02 31

SANT PERE DE RIBES Barcelona 𝟺𝟺𝟹 I 35 – ver San Pedro de Ribas.

SANT POL DE MAR Barcelona 𝟺𝟺𝟹 H 37 – ver San Pol de Mar.

SANT QUIRZE DE BESORA Barcelona 𝟺𝟺𝟹 F 36 – ver San Quirico de Besora.

SANT QUIRZE SAFAJA Barcelona 𝟺𝟺𝟹 G 36 – ver San Quirico Safaja.

SANT SADURNI D'ANOIA 08770 Barcelona – ver San Sadurní de Noya.

SANTURCE o **SANTURTZI** 48980 Vizcaya **442** B 20 – 53 329 h. – ✪ 94.

♦Madrid 411 – Bilbao 15 – ♦Santander 97.

　XX **Currito,** av. Murrieta 21 ✆ 483 32 14, ≼, ☄, Pescados y mariscos – ᴁ ⓞ **E** 𝑽𝑰𝑺𝑨. ✼
　　　cerrado domingo noche – Com carta 3150 a 3850.

　X **Kai-Alde,** Capitán Mendizábal 7 ✆ 461 00 34 – ᴁ ⓞ **E** 𝑽𝑰𝑺𝑨. ✼
　　　Com (cerrado lunes noche) carta 1625 a 2300.

FORD　Doctor Fleming 21 ✆ 461 38 41　　　　　　　SEAT-AUDI-VOLKSWAGEN　Sabino　Arana　22　✆
RENAULT　Mamariga 22 ✆ 461 33 00　　　　　　　　461 82 63

SAN VICENTE DE LA BARQUERA 39540 Cantabria **442** B 16 – 3 956 h. – ✪ 942 – Playa.

Ver : Centro veraniego★ – Alred. : Carretera de Unquera ≼★.

🛈 av. de Antonio Garelly 9 ✆ 71 00 12.

♦Madrid 421 – Gijón 131 – ♦Oviedo 141 – ♦Santander 64.

　🏨 **Boga-Boga,** pl. José Antonio 9 ✆ 71 01 35, ☄ – 🛗 ☜. ᴁ ⓞ **E** 𝑽𝑰𝑺𝑨. ✼
　　　Com (cerrado martes noche en invierno) 1500 – 🍽 300 – **18 hab** 3700/4800 – P 5200/6500.

　🏨 Miramar ☙, La Barquera N : 1 km ✆ 71 00 75, ≼ playa, mar y montaña, ☄ – ☜ 🅿
　　　temp. – **15 hab**.

　XX **Maruja,** av. Generalísimo ✆ 71 00 77, ☄ – ᴁ ⓞ **E** 𝑽𝑰𝑺𝑨. ✼
　　　Com carta 1600 a 2950.

RENAULT　Mata Linares 16 ✆ 71 03 48

SAN VICENTE DEL HORTS o **SANT VICENÇ DELS HORTS** 08620 Barcelona **443** H 36 – 19 975 h. – ✪ 93.

♦Madrid 612 – ♦Barcelona 20 – Tarragona 92.

　　en la carretera de Sant Boi SE : 1,5 km – ✉ 08620 Sant Vicenç dels Horts – ✪ 93 :

　X **Las Palmeras,** ✆ 656 13 16 – 🍽 🅿 **E** 𝑽𝑰𝑺𝑨. ✼
　　　Com carta 1575 a 2675.

FORD　Jacinto Verdaguer 242 ✆ 656 00 83　　　　RENAULT　Juan Bosco 31 ✆ 656 01 02
PEUGEOT-TALBOT　Jacinto　Verdaguer　240　✆　　SEAT-AUDI-VOLKSWAGEN　Nueva 48 ✆ 656 30 11
656 42 01

SAN VICENTE DEL MAR Pontevedra – ver El Grove.

SAN VICENTE DEL RASPEIG 03690 Alicante **445** Q 28 – 23 569 h. – ✪ 96.

♦Madrid 422 – ♦Alicante 7 – ♦Valencia 179.

　XX **La Moñica,** Pi y Margall 38 ✆ 566 51 75, ☄ – 🍽. ᴁ **E** 𝑽𝑰𝑺𝑨
　　　Com carta 2750 a 4150.

CITROEN　carret. de circunvalación - Villafranqueza　　RENAULT　carret. de Alicante ✆ 566 39 11
✆ 566 57 69　　　　　　　　　　　　　　　　　　　　SEAT　Poeta García Lorca ✆ 566 12 43
PEUGEOT　San Antono 3 ✆ 566 15 17

SANXENXO Pontevedra **441** G 3 – ver Sangenjo.

El SARDINERO Cantabria **442** B 18 – ver Santander.

SARDÓN DE DUERO 47340 Valladolid **442** H 16 – 610 h. – ✪ 983.

♦Madrid 208 – Aranda de Duero 66 – ♦Valladolid 26.

　🏨　Sardón, carret. N 122 ✆ 68 03 07 – 🍽 rest 🅿 – **13 hab**.

S' ARGAMASA (Urbanización) Baleares **443** P 34 – ver Baleares (Ibiza) : Santa Eulalia del Río.

SA RIERA Gerona **443** G 39 – ver Bagur.

SARRIA 27600 Lugo **441** D 7 – 12 000 h. alt. 420 – ✪ 982.

Alred. : Puertomarín : Iglesia★ E : 20 km – 🛈 Mayor 10.

♦Madrid 491 – Lugo 32 – Orense 81 – Ponferrada 109.

　X　Litmar, av. Calvo Sotelo 141 ✆ 53 00 46.

CITROEN　Calvo Sotelo 67 ✆ 53 16 56　　　　　　　RENAULT　Pacios Farban ✆ 53 10 85
FORD　Marqués de Ugena 45 ✆ 53 03 55　　　　　　SEAT-AUDI-VOLKSWAGEN　Matías　López　97　✆
GENERAL MOTORS　carret. de Lugo ✆ 53 07 85　　　53 00 19
PEUGEOT-TALBOT　Vázquez Queipo 16 ✆ 53 06 37

SARRIÓN 44460 Teruel **445** L 27 – 1 116 h. – ✪ 974.

♦Madrid 338 – Castellón de la Plana 118 – Teruel 37 – ♦Valencia 109.

　☂　El Asturiano, carret. N 234 ✆ 78 01 54 – ☜ 🅿 – **15 hab**..

　　en La Escaleruela E : 9 km – ✉ 44460 Sarrión – ✪ 974 :

　X　**La Escaleruela,** ✆ 78 01 40, Decoración rústica, ⅃ – 🅿. ✼
　　　cerrado noviembre – Com carta 1000 a 1500.

SAUCA 19262 Guadalajara 🔲🔲🔲 I 22 – 84 h. alt. 1 099 – ✪ 911.

♦Madrid 129 – Alcolea del Pinar 6 – Guadalajara 73.

    en la carretera N II SO : 3 km – ✉ 19262 Sauca – ✪ 911 :

🏠 **Motel Sauca,** 𝒫 30 01 30 – 🛏 🅿. 🆀 E 𝚅𝙸𝚂𝙰. ⁂ rest
    Com 1200 – 🖙 300 – **50 hab** 2120/3180 – P 4000/4400.

Se escrever para um hotel no estrangeiro,
junte à sua carta um cupão-resposta internacional.
(disponível nos correios).

SEGOVIA 40000 🅿 🔲🔲🔲 J 17 – 53 237 h. alt. 1 005 – ✪ 911 – Plaza de toros.

Ver : Emplazamiento★★ – Ciudad Vieja★ BX : Catedral★★ AY (claustro★, tapices★) – Acueducto
romano★★★ BY – Alcázar★ AX – Monasterio de El Parral★ BX – Plaza de San Martín★ BY **33** (iglesia
de San Martín★).

Alred. : la Granja de San Ildefonso★ : Palacio (museo de tapices★★, jardines★★, surtidores★★) SE :
11 km por ③ – Palacio de Riofrío★ S : 11 km por ⑤.

🅱 pl. Mayor 10, ✉ 40001, 𝒫 41 16 02 – R.A.C.E. av. Fernández Ladreda 12, ✉ 40001, 𝒫 43 37 89.

♦Madrid 87 ④ – Ávila 67 ⑤ – ♦Burgos 198 ② – ♦Valladolid 110 ①.

🏨 **Los Linajes** 🌤 sin rest, Dr Velasco 9, ✉ 40003, 𝒫 43 17 12 – 🛗 ⟺. 🆀 ① E 𝚅𝙸𝚂𝙰. ⁂
    🖙 480 – **55 hab** 4900/7750.   BX **p**

🏨 **Acueducto,** av. del Padre Claret 10, ✉ 40001, 𝒫 42 48 00, Telex 49824 – 🛗 🍴 rest – 🔬 E
    𝚅𝙸𝚂𝙰. ⁂ rest   BY **v**
    Com 1500 – 🖙 500 – **78 hab** 5000/6500 – P 6225/7975.

🏨 **Los Arcos y Rest. La Cocina de Segovia,** paseo de Ezequiel Gonzaléz 24, ✉ 40002,
    𝒫 43 74 62, Telex 49823, ☆ – 🛗 🍴 rest 📺 ⟺ – 🔬. 🆀 ① E 𝚅𝙸𝚂𝙰. ⁂   AZ **t**
    Com 2225 – 🖙 580 – **59 hab** 4925/8000 – P 8275/9200.

🏨 **Las Sirenas** sin rest, Juan Bravo 30, ✉ 40001, 𝒫 43 40 11 – 🛗 🍴 🛏. 🆀 ① E 𝚅𝙸𝚂𝙰. ⁂
    🖙 350 – **39 hab** 3150/4950.   BY **t**

XXX **Mesón de Cándido,** pl. Azoguejo 5, ✉ 40001, 𝒫 42 59 11, « Casa del siglo XV, decoración
    segoviana » – 🍴. 🆀 ① E 𝚅𝙸𝚂𝙰. ⁂   BY **s**
    Com carta 2150 a 3200.

XX **Duque,** Cervantes 12, ✉ 40001, 𝒫 43 05 37, « Decoración segoviana » – 🍴. 🆀 ① E 𝚅𝙸𝚂𝙰.
    ⁂   BY **e**
    Com carta 2050 a 2875.

XX **José María,** Cronista Lecea 11, ✉ 40001, 𝒫 43 44 84 – 🍴. 🆀 ① E 𝚅𝙸𝚂𝙰
    cerrado del 6 al 30 noviembre – Com carta 1600 a 2900.   BY **u**

X **Solaire,** Santa Engracia 3, ✉ 40001, 𝒫 43 55 25 – 🍴. 🆀 ① E 𝚅𝙸𝚂𝙰. ⁂
    Com 1800 a 3000.   BY **c**

X **El Cordero,** Carmen 4, ✉ 40001, 𝒫 43 41 80 – 🍴. 🆀 ① 𝚅𝙸𝚂𝙰. ⁂   BY **b**
    Com carta 1750 a 3200.

X **La Oficina,** Cronista Lecea 10, ✉ 40001, 𝒫 43 16 43, Decoración segoviana – 🆀 ① E 𝚅𝙸𝚂𝙰
    cerrado martes y del 10 al 30 noviembre – Com carta 1450 a 2800.   BY **n**

X **Mesón de los Gascones,** av. del Padre Claret 16, ✉ 40001, 𝒫 42 01 95 – 🍴. 🆀 𝚅𝙸𝚂𝙰. ⁂
    cerrado lunes – Com carta 1750 a 2950.   AZ **u**

X **El Bernardino,** Cervantes 2, ✉ 40001, 𝒫 43 32 25 – 🆀 ① E 𝚅𝙸𝚂𝙰
    Com carta 1700 a 3050.   BY **e**

X **Solaire 2,** carret. de Palazuelos 7, ✉ 40004, 𝒫 43 36 78 – 🆀 ① E 𝚅𝙸𝚂𝙰. ⁂   AZ **a**
    Com 1800 a 3000.

X **César,** Ruiz de Alda 10, ✉ 40001, 𝒫 42 81 01   BY **r**

X **La Taurina,** pl. Mayor 8, ✉ 40001, 𝒫 43 15 77, Decoración segoviana – 🆀 ① E 𝚅𝙸𝚂𝙰. ⁂
    cerrado 10 enero-10 febrero – Com carta 1550 a 2275.   BY **x**

    en la carretera N 110 por ② – ✉ 40003 Segovia – ✪ 911 :

🏨 **Puerta de Segovia** 🌤, 2,8 km 𝒫 42 71 61, Telex 22336, Fax 43 79 63, 🏊, ⁂ – 🛗 🍴 rest
    🅿 – 🔬. 🆀 ① E 𝚅𝙸𝚂𝙰. ⁂
    Com 1780 – 🖙 500 – **100 hab** 4000/6600 – P 6750/7450.

🏢 **Venta Magullo** 🌤, 2,5 km 𝒫 43 50 11, ☆ – 🅿. 🆀 E 𝚅𝙸𝚂𝙰. ⁂
    Com 810 – 🖙 175 – **66 hab** 2500/4500.

    en la carretera N 601 por ① : 3 km – ✪ 911 :

🏨 **Parador de Segovia** 🅼 🌤, ✉ 40003, 𝒫 43 04 62, Telex 47913, Fax 43 73 62, ≤ Segovia y
    sierra de Guadarrama, Decoración moderna, « Bonito césped », 🏊, 🎐 – 🛗 🍴 ⟺ 🅿 – 🔬.
    🆀 ① E 𝚅𝙸𝚂𝙰. ⁂
    Com 2700 – 🖙 800 – **80 hab** 8000/10000.

🏠 **El Mirador,** ✉ 40196 La Lastrilla, 𝒫 43 19 94 – 🅿. ⁂
    cerrado 15 diciembre-7 enero – Com *(cerrado domingo)* 600 – 🖙 150 – **29 hab** 3000/3700 – P
    3200/4350.

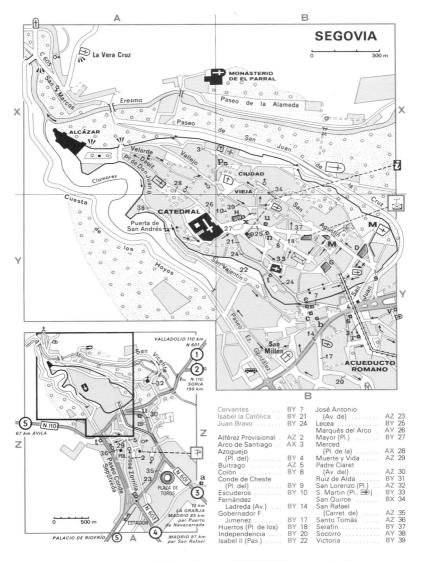

SEGOVIA

0   300 m

La Vera Cruz

MONÁSTERIO DE EL PARRAL

Eresma

Paseo de la Alameda

Paseo   de   San   Juan

ALCÁZAR

Velarde   Vallejo   3

CIUDAD VIEJA

34

Clamores

38   26   10   39

CATEDRAL

Puerta de San Andrés

27   25   37

21

24

San Valentín   22   33

Hoyos

de   los

24

7

San Millán

14

17

ACUEDUCTO ROMANO

20

VALLADOLID 110 km
N 601

San Vicente

N 110 SORIA 199 km

32

67 km ÁVILA   N 110

30

36

29

5

POL.

2

35

23

PLAZA DE TOROS

N 601

N 601

ESTACIÓN

PALACIO DE RIOFRÍO

11 km LA GRANJA
MADRID 85 km par Puerto de Navacerrada

MADRID 87 km par San Rafael

0   500 m

Cervantes	BY 7	José Antonio		
Isabel la Católica	BY 21	(Av. de)	AZ	23
Juan Bravo	BY 24	Lecea	BY	25
		Marqués del Arco	AY	26
Alférez Provisional	AZ 2	Mayor (Pl.)	BY	27
Arco de Santiago	AX 3	Merced		
Azoguejo		(Pl. de la)	AX	28
(Pl. del)	BY 4	Muerte y Vida	AZ	29
Buitrago	AZ 5	Padre Claret		
Colón	BY 8	(Av. del)	AZ	30
Conde de Cheste		Ruiz de Alda	BY	31
(Pl. del)	BY 9	San Lorenzo (Pl.)	AZ	32
Escuderos	BY 10	S. Martin (Pl., ⇒)	BY	33
Fernández		San Quirce	BX	34
Ladreda (Av.)	BY 14	San Rafael		
Gobernador F.		(Carret. de)	AZ	35
Jimenez	BY 17	Santo Tomás	AZ	36
Huertos (Pl. de los)	BY 18	Serafín	BY	37
Independencia	BY 20	Socorro	AY	38
Isabel II (Pas.)	BY 22	Victoria	BY	39

ALFA ROMEO   carret. Valladolid km 91   ☏ 43 70 57
AUSTIN-ROVER   Los Coches 7   ☏ 43 26 03
BMW   Atalaya 3, Polígono Industrial El Cerro   ☏ 43 39 71
CITROEN   Guadarrama 15 - Polígono Industrial El Cerro   ☏ 42 14 05
FIAT-LANCIA   Guadarrama 15 - Polígono Industrial El Cerro   ☏ 42 20 08
FORD   carret. San Rafael 40   ☏ 42 14 81
GENERAL MOTORS-OPEL   Siete Picos 20 - Polígono Industrial El Cerro   ☏ 42 55 12

MERCEDES-BENZ   Peñalara 10 - Polígono Industrial El Cerro   ☏ 42 76 11
PEUGEOT-TALBOT   av. de San Rafael 42   ☏ 42 14 33
RENAULT   Peñalara 2 - Polígono Industrial El Cerro   ☏ 42 26 81
SEAT-AUDI-VOLKSWAGEN   Jerónimo de Aliaga 5   ☏ 43 69 11
SEAT-AUDI-VOLKSWAGEN   Guadarrama - Polígono Industrial El Cerro   ☏ 43 71 62
VOLVO   carret. Soria-Plasencia km 189   ☏ 43 53 61

SEGUR DE CALAFELL   Tarragona **443**   I 34   — ver Calafell.

373

SELLÉS o **CELLERS** 25631 Lérida 448 F 32 – alt. 325 – ❸ 973.

♦Madrid 551 – ♦Lérida/Lleida 82.

🏠 **Terradets** sin rest, carret. C 147 ℘ 65 11 20, ≼, ℈ – 🛗 ⇦ ℗
 ⌂ 500 – **30 hab** 2750/4050.

🛎 **Del Lago,** carret. C 147 ℘ 65 03 50, ≼, ℈ – ▤ rest ⇦ ℗. **E** 𝘝𝘐𝘚𝘈
 Com 1225 – ⌂ 375 – **16 hab** 1125/2945 – P 3525.

La SENIA Tarragona 448 K 30 – ver La Cenia.

SEO DE URGEL o **La SEU D'URGELL** 25700 Lérida 448 E 34 – 10 681 h. alt. 700 – ❸ 973 – ver aduanas p. 14 y 15.

Ver : Catedral de Santa María★★ (claustro★, museo diocesano : Beatus★).

⤇ de Seo de Urgel S : 7 km ℘ 35 15 74 – Iberia : José Betriú Tapies ℘ 35 15 74.

🛈 paseo de José Antonio ℘ 35 00 10 y 35 09 91 .

♦Madrid 602 – ♦Andorra la Vella 20 – ♦Barcelona 200 – ♦Lérida/Lleida 133.

🏨 **Parador de la Seo de Urgel,** Santo Domingo ℘ 35 20 00, Fax 35 23 09, 🔄 – 🛗 ▤ ⇦
 🛆. 🗚 ⓞ **E** 𝘝𝘐𝘚𝘈. ℀
 Com 2500 – ⌂ 800 – **84 hab** 5200/6500.

🏠 **Nice,** av. Pau Claris 6 ℘ 35 21 00, Telex 57792 – 🛗 ☎ ⇦ – 🛆. 🗚 ⓞ **E** 𝘝𝘐𝘚𝘈. ℀
 Com (cerrado lunes) 1500 – ⌂ 400 – **50 hab** 2500/3900.

🏠 **Mundial,** San Odón 2 ℘ 35 00 00 – 🛗 ▤ rest ☞
 62 hab.

🏠 **Duc d'Urgell** sin rest y sin ⌂, José de Zulueta 43 ℘ 35 21 95 – 🛗 ⇦. 𝘝𝘐𝘚𝘈. ℀
 36 hab 2000/3000.

🏠 **Cadí,** José de Zulueta 6 ℘ 35 01 50 – 🛗 ☞
 Com 1400 – ⌂ 350 – **40 hab** 2500/5000 – P 5400.

✗ **Mesón Teo,** av. Pau Claris 38 ℘ 35 10 29 – ▤. **E** 𝘝𝘐𝘚𝘈. ℀
 cerrado jueves y junio – Com (sólo almuerzo) carta 1625 a 2950.

 en Castellciutat SO : 1 km – ✉ 25710 Castellciutat – ❸ 973 :

🏨 ❀ **El Castell** ⌖, carret. C 1313 ℘ 35 07 04, Telex 93610, Fax 35 15 74, ≼ valle, Seo de Urgel y montañas, « ℈ rodeada de un bonito césped » – ▤ rest ☎ ℗. 🗚 ⓞ **E** 𝘝𝘐𝘚𝘈. ℀ rest
 cerrado 15 enero-15 febrero – Com carta 3350 a 4550 – ⌂ 1200 – **40 hab** 7500/10000
 Espec. Flán de espárragos con bogavante, Lomo de merluza con salsa verde, gambas y almejas, Pichón casero al estilo de la abuela.

🏠 **La Glorieta** ⌖, ℘ 35 10 45, ≼ valle y montañas, ℈ – ℗. ⓞ **E** 𝘝𝘐𝘚𝘈. ℀
 Com (cerrado miércoles) 1600 – ⌂ 500 – **11 hab** 2200/3500 – P 4725/5175.

 en Montferrer – ✉ 25711 Montferrer – ❸ 973 :

🏠 **Alto Segre,** SO : 3 km carret. C 1313 ℘ 35 13 31, Telex 97206, ≼ – ▤ rest ☞ ℗
 48 hab.

✗ **La Masía,** SO : 4 km carret. C 1313 ℘ 35 24 45 – ▤ ℗. 🗚 ⓞ **E** 𝘝𝘐𝘚𝘈. ℀
 cerrado miércoles y julio – Com carta 1450 a 2800.

✗ **La Borda,** SO : 3,5 km carret. C 1313 ℘ 35 19 10, Decoración rústica, Carnes a la brasa – ℗.
 E 𝘝𝘐𝘚𝘈
 cerrado martes – Com carta 1450 a 2550.

 en Alás E : 5 km por carretera de Puigcerdá – ✉ 25718 Alás – ❸ 973 :

✗ **Dolcet,** ℘ 35 20 16 – **E** 𝘝𝘐𝘚𝘈. ℀
 cerrado viernes y 4 noviembre-6 diciembre – Com carta 1000 a 1950.

CITROEN Paseo del Parque 106, pasaje 2 y 4 ℘ 35 05 40
GENERAL MOTORS carret. de Lérida 26 ℘ 35 13 70
PEUGEOT-TALBOT av. Valira 27 ℘ 35 05 40

RENAULT av. Guillermo Graell 36 ℘ 35 03 22
SEAT-AUDI-VOLKSWAGEN carret. Lérida - Puigcerdá ℘ 35 10 58

SEPÚLVEDA 40300 Segovia 444 I 18 – 1 590 h. alt. 1 014 – ❸ 911.

Ver : Emplazamiento★.

♦Madrid 123 – Aranda de Duero 52 – ♦Segovia 59 – ♦Valladolid 107.

✗ **Cristóbal,** Conde Sepúlveda 9 ℘ 54 01 00, Decoración castellana – ▤. 🗚 ⓞ **E** 𝘝𝘐𝘚𝘈. ℀
 cerrado martes – Com carta 1575 a 3100.

SERRADUY 22483 Huesca 448 F 31 – alt. 917 – ❸ 974.

Alred. : Roda de Isábena (enclave★ montañoso, Catedral : sepulcro de San Ramón★) S : 6 km.

♦Madrid 508 – Huesca 118 – ♦Lérida/Lleida 100.

🏠 Casa Peix ⌖, ℘ 54 07 38, ℈ – ℗ – **26 hab**.

El SERRAT Andorra 448 E 34 – ver Andorra (Principado de).

SES FIGUERETAS (Playa de) Baleares – ver Baleares (Ibiza) : Ibiza.

374

SES ILLETAS 07871 Baleares – ver Baleares (Formentera) : Es Pujols.

S'ESTANYOL (Playa de) Baleares 448 P 33 – ver Baleares (Ibiza) : San Antonio Abad.

SETCASAS o **SETCASES** 17869 Gerona 448 E 36 – 148 h. – ☻ 972 – Deportes de invierno en Vallter ⚡5.

♦Madrid 710 – ♦Barcelona 138 – Gerona/Girona 91.

- 🏨 **La Coma** ⏍, ℰ 74 05 58, ≤, 🛲 – ℗. 🅰🅴. ⚘
  Com 1300 – **15 hab** ⊠ 2400.

- ✗ Can Jepet, ℰ 74 06 12, ≤ – ℗.

La SEU D'URGELL Lérida 448 E 34 – ver Seo de Urgel.

☞ *Per spostarvi più rapidamente utilizzate le* **carte Michelin "Grandi Strade"** :
  nᵒ 920 *Europa, nᵒ* 980 *Grecia, nᵒ* 984 *Germania, nᵒ* 985 *Scandinavia-Finlanda,*
  nᵒ 986 *Gran Bretagna-Irlanda, nᵒ* 987 *Germania-Austria-Benelux, nᵒ* 988 *Italia,*
  nᵒ 989 *Francia, nᵒ* 990 *Spagna-Portogallo, nᵒ* 991 *Jugoslavia.*

SEVILLA 41000 🅟 446 T 11 y 12 – 653 833 h. alt. 12 – ☻ 954 – Plaza de toros.

Ver : Catedral*** CV – Giralda*** (≤**) CV – Reales Alcázares*** (jardines**, cuarto del Amirante : retablo de la Virgen de los Mareantes*) CX – Parque de María Luisa** S – Museo de Bellas Artes** AU **M1** – Barrio de Santa Cruz* CV – Casa de Pilatos** (azulejos**) DV **R** – Museo Arqueológico (colecciones romanas*) S **M2.**

Alred. : Itálica ≤* 9 km por ⑤.

🏇 e Hipódromo del Club Pineda por ③ : 3 km ℰ 61 14 00.

✈ de Sevilla - San Pablo por ① : 14 km ℰ 51 06 77 – Iberia : Almirante Lobo 2, ⊠ 41001, ℰ 21 88 00 BX.

🚗 ℰ 22 03 70.

🗓 av. de la Constitución 21 B ⊠ 41004, ℰ 22 14 04 y paseo de Las Delicias, ⊠ 41012, ℰ 23 44 65 – R.A.C.E. (R.A.C. de Andalucía) av. Eduardo Dato 22, ⊠ 41002, ℰ 63 13 50.

♦Madrid 550 ① – ♦La Coruña 950 ⑤ – ♦Lisboa 417 ⑤ – ♦Málaga 217 ② – ♦Valencia 682 ①.

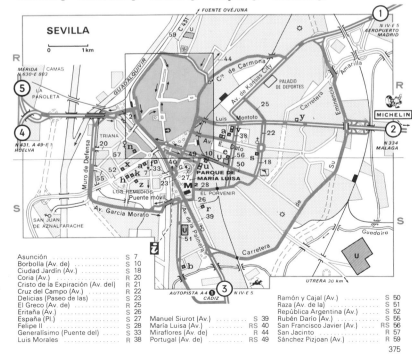

Asunción	S	7
Borbolla (Av. de)	S	10
Ciudad Jardín (Av.)	S	18
Coria (Av.)	R	20
Cristo de la Expiración (Av. del)	R	21
Cruz del Campo (Av.)	R	22
Delicias (Paseo de las)	S	23
El Greco (Av. de)	R	25
Eritaña (Av.)	S	26
España (Pl.)	S	27
Felipe II	S	28
Generalísimo (Puente del)	S	33
Luis Morales	R	38

Manuel Siurot (Av.)	S	39
María Luisa (Av.)	RS	40
Miraflores (Av. de)	R	44
Portugal (Av. de)	RS	49

Ramón y Cajal (Av.)	S	50
Raza (Av. de la)	S	51
República Argentina (Av.)	S	52
Rubén Darío (Av.)	S	55
San Francisco Javier (Av.)	RS	56
San Jacinto	R	57
Sánchez Pizjoan (Av.)	R	59

375

Alfonso XIII, San Fernando 2, ✉ 41004, ℰ 22 28 50, Telex 72725, Fax 21 60 33, 😭, « Majestuoso edificio de estilo andaluz », ⤵, ☞ – 🛗 🖳 📺 ⟵ 🅿 – 🔬 🖭 ⑩ 🎫 🛂
Com 3750 – ☷ 1325 – **149 hab** 19100/26000 – P 20000/26100. CX **c**

Los Lebreros Sol Ⓜ, Luis Morales 2, ✉ 41005, ℰ 57 94 00, Telex 72772, ⤵ – 🛗 🖳 📺 ☎ ⟵ 🔬 🖭 ⑩ 🖻 🎫 🛂
cerrado agosto – Com (ver también **Rest. La Dehesa**) 3200 – ☷ 850 – **439 hab** 22000/27000. R **v**

Meliá Sevilla Ⓜ, av. de la Borbolla 3, ✉ 41004, ℰ 42 26 11, Telex 73094, Fax 42 16 08, ⤵ – 🛗 🖳 📺 ☎ – 🔬 🖭 ⑩ 🖻 🎫 🛂
Com 3200 – ☷ 850 – **366 hab** 20000/25000. S **u**

Porta Coeli Ⓜ, av. Eduardo Dato 49, ✉ 41005, ℰ 57 00 40, Telex 72913, Fax 57 85 80, 🕎 – 🛗 🖳 📺 ☎ 🅿 – 🔬 🖭 ⑩ 🖻 🎫 🛂
Com (ver **Rest. Florencia**) – ☷ 675 – **242 hab** 8200/13000. R **a**

Macarena Sol, San Juan de Ribera 2, ✉ 41009, ℰ 37 58 00, Telex 72815, Fax 38 18 03, « Agradable terraza con ⤵ y ≤ ciudad » – 🛗 🖳 📺 ☎ ⟵ 🔬 🖭 ⑩ 🖻 🎫 🛂
Com 3000 – ☷ 850 – **305 hab** 20000/25000 – P 17980/25480. CDT **a**

Tryp Colón, Canalejas 1, ✉ 41001, ℰ 22 29 00 – 🛗 🖳 📺 ⟵
218 hab. AV **b**

Inglaterra, pl. Nueva 7, ✉ 41001, ℰ 22 49 70, Telex 72244 – 🛗 🖳 📺 ☎ ⟵ 🖭 ⑩ 🖻 🎫 🛂 rest
Com 2500 – ☷ 500 – **120 hab** 10800/13500 – P 11400/15450. BV **a**

Pasarela Ⓜ sin rest, av. de la Borbolla 11, ✉ 41013, ℰ 41 55 11, Telex 72486 – 🛗 🖳 📺 ☎ ⟵ 🖭 ⑩ 🖻 🎫 🛂
☷ 550 – **82 hab** 8500/14000. S **u**

G. H. Lar, pl. Carmen Benítez 3, ✉ 41003, ℰ 41 03 61, Telex 72816, Fax 41 04 52 – 🛗 🖳 📺 ⟵ – 🔬 🖭 ⑩ 🖻 🎫 🛂
Com 1750 – ☷ 600 – **137 hab** 7800/11400. DV **v**

Bécquer sin rest, Reyes Católicos 4, ✉ 41001, ℰ 22 89 00, Telex 72884 – 🛗 🖳 ☎ ⟵ 🖭 ⑩ 🖻 🎫 🛂
☷ 375 – **126 hab** 4400/6300. AV **s**

Resid. y Rest. Fernando III, San José 21, ✉ 41004, ℰ 21 77 08, Telex 72491, ⤵ – 🛗 🖳 ☎ – 🔬 ⑩ 🎫
Com 2300 – ☷ 400 – **156 hab** 6385/7980. CV **z**

América sin rest, con cafetería, Jesús del Gran Poder 2, ✉ 41002, ℰ 22 09 51, Telex 72709 – 🛗 🖳 📺 ☎ 🖭 ⑩ 🖻 🎫 🛂
☷ 370 – **100 hab** 3750/6400. BU **h**

Alcázar sin rest, Menéndez Pelayo 10, ✉ 41004, ℰ 41 20 11, Telex 72360 – 🛗 🖳 ☎ 🖭 ⑩ 🖻 🎫 🛂
☷ 350 – **96 hab** 7800/9900. DX **u**

Doña María sin rest, Don Remondo 19, ✉ 41004, ℰ 22 49 90, « Decoración clásica elegante-terraza con ≤ Giralda », ⤵ – 🛗 🖳 📺 ☎ 🅿 🖭 ⑩ 🖻 🎫 🛂
☷ 600 – **61 hab** 10000/16000. CV **b**

Monte Carmelo sin rest, Turia 7, ✉ 41011, ℰ 27 90 00, Telex 73195 – 🛗 🖳 ☎ ⟵ 🖭 🎫 🛂
☷ 350 – **68 hab** 4000/6300. S **f**

La Rábida, Castelar 24, ✉ 41001, ℰ 22 09 60, Telex 73062, 😭 – 🛗 🖳 📺 ☎ 🎫 🛂 rest
Com 1250 – ☷ 250 – **100 hab** 3100/5000 – P 4825/5425. BV **d**

Corregidor sin rest, Morgado 17, ✉ 41003, ℰ 38 51 11, Fax 37 61 02 – 🛗 🖳 📺 ☎ 🖭 ⑩ 🖻 🎫 🛂
☷ 395 – **69 hab** 6500/11000. CTU **g**

SEVILLA

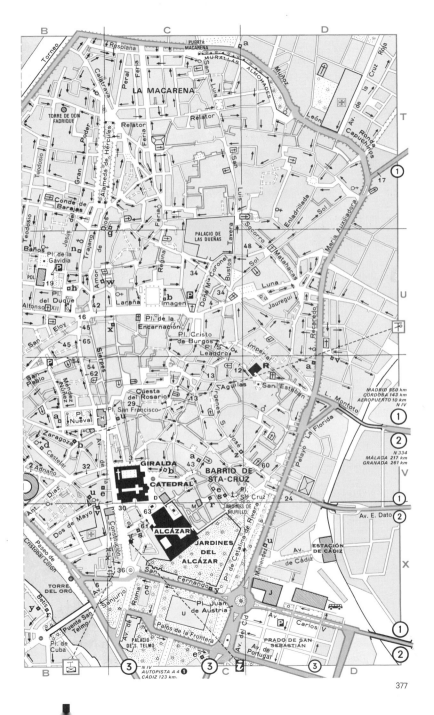

Venecia sin rest, Trajano 31, ✉ 41002, ✆ 38 11 61 – |♦| ▤ TV ☎ . E VISA. ✻ BU **n**
325 – **24 hab** 3700/6300.

Murillo y apart. Murillo sin rest, Lope de Rueda 9, ✉ 41004, ✆ 21 60 95 – |♦| ☎. AE ⓓ E VISA. ✻ CV **e**
250 – **61 hab** 4400/7500 y **14 apartamentos**.

Reyes Católicos sin rest, Gravina 57, ✉ 41001, ✆ 21 12 00, Telex 73297 – |♦| ▤ ☎. AE ⓓ E VISA. ✻ AV **n**
350 – **26 hab** 4200/6200.

Ducal sin rest, pl. Encarnación 19, ✉ 41003, ✆ 21 51 07 – |♦| ▤ . AE ⓓ E VISA. ✻ CU **b**
250 – **51 hab** 3000/4600.

Montecarlo, Gravina 51, ✉ 41001, ✆ 21 75 03, Telex 73297 – |♦| ☎. AE ⓓ E VISA. ✻ AV **e**
Com 1350 – 350 – **25 hab** 3100/4800 – P 4800/5500.

Sevilla sin rest y sin , Daoiz 5, ✉ 41003, ✆ 38 41 61 – |♦| ▤ . ⓓ. ✻ BCU **w**
29 hab 2900/4500.

Goya sin rest, Mateos Gago 31, ✉ 41004, ✆ 21 11 70 – AE. ✻ CV **a**
200 – **20 hab** 2000/3200.

XXX ✿ **Egaña Oriza,** San Fernando 41, ✉ 41004, ✆ 22 72 11, « Jardín de invierno » – ▤. AE ⓓ E VISA. ✻ CX **y**
cerrado domingo y agosto – Com carta 3000 a 5400
Espec. Lubina en salsa de erizos de mar, Lomo de merluza con almejas y ajos tiernos, Mousse de avellana.

XXX San Marco, Cuna 6, ✉ 41004, ✆ 21 24 40 – ▤ CU **x**

XXX **Florencia,** av. Eduardo Dato 49, ✉ 41005, ✆ 57 00 40, Telex 72913, Fax 57 85 80, Decoración elegante – ▤. AE ⓓ E VISA. ✻ R **a**
Com carta 2600 a 4000.

XXX Antares-Oyarbide, Genero Parladé 7, ✉ 41013, ✆ 62 94 51 – ▤ S **r**

XXX **Maitres,** av. República Argentina 54, ✉ 41011, ✆ 45 68 80 – ▤. AE ⓓ E VISA. ✻ S **x**
Com carta 2225 a 3375.

XXX **El Burladero,** Canalejas 1, ✉ 41001, ✆ 22 29 00, Decoración evocando la tauramaquía – ▤. AE ⓓ E VISA. ✻ AV **a**
cerrado agosto – Com carta 2750 a 3000.

XXX **Río Grande,** Betis, ✉ 41010, ✆ 27 39 56, ≤, , « Amplía terraza a la orilla del río » – ▤. AE ⓓ E VISA. ✻ BX **r**
Com carta 2500 a 3350.

XXX **Pello Roteta,** Farmacéutico Murillo Herrera 10, ✉ 41010, ✆ 27 84 17, Cocina vasca – ▤. AE ⓓ E VISA. ✻ R **n**
cerrado domingo y 15 agosto-15 septiembre – Com carta 1870 a 3200.

XXX **Ox's,** Betis 61, ✉ 41010, ✆ 27 95 85, Cocina vasca – ▤. AE ⓓ E VISA. ✻ BX **y**
cerrado domingo noche y agosto-3 septiembre – Com carta 2250 a 3650.

XXX **La Dehesa,** Luis Morales 2, ✉ 41005, ✆ 57 94 00, Telex 72772, Decoración típica andaluza, Carnes a la brasa – ▤. AE ⓓ E VISA. ✻ R **v**
cerrado agosto – Com carta 1835 a 3300.

XXX **Rincón de Curro,** Virgen de Luján 45, ✉ 41011, ✆ 45 02 38 – ▤. AE ⓓ E VISA. ✻ S **z**
cerrado agosto, domingo en verano y domingo noche en invierno – Com carta 2375 a 3700.

XX **Figón del Cabildo,** pl. del Cabildo, ✉ 41001, ✆ 22 01 17, – ▤. AE ⓓ E VISA. ✻ BV **e**
cerrado julio, domingo en verano y domingo noche en invierno – Com carta 2600 a 3550.

XX **Jamaica,** Jamaica 16, ✉ 41012, ✆ 61 12 44 – ▤. AE ⓓ VISA. ✻ S **b**
cerrado domingo noche y agosto – Com carta 1925 a 2975.

XX **La Raza,** av. Isabel la Católica 2, ✉ 41013, ✆ 23 38 30, ≤, – ▤. AE ⓓ E VISA. ✻ CX **e**
Com carta 1950 a 3050.

XX **Bodegón El Riojano,** Virgen de las Montañas 12, ✉ 41011, ✆ 45 06 82 – ▤. AE ⓓ E VISA. ✻ S **k**
Com carta 2150 a 3175.

XX **La Isla,** Arfe 25, ✉ 41001, ✆ 21 26 31 – ▤. AE ⓓ E VISA. ✻ BV **u**
cerrado agosto – Com carta 2400 a 2800.

XX **La Encina,** Virgen de Aguas Santas 6, ✉ 41011, ✆ 45 93 22 – ▤. AE ⓓ E VISA. ✻ S **h**
cerrado sábado mediodía, domingo y 15 agosto-15 septiembre – Com carta 2650 a 3825.

XX **El Marmolillo,** av. San Francisco Javier 20, ✉ 41005, ✆ 65 67 52 – ▤. AE ⓓ E VISA. ✻ R **e**
Com carta 2225 a 3200.

XX **La Albahaca,** pl. Santa Cruz 12, ✉ 41004, ✆ 22 07 14, « Instalado en una antigua casa señorial » – ▤. AE ⓓ E VISA. ✻ CV **s**
cerrado domingo – Com carta 2400 a 3600.

XX **Rincón de Casana,** Santo Domingo de la Calzada 13, ✉ 41005, ✆ 57 27 97, Decoración regional – ▤. AE ⓓ E VISA. ✻ R **a**
cerrado domingo en verano – Com carta 2725 a 3600.

XX **Banco del Salmón,** av. República Argentina 13, ✉ 41011, ✆ 27 70 93 – ▤. AE ⓓ E VISA. ✻ S **a**
cerrado miércoles en invierno y sábado en verano – Com carta 2375 a 3175.

XX El Mero, Betis 1, ✉ 41010, ✆ 33 42 52, Pescados y mariscos – ▤ AX **p**

✗ **Rias Baixas,** av. Ciudad Jardín 6, ⊠ 41005, ℰ 64 18 60, Pescados y mariscos – 🗏   RS **s**

✗ **Los Alcázares,** Miguel de Mañara 10, ⊠ 41004, ℰ 21 31 03, 😤, Decoración regional – 🗏.
   E 𝚅𝙸𝚂𝙰 ✻   CX **s**
cerrado domingo – Com carta 2100 a 2950.

✗ **Hostería del Laurel,** pl. de los Venerables 5, ⊠ 41004, ℰ 22 02 95, Decoración típica – 🗏.
   𝔸𝔼 ⓞ **E** 𝚅𝙸𝚂𝙰 ✻   CV **r**
Com carta 1850 a 2600.

✗ Enrique Becerra, Gamazo 2, ⊠ 41001, ℰ 21 30 49 – 🗏   BV **b**

✗ **Don José,** av. Dr. Pedro Castro - Edificio Portugal, ⊠ 41004, ℰ 41 44 02 – 🗏 𝔸𝔼 ⓞ **E** 𝚅𝙸𝚂𝙰.
   ✻   S **u**
cerrado domingo – Com carta 1850 a 2750.

✗ **San Francisco,** pl. San Francisco 1, ⊠ 41004, ℰ 22 20 56, Instalado en una antigua casa
   sevillana – 🗏. **E** 𝚅𝙸𝚂𝙰. ✻   CV **u**
cerrado domingo noche, lunes y agosto – Com carta 1925 a 2450.

✗ **Becerrita,** Recaredo 9, ⊠ 41003, ℰ 41 20 57 – 🗏. 𝔸𝔼 **E** 𝚅𝙸𝚂𝙰. ✻   DV **a**
Com carta 1700 a 3250.

✗ **Rincón del Postigo,** Tomás de Ibarra 2, ⊠ 41001, ℰ 21 61 91 – 🗏. 𝔸𝔼 ⓞ **E** 𝚅𝙸𝚂𝙰. ✻
cerrado sabado – Com carta 2050 a 2650.   BXV **v**

   en la carretera de Málaga – ❸ 954 :

🏨 **Hispalis,** av. de Andalucía 52 por ② : 4,5 km, ⊠ 41006, ℰ 52 94 33, Telex 73208, Fax 67 53 13
   – ⃖| 🗏 𝚃𝚅 ⇔. 𝔸𝔼 ⓞ **E** 𝚅𝙸𝚂𝙰. ✻
Com 1000 – ⊊ 600 – **68 hab** 15000/19000.

🏠 Itálica, sin rest y sin ⊊, Edificio Casal por ② : 3,5 km, ⊠ 41007, ℰ 51 59 22, Telex 72422 – ⃖|
   🗏 ⇔   R **y**
   27 hab.

S.A.F.E. Neumáticos MICHELIN, Sucursal, Polígono industrial El Pino - carretera de Málaga
por ② km 5,5, ⊠ 41016, ℰ 51 08 44 y 51 11 74

ALFA-ROMEO   Carlos Serra 3 - Pol. C. Amarilla ℰ
51 15 26
BMW   Evangelista 53 ℰ 27 77 86
CITROEN   Polígono Industrial - carret. Amarilla Par-
cela 172 ℰ 51 45 11
CITROEN   av. Dr. Fedriani ℰ 37 20 58
FIAT   Ramón y Cajal 31-35 ℰ 64 43 17
FORD   av. de Andalucía 1 ℰ 57 68 80
FORD   carretera de Carmona 43 ℰ 4-3 74 78
GENERAL MOTORS   av. Fernandez Morube 24 ℰ
51 53 44

GENERAL MOTORS   Polígono Industrial Su Emi-
nencia Calle - C 7 y 9 ℰ 64 35 30
LANCIA   av. de la Industria 120 ℰ 67 78 00
MERCEDES-BENZ   autopista San Pablo ℰ 35 92 00
PEUGEOT-TALBOT   Autopista de San Pablo ℰ
35 04 50
RENAULT   carret. de Su Eminencia ℰ 63 91 50
SEAT-AUDI-VOLKSWAGEN   carret. de Su Eminencia
2 ℰ 64 47 66
TALBOT   autopista de San Pablo ℰ 35 04 50

SIERRA – ver el nombre propio de la Sierra.

SIERRA NEVADA 18196 Granada 𝟺𝟺𝟼 U 19 – alt. 2 080 – ❸ 958 – Deportes de invierno ⫸ 1
⫷17.

♦Madrid 461 – ♦Granada 32.

🏨 Meliá Sierra Nevada, ⊠ 18009, ℰ 48 04 00, Telex 78507, ≼, ◩ – ⃖| 𝚃𝚅 ☎ ⇔ – 🏛 –
   221 hab.

🏨 **Maribel** ≫, Balcón de Pradollano ℰ 48 06 00, Telex 78633, Fax 48 05 06, ≼, « Acogedor
   conjunto de estilo alpino » – ⃖| 𝚃𝚅 ☎ ⓟ. 𝔸𝔼 ⓞ **E** 𝚅𝙸𝚂𝙰. ✻
15 diciembre-15 abril – Com (sólo cena) 3000 – **23 hab** ⊊ 13500/18500.

🏨 Meliá Sol y Nieve, ℰ 48 03 00, Telex 78507, ≼ – ⃖| ⇔
   178 hab.

🏠 Mont Blanc, sin rest, ℰ 48 06 50 – ⃖| ⇔
   39 hab.

🏠 **Nevasur** ≫, pl. Pradollano ℰ 48 03 50, Telex 78420, Fax 48 06 06, ≼ Sierra Nevada y valle –
   ⃖| ⇔. 𝔸𝔼 **E** 𝚅𝙸𝚂𝙰. ✻
diciembre-mayo – Com carta aprox. 1700 – ⊊ 425 – **50 hab** 3955/7050 – P 6875/7205.

✗ Las Sabinas, edificio Bulgaria ℰ 48 00 47.

   en la carretera del Pico de Veleta SE : 5,5 km – ⊠ 18196 Sierra Nevada – ❸ 958 :

🏨 **Parador Sierra Nevada** ≫, alt. 2 500 ℰ 48 02 00, Fax 48 02 12, ≼ – ⇔ ⓟ. 𝔸𝔼 ⓞ **E** 𝚅𝙸𝚂𝙰.
   ✻
Com 2500 – ⊊ 800 – **32 hab** 6000/7500.

Los hoteles y restaurantes agradables
se indican en la guía con un símbolo rojo.
Ayúdenos señalándonos los establecimientos
en que, a su juicio, da gusto estar.
La guía del año que viene será aún mejor.

      🏨🏨🏨 ... 🏠

      XXXXX ... ✗

SIGÜENZA 19250 Guadalajara 𝟦𝟦𝟦 | 20 – 5 656 h. alt. 1 070 – ✿ 911.

Ver : Catedral★★ : Interior (puerta★, crucero★★ : presbiterio : púlpitos★ ; capilla del Doncel : sepulcro del Doncel★★ ; girola : Crucifijo★) – Sacristía (techo★, capilla de las Reliquias : Cúpula★).

◆Madrid 129 – ◆Guadalajara 73 – Soria 96 – ◆Zaragoza 191.

🏨 **Parador Castillo de Sigüenza** 🦢, 𝒫 39 01 00, Telex 22517, Fax 39 13 64, « Instalado en un castillo medieval » – ‖🕸 ▤ ☎ 🅿 – 🔬, 🖭 ⑩ 𝐄 𝗩𝗜𝗦𝗔. ⋟⋞
Com 2500 – ⲥ 800 – **77 hab** 6800/8500.

🏠 **El Doncel,** General Mola 3 𝒫 39 10 50 – ▤ rest. ⑩ 𝐄 𝗩𝗜𝗦𝗔. ⋟⋞
Com 1250 – ⲥ 350 – **19 hab** 1800/3000 – P 3780/4080.

🏠 **El Motor** sin rest, carret. de Madrid 2 𝒫 39 08 27 – 🅿. 𝐄 𝗩𝗜𝗦𝗔. ⋟⋞
ⲥ 300 – **10 hab** 2500/3200.

✕ **El Motor,** Calvo Sotelo 12 𝒫 39 03 43 – ▤. 𝗩𝗜𝗦𝗔. ⋟⋞
cerrado lunes, del 1 al 15 marzo y del 15 al 30 septiembre – Com carta 1350 a 2900.

CITROEN Travesía del Puente del Tinte 4 𝒫 39 05 29
FORD carret. de Madrid 25 𝒫 39 12 95
PEUGEOT-TALBOT carret. de Madrid 𝒫 39 06 92

RENAULT carret. de Madrid 1 𝒫 39 07 48
SEAT-AUDI-VOLKSWAGEN Santa Bárbara 28 𝒫 39 12 41

SILS 17410 Gerona 𝟦𝟦𝟥 G 38 – 1 853 h. alt. 75 – ✿ 972.

◆Madrid 689 – ◆Barcelona 76 – Gerona/Girona 30.

en la carretera N II E : 1,5 km – ⊠ 17410 Sils – ✿ 972 :

✕ **La Granota,** 𝒫 85 30 44, ⫷, « Ambiente típico catalán » – 🅿. 🖭 𝗩𝗜𝗦𝗔. ⋟⋞
cerrado miércoles y 10 julio-10 agosto – Com carta 1550 a 2700.

SEAT-AUDI-VOLKSWAGEN Jacinto Verdaguer 𝒫 85 31 36

S'ILLOT Baleares – ver Baleares (Ibiza).

SINARCAS 46320 Valencia 𝟦𝟦𝟧 M 26 – 1 355 h. – ✿ 96.

◆Madrid 289 – ◆Albacete 137 – Cuenca 104 – Teruel 93 – ◆Valencia 103.

🏛 Valencia, carret. de Teruel 2 𝒫 218 40 14 – **6 hab**.

SITGES 08870 Barcelona 𝟦𝟦𝟥 I 35 – 11 850 h. – ✿ 93 – Playa.

Ver : Localidad veraniega★ – **Alred.** : Costas de Garraf★ por ②.

🏌 Club Terramar 𝒫 894 05 80 AZ.

🅸 pl. Eduardo Maristany 𝒫 894 12 30.

◆Madrid 597 ① – ◆Barcelona 43 ② – ◆Lérida/Lleida 135 ① – Tarragona 53 ③.

Plano página siguiente

🏨 **Terramar** 🦢, passeig Maritim 30 𝒫 894 00 50, Telex 53186, Fax 894 00 50, ≼, ⫷, ⌁, ☀, ⋟⋞, 🝥 – ‖🕸 ▤ rest ☎ – 🔬, 🖭 ⑩ 𝐄 𝗩𝗜𝗦𝗔. ⋟⋞   AZ **a**
mayo-1 noviembre – Com 1900 – ⲥ 150 – **209 hab** 6100/10100.

🏨 **Calípolis y Grill La Brasa,** passeig Maritim 𝒫 894 15 00, Telex 53067, Fax 894 07 64, ≼, ⫷ – ‖🕸 ▤ – 🔬, 🖭 ⑩ 𝐄 𝗩𝗜𝗦𝗔. ⋟⋞ rest   BZ **a**
cerrado 6 noviembre-22 diciembre – Com 1850 – ⲥ 700 – **163 hab** 6900/10200.

🏠 **Aparthotel Mediterráneo** sin rest, con cafetería, av. Sofia 3 𝒫 894 51 34, ≼, ⫷ – ‖🕸 ▤ 📺 ⇦, 🖭 ⑩ 𝐄 𝗩𝗜𝗦𝗔   BZ **v**
46 hab ⲥ 11300/15000.

🏠 **Antemare** 🦢, Verge de Montserrat 48 𝒫 894 06 00, Telex 52962, Fax 894 63 01, ⫷, ⌁ – ‖🕸 ☎ – 🔬. ⑩ 𝐄 𝗩𝗜𝗦𝗔. ⋟⋞   AY **h**
cerrado del 18 al 28 diciembre – Com 2250 – ⲥ 750 – **72 hab** 6200/9200.

🏠 **Subur Maritim** 🦢, passeig Maritim 𝒫 894 15 50, Telex 52962, Fax 894 69 86, ≼, « Césped con ⌁ » – ‖🕸 ☎ 🅿. 🖭 ⑩ 𝐄 𝗩𝗜𝗦𝗔   AZ **n**
Com 1700 – ⲥ 700 – **42 hab** 7200/9000 – P 8155/10855.

🏠 **Galeón,** San Francisco 44 𝒫 894 06 12, Fax 894 63 35, ⌁ – ‖🕸 ☎. ⋟⋞   BZ **u**
mayo-20 octubre – Com 1085 – ⲥ 290 – **47 hab** 2750/4350 – P 4000/4350.

🏠 **La Reserva** 🦢, passeig Maritim 62 𝒫 894 18 33, ≼, ⫷, « Jardín con arbolado », ⌁ – ☎ 🅿. 𝐄 𝗩𝗜𝗦𝗔. ⋟⋞ rest   AZ **z**
mayo-20 septiembre – Com 1850 – ⲥ 480 – **24 hab** 4760/5950 – P 6375/8160.

🏠 **Platjador,** passeig de la Ribera 35 𝒫 894 50 54, Fax 894 63 35, ⌁ – ‖🕸. ⋟⋞   BZ **m**
mayo-20 octubre – Com 1085 – ⲥ 310 – **59 hab** 2635/4350 – P 4350/4810.

🏠 **Romantic y la Renaixença** sin rest, Sant Isidre 33 𝒫 894 06 43, Telex 52962, « Patio-jardín con arbolado » – 𝗩𝗜𝗦𝗔   BZ **b**
abril-octubre – ⲥ 450 – **55 hab** 2950/5500.

🏠 **Arcadia** 🦢 sin rest, Socias 22 𝒫 894 09 00, Telex 52962, Fax 894 63 01 – ‖🕸 ☎ 🅿. ⑩ 𝐄 𝗩𝗜𝗦𝗔   AY **r**
abril-octubre – ⲥ 500 – **38 hab** 4000/6800.

🏠 **La Santa María,** passeig de la Ribera 52 𝒫 894 09 99, ⫷ – 🖭 𝐄 𝗩𝗜𝗦𝗔   BZ **f**
abril-octubre – Com 950 – ⲥ 525 – **20 hab** 2500/4950.

🏠 **El Cid,** San José 39 𝒫 894 18 42, Fax 894 63 35, ⌁ – ‖🕸   BZ **r**
mayo-20 octubre – Com 975 – ⲥ 290 – **88 hab** 2290/3435 – P 3380/3775.

SITGES

IGUALADA 61 km
VILAFRANCA DEL PENEDÉS 22 km

BARCELONA 43 km

53 km TARRAGONA
7 km VILANOVA
: LA GELTRÚ

MEDITERRÁNEO

MAR

PLATJA S. SEBASTIÀ

ESTACIÓN

Hospital

Pl. Espanya

Parellades

PLATJA

⚓⚓ **El Greco,** passeig de la Ribera 72 ☎ 894 29 06, ☝, « Interior de estilo inglés » – AE ① E   BZ **s**
VISA. ℕ
cerrado martes y 15 noviembre-14 diciembre – Com carta 2075 a 3350.

⚓⚓ **Ródenas,** Isla de Cuba 8 ☎ 894 44 01, ☝ – AE ① E *VISA*. ℕ   BZ **y**
cerrado miércoles y del 7 al 28 enero – Com carta 2100 a 3750.

⚓⚓ Fragata, passeig de la Ribera 1 ☎ 894 10 86, ☝ – ■   BZ **p**

⚓⚓ **Mare Nostrum,** passeig de la Ribera 60 ☎ 894 33 93, ☝ – ① E *VISA*. ℕ   BZ **e**
cerrado miércoles y 15 diciembre-15 enero – Com carta 2220 a 3325.

⚓ **La Masía,** paseo Vilanova 164 ☎ 894 10 76, ☝, Decoración rústica regional – Ⓥ. AE ① E
VISA   AY **v**
Com carta 1700 a 2450.

⚓ **Vivero,** passeig Balmins ☎ 894 21 49, ≤, ☝, Pescados y mariscos – ■ Ⓥ. ① E *VISA*   BY **z**
cerrado noviembre y martes de enero a mayo – Com carta 1570 a 2400.

⚓ **Rafecas ''La Nansa'',** Carreta 24 ☎ 894 19 27 – AE ① E *VISA*. ℕ   BZ **n**
cerrado martes noche, miércoles salvo festivos y 27 diciembre-4 febrero – Com carta 1980 a 3100.

⚓ **Oliver's,** Isla de Cuba 39 ☎ 894 35 16 – ■. ① E *VISA*. ℕ   BZ **d**
cerrado lunes y 8 enero-8 febrero – Com carta 1715 a 3150.

⚓ **Els 4 Gats,** San Pablo 13 ☎ 894 19 15 – AE ① E *VISA*. ℕ   BZ **k**
15 abril-20 octubre – Com *(cerrado miércoles)* carta 1600 a 2750.

SITGES

CITROEN Cami dels Capellans 39 ☏ 894 57 50
PEUGEOT-TALBOT passeig Vilanova 41 ☏ 894 06 17
RENAULT carret. de las Costas 36 ☏ 894 05 44

SEAT-AUDI-VOLKSWAGEN av. Las Flores 24 ☏ 894 03 54

SOBRADO DE LOS MONJES 15312 La Coruña 🔟🔟🔟 C 5 – 3 466 h. – 🅰 981.

♦Madrid 552 – ♦La Coruña 64 – Lugo 46 – Santiago de Compostela 61.

🏠 **San Marcus,** ☏ 78 94 27, ⚊ – **E** 𝘝𝘐𝘚𝘈 🛇
Com 1200 – **12 hab** 🖙 2000/3500 – P 4000/4200.

SOLDEU Andorra 🔟🔟🔟 E 35 – ver Andorra (Principado de).

SOLSONA 25280 Lérida 🔟🔟🔟 G 34 – 6 230 h. alt. 664 – 🅰 973.
Ver : Museo diocesano (pinturas** románicas y góticas) – Catedral (Virgen del Claustro*).
🇮 Castell 20 ☏ 48 00 50.
♦Madrid 577 – ♦Lérida/Lleida 108 – Manresa 52.

⚜ **San Roque,** pl. San Roque 2 ☏ 48 00 06 – 🅿. 𝘝𝘐𝘚𝘈
Com 900 – 🖙 400 – **27 hab** 1300/2600 – P 3170.

en la carretera de Manresa – ✉ 25280 Solsona – 🅰 973 :

🏨 **Gran Sol,** E : 1 km ☏ 48 09 75, ⚊, ✖ – 🛗 🍽 rest ⇚ 🅿. **E** 𝘝𝘐𝘚𝘈 🛇
Com 1150 – 🖙 375 – **54 hab** 2650/4400 – P 5450/5900.

✖ **El Pi de Sant Just** con hab, SE : 5 km ☏ 48 07 00, ⚊, ✖ – 🍽 rest 🅿. 🄰🄴 𝘝𝘐𝘚𝘈 🛇
Com (cerrado lunes) 900 – 🖙 25 – **15 hab** 1500/2500.

CITROEN carret. de Manresa km 50 ☏ 48 11 25
FORD Basella ☏ 48 00 21
GENERAL MOTORS carret. Manresa km 49,5 ☏ 48 09 63

PEUGEOT-TALBOT carret. Manresa 1 ☏ 48 06 00
RENAULT Puente ☏ 48 01 20
SEAT-AUDI-VOLKSWAGEN carret. de Basella 11 ☏ 48 08 60

SÓLLER Baleares 🔟🔟🔟 M 38 – ver Baleares (Mallorca).

SOMIÓ Asturias 🔟🔟🔟 B 13 – ver Gijón.

SON BOU (Playa de) Baleares – ver Baleares (Menorca) : Alayor.

SON SERVERA Baleares 🔟🔟🔟 N 40 – ver Baleares (Mallorca).

SON VIDA Baleares 🔟🔟🔟 N 37 – ver Baleares (Mallorca) : Palma de Mallorca.

SOPELANA 48600 Vizcaya 🔟🔟🔟 B 21 – 6 259 h. – 🅰 94. – ♦Madrid 439 – ♦Bilbao 20.

en Larrabasterra O : 1 km – ✉ 48600 Sopelana – 🅰 94 :

✖✖ Itxas-Alde, carret. Arriatera ☏ 676 00 15, ≤, 🍴 – 🍽 🅿.

SORBAS 04270 Almería 🔟🔟🔟 U 23 – 3 784 h. alt. 410 – 🅰 951.
Ver : Emplazamiento*.
♦Madrid 548 – ♦Almería 59 – ♦Granada 180 – ♦Murcia 162.

🏠 **Sorbas** sin rest, carret. N 340 ☏ 36 41 60 – 🅿. **E** 𝘝𝘐𝘚𝘈 🛇
🖙 250 – **18 hab** 2000/3500.

SORIA 42000 🅿 🔟🔟🔟 G 22 – 32 039 h. alt. 1 050 – 🅰 975 – Plaza de toros.
Ver : Iglesia de Santo Domingo* (portada**) A – San Juan de Duero (claustro*) B – Catedral de San Pedro (claustro*) B.
Excurs. : Laguna Negra de Urbión*** (carretera**) NO : 46 km por ④.
🇮 pl. Ramón y Cajal, ✉ 42003, ☏ 21 20 52 – R.A.C.E. av. de Mariano Vicén 1, ✉ 42003, ☏ 22 15 61.
♦Madrid 225 ③ – ♦Burgos 142 ④ – Calatayud 92 ② – Guadalajara 169 ③ – ♦Logroño 106 ① – ♦Pamplona 167 ②.

Plano página siguiente

🏨 **Parador Antonio Machado** 🛇, parque del Castillo, ✉ 42005, ☏ 21 34 45, Fax 21 28 49, ≤ valle del Duero y montañas – 🅿 – 🅰. 🄰🄴 🄾 **E** 𝘝𝘐𝘚𝘈 🛇   B **e**
Com 2500 – 🖙 800 – **34 hab** 6800/8500.

🏨 **Alfonso VIII,** Alfonso VIII - 10, ✉ 42003, ☏ 22 62 11 – 🛗 🍽 rest ☎ ⇚ – 🅰. 🄾 **E** 𝘝𝘐𝘚𝘈 🛇   A **a**
Com 1400 – 🖙 325 – **103 hab** 3500/5600 – P 5300/6000.

🏨 **Caballero,** Eduardo Saavedra 4, ✉ 42004, ☏ 22 01 00 – 🛗 🍽 rest ☜ 🅿. 🄰🄴 🄾 **E** 𝘝𝘐𝘚𝘈 🛇 rest   por ④
Com 1275 – 🖙 350 – **84 hab** 3850/5390 – P 5015/6170.

🏨 **Mesón Leonor** 🛇, paseo del Mirón, ✉ 42005, ☏ 22 02 50, ≤ – 🍽 rest ☎ 🅿. 🄰🄴 🄾 **E** 𝘝𝘐𝘚𝘈 🛇 rest   B **b**
Com 1325 – 🖙 300 – **32 hab** 3125/5400.

🏠 **Viena** sin rest, García Solier 5, ✉ 42001, ☏ 22 21 09 – 🛗 ⇚. 𝘝𝘐𝘚𝘈   A **c**
🖙 250 – **24 hab** 1400/3500.

382

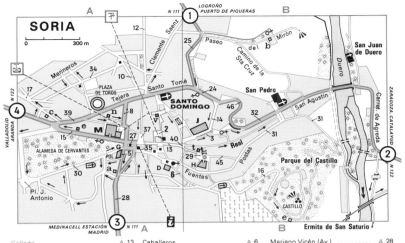

SORIA

0   300 m

XXX   **Maroto,** paseo del Espolón 20, ⊠ 42001, ☏ 22 40 87, Decoración moderna – ▣. ◬ ⓞ Ε 𝘝𝘐𝘚𝘈. ⅋   A **e**
      Com carta 1860 a 3730.

XX   **Santo Domingo II,** Aduana Vieja 15, ⊠ 42002, ☏ 21 17 17 – ▣. ◬ ⓞ Ε 𝘝𝘐𝘚𝘈. ⅋   A **v**
      Com carta 1900 a 2700.

X   **Mesón Castellano,** pl. Mayor 2, ⊠ 42002, ☏ 21 30 45, Decoración castellana – ▣   B **t**

X   **Casa Garrido,** Vicente Tutor 8, ⊠ 42001, ☏ 22 20 68 – ▣. ◬ ⓞ Ε 𝘝𝘐𝘚𝘈. ⅋   A **n**
      Com carta 1700 a 3250.

    en la carretera N 122 E : 6 km – ⊠ 42000 Soria – ✆ 975 :

   Cadosa, ☏ 21 31 43, ⅃, ⅋ – ☎ ⇔ ℗. 𝘝𝘐𝘚𝘈. ⅋
      Com 1000 – **76 hab** 3500.

ALFA ROMEO-VOLVO   Polígono Industrial Las Casas   GENERAL MOTORS-OPEL   av. de Valladolid ☏
E 58 ☏ 22 29 47   22 07 48
AUSTIN-ROVER   carret. Zaragoza km 146 ☏ 21 31 44   MERCEDES-BENZ   Eduardo Saavedra 44 ☏ 22 14 50
BMW   av. Valladolid ☏ 22 06 78   PEUGEOT-TALBOT   Eduardo Saavedra ☏ 22 17 97
CITROEN   av. Valladolid 103 ☏ 22 16 54   RENAULT   av. de Valladolid ☏ 22 04 50
FIAT-LANCIA   Polígono Industrial Las Casas Parcela   SEAT-AUDI-VOLKSWAGEN   Eduardo Saavedra 44
42 ☏ 22 62 62   ☏ 22 14 50
FORD   av. de Valladolid ☏ 22 06 50

SORT 25560 Lérida 𝟜𝟜𝟛 E 33 – 1 496 h. alt. 720 – ✆ 973.

Alred. : NO : Valle de Llessui⋆⋆ ≼ – ⬥Madrid 593 – ⬥Lérida/Lleida 136.

   Pessets, carret. de Seo de Urgel ☏ 62 00 00, ≼, ⅃, 🐎, ⅋ – 🛗 ☎ – ⬩. Ε 𝘝𝘐𝘚𝘈. ⅋ rest
      cerrado 2 noviembre-2 diciembre – Com 1300 – ⊑ 450 – **80 hab** 3200/7600.

RENAULT   Dr. Pol Aleu 15 ☏ 62 00 86   SEAT-AUDI-VOLKSWAGEN   carret. Seo de Urgel ☏
                                                      62 01 32

SOS DEL REY CATÓLICO 50680 Zaragoza 𝟜𝟜𝟛 E 26 – 1 120 h. alt. 652 – ✆ 948.

Ver : Iglesia de San Esteban⋆ (sillería⋆⋆, coro⋆) – **Alred. :** Uncastillo (iglesia de Santa María :
portada Sur⋆⋆, sillería⋆, claustro⋆) SE : 22 km.

⬥Madrid 423 – Huesca 109 – ⬥Pamplona 59 – ⬥Zaragoza 122.

   Parador Fernando de Aragón ⑤, ☏ 88 80 11, Fax 88 81 00, ≼, Conjunto de estilo aragonés
      – 🛗 ☎ ⇔ ℗ – ⬩. ◬ ⓞ Ε 𝘝𝘐𝘚𝘈. ⅋
      Com 2500 – ⊑ 800 – **65 hab** 5600/7000.

SOTO DE CAMPÓO Cantabria – ver Reinosa.

SOTOGRANDE 11310 Cádiz 🆘🆘🆘 X 14 – ✪ 956 – Playa.

⛳, ⛳ de Sotogrande ✆ 79 20 50 – ⛳ Las Aves ✆ 79 27 75 – ⛳ de Valderrama ✆ 79 27 75.

♦Madrid 666 – Algeciras 27 – ♦Cádiz 148 – ♦Málaga 111.

   🏨 **Sotogrande** ≫, carret. N 340 km 132 ✆ 79 21 00, Telex 78171, ⌁ climatizada, 🐎, 🍴, ⛳⛳
   – 🍴 📺 ☎ 🅿 🄰🄴
   Com 2800 – **46 hab** ⊐ 14300/21700.

SOTOJUSTO Pontevedra – ver Redondela.

SOTOSALBOS 40170 Segovia 🆘🆘🆘 I 18 – 96 h. – ✪ 911.

♦Madrid 106 – Aranda de Duero 98 – ♦Segovia 19.

   🍴 A. Manrique, carret. N 110 ✆ 40 11 81, Decoración castellana – 🅿.

SUANCES 39340 Cantabria 🆘🆘🆘 B 17 – 5 473 h. – ✪ 942 – Playa.

♦Madrid 394 – ♦Bilbao 131 – ♦Oviedo 182 – ♦Santander 31.

   en la playa N : 1,5 km – ⊠ 39340 Suances – ✪ 942 :

   🏠 **Lumar** ≫, carret. de Tagle 3 ✆ 81 02 14, 🏤 – 🅿 🍴
   julio-15 septiembre – Com 810 – ⊐ 190 – **29 hab** 2050/4350.

   🍴 El Navío, av. de la Marina Española ✆ 81 09 38.

   🍴 Sito, av. de la Marina Española 3 ✆ 81 04 16 – 🍴.

   en el faro – ⊠ 39340 Suances – ✪ 942 :

   🏠 **El Castillo** ≫ sin rest, Acacio Gutierrez 142 ✆ 81 03 83, ≤, Reproducción de un pequeño
   castillo con bonita decoración interior – ☎ 🄴 🆅🅸🆂🅰
   ⊐ 300 – **12 hab** 6000.

   🍴 El Caserío ≫ con hab, ✆ 81 05 75 – 🍴 rest 🅿
   9 hab.

SURIA 08260 Barcelona 🆘🆘🆘 G 35 – 6 745 h. alt. 280 – ✪ 93.

♦Madrid 596 – ♦Barcelona 80 – ♦Lérida/Lleida 127 – Manresa 15.

   🏨 **Guilá "Can Pau"**, Salvador Vancells 19 ✆ 869 53 28 – 🆅🅸🆂🅰
   Com 1250 – **36 hab** ⊐ 2750/3750.

CITROEN Gonzalez Salesio 59 ✆ 869 55 00   SEAT-AUDI-VOLKSWAGEN Pío Macia 27 ✆
RENAULT Pío Macia 27 ✆ 869 59 43   869 55 75

TAFALLA 31300 Navarra 🆘🆘🆘 E 24 – 9 863 h. alt. 426 – ✪ 948 – Plaza de Toros.

Ver : Iglesia de Santa Maria (retablo★).

Alred. : Ujué★ E : 19 km.

♦Madrid 365 – ♦Logroño 86 – ♦Pamplona 38 – ♦Zaragoza 135.

   🍴🍴 ✿ **Tubal**, pl. de Navarra 2 - 1° piso ✆ 70 08 52 – 🍴 🄰🄴 🄾 🆅🅸🆂🅰 🍴
   Com carta 2490 a 3550
   Espec. Hojaldre de colitas de cigalas y espinacas, Pato de la Baja Navarra al Armagnac, Surtido de dulces.

   en la carretera de Zaragoza N 121 S : 3 km – ⊠ 31300 Tafalla – ✪ 948 :

   🏨 **Tafalla**, ✆ 70 03 00 – 🍴 rest ☎ 🅿. 🄰🄴 🄾 🆅🅸🆂🅰. 🍴
   cerrado 19 diciembre-6 enero – Com *(cerrado viernes)* 2000 – ⊐ 500 – **26 hab** 3750/6000 – P
   7350/9600.

CITROEN carret. Pamplona - Zaragoza km 37 ✆   PEUGEOT-TALBOT av. Baja Navarra ✆ 70 04 49
70 10 50   RENAULT av. de Los Fueros 25 ✆ 70 00 98
FORD av. Tudela ✆ 70 06 34   SEAT-AUDI-VOLKSWAGEN Polígono Industrial - av.
MERCEDES-BENZ av. Estella ✆ 70 07 39   de Zaragoza ✆ 70 07 92

TAFIRA ALTA Las Palmas – ver Canarias (Gran Canaria).

TALAMANCA (Playa de) Baleares 🆘🆘🆘 P 34 – ver Baleares (Ibiza) : Ibiza.

TALAVERA DE LA REINA 45600 Toledo 🆘🆘🆘 M 15 – 64 136 h. alt. 371 – ✪ 925 – Plaza de toros
– R.A.C.E. Portiña de San Miguel 47 ✆ 80 85 57.

♦Madrid 120 – Ávila 121 – ♦Cáceres 187 – ♦Córdoba 435 – Mérida 227.

   🏨 **Beatriz y rest. Anticuario**, av. de Madrid 1 ✆ 80 76 00, Telex 47941, Fax 81 58 08 – 🛗 🍴
   📺 ☎ 🅿 – 🄰 🄰🄴 🄾 🄴 🆅🅸🆂🅰 🍴
   Com 1450 – ⊐ 400 – **161 hab** 3800/5400 – P 5500/6600.

   🏨 **Perales** sin rest, av. Pio XII - 3 ✆ 80 39 00 – 🛗 🅿. 🆅🅸🆂🅰 🍴
   ⊐ 275 – **65 hab** 2300/3600.

   🏨 **Talavera**, av. Gregorio Ruiz 1 ✆ 80 02 00, Telex 48532 – 🛗 🍴 rest 🅿 🅿. 🆅🅸🆂🅰 🍴 rest
   Com 1115 – ⊐ 250 – **80 hab** 2300/3700 – P 4380/7980.

   🏠 **Auto-Estación**, av. de Toledo 1 ✆ 80 03 00 – 🍴 rest. 🄰🄴 🄾 🄴 🆅🅸🆂🅰 🍴
   Com 750 – ⊐ 250 – **40 hab** 1900/3200 – P 3075/3365.

en la carretera N V O : 2 km – ⊠ 45600 Talavera de la Reina – 🕂 925 :

🏨 **León,** 🖉 80 29 00, Telex 47239, 🏊 – 🕼 🔳 rest 🕮 🄿 🛇
Com 1200 – 🖵 325 – **30 hab** 3300/5000 – P 4815/5615.

ALFA-ROMEO   av. de Portugal 76 🖉 81 13 20
AUSTIN-ROVER   Industrias 6 🖉 80 49 52
CITROEN   av. de Portugal 84 🖉 81 18 43
FIAT   pl. Tinajones 1 🖉 80 57 00
FORD   carret. de Extremadura 79 🖉 80 22 30
MERCEDES-BENZ   av. de Portugal 55 🖉 80 48 68
OPEL-GENERAL MOTORS   av. de Portugal 70 🖉 80 11 50

PEUGEOT-TALBOT   carret. Madrid km 115,5 🖉 80 55 62
RENAULT   carret. San Román km 64 🖉 80 29 16
SEAT-AUDI-VOLKSWAGEN   carret. de Extremadura km 118,3 🖉 81 25 35
VOLVO   carret. Extremadura km 118 🖉 80 04 84

TAMARIÚ Gerona 🔟🎱🔟 G 39 – ver Palafrugell.

TAPIA DE CASARIEGO 33740 Asturias 🔟🎱🔟 B 9 – 5 328 h. – 🕂 985 – Playa.

🅱 pl. Constitución 🖉 62 82 05.

♦Madrid 578 – ♦La Coruña 184 – Lugo 99 – ♦Oviedo 143.

🏨 **Puente de los Santos** sin rest, carret. N 634 🖉 62 81 55 – 🚗 🄿 🖭 🅾 🗉 🎫 🛇
🖵 275 – **32 hab** 2250/4250.

🏨 **San Antón** sin rest, pl. San Blas 2 🖉 62 80 00 – 🕮 🖭 🎫 🛇
junio-septiembre – 🖵 265 – **18 hab** 2850/4575.

XX **Palermo,** Bonifacio Amago 🖉 62 83 70 – 🛇
cerrado domingo noche – Com carta 1500 a 2600.

CITROEN   carret. N 634 🖉 62 80 78
RENAULT   carret. N 634 - Salave 🖉 62 80 51

SEAT-AUDI-VOLKSWAGEN   carret. N 634 🖉 62 80 27

TARAMUNDI 33775 Asturias 🔟🎱🔟 B 8 – 1 234 h. – 🕂 985.

♦Madrid 571 – Lugo 65 – ♦Oviedo 195.

🏨 **La Rectoral** 🏖, 🖉 63 40 60, < valle y montañas, 🍽, « Rústico regional del siglo XVIII » –
🔳 📺 🄿 – 🍴 🖭 🅾 🗉 🎫
Com 1700 – 🖵 600 – **12 hab** 7000/8700 – P 7750/10400.

TARANCÓN 16400 Cuenca 🔟🎱🎱 L 20 y 21 – 9 799 h. alt. 806 – 🕂 966.

♦Madrid 81 – Cuenca 82 – ♦Valencia 267.

X **Mesón del Cantarero,** carret. N III 🖉 11 05 33, 🍽 – 🔳 🄿 🖭 🅾 🗉 🎫 🛇
Com carta 1900 a 3100.

X **Stop,** con hab, carret N III 🖉 11 01 00 – 🔳 rest 🕮 🄿
14 hab.

X **Celia,** Juan Carlos I - 14 🖉 11 00 84 – 🔳 🛇
cerrado del 15 al 30 octubre – Com carta 1350 a 2625.

ALFA-ROMEO   carret. Madrid-Valencia km 82 🖉 11 14 61
AUSTIN-ROVER-MG   carret. Madrid-Valencia km 81 🖉 11 05 14
CITROEN   carret. de Valencia km 81 🖉 11 03 03
FIAT-LANCIA   carret. Madrid-Valencia 82,3 🖉 11 06 49

FORD   carret. de Valencia km 81 🖉 11 02 85
MERCEDES-BENZ   carret. Villamayor 🖉 11 00 02
PEUGEOT-TALBOT   carret. Madrid-Valencia km 82 🖉 11 06 78
RENAULT   carret. de Valencia km 82,5 🖉 11 13 50
SEAT-AUDI-VOLKSWAGEN   carret. de Valencia km 81 🖉 11 05 41

TARAZONA 50500 Zaragoza 🔟🎱🔟 G 24 – 11 195 h. alt. 480 – 🕂 976.

Ver : Catedral✶ (capilla✶, claustro✶).

Alred. : Monasterio de Veruela✶✶ (iglesia abacial✶✶, claustro✶ : sala capitular✶).

🅱 Iglesias 🖉 64 00 74.

♦Madrid 294 – ♦Pamplona 107 – Soria 68 – ♦Zaragoza 88.

🏨 **Brujas de Bécquer,** carret. de Zaragoza, SE : 1 km 🖉 64 04 04 – 🕼 🔳 rest 🕮 🄿 🅾 🎫 🛇
Com 750 – 🖵 280 – **60 hab** 2200/3900.

X **El Galeón,** av. La Paz 1 🖉 64 29 65 – 🔳 🅾 🗉 🎫
Com carta 1550 a 2900.

AUSTIN-ROVER   carret. Zaragne 🖉 64 19 21
CITROEN   Teresa Cajal 25 🖉 64 01 92
FORD   Teresa Cajal 🖉 64 14 84
PEUGEOT-TALBOT   Teresa Cajal 23 🖉 64 04 71

RENAULT   av. Teresa Cajal 32 🖉 64 05 26
SEAT-AUDI-VOLKSWAGEN   Polígono Industrial 🖉 64 21 40

TARIFA 11380 Cádiz 446 X 13 – 15 220 h. – ☎ 956 – Playa.
Ver : Castillo de Guzmán el Bueno ≤★.
⛴ para Tanger : Cia Transtour - Touráfrica, estación Marítima ✆ 68 47 51 y 68 43 21.
♦Madrid 715 – Algeciras 22 – ♦Cádiz 99.

en la carretera de Cádiz – ✉ 11380 Tarifa – ☎ 956 :

Balcón de España ⛰, La Peña 2 - NO : 8 km, ✉ apartado 57, ✆ 68 43 26, 🌳, ⛱, 🐎, 🎾 – ☎ Ⓟ. AE VISA. ✗ rest
abril-octubre – Com 2100 – ☕ 420 – **38 hab** 4300/6500 – P 6500/8000.

La Codorniz, NO : 6,5 km ✆ 68 47 44, 🌳, 🐎 – Ⓟ. VISA. ✗
cerrado febrero – Com 1400 – ☕ 350 – **33 hab** 4240/5300 – P 5330/6920.

La Ensenada, NO : 9,5 km ✆ 64 35 87, ≤, ⛱ – ▤ rest Ⓟ. AE E VISA. ✗
Com 1000 – ☕ 300 – **22 hab** 4000/5000.

El Rincón de Manolo, NO : 8,5 km, 🌳 – Ⓟ. ◑ E VISA
Com carta 1500 a 2350.

en la carretera de Málaga NE : 11 km – ✉ 11380 Tarifa – ☎ 956 :

Mesón de Sancho, ✉ apartado 25, ✆ 68 49 00, ≤, ⛱ – ☎ Ⓟ. AE ◑ E VISA
Com 1475 – ☕ 375 – **50 hab** 4200/5250 – P 5285/6860.

SEAT-AUDI-VOLKSWAGEN carret. Cádiz - Málaga km 83 ✆ 68 42 97

TARRAGONA 43000 P 443 I 33 – 111 869 h. alt. 49 – ☎ 977 – Playa – Plaza de toros.
Ver : Tarragona romana : Museo Arqueológico★★ (cabeza de Medusa★★) BZ **M**, paseo Arqueológico★ (passeig Arqueològic) BZ – Necrópolis paleocristiana (sarcófago de los leones★) AY – Ciudad medieval : Catedral★ (retablo mayor★★) BZ, claustro★ BZ **N**.
Alred. : Acueducto de las Ferreras★ 4 km por ④ y 30 min a pie – Mausoleo de Centcelles★ (mosaicos★) NO : 5 km por Constantí.
⛳9 de la Costa Dorada E : 8 km ✆ 65 54 16 – Iberia : Rambla Nova 116, ✉ 43001, ✆ 23 03 09 AZ.
⛴ para Canarias : Cía. Trasmediterránea, Nou de Sant Oleguer 16, ✉ 43004, ✆ 22 55 06, Telex 56662 BY.
ℹ Fortuny 4, ✉ 43001, ✆ 20 18 59 y Mayor 39 ✆ 23 89 22 – **R.A.C.E.** (R.A.C. de Catalunya) av. President Campanys 12, ✉ 43005, ✆ 21 19 62.
♦Madrid 555 ④ – ♦Barcelona 109 ④ – Castellón de la Plana 184 ③ – ♦Lérida/Lleida 97 ④.

Plano página siguiente

Imperial Tarraco, paseo Palmeras, ✉ 43003, ✆ 23 30 40, Telex 56441, ≤, ⛱, 🎾 – |‡| ▤ TV ☎ 🚗 Ⓟ – 🏛. AE ◑ E VISA. ✗ — BZ **d**
Com 1950 – ☕ 550 – **170 hab** 8550/11100.

Lauria sin rest, rambla Nova 20, ✉ 43004, ✆ 23 67 12, Fax 23 67 00, ⛱ – |‡| 🚗. AE ◑ E VISA — BZ **e**
☕ 375 – **72 hab** 4000/5500.

Astari sin rest y sin ☕, vía Augusta 95, ✉ 43003, ✆ 23 69 11, ≤, ⛱, 🐎 – |‡| ☎ 🚗 Ⓟ. AE ◑ E VISA — BY **t**
mayo-octubre – **83 hab** 3500/5500.

Paris sin rest, Maragall 4, ✉ 43003, ✆ 23 60 12 – |‡| ☎. AE ◑ E VISA. ✗ — BZ **b**
☕ 350 – **45 hab** 3300/4900.

España sin rest, rambla Nova 49, ✉ 43003, ✆ 23 27 07 – |‡| ☎. AE ◑ E VISA — AZ **a**
☕ 300 – **40 hab** 2400/4400.

Urbis sin rest, Reding 20 bis, ✉ 43001, ✆ 21 01 16 – |‡| ☎. AE E VISA. ✗ — AZ **x**
☕ 325 – **44 hab** 4000/6000.

Grasset, vía Augusta 95, ✉ 43003, ✆ 23 14 45, 🌳, ⛱ – ▤ Ⓟ. AE ◑ E VISA — BY **t**
Com carta 1550 a 3300.

Trabadoira, Apodaca 7, ✉ 43004, ✆ 21 00 27, Pescados y mariscos – ▤. AE ◑ E VISA. ✗ — AZ **r**
cerrado domingo noche – Com carta 1550 a 2900.

Lauria 2, rambla Nova 20 - 1° piso, ✉ 43004, ✆ 23 21 16 – ▤. AE ◑ E VISA — BZ **e**
Com carta 1700 a 3150.

La Galeria, Rambla Nova 16, ✉ 43004, ✆ 23 61 43 – ▤. AE ◑ E VISA. ✗ — BZ **x**
cerrado miércoles noche y domingo – Com carta 1800 a 3200.

La Rambla, rambla Nova 10, ✉ 43002, ✆ 23 87 29, 🌳 – ▤. AE ◑ VISA. ✗ — BZ **s**
Com carta 1420 a 2850.

Verdaguer, San Agustín 19, ✉ 43003, ✆ 23 44 33 – ▤. AE ◑ E VISA. ✗ — BZ **f**
cerrado domingo y enero – Com carta 2200 a 2800.

Pá Amb Tomaca, Lérida 8, ✉ 43001, ✆ 21 00 45 – ▤. E VISA. ✗ — AZ **n**
cerrado domingo, del 1 al 15 enero y del 15 al 30 diciembre – Com carta 1550 a 2950.

en la carretera de Barcelona por ① – ✉ 43007 Tarragona – ☎ 977 :

Nuria, vía Augusta 217 : 1,8 km ✆ 23 50 11, 🌳 – |‡| ☎ Ⓟ. ✗ rest
19 marzo-septiembre – Com 1100 – ☕ 325 – **61 hab** 2500/4000 – P 4140/4640.

Marina sin rest, vía Augusta 151 : 1,8 km ✆ 23 30 27 – ☎ Ⓟ. AE E VISA
abril-septiembre – ☕ 280 – **26 hab** 1900/4000.

Viña del Mar, sin rest, vía Augusta 137 : 1,7 km ✆ 23 20 29 – TV ☎ Ⓟ – **15 hab**.

🏠 **Imperio** sin rest, con cafetería, Cadenas 5, ✉ 45001, ℰ 22 76 50 – 🕿 ⓪ 𝕍𝕀𝕊𝔸. BY **v**
☲ 250 – **21 hab** 2000/3300.

🏠 **Maravilla,** Barrio Rey 7, ✉ 45001, ℰ 22 33 00 – 🛗 🍴 🕿 . 𝔸𝔼 ⓪ 𝔼 𝕍𝕀𝕊𝔸 BY **t**
Com (cerrado lunes) 1300 – ☲ 350 – **18 hab** 2685/4590 – P 4645/5035.

XXX **Hostal del Cardenal** ⑤ con hab, paseo Recaredo 24, ✉ 45004, ℰ 22 49 00, 🌣, « Instalado en la antigua residencia del cardenal Lorenzana ; jardín con arbolado » – 🍴 rest 🕿 . 𝔸𝔼 ⓪ . 🕸 rest AY **e**
Com carta 1900 a 2975 – ☲ 400 – **27 hab** 4200/6900.

XXX **Chirón,** paseo Recaredo 1, ✉ 45004, ℰ 22 01 50, ≤ Tajo y valle, 🌣 – 🍴 🅿 . 𝔸𝔼 ⓪ 𝕍𝕀𝕊𝔸 . 🕸 AY **h**
Com carta 2000 a 2900.

XX **Venta de Aires,** Circo Romano 35, ✉ 45004, ℰ 22 05 45, 🌣 , « Amplia terraza con arbolado » – 🍴 . 𝔸𝔼 ⓪ 𝔼 𝕍𝕀𝕊𝔸 . 🕸 AY **s**
Com carta 2240 a 2970.

XX **La Botica,** pl. Zocodover 13, ✉ 45001, ℰ 22 55 57, 🌣 – 🍴 . 𝔸𝔼 ⓪ 𝔼 𝕍𝕀𝕊𝔸 . BY **c**
Com carta 2100 a 3200.

XX **Adolfo,** La Granada 6, ✉ 45001, ℰ 22 73 21, « Bonito artesonado siglo XIV-XV » – 🍴 . 𝔸𝔼 ⓪ 𝔼 𝕍𝕀𝕊𝔸 . 🕸 cerrado domingo noche salvo vísperas de festivos – Com carta 2300 a 3425. BYZ **g**

XX **Marcial y Pablo,** Nuñez de Arce 11, ✉ 45003, ℰ 22 07 00 – 🍴 . 𝔸𝔼 ⓪ 𝔼 𝕍𝕀𝕊𝔸 BY **e**
cerrado domingo noche – Com carta 1900 a 2700.

XX **La Tarasca,** Hombre de Palo 6, ✉ 45001, ℰ 22 43 42 – 🍴 . 𝔸𝔼 ⓪ 𝔼 𝕍𝕀𝕊𝔸 . 🕸 BZ **w**
Com carta 2200 a 3200.

X **Santa Cruz,** pl. de Santiago de los Caballeros 3, ✉ 45001, ℰ 21 67 13 – 🍴 CY **e**

X **El Cobertizo,** Hombre de Palos 9 - 1° piso, ✉ 45001, ℰ 22 38 09 – 🍴 . 𝔸𝔼 ⓪ 𝔼 𝕍𝕀𝕊𝔸 . 🕸 BZ **c**
Com carta 1900 a 2750.

X **Emperador,** carret. del Valle 1, ✉ 45004, ℰ 22 46 91, ≤, 🌣 , Decoración castellana – 🍴 🅿 AZ **v**

X **San Antonio,** av. de América 6, ✉ 45004, ℰ 22 14 86 – 🍴 . 𝔸𝔼 𝕍𝕀𝕊𝔸 AY **n**
Com carta 1825 a 2325.

X **Mesón Aurelio,** Sinagoga 1, ✉ 45001, ℰ 22 13 92 – 🍴 . 𝔸𝔼 ⓪ 𝔼 𝕍𝕀𝕊𝔸 . 🕸 BZ **c**
cerrado lunes y julio-agosto – Com carta 2300 a 3450.

X **Aurelio,** pl. del Ayuntamiento 4, ✉ 45001, ℰ 22 77 16, Decoración típica – 🍴 . 𝔸𝔼 ⓪ 𝔼 𝕍𝕀𝕊𝔸 . BZ **b**
cerrado martes – Com carta 2300 a 3450.

X **Hierbabuena,** Cristo de la Luz 9, ✉ 45003, ℰ 22 34 63 – 🍴 . 𝔸𝔼 ⓪ 𝔼 𝕍𝕀𝕊𝔸 . BY **a**
cerrado domingo noche – Com carta 2080 a 3140.

X **Casa Aurelio,** Sinagoga 6, ✉ 45001, ℰ 22 20 97, Típico patio toledano – 🍴 . 𝔸𝔼 ⓪ 𝔼 𝕍𝕀𝕊𝔸 . 🕸 BZ **c**
cerrado miércoles – Com carta 2300 a 3450.

X **La Parrilla,** Horno de los Bizcochos 8, ✉ 45001, ℰ 21 22 45 – 🍴 . 𝔸𝔼 ⓪ 𝔼 𝕍𝕀𝕊𝔸 . 🕸 BZ **e**
Com carta 1715 a 3300.

X Plácido, Santo Tomé 6, ✉ 45002, ℰ 22 26 03, 🌣 , Típico patio toledano AZ **r**

en la carretera de Madrid por ① : 5 km – ✉ 45000
Los Gavilanes – ✆ 925 :

X **Los Gavilanes** con hab, ℰ 22 46 22, 🌣 – 🍴 rest 🅿
Com carta 1350 a 2050 – ☲ 250 – **12 hab** 3000/3500 – P 4000/5250.

en la carretera de Cuerva SO : 3,5 km – ✉ 48080
Toledo – ✆ 925 :

🏠 **La Almazara** ⑤ sin rest, ℰ 22 38 66 – 🕿 🅿 . 𝔼 𝕍𝕀𝕊𝔸 . 🕸
15 marzo-2 noviembre – ☲ 350 – **21 hab** 2800/4900.

391

en la carretera de Ávila por ⑥ : 2,7 km – ✉ 45005 Toledo – ☎ 925 :

Beatriz y Rest. Anticuario ⛰, ☎ 22 22 11, Telex 27835, ≤, 🌳, 🏊, 🎾 – |♦| ▤ TV ☎ 🚗 Ⓟ – 🏫. AE ⓞ E VISA. ✱ por ⑥
Com 2200 – ☕ 700 – **295 hab** 4825/7150 – P 7910/9160.

ALFA-ROMEO carret. Madrid 25 ☎ 22 06 32
AUDI-VOLKSWAGEN carretera Madrid-Toledo km 63,5 ☎ 35 30 60
AUSTIN-ROVER carret. Madrid-Toledo km 59 ☎ 35 75 50
BMW-VOLVO carret. Madrid-Toledo km 63,3 ☎ 35 78 41
CITROEN carret. Madrid-Toledo km 63,8 ☎ 35 88 50
FIAT av. General Villalba 11 ☎ 22 55 65
FORD Duque de Ahumada 12 ☎ 22 08 46
LANCIA carretera de Madrid km 63,8 ☎ 35 87 00
MERCEDES-BENZ antigua carret. Toledo-Ocaña km 8 ☎ 23 00 60
OPEL carret. Madrid - Toledo km 63,3 ☎ 35 77 66
PEUGEOT-TALBOT carret. Madrid-Toledo km 66,6 ☎ 22 78 50
RENAULT Cervantes 5 ☎ 22 13 24
RENAULT carret. Madrid - Toledo km 63,5 ☎ 35 77 47
SEAT-AUDI-VOLKSWAGEN antigua carret. Toledo-Ocaña km 7,5 ☎ 23 07 00
SEAT-AUDI-VOLKSWAGEN carret. de Madrid km 65 ☎ 22 16 13

TOLOX 29109 Málaga 446 V 15 – 3 067 h. – ☎ 952 – Balneario.

♦Madrid 600 – Antequera 81 – ♦Málaga 54 – Marbella 46 – Ronda 53.

Balneario ⛰, ☎ 48 01 67, 🌳 – Ⓟ. ✱
julio-15 octubre – Com 1300 – ☕ 250 – **57 hab** 1600/2300 – P 3450/3900.

TOMIÑO 36740 Pontevedra 441 G 3 – 10 499 h. – ☎ 986.

♦Madrid 616 – Orense 117 – Pontevedra 60 – ♦Vigo 41.

Tana, Generalísimo 2 ☎ 62 20 78 – VISA. ✱ rest
Com 1000 – ☕ 250 – **18 hab** 1500/3000 – P 3500.

en la carretera C 550 S : 2,5 km – ✉ 36740 Tomiño – ☎ 986 :

O Miñoteiro, Vilar de Matos - Forcadela ☎ 62 24 33 – AE VISA. ✱
Com carta 1350 a 2300.

SEAT-AUDI-VOLKSWAGEN La Gandara 20 - Goyan ☎ 62 00 09

TONA 08551 Barcelona 443 G 36 – 5 114 h. alt. 600 – ☎ 93.

Alred. : Sierra de Montseny★★ : Carretera★ de Tona a San Celoni por el Norte – Itinerario★ de Tona a San Celoni por el Sur.

♦Madrid 627 – ♦Barcelona 56 – Manresa 42.

Aloha, carret. de Manresa 6 ☎ 887 02 77, 🌳 – |♦| Ⓟ. AE ⓞ E VISA. ✱
cerrado del 2 al 8 enero – Com 1000 – ☕ 450 – **32 hab** 2150/3200 – P 3850/4400.

4 Carreteras, carret. de Barcelona ☎ 887 03 50, 🌳, 🎾 – ▤ rest ☎ 🚗 Ⓟ. AE ⓞ E VISA. ✱
Com 1500 – ☕ 250 – **21 hab** 2000/3200.

La Ferrería, carret. de Vich ☎ 887 00 92, « Decoración rústica » – Ⓟ.

PEUGEOT-TALBOT carret. de Barcelona-Puigcerdá km 58,1 ☎ 887 01 04
RENAULT Anselmo Clavé ☎ 887 05 90
SEAT-AUDI-VOLKSWAGEN Dr. Bayés 21 ☎ 887 05 60

TORDESILLAS 47100 Valladolid 442 H 14 y 15 – 6 681 h. alt. 702 – ☎ 983.

Ver : Convento de Santa Clara★ (artesonado★★, patio★).

♦Madrid 179 – Ávila 109 – ♦León 142 – ♦Salamanca 85 – ♦Segovia 118 – ♦Valladolid 30 – Zamora 67.

Juan Manuel, cruce carret. N VI y N 620 ☎ 77 09 11 – ▤ ☎ 🚗 Ⓟ. VISA. ✱
Com 1000 – ☕ 300 – **24 hab** 1850/3300 – P 3450/3650.

El Torreón, Dimas Rodríguez 9 - carret. de Valladolid ☎ 77 01 23 – ▤ rest. AE ⓞ E VISA. ✱
cerrado del 15 al 30 septiembre – Com 1600 – ☕ 300 – **10 hab** 1600/2600 – P 4300/4600.

Mesón Valderrey, carret. N VI ☎ 77 11 72, Decoración castellana – ▤. AE E VISA. ✱
Com carta 1400 a 2550.

en la carretera de Madrid N VI S : 2 km – ✉ 47100 Tordesillas – ☎ 983 :

Juana I de Castilla, ☎ 77 03 51, 🏊, 🎾 – ▤ rest ☎ 🚗 Ⓟ. AE VISA. ✱
Com 1140 – ☕ 300 – **26 hab** 2800/4030 – P 4235/5020.

en la carretera de Salamanca N 620 SO : 2 km – ✉ 47100 Tordesillas – ☎ 983 :

Parador de Tordesillas ⛰, ☎ 77 00 51, Fax 77 10 13, « En un pinar », 🏊, 🌳 – |♦| ▤ 🚗 Ⓟ. AE ⓞ E VISA. ✱
Com 2500 – ☕ 800 – **73 hab** 6400/8000.

en la carretera de Valladolid N 620 E : 5 km – ✉ 47100 Tordesillas – ☎ 983 :

El Montico ⛰, ✉ apartado 12, ☎ 77 05 51, Telex 26575, 🌳, « En un pinar », 🏊, 🌳, 🎾 – 🚗 Ⓟ – 🏫. AE ⓞ E VISA. ✱ rest
Com 2000 – ☕ 500 – **34 hab** 4500/7500 – P 7550/8300.

FORD carret. N VI km 181 ☎ 77 05 13
PEUGEOT-TALBOT carret. de Zamora ☎ 77 09 04
RENAULT carret. de Torrecilla ☎ 77 02 64
SEAT-AUDI-VOLKSWAGEN carret. N VI km 183 ☎ 77 04 10

TORELLÓ 08570 Barcelona 443 F 36 – 10 936 h. – ✪ 93.

♦Madrid 654 – ♦Barcelona 83 – Gerona/Girona 103 – Vich/Vic 17.

  🏠 **Les Serrasses**, carret. de Conanglell 𝒫 859 08 26, ← – |♨| ⇔ **Ⓟ** **E** 𝘝𝘐𝘚𝘈. ⚘
      Com 1200 – **20 hab** 2500/4000.

CITROEN Anselm Clave 9 𝒫 859 37 90
FORD Ronda del Puig 𝒫 859 36 61
OPEL av. Pompeu Fabra 13 𝒫 859 25 92

PEUGEOT-TALBOT Generalitat 3 𝒫 859 24 12
RENAULT Balmes 38 𝒫 859 09 78
SEAT-AUDI-VOLKSWAGEN Colomer 1 𝒫 859 07 05

TORLA 22376 Huesca 443 E 29 – 356 h. alt. 1 113 – ✪ 974.

Ver : Paisaje★★.

Alred. : Parque Nacional de Ordesa★★★ NE : 8 km.

♦Madrid 482 – Huesca 92 – Jaca 54.

  🏨 **Edelweiss** ⚘, av. de Ordesa 1 𝒫 48 61 73, ←, 🍴 – ☎ **Ⓟ** **E** 𝘝𝘐𝘚𝘈. ⚘
      15 marzo-15 noviembre – Com 1000 – ⊑ 300 – **52 hab** 2700/4000 – P 3890/4590.

  🏠 **Bujaruelo** ⚘, av. de Ordesa 𝒫 48 61 74, ← – ☎ **Ⓟ** **E** 𝘝𝘐𝘚𝘈. ⚘
      cerrado 10 enero-15 marzo – Com 950 – ⊑ 300 – **27 hab** 2300/3700 – P 3650/4100.

  🏠 **Bella Vista** ⚘ sin rest, av. de Ordesa 6 𝒫 48 61 53, ← – **Ⓟ**
      abril-octubre – ⊑ 250 – **22 hab** 1750/3000.

    en la carretera del Parque de Ordesa N : 1,5 km – ✉ 22376 Torla – ✪ 974 :

  🏨 **Ordesa** ⚘, 𝒫 48 61 25, ← alta montaña, ⤓, 🍴 – ☎ **Ⓟ**
      68 hab.

TORO 49800 Zamora 441 H 13 – 9 781 h. alt. 745 – ✪ 988 – Plaza de toros.

Ver : Colegiata★ (portada occidental★★).

♦Madrid 210 – ♦Salamanca 66 – ♦Valladolid 63 – Zamora 33.

  🏨 **Juan II** ⚘, paseo del Espolón 1 𝒫 69 03 00, « Terraza con ← vega del Duero », ⤓ – |♨|
      ■ rest ⇔ – 🍴. 𝔸𝔼 **Ⓞ** **E** 𝘝𝘐𝘚𝘈. ⚘ rest
      Com 900 – ⊑ 290 – **42 hab** 2400/4100.

CITROEN av. Rodríguez de Miguel 13 𝒫 69 01 90
PEUGEOT-TALBOT av. Rodríguez de Miguel 18 𝒫 69 06 49

RENAULT carret. de Tordesillas km 32,2 𝒫 69 04 38
SEAT-AUDI-VOLKSWAGEN av. Luis Rodríguez de Miguel 22-30 𝒫 69 01 24

TORRE BARONA Barcelona – ver Castelldefels.

TORRECABALLEROS 40160 Segovia 444 J 17 – 224 h.

♦Madrid 97 – ♦Segovia 10.

  ✕ **Posada de Javier**, carret. N 110 𝒫 40 11 36, 🍴, « Decoración rústica » – **Ⓟ**. 𝔸𝔼 𝘝𝘐𝘚𝘈
      cerrado domingo noche, lunes y 15 junio-15 julio – Com carta 1550 a 4000.

TORREDELCAMPO 23640 Jaén 446 S 18 – 10 593 h. – ✪ 953.

♦Madrid 343 – ♦Córdoba 99 – ♦Granada 106 – Jaén 10.

  🏠 **Torrezaf**, San Bartolomé 90 𝒫 56 71 00 – |♨| ■ ☎ ⇐. 𝔸𝔼 𝘝𝘐𝘚𝘈. ⚘
      Com 850 – ⊑ 250 – **33 hab** 2425/4075.

TORRE DEL MAR 29740 Málaga 446 V 17 – ✪ 952 – Playa.

🛈 av. de Andalucía 110 𝒫 54 11 04.

♦Madrid 570 – ♦Almería 190 – ♦Granada 141 – ♦Málaga 31.

  🏠 **Mediterráneo** sin rest y sin ⊑, av. de Andalucía 67 𝒫 54 08 48 – ⚘
      cerrado 20 diciembre-10 enero – **17 hab** 2100/3000.

  ✕ **Carmen**, av. de Andalucía 94 𝒫 54 04 35, Cena espectáculo los sábados – ■. **Ⓞ** **E** 𝘝𝘐𝘚𝘈
      Com carta 1950 a 3100.

  ✕ **Los Rubios**, av. de Andalucía 147 𝒫 54 24 01, 🍴 – 𝔸𝔼 **Ⓞ** **E** 𝘝𝘐𝘚𝘈. ⚘
      Com carta aprox 2500.

  ✕ **El Jardín**, Antillas 8, paseo Marítimo de Levante 5 𝒫 54 06 36, 🍴 – 𝔸𝔼 **Ⓞ** **E** 𝘝𝘐𝘚𝘈
      cerrado martes y 15 noviembre-15 diciembre – Com carta 1550 a 2500.

ALFA ROMEO Polígono Industrial La Pañoleta 𝒫 50 14 22
AUSTIN-ROVER-MG San Martin 15 𝒫 54 04 28
CITROEN carret. N 340 km 268 𝒫 54 03 75
FIAT carret. Torre del Mar 𝒫 50 31 85
FORD carret. Loja - Torre del Mar km 80 𝒫 50 14 50

GENERAL MOTORS Almarchar 3 𝒫 50 00 59
PEUGEOT-TALBOT carret. Torre del Mar-Velez 𝒫 50 31 95
RENAULT carret. Torre del Mar km 3 𝒫 50 20 00
SEAT-AUDI-VOLKSWAGEN av. Andalucía 120 𝒫 54 04 72

TORREDEMBARRA 43830 Tarragona **443** I 34 – 5 302 h. – ✪ 977 – Playa.

🚉 av. Pompeu Fabra 3 ✆ 64 03 31.

◆Madrid 566 – ◆Barcelona 94 – ◆Lérida/Lleida 110 – Tarragona 12.

🛝🛝 Le Brussels, Antonio Roig 56 ✆ 64 05 10, 🍽.

🛝 **Latino**, Pere Badia 15 ✆ 64 12 00 – 🔳. ① E 𝗩𝗜𝗦𝗔. 🦐
    10 marzo-15 octubre – Com *(cerrado lunes)* carta 2400 a 3800.

   en Els Munts – ✉ 43830 Torredembarra – ✪ 977 :

🏨 **Costa Fina**, av. Montserrat 33 ✆ 64 00 75 – 📶 🐎 🚗. 𝗔𝗘 E 𝗩𝗜𝗦𝗔. 🦐
    abril-octubre – Com 1100 – **48 hab** ⌛ 3000/6000.

   en el barrio marítimo :

🏨 **Morros** sin rest, Pérez Galdós 8 ✆ 64 02 25 – 📶 🐎 🚗. 𝗔𝗘 ① E 𝗩𝗜𝗦𝗔
    15 marzo-15 octubre – ⌛ 450 – **81 hab** 2975/4800.

🛝🛝🛝 **Morros**, Narcis Monturiol ✆ 64 00 61, ≤, 🍽, « Terraza con jardín » – 🔳 ⓟ. 𝗔𝗘 ① E 𝗩𝗜𝗦𝗔
    cerrado domingo noche, lunes salvo en verano y del 6 al 30 noviembre – Com carta 2475 a 3900.

PEUGEOT-TALBOT Pedro Badia 30 ✆ 64 00 28
RENAULT carret. de la Riera ✆ 64 07 29

SEAT-AUDI-VOLKSWAGEN carret. N 340 km 264 ✆ 64 11 84

TORREJÓN DE ARDOZ 28850 Madrid **444** K 19 – 75 398 h. – ✪ 91.

◆Madrid 22.

🏨 **Torrejón**, av de la Constitución 161 ✆ 675 26 44, Telex 48301, 🏊, 🦐 – 📶 🔳 📺 🐎 ⓟ – 🔏.
    𝗔𝗘 ① E 𝗩𝗜𝗦𝗔. 🦐
    Com 1500 – ⌛ 350 – **65 hab** 3500/5000 – P 7000/10000.

🛝🛝🛝 **La Casa Grande**, Madrid 2 ✆ 675 39 00, Telex 43073, Fax 675 06 91, 🍽, « Instalado en una
    Casa de Labor del siglo XVI » – 🔳 ⓟ. 𝗔𝗘 ① E 𝗩𝗜𝗦𝗔. 🦐
    cerrado domingo noche y agosto – Com carta 2425 a 3625.

🛝🛝 **Vaquerín**, ronda del Poniente 2 ✆ 675 66 20 – 🔳. 𝗔𝗘 ① E 𝗩𝗜𝗦𝗔. 🦐
    cerrado sábado – Com carta 1800 a 2850.

CITROEN La Madera 2 (Polígono Industrial) ✆ 676 25 20
CITROEN carret. de Loeches km 1,3 ✆ 676 25 15
PEUGEOT-TALBOT Solana 13 (Polígono Industrial) ✆ 675 52 36

RENAULT Torrejón 1 ✆ 675 08 21
RENAULT Silíceo 18 ✆ 675 19 36
RENAULT av. de la Constitución 99 ✆ 675 08 91
SEAT-AUDI-VOLKSWAGEN Forjas 2 ✆ 656 13 63

TORRELAVEGA 39300 Cantabria **442** B 17 – 55 786 h. alt. 23 – ✪ 942.

Alred. : Cueva prehistórica★★ de Altamira (techo★★) NO : 11 km.

🚉 Ruiz Tagle 6 ✆ 89 01 62.

◆Madrid 384 – ◆Bilbao 121 – ◆Oviedo 178 – ◆Santander 27.

🏨 **Saja** sin rest, Alcalde del Río 22 ✆ 89 27 50 – 📶 🐎 🚗. ① E 𝗩𝗜𝗦𝗔
    ⌛ 275 – **45 hab** 4500/6500.

🏨 **Marqués de Santillana** sin rest, Marqués de Santillana 6 ✆ 89 29 31 – 📶 📺 🐎. 𝗔𝗘 ① E
    𝗩𝗜𝗦𝗔. 🦐
    ⌛ 400 – **32 hab** 3500/8000.

🏨 **Regio** sin rest, José María Pereda 34 - 1° piso ✆ 88 15 05 – 📶 🔳 🐎. 🦐
    ⌛ 300 – **24 hab** 2500/3900.

🛝🛝 **Regio**, José María Pereda 34 ✆ 89 00 33 – 🦐
    cerrado lunes – Com carta 1625 a 2200.

🛝 **Villa de Santillana**, Julián Ceballos 1 ✆ 88 30 73 – 𝗔𝗘 ① E 𝗩𝗜𝗦𝗔. 🦐
    cerrado 15 junio-15 julio y lunes excepto festivos – Com carta 1225 a 2050.

CITROEN Campuzano 124 ✆ 89 07 04
FORD carret. General 110 ✆ 89 10 04
GENERAL MOTORS General Mola 20 ✆ 89 31 62
PEUGEOT-TALBOT paseo del Norte 10 ✆ 89 21 41

RENAULT Ceferino Calderón 77 ✆ 88 22 16
RENAULT Valles ✆ 88 15 51
SEAT-AUDI-VOLKSWAGEN av. de Oviedo 3 ✆ 89 18 00

TORRELODONES 28250 Madrid **444** K 18 – 3 495 h. – ✪ 91.

◆Madrid 27 – El Escorial 22 – ◆Segovia 60.

🛝 **L'Alsace**, camino de Valladolid (Zoco) ✆ 859 09 69, 🍽 – 🔳.

   en la Colonia NO : 2,5 km – ✉ 28250 Colonia de Torrelodones – ✪ 91 :

🛝 **La Rosaleda**, paseo de Vergara ✆ 859 11 25, 🍽, « Amplia terraza » – 🔳 ⓟ.

RENAULT antigua carret. de La Coruña km 29,7 ✆ 859 13 61

TORREMOLINOS 29620 Málaga **446** W 16 – ⊕ 952 – Playa.

🏌 Club de Campo de Málaga por ① : 5,5 km ⌀ 38 11 20 – 🏌 Torrequebrada por ② : 10 km ⌀ 44 27 42 – Iberia : edificio "La Nogalera" ⌀ 38 24 00 AY.

🛈 La Nogalera 517 ⌀ 38 15 78 y María Barrabino 12 ⌀ 38 00 38 .

◆Madrid 569 ① – Algeciras 124 ② – ◆Málaga 14 ①.

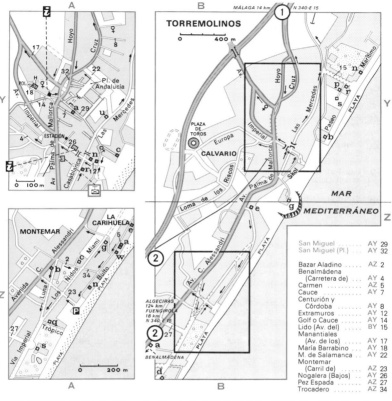

San Miguel	AY 29
San Miguel (Pl.) ...	AY 32
Bazar Aladino	AZ 2
Benalmádena	
(Carretera de) ...	AY 4
Carmen	AZ 5
Cauce	AY 7
Centurión y	
Córdoba	AY 8
Extramuros	AY 12
Golf o Cauce	AY 14
Lido (Av. del)	BY 15
Manantiales	
(Av. de los)	AY 17
María Barrabino ...	AY 18
M. de Salamanca ..	AY 22
Montemar	
(Carril de)	AZ 23
Nogalera (Bajos) ..	AY 26
Pez Espada	AZ 27
Trocadero	AZ 34

🏰 **Castillo de Santa Clara** ⚘, Suecia 1 ⌀ 38 31 55, Telex 77262, Fax 38 61 30, « En un promontorio rocoso con ≤ mar », ⌇, ⌃, 🛥, ⌂ – 🛗 ▤ ▣ 🅿 – 🔼, 🆎 🗲 𝘃𝘐𝘚𝘈. ⌘   BY **g** Com 3250 – ☲ 1250 – **288 hab** 12000/15000 – P 18250/27500.

🏰 Meliá Costa del Sol, paseo Marítimo ⌀ 38 66 77, Telex 77326, ≤, ⌇ – 🛗 ▤ 📺 ☎ 🅿 – 🔼   BY **b** **540 hab**.

🏩 **Cervantes y Grill Los Molinos,** Las Mercedes ⌀ 38 40 33, Telex 77174, Fax 38 48 57, ≤, ⌇ climatizada, 🔲 – 🛗 ▤ ☎ – 🔼 🆎 🗲 𝘃𝘐𝘚𝘈. ⌘   AY **u** Com 1770 – **396 hab** ☲ 6750/10540.

🏩 **Don Pablo,** paseo Marítimo ⌀ 38 38 88, Telex 77252, Fax 38 37 83, ≤, ⌇ climatizada, 🔲, ⌘ – 🛗 ▤ ☎ 🅿 – 🔼. 🆎 🗲 𝘃𝘐𝘚𝘈. ⌘ rest   BY **s** Com 1900 – **443 hab** ☲ 7100/10700.

🏨 **Don Pedro,** av. del Lido ⌀ 38 68 44, Telex 77252, Fax 38 37 83, ⌇, ⌘ – 🛗 ☎ 🅿. 🆎 🗲 𝘃𝘐𝘚𝘈. ⌘ rest   BY **p** Com 1350 – **290 hab** ☲ 4750/7400.

🏨 **Isabel** sin rest, paseo Marítimo 97 ⌀ 38 17 44, ≤, ⌇ – 🛗 ☎. 🆎 🗲 𝘃𝘐𝘚𝘈   BY **n** marzo-noviembre – **40 hab** ☲ 3950/5750.

🏠 **Don Paquito** sin rest y sin ☲, av. del Lido ⌀ 38 68 44, Telex 77252, Fax 38 37 83, ⌇, ⌘ – 🛗 ☎. 🆎 🗲 𝘃𝘐𝘚𝘈   BY **r** **49 hab** 3000/4500.

sigue →

XX **El Molino de la Torre,** cuesta del Tajo ℘ 38 77 56, ≤, 常 – ⊟. ㏅ ⓞ ㉿ 𝖵𝖨𝖲𝖠. ⅏   AY **c**
  cerrado 15 enero-febrero – Com carta 2055 a 3100.

X **El León de Castilla,** Casablanca, Pueblo Blanco ℘ 38 69 59, 常, Decoración rústica – ㏅
  ⓞ ㉿ 𝖵𝖨𝖲𝖠   AY **r**
  Com carta 1850 a 3200.

X **El Bodegón,** Cauce 4 ℘ 38 20 12, 常, Cocina francesa – ㏅ ⓞ ㉿ 𝖵𝖨𝖲𝖠   AY **a**
  cerrado 26 noviembre-9 febrero – Com carta 1795 a 2900.

X **Primavera,** Guetaria 9 ℘ 38 09 09, 常 – ㏅ ⓞ ㉿ 𝖵𝖨𝖲𝖠   AY **n**
  Com carta 2150 a 3700.

X **Los Pampas,** Guetaria 13 - La Nogalera B 14 ℘ 38 65 69, Decoración rústica, Carnes a la
  parrilla – ㏅ ⓞ ㉿ 𝖵𝖨𝖲𝖠. ⅏   AY **n**
  Com carta 1440 a 2820.

  en la carretera de Cádiz barrios de la Carihuela y Montemar – ✉ 29620 Torremolinos –
  ✪ 952 :

🏨🏨 Meliá Torremolinos, av. Carlotta Alessandri 109 ℘ 38 05 00, Telex 77060, ≤, « Gran jardín
  tropical », ⊒, ⅏ – 🕼 ⊟ 📺 ☎ ❶ – 🛠   BZ **a**
  281 hab.

🏨🏨 **Pez Espada,** via Imperial 11, ✉ 29620, ℘ 38 03 00, Telex 77655, Fax 44 22 30, ≤, 常, ⊒, 🖻,
  🛥, ⅏ – 🕼 ⊟ ☎ ❶ – 🛠. ㏅ ⓞ ㉿ 𝖵𝖨𝖲𝖠. ⅏   AZ **s**
  Com 2000 – ⌑ 600 – **205 hab** 8000/12000.

🏨🏨 **Aloha Puerto Sol,** via Imperial 55 ℘ 38 70 66, Telex 77339, ≤, 常, ⊒ climatizada, 🛥, ⅏ –
  🕼 ⊟ ☎ – 🛠. ㏅ ⓞ 𝖵𝖨𝖲𝖠   BZ **d**
  Com 1600 – ⌑ 530 – **418 hab** 6900/9760 – P 8610/10630.

🏨🏨 **Las Palomas,** Carmen Montes 1 ℘ 38 50 00, Telex 77263, ⊒ climatizada, 🛥, ⅏ – 🕼
  ⊟ rest ❶. ㏅ ⓞ ㉿ 𝖵𝖨𝖲𝖠. ⅏   BZ **e**
  Com 1835 – ⌑ 525 – **303 hab** 4725/7035 – P 7090/8295.

🏨🏨 **Sidi Lago Rojo,** Miami 5 ℘ 38 76 66, Telex 77395, Fax 38 08 91, ⊒ – 🕼 ⊟. ㏅ ⓞ ㉿ 𝖵𝖨𝖲𝖠.
  ⅏ rest   AZ **g**
  Com 1500 – ⌑ 450 – **144 hab** 4350/6600 – P 6050/7100.

🏨 Tropicana, Trópico 6 ℘ 38 66 00, Telex 77107, ≤, ⊒, 🛥 – 🕼 ☎   AZ **q**
  86 hab.

🏠 **Miami** sin rest, Aladino 14 ℘ 38 52 55, ⊒, 🛥 – ☜ ❶   AZ **c**
  ⌑ 225 – **26 hab** 2455/4060.

🏠 **Prudencio,** Carmen 43 ℘ 38 14 52, ≤ – ㏅ ㉿ 𝖵𝖨𝖲𝖠. ⅏   AZ **w**
  cerrado diciembre-enero – Com (ver Rest. **Casa Prudencio**) – **33 hab** ⌑ 2750/3750.

X **La Jábega,** del Mar 17 ℘ 38 63 75, ≤, 常 – ㏅ ⓞ ㉿ 𝖵𝖨𝖲𝖠   AZ **e**
  Com carta 1200 a 2500.

X **Casa Prudencio,** Carmen 43 ℘ 38 14 52, ≤, 常, Pescados y mariscos – ㏅ ㉿ 𝖵𝖨𝖲𝖠. ⅏
  cerrado miércoles y 24 diciembre-14 febrero – Com carta 1825 a 2900.   AZ **w**

X **La Langosta,** Bulto 53 ℘ 38 43 81, ≤, 常 – ㏅ ⓞ ㉿ 𝖵𝖨𝖲𝖠. ⅏   AZ **n**
  Com carta 1800 a 2800.

X **El Roqueo,** Carmen 35 ℘ 38 49 46, ≤, 常, Pescados y mariscos – ㏅ 𝖵𝖨𝖲𝖠. ⅏   AZ **a**
  cerrado martes y noviembre – Com carta 1850 a 2900.

X **Casa Guaquín,** Carmen 37 ℘ 38 45 30, ≤, 常, Pescados y mariscos – 𝖵𝖨𝖲𝖠. ⅏   AZ **a**
  cerrado jueves y diciembre – Com carta 1750 a 2600.

X **Normandia,** av. Carlota Alessandri 57 ℘ 38 43 58, 常, Cocina francesa   AZ **b**
  Com (sólo cena).

  en la carretera de Málaga por ③ : 3 km – ✉ 29620 Torremolinos – ✪ 952 :

🏨 **Los Álamos,** ℘ 38 46 77, Telex 79421, Fax 38 43 77, ⊒, 🛥, ⅏ – 🕼 ⊟ ☜ ❶. ㏅ ⓞ ㉿ 𝖵𝖨𝖲𝖠
  ⅏ rest
  Com 980 – ⌑ 320 – **100 hab** 3235/6250.

XX **Frutos,** urb. Los Álamos ℘ 38 14 50, 常 – ❶. ㏅ 𝖵𝖨𝖲𝖠. ⅏
  cerrado domingo noche en invierno – Com carta 1500 a 2850.

  junto al golf por ① : 5 km – ✪ 952 :

🏨🏨 **Parador del Golf,** ✉ 29000 apartado 324 Málaga, ℘ 38 12 55, Fax 38 21 41, ≤, 常, « Situado
  junto al campo de golf », ⊒, ⅏, 🖻 – ⊟ 📺 ☎ ❶. ㏅ ⓞ ㉿ 𝖵𝖨𝖲𝖠. ⅏
  Com 2700 – ⌑ 800 – **60 hab** 8800/11000.

FORD av. Montemar 124 ℘ 38 43 09   SEAT-AUDI-VOLKSWAGEN Las Mercedes 5 ℘
PEUGEOT-TALBOT Maestra Miret 8 ℘ 38 91 71   38 77 61
ROVER-AUSTIN-MG Carlota Alessandri 27 ℘
38 16 00

TORRENT 17123 Gerona ❹❹❸ G 39 – 206 h. – ✪ 972.

♦Madrid 744 – ♦Barcelona 133 – Gerona 36 – Palafrugell 4.

🏨🏨 **Mas de Torrent** ⌂, ℘ 30 32 92, Telex 56218, Fax 30 32 93, ≤, 常, « Antigua masia del siglo
  XVIII reconstruida », ⊒, 🛥, ⅏ – ⊟ hab 📺 ☎ ❶ – 🛠. ㏅ ⓞ ㉿ 𝖵𝖨𝖲𝖠. ⅏
  Com 3500 – ⌑ 1100 – **30 hab** 14400/18000.

TORRENTE 46900 Valencia 445 N 28 – 51 361 h. – ☎ 96.

♦Madrid 345 – ♦Alicante 182 – Castellón de la Plana 86 – ♦Valencia 11.

en El Vedat SO : 4,5 km – ✉ 46900 Torrente – ☎ 96 :

Lido 🐎, Juan Ramón Jimenez 5 ☎ 155 15 00, Telex 61730, Fax 155 12 02, ≤, 🏊, « Jardín con 🏊 » – |♦| ▤ rest TV ☎ P – 🚗. ◑ E VISA. ✻ rest
Com 1750 – ☕ 415 – **60 hab** 4450/6450 – P 6550/7775.

TORREVIEJA 03180 Alicante 445 S 27 – 12 314 h. – ☎ 96 – Playa.

🏌18 Club Villamartín, SO : 7,5 km ☎ 532 03 50.

ℹ pl. Capdepon ☎ 571 07 22.

♦Madrid 435 – ♦Alicante 50 – Cartagena 60 – ♦Murcia 45.

Fontana, Rambla Juan Mateo 19 ☎ 571 41 11, Telex 63918, Fax 571 44 50, 🏊 – |♦| ▤ ☎ 🚗 – 🚗. AE ◑ E VISA. ✻
Com 1250 – ☕ 450 – **156 hab** 3800/6900 – P 6160/11120.

Mazu sin rest, Fotógrafo Darblade 16 ☎ 571 12 50 – |♦| ☎. AE ◑ E VISA
☕ 225 – **39 hab** 1700/2900.

La Cibeles sin rest, av. Dr. Gregorio Marañón 26 ☎ 571 00 12 – VISA. ✻
☕ 265 – **40 hab** 3100.

XX **Miramar,** paseo Vista Alegre 6 ☎ 571 34 15, ≤, 🏊 – AE ◑ E VISA
Com carta 1800 a 3050.

XX **Telmo,** Torrevejenses Ausentes 5 ☎ 571 54 74 – ▤. AE E VISA
cerrado lunes y del 1 al 15 diciembre – Com carta 1775 a 3150.

XX **Los Manueles,** rambla de Juan Mateo 18 ☎ 571 51 33 – ▤. AE E VISA. ✻
Com carta 1850 a 3100.

X **Tamarindo,** Los Gases ☎ 571 51 37, 🏊 – ◑ E VISA. ✻
cerrado miércoles en invierno y 8 diciembre-8 enero – Com carta 1475 a 2675.

X **Río Nalón,** Clemente Gosalvez 22 ☎ 571 19 08 – ▤. VISA. ✻
cerrado martes – Com carta 2000 a 2800.

X **La Tortuga,** Maria Parodi 3 ☎ 571 09 60, Decoración neo-rústica – ▤. E VISA. ✻
cerrado domingo y 24 enero-7 febrero – Com carta 1900 a 3100.

por la carretera de Crevillente NO : 2,5 km – ✉ 03180 Torrevieja – ☎ 96 :

X El Edén, urbanización La Torreta Florida ☎ 571 34 60, 🏊, 🏊 de pago, 🎾 – ▤ P.

en la carretera de Alicante (por la costa) NE : 2,5 km – ✉ 03180 Torrevieja – ☎ 96 :

Mar Bella, av. Alfredo Nobel 24 ☎ 571 08 28, ≤ – P – **30 hab**.

al Suroeste

en la carretera de Cartagena – ✉ 03180 Torrevieja – ☎ 96 :

Torrejoven y Rest. El Cantábrico, 4,7 km ☎ 571 40 52, ≤, 🏊 – |♦| ▤. AE ◑ E VISA ✻
Com 950 – ☕ 390 – **40 hab** 5200/6500 – P 5490/7440.

Motel Las Barcas sin rest, 4,5 km ☎ 571 00 81, ≤, 🏊 – ☎ P. E VISA
30 hab 3900.

X Asturias, 5,5 km ☎ 676 60 44, 🏊 – P.

X **Don Sandy,** 9,5 km ☎ 532 10 07, 🏊 – P. AE E VISA
cerrado martes y del 3 al 28 noviembre – Com carta 1550 a 2550.

en La Zenia (Urbanización) 8 km – ✉ 03180 Torrevieja – ☎ 96 :

La Zenia 🐎, ☎ 676 02 00, Fax 676 03 91, ≤, « Amplia terraza frente al mar », 🏊, 🎾 – |♦| ▤ P – 🚗. AE ◑ VISA. ✻
mayo-octubre – Com 1600 – ☕ 450 – **220 hab** 5000/7350 – P 6875/8200.

en Cabo Roig (Urbanización) 9 km – ✉ 03180 Torrevieja – ☎ 96 :

XX **Cabo Roig,** ☎ 676 62 90, ≤ mar, 🏊 – P. AE ◑ E VISA. ✻
Com carta 2050 a 2700.

en Dehesa de Campoamor : 11 km – ✉ 03192 Dehesa de Campoamor – ☎ 96 :

Montepiedra 🐎, Rosalia de Castro ☎ 532 03 00, Telex 67138, 🏊, « 🏊 rodeada de césped y plantas », 🏊, 🎾 – ▤ rest P. ✻
Com 1725 – ☕ 375 – **64 hab** 5800/6550 – P 6335/8860.

X **Mesón Las Villas,** ☎ 532 00 05, 🏊 – P. E VISA. ✻
Com carta 1500 a 2250.

CITROEN Apolo 98 ☎ 571 06 17
FIAT Apolo 97 ☎ 571 41 31
FIAT Apolo 97 ☎ 571 41 31
FORD carret. de Alicante ☎ 571 33 96
PEUGEOT-TALBOT Apolo 105 ☎ 571 13 48
RENAULT carret. de Alicante km 47 ☎ 571 08 43
SEAT-AUDI-VOLKSWAGEN Gregorio Marañón 60 ☎ 571 09 50

TORRIJOS 45500 Toledo **[4][4][4]** M 17 – 7 994 h. alt. 529 – ✪ 925.

♦Madrid 87 – Ávila 113 – Toledo 29.

🏨 **Castilla,** carret. de Toledo ℰ 76 18 00, 🏊 – |☆| 🍴 ☎ – 🔬. 🕮 𝗩𝗜𝗦𝗔. ❀
　Com 1200 – 🖵 225 – **30 hab** 2300/3400 – P 3900/4300.

🏨 **El Mesón,** carret. de Toledo ℰ 76 04 00, 😙, 🏊 – |☆| 🍴 rest 🕮 🗪. 🕮 ⓞ 𝗩𝗜𝗦𝗔. ❀ rest
　Com 1250 – 🖵 250 – **44 hab** 2500/3600 – P 4550/5250.

✕ **Tinín,** carret. de Toledo 68 ℰ 76 11 65 – 🔳. 🕮 𝗩𝗜𝗦𝗔. ❀
　cerrado miércoles – Com carta 1500 a 2250.

AUSTIN-ROVER carret. Toledo-Ávila km 27,3 ℰ
76 17 87
CITROEN carret. Toledo-Ávila km 27,5 ℰ 76 04 37
FIAT Tulipán 7 ℰ 76 03 79
FORD carret. Toledo - Ávila km 27 ℰ 76 05 83
MERCEDES BENZ Loto 7 ℰ 76 10 64

OPEL carret. de Gerindote 5 ℰ 76 02 93
PEUGEOT-TALBOT Puente 25 ℰ 76 02 42
RENAULT carret. de Madrid 64 ℰ 76 03 64
SEAT-AUDI-VOLKSWAGEN carret. Toledo-Ávila km
30 ℰ 76 06 43

TORROELLA DE MONTGRI 17257 Gerona **[4][4][3]** F 39 – 5 599 h. alt. 20 – ✪ 972.

🛈 av. Lluis Companys 51 ℰ 75 80 37.

♦Madrid 740 – ♦Barcelona 127 – Gerona/Girona 31.

🏠 **Coll y Rest. La Terrassa,** carret. de Estartit ℰ 75 81 99, 😙 – ⓟ. 🕮 ⓞ 🔳 𝗩𝗜𝗦𝗔. ❀
　cerrado 8 enero-9 febrero – Com (cerrado martes) 750 – 🖵 350 – **24 hab** 4700.

✕ **Elías** con hab, Major 24 ℰ 75 80 09 – 🕮 ⓞ 🔳 𝗩𝗜𝗦𝗔. ❀
　cerrado 19 diciembre-15 enero – Com (cerrado festivos noche salvo en verano) carta 1350 a 2850
　– 🖵 350 – **17 hab** 1200/2000.

　en la playa de La Gola SE : 7,5 km – ✉ 17257 Torroella de Montgrí – ✪ 972 :

🏠 **Picasso** 🦪, carret. de Pals y desvio a la izquierda ℰ 75 75 72, 😙, 🏊 – ⓟ. 🕮 ⓞ 🔳 𝗩𝗜𝗦𝗔.
　❀ rest
　18 marzo-3 octubre – Com 775 – 🖵 400 – **20 hab** 2400/3800 – P 3800/4300.

CITROEN P. Vicens Bou 10 ℰ 75 82 41
PEUGEOT-TALBOT carret. Palafrugell 3 ℰ 75 83 36
RENAULT av. Luis Campanys 30 ℰ 75 94 50

SEAT-AUDI-VOLKSWAGEN P. Cataluña 16 ℰ
75 86 44

TORTOSA 43500 Tarragona **[4][4][5]** J 31 – 31 445 h. alt. 10 – ✪ 977.

Ver : Catedral★ (tríptico★, púlpitos★) – Colegio de San Luis o San Matías (patio★).

♦Madrid 486 – Castellón de la Plana 123 – ♦Lérida/Lleida 129 – Tarragona 83 – ♦Zaragoza 204.

🏨 **Parador Castillo de la Zuda** 🦪, ℰ 44 44 50, Fax 44 44 58, ≤, 🏊, 🎿 – |☆| 🍴 📺 ☎ ⓟ –
　🔬. 🕮 ⓞ 🔳 𝗩𝗜𝗦𝗔. ❀
　Com 2500 – 🖵 800 – **82 hab** 6400/8000.

🏨 **Tortosa Parc** sin rest, Conde de Bañuelos 10 ℰ 44 61 12 – |☆| 📺 ☎. 🕮 ⓞ 🔳 𝗩𝗜𝗦𝗔
　🖵 300 – **84 hab** 2300/3600.

　en la carretera Simpática NE : 2,4 km – ✉ 43500 Tortosa – ✪ 977 :

✕ Racó de Mig-Camí, ℰ 44 31 48, 😙, Decoración rústica, « Terraza entre pinos » – ⓟ.

ALFA-ROMEO Rosellón 8 ℰ 44 07 44
AUSTIN-ROVER Ulldecona 7-9 ℰ 50 31 15
CITROEN Ulldecona 11 ℰ 50 09 25
FIAT av. Generalitat 142 ℰ 44 48 85
FORD República Argentina 4 ℰ 44 34 58
GENERAL MOTORS carret. de Valencia ℰ 50 41 42

OPEL carret. de Valencia ℰ 50 41 42
PEUGEOT-TALBOT carret. Tortosa-Amposta ℰ
50 03 20
RENAULT carret. de Valencia - esquina Amposta
ℰ 50 13 33

TOSAS (Puerto de) o **TOSES (Port de)** 17536 Gerona **[4][4][3]** E 36 – 132 h. alt. 1 800 – ✪ 972.

♦Madrid 679 – Gerona/Girona 131 – Puigcerdá 26.

🏠 **La Collada,** carret. N 152, alt. 1 800 ℰ 89 21 00, ≤ valle y montañas – |☆| 🍴 rest 🕮 🗪 ⓟ.
　𝗩𝗜𝗦𝗔. ❀
　Com 1700 – 🖵 550 – **25 hab** 2700/5000 – P 5300/5500.

TOSSA DE MAR 17320 Gerona **[4][4][3]** G 38 – 2 969 h. – ✪ 972 – Playa.

Ver : Localidad veraniega★.

Alred. : Recorrido en cornisa★★★ de Tossa de Mar a San Felíu de Guixols (calas★) 23 km por ② –
Carretera en cornisa★★ de Tossa de Mar a Lloret de Mar, 12 km por ③.

🛈 carret. de Lloret - Edificio Terminal ℰ 34 01 08.

♦Madrid 707 ③ – ♦Barcelona 79 ③ – Gerona/Girona 39 ①.

Plano página siguiente

🏨 **G. H. Reymar** 🦪, playa de Mar Menuda ℰ 34 03 12, Telex 57094, Fax 34 15 04, ≤, 🏊, 🎾 –
　|☆| 🍴 rest ☎ ⓟ – 🔬. 🕮 ⓞ 🔳 𝗩𝗜𝗦𝗔. ❀　　　　　　　　　　　　　　　　BY x
　mayo-octubre – Com 2600 – 🖵 800 – **156 hab** 6100/10600.

🏨 **Mar Menuda** 🦪, playa de Mar Menuda ℰ 34 10 00, ≤, 😙, « Terraza con arbolado », 🏊,
　🎾 – |☆| 🕮 🗪 ⓟ. ⓞ 🔳 𝗩𝗜𝗦𝗔. ❀ rest　　　　　　　　　　　　　　　　BY w
　18 marzo-10 octubre – Com 2350 – 🖵 525 – **40 hab** 4020/7460 – P 7200/7490.

🏨 **Florida,** av. de sa Palma 21 ℰ 34 03 08 – |☆| 🍴 rest 🕮 ⓟ. 🕮 ⓞ 🔳 𝗩𝗜𝗦𝗔. ❀　　BY d
　18 marzo-octubre – Com 1400 – 🖵 475 – **45 hab** 3500/6500.

TOSSA DE MAR

Para el buen uso de los planos de ciudades, consulte los signos convencionales, p. 23.

Pour un bon usage des plans de villes, voir les signes conventionnels p. 39.

For maximum information from town plans, consult the conventional signs key, p. 63.

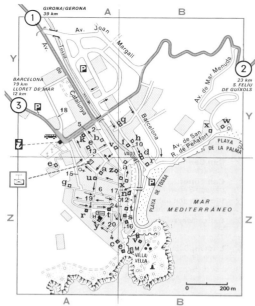

🏨 **Vora la Mar**, sin rest, con cafeteria, av. de sa Palma 14 𝒫 34 03 54 – 🛗 ☎ **63 hab**.   BY **h**

🏨 **Áncora**, av. de sa Palma 4 𝒫 34 02 99, « Patio-terraza con arbolado », ✘ – ☎ ⇔. ❄ rest
junio-septiembre – Com 1100 – ☷ 450 – **60 hab** 2650/5300.   BZ **r**

🏨 **Mar d'Or**, av. Costa Brava 10 𝒫 34 03 62 – 🛗. ❄ rest
Com 950 – ☷ 300 – **51 hab** 3000/6000.   AY **v**

🏨 **Avenida**, av. de sa Palma 5 𝒫 34 07 56 – 🛗 ☎. ❄ rest
mayo-octubre – Com 1410 – ☷ 410 – **50 hab** 2505/5010.   BY **f**

🏨 **Delfín**, av. Costa Brava 2 𝒫 34 02 50, Telex 52588, Fax 323 74 72 – 🛗 ▤ rest ☎. ❄ rest
mayo-octubre – Com 1200 – ☷ 450 – **62 hab** 3575/6400.   BZ **a**

🏨 **Neptuno** ⸱, La Guardia 52 𝒫 34 01 43, Telex 56320, 🟥 – 🛗 ⓞ 𝘝𝘐𝘚𝘈. ❄ rest
abril-octubre – Com 1000 – **49 hab** ☷ 3800/5900.   AZ **g**

🏠 **Corisco** sin rest, Pou de la Vila 8 𝒫 34 01 74, Telex 56317 – ☎. 𝔸𝔼 ⓞ 𝐄 𝘝𝘐𝘚𝘈
abril-septiembre – **27 hab** ☷ 3190/5600.   BZ **x**

🏠 **Simeón** sin rest, con cafetería, Dr Trueta 1 𝒫 34 00 79 – 🛗 ☎. 𝐄. ❄
mayo-15 octubre – ☷ 300 – **50 hab** 2000/3400.   BZ **x**

🏠 **Mar Bella** sin rest, av. Costa Brava 21 𝒫 34 13 63 – 𝔸𝔼 ⓞ 𝐄
15 abril-15 octubre – ☷ 425 – **36 hab** 2600/5200.   AY **b**

🏠 **Windsor** sin rest, Nou 28 𝒫 34 01 86, Telex 52588, 🟥 – 🛗 ❷
mayo-octubre – **66 hab** ☷ 3075/5750.   AZ **a**

🏠 **Sant March** ⸱ sin rest, Nou 9 𝒫 34 00 78, 🟥
mayo-septiembre – **30 hab** ☷ 2200/4000.   AZ **u**

🏠 **Lourdes**, sin rest, con cafetería, Sant Sebastiá 8 𝒫 34 03 43, Telex 56308 – **33 hab**.   AY **e**

🏠 **Casa Delgado**, sin rest, Pola 7 𝒫 34 02 91
37 hab.   AZ **z**

🏠 **Horta Rosell** sin rest, Pola 29 𝒫 34 04 32 – ❷
22 mayo-6 octubre – ☷ 275 – **30 hab** 3200.   AY **k**

🏠 **Coq Hardi** ⸱, paraje Villa Romana, ✉ apartado 98, 𝒫 34 01 69, ≤, 🍽 – ❷. ❄ rest
junio-septiembre – Com (sólo para residentes) 1050 – ☷ 315 – **13 hab** 1595/3190 – P 2100/4200.   AZ **e**

🏠 **Atlanta** sin rest, av. de sa Palma 28 𝒫 34 02 31
mayo-septiembre – ☷ 260 – **22 hab** 2100/3000.   BY **q**

🏠 **Canaima**, av. de sa Palma 24 𝒫 34 09 95 – ❄ rest
mayo-septiembre – Com (sólo para residentes) – ☷ 300 – **17 hab** 2350/3150.   BY **q**

🏠 **Casa Zügel** sin rest, av. de sa Palma 10 𝒫 34 02 92 – ❄
mayo-septiembre – **14 hab** ☷ 2500/4000.   BZ **d**

%% **Es Moli,** Tarull 5 _&_ 34 14 14, 🌣, « Bajo los porches de un bonito patio ajardinado » – 🅰🅴
    ⓪ **E** 🆅🆂🅰   AZ **r**
    18 marzo-15 octubre – Com _(cerrado martes en abril y octubre)_ carta 2025 a 3525.

% **Castell Vell,** pl. Roig i Soler 2 _&_ 34 10 30, 🌣, « Rest. de estilo regional en el recinto de la
    antigua ciudad amurallada » – 🅰🅴 ⓪ **E** 🆅🆂🅰   BZ **v**
    20 octubre y del 18 al 30 marzo – Com carta 1565 a 3075.

% María Angela , con hab, passeig del Mar 10 _&_ 34 03 58, ≤, 🌣 – 🕾   BZ **s**
    20 hab.

% **Bahia,** passeig del Mar 19 _&_ 34 03 22, ≤, 🌣 – 🝗. 🅰🅴 ⓪ **E** 🆅🆂🅰. 🛇   BZ **s**
    2 marzo-2 noviembre – Com carta 1700 a 3810.

% **Rocamar,** Els Cars 5 _&_ 34 10 47, 🌣 – 🅰🅴 **E** 🆅🆂🅰. 🛇   BZ **e**
    abril-1 noviembre – Com carta 1225 a 2550.

% **Las Acacias** con hab, passeig del Mar 45 _&_ 34 00 85, 🌣 – 🚐. 🅰🅴 **E** 🆅🆂🅰. 🛇 rest   BZ **n**
    abril-octubre – Com carta 1675 a 2900 – 😄 390 – **20 hab** 1750/3500.

% **Can Senió,** Codolar 16 _&_ 34 10 41 – 🝗. 🅰🅴 ⓪ **E** 🆅🆂🅰   AZ **c**
    15 febrero-15 octubre – Com carta 1700 a 3200.

% **Can Tonet,** pl. de l'Esglèsia 2 _&_ 34 05 11, 🌣 – 🅰🅴 ⓪ **E** 🆅🆂🅰. 🛇   AZ **t**
    cerrado 2 enero-15 febrero – Com carta 2100 a 3150.

% **Victoria** con hab, passeig del Mar 23 _&_ 34 01 66, 🌣 – 🅰🅴 ⓪ **E** 🆅🆂🅰   BZ **t**
    15 abril-septiembre – Com carta 1900 a 3150 – 😄 365 – **20 hab** 1825/3650 – P 4610.

% **Santa Marta,** Francesc Aromir 2 _&_ 34 04 72, 🌣, Dentro del recinto amurallado – 🝗. 🆅🆂🅰.
    🛇   BZ **v**
    15 marzo-15 octubre – Com carta 1620 a 2675.

% **L'Ham,** Sant Josep 22 _&_ 34 02 81 – 🅰🅴 ⓪ **E** 🆅🆂🅰   AZ **y**
    mayo-septiembre – Com carta 1415 a 3460.

FORD carret. de Lloret de Mar 23 _&_ 34 00 72   SEAT-AUDI-VOLKSWAGEN carret. de Sant Feliú de
RENAULT carret. Llagostera 58 _&_ 34 03 74   Guixols _&_ 34 10 21

TOTANA 30850 Murcia 🟦🟦🟦 S 25 – 18 394 h. – ⚙ 968.

♦Madrid 440 – Cartagena 63 – Lorca 20 – ♦Murcia 45.

%% **Mariquita II,** Cánovas del Castillo 12 _&_ 42 00 07 – 🝗. 🅰🅴 🆅🆂🅰. 🛇
    cerrado domingo noche, lunes y del 1 al 20 agosto – Com carta 1375 a 2650.

A TOXA (Isla de la) Pontevedra 🟦🟦🟦 E 3 – ver Toja (Isla de la).

TRABADELO 24523 León 🟦🟦🟦 E 9 – 922 h. – ⚙ 987.

♦ Madrid 416 – Lugo 91 – Ponferrada 30.

🏠 **Nova Ruta,** carret. N VI _&_ 54 30 81 – ⓿. **E** 🆅🆂🅰. 🛇
    Com 850 – 😄 250 – **14 hab** 1500/3000 – P 3100/3160.

TREMP 25620 Lérida 🟦🟦🟦 F 32 – 5 469 h. alt. 432 – ⚙ 973.

Alred. : NE : Desfiladero de Collegats★★.

🛈 Héroes de Toledo _&_ 65 01 55.

♦Madrid 546 – Huesca 156 – ♦Lérida/Lleida 93.

🏨 **Siglo XX,** pl. de la Creu 8 _&_ 65 00 00, ⚊ – 🛗 🝗 ☎. 🆅🆂🅰
    Com 1000 – 😄 300 – **56 hab** 1500/4000.

🏠 **Alegret,** pl. de la Creu 30 _&_ 65 01 00 – 🛗 🝗 rest 🕾. **E** 🆅🆂🅰
    Com 900 – 😄 275 – **25 hab** 1500/2650 – P 2900/3000.

AUSTIN-MG-MORRIS-MINI carret. Balaguer _&_   MERCEDES pl. Héroes de Toledo 12 _&_ 65 03 34
65 06 46   PEUGEOT-TALBOT av. Obispo Iglesias 64 _&_ 65 06 46
CITROEN Aragón _&_ 65 03 39   RENAULT Seix y Falla _&_ 65 08 63
FORD av. Pirineos _&_ 65 18 84   SEAT-AUDI-VOLKSWAGEN av. de España 24 _&_
GENERAL MOTORS Aragón _&_ 65 01 03   65 09 14

TRUJILLO 10200 Cáceres 🟦🟦🟦 N 12 – 9 445 h. – ⚙ 927 – Plaza de toros.

Ver : Plaza Mayor★ (palacio de los Marqueses de la Conquista : balcón de esquina★) – **Iglesia de Santa María★** (retablo★).

🛈 pl. de España 18 _&_ 32 06 53.

♦Madrid 254 – ♦Cáceres 47 – Mérida 89 – Plasencia 80.

🏰 **Parador de Trujillo** 🦌, pl. de Santa Clara _&_ 32 13 50, Fax 32 13 66, « Instalado en el
    antiguo convento de Santa Clara », ⚊ – 🝗 ☎ 🚐 ⓿ – 🔺. 🅰🅴 ⓪ **E** 🆅🆂🅰. 🛇
    Com 2500 – 😄 800 – **46 hab** 6800/8500.

🏨 Las Cigüeñas, carret. N V _&_ 32 12 50, ≤, 🌣 – 🛗 🝗 ☎ ⓿
    78 hab.

✗ **Mesón La Troya,** pl.Mayor 10 ℰ 32 13 64, Mesón típico – ▤. ⚭
Com carta aprox 1050.

✗ **Pillete,** pl. Mayor 28 ℰ 32 14 49 – ▤. ⓞ ⱽ𝐼𝑆𝐴
Com carta 1650 a 2525.

✗ **Mesón La Cadena** con hab, pl. Mayor 8 ℰ 32 14 63 – ▤. ⱽ𝐼𝑆𝐴. ⚭
Com carta 1100 a 1700 – ⌿ 150 – **8 hab** 2000/4000.

PEUGEOT-TALBOT carret. Madrid-Lisboa km 252,8   SEAT-AUDI-VOLKSWAGEN av. Calvo Sotelo ℰ
ℰ 32 07 31   32 12 52
RENAULT carret. Madrid-Lisboa (Cruces) ℰ 32 12 18

TUDELA 31500 Navarra **🗺🗺🗺** F 25 – 24 629 h. alt. 275 – ☻ 948 – Plaza de toros.

Ver : Catedral★ (claustro★★, portada del Juicio Final★, interior : capilla de Nuestra Señora de la Esperanza★).

🛈 pl. de los Fueros ℰ 82 15 39.

♦Madrid 316 – ♦Logroño 103 – ♦Pamplona 84 – Soria 90 – ♦Zaragoza 81.

🏨 **Morase,** paseo de Invierno 2 ℰ 82 17 00 – ▤ 📺 ☎. ⴹⴹ ⓞ 𝐄 ⱽ𝐼𝑆𝐴. ⚭
Com *(cerrado domingo noche)* 1625 – ⌿ 490 – **7 hab** 5500/8000 – P 7175/8675.

🏠 De Tudela, av. de Zaragoza 56 ℰ 82 05 58 – 🕾 ⓟ – **16 hab**.

🏠 **Nueva Parrilla,** Carlos III - 6 ℰ 82 24 00, 🍴 – ▤ rest 🕾 ⇦⇨. 𝐄 ⱽ𝐼𝑆𝐴. ⚭
Com 1200 – ⌿ 350 – **22 hab** 2750/5000 – P 4850/5050.

✗ **El Choko,** pl. de los Fueros ℰ 82 10 19 – ▤. ⓞ 𝐄 ⱽ𝐼𝑆𝐴. ⚭
cerrado lunes – Com carta 1550 a 2800.

en la carretera de Zaragoza N 232 – ☻ 948 :

🏨 **Sancho El Fuerte** SE : 11 km, ✉ 31550 Ribaforada, ℰ 86 40 25, ⼀, ✗ – ▤ 🕾 ⇦⇨ ⓟ –
🅰. 𝐄 ⱽ𝐼𝑆𝐴.
Com 1500 – ⌿ 400 – **133 hab** 3800/5000 – P 4400/5600.

✗✗ **Beethoven,** SE : 3 km, ✉ 31512 Fontellas, ℰ 82 52 60 – ▤ ⓟ. ⴹⴹ ⓞ 𝐄 ⱽ𝐼𝑆𝐴. ⚭
cerrado domingo y agosto – Com carta 2230 a 3100.

CITROEN Polígono Industrial - carret. Corella ℰ   MERCEDES-BENZ Polígono Industrial ℰ 82 02 09
82 24 16   PEUGEOT-TALBOT Polígono Industrial ℰ 82 07 69
FIAT av. de Zaragoza 67 ℰ 82 02 95   RENAULT Polígono Industrial ℰ 82 26 12
FORD av. de Zaragoza km 97 ℰ 82 29 66   SEAT carret. de Alfaro ℰ 82 02 58
GENERAL MOTORS carret. Zaragoza km 98 ℰ
82 63 11

TUDELA DE DUERO 47320 Valladolid **🗺🗺🗺** H 16 – 4 537 h. – ☻ 983.

♦Madrid 188 – Aranda de Duero 77 – ♦Segovia 107 – ♦Valladolid 16.

en la carretera N 122 NO : 1 km – ✉ 47320 Tudela de Duero – ☻ 983 :

🏠 **Jaramiel,** ℰ 52 02 67, « Agradable decoración interior » – 🕾 ⓟ. ⴹⴹ ⱽ𝐼𝑆𝐴. ⚭
cerrado del 7 al 25 noviembre – Com *(cerrado martes)* 1700 – ⌿ 300 – **17 hab** 3000/3500 – P 5865/5900.

TÚY o **TUI** 36700 Pontevedra **🗺🗺🗺** F 4 – 14 975 h. alt. 44 – ☻ 986 – ver aduanas p. 14 y 15.

Ver : Catedral★.

🛈 Puente Tripes - av. de Portugal ℰ 60 17 89.

♦Madrid 604 – Orense 105 – Pontevedra 48 – ♦Porto 124 – ♦Vigo 29.

🏯 **Parador San Telmo** ⚭, ℰ 60 03 09, Fax 60 21 63, ≤, « Reproducción de una casa señorial gallega », ⼀, 🍴 – ⓟ. ⴹⴹ ⓞ 𝐄 ⱽ𝐼𝑆𝐴. ⚭
Com 2500 – ⌿ 800 – **22 hab** 6800/8500.

🏨 **Colón Túy** sin rest, Colón 11 ℰ 60 02 23, ≤, ⼀, ✗ – 🛗 ☎ ⇦⇨ ⓟ – 🅰. ⴹⴹ ⓞ 𝐄 ⱽ𝐼𝑆𝐴. ⚭
⌿ 350 – **45 hab** 2900/5250.

CITROEN Guillarey - Pontenova ℰ 60 24 39   RENAULT av. de la Concordia 59 ℰ 60 11 21
FORD Areas - Tuy ℰ 60 12 59   SEAT-AUDI-VOLKSWAGEN Rebordanes ℰ 60 13 69
OPEL-GENERAL MOTORS Guillarey ℰ 60 21 53
PEUGEOT-TALBOT carret. Túy - La Guardia km 2 -
Areas ℰ 60 19 86

ÚBEDA 23400 Jaén **🗺🗺🗺** R 19 – 28 717 h. alt. 757 – ☻ 953 – Plaza de toros.

Ver : Plaza Vásquez de Molina★★ : iglesia de San Salvador★★ (sacristía★★, interior★), iglesia de Santa María (capillas★, rejas★) – Iglesia de San Pablo★★ (capillas★★, portada sur★).

🛈 pl. del Ayuntamiento 2 ℰ 75 08 97.

♦Madrid 323 – ♦Albacete 209 – Almería 227 – ♦Granada 141 – Linares 27 – Lorca 277.

🏯 **Parador Condestable Dávalos** ⚭, pl. Vázquez de Molina 1 ℰ 75 03 45, Fax 75 12 59,
« Instalado en un palacio del siglo XVI, bonito patio » – ▤ 📺 ☎. ⴹⴹ ⓞ 𝐄 ⱽ𝐼𝑆𝐴. ⚭
Com 2500 – ⌿ 800 – **26 hab** 8000/10000.

🏠 **La Paz** sin rest, Andalucía 1 ℰ 75 08 48 – 🛗 ☎ ⇦⇨. ⓞ ⱽ𝐼𝑆𝐴
⌿ 250 – **61 hab** 2040/3180.

🏠 **Dos Hermanas** sin rest, av. de la Libertad 45 ℰ 75 21 24 – 🛗 ▤ 🕾 ⇦⇨. ⚭
⌿ 200 – **30 hab** 1200/2500.

13

ÚBEDA

⚐ **Los Cerros** sin rest y sin ⌂, Peñarroya 1 ℰ 75 16 21 – 🍴
18 hab 920/2400.

⚐ **Victoria** sin rest y sin ⌂, Alaminos 5 - 2° A ℰ 75 29 52 – 🚗
10 hab 950/1900.

XX Cusco, parque Vandelvira 8 ℰ 75 34 13 – 🔳.

X **Volga**, Granada 4 ℰ 75 11 88 – 🔳. **E** 𝘝𝘐𝘚𝘈. 🍴
cerrado agosto – Com carta 1600 a 2600.

ALFA-ROMEO av. de la Libertad 37 ℰ 75 30 02
CITROEN av. de la Libertad ℰ 75 42 40
FIAT-LANCIA carretera Vilches 8 ℰ 75 64 03
FORD av. Cristo Rey ℰ 75 03 15
MERCEDES-BENZ carret. de circunvalación ℰ 75 05 04

OPEL carret. de circunvalación ℰ 75 03 04
PEUGEOT-TALBOT carret. de circunvalación ℰ 75 11 54
RENAULT carret. de circunvalación ℰ 75 12 42
SEAT-AUDI-VOLKSWAGEN carretera Linares ℰ 75 10 31

UBRIQUE 11600 Cádiz 𝟰𝟰𝟲 V 13 – 16 322 h. alt. 337 – ⚙ 956 – Plaza de toros.
Alred. : Carretera* de Ubrique a Ronda.

♦Madrid 584 – ♦Cádiz 112 – Ronda 46.

🏠 Ocurris , sin rest y sin ⌂, av. Dr Solis Pascual 49 ℰ 11 09 73
20 hab.

FORD callejón Pompeo ℰ 11 18 08
PEUGEOT-TALBOT carret. Ubrique-Jimena ℰ 11 17 44

RENAULT av. Herrera Oria 3 ℰ 11 08 90
SEAT-AUDI-VOLKSWAGEN San Miguel 6 ℰ 11 06 06

ULLDECONA 43550 Tarragona 𝟰𝟰𝟱 K 31 – 5 272 h. alt. 134 – ⚙ 977.

♦Madrid 510 – Castellón de la Plana 88 – Tarragona 104 – Tortosa 30.

X **Bon Lloc** con hab, carret. de Vinaroz ℰ 72 02 09, 🍴 – 🔳 rest ℗. 𝘝𝘐𝘚𝘈. 🍴
cerrado lunes y del 15 al 30 septiembre – Com carta 1000 a 1850 – ⌂ 250 – **8 hab** 1500/2500 – P 3050/3300.

RENAULT carret. de Vinaroz ℰ 72 03 09

UNA 16152 Cuenca 𝟰𝟰𝟰 L 24 – 162 h. – ⚙ 966.

♦Madrid 199 – Cuenca 35.

🏠 **Agua-Riscas** 🦎 , Egido 17 ℰ 28 13 62 – 🍴
Com 1100 – ⌂ 150 – **10 hab** 3300/4400 – P 4260/5360.

URBIÓN (Sierra de) ★★ Soria 𝟰𝟰𝟮 F y G 21 – alt. 2 228.
Ver : Laguna Negra de Urbión★★★ – Laguna Negra de Neila★★ (carretera★★).

Hoteles y restaurantes ver : Soria.

URDAX 31711 Navarra 𝟰𝟰𝟮 C 25 – 537 h. – ⚙ 948.

♦Madrid 475 – ♦Bayonne 26 – ♦Pamplona 80.

XX **La Koska**, ℰ 59 90 42, Decoración rústica – ℗. 𝗔𝗘 ⓞ **E** 𝘝𝘐𝘚𝘈. 🍴
cerrado miércoles – Com carta 1850 a 2300.

URQUIOLA (Puerto de) 48200 Vizcaya 𝟰𝟰𝟮 C 21 y 22 – alt. 700 – ⚙ 94.
Ver : Puerto★ (subida★).

♦Madrid 386 – ♦Bilbao 40 – ♦San Sebastián/Donostia 79 – ♦Vitoria/Gasteiz 31.

X **Bizkarra** con hab, ⊠ 48211 Durango, ℰ 681 20 26, 🍴 – ℗. 𝗔𝗘 ⓞ **E** 𝘝𝘐𝘚𝘈. 🍴
Com carta 1550 a 2800 – ⌂ 250 – **9 hab** 1800/2200.

USATEGUIETA (Puerto de) Navarra 𝟰𝟰𝟮 C 24 – ver Leiza.

UTEBO 50180 Zaragoza 𝟰𝟰𝟯 G 27 – 5 673 h. – ⚙ 976.

♦Madrid 334 – ♦Pamplona 157 – ♦Zaragoza 13.

en la carretera N 232 – ⊠ 50180 Utebo – ⚙ 976 :

🏨 **El Águila**, O : 2 km ℰ 77 03 14, Telex 58989, Fax 39 73 15 – 🛗 🔳 📺 ☎ ℗ – 🅰. 𝗔𝗘 ⓞ **E** 𝘝𝘐𝘚𝘈. 🍴
Com 950 – ⌂ 275 – **49 hab** 2750/4250 – P 3975/4600.

UTIEL 46300 Valencia 𝟰𝟰𝟱 N 26 – 12 021 h. – ⚙ 96.

♦Madrid 267 – ♦Albacete 115 – Cuenca 120 – ♦Valencia 81.

⚐ **Potajero Chico**, carret. N III ℰ 217 00 09 – ℗. 𝘝𝘐𝘚𝘈
Com 975 – ⌂ 150 – **28 hab** 1000/2500.

FORD carret. N III (Alto San Agustín) ℰ 217 17 00   PEUGEOT-TALBOT carret. N III km 263 ℰ 217 03 22

VALCARLOS 31660 Navarra **442** C 25 y 26 – 582 h. alt. 365 – ⊕ 948 – ver aduanas p. 14 y 15.
🛈 Elizaldea.
♦Madrid 464 – ♦Pamplona 65 – St-Jean-Pied-de-Port 11.

  ✗   **Maitena** ⤸ con hab, Elizaldea *₰* 76 20 10, ≼, 🏠 – ✦
   Com carta 975 a 1450 – ⊡ 225 – **4 hab** 2200 – P 3880.

VALDELAGRANA Cádiz **446** W 11 – ver El Puerto de Santa María.

VALDEMORILLO 28210 Madrid **444** K 17 – 2 063 h. – ⊕ 91.
♦Madrid 45 – El Escorial 14 – ♦Segovia 66 – Toledo 95.

  ✗   Los Bravos, pl. de la Constitución 2 *₰* 899 01 83, 🏠, « Decoración rústica » – 🔲.

VALDEMOSA Baleares – ver Baleares (Mallorca).

 Neste guia
 um mesmo símbolo, um mesmo termo,
 impressos a preto ou a vermelho, a fino ou a **cheio**
 não têm de facto o mesmo significado.
 Leia atentamente as páginas explicativas.

VALDEPEÑAS 13300 Ciudad Real **444** P 19 – 24 946 h. alt. 720 – ⊕ 926 – Plaza de toros.
Alred. : San Carlos del Valle★ (plaza Mayor★) NE : 22 km.
🛈 carret. N IV km 197.
♦Madrid 203 – ♦Albacete 168 – Alcázar de San Juan 87 – Aranjuez 156 – Ciudad Real 62 – ♦Córdoba 206 – Jaén 135 – Linares 96 – Toledo 153 – Úbeda 122.

  🏨   **Gala,** Arpa 3 *₰* 32 38 57 – 📶 🔲 rest ☎ ⇔ – 🔬. ⑩ E 𝗩𝗜𝗦𝗔 ✦
   Com (sólo cena) 1000 – ⊡ 300 – **30 hab** 2400/3700 – P 4700/6000.
  🏠   **Cervantes** sin rest y sin ⊡, Seis de Junio 46 *₰* 32 26 00 – 🖭 🅿
   cerrado 20 diciembre-10 enero – **30 hab** 1650/3000.

 en la carretera N IV – ⊠ 13300 Valdepeñas – ⊕ 926 :

  🏩   **Motel Meliá El Hidalgo,** N : 7 km *₰* 32 32 50, Telex 48136, « ⤱ rodeada de césped », 🌴
   – 🔲 ☎ 🅿 – 🔬, 🖭 ⑩ E 𝗩𝗜𝗦𝗔. ✦ rest
   Com 2200 – ⊡ 500 – **54 hab** 6000/7500 – P 7915/10165.
  🏠   **Vista Alegre,** N : 3 km *₰* 32 22 04, 🏠 – 🖭. ✦ rest
   Com 795 – ⊡ 250 – **17 hab** 1830/2900 – P 2900/3430.
  ✗   **La Aguzadera,** *₰* 32 32 08, 🏠 – 🔲 🅿. 🖭 𝗩𝗜𝗦𝗔 ✦
   Com carta 1550 a 2200.
  ✗   **El Gobernador,** N : 3 km *₰* 32 07 57 – 🔲. 𝗩𝗜𝗦𝗔
   cerrado lunes – Com carta 1350 a 2550.

ALFA-ROMEO José Ramón Osoño 43 *₰* 32 40 65
CITROEN 6 de Junio 73 *₰* 32 07 07
FIAT Ramiro Ledesma 3 *₰* 32 22 57
FORD carret. Madrid-Cádiz km 199 *₰* 32 04 89
LANCIA av. Gregorio Prieto 4 *₰* 32 18 06
MERCEDES-BENZ carret. de Madrid *₰* 32 21 84

OPEL-GENERAL MOTORS carret. Madrid-Cádiz km 199 *₰* 32 07 07
PEUGEOT - TALBOT carret. N IV-desviación *₰* 32 20 00
RENAULT carret. Madrid-Cádiz km 199 *₰* 32 54 28

VALDERROBRES 44580 Teruel **445** J 30 – 1 847 h. – ⊕ 974.
♦Madrid 421 – ♦Lérida/Lleida 141 – Teruel 195 – Tortosa 56 – ♦Zaragoza 141.

  🏠   **Querol,** General Franco 14 *₰* 85 01 92 – 🔲 rest. 𝗩𝗜𝗦𝗔 ✦
   cerrado domingo y del 15 al 30 octubre – Com 850 – ⊡ 300 – **21 hab** 1200/2300 – P 2750/2800.

VALENCIA 4600 🅿 **445** N 28 ㉘ – 751 734 h. alt. 13 – ⊕ 96 – Plaza de toros.
Ver : Museo Provincial de Bellas Artes★★ FX **M³** – Catedral★ (Miguelete★) EX **A** – Palacio de la
Generalidad★ (techos artesonados★) EX **D** – Lonja★ (sala de contratación★, sala del Consulado
del Mar : artesonado★) EX **E** – Colegio del Patriarca★ EY **N** – Museo Nacional de Cerámica★ EY **M¹**
– Torres de Serranos★ EX **V** – Convento de Santo Domingo (capilla de los Reyes★) FY **S**.

🛬 de Manises por ④ : 12 km *₰* 379 08 50 – 🏌 Club Escorpión NO : 19 km por carretera de Liria
₰ 160 12 11.
✈ de Valencia, Manises por ④ : 9,5 km *₰* 154 60 15 – Iberia : Paz 14, ⊠ 46003, *₰* 351 44 95 EFY.
🚗 *₰* 351 00 43.
⛴ para Baleares y Canarias : Cía. Trasmediterránea, av. Manuel Soto Ingeniero 15, ⊠ 46024,
₰ 367 07 04, Telex 62648 CV.
🛈 pl. del Ayuntamiento 1, ⊠ 46002, *₰* 351 04 17, Paz 48, ⊠ 46003, *₰* 352 28 97, av. Cataluña 1, ⊠ 46010, y
Aeropuerto *₰* 370 95 00 – **R.A.C.E.** (R.A.C. de Valencia) av. Jacinto Benavente 25, ⊠ 46005, *₰* 374 94 05.
♦Madrid 351 ④ – ♦Albacete 183 ③ – ♦Alicante (por la costa) 174 ③ – ♦Barcelona 361 ① – ♦Bilbao 606 ① –
Castellón de la Plana 75 ① – ♦Málaga 651 ③ – ♦Sevilla 682 ④ – ♦Zaragoza 330 ①.

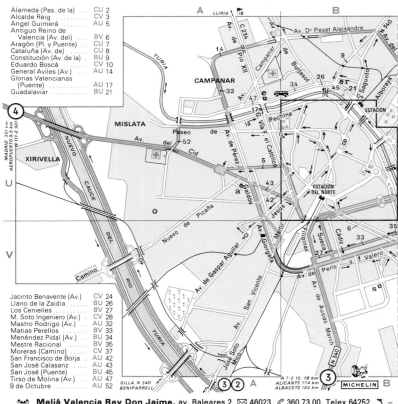

Meliá Valencia Rey Don Jaime, av. Baleares 2, ⊠ 46023, ℰ 360 73 00, Telex 64252, ⌇ –
⧉ ▤ ▥ ☎ – 🌢. ஊ ⓪ ᴇ 🆅🆂🅰. 🍴 rest
Com 3200 – ⊡ 875 – **314 hab** 11200/14000 – P 17020/25640.
CV **r**

Astoria Palace, pl. Rodrigo Botet 5, ⊠ 46002, ℰ 352 67 37, Telex 62733 – ⧉ ▤ ▥ ☎ – 🌢.
ஊ ⓪ ᴇ 🆅🆂🅰. 🍴
Com 2800 – **207 hab** ⊡ 10000/13500 – P 12350/15600.
EY **p**

Reina Victoria, Barcas 4, ⊠ 46002, ℰ 352 04 87, Telex 64755 – ⧉ ▤ ▥ ☎ – 🌢. ஊ ⓪ ᴇ
🆅🆂🅰 – Com 2600 – **92 hab** ⊡ 8600/14000.
EY **s**

Dimar sin rest, con cafetería, Gran Via Marqués del Turia 80, ⊠ 46005, ℰ 334 18 07, Telex
62952, Fax 373 09 26 – ⧉ ▥ ☎ – 🌢. ஊ ⓪ ᴇ 🆅🆂🅰
95 hab ⊡ 7000/12000.
FZ **q**

Expo H. sin rest, con cafetería, av. Pío XII-4, ⊠ 46009, ℰ 347 09 09, Telex 63212, Fax
348 31 81, ⌇ – ⧉ ▤ ▥ ☎ – 🌢. ஊ ⓪ ᴇ 🆅🆂🅰. 🍴
⊡ 650 – **396 hab** 7390/9240.
AU **e**

Oltra sin rest, pl. del Ayuntamiento 4, ⊠ 46002, ℰ 352 06 12 – ⧉ ▤. ஊ ⓪ ᴇ 🆅🆂🅰. 🍴
⊡ 340 – **93 hab** 4450/7100.
EY **t**

Inglés, Marqués de Dos Aguas 6, ⊠ 46002, ℰ 351 64 26 – ⧉ ▤ ▥ ☎. ஊ ⓪ ᴇ 🆅🆂🅰. 🍴
Com 1200 – ⊡ 375 – **62 hab** 6375/9500.
EY **m**

Lehos, General Urrutia (esquina av. de la Plata), ⊠ 46013, ℰ 334 78 00, Telex 63055, Fax
334 78 01, ⌇, � – ⧉ ▤ rest ☎ 🚗 🅿 – 🌢. ஊ ⓪ ᴇ 🆅🆂🅰. 🍴
Com 1500 – ⊡ 640 – **104 hab** 4800/7500 – P 7390/8440.
BV **s**

Renasa sin rest, con cafetería, av. Cataluña 5, ⊠ 46010, ℰ 369 24 50 – ⧉ ▤ ☎. ஊ ⓪ ᴇ
🆅🆂🅰. 🍴 – ⊡ 375 – **73 hab** 4400/7100.
CU **x**

Llar sin rest, Colón 46, ⊠ 46004, ℰ 352 84 60 – ⧉ ▤ ⊗. ஊ ⓪ ᴇ 🆅🆂🅰
⊡ 300 – **50 hab** 4150/5750.
EZ **u**

Sorolla sin rest y sin ⊡, Convento de Santa Clara 5, ⊠ 46002, ℰ 352 33 92 – ⧉ ▤ ⊗. ஊ ᴇ
🆅🆂🅰. 🍴
50 hab 3300/5900.
EZ **z**

🏠 **Continental** sin rest, Correos 8, ⊠ 46002, 𝒫 351 09 26 – 🔰 🗐 ☎. 🆀 E 𝘝𝘐𝘚𝘈. 🛇
⛭ 350 – **43 hab** 3500/5700.   EY **h**

🏠 **Bristol** sin rest, Abadía San Martín 3, ⊠ 46002, 𝒫 352 11 76 – 🔰 ☎. 🆀 ⓸ E 𝘝𝘐𝘚𝘈
cerrado diciembre-15 enero – ⛭ 250 – **40 hab** 3000/5500.   EY **b**

🏠 **Florida** sin rest y sin ⛭, Padilla 4, ⊠ 46001, 𝒫 351 12 84 – 🔰 ☎
45 hab 2700/5500.   DY **e**

XXX **La Hacienda,** Navarro Reverter 12, ⊠ 46004, 𝒫 373 18 59 – 🗐. 🆀 ⓸ E 𝘝𝘐𝘚𝘈. 🛇
cerrado Semana Santa – Com carta 2600 a 4000.   FY **y**

XXX **Eladio,** Chiva 40, ⊠ 46018, 𝒫 326 22 44 – 🗐. 🆀 ⓸ E 𝘝𝘐𝘚𝘈. 🛇
cerrado domingo y agosto – Com carta 4800 a 5350.   AU **a**

XXX **La Reserva,** Juan de Austria 30, ⊠ 46002, 𝒫 352 58 02, Decoración moderna – 🗐. 🆀 ⓸ E
𝘝𝘐𝘚𝘈. 🛇
cerrado domingo, Semana Santa y agosto – Com carta 2350 a 4250.   FY **e**

XXX **Ma Cuina,** Gran Vía Germanías 49, ⊠ 46006, 𝒫 341 77 99 – 🗐 🅿. 🆀 ⓸ E 𝘝𝘐𝘚𝘈. 🛇
cerrado domingo – Com carta 2350 a 3590.   DZ **n**

XXX El Condestable, Artes Gráficas 7, ⊠ 46010, 𝒫 369 92 50, Decoración castellana – 🗐   CU **b**

XXX **La Oca Dorada,** Puerta del Mar 6, ⊠ 46004, 𝒫 352 22 57 – 🗐. 🆀 ⓸ E 𝘝𝘐𝘚𝘈. 🛇
cerrado sábado mediodía, domingo noche y agosto – Com carta 2550 a 3950.   FY **f**

XXX **Lionel,** Pizarro 9, ⊠ 46004, 𝒫 351 65 66 – 🗐. 🆀 ⓸ E 𝘝𝘐𝘚𝘈. 🛇
cerrado sábado mediodía y domingo noche – Com carta 1625 a 2840.   EZ **b**

XXX **Comodoro,** Transits 3, ⊠ 46002, 𝒫 351 38 15 – 🗐. 🆀 ⓸ E 𝘝𝘐𝘚𝘈. 🛇
cerrado sábado mediodía, domingo, festivos y agosto – Com carta 2100 a 2850.   EY **r**

XX José Mari, Estación Marítima - 1° piso, ⊠ 46011, 𝒫 367 20 15, ≤, Cocina vasca – 🗐   CV **s**

XX **El Gourmet,** Martí 3, ⊠ 46005, 𝒫 374 50 71 – 🗐. 🆀 E 𝘝𝘐𝘚𝘈. 🛇
cerrado domingo y 15 agosto-15 septiembre – Com carta 1840 a 2750.   FZ **b**

XX El Timonel, Félix Pizcueta 13, ⊠ 46004, 𝒫 352 63 00 – 🗐   EZ **t**

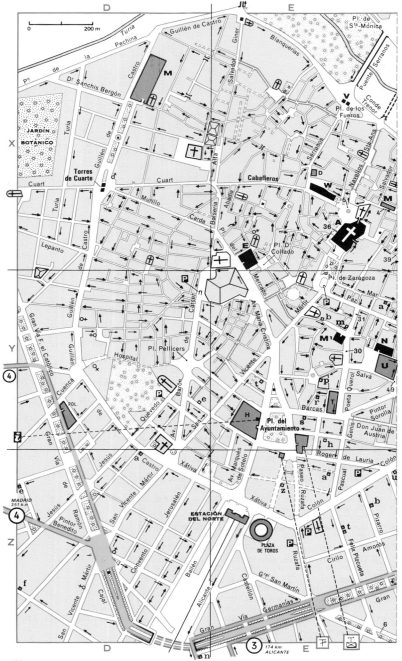

VALENCIA

REPERTORIO DE CALLES (fin)

XX **Casa Aurelia,** Marvá 28, ⊠ 46007, ℰ 325 88 13 – ☰. ﬨ E 𝗩𝗜𝗦𝗔 ⌘   DZ **f**
cerrado sábado mediodía, domingo y 15 agosto-15 septiembre – Com carta 2400 a 3200.

XX **Río Sil,** Mosén Femades 10, ⊠ 46002, ℰ 352 97 64, ⌘ – ☰. ﬨ ⓞ E 𝗩𝗜𝗦𝗔 ⌘   EZ **a**
Com carta 1850 a 3500.

XX **Mey Mey,** Historiador Diago 19, ⊠ 46007, ℰ 326 07 47, Rest. chino – ☰. ﬨ 𝗩𝗜𝗦𝗔. ⌘   DZ **e**
cerrado domingo noche y lunes mediodía – Com carta 1400 a 2090.

XX **Asador de Aranda,** Felix Pizcueta 9, ⊠ 46004, ℰ 352 97 91, Cordero asado – ☰. E 𝗩𝗜𝗦𝗔. ⌘
cerrado domingo noche – Com carta 1625 a 2575.   EZ **t**

XX **El Gastrónomo,** av. Primado Reig 149, ⊠ 46020, ℰ 369 70 36 – ☰. ﬨ E 𝗩𝗜𝗦𝗔. ⌘   CU **z**
cerrado domingo, Semana Santa y agosto – Com carta 1900 a 2750.

XX **Marisquería Ismael,** Burriana 40, ⊠ 46005, ℰ 373 57 15, Pescados y mariscos – ☰. ﬨ ⓞ
E 𝗩𝗜𝗦𝗔. ⌘   FZ **e**
cerrado domingo noche y lunes – Com carta 2050 a 3150.

XX **Marisquería Civera,** Lérida 11, ⊠ 46009, ℰ 347 59 17, Pescados y mariscos – ☰. ﬨ ⓞ E
𝗩𝗜𝗦𝗔. ⌘   BU **r**
cerrado lunes y agosto – Com carta 1650 a 2600.

X **Marisquería Kayuko,** Periodista Badía 6, ⊠ 46010, ℰ 362 88 88, Pescados y mariscos –
☰. ﬨ ⓞ E 𝗩𝗜𝗦𝗔. ⌘   CU **b**
cerrado lunes – Com carta 1400 a 2600.

X **Don Manuel,** paseo de la Alameda 5, ⊠ 46010, ℰ 361 53 96, ⌘ – ☰. ﬨ E 𝗩𝗜𝗦𝗔   FX **t**
cerrado martes en invierno, domingo en verano, Semana Santa y del 15 al 30 agosto – Com
carta 2200 a 3175.

X **Leixuri,** Cirilo Amorós 80, ⊠ 46006, ℰ 351 54 21, Cocina vasca – ☰. ﬨ E 𝗩𝗜𝗦𝗔. ⌘   FZ **n**
cerrado domingo noche y del 6 al 31 agosto – Com carta 1525 a 2625.

X **Pizzería Stromboli,** Conde de Altea 58, ⊠ 46005, ℰ 334 46 80 – ☰. ﬨ ⓞ 𝗩𝗜𝗦𝗔 ⌘   FZ **c**
cerrado miércoles – Com carta 1550 a 1975.

X **Bazterretxe,** Maestro Gozalbo 25, ⊠ 46005, ℰ 373 18 94, Cocina vasca – ☰. ﬨ 𝗩𝗜𝗦𝗔. ⌘
cerrado domingo noche – Com carta 1475 a 2750.   FZ **a**

X **El Plat,** Conde de Altea 41, ⊠ 46005, ℰ 334 96 38, Cocina valenciana – ☰. ﬨ 𝗩𝗜𝗦𝗔. ⌘   FZ **v**
cerrado Pascuas, domingo noche y lunes – Com carta 1600 a 2900.

X **Venta del Toboso,** Mar 22, ⊠ 46003, ℰ 332 30 38 – ☰. ﬨ ⓞ E 𝗩𝗜𝗦𝗔. ⌘   EY **a**
cerrado sábado mediodía, domingo y agosto – Com carta 1600 a 2650.

X **Palace Fesol,** Hernán Cortés 7, ⊠ 46004, ℰ 352 93 23 – ☰. ﬨ ⓞ E 𝗩𝗜𝗦𝗔   FZ **s**
cerrado lunes – Com carta 1600 a 2775.

X Alameda, paseo de La Alameda 5, ⊠ 46010, ℰ 369 58 88, ⌘ – ☰   FX **t**

X **El Romeral,** Gran Vía Marqués del Turia 62, ⊠ 46005, ℰ 373 72 72 – ☰. ﬨ ⓞ. ⌘   FZ **z**
cerrado lunes y agosto – Com carta 1675 a 2450.

en la playa de Levante CV – ⊠ 46011 Valencia – ✪ 96 :

X **La Marcelina,** av. de Neptuno 8, ⊠ 46011, ℰ 371 20 25, ≤, ⌘   CV **t**
Com (sólo almuerzo).

X **Chicote** con hab, av. de Neptuno 34, ⊠ 46011, ℰ 371 61 51, ≤, ⌘ – ﬨ E 𝗩𝗜𝗦𝗔. ⌘   CV **e**
cerrado del 1 al 15 septiembre y del 15 al 31 diciembre – Com *(cerrado lunes)* carta 1725 a 2475
– ⊊ 300 – **19 hab** 2000/3400.

X **El Estimat,** av. de Neptuno 16, ⊠ 46011, ℰ 371 10 18, ≤ – ﬨ E 𝗩𝗜𝗦𝗔. ⌘   CV **t**
cerrado martes y 20 agosto-20 septiembre – Com carta 1850 a 2550.

en la Feria de Muestras - por carretera C 234 NO : 8,5 km – ⊠ 46035 Valencia – ✪ 96 :

🏨 **Feria** Ⓜ, en la Feria de Muestras ℰ 364 44 11, Telex 61079 – 🛗 ☰ 📺 ☎ ⟷ – 🛁. ﬨ ⓞ E
𝗩𝗜𝗦𝗔. ⌘   por av. Pío XII AU
cerrado 21 julio-agosto – Com *(cerrado domingo)* 1975 – ⊊ 495 – **136 hab** 14500.

en la carretera del aeropuerto por ④ : 9,5 km – ⊠ 46940 Manises – ✪ 96 :

🏨 **Azafata Sol,** ℰ 154 61 00, Telex 61451, Fax 153 20 19 – 🛗 ☰ 📺 ☎ ⟷ ❷ – 🛁. ﬨ ⓞ E
𝗩𝗜𝗦𝗔. ⌘ rest
Com 2000 – ⊊ 550 – **130 hab** 8400/12000 – P 9700/12100.

Ver también :   *Torrente* por ④ : 13 km
              El Saler por ② : 15 km
              Puebla de Farnals por ① : 15 km
              Puzol por ① : 14 km
              Rocafort N : 7 km.

S.A.F.E. Neumáticos MICHELIN, Sucursal, carret. Valencia - Alicante km 5,4 - MASANASA por
José Soto Mico, ⊠ 46080 AV ℰ 126 36 51 y 126 31 16

ALFA-ROMEO Islas Canarias 72 ℰ 369 48 08
AUSTIN-MORRIS-ROVER-TRIUMT Literato Azorín 9
ℰ 374 92 13
BMW av. Cataluña 10 ℰ 362 34 12
BMW Naturalista Rafael Cisternes 2 ℰ 360 32 55
CITROEN av. de la Horchata 45-Alboraya ℰ 360 13 00
FORD carret. de Madrid km 347,5 ℰ 370 31 50
FORD Río Escalona 11 ℰ 361 40 58
GENERAL MOTORS Micer Masco 27 ℰ 369 44 00
GENERAL MOTORS-OPEL pista de Silla km 4,5
ℰ 375 40 00

MERCEDES-BENZ carret. N 332 km 253,5 ℰ
156 07 00
PEUGEOT-TALBOT av. Peris y Valero 31 ℰ 334 37 00
RENAULT Gran Vía Germanías 43 ℰ 341 31 33
RENAULT Dels Argenters ℰ 379 75 50
RENAULT Dama de Elche 19 ℰ 367 33 50
SEAT-AUDI-VOLKSWAGEN av. del Cid 152 ℰ
379 34 00

VALENCIA DE ALCÁNTARA Cáceres **444** N 8 – ver aduanas p. 14 y 15.

VALENCIA DE ANEU o **VALENCIA D'ÁNEU** 25587 Lérida **443** E 33 – alt. 1 075 – 🕿 973.
♦Madrid 626 – ♦Lérida/Lleida 170 – Seo de Urgel 86.

🏨 **La Morera** 🦌, 🎾 62 61 24, ≼ – 🛗 **P**, **E** _VISA_. 🌾
abril-octubre – Com 1100 – 🍽 350 – **27 hab** 1800/3000 – P 3500/3800.

🛏 **Cortina** 🦌, 🎾 62 61 07, ≼ – **P**, **E** _VISA_. 🌾
cerrado 5 enero-10 marzo – Com 1200 – 🍽 350 – **26 hab** 900/2200 – P 3200/3200.

🍴 La Bonaigua 🦌 con hab, carret. del puerto, ⊠ 25580 Esterri de Aneu, 🎾 62 61 10 – **P**
10 hab.

VALENCIA DE DON JUAN 24200 León **441** F 13 – 3 528 h. alt. 520 – 🕿 987.
♦Madrid 285 – ♦León 38 – Palencia 98 – Ponferrada 116 – ♦Valladolid 105.

🛏 **Villegas,** del Palacio 🎾 75 01 61, 🍴, 🏊 – 🕿
cerrado 20 diciembre-20 enero – Com 1200 – 🍽 250 – **6 hab** 3000/4500 – P 4000/4500.

FORD   carret. Mayorga 🎾 75 01 84   RENAULT   Los Juncales 🎾 75 01 64
GENERAL MOTORS-OPEL   Juan Carlos I 🎾 75 00 20

VALMASEDA 48800 Vizcaya **442** C 20 – 7 858 h. – 🕿 94.
♦Madrid 411 – ♦Bilbao 29 – ♦Santander 107.

🍴 **Abellaneda,** Cuesta 21 🎾 680 16 74 – 🍽, **AE E** _VISA_
cerrado lunes y 18 agosto-12 septiembre – Com carta 1850 a 2750.

FORD   La Cuesta 5 🎾 680 09 68   RENAULT   av. de Las Encartaciones 🎾 680 08 88

Quand les hôtels et les restaurants figurent en gros caractères,
c'est que les hôteliers ont donné tous leurs prix
et se sont engagés à les appliquer aux touristes de passage
porteurs de notre ouvrage.
Ces prix établis en fin d'année 1988 sont cependant susceptibles d'être modifiés
si le coût de la vie subit des variations importantes.

VALMOJADO 45940 Toledo **444** L 17 – 2 141 h. – 🕿 91.
♦Madrid 43 – Talavera de la Reina 74 – Toledo 73.

🛏 **Martín Vares,** carret. N V 🎾 817 05 50 – 🛗 🍽 rest **P**. 🌾
Com 700 – 🍽 105 – **26 hab** 1900/2500.

CITROEN   Mendez Nuñez 35 🎾 817 06 00

VALSAIN Segovia **444** J 17 – ver La Granja.

VALTIERRA 31514 Navarra **442** F 25 – 2 320 h. alt. 265 – 🕿 948.
♦Madrid 335 – ♦Pamplona 80 – Soria 106 – ♦Zaragoza 100.

en la carretera de Pamplona N 121 NO : 3 km – ⊠ 31514 Valtierra – 🕿 948 :

🏨 **Los Abetos,** 🎾 86 70 00, ≼ – 🍽 rest 🕿 **P**, **E** _VISA_. 🌾
Com 950 – 🍽 250 – **31 hab** 2000/4000.

VALVANERA (Monasterio de) La Rioja **442** F 21 – ⊠ 26323 Anguiano – 🕿 941.
♦Madrid 359 – ♦Burgos 120 – ♦Logroño 63.

🛏 Hospederia Nuestra Señora de Valvanera 🦌, 🎾 37 70 44, ≼ – **P**
7 hab.

VALVERDE Canarias – ver Hierro.

VALVERDE DE CERVERA 26528 La Rioja **442** G 24 – 🕿 941.
♦Madrid 298 – ♦Pamplona 101 – Soria 69.

🛏 Mojón de los Tres Reyes, carret. C 101 🎾 19 84 54 – **P**
17 hab.

VALLADOLID 47000 🅟 **442** H 15 – 330 242 h. alt. 694 – 🕿 983 – Plaza de toros.
Ver : Colegio de San Gregorio** (museo Nacional de Escultura policromada***, portada**,
patio**, capilla*) BV – Museo Arqueológico* AV M² – Catedral* BX Q – Iglesia de San Pablo
(fachada**) BV E – Iglesia de Las Angustias (Virgen de los 7 Cuchillos*) BX L.
🛫 de Valladolid 14 km por ⑥ 🎾 56 01 62 – Iberia : Gamazo 17, ⊠ 47004, 🎾 30 06 66 BY.
🚩 pl. de Zorrilla 3, ⊠ 47001, 🎾 35 18 01 – R.A.C.E. Constitución 8, ⊠ 47001, 🎾 30 12 22.
♦Madrid 188 ④ – ♦Burgos 125 ① – ♦León 139 ⑥ – ♦Salamanca 115 ⑤ – ♦Zaragoza 420 ①.

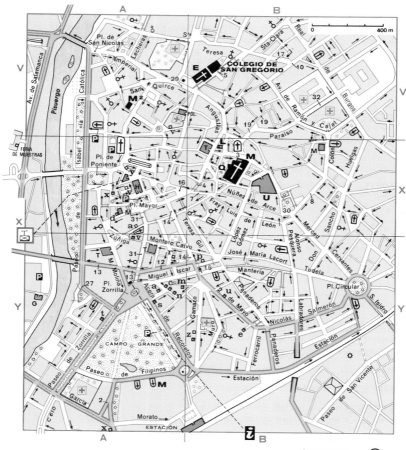

VALLADOLID

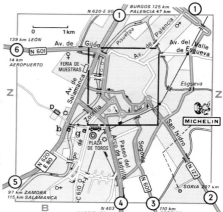

Olid Meliá, pl. San Miguel 10, ⌧ 47003, 🕾 35 72 00, Telex 26312, Fax 33 68 28 – 🛗 ⬛ 📺
⇌ – 🅰 🖭 ⓞ 🄴 𝒱𝐼𝑆𝐴. 🛠 AV **v**
Com 1700 – ⌑ 650 – **225 hab** 5200/8800.

Felipe IV sin rest, con cafetería, Gamazo 16, ⌧ 47004, 🕾 30 70 00, Telex 26264, Fax 30 86 87
– 🛗 ⇌ – 🅰 🖭 ⓞ 🄴 𝒱𝐼𝑆𝐴 BY **z**
⌑ 500 – **130 hab** 4975/8190.

Meliá Parque sin rest, con cafetería, García Morato 17, ⌧ 47007, 🕾 47 01 00, Telex 26355,
Fax 47 50 29 – 🛗 ⬛ ⇌ – 🅰 🖭 ⓞ 🄴 𝒱𝐼𝑆𝐴. 🛠 AY **x**
⌑ 635 – **294 hab** 4980/8480.

Roma, Héroes del Alcázar de Toledo 8, ⌧ 47001, 🕾 35 46 66 – 🛗 ⬛ ☎. 𝒱𝐼𝑆𝐴. 🛠 AX **a**
Com 1100 – ⌑ 250 – **38 hab** 3450/5225 – P 5250/6000.

Imperial, Peso 4, ⌧ 47001, 🕾 33 03 00, Telex 26304 – 🛗 ⬛ rest ☎. 🖭 🄴 𝒱𝐼𝑆𝐴. 🛠 rest AX **v**
Com 1450 – ⌑ 300 – **80 hab** 3585/4975 – P 5050/6145.

Mozart sin rest, con cafetería, Menéndez Pelayo 7, ⌧ 47001, 🕾 29 77 77 – 🛗 ⬛ 📺 ☎. 🖭 🄴
𝒱𝐼𝑆𝐴. 🛠 AY **r**
⌑ 350 – **38 hab** 3900/6800.

Enara sin rest, pl. de España 5, ⌧ 47001, 🕾 30 03 11 – ☎. 🛠 BY **p**
⌑ 275 – **26 hab** 2600/4250.

Feria y Rest. El Horno, av. Ramón Pradera (Feria de Muestras), ⌧ 47009, 🕾 33 32 44, 🍴
– ⬛ 📺 ☎ – 🅰 🖭 ⓞ 🄴 𝒱𝐼𝑆𝐴. 🛠 AX
Com 1400 – ⌑ 115 – **34 hab** 2860/4530 – P 5625/7300.

XXX **Mesón Cervantes,** El Rastro 6, ⌧ 47001, 🕾 30 61 38 – ⬛. 🖭 ⓞ 🄴 𝒱𝐼𝑆𝐴 AY **m**
cerrado domingo y agosto – Com carta 2150 a 3250.

XX **Machaquito,** Caridad 2, ⌧ 47001, 🕾 35 13 51 – ⬛. 🖭 ⓞ 🄴 𝒱𝐼𝑆𝐴. 🛠 AX **d**
cerrado domingo noche – Com carta 1900 a 2900.

XX ✿ **Mesón La Fragua,** paseo de Zorrilla 10, ⌧ 47006, 🕾 33 71 02, « Decoración castellana »
– ⬛. 🖭 ⓞ 🄴 𝒱𝐼𝑆𝐴. 🛠 AY **t**
cerrado domingo noche – Com carta 2300 a 3525
Espec. Puerros rellenos con mariscos, Lechazo asado, Lengua de ternera con piñones.

XX El Atrio, Atrio de Santiago 7, ⌧ 47001, 🕾 35 18 43, 🍴 – ⬛ AXY **v**

XX **Don Miguel,** Gamazo 24, ⌧ 47004, 🕾 30 40 71 – ⬛. 🖭 🄴 𝒱𝐼𝑆𝐴. 🛠 BY **z**
cerrado domingo en verano, domingo noche en invierno y del 1 al 15 agosto – Com
carta 1950 a 2450.

XX El Figón de Recoletos, acera de Recoletos 3, ⌧ 47004, 🕾 39 60 43, Cordero asado, Decoración
castellana – ⬛ AY **s**

XX **El Rincón de la Marquesina,** Dos de Mayo 16 - pasaje, ⌧ 47004, 🕾 30 55 38 – ⬛. 🖭 ⓞ
🄴 𝒱𝐼𝑆𝐴. 🛠 BY **e**
cerrado domingo noche – Com carta 2200 a 3300.

XX **El Hueco,** las Campanas 4, ⌧ 47001, 🕾 33 76 69 – ⬛. 🖭 ⓞ 𝒱𝐼𝑆𝐴. 🛠 AX **x**
cerrado domingo – Com carta 2000 a 3200.

X **La Goya,** puente Colgante 79, ⌧ 47006, 🕾 35 57 24, 🍴, « Bajo los porches de un simpático
patio castellano » – ❶. 𝒱𝐼𝑆𝐴. 🛠 BZ **b**
cerrado lunes y agosto – Com carta 1675 a 2800.

X **El Lugar,** Mantilla 1, ⌧ 47001, 🕾 39 85 04 – ⬛. 🖭 ⓞ 𝒱𝐼𝑆𝐴. 🛠 AY **a**
cerrado domingo noche y del 15 al 30 agosto – Com carta 1950 a 3000.

X **Mesón Panero,** Marina Escobar 1, ⌧ 47001, 🕾 30 16 73, Mesón típico – ⬛. 🖭 ⓞ 🄴 𝒱𝐼𝑆𝐴.
🛠 AY **c**
cerrado domingo en julio-agosto y domingo noche el resto del año – Com carta 2000 a 3750.

X **Lucense,** paseo de Zorrilla 86, ⌧ 47006, 🕾 27 20 10 – ⬛. 🖭 ⓞ 🄴 𝒱𝐼𝑆𝐴. 🛠 BZ **g**
Com carta 1500 a 2350.

X **Los Cedros,** Dos de Mayo 5, ⌧ 47004, 🕾 30 32 70 – 🖭 🄴 𝒱𝐼𝑆𝐴. 🛠 BY **u**
cerrado domingo noche y del 1 al 15 agosto – Com carta 1575 a 2900.

X **Portobello,** Marina Escobar 5, ⌧ 47001, 🕾 30 95 31, Pescados y mariscos – ⬛. 🖭 ⓞ 🄴
𝒱𝐼𝑆𝐴. 🛠 AY **n**
Com carta 1900 a 3350.

X Valentín, Marina Escobar 1, ⌧ 47001, 🕾 30 01 40 – ⬛ AY **c**

en la carretera del Pinar C 610 SO : 14 km – BZ – ⌧ 47130 Simancas – ✿ 983 :

XXX **El Bohío,** 🕾 59 00 55, 🍴, « Lindando con un pinar al borde del Duero », 🏊 – ⬛ ❶. 🖭 ⓞ
🄴 𝒱𝐼𝑆𝐴. 🛠
cerrado lunes y martes – Com carta 2050 a 3950.

S.A.F.E. Neumáticos MICHELIN, Sucursal, Polígono Cerro San Cristóbal - Aluminio 222 y 223,
⌧ 47012 BZ 🕾 **30 44 66 y 30 44 88**

VALL DE UXÓ 12600 Castellón 445 M 29 – 26 145 h. – ✪ 964.

Alred. : Grutas de San José★ O : 2 km.

♦Madrid 389 – Castellón de la Plana 26 – Teruel 118 – ♦Valencia 39.

☲ **Blanca** sin rest, Joaquín París 3 ℰ 66 15 72
27 hab 1100/2000.

en las grutas de San José O : 2 km – ✉ 12600 Vall de Uxó – ✪ 964 :

✗ **La Gruta,** ℰ 66 00 08, En una gruta – ⓪ Ɛ 𝓥𝓢𝓐. 🛵
Com carta 1225 a 2425.

CITROEN Juan Capó 20 ℰ 66 07 97
FIAT av. Corazón de Jesús 113 ℰ 66 49 20
FORD Benigafull 33 ℰ 66 28 16
MERCEDES-BENZ carret. Soneta-Burriana km 22,5 ℰ 66 12 35

OPEL Ramón y Cajal 5 ℰ 66 22 20
PEUGEOT-TALBOT av. Jaime I, 64 ℰ 66 18 00
RENAULT av. Corazón de Jesús 168 ℰ 66 22 11
SEAT-AUDI-VOLKSWAGEN av. Corazón de Jesús 82 ℰ 66 07 50

VALLDOREIX Barcelona – ver San Cugat del Vallés.

VALLE – ver el nombre propio del valle.

VALLE DE CABUÉRNIGA Cantabria 441 C 17 – ✉ 39516 Renedo – ✪ 942.

♦Madrid 413 – ♦Oviedo 171 – ♦Santander 57.

en Renedo carretera de Reinosa S : 3 km – ✉ 39516 Renedo – ✪ 942 :

🏠 **Reserva del Saja** 🦌, ℰ 70 61 90 (ext. 30), ≼ – ⓟ. 𝓥𝓢𝓐. 🛵
Com 1400 – ⊊ 375 – **17 hab** 3750/5250 – P 5250/6375.

VALLFOGONA DE RIUCORP o **VALLFOGONA DE RIUCORB** 43427 Tarragona 443 H 33 – 128 h. alt. 698 – ✪ 977 – Balneario.

♦Madrid 521 – ♦Lérida/Lleida 64 – Tarragona 75.

🏨 **Balneario** 🦌, E : 1,8 km ℰ 88 00 25, « En un parque », 🏊, 🐎, 🎾 – 📶 🐎 ⬅ ⓟ. 🛵 rest
6 mayo-28 octubre – Com 1700 – ⊊ 430 – **96 hab** 3300/4850 – P 5425/6300.

VALLROMANAS 08188 Barcelona 443 H 36 – 383 h. – ✪ 93.

♦Madrid 643 – ♦Barcelona 22 – Tarragona 123.

✗ **Mont Bell,** carret. de Granollers O : 1 km ℰ 568 07 91 – 🍽 ⓟ. 𝓥𝓢𝓐. 🛵
cerrado 25 junio-16 julio, domingo y festivos – Com carta 1645 a 2230.

VALLS 43800 Tarragona 443 I 33 – 18 753 h. alt. 215 – ✪ 977.

🛈 pl. del Blat 1 ℰ 60 10 43.

♦Madrid 535 – ♦Barcelona 100 – ♦Lérida/Lleida 78 – Tarragona 19.

en la carretera de Tarragona S : 1,5 km – ✉ 43800 Valls – ✪ 977 :

✗✗ **Casa Félix,** ℰ 60 13 50, 🌤 – 🍽 ⓟ. ㏂ ⓪ Ɛ 𝓥𝓢𝓐. 🛵
Com carta 1575 a 2650.

AUSTIN-ROVER carret. del Pla de Santa María ℰ 60 50 77
FIAT Candela 29 ℰ 60 01 54
FORD Reverendo Martí 3 ℰ 60 01 63
OPEL-GM Polígono Industrial C/A- esquina C/F ℰ 60 07 16

PEUGEOT-TALBOT carret. del Plá de Santa María 14 ℰ 60 13 53
RENAULT av. Andorra la Vella 2 ℰ 60 01 65
SEAT-AUDI-VOLKSWAGEN carret. de Tarragona 1 ℰ 60 47 82

VARADERO (Playa del) Alicante – ver Santa Pola.

El VEDAT Valencia 445 N 28 – ver Torrente.

VEGA DE ANZO Asturias – ver Grado.

VEGA DE VALCARCE 24520 León 441 E 9 – 1 454 h. – ✪ 987.

♦Madrid 422 – ♦León 143 – Lugo 85 – Ponferrada 36.

en la carretera N VI - en La Portela – ✉ 24524 Portela de Valcarce – ✪ 987 :

🏠 Valcarce, ℰ 54 04 98 – ⓟ
20 hab.

VEGUELLINA DE ÓRBIGO 24350 León 441 E 12 – ✪ 987.

♦Madrid 314 – Benavente 57 – ♦León 32 – Ponferrada 79.

✗ **Mesón de la Herrería,** Pío de Cela ℰ 37 43 35, 🌤, 🏊 de pago, 🎾 – 🍽 ⓟ. 𝓥𝓢𝓐. 🛵
cerrado 5 noviembre-5 diciembre – Com carta 950 a 1625.

412

VELATE (Puerto de) Navarra **442** C 25 – alt. 847 – ❀ 948.

♦Madrid 432 – ♦Bayonne 85 – ♦Pamplona 33.

en la carretera N 121 S : 2 km – ⊠ 31797 Arraiz – ❀ 948 :

🏮 **Venta de Ulzama** con hab, ℰ 30 51 38, ≤ – ⇔ **Ɒ**. ፴ ◑ ፴ *VISA*. ⚘ rest
cerrado del 4 al 28 noviembre – Com carta 1600 a 2650 – ⊑ 325 – **15 hab** 2200/3200 – P 4700/5300.

VÉLEZ MÁLAGA 29700 Málaga **446** V 17 – 41 937 h. – ❀ 952.

♦Madrid 530 – ♦Almería 180 – ♦Granada 100 – ♦Málaga 36.

🏠 **Dila** sin rest y sin ⊑, av. Vivar Tellez 3 ℰ 50 39 00 – ▮❙ ☎. ᙠ *VISA*. ⚘
18 hab 2200/3800.

VELEZ RUBIO 04820 Almería **446** T 23 – 6 356 h. alt. 838 – ❀ 951.

♦Madrid 495 – ♦Almería 168 – ♦Granada 175 – Lorca 47 – ♦Murcia 109.

🏠 **Hostal Jardín Casa Pepa,** carret. de Murcia 17 ℰ 41 01 06 – ▤ rest ⇔ **Ɒ**. ፴ *VISA*. ⚘
Com 800 – ⊑ 200 – **46 hab** 1300/2500.

OPEL carret. de Granada km 109 ℰ 41 04 33   RENAULT paseo de San Sebastián ℰ 41 03 32

VELILLA (Playa de) Granada **446** V 19 – ver Almuñecar.

El VENDRELL 43700 Tarragona **443** I 34 – 11 597 h. alt. 977 – ❀ 977.

Alred. : Monasterio de Santa Creus** (gran claustro** : sala capitular*, iglesia* : rosetón*, claustro de la enfermería* : patio*) NO : 27 km.

🛈 Dr Robert 33 ℰ 66 02 92.

♦Madrid 570 – ♦Barcelona 75 – ♦Lérida/Lleida 113 – Tarragona 27.

🏠 **Del Cid,** Nou 60 ℰ 66 03 10 – ▤ rest ⇔. ◑ ᙠ *VISA*. ⚘ rest
Com 1200 – ⊑ 325 – **49 hab** 2400/3500 – P 4065/4715.

✗ **Pi,** Rambla 2 ℰ 66 00 02 – ▤. ᙠ *VISA*. ⚘
cerrado 19 octubre-6 noviembre – Com carta 1795 a 3475.

✗ **El Moli de Cal Tof,** carret. de Santa Oliva 2 ℰ 66 26 51, Decoración rústica – ▤ **Ɒ**. ፴ ◑ ᙠ *VISA*. ⚘
cerrado lunes – Com carta 1930 a 3150.

en la playa de Sant Salvador S : 3,5 km – ⊠ 43130 Sant Salvador – ❀ 977 :

🏨 Europe San Salvador ⚘, Llobregat 11 ℰ 68 06 11, Telex 56681, ⊥, ⚘ – ▮❙ ▤ rest ☎ **Ɒ**
145 hab.

🏠 **L'Ermita,** Manresa ℰ 68 07 10, ⊥ – ▮❙ **Ɒ**. ፴ *VISA*. ⚘
mayo-15 octubre – Com 1050 – ⊑ 300 – **57 hab** 2500/3600 – P 3900/4600.

ALFA-ROMEO av. de la Bisbal 3 ℰ 66 06 C+
AUSTIN ROVER Jaume Urgell 3 ℰ 66 13 12
CITROEN carret. N 340 ℰ 66 04 41
FORD av. San Vicens ℰ 66 11 05
GENERAL MOTORS carret. de Calafell 10 ℰ 66 09 85

PEUGEOT-TALBOT carret. N 340 ℰ 66 15 00
RENAULT San Vicente 47 ℰ 66 06 72
SEAT-AUDI-VOLKSWAGEN carret. N 340 km 277 ℰ 66 07 54

VENTA DE BAÑOS 34200 Palencia **441** y **442** G 16 – 7 080 h. – ❀ 988.

♦Madrid 218 – ♦Burgos 87 – Palencia 13 – ♦Valladolid 36.

🏨 **San-Gar,** sin rest, con cafetería, av. 1° de junio 67 ℰ 77 08 41 – ▮❙ ⇔. ፴ ᙠ *VISA*. ⚘
⊑ 275 – **50 hab** 2625/4050.

RENAULT Frontera de Haro 24 ℰ 77 17 85

VENTAS DE ARRAIZ 31797 Navarra **442** C 25 – alt. 588 – ❀ 948.

♦Madrid 427 – ♦Bayonne 90 – ♦Pamplona 28.

✗ **Juan Simón** con hab, carret. N 121 ℰ 30 50 52, ⌖ – **Ɒ**. *VISA*. ⚘ rest
cerrado 15 agosto-9 septiembre – Com *(cerrado jueves)* carta 1550 a 2850 – **10 hab** 2500/3500 – P 4300/4900.

VERA 04620 Almería **446** U 24 – 5 478 h. – ❀ 951 – Playa.

♦Madrid 512 – ♦Almería 95 – ♦Murcia 126.

🏨 **Terraza Carmona,** Manuel Jiménez 1 ℰ 45 01 88, ⌖ – ▤ ☎ **Ɒ**. ፴ *VISA*. ⚘
Com *(cerrado lunes y del 1 al 16 septiembre)* – ⊑ 175 – **22 hab** 2800/3900 – P 3750/4600.

en la carretera de Murcia NO : 2 km – ⊠ 04620 Vera – ❀ 951 :

🏨 Argar, ℰ 45 14 01, ⌖, ⊥, ⚘ – ▤ ☎ **Ɒ** – ⚕
27 hab.

PEUGEOT-TALBOT carret. de Garrucha ℰ 45 14 65
RENAULT carret. de Murcia ℰ 45 00 07

SEAT-AUDI-VOLKSWAGEN carret. de Murcia ℰ 45 02 02

VERA DE BIDASOA 31780 Navarra **442** C 24 – 3 454 h. – ✿ 948 – ver aduanas p. 14 y 15.

♦Madrid 470 – ♦Pamplona 75 – ♦San Sebastián/Donostia 35.

XXX **Ansorena,** pl. de Los Fueros 1 ✆ 63 00 72 – 🍴 **Ⓟ**. **AE ⓞ E 𝓥𝓘𝓢𝓐**. ⌘
  cerrado domingo noche, lunes y 15 diciembre-enero – Com carta 2550 a 3450.

X **Euskalduna,** Bidasoa 5 ✆ 63 03 92 – **Ⓟ**.

RENAULT carret. Pamplona - Irún ✆ 63 06 21

VERGARA o **BERGARA** 20570 Guipúzcoa **442** C 22 – 15 759 h. alt. 155 – ✿ 943.

♦Madrid 399 – ♦Bilbao 54 – ♦San Sebastián/Donostia 62 – ♦Vitoria/Gasteiz 44.

🏢 **Ariznoa** sin rest, Telesforo de Aranzadi 3 ✆ 76 18 46 – 🛗 🐎. **ⓞ E 𝓥𝓘𝓢𝓐**
  ☲ 300 – **26 hab** 2150/4000.

XX **Zumelaga,** San Antonio 5 ✆ 76 20 21 – 🍴. **AE E 𝓥𝓘𝓢𝓐**. ⌘
  cerrado domingo y agosto – Com carta 2500 a 3650.

X ✿ **Lasa,** Bidekurutzeta 34 ✆ 76 10 55 – 🍴. **E 𝓥𝓘𝓢𝓐**. ⌘
  cerrado agosto – Com (sólo almuerzo) carta 2050 a 4075
  Espec. Surtido de ahumados, Merluza Lasa, Papillote de hongos y trufas.

CITROEN San Lorenzo 10 ✆ 76 47 49
FORD Barrio San Lorenzo ✆ 76 22 43
GENERAL MOTORS Barrio Ola-carret. Mondragón ✆ 76 33 44

PEUGEOT-TALBOT Barrio San Lorenzo ✆ 76 15 06
RENAULT Barrio Goembulu ✆ 76 12 50
SEAT-AUDI-VOLKSWAGEN Amilaga 18 - Barrio San Lorenzo ✆ 76 18 38

VERIN 32600 Orense **441** G 7 – 9 983 h. alt. 612 – ✿ 988 – Balneario – ver aduanas p. 14 y 15.

Alred. : Castillo de Monterrey (❀★, iglesia : portada★) O : 6 km.

♦Madrid 430 – Orense 69 – Vila Real 90.

🏨 **Aurora,** Luis Espada 35 ✆ 41 00 25 – ☎. ⌘
  Com 1500 – ☲ 300 – **34 hab** 2925/3700 – P 4010/5085.

🏨 **Dos Naciones** sin rest, Luis Espada 38 ✆ 42 01 00, 🛏 – ☎ ⇆
  25 hab ☲ 1600/3100.

XX **Gallego,** Luis Espada 24 ✆ 41 09 29 – 🍴. **AE ⓞ E 𝓥𝓘𝓢𝓐**
  cerrado lunes de octubre a junio – Com carta 1550 a 2500.

  junto al castillo NO : 4 km – ⌗ 32600 Verín – ✿ 988 :

🏰 **Parador de Monterrey** ⌘, ✆ 41 00 75, Fax 41 20 17, < castillo y valle, « Suntuoso edificio de estilo regional », ⌘, 🛏 – ☎ ⇆ **Ⓟ**. **AE ⓞ E 𝓥𝓘𝓢𝓐**. ⌘
  Com 2500 – ☲ 800 – **23 hab** 6000/7500.

ALFA ROMEO carret. N 525 ✆ 41 30 52
AUSTIN-ROVER barrio de la Cruz Roja ✆ 41 10 41
CITROEN av. Zamora ✆ 41 10 44
FORD av. Zamora ✆ 41 16 48
GENERAL MOTORS carret. Villacastín-Vigo km 481 ✆ 41 09 44

MERCEDES carret. N 525 ✆ 41 12 21
PEUGEOT-TALBOT av. Castilla 45-47 ✆ 41 03 13
RENAULT carret. Villacastín-Vigo km 484 ✆ 41 06 50
SEAT-AUDI-VOLKSWAGEN av. Castilla ✆ 41 04 18

VIANA 31230 Navarra **442** E 22 – 3 413 h. – ✿ 948.

♦Madrid 341 – ♦Logroño 10 – ♦Pamplona 82.

XX **Borgia,** Serapio Urra ✆ 64 57 81, 🍴 – **AE ⓞ E 𝓥𝓘𝓢𝓐**. ⌘
  cerrado domingo noche y del 1 al 22 agosto – Com carta 2800 a 5700.

VICH o **VIC** 08500 Barcelona **443** G 36 – 30 057 h. alt. 494 – ✿ 93.

Ver : Museo episcopal★★ – Catedral★ (pinturas★★, retablo★, sepulcro★) – 🅱 pl. Major 1 ✆ 886 20 91.

♦Madrid 637 – ♦Barcelona 66 – Gerona/Girona 79 – Manresa 52.

🏨 **Can Pamplona** sin rest, carret. N 152 ✆ 885 36 12 – 🛗 📺 ☎ ⇆ **Ⓟ** – 🔬. **AE ⓞ E 𝓥𝓘𝓢𝓐**. ⌘
  ☲ 400 – **34 hab** 4000/5000.

🏢 **Ausa** sin rest, pl. Major 3 ✆ 885 53 11 – 🛗 🐎. **E 𝓥𝓘𝓢𝓐**. ⌘
  ☲ 475 – **26 hab** 3500/4850.

XX **L'Anec Blau,** Verdaguer 21 ✆ 885 31 51 – 🍴. **E 𝓥𝓘𝓢𝓐**. ⌘
  cerrado lunes y del 1 al 17 agosto – Com carta 1375 a 3350.

XX **Mamma Meva,** rambla del Passeig 61 ✆ 886 39 98, Cocina italiana – 🍴. **AE ⓞ E 𝓥𝓘𝓢𝓐**. ⌘
  cerrado miércoles, 25 septiembre-9 octubre y 26 febrero-8 marzo – Com carta 1395 a 2265.

X **La Taula,** pl. de Don Miguel de Clariana 4 ✆ 886 32 29 – **AE ⓞ 𝓥𝓘𝓢𝓐**
  cerrado del 5 al 23 febrero, lunes de mayo a octubre y domingo noche – Com carta 1875 a 2950.

  en Santa Eugenia de Berga SE : 3,5 km – ⌗ 08519 Santa Eugenia de Berga – ✿ 93 :

X **L'Arumi,** carret. d'Arbucies 40 ✆ 885 56 03 – 🍴 **Ⓟ**. **AE ⓞ E 𝓥𝓘𝓢𝓐**. ⌘
  cerrado lunes y julio – Com carta 1580 a 2225.

  por la carretera de Roda de Ter NE : 15 km – ✿ 93 :

🏰 **Parador de Vich** ⌘, ⌗ 08500 apartado oficial de Vich, ✆ 888 72 11, Fax 888 73 11, < pantano de Sau y montañas, ⌘, ⛳ – 🛗 🍴 ⇆ **Ⓟ**. **AE ⓞ E 𝓥𝓘𝓢𝓐**. ⌘
  Com 2500 – ☲ 800 – **36 hab** 7200/9000.

CITROEN carret. N 152 km 64,3 ✆ 885 45 20
FORD carret. Barcelona-Puigcerdá 36 ✆ 885 24 11
GENERAL MOTORS Raimundo Abadal 10 ✆ 885 12 54
MERCEDES-BENZ Sant Segimon 14 ✆ 886 23 43

PEUGEOT-TALBOT Rafael Gay de Montalla ✆ 885 51 61
RENAULT carret. San Hipolito 12 ✆ 886 36 89
SEAT-AUDI-VOLKSWAGEN Jaime I-4 ✆ 886 24 11

VIDRERAS o **VIDRERES** 17411 Gerona 443 G 38 − 3 199 h. alt. 93 − ✪ 972 − Plaza de toros.

♦Madrid 687 − ♦Barcelona 74 − Gerona/Girona 24.

- ✗ **Can Pou** con hab, Pau Casals 15 ✆ 85 00 14 − ▤ rest 🅿. 🆊 ⓪ E 𝘝𝘐𝘚𝘈. ✷
  cerrado del 11 al 27 diciembre − Com *(cerrado domingo noche y lunes fuera de temporada)*
  carta 1500 a 3525 − ⟱ 375 − **26 hab** 1750/2900 − P 3950/4250.

- ✗ La Font del Pla, Marinada 28 ✆ 85 04 91, 😅.

  al Noroeste : 1 km − ✉ 17411 Vidreras − ✪ 972 :

- ✗✗ Mas Flassiá, ✆ 85 01 55, 😅, « Masia con agradable terraza », ⤴, ✷ − 🅿.

  al Suroeste 2 km − ✉ 17411 Vidreras − ✪ 972 :

- ✗ Can Castells, junto a carret. N II ✆ 85 03 69, Decoración rústica − 🅿.

  en la carretera de Llagostera NE : 5 km − ✉ 17240 Llagostera − ✪ 972 :

- ✗ El Moli de la Selva, ✆ 47 03 00, Instalado en un antiguo molino, Decoración rústica − 🅿.

RENAULT Sils 8 ✆ 85 02 08

SEAT-AUDI-VOLKSWAGEN Pompeu Fabra 32 ✆ 85 00 56

VIELLA o **VIELHA** 25530 Lérida 443 D 32 − 2 961 h. alt. 971 − ✪ 973 − Deportes de invierno en La Tuca ≤5.

Ver : Iglesia (Cristo de Mig Arán★).

Alred. : N : Valle de Arán★★ − Vilamós ≤★ NO : 13 km.

🛈 Sarriulera 6 ✆ 64 01 10.

♦Madrid 595 − ♦Lérida/Lleida 163 − St-Gaudens 70.

- 🏨 **Urogallo,** av. Castiero 7 ✆ 64 00 00, Telex 54990 − 🛗 ➢. 🆊 ⓪ E 𝘝𝘐𝘚𝘈. ✷
  cerrado 2 noviembre-15 diciembre − Com 1050 − **36 hab** ⟱ 4325/6650.

- 🏨 Adyal Neu, carret. de Gausach ✆ 64 02 75 − 🛗 ☎ ⬅
  107 hab.

- 🏨 **Arán,** av. Castiero 5 ✆ 64 00 50 − 🛗 ➢. 🆊 ⓪ E 𝘝𝘐𝘚𝘈
  Com 1050 − ⟱ 325 − **44 hab** 3000/5000.

- 🏨 **Resid. D'Arán** ॐ sin rest, carret. del túnel ✆ 64 00 75, ≤ Viella, valle y montañas − 🛗 ➢
  🅿. 🆊 𝘝𝘐𝘚𝘈. ✷
  julio-septiembre y diciembre-abril − ⟱ 300 − **36 hab** 2850/4900.

- 🏨 **Delavall,** Pas d'Arró 40 ✆ 64 02 00, ≤ − 🛗 ☎ 🅿. 🆊 ⓪. ✷ rest
  Com 1000 − ⟱ 300 − **28 hab** 2000/4000.

- 🏨 **Baricauba y Riu Nere** sin rest, Sant Nicolau 3 ✆ 64 01 50 − 🛗 ➢ ⬅. 🆊 ⓪ E 𝘝𝘐𝘚𝘈. ✷
  48 hab ⟱ 3200/5500.

- 🏠 **La Bonaigua** sin rest, Casteth 5 bis ✆ 64 01 44 − 🛗 ➢. ✷
  cerrado 2 noviembre-2 diciembre − ⟱ 325 − **20 hab** 2600/4200.

- 🏠 **Turrull,** Reiau 11 ✆ 64 00 58 − 🆊 ⓪ E 𝘝𝘐𝘚𝘈. ✷
  Com 1200 − ⟱ 300 − **39 hab** 1800/4000.

- ✗ Neguri, Pas d'Arró 14 ✆ 64 02 11 − ▤.

- ✗ Pizzeria Trastevere, Pas d'Arró ✆ 64 09 63, Cocina italiana.

- ✗ **Antonio,** av. del túnel, junto a gasolinera ✆ 64 08 87 − 🆊 ⓪ E 𝘝𝘐𝘚𝘈. ✷
  cerrado lunes y 15 noviembre-15 diciembre − Com carta 1850 a 2900.

- ✗ **Gustavo-María José (Era Mola),** Marrec 8 ✆ 64 08 68, Decoración rústica − 🆊
  15 julio-25 septiembre y diciembre-15 abril − Com *(en invierno sólo cena y cerrado sábado y domingo)* carta 1600 a 3150.

- ✗ D'Et Gourman, Met Dia 10, ✉ 25530, ✆ 64 04 45.

  en Betrén-por la carretera de Salardú E : 1 km − ✉ 25539 Betrén − ✪ 973 :

- 🏨 **Tuca** ॐ, ✆ 64 07 00, Telex 54990, Fax 64 07 54, ≤, ⤴, ⤴ − 🛗 📺 ☎ ⬅ 🅿 − 🔬 🆊 ⓪ E 𝘝𝘐𝘚𝘈. ✷
  cerrado 15 octubre-15 diciembre − Com 1800 − **118 hab** ⟱ 6200/11200.

- ✗ **La Borda de Betrén,** Mayor ✆ 64 00 32, Decoración rústica − 🆊 ⓪ 𝘝𝘐𝘚𝘈
  julio-10 octubre y diciembre-abril − Com carta 2000 a 2300.

  en Escunhau - por la carretera de Salardú E: 3 km − ✉ 25539 Escunhau − ✪ 973 :

- 🏠 **Casa Estampa** ॐ, Sortán 7, ✉ 25539, ✆ 64 00 48, ≤ − 🅿. ✷
  Com 1100 − ⟱ 450 − **26 hab** 4000.

- ✗ **Casa Turnay,** pl. Mayor ✆ 64 02 92, Decoración rústica − ⓪
  diciembre-abril, julio-septiembre y fines de semana en otoño − Com carta 1290 a 1980.

VIELLA o VIELHA

en la carretera N 230 S : 2,5 km – ⊠ 25530 Viella – ✿ 973 :

🏨 **Parador del Valle de Arán** ⬲, ✆ 64 01 00, Fax 64 11 00, ≼ valle y montañas, ⅃ – 🛗 ⇌
   ℗ – 🔬 🆔 ⓞ **E** 𝘝𝘐𝘚𝘈 ✀
   Com 2500 – ⥴ 800 – **135 hab** 6400/8000.

en Garós por la carretera de Salardú E : 5 km – ⊠ 25539 Garós – ✿ 973 :

✗ Et Restillé, pl. Carrera 2 ✆ 64 15 39, Decoración rústica.

en Pont d'Arrós NO : 6 km – ⊠ 25530 Viella – ✿ 973 :

🏠 **Peña,** carret. N 230 ✆ 64 08 86, ≼ – ℗ **E** 𝘝𝘐𝘚𝘈 ✀
   cerrado del 1 al 15 octubre – Com 1300 – ⥴ 400 – **24 hab** 2900/3700 – P 3950/5000.

CITROEN carret. de Betrén ✆ 64 01 47
FORD Conjunto Residencial - edificio Elurra ✆ 64 01 47
GENERAL MOTORS Conjunto Residencial - edificio Elurra ✆ 64 01 47

PEUGEOT-TALBOT carret. Betrén - edificio Elurra ✆ 64 01 47
RENAULT av. Marcatosa ✆ 64 01 36
SEAT-AUDI-VOLKSWAGEN carret. N 230 ✆ 64 01 27

VIGO 36200 Pontevedra 🔢🔢🔢 F 3 – 258 724 h. alt. 31 – ✿ 986.

Ver : Emplazamiento★ – El Castro ≼★★ AZ.

Alred. : Ria de Vigo★ – Mirador de la Madroa ≼★★ por carret. del aeropuerto : 6 km BZ.

🏌 Aero Club de Vigo por ② : 11 km ✆ 22 11 60.

🛫 de Vigo por N 550 : 9 km BZ ✆ 27 07 48 – Iberia : Marqués de Valladares 17 ✆ 25 26 66 AY
Aviaco : aeropuerto ✆ 27 40 56.

🚢 ✆ 22 35 97.

🅸 Jardines de las Avenidas. ⊠ 36201, ✆ 43 05 77 – R.A.C.E. México 3. ⊠ 36204, ✆ 42 00 08.

◆Madrid 600 ② – ◆La Coruña 156 ① – Orense 101 ② – Pontevedra 27 ① – ◆Porto 157 ②.

Plano página siguiente

🏨 **Ciudad de Vigo** Ⓜ sin rest, con cafetería, Concepción Arenal 5, ⊠ 36201, ✆ 22 78 20, Telex 83307, Fax 43 98 71 – 🛗 🖭 ☎ ⇌ – 🔬 🆔 ⓞ **E** 𝘝𝘐𝘚𝘈 ✀   BY **z**
   ⥴ 600 – **101 hab** 8000/10000.

🏨 **Bahía de Vigo,** av. Cánovas del Castillo 5, ⊠ 36202, ✆ 22 67 00, Telex 83014, Fax 43 74 87, ≼
   – 🛗 🖭 rest 🖭 ☎ ⇌ – 🔬 🆔 ⓞ **E** 𝘝𝘐𝘚𝘈 ✀   AY **n**
   Com 2200 – ⥴ 675 – **110 hab** 10000/12500 – P 14000/20500.

🏨 **Coia** sin rest, con cafetería, Sangenjo 1, ⊠ 36209, ✆ 20 18 20, Telex 83460 – 🛗 🖭 🖭 ☎ ⇌
   ℗ – 🔬 🆔 ⓞ **E** 𝘝𝘐𝘚𝘈 ✀   por ③
   ⥴ 500 – **126 hab** 6800/9300.

🏨 **México** sin rest, con cafetería, Vía del Norte 10, ⊠ 36204, ✆ 43 16 66, Telex 83321 – 🛗 🖭
   ☎ ⇌ – 🔬 🆔 ⓞ **E** 𝘝𝘐𝘚𝘈 ✀   BZ **f**
   ⥴ 445 – **112 hab** 4160/6695.

🏨 **Ipanema** sin rest, con cafetería, Vazquez Varela 31, ⊠ 36204, ✆ 47 13 44, Telex 83671 – 🛗
   🖭 ⇌ – 🔬 🆔 ⓞ **E** 𝘝𝘐𝘚𝘈 ✀   BZ **n**
   ⥴ 450 – **53 hab** 5400/6800.

🏨 Ensenada, Alfonso XIII - 7, ⊠ 36201, ✆ 22 61 00, Telex 83561 – 🛗 🖭 ☎ ⇌   BZ **b**
   109 hab.

🏨 **América,** sin rest, Pablo Morillo 6, ⊠ 36201, ✆ 43 89 22 – 🛗 🖭 ☎. 🆔 ⓞ **E** 𝘝𝘐𝘚𝘈. ✀   AY **y**
   ⥴ 405 – **60 hab** 4100/5500.

🏨 **Galicia** sin rest, con cafetería, Colón 11, ⊠ 36201, ✆ 43 40 22 – 🛗 ☎. 🆔 ⓞ **E** 𝘝𝘐𝘚𝘈. ✀   BY **a**
   ⥴ 450 – **53 hab** 3800/5500.

🏠 **Nilo** sin rest, Marqués de Valladares 8, ⊠ 36201, ✆ 43 28 99 – 🛗 ⇌. 🆔 ⓞ **E** 𝘝𝘐𝘚𝘈. ✀   AY **v**
   ⥴ 350 – **52 hab** 4800/5500.

🏠 **Celta** sin rest, México 22, ⊠ 36204, ✆ 41 46 99 – 🛗 ⇌ ℗. 𝘝𝘐𝘚𝘈. ✀   BZ **t**
   ⥴ 350 – **45 hab** 4300/5400.

🏠 **Del Mar** sin rest, Luis Taboada 34, ⊠ 36201, ✆ 43 68 11 – 🛗 ⇌. 🆔 **E** 𝘝𝘐𝘚𝘈. ✀   BY **e**
   ⥴ 300 – **27 hab** 2900/4600.

🏠 **Estación,** sin rest y sin ⥴, Alfonso XIII-43, ⊠ 36201, ✆ 43 89 11 – 🛗 ⇌. 🆔 𝘝𝘐𝘚𝘈. ✀   BZ **b**
   22 hab 1900/2700.

🏠 **Estoril** sin rest, Lepanto 12, ⊠ 36201, ✆ 43 61 22 – ☎. ✀   BZ **r**
   ⥴ 160 – **40 hab** 2500/3600.

✗✗ **El Castillo,** Monte del Castro, ⊠ 36213, ✆ 42 12 99, ≼ ria de Vigo y ciudad, « En un
   parque » – ☎ ℗. 🆔 ⓞ **E** 𝘝𝘐𝘚𝘈. ✀   AZ **s**
   cerrado domingo noche y lunes – Com carta 1950 a 3150.

✗✗ ❀ **Puesto Piloto Alcabre,** av. Atlántida 194, ⊠ 36208, ✆ 29 79 75, ≼ – ℗. 🆔 ⓞ **E** 𝘝𝘐𝘚𝘈. ✀
   cerrado domingo noche y del 1 al 15 noviembre – Com carta 2180 a 3300
   Espec. Bogavante en salsa rosa, Arroz de vieiras, Pote marinero.   por av. Beiramar : 5 km AY

✗✗ Costa Verde, Marqués de Valladores 34, ⊠ 36201, ✆ 22 12 46, Telex 83773 – 🍽   AY **r**

✗✗ **Real Club Naútico,** Jardines de las Avenidas, ⊠ 36202, ✆ 22 26 34, ≼ – 🆔 ⓞ **E** 𝘝𝘐𝘚𝘈 ✀
   cerrado domingo – Com carta 1625 a 2500.   AY **m**

VIGO

Colón	BY	
Policarpo Sanz	ABY	
Principe	AYZ	
Urzaiz	BZ	
Alfonso XII (Paseo de)	AZ	2
Cánovas del Castillo	AY	4
Carral	AY	9
Cervantes	BZ	10
Concepción Arenal	BY	12
J. Elduayen	AY	14
Lepanto	BZ	15
Luis Taboada	AY	16
Marqués de Valladares	AY	17
Montero Ríos	AY	18
Porta do Sol	AY	19
Reconquista	AY	20
República Argentina	BZ	21
Ribeira	AY	22
Urzaiz (Pl.)	BZ	23
Velázquez Moreno	AYZ	24
Victoria	AY	25

XX **Las Bridas,** Ecuador 58, ✉ 36203, ✆ 43 13 91 – ▤. AE ◑ E VISA. ✗ — BZ **d**
cerrado domingo – Com carta 2000 a 3400.

XX ✿ **Síbaris,** av. García Barbón 168, ✉ 36201, ✆ 22 15 26 – ▤. AE E VISA. ✗ — por ① BY
cerrado domingo – Com carta 2550 a 3800
Espec. Nécoras rellenas, Merluza con compote de tomate al perfume de romero, Surtido de tartas caseras.

X **El Mosquito,** pl. Villavicencio 4, ✉ 36202, ✆ 43 35 70, Pescados y mariscos – ▤. AE ◑ VISA. ✗ — AY **u**
cerrado domingo y 15 agosto-15 septiembre – Com carta 1650 a 2800.

X **José Luis,** av. de la Florida 34, ✉ 36210, ✆ 29 95 22 – AE E VISA. ✗ — por ③
cerrado domingo y del 15 al 31 agosto – Com carta 1900 a 3000.

X Mesón Jai-Alai, San Salvador - Local 1A (Edificio Plaza), ✉ 36204, ✆ 42 04 36, Cocina vasca — por av. Urzáiz BZ

en la carretera del aeropuerto por av. de Urzáiz : 4 km - BZ – ✉ 36215 Vigo – ✆ 986 :

X **Mendi-Ikea,** av. del Aeropuerto 151 ✆ 27 61 98, Cocina vasca – P. VISA. ✗
cerrado domingo noche – Com carta 1450 a 2150.

en la playa de Samil por av. Beiramar : 6,5 km AZ – ✉ 36212 Vigo – ✆ 986 :

Samil Playa, ✆ 20 52 11, Telex 83263, Fax 23 14 19, ≤, ⛱, ⛱, ✗ – |‡| TV ⇔ P – 🏛. AE ◑ E VISA. ✗
Com 2330 – ☕ 555 – **137 hab** 7260/9680 – P 9275/11695.

X As Dornas, ✆ 23 20 13, ≤.

VIGO

en la playa de La Barca por av. Beiramar : 7,5 km AY – ⊠ 36330 Corujo – ✿ 986 :
- ✗ Timón Playa, 🖋 49 08 15, ≤, 🍴 – ⒫.

en Chapela por ① : 7 km – ⊠ 36320 Chapela – ✿ 986 :
- ✗ **El Canario,** av. Generalísimo 218 🖋 45 30 40, Vivero propio – 🖭 ⓞ 🗲 🆅🆂🅰 – Com carta 2200 a 3200.
  cerrado domingo noche, lunes y noviembre – Com carta 2200 a 3200.

en la playa de Canido por av. Beiramar : 9 km AZ – ⊠ 36390 Canido – ✿ 986 :
- ✗ **Cíes y Resid. Estay** con hab, 🖋 49 01 01, ≤ – ⒫ 🖭 🗲 🆅🆂🅰 🍴
  Com carta 1500 a 2350 – ⊃ 300 – **20 hab** 4200/5000.

ALFA-ROMEO carret. Bayona 🖋 29 28 14
AUSTIN-MG-MORRIS-MINI Pizarro 15 - Méjico 65 🖋 41 10 11
BMW Brasil 35 🖋 41 83 67
CITROEN av. de Madrid 133 🖋 27 77 00
CITROEN carret. Vigo - Madrid km 5,6 🖋 27 50 05
FIAT av. de Fragoso 75 🖋 23 31 99
FORD av. de Madrid 25 🖋 41 54 33
FORD carret. Bayona - San Andrés de Comesaña 🖋 29 80 64
GENERAL MOTORS av. de Madrid 73 🖋 27 67 54
GENERAL MOTORS Autovía Vigo-Bayona km 1 - Ricardo Mella 87 🖋 20 29 11

LANCIA carret. Provincial 17 🖋 41 00 22
MERCEDES-BENZ carret. de Bayona 108 🖋 23 95 81
PEUGEOT-TALBOT av. de Madrid 193 🖋 27 39 04
PEUGEOT-TALBOT San Andrés de Comesaña - Sanín 28 🖋 23 14 02
PEUGEOT-TALBOT av. Castrelos 451 🖋 29 12 95
PEUGEOT-TALBOT Gran Vía 160 🖋 41 66 88
PEUGEOT-TALBOT Trav. Vigo 119 interior 🖋 27 21 12
RENAULT av. de Madrid 135 🖋 25 10 88
SEAT-AUDI-VOLKSWAGEN av. de Madrid 195 🖋 37 12 12
SEAT-AUDI-VOLKSWAGEN Pontevedra 4 🖋 22 77 60

VILABOA 36141 Pontevedra 🗺 E 4 – 6 001 h. – ✿ 986.
✦Madrid 618 – Pontevedra 9 – ✦Vigo 27.

en Paredes SE : 2 km – ⊠ 36141 Vilaboa – ✿ 986 :
- 🏠 **Las Islas,** carret. de Vigo 🖋 70 84 84, ≤, 🦌, – ⊛ ⥌ ⒫. 🍴
  Com *(sólo en verano)* 800 – ⊃ 250 – **26 hab** 1700/3500.
- 🏠 **San Luis** sin rest, carret. de Vigo - 1° piso 🖋 70 83 11 – ⒫. 🖭 ⓞ 🗲 🆅🆂🅰 🍴
  ⊃ 160 – **20 hab** 900/2600.
- ✗ El Pote, carret. de Vigo 🖋 70 84 11 – ⒫.

SEAT-AUDI-VOLKSWAGEN carret. Comarcal 525 🖋 70 00 71

VILADRAU 08553 Gerona 🗺 G 37 – 750 h. alt. 821 – ✿ 93.
✦Madrid 647 – ✦Barcelona 76 – Gerona/Girona 61.

- 🏠 **De la Gloria** 🦌, Torreventosa 12 🖋 884 90 34 – ⥌ – 🏛. 🍴
  cerrado del 1 al 8 enero – Com *(cerrado lunes)* 1150 – ⊃ 300 – **27 hab** 1750/3250 – P 3325/3450.
- 🏠 **Masía del Montseny** 🦌, passeig de la Pietat 14 🖋 884 91 08, 🌳 – ⒫. 🆅🆂🅰 🍴 rest
  15 junio-15 septiembre – Com 1200 – ⊃ 350 – **10 hab** 2500/3500 – P 4250/5000.

VILAFRANCA DEL PENEDÉS Barcelona 🗺 H 35 – ver Villafranca del Panadés.

VILAGRASA o **VILAGRASSA** 25330 Lérida 🗺 H 33 – 460 h. – ✿ 973.
✦Madrid 510 – ✦Barcelona 119 – ✦Lérida 41 – Tarragona 78.
- ✗ Cataluña, Mayor 2 🖋 31 14 65, Carnes a la brasa – ▤.

La VILA JOIOSA Alicante – ver Villajoyosa.

VILAJUIGA 17493 Gerona 🗺 F 39 – 713 h. – ✿ 972.
✦Madrid 758 – Figueras/Figueres 12 – Gerona/Girona 51.
- ✗ **Can Mariscanes,** Figueras 15 🖋 53 00 37 – ⒫. 🖭 ⓞ 🗲 🆅🆂🅰 🍴
  cerrado domingo noche, martes y octubre – Com carta 1650 a 3100.

VILANOVA DE AROSA Pontevedra 🗺 E 3 – ver Villanueva de Arosa.

VILANOVA DE LA BARCA Lérida 🗺 G 32 – ver Lérida.

VILANOVA I LA GELTRÚ Barcelona 🗺 I 35 – ver Villanueva y Geltrú.

VILA - SACRA Gerona 🗺 F 39 – 385 h. – ✿ 972.
✦Madrid 746 – Gerona 30 – ✦Perpignan 62.
- ✗✗ **Hermes,** carret. de Rosas 🖋 50 98 07 – ▤ ⒫. 🗲 🆅🆂🅰
  cerrado martes fuera de temporada, festivos y del 7 al 30 enero – Com carta 2050 a 2850.

VILASAR DE MAR 08340 Barcelona 🗺 H 37 – 9 480 h. – ✿ 93 – Playa.
✦Madrid 648 – ✦Barcelona 22 – Mataro 6.
- ✗✗ Racó de l'Angel, canonge Almera 62 - carret. N II 🖋 759 48 66, 🍴 – ▤ ⒫.
- ✗ Ca l'Amell, Torrent del Porxo (por carret. de Argentona) 🖋 759 09 29, 🍴 , 🌳 – ▤ ⒫.

418

VILAXOAN 36600 Pontevedra − ver Villagarcía de Arosa.

VILLABONA 20150 Guipúzcoa **442** C 23 − 5 228 h. alt. 61 − ✪ 943.
♦Madrid 451 − ♦Pamplona 71 − ♦San Sebastián/Donostia 20 − ♦Vitoria/Gasteiz 96.

en la carretera N I por vía de servicio S : 1,5 km − ⊠ 20150 Villabona − ✪ 943 :

🏨 **Lasquíbar,** ℰ 69 19 73, ♒ − 🛗 ⊜ **ℙ**. ⅏
cerrado diciembre-enero − Com 1550 − ⊡ 300 − **45 hab** 2900/4600 − P 4950/5550.

en Amasa E : 1 km − ⊠ 20150 Villabona − ✪ 943 :

✗ **Arantzabi,** ℰ 69 12 55, ≤, ⇪, « Típico caserío vasco » − **ℙ**. **E** 𝗩𝗜𝗦𝗔
cerrado domingo noche, lunes y 15 diciembre-15 enero − Com carta 1700 a 2600.

FORD carret. N I km 448 ℰ 69 13 59

VILLACAÑAS 45860 Toledo **444** N 19 − 8 251 h. − ✪ 925.
♦Madrid 109 − Alcázar de San Juan 35 − Aranjuez 48 − Toledo 72.

🏨 **Quico,** av. de la Mancha 34 ℰ 16 04 50 − **ℙ**
Com 850 − ⊡ 150 − **20 hab** 1250/2000 − P 2570/2800.

CITROEN carret. de Quintanar 10 ℰ 16 04 41   RENAULT carret. de Tembleque 4 ℰ 16 00 20
PEUGEOT-TALBOT carret. de Villafranca 2 ℰ
16 04 32

VILLACARLOS Baleares **443** M 42 − ver Baleares (Menorca) : Mahón.

VILLACARRILLO 23300 Jaén **446** R 20 − 11 815 h. − ✪ 953.
Alred. : NE : Garganta del Guadalquivir★ (≤★★).
♦Madrid 349 − ♦Albacete 172 − Úbeda 32.

🏨 **Las Villas,** carret. N 322 ℰ 44 01 25, ≤ − ⊜ ⇎ **ℙ**. ⅏
Com 700 − ⊡ 200 − **21 hab** 1250/2000 − P 2600/2850.

FORD carret. CO - V ℰ 44 02 12   SEAT-AUDI-VOLKSWAGEN carret. CO 4 km 180 ℰ
44 01 58

VILLACASTÍN 40150 Segovia **444** J 16 − 1 579 h. alt. 1 100 − ✪ 911.
♦Madrid 79 − ♦Ávila 29 − ♦Segovia 36 − ♦Valladolid 105.

🏨 **Hostería del Pilar,** carret. N VI ℰ 10 70 50, ⇪ − **ℙ**
Com 850 − ⊡ 250 − **21 hab** 2000/3240 − P 3280/3660.

en la autopista A 6 : área de servicio de Villacastín − ⊠ 40150 Villacastín − ✪ 911 :

✗✗ **Las Chimeneas,** ⊠ apartado 3, ℰ 10 71 69 − ⊟ **ℙ**. **AE E** 𝗩𝗜𝗦𝗔. ⅏
Com carta 1975 a 3150.

RENAULT carret. La Coruña km 81,4 ℰ 10 71 12

VILLADANGOS DEL PÁRAMO 24392 León **441** E 12 − 1 023 h. − ✪ 987.
♦Madrid 331 − ♦León 18 − Ponferrada 87.

✗ **Avenida II** con hab, carret. de León NE : 1,5 km ℰ 39 00 81, ⅏ − ⇎ **ℙ**. **E** 𝗩𝗜𝗦𝗔. ⅏
Com carta 1630 a 2275 − ⊡ 275 − **10 hab** 2500/3000 − P 2800/3800.

VILLA DEL PRADO 28630 Madrid **444** L 17 − 2 770 h. − ✪ 91.
♦Madrid 61 − Ávila 80 − Toledo 78.

🏠 **El Extremeño** ⍟, av. del Generalísimo 18 ℰ 862 01 93, ⇪ − **ℙ**. **AE** 𝗩𝗜𝗦𝗔. ⅏
Com 750 − **16 hab** 1500/3000 − P 3125.

VILLADIEGO 09120 Burgos **442** E 17 − 2 759 h. alt. 842 − ✪ 947.
♦Madrid 282 − ♦Burgos 39 − Palencia 84 − ♦Santander 150.

🏨 **El Condestable,** av. Reyes Católicos 2 ℰ 36 01 32 − **ℙ**. 𝗩𝗜𝗦𝗔. ⅏
Com 1200 − ⊡ 350 − **24 hab** 2815/3520.

PEUGEOT-TALBOT av. Reyes Católicos ℰ 36 00 68   SEAT-AUDI-VOLKSWAGEN Curiela ℰ 36 00 98
RENAULT Calvario ℰ 36 01 38

VILLAFRANCA DEL BIERZO 24500 León **441** E 9 − 4 677 h. alt. 511 − ✪ 987.
♦Madrid 403 − ♦León 130 − Lugo 101 − Ponferrada 21.

🏰 **Parador de Villafranca del Bierzo,** av. de Calvo Sotelo ℰ 54 01 75, Fax 54 00 10 − **ℙ**. **AE**
① **E** 𝗩𝗜𝗦𝗔. ⅏
Com 2500 − ⊡ 800 − **40 hab** 5200/6500.

VILLAFRANCA DEL PANADÉS o **VILAFRANCA DEL PENEDÉS** 08720 Barcelona **443** H 35 – 25 020 h. alt. 218 – ✪ 93.

♦Madrid 572 – ♦Barcelona 54 – Tarragona 54.

🏨 **Pedro III El Grande,** pl. del Penedés 2 🖋 890 31 00 – 🛗 ▤ rest 🖭. ◫ ① 🖿 𝖵𝖨𝖲𝖠. ⬚ rest
Com 1200 – ☞ 450 – **52 hab** 3000/5300 – P 4950/5300.

🕅🕅 **Airolo,** rambla de Nostra Senyora 10 🖋 892 17 98 – ▤. ◫ ① 🖿 𝖵𝖨𝖲𝖠. ⬚
cerrado domingo noche y del 2 al 17 septiembre – Com carta 1975 a 3200.

🕅 **Casa Juan,** pl. de l'Estació 8 🖋 890 31 71 – ▤. ◫ 𝖵𝖨𝖲𝖠
cerrado domingo, festivos, Semana Santa, 27 agosto-10 septiembre y del 24 al 31 diciembre – Com (sólo almuerzo salvo sábado) carta 2100 a 3600.

🕅 **Cal Ton,** Casal 8 🖋 890 37 41, 🍽 – ◫ ① 🖿 𝖵𝖨𝖲𝖠
cerrado domingo noche, lunes, Semana Santa y del 1 al 15 septiembre – Com carta 1500 a 2550.

AUSTIN-ROVER carret. Igualada 55 🖋 892 24 51
CITROEN av. de Barcelona 74 🖋 892 16 92
FORD av. de Tarragona 🖋 890 11 03
GENERAL MOTORS-OPEL av. Tarragona 🖋 890 03 03
MERCEDES-BENZ av. Tarragona 95 🖋 890 41 88

PEUGEOT-TALBOT Comercio 3 🖋 890 24 11
RENAULT carret. N 340 km 301,8 🖋 892 25 58
RENAULT Del Sol 7 🖋 890 13 91
SEAT-AUDI-VOLKSWAGEN av. de Tarragona 77 🖋 890 11 00

VILLAGARCÍA DE AROSA 36600 Pontevedra **441** E 3 – 29 453 h. – ✪ 986 – Playa.

Alred. : Mirador de Lobeira★ S : 4 km.

🛈 Juan Carlos I 🖋 50 10 08 (ext. 21).

♦Madrid 632 – Orense 133 – Pontevedra 25 – Santiago de Compostela 42.

🏨 **San Luis,** sin rest, av. de la Marina 🖋 50 73 18 – ☎ – **27 hab**.

en Carril N : 2 km – ✉ 36610 Carril – ✪ 986 :

🕅🕅 **Galloufa,** pl. de la Libertad 3 🖋 50 17 27, Pescados y mariscos – ▤. ◫ 𝖵𝖨𝖲𝖠. ⬚
cerrado domingo, festivos y 10 octubre-10 noviembre – Com carta 1500 a 2550.

🕅 **Loliña,** pl. del Muelle 🖋 50 12 81, 🍽, Pescados y mariscos, Decoración rústica regional – ◫ ① 🖿 𝖵𝖨𝖲𝖠. ⬚
cerrado domingo noche y noviembre – Com carta 1650 a 2900.

en Vilaxoan – ✉ 36600 Villagarcía de Arosa – ✪ 986 :

🕅 ❀ **Chocolate,** av. Cambados 151 🖋 50 11 99 – ▤ 🄿 ◫ 🖿 𝖵𝖨𝖲𝖠. ⬚
cerrado domingo noche y 20 diciembre-20 enero – Com carta 2400 a 3700
Espec. Empanadas de maíz y trigo de berberechos y vieiras, Caldeirada de pescado y marmítaco de salmón, Chuletón de buey.

AUSTIN-MG-MORRIS-MINI-ROVER Caleiro - Villanueva de Arosa 🖋 55 40 31
CITROEN Rubianes - carret. Villagarcía-Pontevedra 🖋 50 28 69
FIAT Sobradelo 🖋 50 75 42
FORD Rubianes 🖋 50 19 87
MERCEDES Rubianes 🖋 50 10 35

OPEL-GENERAL MOTORS Carril 🖋 50 06 22
PEUGEOT-TALBOT Santa Eulalia 13 🖋 50 19 85
RENAULT Rubianes - carret. Villagarcía-Pontevedra 🖋 50 12 08
SEAT-AUDI-VOLKSWAGEN pl. Juan XXIII 7 🖋 50 02 73

VILLAJOYOSA o **La VILA JOIOSA** 03570 Alicante **445** Q 29 – 20 638 h. – ✪ 96.

🛈 pl. Castelar 2 🖋 589 30 43.

♦Madrid 450 – ♦Alicante 32 – Gandia 79.

🕅 **El Panchito,** av. del Puerto 46 🖋 589 28 55, 🍽 – ▤. ◫ ① 🖿 𝖵𝖨𝖲𝖠
cerrado 15 enero-15 marzo y lunes salvo en verano – Com carta 1600 a 2095.

🕅 **El Brasero,** av. del Puerto 🖋 589 03 33, 🍽 – ◫ ① 🖿 𝖵𝖨𝖲𝖠
cerrado martes y 27 noviembre-27 enero – Com carta 1800 a 3300.

en la carretera de Sella NO : 2 km – ✉ 03570 Villajoyosa – ✪ 96 :

🕅 Mesón El Jabali, 🖋 589 43 93, 🍽 – 🄿.

por la carretera de Alicante SO : 3 km – ✉ 03570 Villajoyosa – ✪ 96 :

🏨 **Montíboli** ⬚, ✉ 03570 apartado 8, 🖋 589 02 50, Telex 68288, Fax 589 38 57, ≤, 🍽, « Sobre un promontorio rocoso », ⛱, 🐎, ⬚ – 🛗 ▤ 📺 ☎ ⟺ 🄿 ◫ ① 🖿 𝖵𝖨𝖲𝖠. ⬚ rest
marzo-diciembre – Com 3300 – ☞ 1300 – **49 hab** 9500/16800.

CITROEN Partida El Paraiso 🖋 89 04 46
FORD carret. Valencia km 116,7 🖋 85 35 62
PEUGEOT-TALBOT Partida Torres 🖋 89 13 90

SEAT-AUDI-VOLKSWAGEN carret. Valencia-Alicante 🖋 589 13 99

Gli alberghi o ristoranti ameni sono indicati nella guida con un simbolo rosso.

Contribuite a mantenere
la guida aggiornata segnalandoci
gli alberghi e ristoranti dove avete soggiornato piacevolmente.

🏨🏨 ... 🏛

🕅🕅🕅🕅 ... 🕅

VILLALBA 28400 Madrid 🗺 K 18 – alt. 917 – ✆ 91.

♦Madrid 37 – ♦Ávila 69 – El Escorial 18 – ♦Segovia 50.

🏨 **Galaico** sin rest, con cafeteria, antigua carret. de La Coruña - edificio Renault ✆ 851 03 04,
≼ – 📶 � 📺 ☎ ⇔ 🅿 – 🄰. **E** 𝑉𝑆𝐴. 🛇
22 hab � 3900/5100.

🍽🍽🍽 **Azaya,** Berrocal 4 ✆ 850 44 13 – 🗏. ⓞ 𝑉𝐼𝑆𝐴. 🛇
cerrado miércoles – Com carta 2100 a 3100.

🍽 Don Carica, Centro Comercial Zoco ✆ 850 40 68, 🌣, Cocina italiana – 🗏.

🍽 **Casa Arturo,** Generalísimo 68 ✆ 850 32 19, 🌣 – 🗏. ⓞ 𝑉𝑆𝐴. 🛇
Com carta 1675 a 2750.

🍽 **La Masía,** antigua carret. de la Coruña-Cañada Real Segoviana ✆ 850 53 65, 🌣 – 🗏 🅿. 🄰🄴
ⓞ **E** 𝑉𝑆𝐴 🛇
cerrado martes y 15 septiembre-10 octubre – Com carta 1625 a 2700.

en la autopista A 6 NO : 3 km – ⊠ 28400 Villalba – ✆ 91 :

🍽🍽 **La Pasarela,** ✆ 850 06 66, ≼ – 🗏 🅿. 🄰🄴 **E** 𝑉𝑆𝐴. 🛇
Com carta 2325 a 3200.

CITROEN Batalla Bailén 24 ✆ 850 52 12
FORD carret. N VI km 40 ✆ 850 00 14
RENAULT carret. N VI km 40 ✆ 850 08 80

SEAT-AUDI-VOLKSWAGEN carret. N VI km 37,8
✆ 850 05 00
TALBOT-PEUGEOT carret. N VI km 40 ✆ 850 51 63

VILLALBA 27800 Lugo 🗺 C 6 – 16 485 h. alt. 492 – ✆ 982.

♦Madrid 540 – ♦La Coruña 87 – Lugo 36.

🏨🏨 **Parador Condes de Villalba,** Valeriano Valdesuso ✆ 51 00 11, Fax 51 00 90, « Instalado en
la torre de un castillo medieval » – 📶 🅿. 🄰🄴 **E** 𝑉𝑆𝐴. 🛇
Com 2500 – ⊆ 800 – **6 hab** 8000/10000.

en la carretera de Meira E : 1 km – ⊠ 27800 Villalba – ✆ 982 :

🏨🏨 **Villamartín** Ⓜ, av. Tierra Llana ✆ 51 12 15, Decoración moderna, 🛊, 🍽 – 📶 🗏 rest 📺 ☎
🅿 – 🄰. 🄰🄴 **E** 𝑉𝑆𝐴. 🛇
Com 1300 – ⊆ 400 – **60 hab** 3600/4800 – P 4950/6150.

CITROEN carret. Lugo-Ferrol ✆ 51 09 09
FORD General Franco 120 ✆ 51 01 31
GENERAL MOTORS Ambulatorio - Domingo Gaos
✆ 51 03 74

PEUGEOT-TALBOT B. Guadalupe ✆ 51 04 68
RENAULT Los Freires ✆ 51 00 70
SEAT-AUDI-VOLKSWAGEN General Franco 127 ✆
51 02 55

VILLALBA DE LA SIERRA 16140 Cuenca 🗺 L 23 – 487 h. alt. 950 – ✆ 966.

Alred. : E : Ventano del Diablo (≼ garganta del Júcar★) – Carretera ≼★ del Embalse de la Toba.

♦Madrid 183 – Cuenca 21.

🍽 **Mesón Nelia,** carret. de Cuenca ✆ 28 10 21 – 🄰🄴 𝑉𝑆𝐴. 🛇
cerrado 16 enero-16 febrero – Com *(cerrado miércoles salvo en verano)* carta 1625 a 2350.

VILLALONGA o **VILALONGA** 36990 Pontevedra 🗺 E 3 – ✆ 986.

♦Madrid 629 – Pontevedra 23 – Santiago de Compostela 66.

🏨 **Pazo El Revel** 🏡, camino de la Iglesia ✆ 74 30 00, « Antiguo pazo del siglo XIV con
agradable jardín », 🛊, 🍽 – ⇌ 🅿. 🄰🄴 ⓞ **E** 𝑉𝑆𝐴. 🛇
junio-septiembre – Com 2550 – ⊆ 350 – **21 hab** 4500/6750 – P 7575/8700.

CITROEN carret. General ✆ 74 30 15
FIAT carret. Cambados - El Grove ✆ 74 30 76
FORD carret. Adigna ✆ 72 33 87

PEUGEOT-TALBOT Adigna - Portonovo ✆ 72 34 96
RENAULT Vichona ✆ 72 35 81

VILLALONGA 46720 Valencia 🗺 P 29 – 3 730 h. – ✆ 96.

♦Madrid 427 – ♦Alicante 112 – Gandía 11 – ♦Valencia 79.

🍽🍽 **Tarsan,** Partida Reprimala ✆ 280 50 79, ≼, 🌣, Decoración moderna – 🗏 🅿. 🄰🄴 **E** 𝑉𝑆𝐴. 🛇
cerrado noviembre – Com carta 2125 a 3450.

VILLAMAYOR DEL RÍO Burgos – ver Belorado.

VILLANÚA 22870 Huesca 🗺 D 28 – 241 h. alt. 953 – ✆ 974.

♦Madrid 496 – Huesca 106 – Jaca 15.

🏨 **Roca Nevada,** carret. N 330 - SO : 1 km ✆ 37 80 35, ≼, 🛊, 🍽 – ⇌ 🅿. ⓞ **E** 𝑉𝑆𝐴. 🛇 rest
25 diciembre-abril y 16 junio-14 septiembre – Com 1250 – ⊆ 275 – **33 hab** 2000/4000.

🏨 **Reno,** carret. N 330 ✆ 37 80 66 – 🅿. 🄰🄴 ⓞ **E** 𝑉𝑆𝐴. 🛇
Com *(cerrado domingo noche y lunes fuera de temporada)* 1100 – ⊆ 250 – **16 hab** 1900/3300
– P 4100/4350.

🍽🍽 **Faus Hütte** con hab, carret. N 330 SO : 1 km ✆ 37 81 36, ≼ – 📺 ⇌ ⇔. ⓞ **E** 𝑉𝑆𝐴
cerrado 16 octubre-noviembre – Com *(cerrado 16 mayo-29 junio)* carta 2250 a 3050 – **7 hab**
4050/6800 – P 7350/8000.

VILLANUEVA DE ARGAÑO 09132 Burgos 🆂🅃🅂 E 18 – 124 h. – 🕓 947.

◆Madrid 264 – ◆Burgos 21 – Palencia 78 – ◆Valladolid 115.

 ✗ **Las Postas de Argaño** con hab, carret. de Burgos 🖉 45 12 56 – 🚗 🅿 🖭 E 𝗩𝗜𝗦𝗔. 🦌
    Com carta 1700 a 2925 – 🖚 225 – **9 hab** 1500/2500 – P 3000/3500.

VILLANUEVA DE AROSA o **VILANOVA DE AROSA** 36620 Pontevedra 🆀🅃🅁 E 3 – 14 979 h. –
🕓 986.

◆Madrid 642 – Pontevedra 35 – Santiago de Compostela 52.

 🏠 Hermida, sin rest, carret. C 550 E : 1 km 🖉 55 43 43 – 🅿
    36 hab.

 ◣ 🏠 **Lago 82** sin rest, carret. C 550 E : 1 km 🖉 55 40 54 – 🅿. 🦌
    cerrado diciembre-febrero – 🖚 200 – **18 hab** 1600/3300.

AUSTIN-MG-MORRIS-MINI-ROVER Caleiro 🖉 55 40 31

VILLANUEVA DE CÓRDOBA 14440 Córdoba 🆀🆂🅶 R 16 – 3 487 h. – 🕓 957.

◆Madrid 340 – Ciudad Real 143 – ◆Córdoba 67.

 ♨ **Démétrius** sin rest y sin 🖚, av. de Cardeña 🖉 12 02 94 – 🦌
    23 hab 1200/2200.

CITROEN carret. de Adamuz 7 🖉 12 03 15
GENERAL MOTORS-OPEL av. de Cardeña 🖉
12 07 40
PEUGEOT-TALBOT carret. de Cardeña 🖉 12 01 69

RENAULT Zarza 39 🖉 12 09 19
SEAT-AUDI-VOLKSWAGEN carret. de Cardeña 13
🖉 12 01 96

VILLANUEVA DE GÁLLEGO 50830 Zaragoza 🆀🆄🅶 G 27 – 2 358 h. alt. 243 – 🕓 976.

◆Madrid 333 – Huesca 57 – ◆Lérida/Lleida 156 – ◆Pamplona 179 – ◆Zaragoza 14.

 ✗ 🌼 **La Casa del Ventero,** paseo 18 de Julio 24 🖉 11 51 87, Cocina francesa – 🗐
    Com (sólo cena salvo fines de semana) carta 2500 a 3400
    Espec. Mousse de lubina, Solomillo de buey con foie gras al oporto, Tarta de uva a la pera Williams.

VILLANUEVA DEL FRESNO Badajoz 🆀🆄🆅 Q 8 – ver aduanas p. 14 y 15.

VILLANUEVA Y GELTRÚ o **VILANOVA I LA GELTRÚ** 08800 Barcelona 🆀🆄🅶 I 35 – 43 560 h. –
🕓 93 – Playa.

Ver : Casa Papiol★ (Museo Romántico).

🅱 passeig de Ribes Roges 🖉 893 59 57.

◆Madrid 589 – ◆Barcelona 50 – ◆Lérida/Lleida 132 – Tarragona 46.

 🏨 **César y Rest. La Fitorra,** Isaac Peral 4 🖉 815 11 25, Telex 52075, Fax 815 67 19, 🍴,
    Terraza con arbolado – 🗐 🍽. 🖭 🕕 E 𝗩𝗜𝗦𝗔. 🦌 rest
    Com (cerrado lunes salvo en verano) 1800 – 🖚 620 – **29 hab** 5500/8000.

 🏠 Hostal del Mar, passeig Ribes Roges 2 🖉 815 17 19, 🏊 – 🚗. E 𝗩𝗜𝗦𝗔. 🦌 rest
    28 hab 3500/5000.

 🏠 **Solvi 70,** passeig Ribes Roges 1 🖉 815 12 45, ≼ – 🚗. 🦌
    cerrado 25 octubre-25 noviembre – Com 1200 – 🖚 450 – **29 hab** 3000/4500 – P 4500/5250.

 🏠 Mare Nostrum, rambla de la Pau 66 🖉 815 55 94, 🍴 – 🗐 🗐 rest ☎
    20 hab.

 ✗✗ Xenius, passeig Maritim 61 🖉 815 46 04, ≼, 🍴 – 🗐.

 ✗✗ **Peixerot,** passeig Maritim 56 🖉 815 06 25, 🍴, Pescados y mariscos – 🗐. 🖭 🕕 E 𝗩𝗜𝗦𝗔. 🦌
    cerrado Navidad y domingo noche salvo en verano – Com carta 1750 a 2850.

 ✗✗ El Pescador, passeig del Carme 45 🖉 815 31 42, 🍴, Pescados y mariscos – 🗐.

 ✗ Cossetania, passeig Maritim 92 🖉 815 55 59, 🍴, Pescados y mariscos – 🗐.

 ✗ Maritim, passeig Maritim 40 🖉 815 54 79, 🍴, Pescados y mariscos – 🗐.

 ✗ **Chez Bernard et Marguerite,** Ramón Llull 4 🖉 815 56 04, 🍴, Cocina francesa – 🖭 🕕 E
    𝗩𝗜𝗦𝗔
    Com carta 2120 a 3600.

 ✗ La Cuineta de la Rambla, rambla de la Pau 87 🖉 815 56 69 – 🗐.

 ✗ **Pere Peral,** Isaac Peral 15 🖉 815 29 96, 🍴, Terraza bajo los pinos – 𝗩𝗜𝗦𝗔. 🦌
    cerrado lunes – Com 1600/3050.

    en Racó de Santa Llucía - por la carretera C 246 O : 2,5 km – ✉ 08800 Villanueva y Geltrú
    – 🕓 93 :

 ✗ **La Cucanya,** 🖉 815 19 34, ≼, 🍴, Cocina italiana – 🅿. E 𝗩𝗜𝗦𝗔. 🦌
    Com carta 2150 a 3200.

CITROEN carret. Barcelona km 43 esq. Vía de Ronda
🖉 893 31 54
FORD carret. Comarcal 246 km 41 🖉 893 26 66
GENERAL MOTORS-OPEL carret. de Sitges km
42.850 🖉 893 51 51

RENAULT rambla Vidal 25 🖉 815 32 50
SEAT-AUDI-VOLKSWAGEN av. Balmes 33 🖉
815 40 00
SEAT-AUDI-VOLKSWAGEN-NISSAN carret. Barcelona 35 🖉 893 06 00

VILLARCAYO 09550 Burgos **442** D 22 – 4 558 h. alt. 615 – ✆ 947.

♦Madrid 321 – ♦Bilbao 81 – ♦Burgos 78 – ♦Santander 100.

- 🏠 **Margarita,** Nuño Rasura 20 ✆ 10 00 15, ☞ – 🅿 *VISA*. ⚘
  18 marzo-noviembre – Com carta 1800 a 2800 – ⛛ 275 – **27 hab** 1750/3575.

- 🏠 **La Rubia,** av. de Alemania 3 ✆ 10 00 00, ☞ – 🝙 rest ☜. 巫 **E** *VISA*. ⚘
  cerrado 20 diciembre-20 enero – Com 1375 – ⛛ 275 – **16 hab** 1750/3300 – P 3850/3950.

  en Horna - carretera de Burgos S : 1 km – ✉ 09554 Horna – ✆ 947 :

- ✗ **Mesón El Cid,** ✆ 10 01 71 – 🅿 *VISA*. ⚘
  cerrado 2 noviembre-14 diciembre – Com carta 1450 a 3140.

PEUGEOT pl. Santa María 19 ✆ 10 03 18   SEAT-AUDI-VOLKSWAGEN San Roque 44 ✆ 10 00 75

VILLARLUENGO 44559 Teruel **445** K 28 – 270 h. – ✆ 974.

♦Madrid 370 – Teruel 94.

  en la carretera de Ejulve NO : 7 km – ✉ 44559 Villarluengo – ✆ 974 :

- 🏨 **La Trucha** ⚘, Las Fábricas ✆ 77 30 08, Telex 62614, ⛝, ⚘ – ☜ ⇐ 🅿. 巫 ⓞ **E** *VISA*
  Com 2050 – ⛛ 475 – **48 hab** 5180/6475 – P 7125/9070.

VILLARREAL DE ÁLAVA o **LEGUTIANO** 01170 Álava **442** D 22 – 1 321 h. alt. 975 – ✆ 945.

♦Madrid 370 – ♦Bilbao 51 – ♦Vitoria/Gasteiz 15.

- ✗✗ **Astola,** San Roque 1 ✆ 45 50 04, ← – 🝙. 巫 **E** *VISA*. ⚘
  cerrado miércoles y 15 diciembre-enero – Com carta 1700 a 2350.

VILLASANA DE MENA 09580 Burgos **442** C 20 – alt. 312 – ✆ 947.

♦Madrid 358 – ♦Bilbao 44 – ♦Burgos 115 – ♦Santander 101.

- 🏨 **Cadagua** ⚘, Angel Nuño 26 ✆ 12 61 25, ←, ⛝, ☞ – ☜ 🅿. ⚘
  cerrado 11 diciembre-6 enero – Com 1300 – ⛛ 350 – **30 hab** 3000/4000 – P 4500/5500.

VILLATOBAS 45310 Toledo **444** M 20 – 2 697 h. – ✆ 925.

♦Madrid 80 – ♦Albacete 169 – Cuenca 129 – Toledo 71.

- ✗ **Seller,** carret. N 301 ✆ 15 20 10 – 🝙 🅿. 巫 ⓞ **E** *VISA*. ⚘
  cerrado Navidades – Com carta 1500 a 3200.

VILLAVIEJA Orense – ver La Mezquita.

VILLOLDO 34131 Palencia **442** F 16 – 541 h. – ✆ 988.

Alred. : Villalcázar de Sirga (iglesia de Santa María la Blanca★ : portada Sur★, sepulcros★) NE : 10 km – Paredes de Nava (iglesia de Santa Eulalia : retablo mayor★) SO : 11 km – Carrión de los Condes : Monasterio de San Zoilo (claustro★), iglesia de Santiago (fachada : esculturas★) N : 14 km.

♦Madrid 253 – ♦Burgos 96 – Palencia 27.

- 🏠 **Estrella del Bajo Carrión,** carret. C 615 ✆ 82 70 05 – ☜ 🅿. 巫 **E** *VISA*. ⚘
  cerrado 22 diciembre-15 enero – Com 1100 – ⛛ 300 – **26 hab** 2000/3000 – P 3625/4125.

VINAROZ o **VINARÒS** 12500 Castellón **445** K 31 – 17 564 h. – ✆ 964 – Plaza de toros.

🅱 pl. Jovellar ✆ 45 02 00.

♦Madrid 498 – Castellón de la Plana 76 – Tarragona 109 – Tortosa 48.

- 🏠 **Miramar,** paseo Blasco Ibáñez 12 ✆ 45 14 00, ← – 🛗 ☜. *VISA*. ⚘
  cerrado 23 diciembre-2 enero – Com (ver rest. **La Cuina**) – ⛛ 350 – **17 hab** 2300/3700.

- 🏠 **El Pino** sin rest y sin ⛛, San Pascual 47 ✆ 45 05 53 – 巫 ⓞ **E** *VISA*. ⚘
  8 hab 1200/2400.

- ✗ El Langostino de Oro, San Francisco 31 ✆ 45 12 04, Pescados y mariscos – 🝙.

- ✗ **Voramar,** av. Colón 34 ✆ 45 00 37 – 🝙. ⚘
  cerrado 3 noviembre-3 diciembre – Com carta 1600 a 2900.

- ✗ **La Isla,** San Pedro 5 ✆ 45 23 58, ← – 🝙. **E** *VISA*. ⚘
  cerrado lunes y 23 diciembre-23 enero – Com carta 1455 a 2700.

- ✗ **La Cuina,** paseo Blasco Ibañez 12 ✆ 45 47 36 – ⓞ **E** *VISA*. ⚘
  cerrado sábado mediodía, domingo noche y 20 diciembre-10 enero – Com carta 1740 a 3650.

  en la carretera N 340 S : 2 km – ✉ 12500 Vinaroz – ✆ 964 :

- 🏠 **Roca,** ✆ 45 03 50, ☞, ⚘ – 🝙 rest ⇐ 🅿. ⚘ rest
  Com 900 – ⛛ 325 – **36 hab** 2350/3500 – P 3750/4350.

VINAROZ o VINARÓS

en la carretera Costa Sur S : 2 km – ⊠ 12500 Vinaroz – ☎ 964 :

✕ **El Mallorquí**, ℰ 45 52 14, ☆ – ☰ **P**. AE E **VISA**
cerrado martes y 13 octubre-13 noviembre – Com carta 2250 a 4200.

ALFA-ROMEO Varadero 3 ℰ 45 50 15
AUSTIN-ROVER N 340 km 143,5 ℰ 45 40 97
CITROEN av. Zaragoza 85 ℰ 45 34 55
FIAT Pintor Puigroda 15 ℰ 45 17 62
FORD carret. N 340 ℰ 47 03 39

MERCEDES-BENZ Colonia Europa ℰ 45 10 52
PEUGEOT-TALBOT carret. N 340 ℰ 45 01 12
RENAULT carret. N 340 km 143 ℰ 45 15 08
SEAT-AUDI-VOLKSWAGEN carret. Valencia - Barcelona km 141 ℰ 45 47 51

VIRGEN DEL CAMINO León – ver León.

VITORIA o **GASTEIZ** 01000 **P** Álava **442** D 21 y 22 – 192 773 h. alt. 524 – ☎ 945 – Plaza de toros.

Ver : Museo de Arqueología★ (estela del jinete★) BY **M** – Iglesia de San Pedro (portada★) AY **N**.
Alred. : Gaceo : iglesia (frescos románicos★) por ② : 21 km.

✈ de Vitoria por ④ : 8 km ℰ 27 40 00 – Iberia : av. Gasteiz 84, ⊠ 01012, ℰ 22 82 50 AY.
B Parque de la Florida, ⊠ 01008, ℰ 24 95 64 – **R.A.C.E.** (R.A.C. Vasco Navarro) Manuel Iradier 1, ⊠ 01006, ℰ 23 11 50.

♦Madrid 352 ③ – ♦Bilbao 64 ④ – ♦Burgos 111 ③ – ♦Logroño 93 ③ – ♦Pamplona 93 ② – ♦San Sebastián/Donostia 115 ② – Zaragoza 260 ③.

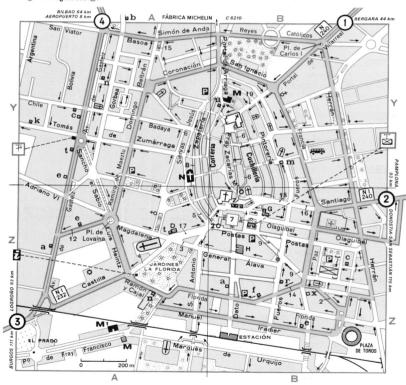

VITORIA-GASTEIZ

🏨🏨 **Gasteiz,** av. Gasteiz 45, ✉ 01009, ℰ 22 81 00, Telex 35451 – 🛗 🗏 📺 ☎ ⇐⇒ – 🏊 . ℿ ① E
🎱 . 🦐   AY **e**
Com 1900 – 😅 650 – **150 hab** 7000/10000.

🏨🏨 **Canciller Ayala** sin rest, con cafetería, Ramón y Cajal 5, ✉ 01007, ℰ 13 00 00, Telex 35441,
Fax 13 35 05 – 🛗 📺 ☎ ⇐⇒ – 🏊 . ℿ ① E 🎱   AZ **n**
😅 650 – **185 hab** 7000/10000.

🏨 **General Álava** sin rest, con cafetería, av. de Gasteiz 79, ✉ 01009, ℰ 22 22 00, Telex 35468,
Fax 24 83 95 – 🛗 📺 ☎ ⇐⇒ – 🏊 . ℿ ① E 🎱 . 🦐   AY **c**
😅 500 – **105 hab** 4400/7000.

🏩 **Achuri** sin rest, Rioja 11, ✉ 01005, ℰ 25 58 00 – 🛗 ☎. ① 🎱 . 🦐   BZ **x**
😅 275 – **40 hab** 2600/4000.

🏩 **Desiderio** sin rest, Colegio de San Prudencio 2, ✉ 01001, ℰ 25 17 00 – 🛗 ☎. E 🎱 . 🦐
cerrado 23 diciembre-9 enero – 😅 240 – **21 hab** 2705/4240.   BY **m**

🏩 **Florida** sin rest, Manuel Iradier 33, ✉ 01005, ℰ 26 06 75 – ℿ ① E 🎱
14 hab 2300/3700.   BZ **e**

🏩 **Dato 28** sin rest, Dato 28, ✉ 01005, ℰ 23 23 20 – ☎. ① E 🎱   BZ **a**
😅 250 – **14 hab** 2650/3000.

XXX **El Portalón,** Correría 151, ✉ 01001, ℰ 22 49 89, « Antigua posada del siglo XV »   BY **u**

XXX **Dos Hermanas,** Madre Vedruna 10, ✉ 01008, ℰ 13 29 34 – 🗏. ℿ ① E 🎱 . 🦐   AZ **e**
cerrado domingo – Com carta 2700 a 4350.

XXX **Zaldiarán,** av. Gasteiz 21, ✉ 01008, ℰ 13 48 22 – 🗏. ℿ ① E 🎱 . 🦐   AZ **a**
cerrado domingo – Com carta 2650 a 3825.

XXX **Teide,** av. de Gasteiz 61, ✉ 01008, ℰ 22 10 23 – 🗏. ℿ E 🎱 . 🦐   AY **t**
Com carta 1925 a 3450.

XX **Ikea,** Paraguay 8, ✉ 01012, ℰ 22 41 99 – 🗏. ℿ ① E 🎱 . 🦐   AY **b**
cerrado domingo, lunes noche y 10 agosto-12 septiembre – Com carta 1950 a 3100.

XX **Olarizu,** Beato Tomás de Zumárraga 54, ✉ 01009, ℰ 24 77 52 – 🗏. ℿ ① E 🎱 . 🦐   AY **k**
cerrado domingo noche y lunes – Com carta 2300 a 2925.

XX **Don Carlos,** Doce de Octubre 1, ✉ 01004, ℰ 28 24 48 – ℿ ① E 🎱 . 🦐   BZ **c**
cerrado domingo noche y del 10 al 30 agosto – Com carta 2300 a 2900.

XX **Mesón Nacional,** Ortiz de Zárate 5, ✉ 01005, ℰ 23 21 11 – 🗏. ℿ ① E 🎱 . 🦐   BZ **f**
cerrado martes – Com carta 1875 a 2600.

X **Mesa,** Chile 1, ✉ 01009, ℰ 22 84 94 – 🗏. ℿ E 🎱 . 🦐   AY **c**
cerrado miércoles y 10 agosto-10 septiembre – Com carta 1575 a 2400.

X **Arkupe,** Mateo B. de Moraza 13, ✉ 01001, ℰ 23 00 80, Decoración rústica, Pizzería en el
1° piso – ℿ ① E 🎱 . 🦐   BZ **z**
Com carta 1880 a 2740.

X **Poliki,** Fueros 29, ✉ 01005, ℰ 25 85 19 – 🗏. 🎱 . 🦐   BZ **r**
cerrado martes noche, miércoles y septiembre – Com carta 1650 a 2675.

X Kintana, Mateo B. de Moraza 15, ✉ 01001, ℰ 23 00 10   BZ **z**

X Zabala, Mateo B. de Moraza 9, ✉ 01001, ℰ 23 00 09   BZ **z**

en Armentia por ③ : 3 km – ✉ 01195 Armentia – 🕿 945 :

XXX El Caserón 🦌 con hab, camino del Monte 5 ℰ 23 00 48, ≤, 🏊, 🎯 – 🗏 rest 📺 ☎ 🅿 –
5 hab.

en la carretera N I por ② : 13 km – 🕿 945 :

🏨 **Parador de Argómaniz** 🦌, ✉ 01080 apartado 601 Vitoria, ℰ 28 22 00, ≤ – 🛗 🅿. ℿ ① E
🎱 . 🦐
Com 2500 – 😅 800 – **54 hab** 5600/7000.

ALFA ROMEO av. Gasteiz ℰ 25 27 29
AUSTIN-ROVER Portal de Gamarra 54 ℰ 27 78 77
BMW av. Gasteiz 51-48 ℰ 24 21 66
CITROEN carret. de San Sebastián km 1 ℰ 25 50 33
FIAT Los Herran 96 ℰ 25 46 64
FORD av. de Santiago 47 ℰ 25 43 00
GENERAL MOTORS Gorbea 6 ℰ 24 57 00

LANCIA Portal de Villareal 10-12 ℰ 28 02 00
MERCEDES-BENZ carret. de Gamarra km 3 ℰ 25 62 88
PEUGEOT-TALBOT Alto Armentia 7 ℰ 13 11 33
RENAULT Alto Armentia 18 ℰ 13 03 00
SEAT-AUDI-VOLKSWAGEN Alto Armentia 4 ℰ 13 04 82

VIVERO o **VIVEIRO** 27850 Lugo 441 B 7 – 14 562 h. – ✪ 982.

🛗 Puerta de Carlos V 🏱 56 10 01.

♦Madrid 602 – ♦La Coruña 119 – Ferrol 88 – Lugo 98.

🏨 **Orfeo** sin rest, J. García Navia Castrillón 2 🏱 56 21 01, ≤ – 🕽 🏤. 🖭 **E** 𝘝𝘐𝘚𝘈. ❄️
⟳ 300 – **27 hab** 2750/4150.

🏨 **Tebar** sin rest, av. Nicolás Cora Montenegro 70 🏱 56 01 00 – 🏤 ⟸. 🖭 ⓞ **E** 𝘝𝘐𝘚𝘈. ❄️
⟳ 230 – **27 hab** 2600/4200.

en Covas - carretera C 642 NO : 2 km – ✉ 27868 Covas – ✪ 982 :

🏨 **Dolusa** sin rest, 🏱 56 08 66 – 🕽. 🖭 **E** 𝘝𝘐𝘚𝘈. ❄️
⟳ 200 – **15 hab** 2700/3200.

en playa de Area por carretera C 642 N : 4 km – ✉ 27850 Vivero – ✪ 982 :

🏨 **Ego** ❧ sin rest, 🏱 56 09 87, ≤ – 🏤 🅿. 🖭 **E** 𝘝𝘐𝘚𝘈. ❄️
⟳ 400 – **22 hab** 4000/5000.

🍴 **Nito,** 🏱 56 09 87, ≤ – 🅿. 🖭 **E** 𝘝𝘐𝘚𝘈. ❄️
cerrado domingo noche en invierno – Com carta 2100 a 3400.

ALFA ROMEO Misericordia 3 🏱 56 03 33
CITROEN Misericordia 5 🏱 56 29 54
FORD San Lázaro 🏱 56 14 52
GENERAL MOTORS carret. de Lugo - Arredoada 4
🏱 56 25 51

PEUGEOT-TALBOT Celeiro 8-10 🏱 56 13 61
RENAULT Magazos Río Pedroso km 3,5 🏱 56 21 70
SEAT-AUDI-VOLKSWAGEN Misericordia 3 🏱
56 24 10

XÁTIVA Valencia 445 P 28 – ver Játiva.

XUBIA La Coruña – ver Jubia.

☛ *Benutzen Sie für weite Fahrten in Europa die Michelin-Länderkarten :*
920 *Europa,* 980 *Griechenland,* 984 *Deutschland,* 985 *Skandinavien-Finnland,*
986 *Großbritannien-Irland,* 987 *Deutschland-Österreich-Benelux,* 988 *Italien,*
989 *Frankreich,* 990 *Spanien-Portugal,* 991 *Jugoslawien.*

YAIZA Las Palmas – ver Canarias (Lanzarote).

Los YÉBENES 45470 Toledo 444 N 18 – 6 009 h. – ✪ 925.

♦Madrid 113 – ♦Toledo 43.

🏨 **Montes de Toledo** ❧, carret. N 401 km 110,8 🏱 32 11 00 – 📺 🏤 🅿 – 🔬. 🖭 ⓞ **E** 𝘝𝘐𝘚𝘈.
❄️ rest
cerrado julio y agosto – Com 1300 – ⟳ 400 – **42 hab** 3500/5000 – P 5050/6050.

YESA 31410 Navarra 442 E 26 – 292 h. alt. 292 – ✪ 948.

Alred. : Monasterio de Leyre : carretera de acceso ※**, monasterio** (cripta**, iglesia*, portada
oeste*) NE : 4 km – Hoz de Arbayún ≤** N : 27 km.

🛗 carret. N 240 🏱 88 40 40.

♦Madrid 419 – Jaca 64 – ♦Pamplona 47.

🏨 **El Jabalí,** carret. de Jaca 🏱 88 40 42, ≤, 🍽 – 🅿. **E** 𝘝𝘐𝘚𝘈. ❄️
Com 1100 – ⟳ 300 – **21 hab** 1800/3200 – P 3800/4000.

🍴 Arangoiti, Don Rene Petit 🏱 88 41 22.

ZAFRA 06300 Badajoz 444 Q 10 – 12 902 h. alt. 509 – ✪ 924.

🛗 pl. de España 🏱 55 10 36.

♦Madrid 401 – ♦Badajoz 76 – Mérida 58 – ♦Sevilla 147.

🏨 **Parador Hernán Cortés** ❧, pl. Corazón de María 7 🏱 55 02 00, Fax 55 10 18, « Elegante-
mente instalado en un castillo del siglo XV, patio de estilo renacentista », 🍽 – 🍽. 🖭 ⓞ **E**
𝘝𝘐𝘚𝘈. ❄️
Com 2500 – ⟳ 800 – **28 hab** 6400/8000.

🏨 **Huerta Honda y Rest. Posada del Duque,** av. López Azme 36 🏱 55 08 00, 🍴, 🍽 – 🕽
🍽 📺 ☎ ⟸ – 🔬. 🖭 ⓞ 𝘝𝘐𝘚𝘈. ❄️
Com 1500 – ⟳ 400 – **46 hab** 3500/7000.

CITROEN carret. Badajoz-Granada km 73,6 🏱
55 11 60
FORD carret. Badajoz-Granada km 75 🏱 55 01 58

RENAULT av. Antonio Chacón 🏱 55 04 89
SEAT-AUDI-VOLKSWAGEN av. de Antonio Chacón
🏱 55 22 54

ZAHARA DE LA SIERRA 11688 Cádiz 446 V 13 – ✪ 956.

♦Madrid 548 – ♦Cádiz 116 – Ronda 34.

🏨 **Marqués de Zahara,** San Juan 3 🏱 13 72 61 – 🏤. **E** 𝘝𝘐𝘚𝘈. ❄️
Com 1250 – ⟳ 250 – **10 hab** 2800/3800 – P 4295/5375.

ZAHARA DE LOS ATUNES 11393 Cádiz 446 X 12 – 1 891 h. – ✆ 956 – Playa.
♦Madrid 687 – Algeciras 62 – ♦Cádiz 70 – ♦Sevilla 179.

en la carretera de Atlanterra – ✉ 11393 Zahara de Los Atunes – ✆ 956 :

Atlanterra Sol ⛰, SE : 4 km ✆ 43 27 00, Telex 78169, ☂, ⛱, ⛵, 🎾 – |♦| ▤ ☎ Ⓟ – 🏛. AE ⓓ E VISA. ✂ rest
mayo-octubre – Com 2000 – **284 hab** ☕ 11700/18400.

Antonio ⛰, SE : 1 km ✆ 43 12 41, ≤, ☂ – Ⓟ – **19 hab**.

Cortijo de la Plata, SE : 4 km, ≤ mar, ☂ – Ⓟ.

ZAMORA 49000 P 441 H 12 – 59 734 h. alt. 650 – ✆ 988 – Plaza de toros.
Ver : Catedral★ (sillería★★, cúpula★, Museo catedralicio★).
ℹ Cortinas de San 5, ✉ 49002, ✆ 51 64 70 – R.A.C.E. av. de las Tres Cruces 20, ✉ 49004, ✆ 51 09 78.
♦Madrid 246 – Benavente 66 – Orense 266 – ♦Salamanca 62 – Tordesillas 67.

Parador Condes de Alba y Aliste ⛰, pl. Viriato 5, ✉ 49014, ✆ 51 44 97, Fax 53 00 63, ☂, « Elegantemente instalado en un antiguo palacio señorial », ⛱ – |♦| ▤ rest 🚗 – 🏛. AE ⓓ E VISA. ✂
Com 2500 – ☕ 800 – **27 hab** 7200/9000.

II Infantas sin rest, con cafetería, Cortinas de San Miguel 3, ✉ 49002, ✆ 53 28 75 – |♦| 🚗. AE ⓓ E VISA
☕ 325 – **68 hab** 3750/5750.

Luz, sin rest y sin ☕, Benavente 2 - 5° piso, ✉ 49002, ✆ 51 31 52 – |♦|
17 hab.

Toary, sin rest y sin ☕, Benavente 2 - 3° piso, ✉ 49002, ✆ 51 37 02 – |♦|
16 hab.

Chiqui sin rest y sin ☕, Benavente 2 - 2° piso, ✉ 49002, ✆ 51 14 80 – |♦|. ✂
10 hab 2100/2500.

Rey Don Sancho 2, parque de la Marina Española, ✉ 49003, ✆ 52 60 54, ☂, Decoración moderna – ▤. AE ⓓ E VISA. ✂
Com carta 2150 a 2900.

Paris, av. de Portugal 14, ✉ 49002, ✆ 51 43 25 – ▤. AE ⓓ E VISA
Com carta 1900 a 3000.

Serafín, pl. de Maestro Haedo 2, ✉ 49001, ✆ 53 14 22, Decoración moderna – ▤. AE ⓓ E VISA. ✂
Com carta 1800 a 2900.

La Rueda, Ronda de la Feria 19, ✉ 49003, ✆ 51 32 10 – VISA. ✂
Com carta 1775 a 2450.

Pozo, Ramón Álvarez 3, ✉ 49001, ✆ 51 25 94 – AE E VISA
cerrado domingo noche – Com carta 1150 a 1700.

en la carretera N 630 N : 2,5 km – ✉ 49002 Zamora – ✆ 988 :

Rey Don Sancho, ✆ 52 34 00, Telex 89703, Fax 51 97 60 – |♦| ▤ rest 📺 Ⓟ. AE ⓓ E VISA. ✂
Com 800 – **86 hab** 2640/4485 – P 4380/4780.

ALFA ROMEO carret. Salamanca 41 ✆ 51 88 94
BMW av. del Mengue 19 ✆ 51 00 95
CITROEN av. Galicia ✆ 52 67 62
FIAT carret. Salamanca 37 ✆ 51 80 88
FORD carret. km 2,7 ✆ 52 29 21
GENERAL MOTORS Ronda de la Feria 21 ✆ 52 22 50
MERCEDES-BENZ carret. Vigo ✆ 52 55 16
PEUGEOT-TALBOT carret. de Tordesillas km 63 ✆ 52 07 50
RENAULT carret. Villacastín-Vigo km 277,8 ✆ 52 50 11
SEAT-AUDI-VOLKSWAGEN Salamanca 46 ✆ 51 22 89

ZARAGOZA 50000 P 443 H 27 – 590 750 h. alt. 200 – ✆ 976 – Plaza de toros.
Ver : La Seo★★ (museo capitular★, museo de tapices★★, retablo★ del altar mayor, cúpula★ de la Parroquieta) X – Basílica de Nuestra Señora del Pilar★ (retablo★), Museo Pilarista★ XA – Aljafería★ (artesonado★ de la sala del trono) U – Lonja★ X.
⛳9 Aero Club de Zaragoza por ⑤ : 12 km ✆ 21 43 78 – ⛳18 La Peñaza por ⑤ : 15 km ✆ 34 28 00.
✈ de Zaragoza por ⑥ : 9 km ✆ 32 62 62 – Iberia : Canfranc 22-24, ✉ 50004, ✆ 21 82 50 Z.
ℹ Torreón de la Zuda-Glorieta Pío XII, ✉ 50003, ✆ 23 00 27 y pl. Nuestra Señora del Pilar 18, ✉ 50003, ✆ 23 00 27 – R.A.C.E. San Juan de la Cruz 2, ✉ 50006, ✆ 35 79 72.
♦Madrid 322 ⑤ – ♦Barcelona 307 ② – ♦Bilbao 305 ⑥ – ♦Lérida/Lleida 150 ② – ♦Valencia 330 ④.

Planos páginas siguientes

Meliá Zaragoza Corona y Rest. El Bearn M, av. César Augusto 13, ✉ 50004, ✆ 43 01 00, Telex 58828, ⛱ – |♦| ▤ 📺 ☎ – 🏛. AE ⓓ E VISA. ✂ Y z
Com 2500 – ☕ 900 – **251 hab** 12800/16000 – P 13900/18700.

Gran Hotel, Joaquín Costa 5, ✉ 50001, ✆ 22 19 01, Telex 58010, Fax 23 67 13 – |♦| ▤ 📺 ☎ – 🏛. AE ⓓ E VISA. ✂ Z d
Com 2000 – ☕ 800 – **140 hab** 12800/16000 – P 12080/16880.

Palafox y Rest. Puerta Sancho, Casa Jiménez, ✉ 50004, ✆ 23 77 00, Telex 58680, Fax 23 47 05, ⛱ – |♦| ▤ 📺 ☎ 🚗 – 🏛. AE ⓓ E VISA. ✂ Z k
Com 2100 – ☕ 800 – **184 hab** 12800/16000 – P 12250/17050.

ZARAGOZA

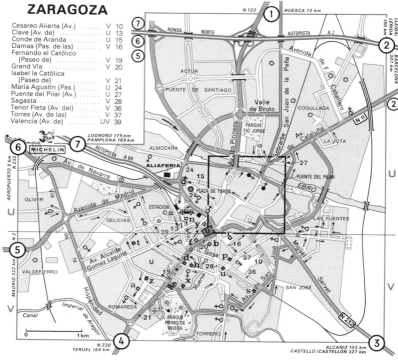

Goya, Cinco de Marzo 5, ⊠ 50004, 𝒫 22 93 31 – ♯ 🗏 📺 ☎ 👝 – ⚿. 🅰🅴 ⓞ 🄴 𝕍𝕀𝕊𝔸. 🦟
Com 2000 – 😅 475 – **148 hab** 6400/8800 – P 8200/10200.
Y e

Rey Alfonso I, Coso 17, ⊠ 50003, 𝒫 39 48 50, Telex 58226 – ♯ 🗏 📺 ☎ 👝. 🅰🅴 ⓞ 🄴 𝕍𝕀𝕊𝔸. 🦟
Com 1200 – 😅 550 – **117 hab** 7500/11000.
Y v

Don Yo y Rest. Doña Taberna, Bruil 4, ⊠ 50001, 𝒫 22 67 41, Telex 58768 – ♯ 🗏 📺 –
⚿. 🅰🅴 ⓞ 🄴 𝕍𝕀𝕊𝔸. 🦟
Com 1850 – 😅 550 – **180 hab** 7500/11000.
Z w

Zaragoza Royal y Rest. Ascot, Arzobispo Domenech 4, ⊠ 50006, 𝒫 21 46 00, Telex 57800 – ♯ 🗏 📺 ☎ 👝 – ⚿. 🅰🅴 ⓞ 🄴 𝕍𝕀𝕊𝔸. 🦟
Com 1600 – 😅 475 – **92 hab** 6225/9000 – P 7620/9345.
V b

Oriente, Coso 11, ⊠ 50003, 𝒫 39 80 61, Telex 58533 – ♯ 🗏 📺 ☎. 🅰🅴 ⓞ 🄴 𝕍𝕀𝕊𝔸. 🦟 rest
Com 1300 – 😅 500 – **87 hab** 7500/7500.
Y n

La Romareda sin rest con cafetería, Asin y Palacios 11, ⊠ 50009, 𝒫 35 11 00, Telex 58067 –
♯ 🗏 📺 ☎ 👝 – ⚿. 🅰🅴 ⓞ 🄴 𝕍𝕀𝕊𝔸. 🦟
😅 600 – **90 hab** 6200/9500.
V a

Ramiro I, Coso 123, ⊠ 50001, 𝒫 29 82 00, Telex 58689 – ♯ 🗏 📺 👝 – ⚿. 🅰🅴 ⓞ 🄴 𝕍𝕀𝕊𝔸. 🦟
Com 1050 – 😅 475 – **104 hab** 3500/6200.
Y m

Sport, Moncayo 5, ⊠ 50010, 𝒫 31 11 14, Telex 58534, Fax 33 06 89, ⬛ – ♯ 🗏 📺 👝 – ⚿. 🅰🅴 ⓞ 🄴 𝕍𝕀𝕊𝔸.
Com (sólo cena) 1300 – 😅 500 – **64 hab** 4400/7500.
U c

Europa sin rest, Alfonso I - 19, ⊠ 50003, 𝒫 39 27 00, Telex 58533 – ♯ 📺 ☎. 🅰🅴 ⓞ 🄴 𝕍𝕀𝕊𝔸.
😅 350 – **54 hab** 3300/5500.
Y c

Conquistador sin rest, Hernán Cortés 21, ⊠ 50005, 𝒫 21 49 88 – ♯ 🗏 📺 ☎ 👝. 🅰🅴 ⓞ 🄴 𝕍𝕀𝕊𝔸. 🦟
😅 350 – **44 hab** 4400/6800.
U y

Conde Blanco sin rest, con cafetería, Predicadores 84, ⊠ 50003, 𝒫 44 14 11 – ♯ 🗏 📭 👝. 🦟
😅 300 – **83 hab** 2750/4000.
X h

ZARAGOZA

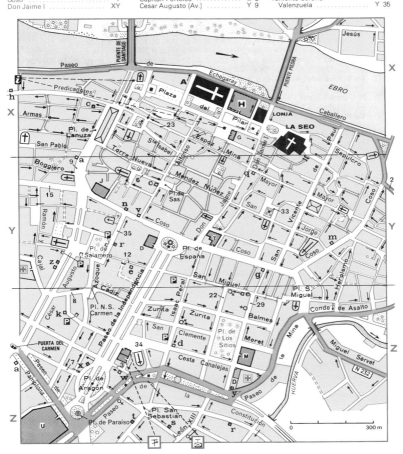

🏨 **Paris,** Pedro Maria Ric 14, ⌧ 50008, ☎ 23 65 36 – 🛗 ☎ – 🚗. AE ⓪ E VISA. ⚙️   V **r**
Com 1500 – ⌧ 450 – **62 hab** 4450/6500 – P 6180/7380.

🏨 **Cesaraugusta** sin rest, av. Anselmo Clavé 45, ⌧ 50004, ☎ 21 10 30 – 🔲 TV ☎ 🚗. AE ⓪   U **n**
E VISA
⌧ 325 – **43 hab** 3800/4800.

🏨 **Cataluña** sin rest, Coso 94, ⌧ 50001, ☎ 21 69 38 – 🛗 ☎. ⓪ E VISA. ⚙️   Y **g**
⌧ 200 – **51 hab** 2000/3100.

🏨 **Avenida** sin rest, av. César Augusto 55, ⌧ 50003, ☎ 43 93 00, Telex 58570 – 🛗 🔲 ☎. VISA   XY **a**
⌧ 225 – **73 hab** 2260/3565.

🏨 **Gran Via** sin rest, Gran Via 38, ⌧ 50005, ☎ 22 92 13 – ☎. AE ⓪ E VISA   V **f**
⌧ 300 – **41 hab** 2900/4200.

🏨 **Los Molinos** sin rest, con cafeteria, San Miguel 28, ⌧ 50001, ☎ 22 49 80 – 🛗 ☎. E VISA   Z **e**
⌧ 210 – **40 hab** 2100/3700.

🏨 **Paraiso** sin rest y sin ⌧, paseo Pamplona 23 - 3° piso, ⌧ 50005, ☎ 21 76 08 – 🔲 🚗. AE ⓪   Z **a**
E VISA. ⚙️ – **29 hab** 2600/3300.

🏠 San Jorge, sin rest, Mayor 4, ⌧ 50001, ☎ 39 74 62 – 🚗 – **27 hab**.   Y **q**

429

XXX **Gurrea,** San Ignacio de Loyola 14, ⊠ 50008, ℰ 23 31 61 – ▤. ⒶⒺ ⓞ Ⓔ 𝗩𝗜𝗦𝗔. ⌘   Z t
cerrado domingo y 12 agosto-12 septiembre – Com carta 3200 a 4150.

XXX Risko-Mar, Francisco Vitoria 16, ⊠ 50008, ℰ 22 50 53 – ▤   Z r

XXX La Mar, pl. Aragón 12, ⊠ 50001, ℰ 21 22 64, Decoración clásica elegante – ▤   Z x

XXX ⊛ **Costa Vasca,** Coronel Valenzuela 13, ⊠ 50004, ℰ 21 73 39 – ▤. ⒶⒺ ⓞ Ⓔ 𝗩𝗜𝗦𝗔. ⌘   Y r
cerrado domingo, agosto y Navidades – Com carta 2750 a 3850
Espec. Merluza Ordiziana, Creps de setas y gambas, Solomillo a las hierbas de Provence.

XXX **Goyesco,** Manuel Lasala 44, ⊠ 50006, ℰ 35 68 71 – ▤. ⒶⒺ ⓞ Ⓔ 𝗩𝗜𝗦𝗔. ⌘   V e
cerrado domingo y del 3 al 25 agosto – Com carta 1975 a 3225.

XX **Guetaria,** Madre Vedruna 9, ⊠ 50008, ℰ 21 53 16, Asador vasco – ▤ ⓟ. ⒶⒺ ⓞ 𝗩𝗜𝗦𝗔. ⌘
cerrado agosto – Com carta 2100 a 3400.   Z s

XX **La Gran Bodega,** av. César Augusto 13, ⊠ 50004, ℰ 43 13 69 – ▤. ⒶⒺ ⓞ Ⓔ 𝗩𝗜𝗦𝗔. ⌘   Y z
cerrado domingo – Com carta 2400 a 3800.

XX **El Flambé,** José Pellicer 7, ⊠ 50007, ℰ 27 87 31 – ▤. ⒶⒺ Ⓔ 𝗩𝗜𝗦𝗔. ⌘   V s
cerrado domingo noche – Com carta 1875 a 2325.

X **La Matilde,** Casta Álvarez 10, ⊠ 50003, ℰ 43 34 43 – ▤. ⒶⒺ ⓞ Ⓔ 𝗩𝗜𝗦𝗔. ⌘   X c
cerrado domingo, festivos y agosto – Com carta 2525 a 3400.

X Sunny Garden, av. de las Torres 112, ⊠ 50007, ℰ 27 78 14, Rest. chino – ▤   V u

X Pantxika Orio, paseo de la Mina 3, ⊠ 50001, ℰ 21 29 47, Asador vasco – ▤   Z y

X El Serrablo, Manuel Lasala 44, ⊠ 50006, ℰ 35 62 06, Decoración rústica – ▤. ⒶⒺ ⓞ Ⓔ 𝗩𝗜𝗦𝗔
cerrado domingo y del 6 al 24 agosto – Com carta 1650 a 2550.   V e

X **Rudy,** Violante de Hungría 2, ⊠ 50009, ℰ 35 54 51 – ▤. Ⓔ 𝗩𝗜𝗦𝗔. ⌘   V z
cerrado lunes y agosto – Com carta 1600 a 3000.

X **La Aldaba,** Santa Teresa 26, ⊠ 50006, ℰ 35 63 79 – ▤. ⒶⒺ ⓞ Ⓔ 𝗩𝗜𝗦𝗔. ⌘   V d
cerrado domingo noche – Com carta 2500 a 3550.

X **Txingudi,** Agustín de Quinto 4, ⊠ 50006, ℰ 55 74 75, ⛲, Cocina vasca – ▤. ⒶⒺ ⓞ Ⓔ 𝗩𝗜𝗦𝗔
⌘   V x
cerrado domingo noche – Com carta 2850 a 3150.

X El Ailanto, La Milagrosa 20 (Ciudad Jardín), ⊠ 50009, ℰ 56 13 07, ⛲ – ▤   V t

X **Mesón de Tomás,** av. de las Torres 92, ⊠ 50008, ℰ 23 13 02 – ▤. ⓞ Ⓔ 𝗩𝗜𝗦𝗔. ⌘   V p
cerrado domingo noche y del 15 al 31 agosto – Com carta 1625 a 3125.

X **Josean,** Santa Teresa 9, ⊠ 50006, ℰ 56 48 09, Cocina vasca – ▤. ⒶⒺ ⓞ Ⓔ 𝗩𝗜𝗦𝗔. ⌘   V h
cerrado domingo noche – Com carta 2325 a 4250.

en la carretera N II por ⑤ : 8 km – ⊠ 50012 Zaragoza – ⊕ 976 :

X **Venta de los Caballos,** ℰ 33 23 00, ⛲, Decoración regional – ▤ ⓟ. 𝗩𝗜𝗦𝗔. ⌘
cerrado lunes y del 15 al 30 julio – Com carta 2025 a 3250.

en la carretera N 232 por ⑥ : 4,5 km – ⊠ 50011 Zaragoza – ⊕ 976 :

XX El Cachirulo, ℰ 33 16 74, Folklore aragonés en las cenas, « Bonito conjunto típico aragonés »
– ▤ ⓟ.

en la carretera del aeropuerto por ⑥ : 8 km – ⊠ 50190 Zaragoza – ⊕ 976 :

XXX **Gayarre,** ℰ 34 43 86 – ▤ ⓟ. ⓞ 𝗩𝗜𝗦𝗔. ⌘
cerrado domingo noche salvo vísperas de festivos – Com carta 3050 a 3500.

Hoteles y restaurantes ver : Villanueva de Gallego N : 14 km, *Utebo* : 13 km.

S.A.F.E. Neumáticos MICHELIN, Sucursal, carret. N 232 Zaragoza - Logroño km 7,1 por ⑥,
⊠ 50011 ℰ 34 41 05 y 31 35 08

ALFA ROMEO Polígono Argualas 56 ℰ 21 18 44
AUSTIN-MG-MORRIS-ROVER camino Cabaldós 60
bajo ℰ 49 52 99
BMW carretera de Logroño 22 ℰ 32 61 12
CITROEN carret. Cogullada km 0,5 ℰ 39 38 00
CITROEN av. de Madrid 10 ℰ 43 91 99
FIAT Tenor Fleta 44 ℰ 38 70 00
FIAT Batalla de Lepanto 22 ℰ 59 02 44
FIAT carret. de Madrid 2 ℰ 31 06 13
FORD carret. de Logroño 32 ℰ 33 11 54
FORD carret. Cogullada km 0,5 ℰ 39 81 90
FORD Monasterio de Siresa 6 ℰ 42 58 10
LANCIA Tenor Fleta 44 ℰ 38 70 00
MERCEDES-BENZ Ramón J. Sender 2 ℰ 34 56 64
MERCEDES-BENZ Tomas Alba Edison 6 (Polígono
Cogullada) ℰ 29 64 90
OPEL vía Hispanidad 133 ℰ 34 58 50

OPEL-GENERAL MOTORS av. Cataluña 243 ℰ
57 20 68
OPEL-GENERAL MOTORS vía Hispanidad 133 ℰ
34 58 50
PEUGEOT-TALBOT carret. de Madrid km 314 ℰ
33 20 08
RENAULT vía de la Hispanidad 67-69 ℰ 33 36 50
RENAULT Miguel Faraday 6 ℰ 39 85 12
RENAULT av. San José 69 ℰ 42 20 49
SEAT av. Navarra 50 ℰ 32 17 01
SEAT-AUDI-VOLKSWAGEN Madre Vedruna 37-39
ℰ 22 92 07
SEAT-AUDI-VOLKSWAGEN carret. de Madrid 11 ℰ
34 76 00
SEAT-AUDI-VOLKSWAGEN av. de San José 42 ℰ
41 11 00
VOLVO paseo de Sagasta 51 ℰ 27 29 96

EUROPE on a single sheet
Michelin map no 𝟵𝟮𝟬.

ZARAUZ o **ZARAUTZ** 20800 Guipúzcoa **442** C 23 – 15 071 h. – ✿ 943 – Playa.

Alred. : Carretera en cornisa** de Zarauz a Guetaria – Carretera de Orio ≤★.

🏌 Real Golf Club de Zarauz ✆ 83 01 45.

🎫 Navarra ✆ 83 09 90.

◆Madrid 482 – ◆Bilbao 85 – ◆Pamplona 103 – ◆San Sebastián/Donostia 22.

　🏨 **Zarauz,** Nafarroa 26 ✆ 83 02 00 – 🛗 ☎ **ⓟ** – 🏛. 🆀 ⑩ 🄴 𝗩𝗜𝗦𝗔. ⅝ rest
　　cerrado 15 diciembre-15 enero – Com (sólo en verano) 1700 – 🖙 375 – **82 hab** 4500/6900 – P 8700/13300.

　🏦 **Alameda,** Seitximeneta 2 ✆ 83 01 43, 🏡 – **ⓟ**. ⑩ 🄴 𝗩𝗜𝗦𝗔. ⅝
　　abril-septiembre – Com 1115 – 🖙 315 – **26 hab** 2475/4395 – P 4360/4640.

　🏩 **Aiten-Etxe,** carret. de Guetaria 3 ✆ 83 18 25, ≤, 🏡 – **ⓟ**. 🆀 ⑩ 🄴 𝗩𝗜𝗦𝗔
　　cerrado martes y del 13 al 28 febrero – Com carta 2350 a 3700.

　🏩 ❀ **Karlos Arguiñano,** Mendilauta 13 ✆ 83 01 78, 🞄 – 🆀 🄴 𝗩𝗜𝗦𝗔. ⅝
　　cerrado domingo noche, miércoles y 12 octubre-4 noviembre – Com carta 4300 a 5700
　　Espec. Terrina de frutos del mar, Croquetas de cigalas, Becada flambeada (temporada de caza).

　🏩 Otzarreta, Santa Klara 5 ✆ 85 16 19, 🏡, 🞄 – 🝌.

　en el Alto de Meagas O : 4 km – ✉ 20800 Zarauz – ✿ 943 :

　🏵 **Azkue** 🐌 con hab, ✆ 83 05 54, ≤, 🏡 – **ⓟ**. 🆀 ⑩ 🄴 𝗩𝗜𝗦𝗔
　　Com *(cerrado martes)* carta 1200 a 2425 – 🖙 350 – **21 hab** 2550.

FORD　Araba Kalea 33 ✆ 83 51 95
GENERAL MOTORS　carretera Urteta ✆ 85 14 24
PEUGEOT-TALBOT　carretera Urteta ✆ 85 16 28

RENAULT　San Francisco 15 ✆ 83 17 00
SEAT-AUDI-VOLKSWAGEN　carretera Urteta ✆ 84 19 42

La ZENIA (Urbanización) Alicante – ver Torrevieja.

ZESTOA 20740 Guipúzcoa **442** C 23 – ver Cestona.

ZUBIRI 31630 Navarra **442** D 25 – ✿ 948.

◆Madrid 405 – ◆Pamplona 20.

　🏵 Gau Txori, carret. de Francia km 21 ✆ 30 40 76 – **ⓟ**.

ZUERA 50800 Zaragoza **443** G 27 – 5 164 h. alt. 279 – ✿ 976.

◆Madrid 349 – Huesca 46 – ◆Zaragoza 26.

　🏨 **Las Galias,** carret. de Huesca N 123 E : 1 km ✆ 68 02 24, ⌃, ⅞ – 🝌 rest ☎ **ⓟ**. 🆀 ⑩ 🄴 𝗩𝗜𝗦𝗔. ⅝ rest
　　Com 1400 – 🖙 300 – **26 hab** 2300/4600.

OPEL-GENERAL MOTORS　carret. de Huesca km 24 ✆ 68 11 25
PEUGEOT-TALBOT　carret. de Huesca km 24,2 ✆ 68 00 78

RENAULT　carret. de Huesca 1 ✆ 68 00 72
SEAT-AUDI-VOLKSWAGEN　carret. de Huesca km 26 ✆ 68 02 04

ZUMÁRRAGA 20700 Guipúzcoa **442** C 23 – 11 413 h. – ✿ 943.

◆Madrid 410 – ◆Bilbao 65 – ◆San Sebastián/Donostia 57 – ◆Vitoria/Gasteiz 55.

　🏦 **Etxe-Berri** 🐌, carret. de Azpeitia N : 1 km ✆ 72 02 68, Fax 72 44 94, « Decoración elegante », ⅞ – 📺 🚗 **ⓟ**. 🆀 ⑩ 🄴 𝗩𝗜𝗦𝗔
　　Com *(cerrado domingo noche)* 2700 – 🖙 500 – **27 hab** 4400/5800 – P 7800/9300.

FORD　barrio de Artíz ✆ 72 24 54
OPEL-GENERAL MOTORS　Iparraguirre ✆ 72 33 71
RENAULT　Iparraguirre ✆ 72 34 59

SEAT-AUDI-VOLKSWAGEN　San Cristóbal ✆ 72 19 11

ZUMAYA 20750 Guipúzcoa **442** C 23 – 7 840 h. – ✿ 943.

◆Madrid 462 – ◆Bilbao 71 – ◆San Sebastián/Donostia 30.

　🏩 ❀ **Abegi Leku,** carret. de San Sebastián E : 1 km ✆ 86 05 66, ≤, 🏡 – **ⓟ**. 🆀 ⑩ 🄴 𝗩𝗜𝗦𝗔. ⅝
　　cerrado domingo noche en invierno – Com carta 2700 a 3400
　　Espec. Rodaballo en papillot, Merluza con kokotxas y almejas, Biscuit helado con salsa de chocolate.

PORTUGAL

SIGNOS E SÍMBOLOS ESSENCIAIS

(lista completa p. 25 a 31)

O CONFORTO

🏨	Grande luxo e tradição	XXXXX
🏨	Grande conforto	XXXX
🏨	Muito confortável	XXX
🏠	Bastante confortável	XX
🏠	Confortável	X
🏠	Simples, mas que convém	
sem rest	O hotel não tem restaurante	
	O restaurante tem quartos	com qto
Ⓜ	Na sua categoria, hotel de instalações modernas	

AS BOAS MESAS

✿	Muito boa mesa na sua categoria

OS ATRACTIVOS

🏨 ... 🏠 — Hotéis agradáveis
XXXXX ... X — Restaurantes agradáveis
« Parque » — Elemento particularmente agradável
🐾 — Hotel muito tranquilo ou isolado e tranquilo
≼ mar — Vista excepcional

AS CURIOSIDADES

★★★	Vale a viagem
★★	Merece um desvio
★	Interessante

435

proibido	prohibido	interdit	vietato	verboten	prohibited
proibido ultrapassar	prohibido el adelantamiento	défense de doubler	divieto di sorpasso	Überholverbot	no overtaking
pronto socorro	puesto de socorro	poste de secours	pronto soccorso	Unfall-Hilfsposten	first aid station
prudência	precaución	prudence	prudenza	Vorsicht	caution
queda de pedras	desprendimientos	chute de pierres	caduta sassi	Steinschlag	falling rocks
rebanhos	cañada	troupeaux	gregge	Viehherde	cattle
saída de camiões	salida de camiones	sortie de camions	uscita di autocarri	LKW-Ausfahrt	lorry exit
sentido proibido	dirección prohibida	sens interdit	senso vietato	Einfahrt verboten	no entry
sentido único	dirección única	sens unique	senso unico	Einbahnstraße	one way

PALAVRAS DE USO CORRENTE	**PALABRAS DE USO CORRIENTE**	**MOTS USUELS**	**PAROLE D'USO CORRENTE**	**ALLGEMEINER WORTSCHATZ**	**COMMON WORDS**
abadia	abadia	abbaye	abbazia	Abtei	abbey
aberto	abierto	ouvert	aperto	offen	open
abismo	abismo	gouffre	abisso	Abgrund, Tiefe	gulf, abyss
abóbada	bóveda	voûte	volta	Gewölbe, Wölbung	vault, arch
Abril	abril	avril	aprile	April	April
adega	bodega	chais. cave	cantina	Keller	cellar
agência de viagens	oficina de viajes	bureau de voyages	ufficio viaggi	Reisebüro	travel bureau
Agosto	agosto	août	agosto	August	August
água potável	agua potable	eau potable	acqua potabile	Trinkwasser	drinking water
albergue	albergue	auberge	albergo	Gasthof	inn
aldeia	pueblo	village	villaggio	Dorf	village
alfândega	aduana	douane	dogana	Zoll	customs
almoço	almuerzo	déjeuner	colazione	Mittagessen	lunch
andar	piso	étage	piano (di casa)	Stock, Etage	floor
antigo	antiguo	ancien	antico	alt	ancient
aqueduto	acueducto	aqueduc	acquedotto	Aquädukt	aqueduct
arquitectura	arquitectura	architecture	architettura	Baukunst	architecture
arredores	alrededores	environs	dintorni	Umgebung	surroundings
artificial	artificial	artificiel	artificiale	künstlich	artificial
árvore	árbol	arbre	albero	Baum	tree
avenida	avenida	avenue	viale, corso	Boulevard, breite Straße	avenue
bagagem	equipaje	bagages	bagagli	Gepäck	luggage
baía	bahia	baie	baia	Bucht	bay

bairro	barrio	quartier	quartiere	Stadtteil	quarter, district
baixo-relevo	bajo relieve	bas-relief	bassorilievo	Flachrelief	low relief
balaustrada	balaustrada	balustrade	balaustrata	Balustrade, Geländer	balustrade
barco	barco	bateau	battello	Schiff	boat
barragem	embalse	barrage	sbarramento	Talsperre	dam
bêco	callejón sin salida	impasse	vicolo cieco	Sackgasse	no through road
beira-mar	orilla del mar	bord de mer	riva, litorale	Ufer, Küste	shore, strand
biblioteca	biblioteca	bibliothèque	biblioteca	Bibliothek	library
bilhete postal	tarjeta postal	carte postale	cartolina	Postkarte	postcard
bosque	bosque	bois	bosco, boschi	Wäldchen	wood
botânico	botánico	botanique	botanico	botanisch	botanical
cabeleireiro	peluquería	coiffeur	parrucchiere	Friseur	hairdresser, barber
caça	caza	chasse	caccia	Jagd	hunting, shooting
cadeiras de coro	sillería del coro	stalles	stalli	Chorgestühl	choir stalls
caixa	caja	caisse	cassa	Kasse	cash-desk
cama	cama	lit	letto	Bett	bed
campanário	campanario	clocher	campanile	Glockenturm	belfry, steeple
campo	campo	campagne	campagna	Land	country, countryside
capela	capilla	chapelle	sacello	Kapelle	chapel
capitel	capitel	chapiteau	capitello	Kapitell	capital (of column)
casa	casa	maison	casa	Haus	house
casa de jantar	comedor	salle à manger	sala da pranzo	Speisesaal	dining room
cascata	cascada	cascade	cascata	Wasserfall	waterfall
castelo	castillo	château	castello	Schloß	castle
casula	casulla	chasuble	pianeta	Meßgewand	chasuble
catedral	catedral	cathédrale	duomo	Dom, Münster	cathedral
centro urbano	centro urbano	centre ville	centro città	Stadtzentrum	town centre
chave	llave	clé	chiave	Schlüssel	key
cidade	ciudad	ville	città	Stadt	town
cinzeiro	cenicero	cendrier	portacenere	Aschenbecher	ash-tray
claustro	claustro	cloître	chiostro	Kreuzgang	cloisters
climatizada (piscina)	climatizada (piscina)	chauffée (piscine)	riscaldata (piscina)	geheizt (Freibad)	heated (swimming pool)
climatizado	climatizado	climatisé	con aria condizionata	mit Klimaanlage	air conditioned
colecção	colección	collection	collezione	Sammlung	collection
colher	cuchara	cuillère	cucchiaio	Löffel	spoon
colina	colina	colline	colle, collina	Hügel	hill
confluência	confluencia	confluent	confluente	Zusammenfluß	confluence
conforto	confort	confort	confort	Komfort	comfort

14

437

conta	cuenta	note	conto	Rechnung	bill
convento	convento	couvent	convento	Kloster	convent
copo	vaso	verre	bicchiere	Glas	glass
correios	correos	bureau de poste	ufficio postale	Postamt	post office
cozinha	cocina	cuisine	cucina	Kochkunst	cuisine
criado, empregado	camarero	garçon, serveur	cameriere	Ober, Kellner	waiter
crucifixo, cruz	crucifijo, cruz	crucifix, croix	crocifisso, croce	Kruzifix, Kreuz	crucifix, cross
cúpula	cúpula	coupole, dôme	cupola	Kuppel	dome, cupola
curiosidade	curiosidad	curiosité	curiosità	Sehenswürdigkeit	sight
decoração	decoración	décoration	ornamento	Schmuck, Ausstattung	decoration
dentista	dentista	dentiste	dentista	Zahnarzt	dentist
descida	bajada, descenso	descente	discesa	Gefälle	steep hill
desporto	deporte	sport	sport	Sport	sport
Dezembro	diciembre	décembre	dicembre	Dezember	December
Domingo	domingo	dimanche	domenica	Sonntag	Sunday
edifício	edificio	édifice	edificio	Bauwerk	building
encosta	ladera	versant	versante	Abhang	hillside
engomagem	planchado	repassage	stiratura	Büglerei	pressing, ironing
envelopes	sobres	enveloppes	buste	Briefumschläge	envelopes
episcopal	episcopal	épiscopal	vescovile	bischöflich	episcopal
equestre	ecuestre	équestre	equestre	Reit.- zu Pferd	equestrian
escada	escalera	escalier	scala	Treppe	stairs
escultura	escultura	sculpture	scultura	Schnitzwerk	carving
esquadra de policia	comisaría	commissariat de police	commissariato di polizia	Polizeistation	police headquarters
estação	estación	gare	stazione	Bahnhof	station
estância balnear	estación balnearia	station balnéaire	stazione balneare	Seebad	seaside resort
estátua	estatua	statue	statua	Standbild	statue
estilo	estilo	style	stile	Stil	style
estuário	estuario	estuaire	estuario	Mündung	estuary
estrada	carretera	route	strada	Straße	road
estrada escarpada	carretera en cornisa	route en corniche	strada panoramica	Höhenstraße	corniche road
faca	cuchillo	couteau	coltello	Messer	knife
fachada	fachada	façade	facciata	Vorderseite	façade
faiança	loza	faïence	maiolica	Fayence	china
falésia	acantilado	falaise	scogliera	Klippe, Steilküste	cliff, c' face
farmácia	farmacia	pharmacie	farmacia	Apotheke	chemist
fechado	cerrado	fermé	chiuso	geschlossen	closed

2ª. feira	lunes	lundi	lunedì	Montag	Monday
3ª. feira	martes	mardi	martedì	Dienstag	Tuesday
4ª. feira	miércoles	mercredi	mercoledì	Mittwoch	Wednesday
5ª. feira	jueves	jeudi	giovedì	Donnerstag	Thursday
6ª. feira	viernes	vendredi	venerdì	Freitag	Friday
ferro forjado	hierro forjado	fer forgé	ferro battuto	Schmiedeeisen	wrought iron
Fevereiro	febrero	février	febbraio	Februar	February
floresta	bosque	forêt	foresta	Wald	forest
florido	florido	fleuri	fiorito	mit Blumen	in bloom
folclore	folklore	folklore	folklore	Volkskunde	folklore
fonte, nascente	fuente	source	sorgente	Quelle	source, stream
fortificação	fortificación	fortification	fortificazione	Befestigung	fortification
fortaleza	fortaleza	forteresse, château fort	fortezza	Festung, Burg	fortress, fortified castle
fósforos	cerillas	allumettes	fiammiferi	Zündhölzer	matches
foz	desembocadura	embouchure	foce	Mündung	mouth
fronteira	frontera	frontière	frontiera	Grenze	frontier
garagem	garaje	garage	garage	Garage	garage
garfo	tenedor	fourchette	forchetta	Gabel	fork
garganta	garganta	gorge	gola	Schlucht	gorge
gasolina	gasolina	essence	benzina	Benzin	petrol
gorjeta	propina	pourboire	mancia	Trinkgeld	tip
gracioso	encantador	charmant	delizioso	reizend	charming
igreja	iglesia	église	chiesa	Kirche	church
ilha	isla	île	isola, isolotto	Insel	island
imagem	imagen	image	immagine	Bild	picture
informações	informaciones	renseignements	informazioni	Auskünfte	information
instalação	instalación	installation	installazione	Einrichtung	arrangement
interior	interior	intérieur	interno	Inneres	interior
Inverno	invierno	hiver	inverno	Winter	winter
Janeiro	enero	janvier	gennaio	Januar	January
janela	ventana	fenêtre	finestra	Fenster	window
jantar	cena	dîner	pranzo	Abendessen	dinner
jardim	jardín	jardin	giardino	Garten	garden
jornal	diario	journal	giornale	Zeitung	newspaper
Julho	julio	juillet	luglio	Juli	July
Junho	junio	juin	giugno	Juni	June
lago, lagoa	lago, laguna	lac, lagune	lago, laguna	See, Lagune	lake, lagoon

439

lavagem de roupa	lavado	blanchissage	lavatura	Wäsche, Lauge	laundry
local	paraje	site	posizione	Lage	site
localidade	localidad	localité	località	Ortschaft	locality
loiça de barro	alfarería	poterie	stoviglie	Tongeschirr	pottery
luxuoso	lujoso	luxueux	sfarzoso	prachtvoll	luxurious
Maio	mayo	mai	maggio	Mai	May
mansão	mansión	manoir	maniero	Gutshaus	manor
mar	mar	mer	mare	Meer	sea
Março	marzo	mars	marzo	März	March
marfim	marfil	ivoire	avorio	Elfenbein	ivory
margem	ribera	rive, bord	riva, banchina	Ufer	shore (of lake), bank (of river)
mármore	mármol	marbre	marmo	Marmor	marble
médico	médico	médecin	medico	Arzt	doctor
medieval	medieval	médiéval	medioevale	mittelalterlich	mediaeval
miradouro	mirador	belvédère	belvedere	Aussichtspunkt	belvedere
mobiliário	mobiliario	ameublement	arredamento	Einrichtung	furniture
moinho	molino	moulin	mulino	Mühle	mill
montanha	montaña	montagne	monte	Berg	mountain
mosteiro	monasterio	monastère	monastero	Kloster	monastery
muralha	muralla	muraille	muraglia	Mauern	walls
museu	museo	musée	museo	Museum	museum
Natal	Navidad	Noël	Natale	Weihnachten	Christmas
nave	nave	nef	navata	Kirchenschiff	nave
Novembro	noviembre	novembre	novembre	November	November
obra de arte	obra de arte	œuvre d'art	opera d'arte	Kunstwerk	work of art
oceano	océano	océan	oceano	Ozean	ocean
oliveira	olivo	olivier	ulivo	Ölbaum	olive-tree
órgão	órgano	orgue	organo	Orgel	organ
orla	linde	lisière	orlo	Waldrand	forest skirt
ourivesaria	orfebrería	orfèvrerie	oreficeria	Goldschmiedekunst	goldsmith's work
Outono	otoño	automne	autunno	Herbst	autumn
Outubro	octubre	octobre	ottobre	Oktober	October
ovelha	oveja	brebis	pecora	Schaf	ewe
pagar	pagar	payer	pagare	bezahlen	to pay
paisagem	paisaje	paysage	paesaggio	Landschaft	landscape
palácio, paço	palacio	palais	palazzo	Palast	palace

palmar	palmeral	palmeraie	palmeto	Palmenhain	palm grove
papel de carta	papel de carta	papier à lettre	carta da lettere	Briefpapier	writing paper
paragem	parada	arrêt	fermata	Haltestelle	stopping place
parque	parque	parc	parco	Park	park
parque de estacionamento	aparcamiento	parc à voitures	parcheggio	Parkplatz	car park
partida	salida	départ	partenza	Abfahrt	departure
Páscoa	Pascua	Pâques	Pasqua	Ostern	Easter
passageiros	pasajeros	passagers	passeggeri	Fahrgäste	passengers
passeio	paseo	promenade	passeggiata	Spaziergang. Promenade	walk, promenade
pelourinho	picote	pilori	gogna	Pranger	pillory
percurso	recorrido	parcours	percorso	Strecke	course
perspectiva	perspectiva	perspective	prospettiva	Perspektive	perspective
pesca, pescador	pesca, pescador	pêche, pêcheur	pesca, pescatore	Fischfang. Fischer	fisher, fishing
pia baptismal	pila de bautismo	fonts baptismaux	fonte, battistero	Taufbecken	font
pinhal	pinar, pineda	pinède	pineta	Pinienhain	pine wood
pinheiro	pino	pin	pino	Kiefer	pine-tree
planície	llanura	plaine	pianura	Ebene	plain
poço	pozo	puits	pozzo	Brunnen	well
polícia	guardia civil	gendarme	gendarme	Polizist	policeman
ponte	puente	pont	ponte	Brücke	bridge
porcelana	porcelana	porcelaine	porcellana	Porzellan	porcelain
portal	portal	portail	portale	Tor	doorway
porteiro	conserje	concierge	portiere, portinaio	Portier	porter
porto	puerto	port	porto	Hafen	harbour, port
povoação	burgo	bourg	borgo	kleiner Ort, Flecken	market town
praça de touros	plaza de toros	arènes	arena	Stierkampfarena	bull ring
praia	playa	plage	spiaggia	Strand	beach
prato	plato	assiette	piatto	Teller	plate
Primavera	primavera	printemps	primavera	Frühling	spring (season)
proibido fumar	prohibido fumar	défense de fumer	vietato fumare	Rauchen verboten	no smoking
promontório	promontorio	promontoire	promontorio	Vorgebirge	promontory
púlpito	púlpito	chaire	pulpito	Kanzel	pulpit
quadro, pintura	cuadro, pintura	tableau, peinture	quadro, pittura	Gemälde. Malerei	painting
quarto	habitación	chambre	camera	Zimmer	room
quinzena	quincena	quinzaine	quindicina	etwa fünfzehn	about fifteen
recepção	recepción	réception	ricevimento	Empfang	reception
recife	arrecife	récif	scoglio	Klippe	reef
registado	certificado	recommandé (objet)	raccomandato	Einschreiben	registered

441

relógio	reloj	orologio	horloge	Uhr	clock
relvado	césped	prato	pelouse	Rasen	lawn
renda	encaje	trina	dentelle	Spitze	lace
retábulo	retablo	postergale	retable	Altaraufsatz	altarpiece, retable
retrato	retrato	ritratto	portrait	Bildnis	portrait
rio	río	fiume	fleuve	Fluß	river
rochoso	rocoso	roccioso	rocheux	felsig	rocky
rua	calle	via	rue	Straße	street
ruínas	ruinas	ruderi	ruines	Ruinen	ruins
rústico	rústico	rustico	rustique	ländlich	rustic, rural
Sábado	sábado	sabato	samedi	Samstag	Saturday
sacristia	sacristía	sagrestia	sacristie	Sakristei	sacristy
saída de socorro	salida de socorro	uscita di sicurezza	sortie de secours	Notausgang	emergency exit
sala capitular	sala capitular	sala capitolare	salle capitulaire	Kapitelsaal	chapterhouse
salão, sala	salón	salone	salon	Salon	drawing room, sitting room
santuário	santuario	santuario	sanctuaire	Heiligtum	shrine
século	siglo	secolo	siècle	Jahrhundert	century
selo	sello	francobollo	timbre-poste	Briefmarke	stamp
sepúlcro, túmulo	sepulcro, tumba	tomba	sépulcre, tombeau	Grabmal	tomb
serviço incluído	servicio incluido	servizio compreso	service compris	Bedienung inbegriffen	service included
serra	sierra	giogaia	chaîne de montagnes	Gebirgskette	mountain range
Setembro	septiembre	settembre	septembre	September	September
sob pena de multa	bajo pena de multa	passibile di contravenzione	sous peine d'amende	bei Geldstrafe	under penalty of fine
solar	casa solariega	maniero	manoir	Gutshaus	manor
tabacaria	estanco	tabaccaio	bureau de tabac	Tabakladen	tobacconist
talha	tallas en madera	sculture lignee	bois sculpté	Holzschnitzerei	wood carving
tapeçarias	tapices	tappezzerie, arazzi	tapisseries	Wandteppiche	tapestries
tecto	techo	soffitto	plafond	Zimmerdecke	ceiling
telhado	tejado	tetto	toit	Dach	roof
termas	balneario	terme	établissement thermal	Kurhaus	health resort
terraço	terraza	terrazza	terrasse	Terrasse	terrace
tesouro	tesoro	tesoro	trésor	Schatz	treasure, treasury
toilette, casa de banho	servicios	gabinetti	toilettes	Toiletten	toilets
tríptico	tríptico	trittico	triptyque	Triptychon	triptych
túmulo	tumba	tomba	tombe	Grab	tomb
vale	valle	val, valle, vallata	val, vallée	Tal	valley

ver	ver	voir	vedere	sehen	see
Verão	verano	été	estate	Sommer	summer
vila	pueblo	village	villaggio	Dorf	village
vinhedos, vinhas	viñedos	vignes, vignoble	vigne, vigneto	Reben, Weinberg	vines, vineyard
vista	vista	vue	vista	Aussicht	view
vitral	vidriera	verrière, vitrail	vetrata	Kirchenfenster	stained glass windows
vivenda	morada	demeure	dimora	Wohnsitz	residence

COMIDAS E BEBIDAS	COMIDA Y BEBIDAS	NOURRITURE ET BOISSONS	CIBI E BEVANDE	SPEISEN UND GETRÄNKE	FOOD AND DRINK
açúcar	azúcar	sucre	zucchero	Zucker	sugar
água gaseificada	agua con gas	eau gazeuse	acqua gasata, gasosa	Sprudel	soda water
água mineral	agua mineral	eau minérale	acqua minerale	Mineralwasser	mineral water
alcachofra	alcachofa	artichaut	carciofo	Artischocke	artichoke
alho	ajo	ail	aglio	Knoblauch	garlic
ameixas	ciruelas	prunes	prugne	Pflaumen	plums
amêndoas	almendras	amandes	mandorle	Mandeln	almonds
anchovas	anchoas	anchois	acciughe	Anschovis	anchovies
arroz	arroz	riz	riso	Reis	rice
assado	asado	rôti	arrosto	gebraten	roast
atum	atún	thon	tonno	Thunfisch	tunny
aves, criação	ave	volaille	pollame	Geflügel	poultry
azeite	aceite de oliva	huile d'olive	olio d'oliva	Olivenöl	olive oil
azeitonas	aceitunas	olives	olive	Oliven	olives

bacalhau fresco	bacalao	morue fraîche, cabillaud	merluzzo	Kabeljau, Dorsch	cod
bacalhau salgado	bacalao en salazón	morue salée	baccalà, stoccafisso	Laberdan	dried cod
banana	plátano	banane	banana	Banane	banana
bebidas	bebidas	boissons	bevande	Getränke	drinks
beringela	berenjena	aubergine	melanzana	Aubergine	egg-plant
besugo, dourada	besugo, dorada	daurade	orata	Goldbrassen	dory
batatas	patatas	pommes de terre	patate	Kartoffeln	potatoes
bolachas	galletas	gâteaux secs	biscotti secchi	Gebäck	cakes
bolos	pasteles	pâtisseries	dolci	Süßigkeiten	pastries

443

cabrito	cabrito	chevreau	capretto	Zicklein	kid
café com leite	café con leche	café au lait	caffè-latte	Milchkaffee	coffee and milk
café simples	café solo	café nature	caffè nero	schwarzer Kaffee	black coffee
caldo	caldo	bouillon	brodo	Fleischbrühe	clear soup
camarões	camarones	crevettes roses	gamberetti	Granat	shrimps
camarões grandes	gambas	crevettes (bouquets)	gamberetti	Garnelen	prawns
carne	carne	viande	carne	Fleisch	meat
carne de vitela	ternera	veau	vitello	Kalbfleisch	veal
carneiro	cordero	mouton	montone	Hammelfleisch	mutton
carnes frias	fiambres	viandes froides	carni fredde	kaltes Fleisch	cold meat
castanhas	castañas	châtaignes	castagne	Kastanien	chestnuts
cebola	cebolla	oignon	cipolla	Zwiebel	onion
cerejas	cerezas	cerises	ciliege	Kirschen	cherries
cerveja	cerveza	bière	birra	Bier	beer
charcutaria	charcutería, fiambres	charcuterie	salumi	Aufschnitt	pork-butchers'meat
cherne, mero	mero	mérou	cernia	Rautenscholle	brill
chouriço	chorizo	saucisses au piment	salsicce piccanti	Pfefferwurst	spiced sausages
cidra	sidra	cidre	sidro	Apfelwein	cider
cogumelos	setas	champignons	funghi	Pilze	mushrooms
cordeiro	cordero lechal	agneau de lait	agnello	Lammfleisch	lamb
costeleta	costilla, chuleta	côtelette	costoletta	Kotelett	chop, cutlet
couve	col	chou	cavolo	Kohl, Kraut	cabbage
enguia	anguila	anguille	anguilla	Aal	eel
entrada	entremeses	hors-d'œuvre	antipasti	Vorspeise	hors d'œuvre
espargos	espárragos	asperges	asparagi	Spargel	asparagus
espinafres	espinacas	épinards	spinaci	Spinat	spinach
ervilhas	guisantes	petits pois	piselli	junge Erbsen	garden peas
faisão	faisán	faisan	fagiano	Fasan	pheasant
feijão verde	judías verdes	haricots verts	fagiolini	grüne Bohnen	French beans
fígado	hígado	foie	fegato	Leber	liver
figos	higos	figues	fichi	Feigen	figs
frango	pollo	poulet	pollo	Hähnchen	chicken
fricassé	pepitoria	fricassée	fricassea	Frikassee	fricassée
fruta	frutas	fruits	frutta	Früchte	fruit
fruta em calda	frutas en almíbar	fruits au sirop	frutta sciroppata	Früchte in Sirup	fruit in syrup
gamba	gamba	crevette géante	gamberone	große Garnele	prawns
gelado	helado	glace	gelato	Speiseeis	ice cream

grão	garbanzos	pois chiches	ceci	Kichererbsen	chick peas
grelhado	a la parrilla	à la broche, grillé	allo spiedo	am Spieß	grilled
lagosta	langosta	langouste	aragosta	Languste	craw fish
lagostins	cigalas	langoustines	scampi	Meerkrebse, Langustinen	crayfish
lavagante	bogavante	homard	gambero di mare	Hummer	lobster
legumes	legumbres	légumes	verdure	Gemüse	vegetables
laranja	naranja	orange	arancia	Orange	orange
leitão assado	cochinillo, tostón	cochon de lait grillé	maialino grigliato, porchetta	Spanferkelbraten	roast suckling pig
lentilhas	lentejas	lentilles	lenticchie	Linsen	lentils
limão	limón	citron	limone	Zitrone	lemon
língua	lengua	langue	lingua	Zunge	tongue
linguado	lenguado	sole	sogliola	Seezunge	sole
lombo de porco	lomo	échine	lombata, lombo	Rückenstuck	spine, chine
lombo de vaca	filete, solomillo	filet	filetto	Filetsteak	fillet
lota	rape	lotte	rana pescatrice, pesce rospo	Aalrutte, Quappe	eel-pout angler fish
lulas, chocos	calamares	calmars	calamari	Tintenfische	squids
maçã	manzana	pomme	mela	Apfel	apple
manteiga	mantequilla	beurre	burro	Butter	butter
mariscos	mariscos	fruits de mer	frutti di mare	„Früchte des Meeres"	sea food
mel	miel	miel	miele	Honig	honey
melancia	sandia	pastèque	cocomero	Wassermelone	water melon
mexilhões	mejillones	moules	cozze	Muscheln	mussels
miolos, mioleira	sesos	cervelle	cervello	Hirn	brains
molho	salsa	sauce	sugo	Sauce	sauce
morangos	fresas	fraises	fragole	Erdbeeren	strawberries
nata	nata	crème fraîche	panna	Sahne	cream
omelete	totilla	omelette	frittata	Omelett	omelette
ostras	ostras	huîtres	ostriche	Austern	oysters
ovo cozido	huevo duro	œuf dur	uovo sodo	hartes Ei	hard boiled egg
ovo quente	huevo pasado por agua	œuf à la coque	uovo al guscio	weiches Ei	soft boiled egg
ovos estrelados	huevos al plato	œufs au plat	uova fritte	Spiegeleier	fried eggs
pão	pan	pain	pane	Brot	bread
pato	pato	canard	anitra	Ente	duck

peixe	pescado	poisson	pesce	Fisch	fish
pepino	pepino, pepinillo	concombre, cornichon	cetriolo, cetriolino	Gurke, kleine Essiggurke	cucumber, gherkin
pêra	pera	poire	pera	Birne	pear
perú	pavo	dindon	tacchino	Truthahn	turkey
pescada	merluza	colin, merlan	merluzzo	Kohlfisch, Weißling	hake
pêssego	melocotón	pêche	pesca	Pfirsich	peach
pimenta	pimienta	poivre	pepe	Pfeffer	pepper
pimento	pimiento	poivron	peperone	Pfefferschote	pimento
pombo, borracho	paloma, pichón	palombe, pigeon	palomba, piccione	Taube	pigeon
porco	cerdo	porc	maiale	Schweinefleisch	pork
pregado, rodovalho	rodaballo	turbot	rombo	Steinbutt	turbot
presunto, fiambre	jamón (serrano, de York)	jambon (cru ou cuit)	prosciutto (crudo o cotto)	Schinken (roh, gekocht)	ham (raw or cooked)
queijo	queso	fromage	formaggio	Käse	cheese
raia	raya	raie	razza	Rochen	skate
rins	riñones	rognons	rognoni	Nieren	kidneys
robalo	lubina	bar	ombrina	Barsch	bass
sal	sal	sel	sale	Salz	salt
salada	ensalada	salade	insalata	Salat	green salad
salmão	salmón	saumon	salmone	Lachs	salmon
salpicão	salchichón	saucisson	salame	Wurst	salami, sausage
salsichas	salchichas	saucisses	salsicce	Würstchen	sausages
sopa	potaje, sopa	potage, soupe	minestra, zuppa	Suppe mit Einlage	soup
sobremesa	postre	dessert	dessert	Nachspeise	dessert
sumo de frutas	zumo de frutas	jus de fruits	succo di frutta	Fruchtsaft	fruit juice
torta, tarte	tarta	tarte, grand gâteau	torta	Torte, Kuchen	tart, pie
truta	trucha	truite	trota	Forelle	trout
uva	uva	raisin	uva	Traube	grapes
vaca	vaca	boeuf	manzo	Rindfleisch	beef
vinagre	vinagre	vinaigre	aceto	Essig	vinegar
vinho branco doce	vino blanco dulce	vin blanc doux	vino bianco amabile	süßer Weißwein	sweet white wine
vinho branco sêco	vino blanco seco	vin blanc sec	vino bianco secco	herber Weißwein	dry white wine
vinho « rosé »	vino rosado	vin rosé	vino rosato	„Rosé"	"rosé" wine
vinho da região	vino corriente del país	vin courant du pays	vino nostrano	Landwein	local wine
vinho de marca	vino de marca	grand vin	vino pregiato	Prädikatswein	famous wine
vinho tinto	vino tinto	vin rouge	vino rosso	Rotwein	red wine

446

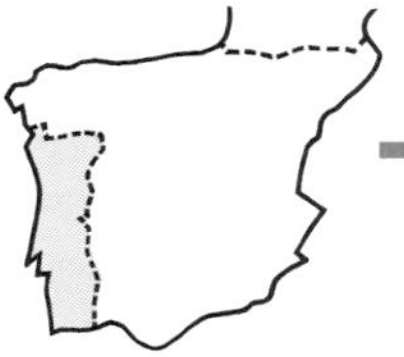

CIDADES

POBLACIONES
VILLES
CITTÀ
STÄDTE
TOWNS

ABRANTES 2200 Santarém 437 N 5 – 5 435 h. alt. 188 – ☎ 041.
Ver : Local★.
Arred. : Castelo de Almourol★★ (local★★, ☼★) O : 18 km.
ℹ Largo da Feira ☎ 225 55.
♦Lisboa 142 – Santarém 61.

- **de Turismo,** Largo de Santo António ☎ 212 61, Telex 43262, ≤ Abrantes e vale do Tejo – ▤ TV ☎ P – 🏃. AE ⓓ E VISA. ✻ rest
  Ref 1900 – **40 qto** ☐ 5700/6900 – P 7200/9500.
- ✕ **O Pelicano,** Rua Nossa Senhora da Conceição 1 ☎ 223 17 – ▤. ✻
  fechado 5ª feira – Ref lista 720 a 1170.

B.L.M.C. (AUSTIN, MORRIS) Estrada Nacional 2 ☎ 221 29
CITROEN Largo do Chafariz ☎ 221 27
DATSUN-NISSAN Av. 25 de Abril ☎ 233 19
FIAT Av. Dr. Augusto da Silva Martins ☎ 311 20
PEUGEOT-ALFA ROMEO Estrada Nacional 118 ☎ 314 59
RENAULT Av. das Forças Armadas 2 ☎ 214 74
TOYOTA Av. Dr António Silva Martins ☎ 316 44
VOLVO Rossio ao Sul do Tejo ☎ 931 60

AGUÇADOURA Porto 437 H 3 – ver Póvoa de Varzim.

ÁGUEDA 3750 Aveiro 437 K 4 – 43 216 h. – ☎ 034.
ℹ Largo Dr. Eliseo Sucena ☎ 634 12.
♦Lisboa 250 – Aveiro 22 – ♦Coimbra 42 – ♦Porto 85.

em Vale do Grou - estrada N I S : 5 km – ✉ 3750 Agueda – ☎ 034 :

- **Motel Primavera,** ☎ 66 61 61, Telex 37292 – ▤ rest ☎ P. E VISA. ✻
  Ref *(fechado 3ª feira)* 950 – **29 qto** ☐ 2600/3800 – P 3500/4500.

CITROEN Estrada Nacional N I ☎ 641 85
DATSUN-NISSAN Estrada Nacional I ☎ 630 98
TOYOTA Vale do Grou
VOLVO Rua da Misericordia 250 ☎ 629 45

ALBERGARIA-A-VELHA 3850 Aveiro 437 J 4 – 21 326 h. alt. 126 – ☎ 034.
♦Lisboa 259 – Aveiro 19 – ♦Coimbra 57.

na estrada N 1 – ✉ Mourisca do Vouga ✉ 3750 Águeda – ☎ 034 :

- **Pousada de Santo António,** ☎ 52 12 30, Telex 37150, ≤ vale do Vouga e montanha, 🏊, 🌳, 🎾 – ☎ 🚗 P. AE ⓓ E VISA
  Ref 1800 – **12 qto** ☐ 7700/8800 – P 8000/11300.

RENAULT Estrada N I ☎ 541 04
VOLVO Estrada N I ☎ 52 15 80

ALBUFEIRA 8200 Faro 437 U 5 – 17 218 h. – ☎ 089 – Praia.
Ver : Local★.
ℹ Rua 5 de Outubro ☎ 521 44.
♦Lisboa 326 – Faro 38 – Lagos 52.

- **Estal. Do Cerro,** Rua Samora Barros ☎ 521 91, Telex 56211, ≤, 🏊 – 🛗 ▤ rest ☎. ✻
  Ref (só jantar) 2250 – **83 qto** ☐ 8000/11000.

em Montechoro NE : 3,5 km – ⊠ 8200 Albufeira – 🏶 089 :

🏨 **Montechoro,** 𝒫 526 51, Telex 56288, Fax 53947, ≤, ⤳, – 🛗 🗐 🕿 – 𝗔. ㏛ ⓞ **E** 𝑽𝑰𝑺𝑨. ⑱
Ref 3000 - Grill Das Amendoeiras – **362 qto** ⇌ 14000/15000 – P 13500/20000.

XX **O Montinho,** 𝒫 539 59, ≤, 🍴, Cozinha francêsa, Decoração neo-regional, « Instalado numa antiga casa de campo » – 🅿. ㏛ **E** 𝑽𝑰𝑺𝑨
fechado Domingo, 15 Janeiro-15 Fevereiro e 20 Novembro-20 Dezembro – Ref (só jantar) lista 2360 a 3120.

X **Os Compadres,** 𝒫 549 48, 🍴 – ㏛ ⓞ **E** 𝑽𝑰𝑺𝑨. ⑱
fechado 3ª feira e 28 Novembro-28 Dezembro – Ref lista 1400 a 3750.

na Praia da Oura E : 3,5 km – ⊠ 8200 Albufeira – 🏶 089 :

XX **Borda d'Água,** 1° piso 𝒫 520 45, Telex 56264, ≤ praia e mar – 🗐. ㏛ ⓞ **E** 𝑽𝑰𝑺𝑨. ⑱
fechado 2ª feira – Ref lista 1385 a 2750.

em Santa Eulália E : 5,5 km – ⊠ 8200 Albufeira – 🏶 089 :

🏨 Apart. Lancetur ⑊, 𝒫 548 35, Telex 56826, ≤, ⤳ – 🛗 🗐 rest 🕿 🅿
Ref (só jantar) – **113 apartamentos.**

ALCABIDECHE Lisboa 𝟦𝟥𝟩 P 1 – 25 178 h. – ⊠ 2765 Estoril – 🏶 01.
♦Lisboa 36 – Cascais 4 – Sintra 12.

X **Pingo,** Rua Conde Barão 1-016 𝒫 269 01 37 – ㏛ ⓞ **E** 𝑽𝑰𝑺𝑨
Ref lista 1350 a 2300.

em Alcoitão E : 1,3 km – ⊠ 2765 Estoril – 🏶 01 :

X **Recta de Alcoitão,** Estrada N 9 𝒫 269 03 91 – 🗐. ㏛ ⓞ **E** 𝑽𝑰𝑺𝑨. ⑱
fechado 3ª feira – Ref lista 1680 a 3000.

na estrada de Sintra NE : 2 km – ⊠ 2765 Estoril – 🏶 01 :

🏨 **Sintra-Estoril** Ⓜ, junto ao autódromo 𝒫 269 07 20, Telex 16891, Fax 269 07 40, ≤, ⤳, 🌊,
⑱ – 🛗 🗐 🕿 🅿 – 𝗔. ㏛ ⓞ **E** 𝑽𝑰𝑺𝑨. ⑱
Ref lista aprox. 2800 – **192 qto** ⇌ 7140/9300 – P 8150/10640.

TOYOTA Sitio dos Ferreiras

ALCOBAÇA 2460 Leiria 𝟦𝟥𝟩 N 3 – 5 383 h. alt. 42 – 🏶 062.
Ver : Mosteiro de Sta Maria★★ (túmulo de D. Inês de Castro★★, túmulo de D. Pedro★★, igreja★, claustro e dependências da abadia★).
🄸 Praça 25 de Abril 𝒫 423 77 – ♦Lisboa 110 – Leiria 32 – Santarém 60.

🏨 **Santa Maria** sem rest, Rua Dr. Zagalo 𝒫 432 95, Telex 40143 – 🛗 🖅 ⇜. **E** 𝑽𝑰𝑺𝑨. ⑱
31 qto ⇌ 4000/7000.

na estrada N 8 E : 1,5 km – ⊠ 2460 Alcobaça – 🏶 062 :

X **A Curva,** 𝒫 431 33 – 🗐 🅿. ㏛ ⓞ **E** 𝑽𝑰𝑺𝑨
Ref lista 910 a 1330.

pela estrada da Nazaré NO : 3,5 km – ⊠ 2461 Termas da Piedade - Alcobaça – 🏶 062 :

🏠 **Termas da Piedade** ⑊, 𝒫 420 65 – 🛗 🅿. ㏛ ⓞ **E** 𝑽𝑰𝑺𝑨
Junho-Outubro – Ref 1000 – **60 qto** ⇌ 6200/6500 – P 8200/8500.

em Aljubarrota E : 6,5 km – ⊠ 2460 Alcobaça – 🏶 062 :

🏠 **Casa da Padeira** sem rest, Estrada N 8 𝒫 482 72, Telex 43355, Situado no campo com ≤ serra, ⤳ – 🅿
8 qto ⇌ 6000/7000.

B.L.M.C. (AUSTIN-MORRIS) Praça 25 de Abril 48 𝒫 421 75
CITROEN Rua de Angola 6 𝒫 425 78
DATSUN-NISSAN Rua Afonso de Albuquerque 𝒫 426 13
FORD Rua Miguel Bombarda 131 𝒫 425 29

MERCEDES-BENZ Quinta da Roda 𝒫 419 28
PEUGEOT-ALFA ROMEO Rossio 48 𝒫 421 75
RENAULT Quinta da Roda 𝒫 423 02
SEAT Av. Prof. Eng. Joaquim Natavidade 13 𝒫 415 47
TOYOTA Rua de Leiria 𝒫 428 95
VW-AUDI Rua Afonso d'Albuquerque 22 𝒫 427 88

ALCOITÃO Lisboa – ver Alcabideche.

ALFEIZERÃO 2455 Leiria 𝟦𝟥𝟩 N 2 – 3 856 h. – 🏶 062.
♦ Lisboa 105 – Leiria 48 – Santarém 62.

X Viamar, Estrada N 242 - Largo José Rino Avelar 𝒫 992 83.

ALIJÓ 5070 Vila Real 𝟦𝟥𝟩 I 7 – 2 829 h. – 🏶 059.
♦Lisboa 411 – Bragança 58 – Vila Real 44 – Viseu 117.

🏨 **Pousada do Barão de Forrester,** 𝒫 952 15, Telex 26364, ⑱ – 🖅 🅿. ㏛ ⓞ **E** 𝑽𝑰𝑺𝑨
Ref 2400 – **11 qto** ⇌ 7700/8800.

RENAULT Av. 25 de Abril 17 𝒫 621 94

ALJEZUR 8670 Faro **437** U 3 – 5 059 h. – ☺ 082.
♦Lisboa 249 – Faro 110.

    no Vale da Telha SO : 7,5 km – ⊠ 8670 Aljezur – ☺ 082 :

  🏨 **Vale da Telha** ⊗, ℘ 981 80, Telex 57466, ≤, 🍽, ⊿, ※ – ☎ ❷. Æ ➀ Ε 𝗩𝗜𝗦𝗔. ⚸
     Ref 1400 – **26 qto** ⊇ 3000/4150.

ALJUBARROTA Leiria **437** N 3 – ver Alcobaça.

ALMAÇA Viseu **437** K 5 – ⊠ 3450 Mortágua – ☺ 031.
♦Lisboa 235 – ♦Coimbra 35 – Viseu 55.

    na estrada N 2 NE : 2 km – ⊠ 3450 Mortágua – ☺ 031 :

  🏠 Vila Nancy, ℘ 926 13 – ☎ ❷
    42 qto.

ALMANSIL Faro **437** U 5 – 5 945 h. – ⊠ 8100 Loulé – ☺ 089.
Ver : Igreja de S. Lourenço★ (azulejos★★).
☝₈, ☝₉ Club Golf do Vale do Lobo SO : 6 km ℘ 941 45 – ☝₁₈, ☝₉ Campo de Golf da Quinta do Lago ℘ 943 29.
♦Lisboa 306 – Faro 12 – Huelva 115 – Lagos 68.

    pela estrada de Vale do Lobo SO : 3 km – ⊠ 8100 Loulé – ☺ 089 :

  XXX **Casa da Torre-Ermitage,** ℘ 943 29, 🍽, « Bela decoração e agradável terraço » – ❷. Æ
    Ε 𝗩𝗜𝗦𝗔. ⚸
    fechado 4ª feira e 26 Novembro-10 Fevereiro – Ref (reservas aconseháveis) (só jantar)
    lista 2360 a 3430.

    em Vale do Lobo SO : 6 km – ⊠ 8100 Loulé – ☺ 089 :

  🏨🏨 **Dona Filipa** ⊗, ℘ 941 41, Telex 56848, Fax 94288, ≤ pinhal, campo de golf e mar, ⊿ clima-
    tizada, 🍽, ※ – ☰ 📺 ☎ ❷. Æ ➀ Ε 𝗩𝗜𝗦𝗔. ⚸
    Ref 4200 – **135 qto** ⊇ 28000/35000.

  XX **Bistro Da Praça,** ℘ 944 44 (ext. 5412), Original decoração em estilo bistrot – ☷. Æ Ε 𝗩𝗜𝗦𝗔.
    ⚸
    Ref (só jantar) lista 2440 a 4980.

  X **O Favo,** ℘ 944 44 (ext. 5418), 🍽 – ☷. Æ Ε 𝗩𝗜𝗦𝗔. ⚸
    Ref lista 1750 a 4000.

    em Benfarras NO : 9 km – ⊠ 8100 Loulé – ☺ 089 :

  🏨 **Albergaría Parque Das Laranjeiras,** Estrada N 125 ℘ 663 68, Telex 56441, Fax 66370, 🍽,
    ⊿ – 📶 ☎ ❷ – 🔬. Æ ➀ Ε 𝗩𝗜𝗦𝗔. ⚸
    Ref lista aprox. 1635 – **23 qto** ⊇ 5500/7500 – P 6250/8000.

    na Quinta do Lago S : 10 km – ⊠ 8100 Loulé – ☺ 089 :

  🏨🏨 Quinta do Lago Ⓜ ⊗, ℘ 967 85, Telex 57118, ≤ o Atlantico e ria Formosa, ⊿, ⊠, 🍽, ※ –
    📶 ☰ 📺 ☎ ❷ – 🔬
    Rest. Ca D'Oro – Rest. Navegadores – **150 qto**.

ALMEIDA 6350 Guarda **437** J 9 – ☺ 071.
♦Lisboa 410 – Ciudad Rodrigo 43 – Guarda 49.

  🏨 **Pousada Senhora das Neves** ⊗, ℘ 542 90, Telex 52713, ≤, 🍽 – ☰ ⟺ ❷. Æ ➀ Ε
    𝗩𝗜𝗦𝗔. ⚸ rest
    Ref 1950 – **21 qto** ⊇ 10300/11500 – P 9650/14200.

ALMOUROL (Castelo de) Santarém **437** N 4.
Ver : Castelo★★ (local★★, ≤★).

    Hotéis e restaurantes ver : Abrantes E : 18 km.

ALTO DO BEXIGA 2000 Santarém **437** O 3 – ver Santarém.

ALTURA Faro **437** U 7 – ⊠ 8900 Vila Real de Santo António – ☺ 081 – Praia.
♦Lisboa 352 – Ayamonte 6,5 – Faro 47.

    na Praia da Alagôa S : 1 km – ⊠ 8900 Vila Real de Santo António – ☺ 081 :

  🏨 **Eurotel-Altura** ⊗, ℘ 954 50, Telex 56068, ≤, ⊿, ⊠, ※ – 📶 ☎ ❷. Æ ➀ Ε 𝗩𝗜𝗦𝗔. ⚸
    Ref (só jantar) 1600 – **135 qto** ⊇ 9900.

  X A Chaminé, ℘ 955 61, 🍽 – ☷.

ALVOR (Praia de) Faro **437** U 4 – ver Portimão.

AMARANTE 4600 Porto 🄰🄱🄽 I 6 – 4 757 h. alt. 100 – ✪ 055.

Ver : Local★, Mosteiro de S. Gonçalo (órgão★) – Igreja de S. Pedro (tecto★).

Arred. : Travanca : Igreja (capitéis★) NO : 18 km por N 15, Estrada★ de Amarante a Vila Real ≤★, picão de Sejarão★★, 🛤★★.

🛈 Rua Cândido dos Reis ✆ 422 980.

◆Lisboa 372 – ◆Porto 64 – Vila Real 49.

  🏨 **Navarras,** Rua António Carneiro ✆ 42 40 36, Telex 28270, 🔲 – 🛗 📺 ⟷ ⊕ – 🔬. 🆎 ⓞ ☰ 🆅🅸🆂🅰. 🛇
    Ref (ver **Rest. Navarras**) – **61 qto** 🛏 7050/7350.

  🏨 **Amaranto** sem rest, Madalena - Estrada N 15 ✆ 42 21 06, Telex 29938, ≤ – 🛗 📺 ☜. 🆎 ⓞ ☰ 🆅🅸🆂🅰
    35 qto 🛏 4300/5300.

  XXX Zé da Calçada, com qto, Rua 31 de Janeiro ✆ 42 20 23, ≤, 🍽, « Decoração rústica e agradável terraço » – 📺
    7 qto.

  XX Navarras, Rua António Carneiro ✆ 42 40 36, Telex 28270 – ▬ ⊕.

  na estrada N 15 SE : 26 km – ✉ 4600 Amarante – ✪ 055 :

  XX **Pousada de São Gonçalo** com qto, Serra do Marão, alt. 885 ✆ 46 11 13, Telex 26321, ≤ Serra do Marão – ☎ ⊕. 🆎 ⓞ ☰ 🆅🅸🆂🅰. 🛇
    Ref lista 1750 a 2400 – **15 qto** 🛏 4000/5300.

DATSUN-NISSAN Monte de Pego - Telões ✆   FIAT Rua Carlos Amarante ✆ 42 20 44
42 38 09

APÚLIA Braga – ver Fão.

ARCOS DE VALDEVEZ 4970 Viana do Castelo 🄰🄱🄽 G 4 – ✪ 058.

🛈 Av. Marginal ✆ 660 01.

◆Lisboa 416 – Braga 36 – Viana do Castelo 45.

  🏨 **Sol do Vale** sem rest, Rua Dr. Germano Amorim ✆ 665 34 – 🛇
    35 qto 🛏 3500/5000.

  🏨 **Tavares** sem rest, Rua M. J. Cunha Brito, 1° andar ✆ 662 53 – 🆎 ⓞ ☰ 🆅🅸🆂🅰. 🛇
    16 qto 🛏 3000/3500.

ARMAÇÃO DE PÊRA 8365 Faro 🄰🄱🄽 U 4 – 2 894 h. – ✪ 082 – Praia.

Ver : passeio de barco★★ : grutas marinhas★★.

🛈 Av. Marginal ✆ 321 45.

◆Lisboa 315 – Faro 47 – Lagos 41.

  🏨 **Garbe,** Av. Marginal ✆ 321 88, Telex 57485, Fax 322 01, ≤, 🍽, ⅃ climatizada – 🛗 ▬ ⊕. ☰ 🆅🅸🆂🅰. 🛇
    Ref 2000 – **109 qto** 🛏 7500/17500.

  XXX **Vilalara,** SO : 2,5 km ✆ 323 33, Telex 57460, Fax 331 56, ≤, 🍽, « Situado num complexo de luxo rodeado de magníficos jardins floridos », ⅃ paga, 🛇 – ▬ ⊕. 🆎 ⓞ ☰ 🆅🅸🆂🅰. 🛇
    Ref lista 2850 a 4800.

  X Santola, Largo 25 de Abril ✆ 323 32, ≤, 🍽 – Ref (no verão só jantar).

  na Praia da Senhora da Rocha O : 3 km – ✉ 8365 Armação de Péra – ✪ 082 :

  🏨 Viking 🛇, ✆ 323 36, Telex 57492, ≤, ⅃, � – 🛗 ▬ ☎ ⊕ – 🔬 – **184 qto.**

AVEIRO 3800 🄿 🄰🄱🄽 K 4 – 29 646 h. – ✪ 034.

Ver : Antigo Convento de Jesus : Igreja★ (coro★★, Túmulo de D. Joana★ Z M – Museo nacional★ (Retrato da Princesa D. Joana★) Z M – Canais★ Y – **Arred. :** Ria de Aveiro★★ (passeio de barco★★). 🛤 ✆ 244 85.

🛈 Praça da República ✆ 236 80 – A.C.P. Av. Dr Lourenço Peixinho 89 - D ✆ 225 71, Telex 37420.

◆Lisboa 252 ③ – ◆Coimbra 56 ② – ◆Porto 70 ① – Vila Real 170 ① – Viseu 96 ①.

Plano página seguinte

  🏨 **Afonso V** 🛇, Rua Dr Manuel das Neves 65 ✆ 251 91, Telex 37434 – 🛗 📺 ☎ ⟷ – 🔬. 🆎 ☰ 🆅🅸🆂🅰   Z **b**
    Ref (ver **Rest. A Cozinha do Rei**) – **80 qto** 🛏 5350/6450.

  🏨 **Imperial,** Rua Dr Nascimento Leitão ✆ 221 41, Telex 37594, Fax 241 48 – 🛗 📺 – 🔬. 🆎 ⓞ ☰ 🆅🅸🆂🅰. 🛇 rest   Z **u**
    Ref 1500 – **107 qto** 🛏 5400/6400 – P 5700/7900.

  🏨 **Arcada** sem rest, Rua Viana do Castelo 4 ✆ 230 01, Telex 37460 – 🛗 📺 ☜. 🆎 ⓞ ☰ 🆅🅸🆂🅰   Y **e**
    52 qto 🛏 4300/5400.

  🏨 **Paloma Blanca** sem rest, Rua Luís Gomes de Carvalho 23 ✆ 225 29, Telex 37353, Antiga moradia senhorial – 📺 ☜ ⟷. 🆎 ⓞ ☰ 🆅🅸🆂🅰. 🛇   Y **d**
    50 qto 🛏 4200/5700.

  🏨 **Aparthotel Afonso V** 🛇 sem rest, Praceta D. Afonso V ✆ 296 40, Telex 37434 – 🛗 📺 ☜ ⟷. 🆎 ☰ 🆅🅸🆂🅰   Z **b**
    28 apartamentos 🛏 6750.

XX **A Cozinha do Rei** com snack-bar, Rua Dr. Manuel das Neves 65 ℰ 268 02 – 🗐. AE Ⓞ E
 VISA 🗭
Ref lista 1740 a 3330.
Z b

X **Centenário,** Largo do Mercado 9 ℰ 227 98 – 🗐. E VISA
 fechado 3ª feira e do 1 ao 15 Maio – Ref lista 1230 a 2700.
Y r

X Galo d'Ouro, com snack-bar, Travessa do Mercado 2 ℰ 234 56
Y c

em Cacia por ① : 7 km – ⊠ 3800 Aveiro – 🕿 034 :

🏨 **Albergaria de Cacia de João Padeiro,** ℰ 913 26, « Elegante decoração » – 🛗 Ⓟ. AE Ⓞ
 E VISA 🗭
Ref lista aprox. 2060 – **27 qto** ⊴ 3800/6700.

na Praia da Barra por ④ : 8 km – ⊠ Gafanha da Encarnação 3830 Ílhavo – 🕿 034 :

🏨 **Barra** 🗭, Av. Fernandes Lavrador 18 ℰ 36 91 56, Telex 37430, ≤, 🏊, – 🛗 🗐 rest. AE Ⓞ E
 VISA 🗭
Ref 1500 – **64 qto** ⊴ 7000/8500 – P 7150/9900.

cont. →

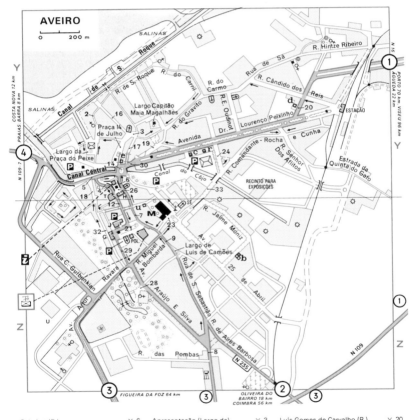

AVEIRO

AUTOBIANCHI-LANCIA   Estrada N 109 km 57 *&*
220 01
B.L.M.C. (AUSTIN-MORRIS)   Variante - Saida Norte-
Esqueirra *&* 277 43
BMW   Av. Dr. Lourenço Peixinho 161 *&* 221 67
CITROEN   Rua Cândido dos Reis 118 *&* 236 41
DATSUN-NISSAN   Rua do Batalhão de Caçadores
10 *&* 261 61
FIAT   Estrada N 109 km 57 *&* 220 01

FORD   Quinta do Simão *&* 267 38
G.M.-OPEL   Largo de Camões 2 *&* 229 65
MERCEDES-BENZ   Rua Senhor dos Aflitos 30 *&*
240 41
PEUGEOT-ALFA ROMEO   Av. Dr. Lourenço Peixinho
256 *&* 230 47
RENAULT   Rua Luís Gomes de Carvalho 14 *&* 270 25
TOYOTA   Rua dos Andoeiros *&* 251 57
VW-AUDI   Rua Visconde da Granja 6 *&* 247 07

AZOIA   Lisboa 🅸🅱🆅 P 1 – ver Colares.

AZURARA   Porto 🅸🅱🆅 H 3 – ver Vila do Conde.

BARCELOS 4750 Braga 🅸🅱🆅 H 4 – 4 031 h. alt. 39 – ⬤ 053.
Ver : Interior* da igreja paroquial.
🅸 Largo da Porta Nova *&* 828 82.
◆Lisboa 366 – Braga 18 – ◆Porto 48.

🏨   Albergaria Condes de Barcelos, sem rest, Av. Alcaides de Faria *&* 820 61, Telex 32532 – 🛗 –
🅰
30 qto.

🏨   Dom Nuno , sem rest, Av. D. Nuno Alvares Pereira *&* 810 84 – 🛗 ☎ – **27 qto**.

🍴🍴   Turismo, Rua Duques de Bragança - Esplanada de Turismo *&* 81 14 79, ≤, 🍴 – 🔲 🅿.

B.L.M.C. (AUSTIN MORRIS)   Rua Filipa Borges 223
& 820 08
FIAT   Campo 5 Outubro 44 *&* 821 66

MERCEDES-BENZ   Rua Filipa Borges *&* 820 08
RENAULT   Av. Combatentes da Grande Guerra 168
& 820 19

BATALHA 2440 Leiria 🅸🅱🆅 N 3 – 7 683 h. alt. 71 – ⬤ 044.
Ver : Mosteiro*** : Claustro Real*** (abóbada***, vitral*), Capelas Imper-
feitas** (pórtico**), Igreja** (vitrais*) – Capela do Fundador*, Lavobo dos Monges*, Claustro
de D. Alfonso V*.
Arred. : Cruz da Légua e Cumeira (loiça de barro*) SO : 12 km.
🅸 Largo Paulo VI *&* 961 80.
◆Lisboa 120 – ◆Coimbra 82 – Leiria 11.

🏨   **Pousada do Mestre Afonso Domingues,** *&* 962 60, Telex 42339 – 🔲 🅿. 🆎 ⓞ Ⲉ 🆅🅸🆂🅰.
🍴
Ref lista aprox. 1850 – **20 qto** ☎ 10200/11500.

na estrada N 1 SO : 11 km – ✉ Juncal 2480 Porto de Mós – ⬤ 062 :

🍴   Santa Teresa, *&* 481 86, 🍴 – 🅿.

CITROEN   Estrada N I km 111 *&* 965 51

TOYOTA   Largo Goa, Damão e Diu *&* 962 66

BEJA 7800 🅿 🅸🅱🆅 R 6 – 19 968 h. alt. 277 – ⬤ 084.
🅸 Rua Capitão João Francisco de Sousa 25 *&* 236 93.
◆Lisboa 194 – Évora 78 – Faro 186 – Huelva 177 – Santarém 182 – Setúbal 143 – ◆Sevilla 223.

🏨   **Cristina** sem rest, Rua de Mértola 71 *&* 230 35, Telex 13121 – 🛗 📺 ☎. 🆎 ⓞ Ⲉ 🆅🅸🆂🅰. 🍴
31 qto ☎ 3200/5200.

🏨   **Santa Bàrbara** sem rest, Rua de Mértola 56 *&* 220 28 – 🛗 ☎. 🆎 ⓞ Ⲉ 🆅🅸🆂🅰. 🍴
26 qto ☎ 2500/3600.

🏨   **Bejense** sem rest, Rua Capitão João Francisco de Sousa 57 *&* 250 01 – ☎. 🆅🅸🆂🅰
28 qto ☎ 3000/3500.

🍴   **Luís da Rocha,** 1° andar, Rua Capitão João Francisco de Sousa 63 *&* 231 79 – 🔲. 🆎 ⓞ Ⲉ
🆅🅸🆂🅰. 🍴
Ref lista 840 a 1620.

AUTOBIANCHI-LANCIA   av. Fialho de Almeida 1 *&*
230 33
B.L.M.C. (AUSTIN-MORRIS)   Av. Miguel Fernandes
27 *&* 221 91
BMW   Av. Miguel Fernandes 27 *&* 221 91
CITROEN   Parque Industrial *&* 250 61
DATSUN-NISSAN   Rua 5 de Outubro 18 *&* 250 16
FIAT   Largo Escritor Manuel Ribeiro 13 *&* 231 74
FIAT   av. Fialho de Almeida 1 *&* 230 33

FORD   Estrada Internacional *&* 243 23
G.M.-OPEL   Rua 5 de Outubro 7 *&* 245 78
MERCEDES-BENZ   Estrada Internacional *&* 243 23
PEUGEOTT-ALFA ROMEO   Terreiro dos Valentes 17
& 231 91
RENAULT   Av. Fialho de Almeida *&* 231 91
TOYOTA   Terreiro dos Valentes 3 *&* 241 11
VOLVO   Praça Diogo Fernandes 25 *&* 243 24
VW - AUDI   Rua Infante D. Henrique 6 *&* 244 05

BELMONTE 6250 Castelo Branco 🅸🅱🆅 K 7 – ⬤ 075.
◆Lisboa 338 – Castelo Branco 82 – Guarda 20.

na estrada N 18 NO : 3 km – ✉ 6250 Belmonte – ⬤ 075 :

🏨   **Belsol,** *&* 913 45, ≤ – 🔲 rest ☎ 🅿. 🍴
Ref lista aprox. 780 – **39 qto** ☎ 1800/3500 – P 3500/3600.

452

BEMPOSTA Bragança **437** I 10 − ver Alfândegas p. 14 e 15.

BENFARRAS Faro − ver Almansil.

BOM JESUS DO MONTE Braga **437** H 4 − ver Braga.

BOTICAS 5460 Vila Real **437** G 7 − 852 h. alt. 490 − ✪ 076 − Termas.
Arred. : Montalegre (local★) - Estrada de Montalegre ≤★★ N : 10 km.
🛈 Posto de Turismo Chaves ☏ 422 03.
◆Lisboa 471 − Vila Real 62.

> *em Carvalhelhos* O : 9 km − ✉ 5460 Boticas − ✪ 076 :
>
> 🏠 **Estal. de Carvalhelhos** ⊗, ☏ 421 16, Telex 24279, Num quadro de verdura, 🍴 − ☎ 🅿.
> ✿
> Ref 975 − **20 qto** ⊇ 2950/3500 − P 4900.

BRAGA 4700 🅿 **437** H 4 − 64 113 h. alt. 190 − ✪ 053.
Ver : Sé Catedral★ : Imagem de Na. Sra. do Leite★, interior★, abóbada★, altar-mor★, órgãos★, Tesouro★ (azulejos★) − Capela da Glória★ (túmulo★), Capela dos Coimbras (esculturais★) B.
Arred. : Bom Jesus do Monte★★ (perspectiva★) 6 km por ② − Monte Sameiro★ (※★★) 9 km por ② − **Excurs. :** NE : Cávado (Vale superior do)★ 171 km por ②.
🛈 Av. da Liberdade 1 ☏ 225 50 − A.C.P. Av. da Liberdade 466 - 1° - D° ☏ 270 51, Telex 32004.
◆Lisboa 368 ④ − Bragança 223 ① − Pontevedra 122 ② − ◆Porto 54 ④ − ◆Vigo 103 ①.

BRAGA

Capelistas (R. dos) 5
D. Diogo de Sousa (R.) 13
Franc. Sanches (R.) 18
São Marcos (R.) 23
Souto (R. do) 26

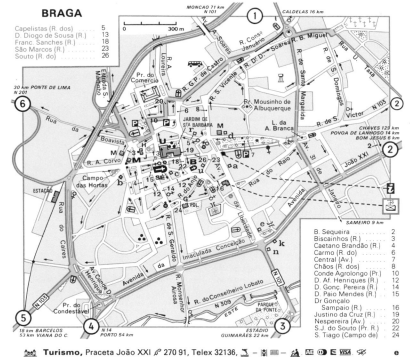

B. Sequeira 2
Biscainhos (R.) 3
Caetano Brandão (R.) .. 4
Carmo (R. do) 6
Central (Av.) 7
Chãos (R. dos) 8
Conde Agrolongo (Pr.) . 10
D. Af. Henriques (R.) . 12
D. Gonç. Pereira (R.) . 14
D. Paio Mendes (R.) ... 15
Dr Gonçalo
  Sampaio (R.) 16
Justino da Cruz (R.) .. 19
Nespereira (Av.) 20
S.J. do Souto (Pr. R.) 22
S. Tiago (Campo de) ... 24

🏨 **Turismo,** Praceta João XXI ☏ 270 91, Telex 32136, ⊥ − 🛗 ☰ − 🔒. 🆎 ⓞ 🖪 𝗩𝗜𝗦𝗔. ✿ **e**
  Ref 1650 − **132 qto** ⊇ 6000/8000 − P 7300/9300.

🏠 **Carandá,** Av. da Liberdade 96 ☏ 770 16, Telex 32293 − 🛗 ☰ ☎ ⇦. 🆎 ⓞ 🖪 𝗩𝗜𝗦𝗔. ✿ rest **n**
  Ref lista aprox. 1800 − **100 qto** ⊇ 3500/5000.

🏠 **João XXI,** Av. João XXI - 849 ☏ 221 46 − 🛗 ☎. 🆎 ⓞ 🖪 𝗩𝗜𝗦𝗔 **k**
  Ref 1500 − **28 qto** ⊇ 3100/4000 − P 5000/6100.

🏠 **São Marcos** sem rest, Rua de São Marcos 80 ☏ 771 77 − 🛗 📺 ☎. 🆎 𝗩𝗜𝗦𝗔. ✿ **u**
  13 qto ⊇ 4000/5500.

🏨 **Dos Terceiros** sem rest, Rua dos Capelistas 85 🖉 704 66 – 🛗 🐵. 🖭 ⓐ *VISA*. 🛠 r
21 qto 🖙 3500/4000.

🏨 **Centro Avenida** sem rest, Av. Central 27 🖉 757 22 – 🛗 📺 🐵. **E** *VISA*. 🛠 d
48 qto 🖙 3500/4500.

🏨 **Grande Avenida**, sem rest, 3° andar, Av. da Liberdade 738 🖉 229 55 – 🛗 🐵 a
20 qto.

✗ **Inácio,** Campo das Hortas 4 🖉 223 35, Rest. típico – 🖭 ⓐ **E** *VISA* b
Ref lista 1200 a 2300.

✗ **Conde D. Henrique,** Rua do Forno 17 🖉 287 03 – *VISA* c
Ref lista 1250 a 2100.

em L. Penouços-Nogueira – ✉ 4700 Braga – ✿ 053 :

✗ Helvetia, Estrada do Sameiro : 2,5 km 🖉 716 42 – 🍴.

no Bom Jesus do Monte por ② : 6 km – ✉ 4700 Braga – ✿ 053 :

♨ **Do Elevador** ⑤, 🖉 250 11, ≤ vale e Braga, 🚄 – ❷. 🖭 ⓐ **E** *VISA*. 🛠
Ref 1700 – **25 qto** 🖙 7500/8500 – P 7450/10700.

♨ **Do Parque** ⑤ sem rest, 🖉 220 48 – 🛗 🍴 📺 ❷. 🖭 ⓐ **E** *VISA*. 🛠
50 qto 🖙 7500/8500.

no Sameiro por Avenida 31 de Janeiro : 9 km – ✉ 4700 Braga – ✿ 053 :

✗ Sameiro, 🖉 231 14, Ao lado do Santuário – 🍴 ❷.

AUTOBIANCHI-LANCIA Rua Conselheiro Lobato 219 🖉 233 89	MERCEDES-BENZ Rua Damão 196 🖉 220 86
B.L.M.C. (AUSTIN-MORRIS) Av. da Liberdade 190 🖉 241 05	MERCEDES-BENZ Rua Q. de Santa Maria 29 🖉 235 14
B.L.M.C. (AUSTIN-MORRIS) Av. da Liberdade 223 🖉 236 30	PEUGEOT-ALFO ROMEO Av. da Liberdade 529 🖉 237 41
CITROEN Extremo de Sequeira 🖉 747 15	RENAULT Tanque da Veiga, Estrada N 14-Ferreiros 🖉 260 71
DATSUN-NISSAN Tanque da Veiga-Ferreiros 🖉 223 08	SEAT Av. Imaculada Conceição 545 🖉 250 04
FIAT R. Conselheiro Lobato 219 🖉 223 89	TOYOTA Av. da Liberdade 356 🖉 260 77
FORD Av. da Liberdade 1 🖉 229 12	VOLVO Lugar de Cabanas São Martinho Dume 🖉 723 05
FORD Ferreiros 🖉 270 53	VW-AUDI Rua São Vitor 50 🖉 220 82
G.M.- OPEL Av. Imaculada Conceição 545 🖉 250 04	
G.M.- OPEL Rua Marechal Gomes da Costa 608 🖉 231 47	

BRAGANÇA 5300 🅿 🐴🐴🐴 G 9 – 14 662 h. alt. 660 – ✿ 073.

Ver : Cidade antiga ★.

🅱 Av. Cidade de Zamora 🖉 222 73.

♦Lisboa 521 – Ciudad Rodrigo 221 – Guarda 206 – Orense 189 – Vila Real 140 – Zamora 114.

🏨 **Bragança,** Av. Doutor Francisco de Sá Carneiro 🖉 225 78, Telex 20787, ≤ – 🛗 🐵 – 🏊. 🖭 ⓐ **E** *VISA*. 🛠
Ref 1200 – **42 qto** 🖙 6000/7500 – P 6150/8400.

🏨 **Pousada de São Bartolomeu** ⑤, Estrada de Turismo SE : 0,5 km 🖉 224 93, Telex 22631, ≤ cidade, castelo e monte – 🐵 ❷ – **16 qto**.

🏨 **Albergaria Santa Isabel** sem rest, Rua Alexandre Herculano 67 🖉 224 27 – 🛗 🐵
14 qto 🖙 3700/4000.

🏨 **São Roque** ⑤ sem rest, Rua da Estacada 🖉 234 81, ≤ – 🛗 🐵
36 qto 🖙 2750/3000.

na estrada de Chaves N 103 0 : 1,7 km – ✉ 5300 Chaves – ✿ 073 :

🏨 Shalom, sem rest, Av. Abade Baçal 🖉 246 67 – 🛗 ☎ 🛏 – **30 qto**.

B.L.M.C. (AUSTIN, MORRIS) Rua do Loreto 🖉 223 46	PEUGEOT-ALFA ROMEO Rua Alexandre Herculano 15 🖉 226 54
B.M.W. Rua do Loreto 140 🖉 223 46	RENAULT Rua do Loreto 🖉 224 78
CITROEN Rua Alexandre Herculano 232 🖉 226 54	SEAT Estrada dos Vinhais 🖉 236 52
DATSUN-NISSAN Rua Guerra Junqueira 28 🖉 234 78	TOYOTA Alto das Cantarias 🖉 235 74
FIAT Av. João da Cruz 🖉 227 20	VOLVO Rua Alexandre Herculano 🖉 234 47
FORD Av. do Sabor 🖉 228 23	VOLVO Rua Nova do Toural 🖉 238 19
G.M.- OPEL Lugar da Mosca 🖉 971 72	
PEUGEOT-ALFA ROMEO Rua Guerra Junqueira 98 🖉 231 33	

BUARCOS Coimbra 🐴🐴🐴 L 3 – ver Figueira da Foz.

Europe	Si le nom d'un hôtel figure en petits caractères demandez, à l'arrivée, les conditions à l'hôtelier.

BUÇACO Aveiro **437** K 4 – alt. 545 – ⊠ 3050 Mealhada – ✪ 031.

Ver : Parque★★★ : Cruz Alta ✳★★, Obelisco ≤★.

🚩 Posto de Turismo Luso ✆ 931 33.

◆Lisboa 233 – Aveiro 47 – ◆Coimbra 31 – ◆Porto 109.

   🏨 **Palace H. do Buçaco** ⌂, Floresta do Buçaco, alt. 380 ✆ 931 01, Telex 53049, ≤, 🏛, « Luxuosas instalações num imponente palácio de estilo manuelino no centro de uma magnífica floresta », 🌳, ℅ – 🛗 ⇔ 🅿. 🆎 ⓞ Ε 𝚅𝙸𝚂𝙰. ✻ rest
   Ref 3500 – **60 qto** � 15000/18000 – P 14500/19000.

BUCELAS Lisboa **437** P 2 – 5 097 h. alt. 100 – ⊠ 2670 Loures – ✪ 01.

◆Lisboa 24 – Santarém 62 – Sintra 40.

   ✗ **Barrete Saloio,** Rua Luis de Camões 28 ✆ 989 40 04, Decoração regional – 🆎 ⓞ Ε 𝚅𝙸𝚂𝙰
   fechado 3ª feira e Agosto – Ref lista 1350 a 1900.

BUDENS Faro **437** U 3 – 1 709 h. – ⊠ 8650 Vila do Bispo – ✪ 082.

Arred. : Percurso de Vila do Bispo á Falesia do Castelejo ≤★ O : 12 km.

◆Lisboa 284 – Faro 95 – Lagos 15.

   na Praia da Salema S : 4 km – ⊠ 8650 Vila do Bispo – ✪ 082 :

   🏨 **Estal. Infante do Mar** ⌂, ✆ 651 37, Telex 57451, ≤ praia e mar, ⌁ – 🚉 🅿. ✻ rest
   Março-Outubro – Ref 1300 – **30 qto** ⊑ 6900/7300 – P 6250/9500.

CACIA Aveiro **437** J 4 – ver Aveiro.

CAIA Portalegre **437** P 8 – ver alfândegas p. 14 e 15.

   Hotéis e restaurantes ver : Elvas O : 12 km.

☞ *Para estar inscrito no Guia Michelin :*
   - nada de cunhas,
   - nada de gratificações !

CALDAS DA FELGUEIRA Viseu **437** K 6 – 2 204 h. alt. 200 – ⊠ 3525 Canas de Senhorim – ✪ 032 – Termas.

🚩 Em Nelas : Largo Dr. Veiga Simão ✆ 943 48 .

◆Lisboa 284 – ◆Coimbra 82 – Viseu 40.

   🏨 Grande Hotel ⌂, ✆ 942 19, ⌁ de água termal, 🌳 – 🚉 🅿
   100 qto.

CALDAS DA RAINHA 2500 Leiria **437** N 2 – 19 128 h. alt. 50 – ✪ 062 – Termas.

Ver : Parque da Rainha D. Leonor★ – Igreja de Na. Sra. do Pópulo (triptico★).

🚩 Praça da República ✆ 224 00.

◆Lisboa 92 – Leiria 59 – Nazaré 29.

   🏨 **Malhoa,** Rua António Sérgio 31 ✆ 350 11, Telex 44258 – 🚉 ▤ ☎ ⇔. 🆎 ⓞ Ε 𝚅𝙸𝚂𝙰. ✻
   Ref 1300 – **113 qto** ⊑ 4200/5900 – P 5550/6800.

   🏨 **Dona Leonor** sem rest, Hemiciclo João Paulo II - 6 ✆ 355 11 – 🚉 ☎ – 🅰. 🆎 ⓞ Ε 𝚅𝙸𝚂𝙰. ✻
   30 qto ⊑ 3500/5000.

   🏨 Portugal, Rua Almirante Cândido dos Reis 24 ✆ 221 80 – ☜ – **28 qto**

   🏨 **Berquó** sem rest, Rua do Funchal 17 (à praça de touros) ✆ 343 03 – 🆎 ⓞ Ε 𝚅𝙸𝚂𝙰
   21 qto ⊑ 2500/3500.

CITROEN Rua Raul Proença lote 33 ✆ 229 47
DATSUN-NISSAN Rua Cor. Soeiro de Brito 6 ✆ 235 13
FIAT Edificio Autoeste ✆ 240 35
FORD Estrada da Tornada ✆ 31 17 71
FORD Rua Capitão Filipe de Sousa 89 ✆ 225 61
MERCEDES-BENZ Rua Raul Proença 33 ✆ 229 47

PEUGEOT-ALFA ROMEO Rua Heróis da Grande Guerra 104 ✆ 230 11
RENAULT Lavradio - Estrada da Tor 104 ✆ 220 09
SEAT Rua 31 de Janeiro 42 ✆ 225 90
TOYOTA Rua Fonte do Pinheiro 33A ✆ 235 36
VOLVO Rua Capitão Filipe de Sousa 119 ✆ 248 30
VW-AUDI Rua Fonte do Pinheiro 41 ✆ 240 73

CALDAS DE MANTEIGAS Guarda **437** K 7 – ver Manteigas.

CALDAS DE MONCHIQUE 8550 Faro **437** U 4 – ver Monchique.

CALDAS DE VIZELA 4815 Braga **437** H 5 – 2 234 h. alt. 150 – ✪ 053 – Termas.

🚩 Rua Dr Alfredo Pinto ✆ 482 68.

◆Lisboa 358 – Braga 33 – ◆Porto 40.

   🏨 **Sul Americano,** Rua Dr Abilio Torres ✆ 48 12 37 – 🚉 🅿. ✻
   Ref 2300 – **64 qto** ⊑ 5000/5500 – P 7350/9600.

CALDELAS Braga **437** G 4 – 1 120 h. alt. 150 – ⊠ 4720 Amares – ✪ 053 – Termas.
🅱 Av. Afonso Manuel 🖉 361 24.
◆Lisboa 385 – Braga 17 – ◆Porto 67.

🏨 **Grande H. da Bela Vista** ⤴, 🖉 361 17, « Amplo terraço com árvores e ⩽ vale », ⤓, 🎿,
※ – 🏑 ⇔ 🅿. 🆔 ⓪ 🄴 ▥▩. ⋘
Junho-15 Outubro – Ref 2000 – **70 qto** ⊏⊐ 7500/12500 – P 10250/11500.

🏨 De Paços ⤴, Av. Afonso Manuel 🖉 361 01 – 🅿 – **50 qto**.

🏨 Corredoura ⤴, Av. Afonso Manuel 🖉 361 10 – ☜ 🅿 – **37 qto**.

🏨 **Universal** ⤴, Av. Afonso Manuel 🖉 362 36 – ☜. 🄴. ⋘
Ref 1250 – **20 qto** ⊏⊐ 3600/4800 – P 4500/5000.

🏛 **Nascimento** ⤴, lugar do Pereiro 🖉 361 27 – ⟸. ⋘ rest
Maio-Setembro – Ref 1200 – **22 qto** ⊏⊐ 2200/3600 – P 2900/3200.

CAMINHA 4910 Viana do Castelo **437** G 3 – 1 870 h. – ✪ 058.
Ver : Igreja Matriz (tecto★).
🅱 Rua Ricardo Joaquim de Sousa 🖉 92 19 52.
◆Lisboa 411 – ◆Porto 93 – ◆Vigo 60.

🏛 Galo d'Ouro, Rua da Corredoura 15 - 1° andar 🖉 92 11 60
12 qto.

em Seixas NE : 2,5 km – ⊠ 4910 Caminhã – ✪ 058 :

🏨 **São Pedro** ⤴, 🖉 92 14 75, Telex 33337, ⤓, 🎿 – 🅿. ▥▩. ⋘
Ref *(fechado 3ª feira)* 1040 – **34 qto** ⊏⊐ 5300.

CAMPO MAIOR 7370 Portalegre **437** O 8 – 6 940 h. – ✪ 068.
◆Lisboa 244 – ◆Badajoz 16 – Évora 105 – Portalegre 50.

🏨 **Albergaria Progresso,** Av. Combatentes da Grande Guerra 🖉 686 57 – 🏑 ▤ ☜ 🅿. 🆔 ⓪
▥▩.
Ref *(fechado 2ª feira)* 1500 – **27 qto** ⊏⊐ 3000/4000.

CANIÇADA Braga **437** H 5 – ver Vieira do Minho.

CANIÇO Madeira – ver Madeira (Arquipélago da).

CANTANHEDE 3060 Coimbra **437** K 4 – 748 h. – ✪ 031.
Arred. : Varziela : retábulo★ NE : 4 km.
◆ Lisboa 222 – Aveiro 42 – ◆ Coimbra 23 – ◆ Porto 112.

💥 **Marquês de Marialva,** Largo do Romal 🖉 420 90 – 🆔 ⓪ 🄴 ▥▩
fechado Domingo noite – Ref lista aprox. 2500.

DATSUN-NISSAN Largo Combatentes da Grande   RENAULT Rua Marquês de Pombal 92 🖉 422 34
Guerra 30 🖉 420 25

CARAMULO 3475 Viseu **437** K 5 – 1 546 h. alt. 800 – ✪ 032.
Arred. : Caramulinho★★ (miradouro★★) SO : 4 km – Pinoucas★ : ⁂★ NO : 3 km.
🅱 Estrada Principal do Caramulo 🖉 864 37.
◆Lisboa 280 – ◆Coimbra 78 – Viseu 38.

na estrada N 230 E : 1,5 km – ⊠ 3475 Caramulo – ✪ 032 :

💥 **Pousada de São Jerónimo** ⤴ com qto, 🖉 862 91, Telex 53512, ⩽ vale e Serra da Estrela,
« Belo jardim », ⤓ – ▤ rest ☜ 🅿. 🆔 ⓪ 🄴 ▥▩. ⋘ rest
Ref lista 1800 a 2400 – **6 qto** ⊏⊐ 7700/8800 – P 8000/11300.

CARAPINHEIRA Coimbra – ver Montemor-o-Velho.

CARCAVELOS Lisboa **437** P 1 – 12 717 h. – ⊠ 2775 Parede – ✪ 01 – Praia.
◆Lisboa 21 – Sintra 15.

na praia :

🏨 **Praia-Mar,** Rua do Gurué 16 A 🖉 247 31 31, Telex 42283, ⩽ mar, ⤓ – 🏑 ▤ rest 🅿 – 🄰. 🆔
⓪ 🄴 ▥▩. ⋘
Ref 2700 – **158 qto** ⊏⊐ 9000/10300 – P 10200/14100.

🏨 **São Julião** sem rest, Praça do Junqueiro 16 🖉 247 21 02 – 🏑 ☜. 🆔 ⓪ 🄴 ▥▩. ⋘
20 qto ⊏⊐ 6500/7000.

💥 **A Pastorinha,** Estrada Marginal 🖉 247 18 92, ⩽, 🌤, Peixes e mariscos – 🄴 ▥▩. ⋘
fechado 3ª feira – Ref lista 1400 a 3600.

CITROEN Praceta de Junqueiro 🖉 247 34 70

CARVALHELHOS Vila real **437** G 6 – ver Boticas.

456

Arred. : SO : Boca do Inferno★ (abismo★) AY - Praia do Guincho por ③ : 9km AY.

🛏, 🛏 do Estoril E : 3 km 𝒫 268 01 76 BX – 🛏 da Quinta da Marinha O : 3 km 𝒫 29 90 08.

🛈 Praça 5 de Outubro (edificio da Câmara) 𝒫286 82 04 – ♦Lisboa 30 ② – Setúbal 72 ② – Sintra 16 ④.

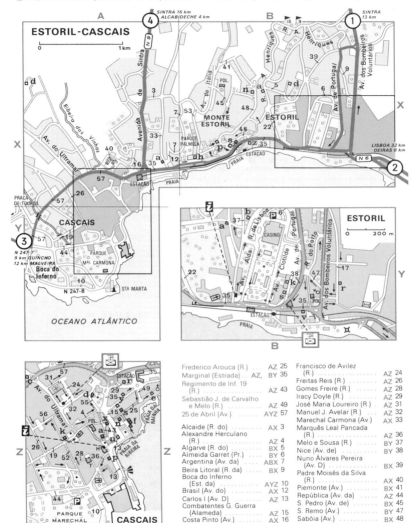

Frederico Arouca (R.)	AZ 25	Francisco de Avilez (R.)	AZ 24
Marginal (Estrada)	AZ, BY 35	Freitas Reis (R.)	AZ 26
Regimento de Inf. 19 (R.)	AZ 43	Gomes Freire (R.)	AZ 28
Sebastião J. de Carvalho e Melo (R.)	AZ 49	Iracy Doyle (R.)	AZ 29
25 de Abril (Av.)	AYZ 57	José Maria Loureiro (R.)	AZ 31
		Manuel J. Avelar (R.)	AZ 32
Alcaide (R. do)	AX 3	Marechal Carmona (Av.)	AX 33
Alexandre Herculano (R.)	AZ 4	Marquês Leal Pancada (R.)	AZ 36
Algarve (R. do)	BX 5	Melo e Sousa (R.)	BY 37
Almeida Garret (Pr.)	BY 6	Nice (Av. de)	BY 38
Argentina (Av. da)	ABX 7	Nuno Álvares Pereira (Av. D)	BX 39
Beira Litoral (R. da)	BX 9	Padre Moisés da Silva (R.)	AX 40
Boca do Inferno (Est. da)	AYZ 10	Piemonte (Av.)	BX 41
Brasil (Av. do)	AX 12	República (Av. da)	BX 44
Carlos I (Av. D)	AZ 13	S. Pedro (Av. de)	BX 45
Combatentes G. Guerra (Alameda)	AZ 15	S. Remo (Av.)	BX 47
Costa Pinto (Av.)	AX 16	Sabóia (Av.)	BX 48
Dr António Martins (R.)	BY 17	Vasco da Gama (Av.)	AZ 52
Emídio Navarro (Av.)	AZ 19	Venezuela (Av. da)	BX 53
Fausto Figueiredo (Av.)	BY 22	Visconde da Luz (R.)	AZ 55
		Vista Alegre (R. da)	AZ 56

🏨🏨🏨 **Estoril Sol,** Parque Palmela 𝒫 28 28 31, Telex 15102, Fax 28 22 80, ≤ baia e Cascais, ⏋ – 🛗 🗐 📺 ☎ ⇦⇨ 🅿 – 🔏. 🕮 🕦 🅴 𝘝𝘐𝘚𝘈. ⅍ rest – Ref 3500 – **317 qto** ⤢ 16600/19300. BX **h**

🏨🏨 **Albatroz,** Rua Frederico Arouca 100 𝒫 28 28 21, Telex 16052, Fax 284 48 27, ≤ baia e Cascais, « Bela decoração », ⏋ – 🛗 🗐 📺 ☎ ⇦⇨ 🅿 🕮 🕦 🅴 𝘝𝘐𝘚𝘈. ⅍ Ref lista aprox. 3000 – **40 qto** ⤢ 24000/27500. AZ **e**

🏨🏨 **Cidadela,** Av. 25 de Abril 🖋 28 29 21, Telex 16320, Fax 286 72 26, ≼, ⅃ – |📶| 🖃 📺 ☎ 🅟 –
🔏 🝙 ⑩ 🖸 𝗩𝗜𝗦𝗔 ⅏   AZ **c**
Ref 1900 – **130 qto** ⟷ 14000/16000.

🏨🏨 **Aparthotel Equador,** Alto da Pampilheira 🖋 284 05 24, Telex 42144, ≼, ⅃ – |📶| 🖃 rest 🅟.
🝙 ⑩ 🖸 𝗩𝗜𝗦𝗔 ⅏   AX **d**
Ref 1250 – **117 qto** ⟷ 8000/8200.

🏨 **Baía,** Av. Marginal 🖋 28 10 33, Telex 43468, ≼, 🍴 – |📶| 🖃 rest 🕿. 🝙 ⑩ 🖸 𝗩𝗜𝗦𝗔. ⅏   AZ **u**
Ref 1500 – **87 qto** ⟷ 10000/12000.

🏨 **Casa da Pérgola** sem rest, Av. Valbom 13 🖋 284 00 40, « Bela moradia senhorial », 🚗 – 🖃
⟷   AZ **y**
Abril-Outubro – **10 qto** ⟷ 5000/10000.

🏨 **Albergaria Valbom** sem rest, Av. Valbom 14 🖋 286 58 01 – |📶| 🕿 🚗. 🝙 ⑩ 🖸 𝗩𝗜𝗦𝗔. ⅏
40 qto ⟷ 4500/7000.   AZ **y**

🏨 **Nau,** Rua Dra. Iracy Doyle 14 🖋 28 28 61, Telex 42289 – |📶| 🕿 🚗. 🝙 ⑩ 🖸 𝗩𝗜𝗦𝗔   AZ **r**
Ref 1400 – **56 qto** ⟷ 10000/12000.

XX **Reijos,** Rua Frederico Arouca 35 🖋 28 03 11, 🍴 – 🖃   AZ **s**

XX **Visconde da Luz,** Jardim Visconde da Luz 🖋 286 68 48, Peixes e mariscos – 🖃. 🝙 ⑩ 🖸 𝗩𝗜𝗦𝗔.
⅏   AZ **d**
fechado 2ª feira.

XX **Pimentão,** Rua das Flores 16 🖋 284 09 94, Peixes e mariscos – 🖃   AZ **f**

XX **O Pipas,** Rua das Flores 18 🖋 286 45 01, Peixes e mariscos – 🖃. 🝙 ⑩ 🖸 𝗩𝗜𝗦𝗔. ⅏   AZ **f**
fechado 10 Novembro-10 Dezembro – Ref lista 2500 a 3500.

X **Dom Leitão,** Av. Vasco da Gama 36 🖋 286 54 87 – 🖃. 🝙 ⑩ 🖸 𝗩𝗜𝗦𝗔. ⅏   AZ **k**
fechado 4ª feira – Ref lista 1530 a 2600.

X **Sol e Mar,** Av. D. Carlos I - 48 🖋 284 02 58, ≼, 🍴 – 🝙 ⑩ 🖸 𝗩𝗜𝗦𝗔. ⅏   AZ **p**
fechado 28 Novembro-27 Dezembro – Ref lista 1400 a 3350.

X **O Batel,** Travessa das Flores 4 🖋 28 02 15 – 🖃. 🝙 ⑩ 🖸 𝗩𝗜𝗦𝗔   AZ **n**
Ref lista 1170 a 2550.

X **Beira Mar,** Rua das Flores 6 🖋 28 01 52, Decoração rústica – 🖃. ⅏   AZ **f**
fechado 5ª feira – Ref lista 1350 a 4460.

X **Adega do Morgado,** Av. Marechal Carmona 1 🖋 286 71 98 – 🅟. 🝙 ⑩ 🖸 𝗩𝗜𝗦𝗔   AX **a**
fechado 2ª feira – Ref lista 1440 a 2760.

X **Sagres,** Rua das Flores 10-A 🖋 28 08 30 – 🖃. 🝙 ⑩ 🖸 𝗩𝗜𝗦𝗔. ⅏   AZ **f**
fechado 4ª feira e 28 Novembro-28 Dezembro – Ref lista 1900 a 2000.

X **Alaúde,** Largo Luís de Camões 8 🖋 28 02 87, 🍴 – 🖃. 🝙 ⑩ 🖸 𝗩𝗜𝗦𝗔. ⅏   AZ **x**
Ref lista 1140 a 2290.

X **Le Bec Fin,** Beco Torto 1 🖋 284 42 96, 🍴, Rest. francês – 🝙 ⑩ 🖸 𝗩𝗜𝗦𝗔. ⅏   AZ **a**
fechado Domingo – Ref lista 1800 a 3950.

na estrada do Guincho por ③ – 📧 2750 Cascais – ⓧ 01 :

🏨🏨 **Estal. Sra. da Guia,** 🖋 28 92 39, Telex 42111, ≼, 🍴, « Bela moradia adaptada a estala-
gem », ⅃ – ☎ 🅟. 🝙 ⑩ 🖸 𝗩𝗜𝗦𝗔. ⅏
Ref lista aprox. 2800 – **28 qto** ⟷ 17000/19000.

na Praia do Guincho por ③ : 9 km – 📧 2750 Cascais – ⓧ 01 :

🏨🏨 **Do Guincho** 🦞, 🖋 285 04 91, Telex 43138, ≼, « Num promontório rochoso - Antiga fortaleza
transformada em hotel elegante » – 🖃 📺 🅟. 🝙 ⑩ 🖸 𝗩𝗜𝗦𝗔. ⅏
Ref 3700 – **36 qto** ⟷ 16600/19300 – P 15400/22350.

🏨 **Estal. Mar do Guincho** 🦞, 🖋 285 02 51, ≼ – 🕿 🅟. 🝙 ⑩ 🖸 𝗩𝗜𝗦𝗔. ⅏
fechado 4ª feira – Ref 1800 – **13 qto** ⟷ 6750/7500 – P 7375/10350.

XX **Estal. Muchaxo** 🦞 com qto, 🖋 285 02 21, Telex 65131, ≼, Decoração rústica, ⅃ – 🖃 rest
🕿 🅟. 🝙 ⑩ 🖸 𝗩𝗜𝗦𝗔. ⅏ rest
Ref lista 1750 a 3800 – **24 qto** ⟷ 10400/11000.

X 🕸 **Porto de Santa Maria,** 🖋 285 02 40, ≼, Peixes e mariscos – 🖃 🅟. 🝙 ⑩ 🖸 𝗩𝗜𝗦𝗔
Ref lista 2960 a 3800
Espec. Parrillada mista de mariscos, Pescado variado a la parrilla, Misto de mariscos ao natural.

X **O Faroleiro,** 🖋 285 02 25, ≼ – 🅟.

X **Panorama,** 🖋 285 00 62, ≼, Peixes e mariscos – 🖃 🅟. 🝙 ⑩ 🖸 𝗩𝗜𝗦𝗔
fechado Janeiro – Ref lista 1210 a 3410.

DATSUN-NISSAN Largo das Furnas 🖋 286 51 11   VOLVO Av. 25 de Abril 🖋 284 54 60
FIAT Rua Dra. Iracy Doyle 14 A 🖋 28 13 33   VW-AUDI Rua Monte Carmo 16 🖋 28 18 52
FORD Av. 25 de Abril 1 🖋 286 81 50   VW-AUDI Av. Valbom 9 🖋 284 20 82
TOYOTA Av. 25 de Abril 🖋 286 49 55

CASTELO BRANCO 6000 ℗ 4⃞3⃞7⃞ M 7 – 24 287 h. alt. 375 – ⓧ 072.

Ver : Jardim do antigo paço episcopal★.

🛈 Alameda da Liberdade 🖋 210 02.

♦Lisboa 256 ③ – ♦Cáceres 137 ② – ♦Coimbra 155 ① – Portalegre 82 ③ – Santarém 176 ③.

CASTELO BRANCO

João C. Abrunhosa 12
Liberdade
(Alameda da) 14
Rei D. Dinis 25
Sidónio Pais 35
1º de Maio (Av.) 38

Amato Lusitano (R.) 3
Arco (R. do) 4
Arressário (R. do) 5
Camilo Castelo
Branco (R. de) 6
Espírito Santo (R. do) 7
Ferreiros (R. dos) 8
Formosa (R.) 9
Frei Bartolomeu
da Costa (R. de) 10
José Bento da Costa
(Jardim) 13
Luís de Camões (Pr.) 15
Mercado (R. do) 18
Olarias (R. das) 20
Pátria (Campo da) 22
Prazeres (R. dos) 23
Quinta Nova (R. da) 24
Relógio (R. do) 26
Saibreiro (L. e R. do) 27
S. Marcos (L. de) 29
S. Sebastião (R.) 30
Santa Maria (R. de) 31
Senhora da Piedade
(L. e R. da) 33
Sé (L. e R. da) 34
Vaz Preto (Av.) 37

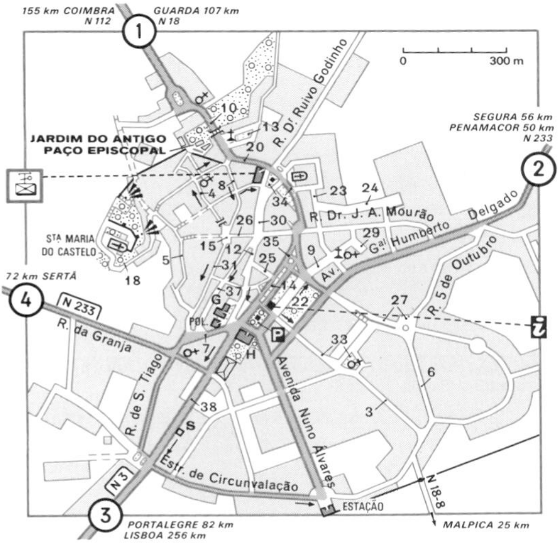

Arraiana sem rest, Av. 1° de Maio 18 ℘ 216 34 – . . . s
31 qto 2500/4000.

na estrada de Retaxo por ③ : 11,5 km – 6000 Castelo Branco – 072 :

Motel da Represa , ℘ 523 27, ←, , Típica ambientação exterior, , – rest . . . . rest
Ref lista aprox. 1260 – **38 qto** 4200/4800.

em Sarnadas de Ródão por ③ : 13,5 km – 6030 Vila Velha de Ródão – 072 :

Estal. O Repouso, Estrada N 3 ℘ 524 55, ← – . . rest
Ref 1200 – **20 qto** 3000/4500.

AUTOBIANCHI-LANCIA Av. General Humberto Delgado 75 ℘ 218 94
B.L.M.C. (AUSTIN-MORRIS) Zona Industrial ℘ 248 47
B.L.M.C. (Austin-Morris) Rua Pedro de Fonseca 12 ℘ 231 72
CITROEN Estrada de Monfortinho ℘ 219 43
DATSUN-NISSAN Rua de Santo António 1 ℘ 226 22
FIAT Av. General Humberto Delgado 74 ℘ 225 01
FORD Rua Poeta João Ruiz 2 ℘ 240 46
G.M.- OPEL Bairro da Carapalha ℘ 229 11
MERCEDES-BENZ Av. General Humberto Delgado 75 ℘ 218 94
PEUGEOT-ALFA ROMEO Av. General Humberto Delgado 33 ℘ 245 75
RENAULT Av. 28 de Maio 8 ℘ 243 32
SEAT Centro Comercial S. Tiago ℘ 247 86
TOYOTA Rua 5 de Outubro 11 ℘ 241 57
VOLVO Av. General Humberto Delgado 48 ℘ 245 15
VW-AUDI av. General Humberto Delgado 25 ℘ 245 94

CASTELO DE BODE Santarém 437 N 4 – ver Tomar.

CASTELO DE PAIVA 4550 Aveiro 437 I 5 – 17 026 h. – 055.
♦Lisboa 364 – ♦Porto 50 – Villa Real 101 – Viseu 102.

Castelo Douro, sem rest e sem , Rua Dr. Sá Carneiro 44 - 2° andar ℘ 655 17 –
18 qto.

CASTELO DE VIDE 7320 Portalegre 437 N 7 – 2 558 h. alt. 575 – 045 – Termas.
Ver : Castelo ←★ – Judiaria★.
Arred. : Capela de Na. Sra. de Penha ←★ S : 5 km – Estrada★ escarpada de Castelo de Vide a Portalegre por Carreiras S : 17 km.
Rua Bartolomeu Álvares da Santa 81 ℘ 913 61.
♦Lisboa 213 – ♦Cáceres 126 – Portalegre 22.

Sol e Serra, ℘ 913 01, Telex 43332, – rest – . . rest
fechado Janeiro – Ref 1450 – **50 qto** 4300/6700 – P 6250/7200.

Albergaria Jardim e Estal. São Paulo, Rua Sequeira Sameiro 6 ℘ 912 17, Telex 42192, ← –
40 qto.

Casa do Parque , Av. da Aramenha 37 ℘ 912 50 – rest
Ref *(fechado 3ª feira no inverno)* lista aprox. 1280 – **26 qto** 2750/3800.

D. Pedro V, Praça D. Pedro V ℘ 912 36.

CAXIAS Lisboa 🔢🔢🔢 R 2 – 4 907 h. – ✉ 2780 Oeiras – ✪ 01 – Praia.

♦ Lisboa 13 – Cascais 17.

XXX **Mónaco,** Estrada Marginal ℘ 243 23 39, Telex 42077, ≼, Musica ao jantar – 🍽. 🖭 ⓞ E 𝖵𝖨𝖲𝖠.
⌘
Ref lista 2500 a 5700.

RENAULT Rua Bernardim Ribeiro 9 ℘ 243 33 64

CELORICO DA BEIRA 6360 Guarda 🔢🔢🔢 K 7 – 2 750 h. – ✪ 071.

♦ Lisboa 337 – ♦ Coimbra 138 – Guarda 27 – Viseu 54.

🏨 **Mira Serra,** Estrada N 17 ℘ 726 04, Telex 53192, ≼ – 🛗 ☎ ⇔ ℗ – 🅰. 🖭 ⓞ E 𝖵𝖨𝖲𝖠.
⌘ rest
Ref 1200 – **42 qto** ⇄ 6000/7500.

🛏 **Parque** sem rest, com snack-bar, Rua Andrade Corvo 48 ℘ 721 97 – ℗. 𝖵𝖨𝖲𝖠
27 qto ⇄ 1900/2900.

CERDEIRINHAS Braga 🔢🔢🔢 H 5 – ver Vieira do Minho.

CERNACHE DO BONJARDIM Castelo Branco 🔢🔢🔢 M 5 – ✉ 6100 Sertá – ✪ 074.

♦ Lisboa 187 – Castelo Branco 81 – Santarém 110.

pela estrada N 238 SO : 10 km – ✉ 6100 Sertá – ✪ 074 :

🏨 **Estal. Vale da Ursa** ⌂, ℘ 675 11, Telex 52673, ≼, 🍴, « Na margem do rio Zêzere », ⛱,
✗ – 🛗 ☎ ℗. E 𝖵𝖨𝖲𝖠. ⌘ rest
Ref 1600 – **12 qto** ⇄ 5500/8000 – P 6500/8500.

CHAMUSCA 2140 Santarém 🔢🔢🔢 N 4 – 13 151 h. – ✪ 049.

♦ Lisboa 121 – Castelo Branco 136 – Leiria 79 – Portalegre 118 – Santarém 31.

no cruzamento das estradas N 118 e N 243 NE : 3,5 km – ✉ 2140 Chamusca – ✪ 049 :

✗ **Paragem da Ponte,** Ponte da Chamusca ℘ 764 06 – 🍽 ℗. E
Ref lista 1120 a 1470.

CHAVES 5400 Vila Real 🔢🔢🔢 G 7 – 13 027 h. alt. 350 – ✪ 076 – Termas.

Ver : Igreja da Misericordia*.

Excurs. : O : Cávado (Vale sup. do)* : estrada de Chaves a Braga pelas barragens do Alto
Rabagão* (≼*), da paradela* (local*) e da Caniçada* (≼*).

🛥 de Vidago SO : 20 km ℘ 971 06 Vidago.

🎫 Terreiro de Cavalaría ℘ 210 29.

♦ Lisboa 475 – Orense 99 – Vila Real 66.

🏨 **Trajano,** Travessa Cândido dos Reis ℘ 224 15, Telex 26214 – 🛗 ☎. ⌘
Ref 1500 – **39 qto** ⇄ 3800/4800.

🛏 **Estal. Santiago** sem rest, Rua do Olival ℘ 225 45, ≼ – ☎
31 qto ⇄ 5200/5400.

BMW Lugar do Raio X ℘ 231 56
CITROEN Av. 5 de Outubro 10 ℘ 221 37
DATSUN--NISSAN Av. 5 de Outubro ℘ 221 33
FORD Lugar do Caneiro ℘ 236 96
PEUGEOT-ALFA ROMEO Lugar do Raio X ℘ 231 56

RENAULT Rua Cândido dos Reis ℘ 225 44
SEAT Lugar do Raio X ℘ 225 44
TOYOTA Av. do Brasil ℘ 234 96
VOLVO Estrada de Verin ℘ 232 64
VW-AUDI Rua Cândido de Sotto Mayor 1 ℘ 226 98

COIMBRA 3000 🅿 🔢🔢🔢 L 4 – 79 799 h. alt. 75 – ✪ 039.

Ver : Local* – Museu Machado de Castro** (estátua equestre*) Z **M1** Velha Universidade** Z:
biblioteca**, capela* (órgão**), ≼* – Sé Velha (retábulo*, capela*) Z E – Mosteiro de Santa
Cruz (púlpito*) Y L – Mosteiro de Celas (retábulo*) X P – Convento de Santa Clara-a-Nova
(túmulo*) X V.

Arred. : Ruínas de Conímbriga* (Casa dos jogos de água** : mosaicos**, Casa de Cantaber*)
17 km por ③ – Miradouro de Na. Sra. da Piedade ≼* 27 km por ② e N 237.

🚗 ℘ 349 98.

🎫 Largo da Portagem ℘ 255 76 e 238 86 – A.C.P. Av. Navarro 6 ℘ 268 13, Telex 52270.

♦ Lisboa 200 ③ – ♦ Cáceres 292 ② – ♦ Porto 118 ① – ♦ Salamanca 324 ②.

Plano página seguinte

🏨 **Bragança,** Largo das Ameias 10 ℘ 221 71, Telex 52609 – 🛗 🍽 rest ☎. ⓞ E 𝖵𝖨𝖲𝖠. ⌘   Z **t**
Ref 1375 – **83 qto** ⇄ 4360/5900.

🏨 **Astória,** Av. Emidio Navarro 21 ℘ 220 55, Telex 42589, ≼ – 🛗 ☎. 🖭 ⓞ E 𝖵𝖨𝖲𝖠. ⌘ rest
Ref 2300 – **64 qto** ⇄ 6150/8000 – P 8600/10750.   Z **v**

🛏 **Almedina** sem rest, Av. Fernão de Magalhães 203 ℘ 291 61 – 🛗 ☎. 𝖵𝖨𝖲𝖠. ⌘   Y **z**
39 qto ⇄ 2800/3300.

🛏 **Domus** sem rest, Rua Adelino Veiga 62 ℘ 285 84 – ☎. ⌘   YZ **f**
15 qto ⇄ 3000/3750.

460

COIMBRA

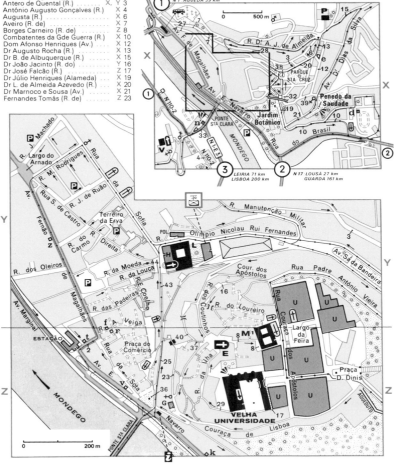

🏨 **Alentejana** sem rest, com snack-bar, Rua Dr. António Henriques Seco 1 ℰ 259 24 – 🕾 ⚒   X **e**
   14 qto ☲ 3750.

🏨 **Moderna** sem rest, Rua Adelino Veiga 49 ℰ 254 13 – 🕾 ⚒   Z **r**
   19 qto ☲ 1650/3500.

XX **Piscinas**, 2° andar, Rua D. Manuel ℰ 71 70 13, Telex 52425 – 🍽 🆎 ⓐ ∈ 𝓥𝓘𝓢𝓐   X **d**
   fechado 2ª feira e feriados – Ref lista 1300 a 2190.

XX Dom Pedro, Av. Emídio Navarro 58 ℰ 291 08   Z **k**

X O Alfredo, Av. João das Regras 32 ℰ 232 88 – 🍽   X **n**

   na estrada N I por ③ : 2,5 km – ⊠ 3000 Coimbra – 🕲 039 :

🏨 D. Luis, Quinta da Varzea ℰ 84 15 10, Telex 52426, ≤ Cidade e rio Mondego – 🛗 🍽 📺 ☎
   🅿 – 🔬 – **100 qto**.

na antiga estrada de Lisboa pela Av. João das Regras : 2 km – ⊠ 3000 Coimbra – 🕸 039 :

✕ Real das Canas, Vilaméndes 7 - Santa Clara 🖉 81 48 77, ⪦.

AUTOBIANCHI-LANCIA Zona Industrial da Pedrulha 🖉 255 82
B.L.M.C. (AUSTIN-MORRIS) Av. Fernão de Magalhães 216 🖉 255 78
B.L.M.C. (AUSTIN-MORRIS) Av. Fernão de Magalhães 142 🖉 280 74
BMW Rua General Humberto Delgado 424 🖉 72 34 42
CITROEN Estrada de Coselhas 🖉 244 60
DATSUN-NISSAN Rua do Arnado 19 🖉 291 00
DATSUN-NISSAN Rua do Carmo 68 🖉 291 47
FIAT Zona Industrial da Pedrulha 🖉 255 82
FORD Estrada Nacional - Ponte de Eiras 🖉 313 38
FORD Av. Fernão de Magalhães 221 🖉 220 38
G.M.- OPEL Av. Navarro 36 🖉 255 21

MERCEDES-BENZ Estrada Nacional - Loreto 🖉 255 04
PEUGEOT-ALFA ROMEO Av. Sá da Bandeira 47 🖉 240 23
PEUGEOT-ALFA ROMEO Av. Fernão de Magalhães 254 🖉 281 58
RENAULT Rua Manuel Almeida e Sousa 🖉 270 71
SEAT Av. General Humberto Delgado 440 🖉 72 19 52
TOYOTA Av. Sá da Bandeira 66 🖉 224 61
VOLVO Estrada N 1 - Zona Industrial da Pedrulha 🖉 291 81
VOLVO Estrada N 1 - Curia 🖉 524 49
VW-AUDI Loreto 🖉 220 31
VW-AUDI Av.Fernão de Magalhães 3600

COLARES Lisboa **437** P 1 – 6 921 h. alt. 50 – ⊠ 2710 Sintra – 🕸 01.

Arred. : Azenhas do Mar★ (local★) NO : 7 km.

♦Lisboa 36 – Sintra 8.

🏠 **Estal. do Conde** ⤵ sem rest, Quinta do Conde 🖉 929 16 52, ⪦ – 🕾. 🖭 ⓞ. ⪧
10 qto ⇌ 6000/7000.

✕ **Bistro,** Largo da Igreja 🖉 929 00 16 – ⪧
fechado 2ª feira e 15 Dezembro-15 Janeiro – Ref (só jantar) lista 1830 a 2600.

na estrada da Praia das Maçãs NO : 2 km – ⊠ 2710 Sintra – 🕸 01 :

🏛 **Miramonte** ⤵, 🖉 929 12 30, Telex 13221, « Jardim florido sob os pinheiros », 🛌 – 🕾. ⪧
fechado 5 Janeiro-16 Fevereiro – Ref (só jantar) 2000 – **89 qto** ⇌ 7000/9000.

em Azoia-estrada do Cabo da Roca SO : 8 km – ⊠ 2710 Sintra – 🕸 01 :

✕ **Refúgio da Roca,** 🖉 929 08 98, Decoração rústica, Rest. típico – 🖭 ⓞ 🇪 𝘝𝘐𝘚𝘈. ⪧
fechado 3ª feira, do 1 ao 15 Junho e do 1 ao 15 Novembro – Ref lista 1380 a 2700.

RENAULT Av. dos Bombeiros Voluntarios 🖉 929 10 78

CONCAVADA Santarém **437** N 5 – ⊠ 2200 Abrantes – 🕸 041.

♦Lisboa 167 – Castelo Branco 89 – Leiria 105 – Portalegre 71 – Santarém 79.

✕ A Nora, 🖉 922 72, Decoração rústica, 🛌 – 🍽 🅿.

COSTA DA CAPARICA Setúbal **437** Q 2 – 9 796 h. – ⊠ 2825 Monte da Caparica – 🕸 01 – Praia – 🖪 Praça da Liberdade 🖉 290 00 71.

♦Lisboa 21 – Setúbal 51.

🏠 **Praia do Sol** sem rest, Rua dos Pescadores 12 A 🖉 290 00 12 – 📶 🕾. 🖭 ⓞ 🇪 𝘝𝘐𝘚𝘈. ⪧
54 qto ⇌ 4200/5500.

🏠 **Real** sem rest, Rua Mestre Manuel 18 🖉 290 17 01 – 📺 🕾. ⪧
10 qto ⇌ 7000.

🏩 **Copacabana** sem rest, com snack-bar, Rua José Alves Martins 14 🖉 290 01 03 – 🕾. ⪧
10 qto ⇌ 3600/3800.

✕ **Praia Nova** com qto, Praia Nova 🖉 290 38 82, Telex 42396, ⪦, 🍴, Música ao jantar – 🖭 ⓞ 𝘝𝘐𝘚𝘈. ⪧ rest
Ref lista 2050 a 2375 – **13 qto** ⇌ 4850/7000.

✕ **Maniés,** Av. General Humberto Delgado 7-E 🖉 290 33 98, 🍴, Decoração neo-rústica – 🖭 ⓞ 🇪 𝘝𝘐𝘚𝘈
fechado 2ª feira no inverno – Ref lista 1240 a 2730.

✕ O Lavrador, Av. General Humberto Delgado 7-D 🖉 290 43 83, 🍴 – 🍽.

em São João da Caparica N : 2,5 km – ⊠ 2825 Monte da Caparica – 🕸 01 :

✕✕ **Centyonze,** Estrada N 10-1 n° 111 🖉 290 39 68, 🍴 – 🍽. 🇪 𝘝𝘐𝘚𝘈. ⪧
fechado 2ª feira e do 1 ao 16 Outubro – Ref lista 1250 a 2485.

COVA DA IRIA Santarém **437** N 4 – ver Fátima.

COVILHÃ 6200 Castelo Branco **437** L 7 – 21 689 h. alt. 675 – 🕸 075 – Desportos de inverno na Serra da Estrela : ⤊3 – **Arred. :** Estrada★★ da Covilhã a Seia (⪦★, Torre ❄★★★, ⪦★★) 49 km – Estrada★★ da Covilhã a Gouveia (vale glaciário de Zêzeu★★ (⪦★), Poço do Inferno★ : cascata★, ⪦★) por Manteigas : 65 km – Unhais da Serra (local★) SO : 21 km – Belmonte : castelo ⪦★ NE : 20 km – Torre romana de Centum Céllas★ NE : 24 km.

🖪 Praça do Município 🖉 221 70 – ♦Lisboa 301 – Castelo Branco 62 – Guarda 45.

🏠 **Sta Eufêmia** sem rest, Sitio da Palmatória 🖉 260 81, ⪦ – 📶 🅿. ⪧
80 qto ⇌ 2970/3850.

AUTOBIANCHI-LANCIA   Largo das Forças Armadas ℰ 230 15
CITROEN   Rua Marquês d´Ívila e Bolama 233 ℰ 220 48
FIAT   Largo das Forças Armadas ℰ 230 15
G.M.- OPEL   Rua Visconde da Coriscada 132 ℰ 220 44
MERCEDES-BENZ   Estrada Nacional 18 ℰ 253 43
PEUGEOT-ALFA ROMEO   Sitio da Sapata ℰ 223 50
PEUGEOT-ALFA ROMEO   Rua Marquês d´Ívila e Bolama 39 ℰ 229 00

RENAULT   Av. Frei Heitor Pinto 20 ℰ 238 85
SEAT   Estrada N 18 - Sitio da Palmatória ℰ 227 46
TOYOTA   Rua Marquês d´Ávila e Bolama 199 ℰ 228 53
VOLVO   Rua Dr. José Valério da Cruz 36 ℰ 238 85
VW-AUDI   Rua António Augusto de Aguiar 112 ℰ 227 73
VW-AUDI   Quinta da Várzea ℰ 235 09

CURIA   Aveiro **437**   K 4 ÷ 2 704 h. alt. 40 – ⊠ 3780 Anadia – ◌ 031 – Termas.

🛈 Largo da Rotunda ℰ 522 48.

◆Lisboa 229 – ◆Coimbra 27 – ◆Porto 93.

🏨🏨   **Das Termas** ◈, ℰ 521 85, Telex 53054, « Num belo parque com árvores », ⅃ – 🛗 ▤ rest
☎ 🚗 🅟 – 🅰. 🆊 ⓞ E 𝗩𝗜𝗦𝗔. ⁙
fechado 2 Janeiro-3 Fevereiro – Ref 3250 – **36 qto** ⊃ 6500/9500.

🏠   **Do Parque** ◈ sem rest, ℰ 520 31 – ☎ 🅟. 𝗩𝗜𝗦𝗔
Maio-Setembro – **23 qto** ⊃ 1500/3000.

🏠   **Santos** ◈, ℰ 524 13, ☂ – 🅟
Junho-Setembro – Ref 1400 – **40 qto** ⊃ 4000/5000.

🏠   **Lourenço** ◈, ℰ 522 14 – 𝗩𝗜𝗦𝗔. ⁙
Ref (Junho-Setembro) 1300 – **42 qto** ⊃ 2000/3000 – P 3000/4500.

ELVAS   7350 Portalegre **437**   P 8 – 13 507 h. alt. 300 – ◌ 068.

Ver : Muralhas⋆⋆ – Aqueduto da Amoreira⋆ – Largo de Santa Clara⋆ (pelourinho⋆) – Igreja de Na. Sra. da Consolação⋆ (azulejos⋆).

🛈 Praça da República ℰ 622 36 – A.C.P. Estrada Nacional 4 Caia ℰ 641 27.

◆Lisboa 222 – Portalegre 55.

🏨🏨   **D. Luis,** Av. de Badajoz-Estrada N 4 ℰ 627 56, Telex 42473 – 🛗 ▤ – 🅰. 🆊 ⓞ E 𝗩𝗜𝗦𝗔. ⁙
Ref 1400 – **61 qto** ⊃ 5500/7000 – P 6300/8300.

🏠   **Estal. D. Sancho II,** Praça da República 20 ℰ 626 84 – 🛗 ☎. 🆊 ⓞ E 𝗩𝗜𝗦𝗔. ⁙ rest
Ref lista 1180 a 1750 – **26 qto** ⊃ 4200/5700.

XXX   **Pousada de Santa Luzia** com qto, Av. de Badajoz-Estrada N 4 ℰ 621 94, Telex 12469 – ▤
☎ 🅟. 🆊 ⓞ 𝗩𝗜𝗦𝗔. ⁙
Ref 2700 – **16 qto** ⊃ 10300/11500.

   na estrada de Portalegre N : 2 km – ⊠ 7350 Elvas – ◌ 068 :

🏠   **Luso-Espânhola** sem rest, Rui de Melo ℰ 630 92 – ▤ ☎. ⁙
14 qto ⊃ 4000/4700.

   na estrada N 4 O : 3 km – ⊠ 7350 Elvas – ◌ 068 :

X   **Dom Quixote,** ℰ 620 14 – ▤ 🅟. ⓞ E 𝗩𝗜𝗦𝗔. ⁙
Ref lista 1300 a 1800.

CITROEN   Estrada N 373 km 3 ℰ 631 67
DATSUN-NISSAN   Rua dos Quartéis 18 ℰ 639 55
DATSUN-NISSAN   Parada do Castelo 7 ℰ 639 55
FIAT   Rua Mousinho de Albuquerque 7A ℰ 636 86
FORD   Rossio da Fonte Nova ℰ 639 60
G.M. - OPEL   Av. de Badajoz ℰ 623 41

PEUGEOT-ALFA ROMEO   Av. S. Domingos 6 ℰ 692 34
RENAULT   Av. Garcia da Horta 3 ℰ 625 38
TOYOTA   Rua do Tabolado 19 ℰ 225 48
VW-AUDI   Largo Na Sra de Oliveira 11 ℰ 627 71

ENTRE-OS-RIOS   4575 Porto **437**   I 5 – alt. 50 – ◌ 055 – Termas.

◆Lisboa 331 – ◆Porto 49 – Vila Real 96.

X   Miradouro, Estrada N 108 ℰ 624 22, ≤, ⌂.

ENTRONCAMENTO   2330 Santarém **437**   N 4 – 11 976 h. – ◌ 049.

Lisboa 127 – Castelo Branco 132 – Leiria 55 – Portalegre 114 – Santarém 45.

🏠   **Gameiro** sem rest, Rua Abilio César Afonso (frente à estação dos Caminhos de Ferro ℰ 668 34 – 🛗 📺 ☎ 🅟. 🆊 E 𝗩𝗜𝗦𝗔. ⁙
34 qto ⊃ 3250/5000.

ERICEIRA   2655 Lisboa **437**   P 1 – 4 604 h. – ◌ 061 – Praia.

🛈 Rua Eduardo Burnay 33 A ℰ 631 22.

◆Lisboa 51 – Sintra 24.

🏠   **Estal. Morais** sem rest, Rua Dr Miguel Bombarda 3 ℰ 626 11, Telex 44938, ⅃ – 🛗 ☎. 🆊 ⓞ E 𝗩𝗜𝗦𝗔
fechado Novembro – **40 qto** ⊃ 4000/8400.

🏠   Pedro o Pescador, Rua Dr Eduardo Burnay 22 ℰ 625 04 – 🛗 ▤ rest – **25 qto**

✗ **O Barco,** Capitão João Lopes ℰ 627 59, ≼
fechado 2ª feira no verão, 5ª feira no inverno e 15 Novembro-15 Dezembro – Ref lista 1160 a 3030.

✗ **Poço,** Calçada da Baleia 10 ℰ 636 69, 🍴 – 🆎 ⓞ ⴹ 𝖵𝖨𝖲𝖠. 🎀
fechado 4ª feira e Dezembro – Ref lista 1300 a 2650.

✗ Parque dos Mariscos, Rua Dr Eduardo Burnay 28 ℰ 621 62.

na estrada N 247 N : 2 km – ✉ 2655 Ericeira – ⊙ 061 :

✗ Cesar, ℰ 629 26, ≼, Mariscos – ⓟ.

em Talefe pela estrada N 247 N : 11 km – ✉ 2640 Mafra – ⊙ 061 :

🏠 **Dom Fernando** ⟍, Quinta da Calada ℰ 552 04, ≼ – ⓟ. 🆎 ⓞ ⴹ 𝖵𝖨𝖲𝖠. 🎀
Ref (só jantar) 1650 – **11 qto** ⴴ 5900/7200.

ESMORIZ 3885 Aveiro 🔟🔟🔟 J 4 – ⊙ 056 – Praia.
♦ Lisboa 303 – Aveiro 49 – ♦ Porto 27.

✗✗ Esmoriztur, Av. da praia ℰ 729 95 – 🔲 ⓟ.

ESPINHO 4500 Aveiro 🔟🔟🔟 I 4 – 12 865 h. – ⊙ 02 – Praia.
🏌 Oporto Golf Club ℰ 72 20 08.
🇧 Ângulo das Ruas 6 e 23 ℰ 72 09 11.
♦ Lisboa 308 – Aveiro 54 – ♦ Porto 16.

🏨 **Praiagolfe,** Rua 6 ℰ 72 06 30, Telex 23727, ≼, 🔲 – 📶 🔲 rest ☎ ⟺ – 🏛. 🆎 ⓞ ⴹ 𝖵𝖨𝖲𝖠. 🎀
Ref 1700 – **139 qto** ⴴ 8800/11000.

🏨 Aparthotel Solverde, sem rest, Rua 21-77 ℰ 72 28 19, Telex 27920, ≼ – 📶 📺 ⟺
83 apartamentos.

✗✗ **Baiamar,** Rua 4 - 565 ℰ 72 54 15, Decoração moderna – 🔲 ⟺. 🆎 ⓞ ⴹ 𝖵𝖨𝖲𝖠
Ref lista 1415 a 3950.

✗✗ A Cabana , com snack-bar, Rotunda da Praia da Seca - Av. 8 ℰ 72 19 66, ≼, 🍴 – ⓟ.

✗ **Aquário,** Esplanada Dr. Oliveira Salazar ℰ 72 03 77, 🍴 – 🆎 ⓞ ⴹ 𝖵𝖨𝖲𝖠
Ref lista 1450 a 2500.

✗ Cartuxa, Rua 21 ℰ 72 28 02.

B.L.M.C. (AUSTIN-MORRIS) Rua 14 n° 623 ℰ 72 37 58
CITROEN Rua do Golfe ℰ 72 27 59
DATSUN-NISSAN Barreiro - Silvade ℰ 72 22 53
DATSUN-NISSAN Íngulo Av. 24 e 29 ℰ 92 17 30
FIAT Rua 62 n° 372 ℰ 72 10 26
RENAULT Rua 20 n° 642 ℰ 92 33 34
TOYOTA Rua 23 n° 318 ℰ 72 12 90
VW-AUDI Rua 19 n° 342 ℰ 72 08 16

ESPOSENDE 4740 Braga 🔟🔟🔟 H 3 – 2 185 h. – ⊙ 053 – Praia.
🇧 Rua 1° de Dezembro ℰ 96 13 54.
♦ Lisboa 367 – Braga 33 – ♦ Porto 49 – Viana do Castelo 21.

🏛 **Suave Mar** ⟍, Av. Eng. Arantes e Oliveira ℰ 96 14 45, Telex 32362, ≼, ⟰, 🎾 – 🔲 rest 📠 ⓟ. 🆎 ⓞ ⴹ 𝖵𝖨𝖲𝖠. 🎀 rest
Ref 1500 – **68 qto** ⴴ 6000/7000 – P 6200/8700.

🏛 **Nélia,** Av. Valentin Ribeiro ℰ 96 12 44, Telex 32855 – 📶 📠 ⓟ. 🆎 ⓞ ⴹ 𝖵𝖨𝖲𝖠. 🎀
Ref 1600 – **42 qto** ⴴ 6500/7500.

✗✗ **Estal. Zende** com qto, Estrada N 13 ℰ 96 18 55, 🚗 – 📺 📠 ⓟ. 🆎 ⓞ ⴹ 𝖵𝖨𝖲𝖠. 🎀 rest
Ref lista 1400 a 2000 – **14 qto** ⴴ 4500/6000.

ESTOI Faro – ver Faro.

ESTORIL 2765 Lisboa 🔟🔟🔟 P 1 – 25 230 h. – ⊙ 01 – Praia.
Ver : Estância balnear★.
🏌 🏌 Club de Golf do Estoril ℰ 268 01 76.
🇧 Arcadas do Parque ℰ 268 01 13.
♦ Lisboa 28 ② – Sintra 13 ①.

Ver plano de Cascais

🏰 **Palacio,** Rua do Parque ℰ 268 04 00, Telex 12757, Fax 268 48 67, ≼, ⟰, 🚗 – 📶 🔲 rest 📺 ☎
ⓟ – 🏛. 🆎 ⓞ ⴹ 𝖵𝖨𝖲𝖠. 🎀 rest
Ref lista aprox. 2420 – **167 qto** ⴴ 20300/37000.   BY **k**

🏨 **Estal. Lennox Country Club** ⟍, Rua Eng. Alvaro Pedro de Sousa 5 ℰ 268 04 24, Telex
13190, 🍴, « Terraços floridos, Bonita decoração interior », ⟰ climatizada – ☎ ⓟ. 🆎 ⓞ ⴹ
𝖵𝖨𝖲𝖠. 🎀   BY **a**
Ref 1800 – **32 qto** ⴴ 11200/16400.

🏨 **Estoril Anka H.,** Estrada Marginal ℰ 268 18 11, Telex 16007, ≼, ⟰ – 📶 – 🏛. 🆎 ⓞ ⴹ 𝖵𝖨𝖲𝖠.
🎀   BY **s**
Ref 1500 – **91 qto** ⴴ 11000/12750 – P 10025/14650.

🏨 **Lido** ⟍, Rua do Alentejo 12 ℰ 268 40 98, Telex 15287, ≼, ⟰ – 📶 🔲 rest ⓟ. 🆎 ⓞ ⴹ 𝖵𝖨𝖲𝖠. 🎀
Ref 1500 – **62 qto** ⴴ 8500/11500.   BX **d**

🏨 **Alvorada** sem rest, Rua de Lisboa 3 📞 268 00 70, Telex 13573 – 📶 🕭 🚗. ⯈⯇ ① 🇪 *VISA*. ⁜
55 qto ⫩ 4800/7900. BY **b**

🏨 **Estal. Belvedere** ⬙, Rua Dr. António Martins 8 📞 268 91 63, Telex 18755 – 📶 ☎. 🇪 *VISA*. ⁜
fechado Janeiro – Ref (só jantar) 1400 – **24 qto** ⫩ 5100/8200. BY **r**

🏨 Estal. Fundador ⬙, Rua D. Afonso Henriques 161 📞 268 22 21, ⯊ – 🕭 – **10 qto**. BX **a**

🏨 **São Mamede** sem rest, Av. Marginal 📞 267 10 74, Telex 65296 – 📶 📺 ☎. ⯈⯇ ① 🇪 *VISA*. ⁜
43 qto ⫩ 6000/8000. BY **v**

XXX **Four Seasons,** Rua do Parque 📞 268 04 00, Telex 12757, « Grill elegantemente decorado »
– 🍽 ⯈⯇ ① 🇪 *VISA*. ⁜ BY **k**
Ref (só jantar) lista 2980 a 5240.

no Monte Estoril - BX – ✉ 2765 Estoril – ⚙ 01 :

🏩 **Atlántico,** Estrada Marginal 7 📞 268 02 70, Telex 18125, ≤, ⯊ – 📶 🍽 ⓟ. ⯈⯇ ① 🇪 *VISA*. ⁜
Ref 2800 – **175 qto** ⫩ 17500 – P 28500. BX **z**

🏩 **Aparthotel Clube Mimosa** 🅼 ⬙, Av. Saboia 📞 267 00 37, Telex 44308, Fax 267 03 74, ⯊,
⯊, ⁜ – 📶 🍽 📺 ☎ 🚗. ⯈⯇ ① 🇪 *VISA*. ⁜
Ref lista aprox. 2800 - **59 apartamentos** ⫩17600. BX **n**

🏩 Aparthotel Estoril Eden 🅼, Av. Saboia 📞 267 05 73, Telex 42093, ≤, ☂, ⯊, ⯊ – 📶 🍽 📺
☎ – ⤴. ⯈⯇ ① 🇪 *VISA*. ⁜ BX **s**
Ref 2000 – **160 qto**.

🏨 **Zenith,** Rua Belmonte 1 📞 268 02 02, Telex 44870, ≤, ⯊ – 📶 🕭 – ⤴. ⯈⯇ 🇪 *VISA*. ⁜
Ref 1750 – **48 qto** ⫩ 10000/12000 – P 13000/16000. BX **p**

XXX **English-Bar,** Estrada Marginal 📞 268 04 13, ≤, « Decoração rústica inglesa » – 🍽 ⓟ. ⯈⯇
① 🇪 *VISA* BX **s**
fechado Domingo – Ref lista 1780 a 3790.

em São João do Estoril por ② : 2 km – ✉ 2765 Estoril – ⚙ 01 :

XXX **A Choupana,** Estrada Marginal 📞 268 30 99, ≤, Música ao jantar – 🍽 ⓟ. ⯈⯇ ① 🇪 *VISA*. ⁜
Ref lista 2400 a 5000.

B.L.M.C. (AUSTIN-MORRIS) Av. Marginal 34 📞   RENAULT Av. Nice 4 📞 268 40 20
269 82 83

ESTRELA (Serra da) Castelo Branco 🔢 K y L 7 – ver Covilhã.
Ver : ★ (Torre★★★, ⁂★★★, ≤★★).

ESTREMOZ 7100 Évora 🔢 P 7 – 7 869 h. alt. 425 – ⚙ 068 – Ver : ≤★.
Arred. : Evoramonte : Local★, castelo★ (⁂★) SO : 18 km.
🅱 Largo da República 26 📞 22 538.
◆Lisboa 179 – ◆Badajoz 62 – Évora 46.

🏨 **Pousada da Rainha Santa Isabel** ⬙, Largo D. Diniz - no Castelo de Estremoz 📞 226 18,
Telex 43885, ≤, « Luxuosa pousada instalada num belo castelo medieval » – 📶 🍽 ⓟ. ⯈⯇ ①
🇪 *VISA*. ⁜
Ref 3100 – **23 qto** ⫩ 13900/15600 – P 14000/20100.

XX **Águias d'Ouro,** Rossio Marquês de Pombal 27 - 1° andar 📞 221 96 – 🍽. ⯈⯇ ① 🇪 *VISA*. ⁜
Ref lista 1150 a 2150.

PEUGEOT-ALFA ROMEO Av. Tomaz de Alcaide 25 📞 223 93

ÉVORA 7000 🅿 🔢 Q 6 – 35 117 h. alt. 301 – ⚙ 066 – Praça de touros.
Ver : Sé★★ BZ : interior★ (cúpula★), tesouro★ (Virgem★★), claustro★, cadeiras de coro★ – Convento
dos Lóios★ : igreja★, dependências do convento (porta★) BCY – Museu de Évora★ (baixo-relevo★,
Anunciação★) BZ M1 – Templo romano★ BY A – Largo das Portas de Moura★ (fonte)★ CZ – Igreja
de São Francisco (Casa dos Ossos★) BZ N – Fortificações★.
Arred. : Convento de São Bento de Castris (claustro★) 3 km por ⑤.
🅱 Praça do Giraldo 71 📞 226 71 e Av. de São Sebastião, estrada N 114 por ④, 📞 312 96 CZ – A.C.P. Rua
Alcarcova de Baixo 7, ✉ 7000, 📞 275 33.
◆Lisboa 153 ④ – Badajoz 102 ① – Portalegre 105 ① – Setúbal 102 ④.

Plano página seguinte

🏩 **Pousada dos Lóios** ⬙, Largo Conde de Vila Flor 📞 240 51, Telex 43288, « Pousada elegante
instalada num convento do século XVI, decoração de grande estilo » – ⯈⯇ ① 🇪 *VISA*. ⁜
Ref 2950 – **32 qto** ⫩ 13900/15600. BY **a**

🏨 **Albergaría Vitória** sem rest, Rua Diana de Lis 📞 271 74, Telex 44875, ≤ – 📶 🍽 🕭 – ⤴. ⯈⯇
① 🇪 *VISA*. ⁜ AZ **y**
48 qto ⫩ 5200/7200.

🏨 **Planície,** Largo Álvaro Velho 40 📞 240 26, Telex 13500 – 📶 🍽 rest 🕭 – ⤴. ⯈⯇ ① 🇪 *VISA*. ⁜
Ref 1850 – **33 qto** ⫩ 5600/6700. BZ **z**

🏨 **Riviera** sem rest, Rua 5 de Outubro 49 📞 233 04 – 📺 🕭. ⯈⯇ ① 🇪 *VISA* BZ **r**
22 qto ⫩ 4500/8000.

🏨 **Santa Clara,** Travessa da Milheira 19 📞 241 41, Telex 43768 – 🍽 rest 🕭. ⯈⯇ ① 🇪 *VISA*.
⁜ rest AZ **p**
Ref 1250 – **47 qto** ⫩ 4250/5500.

ÉVORA

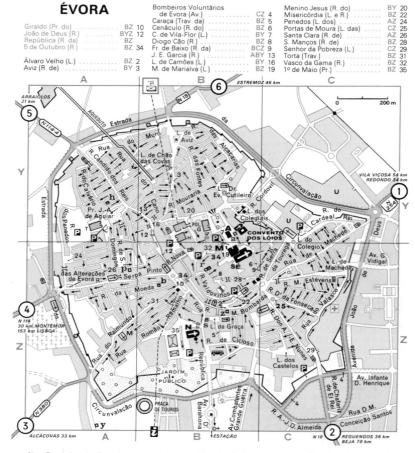

✗ **Cozinha de Sto. Humberto,** Rua da Moeda 39 ☎ 242 51, Decoração original com motivos
  regionais – 🍽 AE ⓪ E VISA 🍴   BZ **b**
  fechado 5ª feira, do 1 ao 8 Julho e do 8 ao 30 Novembro – Ref lista 1200 a 2180.

✗ **Fialho,** Travessa das Mascarenhas 14 ☎ 230 79, Decoração regional – 🍽 AE ⓪ E VISA 🍴
  fechado 2ª feira, do 1 ao 21 Setembro e do 24 ao 31 Dezembro – Ref lista 1290 a 3570.   AY **h**

✗ **Guião,** Rua da República 81 ☎ 224 27, Decoração regional – AE ⓪ E VISA 🍴   BZ **s**
  fechado 2ª feira – Ref lista 1440 a 2950.

✗ Cozinha Alentejana, Rua 5 de Outubro 51 ☎ 227 72, 🍴 – 🍽 AE ⓪ E VISA   BZ **r**
  fechado 4ª feira.

B.L.M.C. (AUSTIN-MORRIS) Praça do Sertório 6 ☎
225 42
B.M.W. Estrada N 18 km 278 ☎ 235 09
CITROEN Av. S. Sebastião 12 A ☎ 311 96
CITROEN Rua do Raimundo 99 ☎ 311 96
DATSUN-NISSAN Estrada Alcáçovas (junto Gaz
Cidela) ☎ 267 24
FIAT Zona Industrial - Talhão 39A ☎ 264 01
FORD Zona Industrial ☎ 254 14
FORD Rua D. Isabel 7 ☎ 238 03
G.M. - OPEL Rua do Raimundo 93 ☎ 240 11
MERCEDES-BENZ B. da Torregela, Lote 7 ☎ 233 97

MERCEDES-BENZ Rua Dr. António J. de Almeida
☎ 220 83
PEUGEOT-ALFA ROMEO Largo Santa Catarina 23
☎ 235 09
PEUGEOT-ALFA ROMEO Praça Joaquim António
de Aguiar 25 ☎ 230 20
RENAULT Rua Serpa Pinto 153
SEAT Rua Dr. António José de Almeida ☎ 220 83
TOYOTA R. Serpa Pinto 72 ☎ 241 16
VOLVO Praça do Sertório 6 ☎ 225 42
VOLVO Rua Serpa Pinto 70 ☎ 225 42
VW-AUDI Av. São Sebastião ☎ 313 18

FAIAL Madeira – ver Madeira (Arquipélago da).

466

FÃO Braga **437** H 3 – 2 185 h. – ⊠ 4740 Esposende – ✆ 053 – Praia.
◆Lisboa 365 – Braga 35 – ◆Porto 47.

na praia de Ofir – ⊠ 4740 Esposende – ✆ 053 :

⭐⭐ **Ofir** ⑤, Av. Raul Sousa Martins ✆ 96 13 83, Telex 32492, ≤, ⊒, 🐎, ✖ – 🛗 ☎ 🅿 – 🔬. 🝰 ⓘ 🄴 𝗩𝗜𝗦𝗔 ⚒
Ref 1700 – **200 qto** ⫩ 7000/10900.

⭐⭐ **Do Pinhal** ⑤, Estrada do Mar ✆ 96 14 73, Telex 32857, ≤, « Num belo pinhal », ⊒, 🐎, ✖ – 🛗 – 🔬 – **89 qto**.

⭐ **Estal. do Parque do Rio** ⑤, ✆ 96 15 21, Telex 32066, « Num belo pinhal », ⊒ climatizada, 🐎, ✖ – 🛗 ▤ rest 🕾 🅿. 🝰 ⓘ 🄴 𝗩𝗜𝗦𝗔 ⚒
Abril-Outubro – Ref 1900 – **36 qto** ⫩ 5280/8150 – P 7195/8400.

em Apúlia S : 6,3 km pela estrada N 13 – ⊠ 4740 Esposende – ✆ 053 :

⭐ **San Remo** sem rest, 1° andar ✆ 96 25 85 – 🕾. ⚒
22 qto ⫩ 2600/3400.

FARO 8000 🅿 **437** U 6 – 28 622 h. – ✆ 089 – Praia.
Ver : Miradouro de Santo António ❊❊★ B F – **Arred.** : Praia de Faro ≤★ 9 km por ① – Olhão (campanário da igreja ❊❊★) 8 km por ③.

🏌 Club Golf de Vilamoura 23 km por ① ✆ 336 52 Quarteira – 🏌 Club Golf do Vale do Lobo 20 km por ① ✆ 941 45 Almansil – 🏌, 🏌 Campo de Golf da Quinta do Lago 16 km por ① ✆ 945 29.

✈ de Faro 7 km por ① ✆ 242 01 – T.A.P., Rua D. Francisco Gomes 8 ✆ 221 41.
🖪 Rua da Misericordia 8 a 12 ✆ 254 04 – A.C.P. Rua Francisco Barreto 26A ✆ 247 53, Telex 56506.
◆Lisboa 309 ② – Huelva 105 ③ – Setúbal 258 ②.

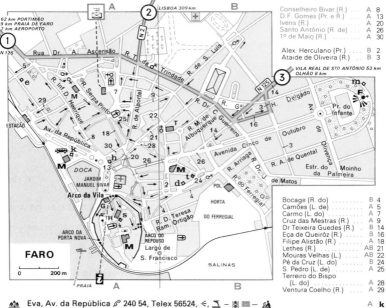

Conselheiro Bivar (R.) . . . A 8
D.F. Gomes (Pr. e R.) . . . A 13
Ivens (R.) . . . . A 20
Santo António (R. de) . . . A 26
1° de Maio (R.) . . . . A 30

Alex. Herculano (Pr.) . . . . B 2
Ataide de Oliveira (R.) . . . B 3

Bocage (R. do) . . . . B 4
Camões (L. de) . . . . A 5
Carmo (L. do) . . . . A 7
Cruz das Mestras (R.) . . . A 9
Dr Teixeira Guedes (R.) . . B 14
Eça de Queiróz (R.) . . . . . B 16
Filipe Alistão (R.) . . . . . . A 18
Lethes (R.) . . . . AB 21
Mouras Velhas (L.) . . . . AB 22
Pé da Cruz (R.) . . . . B 24
S. Pedro (L. de) . . . . A 25
Terreiro do Bispo
(L. do) . . . . A 28
Ventura Coelho (R.) . . . . . A 29

⭐⭐ **Eva**, Av. da República ✆ 240 54, Telex 56524, ≤, ⊒ – 🛗▤ – 🔬
Ref (só jantar) – **150 qto**. A **k**

⭐ **Faro**, Praça D. Francisco Gomes 2 ✆ 220 76, Telex 56108 – 🛗 ▤ 🕾. 🝰 ⓘ 🄴 𝗩𝗜𝗦𝗔. ⚒ A **h**
Ref 1400 – **52 qto** ⫩ 8700/9100 – P 7350/11500.

⭐ **Albacor** sem rest, Rua Brites de Almeida 25 ✆ 220 93, Telex 56778 – 🛗 🕾. 🝰 ⓘ 🄴 𝗩𝗜𝗦𝗔. ⚒
38 qto ⫩ 5700/6000. B **e**

⭐ **Afonso III**, sem rest, Rua Miguel Bombarda 64 ✆ 270 42 – 🕾 – **25 qto** A **e**

⭐ **York** ⑤, sem rest, Rua de Berlim 39 ✆ 239 73 – ☎. ⚒ B **m**
22 qto ⫩ 6500/7000.

✖✖ **Cidade Velha**, Rua Domingos Guieiro 19 ✆ 271 45 – ▤. 🄴 𝗩𝗜𝗦𝗔. ⚒ A **s**
fechado Domingo – Ref lista 1990 a 3490.

✖✖ **Kappra**, Rua Brites de Almeida 45 ✆ 233 66 – ▤. 🄴 𝗩𝗜𝗦𝗔. ⚒ B **t**
fechado Domingo no inverno – Ref (só jantar ao Sábado) lista 1900 a 3250.

na Praia de Faro por ① : 9 km – ⊠ 8000 Faro – ✿ 089 :

🏨 **Estal. Aeromar,** 𝄐 875 42, Telex 58347, ≤, 🍴 – ☎. 𝔸𝔼 ⓪ 𝗘 𝘝𝘐𝘚𝘈
Ref 1500 – **23 qto** ⌧ 6500/8500 – P 7250/9500.

✗ Roque, 𝄐 248 68, ≤, 🍴, Peixes e mariscos.

em Estoi por ② : 11 km – ⊠ 8000 Faro – ✿ 089 :

🏨 **Albergaría Moleiro** ⌂, Estrada N 2 NO : 1,5 km (Quinta da Bemposta) 𝄐 914 95, Telex 56681, ≤ campo, colinas e orla marítima, ⬛, ✗ – 🛗 ⬛ ☎ 🅿 𝔸𝔼 ⓪ 𝗘 𝘝𝘐𝘚𝘈 ✗
Ref lista aprox. 2200 – **40 qto** ⌧ 8500/10500.

em Santa Bárbara de Nexe por ① : 12 km – ⊠ 8000 Faro – ✿ 089 :

🏨 **La Réserve** Ⓜ ⌂, Estrada de Esteval 𝄐 904 74, Telex 56790, ≤, ⬛, 🌫, ✗ – ⬛ 📺 ☎ 🅿.
✗ qto
fechado 3ª feira e do 7 Novembro ao 12 Dezembro – Ref (ver **Rest. La Reserve**) – **20 apartamentos** ⌧ 18000/24000.

✗✗✗ **La Réserve,** Estrada de Esteval 𝄐 902 34, Telex 56790, 🍴, ⬛, ✗ – ⬛ 🅿. ✗
fechado 3ª feira – Ref (só jantar) lista 2600 a 4500.

AUTOBIANCHI-LANCIA   Rua 1° de Dezembro 24 𝄐 205 48
B.L.M.C. (AUSTIN-MORRIS)   Rua Dr. Cândido Guerreiro 69 𝄐 220 86
BMW   Estrada N 125 - Sitio dos 3 Engenhos 𝄐 226 22
CITROEN   Estrada N 125 - Rio Seco 𝄐 200 13
DATSUN-NISSAN   Rio Seco 𝄐 250 71
FIAT   Rua 1° de Dezembro 24 𝄐 205 12
FORD   Largo do Mercado 2 𝄐 230 61
G.M. - OPEL   Largo do Mercado 49 𝄐 230 32
MERCEDES-BENZ   Estrada Nacional 125 - Vale da Venda 𝄐 862 15

PEUGEOT-ALFA ROMEO   Rua Horta Machado 40 𝄐 220 85
PEUGEOT-ALFA ROMEO   Largo do Mercado 54 𝄐 250 45
SEAT   Rua Francisco Barreto 32
TOYOTA   Estrada Nacional 125 - sitio dos Engenhos 𝄐 291 69
VOLVO   Estrada N 125 𝄐 284 86
VW-AUDI   Rua Infante D. Henrique 119 𝄐 247 34
VW-AUDI   Largo Sebastião 10 𝄐 231 86
VW-AUDI   Rua Ataide de Oliveira 146

FÁTIMA 2495 Santarém 𝟺𝟹𝟽 N 4 – 7 298 h. alt. 346 – na Cova da Iria – ✿ 049.

Arred. : SO : Grutas de Mira de Aire★ o dos Moinhos Velhos.

🛈 Av. D. José Alves Correia da Silva 𝄐 511 39.

✦Lisboa 135 – Leiria 26 – Santarém 64.

na Cova da Iria NO : 2 km – ⊠ 2495 Fátima – ✿ 049 :

🏨 **De Fátima,** João Paulo II 𝄐 523 51, Telex 43750 – 🛗 ⬛ rest ☎ ⇦ 🅿 – 🅰. 𝔸𝔼 ⓪ 𝗘 𝘝𝘐𝘚𝘈 ✗ rest
Ref 1650 – **121 qto** ⌧ 5500/6600 – P 6600/8800.

🏨 **Santa Maria,** Rua de Santo António 𝄐 510 15, Telex 43108, Fax 521 97 – 🛗 ⬛ rest 🅿. 𝔸𝔼 𝗘 𝘝𝘐𝘚𝘈
Ref 1500 – **60 qto** ⌧ 4250/5800 – P 5900/7250.

🏨 **Três Pastorinhos,** Rua João Paulo II 𝄐 524 29 – 🛗 ⬛ rest ⊜ 🅿 𝔸𝔼 ⓪ 𝗘 𝘝𝘐𝘚𝘈
Ref 1620 – **92 qto** ⌧ 4800/7480 – P 6980/8040.

🏨 **D. Gonçalo,** Rua Jacinta Marto 100 𝄐 522 62, Telex 43838 – 🛗 ⬛ rest ⊜ 🅿 – 🅰. 𝔸𝔼 ⓪ 𝗘 𝘝𝘐𝘚𝘈 ✗
Ref 1600 – **43 qto** ⌧ 4200/5300 – P 5800/7400.

🏨 **Dom José,** Av. D. José Alves Correia da Silva 𝄐 522 15, Telex 43279, Fax 521 97 – 🛗 ⬛ rest ⊜ 🅿. 𝔸𝔼 𝗘 𝘝𝘐𝘚𝘈
Março-15 Novembro – Ref 1500 – **63 qto** ⌧ 4250/5800 – P 5900/7250.

🏨 **Regina,** Rua Dr. Cónego Manuel Formigão 𝄐 523 03, Telex 17118 – 🛗 ⬛ rest ⊜
88 qto.

🏨 **Cinquentenário,** Rua Francisco Marto 175 𝄐 521 41, Telex 44288 – 🛗 ⬛ 🅿. 𝔸𝔼 ⓪ 𝗘 𝘝𝘐𝘚𝘈
Ref 1150 – **115 qto** ⌧ 2950/4450 – P 4450/5200.

🏨 **Católica,** Rua de Santa Isabel 𝄐 523 65, Telex 63216 – 🛗 ⬛ rest. 𝔸𝔼 ⓪ 𝗘 𝘝𝘐𝘚𝘈 ✗
Fevereiro-Novembro – Ref 1000 – **45 qto** ⌧ 3000/4000.

🏨 **Alecrim,** Rua Francisco Marto 84 𝄐 513 76, Telex 61230, Fax 518 46 – 🛗 ⊜. 𝔸𝔼 ⓪ 𝗘 𝘝𝘐𝘚𝘈. ✗ qto
Ref 1200 – **50 qto** ⌧ 2750/4950 – P 4850/5150.

🏨 **Casa Beato Nuno,** Av. Beato Nuno 51 𝄐 521 99, Telex 43273 – 🛗 ⬛ rest ⊜ 🅿 – 🅰. ✗
Ref 1100 – **88 qto** ⌧ 2500/3200 – P 3300/4200.

🏨 Casa das Irmãs Dominicanas, Rua Francisco Marto 50 𝄐 523 17 – 🛗 ⊜ 🅿 – 🅰
60 qto.

🏨 **Cruz Alta** sem rest, Rua Dr. Cónego Manuel Formigão 𝄐 514 81, Telex 44376 – 🛗 ⊜ 🅿. 𝔸𝔼 ⓪ 𝗘 𝘝𝘐𝘚𝘈 ✗
24 qto ⌧ 3500/4500.

🏨 **Floresta,** Estrada da Batalha 𝄐 514 66 – 🛗 ⊜ 🅿. 𝔸𝔼 ⓪ 𝘝𝘐𝘚𝘈. ✗
Ref 1100 – **31 qto** ⌧ 4950/5900.

🏨 São Paulo, sem rest, Rua de São Paulo 𝄐 515 72 – 🛗 ⊜ 🅿
38 qto.

🏠 **4 Estações,** Rua Jacinta Marto 24 ℰ 522 40, Telex 18298 – 🔌 🐾 AE ⓪ E VISA ✁
Ref 1200 – **40 qto** ⌷ 4000/8000.

🏠 **Estrela de Fátima,** Rua Dr Cónego Manuel Formigão ℰ 511 50, Telex 44376 – ℗ AE ⓪ E
VISA ✁
Ref 950 – **32 qto** ⌷ 2700/3700 – P 3500/4500.

☂ **Dávi,** Estrada de Leiria ℰ 517 78 – ℗
Ref *(fechado 4ª feira)* 750 – **14 qto** ⌷ 2250/3250 – P 3500/7000.

RENAULT Estrada de Minde ℰ 978 46

FERMENTELOS Aveiro 437 K 4 – 2 183 h. – ⊠ 3770 Oliveira do Bairro – ☏ 034.
◆Lisboa 244 – Aveiro 20 – ◆Coimbra 42.

na margem do lago NE : 1 km – ⊠ 3770 Oliveira do Bairro – ☏ 034 :

🏠 **Estal. da Pateira** ⌫, ℰ 72 12 19, Telex 37587, ⇐ – 🔌 TV 🐾 ℗ E VISA ✁
Ref 1300 – **14 qto** ⌷ 4000/5800 – P 5500/6600.

FERREIRA DO ZÊZERE 2240 Santarém 437 M 5 – 1 974 h. – ☏ 049.
◆Lisboa 166 – Castelo Branco 107 – ◆Coimbra 61 – Leiria 66.

na margem do rio Zêzere pela N 348 SE : 8 km – ⊠ 2240 Ferreira do Zêzere – ☏ 049 :

🏠 Estal. Lago Azul ⌫, ℰ 366 64, ⇐, « Na margem do rio Zêzere », ⊿, ✗ – 🔌 ▤ rest 🐾 ℗ –
▲ – **20 qto**.

FIGUEIRA DA FOZ 3080 Coimbra 437 L 3 – 13 397 h. – ☏ 033 – Praia.
Ver : Localidade★. Arred. : Montemor-o-Velho : castelo★ (❉★) 17 km por ②.
🚗 ℰ 276 83 – 🅱 Av. 25 de Abril ℰ 226 10.
◆Lisboa 181 ② – ◆Coimbra 44 ②.

FIGUEIRA DA FOZ

Alfândega (Cais da)	B 2
Cândido dos Reis (R.)	A 6
Eng. Silva (R.)	A 8
Infante D. Henrique (P.)	A 11
Luís de Camões (Largo)	B 14
República (R. da)	B
5 de Outubro (R.)	AB 16
8 de Maio (Praça)	B 17

Bernardo Lopes (R.)	A 3
Bombeiros Voluntários (R.)	B 4
Brasil (Av. do)	A 5
C. da Grande Guerra (R.)	B 7
Fernandes Tomás (R.)	B 9
Fonte (R. da)	A 10
Liberdade (R. da)	A 12
Luís Carriço (R.)	A 13
Viso (R. do)	A 15

🏨 **Grande H. da Figueira,** Av. 25 de Abril ℰ 221 46, Telex 53086, ⇐ – 🔌 ▤ rest TV ☎ AE ⓪
E VISA ✁ rest
Ref 2100 – **91 qto** ⌷ 6000/9600 – P 8500/9760. A v

🏠 **Costa de Prata** sem rest, Esplanada Silva Guimarães 1 ℰ 266 10, Telex 52384, ⇐ – 🔌 🐾 –
▲
71 qto ⌷ 5500/7000. A r

🏠 Costa da Prata II, sem rest, Rua Miguel Bombarda 59 ℰ 220 82, Telex 52384, ⇐ – 🔌 🐾
117 qto. A k

🏠 **Internacional** sem rest (fechado para obras até Junho), Rua da Liberdade 20 ℰ 220 51,
Telex 53086 – 🔌 🐾 – ▲ AE ⓪ E VISA
55 qto ⌷ 4500/6400. A a

Wellington sem rest, Rua Dr Calado 25 ☎ 267 67 – 📶 📺 ☜. 🆎 ⓪ Ⓔ *VISA*　　A b
34 qto ☲ 5500/6500.

Estal. da Piscina sem rest, Rua de Santa Catarina 7 ☎ 221 46, Telex 53086, ≼, ⤴ – ☜. 🆎
⓪ Ⓔ *VISA*　　A v
20 qto ☲ 6100/7250.

Nicola sem rest, Rua Bernardo Lopes 75 ☎ 223 59 – 📶 ☜. 🆎 ⓪ Ⓔ *VISA*. ❀　　A b
24 qto ☲ 4300/5000.

Universal, sem rest, Rua Miguel Bombarda 50 ☎ 262 28, Telex 52487 – 📺 ☜　　A c
36 qto.

Hispania sem rest, Rua Dr Francisco Dinis 61 ☎ 221 64, Telex 53241 – ☜ Ⓟ. Ⓔ *VISA*. ❀
34 qto ☲ 4000/5000.　　A d

Rio-Mar sem rest, Rua Dr Francisco Dinis 90 ☎ 230 53 – 🆎 ⓪ Ⓔ *VISA*　　A t
Maio-Setembro – **23 qto** ☲ 3500/4000.

Bela Vista sem rest, Rua Joaquim Sotto Maior 6 ☎ 224 64　　A g
Julho-Setembro – **18 qto** ☲ 2500/3000.

Santa Catarina, Rua Joaquim Sotto Maior ☎ 221 78, 🍽, Rest. típico, Decoração regional
minhota, « Instalado numa frondosa quinta », ⤴ climatizada – Ⓟ. 🆎 ⓪ Ⓔ *VISA*. ❀　　A e
fechado 2ª feira excepto verão – Ref lista 1050 a 2100.

Tubarão, Av. 25 de Abril ☎ 234 45　　A r

Julio, com qto, Rua Dr Francisco Dinis 30 ☎ 279 92 – **10 qto**.　　A n

em Buarcos – ✉ 3080 Figueira da Foz – ✪ 033 :

Tamargueira, Estrada do Cabo Mondego NO : 3 km ☎ 225 14, Telex 53208, ≼, 🍽 – 📶
▤ rest 📺 ☜ ⟺ Ⓟ. 🆎 ⓪ Ⓔ *VISA*. ❀
Ref 1400 – **69 qto** ☲ 6500/7000.

Teimoso, com qto, Estrada do Cabo Mondego, NO : 5 km ☎ 227 85, ≼ – ▤ Ⓟ. ❀
25 qto ☲ 4000.

AUTOBIANCHI-LANCIA　Rua Combatentes da
Grande Guerra 3 ☎ 232 05
CITROEN　Estrada de Coimbra ☎ 248 87
FIAT　Rua Combatentes da Grande Guerra 3 ☎ 232 05

RENAULT　Rua Dr. Luis Carriço 20 ☎ 244 73
TOYOTA　Av. 25 de Abril ☎ 240 52
VOLVO　Sitio da Salmanha ☎ 265 27
VOLVO　Rua da República 119 ☎ 229 45

FIGUEIRÓ DOS VINHOS 3260 Leiria 𝟜𝟛𝟟 M 5 – 4 662 h. alt. 450 – ✪ 036.

Arred. : Percurso★ de Figueiró dos Vinhos a Pontão 16 km – Barragem do Cabril★ (desfiladeiro★,
≼★) E : 22 km – N : Estrada da Lousã (≼★, descida★).

🛈 Av. Padre Diogo de Vasconcelos ☎ 521 78 – ◆Lisboa 205 – ◆Coimbra 59 – Leiria 74.

Panorama, Rua Major Neutel de Abreu 24 ☎ 521 15 – Ⓟ
fechado 3ª feira – Ref lista 830 a 1550.

RENAULT　Rua Major Neutel de Abreu ☎ 521 83

FOZ DO DOURO Porto 𝟜𝟛𝟟 I 3 – ver Porto.

FRANQUEADA Faro 𝟜𝟛𝟟 U 5 – ver Loulé.

FUNCHAL Madeira – ver Madeira (Arquipélago da).

FUNDÃO 6230 Castelo Branco 𝟜𝟛𝟟 L 7 – 6 004 h. – ✪ 075.

🛈 Av. da Liberdade ☎ 527 70.

◆Lisboa 303 – Castelo Branco 44 – ◆Coimbra 151 – Guarda 63.

Fundão sem rest, Rua Vasco da Gama ☎ 520 51, Telex 53112 – 📶 📺 ☜. 🆎 ⓪ Ⓔ *VISA*
50 qto ☲ 4250/6000.

na estrada N 18 N : 2,5 km – ✉ 6230 Fundão – ✪ 075 :

O Alambique com qto, ☎ 528 16 – ▤ rest 📺 ☜ Ⓟ. 🆎 ⓪ Ⓔ *VISA*. ❀
fechado do 1 ao 15 Outubro – Ref *(fechado 4ª feira)* lista 1070 a 1900 – **15 qto** ☲ 2700/3500 –
P 4500/6000.

B.L.M.C. (AUSTIN-MORRIS)　Estrada Nacional 18 ☎
539 54
DATSUN-NISSAN　Sitio do Vale (ao disco) ☎ 529 77
FORD　Rua Cidade da Covilhã 51 ☎ 531 13

PEUGEOT-TALBOT-ALFA ROMEO　Rua Cidade da
Covilhã ☎ 526 70
RENAULT　Av. da Liberdade 48 ☎ 520 60
TOYOTA　Rua Aurélio Pinto 11
VOLVO　Estrada da Covilhã ☎ 523 75

GANDARA DE ESPARIZ Coimbra 𝟜𝟛𝟟 L 5 – ver Tábua.

GERÊS 4845 Braga 𝟜𝟛𝟟 G 5 – alt. 400 – ✪ 053 – Termas.

Ver : Parque nacional da Penedagerês★★.

Excurs. : NO : Serra do Gerês★★ (vestigios da Jeira : ≼★) – Barragem de Vilarinho das Furnas :
local★ (corrente da rocha★) ≼★ – Miradouro da Fraga Negra★, ≼★.

🛈 Av. Manuel Ferreira da Costa ☎ 651 33 – ◆Lisboa 412 – Braga 44.

Das Termas ❦ sem rest, Av. Francisco da Costa ☎ 651 43 – ☜ – **32 qto**.

GONDAREM Viana do Castelo **437** G 3 – ver Vila Nova da Cerveira.

GOUVEIA 6290 Guarda **437** K 7 – 603 h. alt. 650 – ✿ 038.
Arred. : Estrada★★ de Gouveia a Covilhã (≤★, Poço do Inferno★ : cascata★, vale glaciário do
Zèzere★★, ≤★) por Manteigas : 65 km.
🖪 Av. dos Bombeiros Voluntarios ℰ 421 85.
◆Lisboa 310 – ◆Coimbra 111 – Guarda 59.

🏨 **de Gouveia e Rest. O Foral,** Av. 1º de Maio ℰ 428 90, Telex 53789, ≤ – 🛗 ☎ 🅿 🖭 ⑩ 🗲
🚾 🛥
Ref lista 950 a 1450 – **31 qto** ⌒ 3800/5800 – P 5100/6000.

B.L.M.C. (AUSTIN-MORRIS) Rampa do Monte Cal-   PEUGEOT-ALFA ROMEO Rampa do Monte Calvário
vário 1 ℰ 421 21   3 ℰ 421 21
CITROEN Rampa do Monte Calvário 1 ℰ 421 21   RENAULT Quinta dos Chões ℰ 425 21
DATSUN-NISSAN Quinta dos Chões ℰ 425 69
MERCEDES-BENZ Rampa do Monte Calvário 2
ℰ 421 21

GOUVEIA Lisboa **437** P 1 – ✉ 2710 Sintra – ✿ 01.
◆Lisboa 29 – Sintra 6.

✕ **A Lanterna,** Estrada N 375 ℰ 929 21 17 – 🅿 🛥
fechado 2ª feira e do 5 ao 30 Outubro – Ref lista 1300 a 2100.

GRÂNDOLA 7570 Sétubal **437** R 4 – 10 461 h. – ✿ 069.
◆Lisboa 121 – Beja 69 – Setúbal 75.

🏨 **Vila Morena** sem rest, Av. Jorge Nunes ℰ 420 95 – 🛗 ☎ 🚐 🖭 ⑩ 🗲 🚾 🛥
23 qto ⌒ 3340.

FORD Rua General Humberto Delgado 7 ℰ 420 18   RENAULT Estrada Nacional 10 ℰ 424 76
G.M.- OPEL Estrada N 120 - Quinta Baraona ℰ
428 47

GUARDA 6300 🄿 **437** K 8 – 14 803 h. alt. 1 000 – ✿ 071.
Ver : Catedral★.
🖪 Praça Luís de Camões, Edificio da Câmara Municipal ℰ 222 51.
◆Lisboa 361 – Castelo Branco 107 – Ciudad Rodrigo 74 – ◆Coimbra 161 – Viseu 85.

🏨 **De Turismo,** Av. Coronel Orlindo de Carvalho ℰ 222 06, Telex 53760, ≤, ⌃, – 🛗 ▤ rest
🚐 🖭 ⑩ 🗲 🚾 🛥 rest
Ref 2400 – **105 qto** ⌒ 7800/9800 – P 9700/12600.

🏨 **Filipe,** Rua Vasco da Gama 9 ℰ 226 58, Telex 53746 – ▤ rest ☎ 🖭 ⑩ 🗲 🚾 🛥
Ref 1800 – **37 qto** ⌒ 3500/6000.

✕✕ O Telheiro, Estrada N 16, E : 1,5 km ℰ 213 56, ≤, �఼ – ▤ 🅿.

AUTOBIANCHI-LANCIA Av. Afonso Costa ℰ 227 44   G.M. - OPEL Estrada N 16 ℰ 219 96
B.L.M.C. (AUSTIN-MORRIS) Rua Marquês de   MERCEDES-BENZ Rua Batalha Reis ℰ 229 47
Pombal 47 ℰ 227 44   PEUGEOT-ALFA ROMEO Rua Batalha Reis 2 ℰ
B.M.W. Póvoa do Mileu ℰ 216 42   229 47
CITROEN Rua Batalha Reis 2 ℰ 229 47   RENAULT Rua Vasco de Gama ℰ 222 59
DATSUN-NISSAN Póvoa do Mileu ℰ 216 43   SEAT Estrada N 16 ℰ 216 42
FIAT Av. Afonso Costa ℰ 227 44   TOYOTA Av. Afonso Costa ℰ 227 66
FORD Av. da Estação ℰ 213 48   VOLVO Av. São Miguel ℰ 222 59
G.M. - OPEL Rua Dr Manuel Arriaga ℰ 225 27

GUARDEIRAS Porto **437** I 4 – ver Porto.

GUIMARÃES 4800 Braga **437** H 5 – 22 092 h. alt. 175 – ✿ 053.
Ver : Paço dos Duques★ (tectos★, tapeçarias★) – Castelo★ – Igreja de São Francisco (azulejos★,
sacristia★) – Museu Alberto Sampaio★ (ourivesaria★, cruz★, triptico★).
Arred. : Penha 🌲★ SE : 8 km.
🖪 Av. da Resistência ao Fascismo 83 ℰ 412 450.
◆Lisboa 364 – Braga 22 – ◆Porto 49 – Viana do Castelo 70.

🏨 **Pousada de Santa Maria da Oliveira,** Rua de Santa Maria ℰ 41 21 57, Telex 32875 – 🛗
▤ rest 🅿 🖭 ⑩ 🗲 🚾 🛥
Ref 1950 – **16 qto** ⌒ 10300/11500.

🏨 **Fundador Dom Pedro** sem rest, Av. Afonso Henriques 740 ℰ 41 37 81, Telex 32866, ≤ – 🛗
📺 ☎ 🚐 – 🛠 🖭 ⑩ 🗲 🚾
63 qto ⌒ 8000/8500.

🏨 Toural, sem rest, Largo do Toural 15 ℰ 41 12 50
40 qto.

✕✕ **Vira Bar** com snack-bar, Largo Condessa do Juncal ℰ 41 41 16 – ▤. 🖭 ⑩ 🗲 🚾
Ref lista 1300 a 2650.

GUIMARÃES

na estrada da Penha E : 2,5 km – ⊠ 4800 Guimarães – ✿ 053 :

Pousada de Santa Marinha ⌖, ✗ 41 84 53, Telex 32686, ⪻ Guimarães, « Instalado num antigo convento », ☞ – ‖ ▤ ⟺ ℗ – ⚖. ⅏ ⓪ Ε *VISA*. ✕
Ref 2500 – **51 qto** ⌁ 13600/15600.

BMW   Av. Conde de Margarida 616 ✗ 41 23 03
DATSUN-NISSAN   Rua Cães de Pedra ✗ 41 16 04
FIAT   Rua de São Gonçalo ✗ 41 29 97
PEUGEOT-ALFA ROMEO   Rua de São Gonçalo 517 ✗ 41 17 68

RENAULT   Av. Conde Margarida 616 ✗ 423 03
TOYOTA   Av. Conde de Margarida 638 ✗ 422 37
VW-AUDI   Rua de São Gonçalo 127 ✗ 41 27 17
VW-AUDI   Av. Dom João ✗ 41 69 22

GUINCHO (Praia do) Lisboa 𝟜𝟛𝟟 P 1 – ver Cascais.

ILHAVO 3830 Aveiro 𝟜𝟛𝟟 K 3 – ✿ 034.
◆Lisboa 241 – Aveiro 7.

🏠 Albergaria Arimar, Av. Mário Sacramento 113 ✗ 32 21 31 – ☎ ℗
11 qto.

RENAULT   Malhada

LAGOA 8400 Faro 𝟜𝟛𝟟 U 4 – 6 353 h. – ✿ 082 – Praia.
Arred. : Silves (Castelo★) N : 6,5 km – Praia do Carvoeiro : Algar Sêco : sitio marinho★★ S : 6 km.
🅩 Largo da Praia, Praia do Carvoeiro ✗ 577 28.
◆Lisboa 300 – Faro 54 – Lagos 26.

na estrada N 125 SE : 1,5 km – ⊠ 8400 Lagoa – ✿ 082 :

🏠 Motel Parque Algarvio, ✗ 522 65, Telex 576 56, 🍴, ⊿, ☞ – ☎ ℗
42 qto.

na praia do Carvoeiro S : 5 km – ⊠ 8400 Lagoa – ✿ 082 :

✕✕ **O Castelo,** Rua do Casino ✗ 572 18, ⪻, 🍴 – ⅏ ⓪ Ε *VISA*. ✕
fechado Domingo e 15 Janeiro-5 Março – Ref (só jantar) lista 1890 a 3460.

✕ **Centianes,** Vale Centianes ✗ 587 24, 🍴 – ▤. ⅏ ⓪ Ε *VISA*
fechado Domingo e 15 Janeiro-15 Fevereiro – Ref (só jantar) lista 2270 a 4880.

✕ Novo Pátio, Largo de Carvoeiro 6 ✗ 573 67, 🍴, Decoração rústica – ▤. Ε *VISA*.

✕ **Togi,** Algar Sêco ✗ 575 17, Decoração regional – ✕
Março-15 Novembro – Ref (só jantar) lista 1750 a 2575.

DATSUN-NISSAN   Av. Infante D. Henrique ✗ 925 06

LAGOS 8600 Faro 𝟜𝟛𝟟 U 3 – 10 054 h. – ✿ 082 – Praia.
Ver : Local ⪻★ – Museo regional (interior★ da igreja de Santo Antonio) Z **M.**
Arred. : Ponta da Piedade★★ (local★★ ⪻★), Praia de Dona Ana★ S : 3 km – Barragem de Bravura ⪻★ 15 km por ②.
🏌 Campo de Palmares ✗ 629 53 Meia Praia por ②.
🅩 Largo Marquês de Pombal ✗ 630 31.
◆Lisboa 290 ① – Beja 167 ① – Faro 82 ② – Setúbal 239 ①.

Plano página seguinte

🏨 De Lagos, Rua Nova da Aldeia ✗ 620 11, Telex 57477, 🍴, ⊿ climatizada, ☞ – ‖ ▤ ⟺ – Y **e**
⚖
287 qto.

🏠 **São Cristovão,** Rossio de São João ✗ 630 51, Telex 56417 – ‖ ▤ rest ☎ ℗. ⅏ ⓪ Ε *VISA*. Y **a**
✕
Ref 1320 – **80 qto** ⌁ 5960/7920 – P 6600/8600.

🏠 Cidade Velha, sem rest, Rua Dr. Joaquim Tello 7 ✗ 620 41 – ‖ ☎   Z **k**
17 qto.

🏠 Sol a Sol, sem rest, Rua Lançarote de Freitas 22 ✗ 612 90 – ‖ ☎   Z **b**
20 qto.

🏠 **Lagosmar** sem rest, Rua Dr. Faria e Silva 13 ✗ 635 23, Telex 56415 – ☎. ⅏ ⓪ Ε *VISA*. ✕   Y **c**
45 qto ⌁ 4500/6500.

🏠 **Marazul** sem rest, Rua 25 de Abril 13 ✗ 621 81 – ✕   Y **u**
fechado Dezembro-2 Janeiro – **18 qto** ⌁ 6150/6400.

✕✕✕ **Alpendre,** Rua António Barbosa Viana 17 ✗ 627 05 – ▤. ⅏ ⓪ Ε *VISA*. ✕   Y **t**
fechado 4ª feira de Novembro a Março – Ref lista 1440 a 4840.

✕ **Dom Sebastião,** Rua 25 de Abril 20 ✗ 627 95, 🍴, Decoração rústica – ▤. ⅏ ⓪ Ε *VISA*   Y **r**
fechado Domingo no inverno e do 15 Dezembro ao 3 Janeiro – Ref lista 1350 a 2800.

✕ **O Galeão,** Rua da Laranjeira 1 ✗ 639 09 – ▤. ⅏ ⓪ Ε *VISA*. ✕   YZ **x**
fechado Domingo e 27 Novembro-27 Dezembro – Ref lista 1340 a 3010.

✕ **A Lagosteira,** Rua 1° de Maio 20 ✗ 624 86 – ⅏ ⓪ Ε *VISA*   YZ **n**
fechado Domingo meio-dia e Janeiro – Ref lista 1320 a 3210.

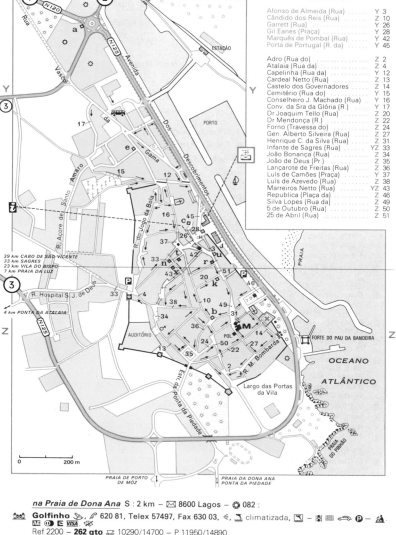

LAGOS

na Praia de Dona Ana S : 2 km – ⊠ 8600 Lagos – ☎ 082 :

Golfinho ⑤, ℰ 620 81, Telex 57497, Fax 630 03, ≤, ⅃ climatizada, ☒ – 🛗 ▤ ⇦ 🅿 – 🏄
AE ① E VISA. ⌘
Ref 2200 – **262 qto** � 10290/14700 – P 11950/14890.

na estrada de Porto de Mos S : 2,5 km – ⊠ 8600 Lagos – ☎ 082 :

Motel Âncora ⑤, ℰ 620 33, Telex 57630, ⅃ – 🅿. ⌘
Ref (só no verão) 1800 – **60 qto** ⊂ 8500.

na Meia Praia NE : 3,8 km – ⊠ 8600 Lagos – ☎ 082 :

Da Meia Praia ⑤, ℰ 620 01, Telex 57489, ≤, « Jardim com árvores », ⅃, ℀ – 🛗 ☎
🅿
66 qto.

CITROEN Rua João Bonança 1 ℰ 631 75   TOYOTA Rua Vasco de Gama 33
RENAULT Ponte do Molião ℰ 624 39

15

LAMEGO 5100 Viseu 437 I 6 – 9 942 h. alt. 500 – ⚙ 054.

Ver : Museo regional★ de Lamego (pinturas sobre madeira★, tapeçarias★) – Igreja do Desterro (tecto★).

Arred. : Miradouro da Boa Vista★ ≤★ N : 5 km – São João de Tarouca : Igreja (S. Pedro★) SE : 15,5 km – N : Estrada da Régua ≤★.

🛈 Av. Visconde Guedes Teixeira ℰ 620 05.

♦Lisboa 369 – Viseu 70 – Vila Real 40.

🏨 **Albergaría do Cerrado** sem rest, Lugar do Cerrado - Estrada do Peso da Régua ℰ 631 64, Telex 20590, ≤ – 🛗 ☏ ⇐. ⴹ ⓪ ⴹ 𝚅𝙸𝚂𝙰
30 qto 🛏 6000/7000.

🏠 **Villa Hostilina** 🦌 sem rest, ℰ 623 94, ≤ Montes, vinhas e cidade, « Numa quinta », ᗐ, ✍, 🎾 – ☏ ⓟ – 7 qto.

🏠 **São Paulo** sem rest, Av. 5 de Outubro ℰ 633 14 – 🛗 ☏ ⇐
34 qto 🛏 2200/3500.

na estrada N 2 S : 1,5 km – ✉ 5100 Lamego – ⚙ 054 :

🏠 **Parque** 🦌, no Santuario de Na. Sra. dos Remédios ℰ 621 05, Telex 27723, 🍽 – ☏ ⓟ – 🛗. ⴹ ⓪ ⴹ 𝚅𝙸𝚂𝙰. ✍ rest
Ref 1650 – **38 qto** 🛏 4250/5000 – P 5500/6500.

DATSUN-NISSAN Av. Visconde Guedes Teixeira ℰ 620 55
FORD Rua de Infantaria 9 ℰ 628 86

RENAULT Largo do Desterro ℰ 621 56
TOYOTA Av. 5 de Outubro

LEÇA DA PALMEIRA Porto 437 I 3 – ver Porto.

LEIRIA 2400 ℗ 437 M 3 – 12 428 h. alt. 50 – ⚙ 044.

Ver : Castelo★ (local★).

🛈 Jardim Luís de Camões ℰ 327 48.

♦Lisboa 129 – ♦Coimbra 71 – Portalegre 176 – Santarém 83.

🏨 **Eurosol e Eurosol Jardim,** Rua D. José Alves Correia da Silva ℰ 241 01, Telex 42031, ≤, ᗐ – 🛗 🍽 rest 📺 ⇐ ⓟ – 🛗. ⴹ ⓪ ⴹ 𝚅𝙸𝚂𝙰. ✍
Ref 1700 – **92 qto** 🛏 4500/7200 – P 7000/7900.

🏨 **Dom João III,** Av. Heróis de Angola ℰ 339 02, Telex 12567, ≤ – 🛗 🖥 📺 ☏ ⇐ – 🛗. ⴹ ⓪ ⴹ 𝚅𝙸𝚂𝙰. ✍ rest
Ref 1700 – **64 qto** 🛏 7500/10000 – P 8400/9200.

🏠 **Fétal** sem rest, Av. Heróis de Angola 12 ℰ 341 55, Telex 42146 – 📺 ☏. ⴹ ⓪ ⴹ 𝚅𝙸𝚂𝙰. ✍
11 qto 🛏 3000/4000.

🏠 **São Francisco** sem rest, Rua São Francisco 26 - 9° andar ℰ 251 42, ≤ – 📺 ☏. ⴹ 𝚅𝙸𝚂𝙰
18 qto 🛏 4500/6500.

🏠 **Ramalhete** sem rest, Rua Dr. Correia Mateus 30 - 2° andar ℰ 268 21, Telex 16084 – ☏. ⴹ ⓪ ⴹ 𝚅𝙸𝚂𝙰
30 qto 🛏 4500/5500.

🏠 **São Luis** sem rest, Rua Henrique Sommer ℰ 250 41, Telex 44051 – ☏. ⴹ ⓪ ⴹ 𝚅𝙸𝚂𝙰
45 qto 🛏 3000/4250.

🏠 **D. Dinis,** Travessa de Tomar 2 ℰ 314 42, ≤ – ☏ – **18 qto**.

✗ **Reis,** Rua Wenceslau de Morais 17 ℰ 248 34.

✗ **Aquário,** Rua Capitão Mouzinho de Albuquerque 17 ℰ 247 20 – 𝚅𝙸𝚂𝙰. ✍
fechado 5ª feira e do 1 ao 15 Outubro – Ref lista 920 a 2110.

pela estrada N I SO : 4,5 km – ✉ 2400 Leiria – ⚙ 044 :

✗ **O Casarão,** Cruzamento de Azóia ℰ 279 80 – ⓟ. ⴹ ⓪ ⴹ 𝚅𝙸𝚂𝙰. ✍
fechado 2ª feira e do 1 ao 15 Outubro – Ref lista 1700 a 2900.

AUTOBIANCHI-LANCIA Rua de Tomar 11 ℰ 325 20
B.L.M.C. (AUSTIN-MORRIS) Rua de Tomar ℰ 319 43
BMW Av. Heróis de Angola 85 ℰ 258 97
CITROEN Rua Tenente Valadim 68 ℰ 239 69
DATSUN-NISSAN Alto do Vieiro ℰ 254 52
FIAT Rua de Tomar 11-A ℰ 325 20
FORD Av. dos Combatentes ℰ 241 91
FORD Rua Dr. João Soares ℰ 241 91
G.M - OPEL Alto do Vieiro ℰ 240 61
MERCEDES-BENZ Vale Grande - Azoia ℰ 271 73
PEUGEOT-ALFA ROMEO Rua Na Sra de Fátima ℰ 320 36

PEUGEOT-ALFA ROMEO Av. Combatentes da Grande Guerra 12 ℰ 320 77
RENAULT Av. Marquês de Pombal ℰ 231 00
RENAULT Gandara Dos Olivais
SEAT Centro Comercial D. João III ℰ 339 83
TOYOTA Rua Capitão Mouzinho de Albuquerque 111 ℰ 229 54
VOLVO Estrada N I - Alto do Vieiro ℰ 241 51
VW-AUDI Rua Capitão Mouzinho de Albuquerque 38 ℰ 321 35
VW-AUDI Arrabalde da Ponte ℰ 321 47

In this guide,
a symbol or a character, printed in red or **black**, in **bold** or light type,
does not have the same meaning.
Please read the explanatory pages carefully (pp. 28 to 35).

🏨 🏨

Karte **25**/45

LISBOA

LISBOA 1100 ℗ 437 P 2 — 826 140 h. alt. 111 — ✪ 01.

Ver : Vista sob a cidade : ★★do Ponte 25 de Abril (p. 2) BV, ★★do Cristo-Rei por ②.

CENTRO

Ver : Rossio★ (Praça) p. 5 GY — Avenida da Liberdade★ (p. 4) FX — Parque Eduardo VII★ (Estufa fria) p. 4 EX — Igreja São Roque★ (p. 4) FY **M¹** — Terreiro do Paço (Praça) p. 5 GZ.

CIDADE MEDIEVAL

Ver : Castelo de São Jorge★★ (p. 5) GY — Sé★ (p. 5) GZ — Miradouro de Santa Luzia★ (p. 7) JY — Alfama★★ (p. 7) JYZ.

CIDADE MANUELINA

Ver : Mosteiro dos Jerónimos★★ (igreja, claustro) p. 2 AV — Torre de Belém★★ (p. 2) AV — Padrão dos Descobrimentos★ (p. 2) AV F.

MUSEUS

Nacional de Arte Antiga★★ (poliptico de Nuno Gonçalves★★★) p. 2 BV **M⁶** — Calouste-Gulbenkian★★★ (coleções de arte) p. 3 CU **M⁷** — do Azulejo★ e Igreja de Madre de Deus★★ (p. 3) DU **N** — Nacional dos Coches★★ (p. 2) AV **M¹²** — de Marinha★★ (p. 2) AV **M⁴**.

📇, 📇 Club de golf do Estoril 25 km por ③ 𝒫 268 01 76 Estoril — 📇 Lisbon Sports Club 20 km por ⑤ 𝒫 96 00 77 — 📇 Club de Campo de Lisboa 15 km por ② 𝒫 24 57 17 Aroeira, Fonte da Telha.

✈ de Lisboa, 8 km do centro (CDU) — T.A.P., Praça Marquês de Pombal 3, ✉ 1200, 𝒫 54 40 80 e no aeroporto 𝒫 88 91 81.

🚂 𝒫 87 75 09.

🚢 para a Madeira : E.N.M., Rua de São Julião 5, ✉ 1100, 𝒫 87 01 21 e Rocha Conde de Óbidos, ✉ 1300.

🛈 Palácio Foz, Praça dos Restaudores 𝒫 36 63 07, e no aeroporto 𝒫 89 36 89 — **A.C.P.** Rua Rosa Araújo 24, ✉ 1200, 𝒫 56 39 31, Telex 12581 — **A.C.P.** Av. Barbosa do Bocage 23, ✉ 1000, 𝒫 77 54 75, Telex 14070.

◆Madrid 658 ① — ◆Bilbao 907 ① — Paris 1820 ① — ◆Porto 314 ① — ◆Sevilla 417 ②.

LISBOA

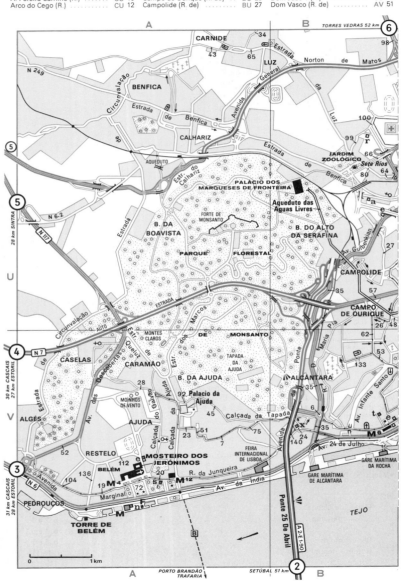

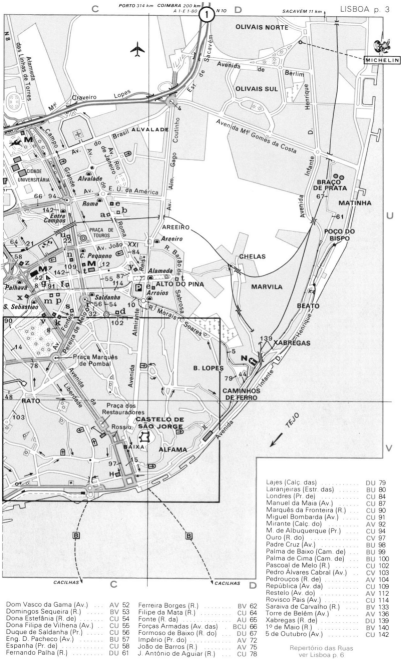

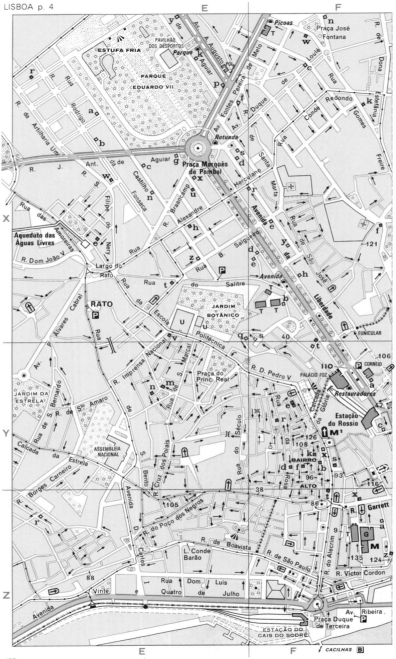

LISBOA

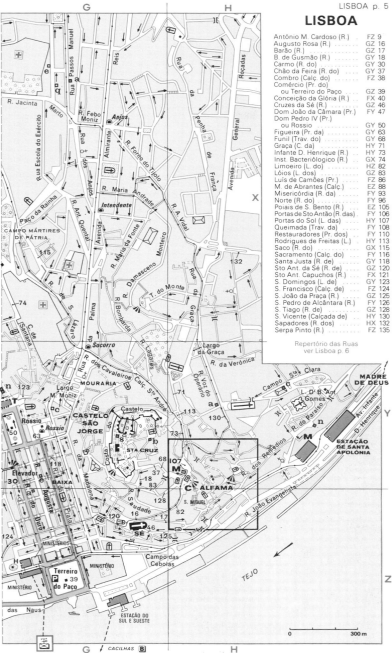

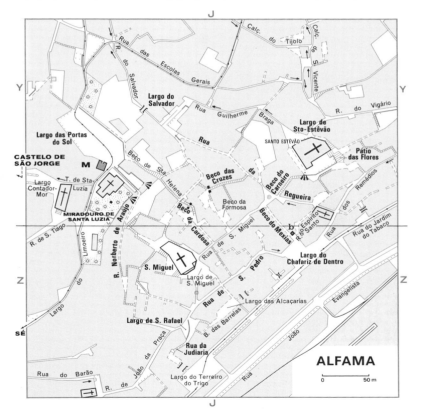

HOTEIS

E RESTAURANTES

Ritz Inter-Continental, Rua Rodrigo da Fonseca 88, ⊠ 1093, ℰ 69 20 20, Telex 12589, Fax
69 17 83, ≤, 斎 – ᝤ ▤ ☎ ⟺ ❷ – 丛. 夼 ⓪ ⋿ 𝘝𝘐𝘚𝘈. ⛸   EX **b**
Ref **Rest. Varanda e Grill** lista 2470 a 5490 – **304 qto** ☲ 25000/29000.

Le Meridien Lisboa Ⓜ, Rua Castilho 149, ⊠ 1000, ℰ 69 09 00, Telex 64315, Fax 69 32 31, ≤
– ᝤ ▤ ⊡ ☎ ⟺ ❷ – 丛. 夼 ⓪ ⋿ 𝘝𝘐𝘚𝘈. ⛸ rest   EX **a**
Ref **Atlantic** *(fechado Sábado e Domingo)* lista 3300 a 4850 e **Brasserie des Amis** lista 3100 a
5830 – **331 qto** ☲ 26000/30000.

Lisboa Sheraton Ⓜ, Rua Latino Coelho 1, ⊠ 1000, ℰ 57 57 57, Telex 12774, ≤, ⊼ climatizada
– ᝤ ▤ ⊡ ☎ ⟺ – 丛   CU **s**
Ref **Rest. Alfama Grill** *(fechado Sábado, Domingo e feriados)* lista 2500 a 6400 e **Rest. Caravela**
lista 2200 a 4700 – **386 qto**.

Tivoli Lisboa, Av. da Liberdade 185, ⊠ 1200, ℰ 53 01 81, Telex 12588, Fax 57 94 61, 斎,
« Agradável terraço com ≤ Cidade », ⊼ climatizada, ⛾ – ᝤ ▤ ⊡ ☎ ⟺ – 丛. 夼 ⋿
𝘝𝘐𝘚𝘈. ⛸ rest   FX **d**
Ref 3200 - **Grill Terraço** lista 3000 à 4160 – **342 qto** ☲ 18000/20000.

Alfa Lisboa, Av. Columbano Bordalo Pinheiro, ⊠ 1000, ℰ 726 21 21, Telex 18477, Fax
726 30 31, ≤ – ᝤ ▤ ⊡ ☎ ⟺ – 丛. 夼 ⓪ ⋿ 𝘝𝘐𝘚𝘈. ⛸   BU **a**
Ref 2500 – **350 qto** ☲ 15000/19000.

Altis, Rua Castilho 11, ⊠ 1200, ℰ 52 24 96, Telex 13314, ⬚ – ᝤ ▤ ⊡ ☎ ⟺ – 丛. 夼 ⓪
⋿ 𝘝𝘐𝘚𝘈. ⛸ rest   EX **z**
Ref 3000 - **Grill Dom Fernando** *(fechado Domingo e Agosto)* lista 2400 a 4900 e **Rest. Girasol** (só
almoço) 3000 – **307 qto** ☲ 14000/16000 – P 14000/20000.

Lisboa Penta, Av. dos Combatentes, ⊠ 1600, ℰ 726 45 54, Telex 18437, Fax 726 42 81, ≤,
⊼ – ᝤ ▤ ⊡ ☎ ⟺ ❷ – 丛. 夼 ⓪ ⋿ 𝘝𝘐𝘚𝘈. ⛸ rest   BU **r**
Ref 3100 – **592 qto** ☲ 14000/16000.

Lutécia, Av. Frei Miguel Contreiras 52, ⊠ 1700, ℰ 80 31 21, Telex 12457, ≤ – ᝤ ▤ ⊡ ☎ –
丛. 夼 ⓪ ⋿ 𝘝𝘐𝘚𝘈. ⛸   CU **b**
Ref 2500 – **150 qto** ☲ 9300/10800.

Tivoli Jardim, Rua Julio Cesar Machado 7, ⊠ 1200, ℰ 53 99 71, Telex 12172, ⊼ climatizada,
⛾ – ᝤ ▤ ⊡ ☎ ⟺ ❷   FX **e**
119 qto.

Novotel Lisboa Ⓜ, Av. José Malhoa 1642, ⊠ 1000, ℰ 726 60 22, Telex 40114, Fax 726 64 96,
≤, ⊼ – ᝤ ▤ ⊡ ☎ ⟺ – 丛. 夼 ⓪ ⋿ 𝘝𝘐𝘚𝘈. ⛸   BU **e**
Ref lista 2600 a 3200 – **246 qto** ☲ 10300/12600.

Diplomático, Rua Castilho 74, ⊠ 1200, ℰ 56 20 41, Telex 13713 – ᝤ ▤ ⊡ ❷ – 丛. 夼 ⓪
⋿ 𝘝𝘐𝘚𝘈. ⛸   EX **c**
Ref (só almoço) 2200 – **90 qto** ☲ 9100/10500 – P 9650/13500.

Flórida sem rest, Rua Duque de Palmela 32, ⊠ 1200, ℰ 57 61 45, Telex 12256 – ᝤ ▤ ⊡
☎ – 丛. 夼 ⓪ ⋿ 𝘝𝘐𝘚𝘈   EX **x**
112 qto ☲ 10500/12600.

Lisboa Plaza, Travessa do Salitre 7, ⊠ 1200, ℰ 346 39 22, Telex 16402, Fax 37 16 30 – ᝤ ▤
⊡ ☎. 夼 ⓪ ⋿ 𝘝𝘐𝘚𝘈. ⛸   FX **b**
Ref lista aprox. 2200 – **93 qto** ☲ 14000/17500 – P 13450/18700.

Mundial, Rua D. Duarte 4, ⊠ 1100, ℰ 86 31 01, Telex 12308, Fax 87 91 29, ≤ – ᝤ ▤ ⊡ ☎
❷ – 丛. 夼 ⓪ ⋿ 𝘝𝘐𝘚𝘈. ⛸   GY **c**
Ref 2300 – **147 qto** ☲ 8800/10600.

Fénix e Rest. El Bodegón, Praça Marquês de Pombal 8, ⊠ 1200, ℰ 53 51 21, Telex 12170
– ᝤ ▤ ⊡ – 丛. 夼 ⓪ ⋿ 𝘝𝘐𝘚𝘈. ⛸   EX **g**
Ref lista 2200 a 3000 – **113 qto** ☲ 8800/10200.

Dom Manuel I sem rest, Av. Duque d'Ávila 189, ⊠ 1000, ℰ 57 61 60, Telex 43558, « Bela
decoração » – ᝤ ▤ ⊡ ☎. 夼 ⓪ ⋿ 𝘝𝘐𝘚𝘈. ⛸   CU **p**
64 qto ☲ 13000.

Lisboa sem rest, Rua Barata Salgueiro 5, ⊠ 1100, ℰ 55 41 31, Telex 60228, Fax 55 41 39 – ᝤ
▤ ⊡ ☎ ⟺. 夼 ⓪ ⋿ 𝘝𝘐𝘚𝘈. ⛸   FX **e**
61 qto ☲ 10600/13250.

Roma, Av. de Roma 33, ⊠ 1700, ℰ 76 77 61, Telex 16586, Fax 73 29 81, ≤, ⬚ – ᝤ ▤ ☎
⟺ – 丛. 夼 ⓪ ⋿ 𝘝𝘐𝘚𝘈. ⛸ rest   CU **a**
Ref 1800 – **263 qto** ☲ 5200/8000 – P 7200/8400.

🏨 **Eduardo VII,** Av. Fontes Pereira de Melo 5, ⊠ 1000, 𝒫 53 01 41, Telex 18340, Fax 53 38 79, ← – |✿| 🖃 📺 ☎. 🖭 ⓪ 🗲 *VISA*. 🎸   EX **p**
Ref 2400 – **121 qto** ⌕ 7900/9900 – P 9700/12700.

🏨 **Dom Carlos** sem rest, Av. Duque de Loulé 121, ⊠ 1000, 𝒫 53 90 71, Telex 16468 – |✿| 🖃. 🖭 ⓪ 🗲 *VISA*. 🎸   EX **s**
73 qto ⌕ 7300/9000.

🏨 **Miraparque,** Av. Sidónio Pais 12, ⊠ 1000, 𝒫 57 80 70, Telex 16745 – |✿| 🖃 rest 🕾. 🎸
Ref 1650 – **100 qto** ⌕ 5000/6500.   EX **k**

🏨 **Príncipe Real** sem rest, Rua da Alegria 53, ⊠ 1200, 𝒫 36 01 16, Telex 44571, « Bela decora-ção » – |✿| 🖃 📺 ☎. 🖭 ⓪ 🗲 *VISA*. 🎸   EX **q**
24 qto ⌕ 11500/14000.

🏨 **Britânia** sem rest, Rua Rodrigues Sampaio 17, ⊠ 1100, 𝒫 57 50 16, Telex 13733 – |✿| 📺 ☎. 🖭 ⓪ 🗲 *VISA*. 🎸   FX **y**
30 qto ⌕ 8100/9500.

🏨 **York House,** Rua das Janelas Verdes 32, ⊠ 1200, 𝒫 66 25 44, Telex 16791, 🍴, « Instalado num convento do século XVI decorado num estilo português » – 🕾. 🖭 ⓪ 🗲 *VISA*. 🎸 qto
Ref 2500 – **48 qto** ⌕ 11500/14000.   BV **e**

🏨 **Residencia York House** sem rest, Rua das Janelas Verdes 47, ⊠ 1200, 𝒫 66 81 43, Telex 16791, « Decoração estilo inglês » – 🕾. 🖭 ⓪ 🗲 *VISA*
48 qto ⌕ 11500/14000.   BV **e**

🏨 Botânico, sem rest, Rua Mãe d'Água 16, ⊠ 1200, 𝒫 32 03 92, Telex 16174 – |✿| 🖃 📺 ☎
30 qto.   FX **s**

🏨 **Excelsior** sem rest, Rua Rodrigues Sampaio 172, ⊠ 1100, 𝒫 53 71 51, Telex 14223 – |✿| 📺 🕾. 🖭 ⓪ 🗲 *VISA*. 🎸   EX **d**
80 qto ⌕ 6800/9000.

🏨 **Flamingo,** Rua Castilho 41, ⊠ 1200, 𝒫 53 21 91, Telex 14736 – |✿| 🖃 rest 📺 ☎. 🖭 ⓪ 🗲 *VISA*. 🎸   EX **n**
Ref 2000 – **39 qto** ⌕ 8500/9000.

🏨 Vip, sem rest, Rua Fernão Lopes 25, ⊠ 1000, 𝒫 57 89 23, Telex 14194 – |✿| 🕾   CU **r**
54 qto.

🏨 **Da Torre,** Rua dos Jerónimos 8, ⊠ 1400, 𝒫 63 73 32 – |✿| 🕾 – 🖾. 🖭 ⓪ 🗲 *VISA*   AV **e**
Ref (ver **Rest. São Jerónimo**) – **50 qto** ⌕ 4200/5800.

🏨 **Capitol,** Rua Eça de Queiroz 24, ⊠ 1000, 𝒫 53 68 11, Telex 13701, Fax 54 86 70 – |✿| 🖃 rest ☎. 🖭 ⓪ 🗲 *VISA*. 🎸   EX **f**
Ref 1650 – **58 qto** ⌕ 7700/9000.

🏨 Principe, Av. Duque d'Ávila 201, ⊠ 1000, 𝒫 53 61 51, Telex 43565 – |✿| 🖃 📺 🕾 🅿   CU **m**
67 qto.

🏨 Presidente, sem rest, Rua Alexandre Herculano 13, ⊠ 1100, 𝒫 53 95 01 – |✿| 🖃 🕾   FX **r**
59 qto.

🏨 **Berna** sem rest, Av. António Serpa 13, ⊠ 1000, 𝒫 77 91 52, Telex 62516, Fax 73 62 78 – |✿| 🕾 ⇦ – 🖾. 🖭 ⓪ 🗲 *VISA*. 🎸   CU **u**
154 qto ⌕ 7000/8000.

🏠 D. Afonso Henriques, sem rest, Rua Cristóvão Falcão 8, ⊠ 1900, 𝒫 814 65 74, Telex 64952 – |✿| 📺 ☎ ⇦ – **39 qto**.   DU **t**

🏠 **Nazareth** sem rest, Av. António Augusto de Aguiar 25, ⊠ 1000, 𝒫 54 20 16 – |✿| 🕾. 🖭 ⓪ 🗲 *VISA*. 🎸   EX **y**
32 qto ⌕ 5500/7500.

🏠 **São Pedro** sem rest, Rua Pascoal de Melo 130, ⊠ 1000, 𝒫 57 87 65, Telex 65470 – |✿| 🕾. 🗲 *VISA*. 🎸   CU **d**
50 qto ⌕ 5300/6000.

🏠 **Insulana** sem rest, Rua da Assunção 52 - 2° andar, ⊠ 1100, 𝒫 32 89 70 – |✿| 🕾. 🖭 ⓪ 🗲 *VISA*. 🎸   GY **u**
32 qto ⌕ 5000/6500.

🏠 **Dom João** sem rest, Rua José Estêvão 43, ⊠ 1100, 𝒫 54 30 64 – |✿| 🕾. 🖭 ⓪ 🗲 *VISA*   GX **e**
18 qto ⌕ 5000/8000.

🏠 **Alicante** sem rest, Av. Duque de Loulé 20, ⊠ 1000, 𝒫 53 05 14 – |✿| 🕾. 🖭 ⓪ 🗲 *VISA*. 🎸   FX **c**
36 qto ⌕ 3200/4300.

🏠 **Imperador** sem rest, Av. 5 de Outubro 55, ⊠ 1000, 𝒫 57 48 84 – |✿| 🕾. 🖭 ⓪ 🗲 *VISA*. 🎸   CU **f**
43 qto ⌕ 4000/5000.

🏠 Roma, sem rest, Travessa da Glória 22 A - 1° andar, ⊠ 1200, 𝒫 36 05 57 – 📺 🕾   FY **t**
24 qto.

🏠 **Albergaria Pax** sem rest, Rua José Estêvão 20, ⊠ 1100, 𝒫 56 18 61, Telex 65417 – |✿| 🖃 🕾. 🖭 ⓪ 🗲 *VISA*. 🎸   GX **q**
34 qto ⌕ 5000/9000.

🏠 **Lis** sem rest, Av. da Liberdade 180, ⊠ 1200, 𝒫 56 34 34 – |✿| 🕾. 🖭 ⓪ 🗲 *VISA*. 🎸   FX **h**
62 qto ⌕ 6100/6500.

🏠 **Americano** sem rest, Rua 1° de Dezembro 73, ⊠ 1200, 𝒫 347 49 76 – |✿| ☎. ⓪ 🗲 *VISA*   FY **c**
50 qto ⌕ 4200/5300.

XXXX **Aviz,** Rua Serpa Pinto 12-B, ✉ 1200, ☎ 32 83 91 – ▤. 🖭 ⓪ 💶 *VISA*. 🍴 FZ **x**
fechado Sábado meio-dia e Domingo – Ref lista 4600 a 6700.

XXXX ✿ **Tágide,** Largo da Academia Nacional de Belas Artes 18, ✉ 1200, ☎ 32 07 20, ≼ – ▤. 🖭
⓪ 💶 *VISA*. 🍴 FZ **z**
fechado Sábado noite e Domingo – Ref lista 3250 a 5300
Espec. Pate de salmão, Bacalhau no forno Tágide, Churrasco de cabrito com ervas aromaticas.

XXXX **António Clara (Clube de Empresários),** Av. da República 38, ✉ 1000, ☎ 76 63 23, Telex
62506, « Instalado num antigo palacete » – ▤ 🄿. 🖭 ⓪ 💶 *VISA*. 🍴 CU **t**
fechado Domingo – Ref lista 2600 a 4800.

XXXX **Clara,** Campo dos Mártires da Patria 49, ✉ 1100, ☎ 57 04 34, 🍴, Música ao jantar – ▤. 🖭
⓪ 💶 *VISA*. 🍴 FX **f**
Ref lista 2600 a 5050.

XXXX **Tavares,** Rua da Misericórdia 37, ✉ 1200, ☎ 32 11 12, Estilo fim do século XIX – ▤. 🖭 ⓪
💶 *VISA*. 🍴 FZ **t**
fechado Sábado e Domingo meio-dia – Ref lista 2450 a 4450.

XXX **Gambrinus,** Rua das Portas de Santo Antão 25, ✉ 1100, ☎ 32 14 66 – ▤. 🖭 *VISA*. 🍴
Ref lista 1870 a 5400. GY **n**

XXX **Escorial,** Rua das Portas de Santo Antaõ 47, ✉ 1100, ☎ 36 44 29 – ▤. 🖭 ⓪ 💶 *VISA* GY **n**
Ref lista 2840 a 5860.

XXX **Pabe,** Rua Duque de Palmela 27-A, ✉ 1200, ☎ 53 74 84, Pub inglês – ▤. 🖭 ⓪ 💶 *VISA*. 🍴
Ref lista 2650 a 6150. EX **u**

XXX ✿ **Casa da Comida,** Travessa das Amoreiras 1, ✉ 1200, ☎ 68 53 76, « Bonito patio com
plantas » – ▤. 🖭 ⓪ 💶 *VISA*. 🍴 EX **e**
fechado Sábado meio-dia e Domingo – Ref lista 2600 a 7300.
Espec. Casquinhas de caranguejo, Mariscada Casa da Comida, Pregado com pimenta verde.

XXX **Chester,** Rua Rodrigo da Fonseca 87-D, ✉ 1200, ☎ 65 73 47, Carnes – ▤. 🖭 ⓪ 💶 *VISA*. 🍴
fechado Domingo – Ref lista 2180 a 3700. EX **w**

XXX **Saraiva's,** Rua Eng. Canto Resende 3, ✉ 1000, ☎ 53 19 87, Decoração moderna – ▤. 🖭
⓪ 💶 *VISA*. 🍴 CU **v**
fechado Sábado e feriados – Ref lista 1840 a 3700.

XXX **O Faz Figura,** Rua do Paraíso 15 B, ✉ 1100, ☎ 86 89 81, ≼, 🍴 – ▤. 🖭 ⓪ 💶 *VISA*. 🍴
fechado Domingo – Ref lista 2500 a 3500. HY **n**

XXX **Bachus,** Largo da Trindade 9, ✉ 1200, ☎ 32 28 28 – ▤. 🖭 ⓪ 💶 *VISA*. 🍴 FY **s**
Ref lista 1650 a 4030.

XXX **Mister Cook** com snack-bar, Av. Guerra Junqueiro 1, ✉ 1000, ☎ 80 72 37 – ▤. 🖭 ⓪ 💶
VISA. 🍴 CU **y**
fechado Domingo e Agosto – Ref lista 2150 a 4300.

XXX ✿ **Conventual,** Praça das Flores 45, ✉ 1200, ☎ 60 91 96 – ▤. 🖭 ⓪ 💶 *VISA* EY **m**
fechado Sábado meio-dia e Domingo – Ref lista 1930 a 3600
Espec. Pato com champagne e pimenta rosa, Linguado com molho de mariscos, Migas de miolos com entrecosto.

XX **Casa do Leão,** Castelo de São Jorge, ✉ 1100, ☎ 87 59 62, ≼ – ▤. 🖭 ⓪ 💶 *VISA*. 🍴 GY **s**
Ref (só almoço) lista 3300 a 4100.

XX A **Góndola,** Av. de Berna 64, ✉ 1000, ☎ 77 04 26, 🍴 – ▤ CU **z**

XX **Michel,** Largo de Santa Cruz do Castelo 5, ✉ 1100, ☎ 86 43 38, Rest. francês – ▤. 🖭 ⓪ 💶
VISA GY **b**
fechado Sábado meio-dia, Domingo e feriados – Ref lista 3550 a 4450.

XX **São Jerónimo,** Rua dos Jerónimos 12, ✉ 1400, ☎ 64 87 96 – ▤. 🖭 ⓪ 💶 *VISA*. 🍴 AV **e**
fechado Domingo – Ref lista 1990 a 4550.

XX Espelho d'Água, Av. de Brasilia, ✉ 1300, ☎ 61 73 73, ≼, 🍴, Situado num pequeno lago
artificial, Decoração moderna – ▤ AV **n**

XX **Sancho,** Travessa da Glória 14, ✉ 1200, ☎ 36 97 80 – ▤. 🖭 💶 *VISA*. 🍴 FXY **t**
fechado Domingo e feriados – Ref lista 1040 a 2260.

XX **Saddle Room,** Praça José Fontana 17C, ✉ 1000, ☎ 52 31 47, Música ao jantar, Decoração
rústica-inglesa – ▤. 🖭 ⓪ 💶 *VISA* FX **w**
fechado Sábado meio-dia e Domingo – Ref lista 1550 a 3390.

XX **Restaurante 33,** Rua Alexandre Herculano 33A, ✉ 1200, ☎ 54 60 79, Música ao jantar,
Decoração rústica-inglesa – ▤. 🖭 ⓪ 💶 *VISA* EX **h**
Ref lista 1660 a 3920.

XX Adega do Teixeira, Rua do Teixeira 39, ✉ 1200, ☎ 32 83 20, 🍴 – ▤ FY **e**

XX **O Funil,** Av. Elias Garcia 82 A, ✉ 1000, ☎ 76 60 07 – ▤. 💶 *VISA*. 🍴 CU **n**
fechado Domingo noite e 2ª feira – Ref lista 1130 a 3300.

XX **O Polícia,** Rua Marquês Sá da Bandeira 112, ✉ 1000, ☎ 76 35 05 – ▤. 💶 *VISA*. 🍴 CU **g**
fechado Sábado noite e Domingo – Ref lista 1450 a 3660.

XX **Arlecchino,** Rua Filhão de Almeida 6B, ✉ 1000, ☎ 54 83 70 – ▤. 🖭 ⓪ 💶 *VISA*. 🍴 CU **x**
fechado Domingo – Ref lista 2000 a 4750.

X Frei Papinhas, Rua D. Francisco Manuel de Melo 32, ✉ 1000, ☎ 65 87 57 – ▤ EX **r**

X **O Vicentinho,** Rua Voz do Operario 1 B, ✉ 1100, ☎ 86 46 95 – ▤. 🖭 ⓪ 💶 *VISA*. 🍴 HY **a**
fechado 2ª feira e Domingo meio-dia – Ref lista 1360 a 1730.

※ **Xêlê Bananas,** Praça das Flores 29, ✉ 1200, ✆ 67 05 15, Inspiração decorativa tropical –   EY **n**
▤, 🖭 ⓞ E 𝘝𝘐𝘚𝘈.
fechado Domingo – Ref lista 1470 a 3750.

※ **Sua Excelência,** Rua do Conde 42, ✉ 1200, ✆ 60 36 14 – ▤, 🖭 ⓞ E 𝘝𝘐𝘚𝘈   BV **t**
fechado 4ª feira e Setembro – Ref lista 1875 a 4980.

※ **Pap'Açorda,** Rua da Atalaya 57, ✉ 1200, ✆ 36 48 11 – ▤, 🖭 ⓞ E 𝘝𝘐𝘚𝘈   FY **d**
fechado Sábado meio-dia, Domingo, do 25 Julho ao 15 Agosto e do 20 Outubro a 2 Novembro
– Ref lista 1725 a 2175.

※ **António,** Rua Tomás Ribeiro 63, ✉ 1000, ✆ 53 87 80 – ▤. E 𝘝𝘐𝘚𝘈. ⪻   CU **k**
fechado Sábado – Ref lista 1390 a 3250.

※ Forno da Brites, Rua Tomás Ribeiro 75, ✉ 1000, ✆ 54 27 24 – ▤   CU **k**

※ **Celta,** Rua Gomes Freire 148-C e D, ✉ 1100, ✆ 57 30 69 – ▤, 🖭 ⓞ E 𝘝𝘐𝘚𝘈. ⪻   FX **k**
fechado Sábado – Ref lista 990 a 2200.

※ Arraial, Rua Conde Sabugosa 13-A, ✉ 1700, ✆ 89 73 43, Decoração rústica – ▤   CU **e**

※ **Porta Branca,** Rua do Teixeira 35, ✉ 1200, ✆ 32 10 24 – ▤, 🖭 ⓞ E 𝘝𝘐𝘚𝘈. ⪻   FY **e**
fechado Sábado, Domingo e Julho – Ref lista 1880 a 2880.

※ **Chez Armand,** Rua Carlos Mardel 38, ✉ 1900, ✆ 52 07 70, Rest. francês – ▤, 🖭 ⓞ E 𝘝𝘐𝘚𝘈
fechado Domingo e Agosto – Ref lista 1260 a 2260.   DU **e**

※ Vasku's Grill, Rua Passos Manuel 30, ✉ 1100, ✆ 54 22 93, Grelhados – ▤   GX **a**

※ Galão, com snack-bar, Rua 1° de Maio 2, ✉ 1300, ✆ 64 06 13 – ▤   BV **x**

※ **Comida de Santo,** Calçada do Eng.° Miguel Pais 39, ✉ 1200, ✆ 66 33 39, Cozinha brasileira
– ▤, 🖭 ⓞ E 𝘝𝘐𝘚𝘈   EX **v**
Ref lista 1405 a 3100.

※ **Mercado de Santa Clara,** Campo de Santa Clara (no mercado), ✉ 1100, ✆ 87 39 86, ⪻,
Música ao jantar – ▤, 🖭 ⓞ E 𝘝𝘐𝘚𝘈. ⪻   HY **c**
fechado 2ª feira e do 15 Agosto ao 15 Setembro – Ref lista 1650 a 3450.

※ **Paris,** Rua dos Sapateiros 126, ✉ 1100, ✆ 36 97 97 – ▤, 🖭 ⓞ E 𝘝𝘐𝘚𝘈. ⪻   GZ **a**
Ref lista 810 a 2500.

※ **Delfim,** Rua Nova de São Mamede 23, ✉ 1200, ✆ 69 05 32 – ▤, 🖭 ⓞ E 𝘝𝘐𝘚𝘈   EX **t**
fechado Sábado – Ref lista 1390 a 2700.

※ **Arameiro,** Travessa de Santo Antão 21, ✉ 1200, ✆ 36 71 85, ⌸ – ▤, 🖭 ⓞ E 𝘝𝘐𝘚𝘈. ⪻
Ref lista 1200 a 2040.   FY **a**

※ **Caseiro,** Rua de Belem 35, ✉ 1300, ✆ 63 88 03, Decoração – ▤, 🖭 ⓞ E 𝘝𝘐𝘚𝘈. ⪻   AV **s**
fechado 2ª feira e Agosto – Ref lista 1180 a 2175.

RESTAURANTES TIPICOS

※※ Arcadas do Faia, Rua da Barroca 56, ✉ 1200, ✆ 32 67 42, Fados – ▤   FY **f**
Ref (só jantar).

※※ **Sr. Vinho,** Rua do Meio -à- Lapa 18, ✉ 1200, ✆ 67 74 56, Telex 42222, Fados – ▤, 🖭 ⓞ E
𝘝𝘐𝘚𝘈. ⪻   EZ **r**
fechado Domingo – Ref (só jantar) lista 2550 a 4520.

※※ **A Severa,** Rua das Gáveas 51, ✉ 1200, ✆ 36 40 06, Fados ao jantar – ▤, 🖭 ⓞ E 𝘝𝘐𝘚𝘈. ⪻
fechado 5ª feira – Ref lista 2600 a 5500.   FY **b**

※ **Adega Machado,** Rua do Norte 91, ✉ 1200, ✆ 36 00 95, Fados – ▤, 🖭 ⓞ E 𝘝𝘐𝘚𝘈. ⪻
fechado 2ª feira de Novembro a Março – Ref (só jantar) lista 2000 a 4150.   FY **k**

※ O Forcado, Rua da Rosa 221, ✉ 1200, ✆ 36 85 79, Fados – ▤   FY **r**
Ref (só jantar).

※ Parreirinha de Alfama, Beco do Espírito Santo 1, ✉ 1100, ✆ 86 82 09, Fados   JZ **b**
Ref (só jantar).

MICHELIN, Companhia Luso-Pneu, Lda Av. Dr Francisco Luís Gomes, ✉ 1800, Dr letras SIFG
DU ✆ 31 40 21, Telex 13439

AUTOBIANCHI-LANCIA Estrada N 127 km 2,4 - Alfragide ✆ 97 50 01
AUTOBIANCHI-LANCIA Rua Andrade Corvo 15 ✆ 52 13 91
AUTOBIANCHI-LANCIA Rua Santo António à Estrela 31 ✆ 66 90 44
AUTOBIANCHI-LANCIA Rua Filipe Folque 10L ✆ 55 78 96
AUTOBIANCHI-LANCIA Rua de Campolide 31A ✆ 65 41 16
AUTOBIANCHI-LANCIA Rua Heroís de Quionga 14A ✆ 82 32 75
B. M. W. Rua D. João V 26 ✆ 69 08 62
B.L.M.C (AUSTIN-MORRIS) Rua Alexandre Herculano 2 ✆ 53 71 81
B.L.M.C (AUSTIN-MORRIS) Av. da República 36 ✆ 72 23 09
B.L.M.C. (AUSTIN-MORRIS) Rua Sousa Martins 2 ✆ 55 79 63

B.M.W. Av. António Augusto de Aguiar 21 ✆ 52 28 89
CITROEN Av. Defensores de Chaves 12 ✆ 53 41 31
CITROEN Av. Manuel da Maia 22-A ✆ 54 75 84
CITROEN Rua Rodrigo da Fonseca 80 ✆ 53 41 31
CITROEN Av. Vasco de Gama - Sacavém de Cima ✆ 251 02 23
CITROEN Rua da Manutenção 15 ✆ 38 38 61
CITROEN Rua da Cova da Moura 2.A ✆ 60 71 16
CITROEN Rua Ponta Delgada 70 A ✆ 55 37 74
CITROEN Rua Abílio Lopes Rego 2 ✆ 66 24 39
CITROEN Rua Dr. José Espirito, Cabo Ruivo ✆ 85 35 06
DATSUN-NISSAN Praça José Queiróz 1 ✆ 31 40 61
DATSUN-NISSAN Av. Eng. Duarte Pacheco 21A ✆ 68 51 75
FIAT Rua dos Lusiadas 6 ✆ 63 88 09
FIAT Rua Andrade Corvo 15 ✆ 52 13 91
FIAT Estrada N 117 km 2,4 -Alfragide ✆ 97 50 01

FIAT   Rua de Arroios 91A ✆ 54 69 69
FIAT   Rua Andrade Corvo 15 ✆ 52 13 91
FIAT   Rua de Santo António à Estrela 31 ✆ 66 90 44
FIAT   Rua Palmira 62 ✆ 84 41 69
FIAT   Rua Heróis de Quionga 14 ✆ 82 32 75
FIAT   Av. Mariani ✆ 80 13 62
FIAT   Rua Filipe Folque 10L ✆ 55 42 13
FIAT   Av. João XXI - 68 ✆ 73 34 12
FORD   Rua da Boavista 81 ✆ 66 91 41
FORD   Av. Almirante Reis 130A ✆ 56 20 61
FORD   Rua João Saraiva 15 ✆ 89 10 65
FORD   Rua do Instituto Industrial 18 ✆ 66 91 41
FORD   Rua Gomes Freire 5-A ✆ 53 98 01
FORD   Estrada da Luz 230-A ✆ 78 31 73
FORD   Rua São Sebastião da Pedreira 122 ✆ 56 25 01
G.M. - OPEL   Av. Visconde Valmor 68 ✆ 77 05 84
G.M. - OPEL   Rua Alexandre Herculano 66 ✆ 68 20 42
G.M. - OPEL   Av. Casal Ribeiro 48 ✆ 53 71 22
G.M. - OPEL   Rua Filipe Folque 12 ✆ 56 34 41
MERCEDES-BENZ   Rua de Compolide 437 ✆ 726 25 65
MERCEDES-BENZ   Largo C. Pequeno 37 A.C ✆ 77 13 30
MERCEDES-BENZ   Rua do Proletario 18 - Portela da Ajuda ✆ 218 80 73

PEUGEOT-ALFA ROMEO   Av. de Roma 15 ✆ 76 70 61
PEUGEOT-ALFA ROMEO   Av. Casal Ribeiro 46 C ✆ 53 52 21
RENAULT   Rua Gregório Lopes, Lote 1512-B ✆ 61 42 60
RENAULT   Rua Cidade da Beira 48 ✆ 31 76 51
RENAULT   Rua Alves Redol 15C ✆ 76 04 36
RENAULT   Rua Diego Couto 1A ✆ 83 91 21
RENAULT   Rua Francisco Metrasse 32-B ✆ 65 09 24
RENAULT   Rua D. Estefânia 111 ✆ 54 82 80
SEAT   Rua Nova de São Mamede 38 ✆ 60 47 91
SEAT   Av. de Paris ✆ 88 42 57
SEAT   Rua Artilliaria 105A ✆ 69 34 48
SEAT   Av. da Liberdade 33 ✆ 82 52 62
TOYOTA   Av. Fontes Pereira de Melo 17 A ✆ 57 46 08
VOLVO   Rua José Estêvão 76 ✆ 53 95 91
VW-AUDI   Av. Padre Manuel de Nóbrega 8 ✆ 89 41 85
VW-AUDI   Av. Álvares Cabral 65B ✆ 60 53 62
VW-AUDI   Av. da Liberdade 12 ✆ 36 67 51
VW-AUDI   Rua Gomes Freire 163 ✆ 56 05 88
VW-AUDI   Rua João Saraiva 1 ✆ 88 38 40
VW-AUDI   Rua de Santo António à Estrela 33 ✆ 66 50 24

EUROPA numa só fohla **Mapa Michelin** n° **920**.

LOMBO DE BAIXO Madeira – ver Madeira (Arquipélago da) : Faial.

LOULÉ 8100 Faro **437** U 5 – 8 595 h. – ✪ 089.
🛈 Edificio do Castelo ✆ 639 00.
◆Lisboa 299 – Faro 16.

🏠 **Ibérica** sem rest, Av. Marçal Pacheco 157 ✆ 620 27 – ☎ 🅿. 𝘝𝘐𝘚𝘈. ❀
   54 qto ⇆ 3500/4750.

🏠 **D. Payo** sem rest, Rua Projectada à Antero de Quental ✆ 644 22 – 🛗 ☎. 🆎 ⑩ ∈ 𝘝𝘐𝘚𝘈. ❀
   26 qto ⇆ 4500/6000.

   em Franqueada - na estrada N 396 SO : 4,5 km – ⊠ 8100 Loulé – ✪ 089 :

✗ **O Carcavai,** ✆ 635 65, 🍴, Cozinha belga e francêsa, Decoração rústica – 🍽 🅿. 🆎 ⑩ ∈ 𝘝𝘐𝘚𝘈. ❀
   fechado Sábado e 20 Dezembro-Feveireiro – Ref (só jantar) lista 2050 a 4100.

FIAT   Av. n° 2 do Dique ✆ 262 00   TOYOTA   Av. Marçal Pacheco 150
RENAULT   Rua Afonso de Albuquerque 25 ✆ 626 68

LOURINHA 2530 Lisboa **437** O 2 – 8 253 h. – ✪ 061 – Praia.
🏌 Club Golf Vimeiro, S : 11 km ✆ 281 57.
🛈 Praia da Areia Branca ✆ 421 67.
◆Lisboa 74 – Leiria 94 – Santarém 81.

🏠 **Estal. Bela Vista** ❦, Rua D. Sancho I-Santo André ✆ 427 13, ⤓, ❀ – ☎ 🅿. ❀ rest
   Ref 1300 – **31 qto** ⇆ 6500 – P 9500.

🏠 **Figueiredo** ❦ sem rest, Largo Mestre Anacleto Marcos da Silva ✆ 425 37
   20 qto ⇆ 2000/3000.

   na Praia da Areia Branca NO : 3,5 km – ⊠ 2530 Lourinhã – ✪ 061 :

🏨 **Apartamentos Turisticos São João** ❦ sem rest e sem ⇆, ✆ 424 91, Telex 61456, 🔲 – ☎ 🅿
   18 apartamentos 4400.

🏠 **Dom Lourenço,** ✆ 428 09 – ❀ rest
   Ref 650 – **11 qto** ⇆ 3000/3500 – P 4000/5500.

RENAULT   Av. António José de Almeida 36 ✆ 421 94

LUSO Aveiro **437** K 4 – 2 726 h. alt. 200 – ⊠ 3050 Mealhada – ✪ 031 – Termas.
🛈 Rua António Granjo ✆ 931 33.
◆Lisboa 230 – Aveiro 44 – ◆ Coimbra 28 – Viseu 69.

🏨 **Grande H. das Termas** ❦, ✆ 934 50, Telex 53342, ⤓, 🔲, 🏞, ❀ – 🛗 🍽 rest 🅿 – 🔬. 🆎 ⑩ ∈ 𝘝𝘐𝘚𝘈. ❀
   Ref 1850 – **157 qto** ⇆ 6400/8000 – P 8900/13600.

🏠 **Eden,** Rua Emidio Navarro ✆ 931 71, Telex 53655 – 🛗 🍽 rest ☎ 🅿 – 🔬. 🆎 ⑩ ∈ 𝘝𝘐𝘚𝘈. ❀ rest
   Ref 950 – **57 qto** ⇆ 6000/7000.

MACEDO DE CAVALEIROS 5340 Bragança **437** H 9 – 4 353 h. alt. 580 – 🌀 078.

◆Lisboa 510 – Bragança 42 – Vila Real 101.

🏨 **Estal. do Caçador,** Largo Manuel Pinto de Azevedo 🖉 423 54, 🍴, ⤶ – 🛗 🐾 ⇦. 🚿
Ref 2000 – **25 qto** ⇌ 5000/9500.

    na estrada de Mirandela NO : 1,7 km – ⬚ 5340 Macedo de Cavaleiros – 🌀 078 :

✗ **Costa do Sol** com qto, 🖉 423 75 – 🐾 🅿 **E** **VISA** 🚿
    Ref *(fechado 2ª feira)* lista 1170 a 1400 – **27 qto** 2500/4000.

DATSUN-NISSAN Av. Nossa Sra de Fátima 🖉 427 77   PEUGEOT-ALFA ROMEO Vía Sul 🖉 425 80
MERCEDES-BENZ Vía Sul 🖉 425 80   TOYOTA Rua Alexandre Herculano

MACHICO Madeira – ver Madeira (Arquipélago da).

    .
  Es ist empfehlenswert, in der Hauptsaison
  und vor allem in Urlaubsorten Hotelzimmer im voraus zu bestellen.

MADEIRA (Arquipélago da) 437 – 254 880 h. – 🌀 091

MADEIRA

    Caniço – 7 249 h. – ⬚ 9125 Caniço – 🌀 091.
Funchal 8.

✗ Girassol, Sítio da Vargem 🖉 93 22 29.
✗ A Lareira, Sítio da Vargem 🖉 93 24 94.

    na antiga estrada do Funchal O : 1 km – ⬚ 9125 Caniço – 🌀 091 :

✗✗ Jardim do Sol, 🖉 93 21 23, ≼, Decoração típica – 🅿.

    Faial – 2 622 h. – ⬚ 9225 Porto da Cruz – 🌀 091.
    Arred. : Santana** (estrada ≼*) NO : 8 km – Estrada do Porto da Cruz (≼*) SE : 8 km.
Funchal 54.

    na estrada do Funchal - em Lombo de Baixo S : 2,5 km – ⬚ Faial 9225 Porto da Cruz –
    🌀 091 :

✗ Casa de Chá do Faial, 🖉 572 23, ≼ vale e montanha – 🅿
    Ref (só almoço).

    Funchal – 48 239 h. – ⬚ 9000 – 🌀 091.
    Ver : Sé* (tecto*) Z **B** – Museu de Arte Sacra* (colecçaõ de quadros*)Y **M1** – Quinta das
    Cruzes* Y **M3** – Capela da Nazaré* (azulejos*) por ④ – Pontinha ✳** X – Jardim Botânico
    ≼* V.
    Arred. : Miradouro do Pináculo** 4 km por ② - Pico dos Barcelos ** (✳ 2e) 3 km por ④ –
    Monte (localidade*) 5 km por ① – Quinta do Palheiro Ferreiro* (parque*) 5 km por ② pela
    estrada de Camacha - Terreiro da Luta ≼* 7 km por ① – Câmara de Lobos (local *, estrada
    ≼*) 9 km por ③ – Eira do Serrado ✳*** (estrada ≼**, ≼*) NO : 13 km pelo Caminho de
    Santo António – Flora da Madeira (jardim botânico *) 15 km por ① – Curral das Freiras
    (local *, ≼*) NO : 17 km pelo Caminho de Santo António - Miradouro dos Balcões ** 18 km
    por ① e 30 mn a pé - Miradouro do Juncal* 19 km por ① – Cabo Girão (≼*) 20 km por ③ -
    Miradouro do Pico Arieiro ✳** 20 km por ①.
    Excurs. : Pico Ruivo*** (✳***) 21 km por ① e 3 h a pé.
    🏌 do Santo da Serra 25 km por ② 🖉 551 39.
    🛫 do Funchal 23 km por ② - T.A.P. Av. do Mar 8 🖉 620 61 e 221 91.
    🚢 para Lisboa : E.N.M Rua da Praia 45 🖉 301 95 e 301 96, Telex 72184.
    🄱 av. Arriaga 18 🖉 290 57 e 256 58 – A.C.P. Av. Arriaga 43 🖉 236 59, Telex 72109.

🏨🏨🏨 **Reid's H.,** Estrada Monumental 139 🖉 230 01, Telex 72139, Fax 304 99, ≼ baía do Funchal,
    « Magnifico jardim semi-tropical sob um promontório rochoso », ⤶ climatizada, 🚿 – 🛗 🖭
    🅿. 🄰🄴 **E** 🚿 rest   X **z**
    Ref 4800 – **163 qto** ⇌ 20000/28000.

🏨🏨🏨 **Savoy,** Av. do Infante 🖉 220 31, Telex 72153, Fax 231 03, ≼, « Belo terraço com ⤶ climatizada
    à beira-mar », 🐾, 🚿 – 🛗 🖭 🅿 – 🄰 🄰🄴 ⓪ **E** **VISA** 🚿   X **n**
    Ref 3900 – **350 qto** ⇌ 12000/17000.

🏨🏨 **Madeira-Sheraton H.** 🅼, Largo António Nobre, ⬚ 9007, 🖉 310 31, Telex 72122, Fax
    272 84, ≼, ⤶ climatizada, 🚿 – 🛗 🖭 🅿 – 🄰 🄰🄴 ⓪ **E** **VISA** 🚿   X **s**
    Ref 3400 – **369 qto** ⇌ 15300/23600 – P 21000/35000.

🏨🏨 **Casino Park H.** 🅼, Av. do Infante 🖉 331 11, Telex 72118, ≼ montanha, cidade e mar,
    « Jardim florido », ⤶ climatizada, 🚿 – 🛗 🖭 🅿 – 🄰 🄰🄴 ⓪ **E** **VISA** 🚿 rest   X **y**
    Ref 3000 – **400 qto** ⇌ 14200/20400.

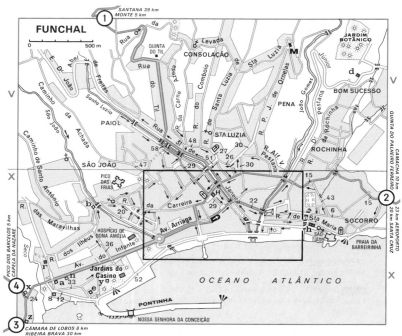

Quinta do Sol, Rua Dr Pita 6 ℰ 641 51, Telex 72182, ≼, ⌁ climatizada – 🛗 🖃 🄿. 🖭 ⓪ 🅴 *VISA* 🍴 X x
Ref 2200 – **120 qto** 🛏 9750/14500.

São João, Rua das Maravilhas 74 ℰ 461 11, Telex 72248, ≼, ⌁ climatizada, 🍴 – 🛗 🖃 – 🄼. 🖭 🅴 *VISA*. 🍴 X b
Ref 2100 – **208 qto** 🛏 6500/11300 – P 9850/10700.

Do Carmo, Travessa do Rego 10 ℰ 290 01, Telex 72447, ⌁ – 🛗 🖃 rest. 🍴 Y f
Ref 1350 – **80 qto** 🛏 4500/5500 – P 5450/7200.

Santa Isabel sem rest, Av. do Infante ℰ 231 11, Telex 72446, ⌁ climatizada, 🚗 – 🛗 🖾. 🖭 ⓪ 🅴 *VISA*. 🍴 X a
68 qto 🛏 7500/10800.

Madeira, Rua Ivens 21 ℰ 300 71, Telex 72242, ⌁ – 🛗 🖃 rest 🖾. 🖭 ⓪ 🅴 *VISA* Z z
Ref 2000 – **31 qto** 🛏 5500/6500.

Quinta da Penha de França 🦢 sem rest, com snack-bar, Rua da Penha de França 2 ℰ 290 80, « Lindo jardim », ⌁ – 🖾. 🖭 ⓪ 🅴 *VISA*. 🍴 X e
35 qto 🛏 12000.

Albergaria Catedral, sem rest, Rua do Aljube 13 ℰ 300 91 – 🛗 🖾 – **25 qto**. Z u

Greco, sem rest, com snack-bar, Rua do Carmo 16 ℰ 300 81, Telex 72551 – 🛗 🖾 Y a
28 qto.

Flamenga sem rest, Rua dos Aranhas 45 ℰ 290 41, Telex 72461 – 🖾. 🍴 Z s
35 qto 🛏 4000/6500.

Santa Clara 🦢 sem rest, Calçada do Pico 16-B ℰ 241 94, ≼, ⌁, 🚗 – 🖾. 🅴. 🍴 Y b
15 qto 🛏 3550/4200.

XX **Golfinho,** Largo do Corpo Santo 21 ℰ 267 74, 🍽, Peixes e mariscos, « Decoração com lembranças do mar » – 🖃 X h

XX **Caravela,** Av. do Mar 15 - 3° andar ℰ 284 64, ≼ – 🖭 ⓪ 🅴 *VISA*. 🍴 Z v
Ref lista 1500 a 2000.

XX **O Solar do F.,** Av. Luis de Camões 19 ℰ 202 12, 🍽 – 🖭 ⓪ 🅴 *VISA*. 🍴 X r
Ref lista 1700 a 2650.

X **Romana,** Largo do Corpo Santo 15 ℰ 289 56, 🍽, Decoração neo-rústica – 🖭 ⓪ 🅴 *VISA*. 🍴 X h
Ref lista 2050 a 3450.

X O Espadarte, Estrada da Boa Nova 5 ℰ 280 65 – 🖃 V d

a Oeste da cidade – ⊠ 9000 Funchal – ✆ 091 :

Madeira Palacio Ⓜ, Estrada Monumental, por ③ : 4,5 km ℰ 300 01, Telex 72156, Fax 254 08, ≼, ⌁ climatizada, 🚗, 🍴 – 🛗 🖃 📺 🄿 – 🄼. 🖭 ⓪ 🅴 *VISA*. 🍴
Ref 3800 – **260 qto** 🛏 15000/20000 – P 21500/33000.

Vila Ramos 🦢, Azinhaga da Casa Branca 7 por ③ : 3 km ℰ 641 81, Telex 72168, ≼, ⌁ climatizada, 🍴 – 🛗 🄿 – **116 qto**.

Raga, Estrada Monumental 302 por ③ : 3 km ℰ 330 01, Telex 72409, ≼, ⌁ climatizada – 🛗 🄿. 🖭 ⓪ 🅴 *VISA*. 🍴
Ref 2100 – **158 qto** 🛏 5700/9800.

Alto Lido, Estrada Monumental 316 por ③ : 3,2 km ℰ 291 97, Telex 72453, ≼, ⌁ climatizada – 🛗 🖃 rest 🖾 – 🄼. 🖭 ⓪ 🅴 *VISA*. 🍴
Ref lista 1800 a 2400 – **115 qto** 🛏 10800/12000 – P 12600/15600.

Girassol, Estrada Monumental 256, por ③ : 2,5 km ℰ 310 51, Telex 72176, ≼, ⌁ climatizada – 🛗 🖃 rest 🄿. 🖭 ⓪ 🅴 *VISA*. 🍴
Ref 2400 – **132 qto** 🛏 5300/9450.

Do Mar, Estrada Monumental, por ③ : 3,5 km Quinta Calaça ℰ 310 01, Telex 72168, ≼ mar, ⌁ climatizada – 🛗 🖾 🄿 – **135 qto**.

AUTOBIANCHI-LANCIA Rua Archebispo D. Aires 28A ℰ 473 17
B.L.M.C. (AUSTIN-MORRIS) Rua Nova de Quinta Deão 5 ℰ 474 24
B.L.M.C. (AUSTIN-MORRIS) Rua Major Reis Gomes 13 ℰ 221 01
BMW Rua da Ponte Nova 47 ℰ 340 60
CITROEN Rua da Rochinha 68-A ℰ 214 45
DATSUN-NISSAN Rua da Tovinha 3 ℰ 300 96
FIAT Rua Archebispo D. Aires 28 ℰ 473 17
FORD Rua dos Netos 1 ℰ 290 25

FORD Rua Ponte São Lázaro ℰ 253 01
FORD Rua Ribeira de São João ℰ 221 01
G.M - OPEL Av. do Mar ℰ 205 84
PEUGEOT-ALFA ROMEO Rua Pimenta Aguiar 1 ℰ 261 58
SEAT Rua Nova da Quinta Deão 33 ℰ 474 64
TOYOTA Rua Visconde de Anadia 4 ℰ 291 91
VOLVO Rua Visconde de Anadia 4 ℰ 291 91
VOLVO Rua do Hospital Velho 28 ℰ 210 63
VW-AUDI Rua Dr. Fernão Ornelas 28 ℰ 218 54
VW-AUDI Rua das Hortas 101 ℰ 218 54

Machico – 12 129 h. – ⊠ 9200 Machico – ✆ 091.
Arred. : Miradouro Francisco Álvares da Nóbrega★ SO : 2 km – Santa Cruz (Igreja de S. Salvador★) S : 6 km.
🛈 Rua do Ribeirinho - Edificio Paz ℰ 96 27 12.
Funchal 29.

Dom Pedro, ℰ 96 27 51, Telex 72135, Fax 96 38 89, ≼ mar e montanha, ⌁ climatizada, 🍴 – 🛗 🖃 rest 🄿 🖭 ⓪ 🅴 *VISA*. 🍴
Ref 1700 – **218 qto** 🛏 8500/10000.

MADEIRA (Arquipélago da)

Porto Moniz – 3 920 h. – ⊠ 9270 Porto Moniz – ✿ 091.
Ver : Recifes★.
Arred. : Estrada de Santa ≤★ SO : 6 km – Seixal (local★) SE : 10 km – Estrada escarpada★ (≤★) de Seixal a São Vicente SE : 18 km.
Funchal 106.

⚘ Calhau ◈ sem rest, ℰ 851 04, ≤, Piscinas naturais entre os rochedos vulcânicos – **15 qto**.

✗ Cachalote, ℰ 851 80, ≤, Piscinas naturais entre os rochedos vulcânicos.

Ribeira Brava 9350 Ribeira Brava – ✿ 091

🏛 Bravamar, Rua Gago Coutinho ℰ 95 22 20, Telex 72258, ≤ – 🖙 🍽 rest ☎ – **36 qto**.

São Vicente – 4 374 h. – ⊠ 9240 São Vicente – ✿ 091.
Funchal 55.

✗ Quebra-Mar, Sitio do Calhão ℰ 843 38, ≤ falésias e mar – ℗.

✗ Calamar, Estrada da Ponte Delgada ℰ 842 18, ≤ falésias e mar – ℗.

Serra de Água – 1 564 h. – ⊠ 9350 Ribeira Brava – ✿ 091

na estrada de São Vicente N : 2,2 km – ⊠ 9350 Ribeira Brava – ✿ 091 :

🏛 Pousada dos Vinháticos, ℰ 95 23 44, ≤ montanhas – ℗
10 qto.

PORTO SANTO

Vila Baleira – ⊠ 9400 Porto Santo – ✿ 091 – Praia.
🛈 Av. Vieira de Castro ℰ 98 23 61 (ext. 14).

🏛🏛 Praia Dourada, Rua Dr. Pedro Lomelino ℰ 98 23 15, Telex 72389 – ☎
35 qto.

ao suloeste : 2 km – ⊠ 9400 Porto Santo – ✿ 091 :

🏛🏛 Porto Santo ◈, ℰ 98 22 72, Telex 72210, ≤, ⊡, 🌾, ✗ – 🍽 rest ℗
93 qto.

*Dans les hôtels et restaurants
cités avec des menus à prix fixes,
il est généralement possible de se faire servir également à la carte.*

MAFRA 2640 Lisboa 🅰🅱🅼 P 1 – 10 153 h. alt. 250 – ✿ 061.
Ver : Mosteiro★ – Basílica★ (cúpula★).
🛈 Av. 25 de Abril ℰ 520 23.
✦Lisboa 40 – Sintra 23.

🏛 **Albergaría Castelão,** Av. 25 de Abril ℰ 526 96, Telex 43488 – 🖙 🍽 rest 📺 ☎. 🖭 ⓞ Ⓔ
ⓥⓘⓢⓐ. ❄ rest
Ref 1300 – **27 qto** ⊇ 4950/6300 – P 7650/11700.

B.L.M.C. (AUSTIN-MORRIS) Rua Al. Gago Coutinho   CITROEN Av. Movimento das Forças Armadas 11
ℰ 521 52   ℰ 522 67

MALVEIRA DA SERRA Lisboa 🅰🅱🅼 P 2 – ⊠ 2750 Cascais – ✿ 01.
✦Lisboa 37 – Sintra 13.

✗ Adega do Zé Manel, Estrada de Alcabideche ℰ 285 06 38, Decoração rústica.

✗ Quinta do Farta Pão, Estrada de Cascais N 9-1 S : 1,7 km ℰ 285 05 68, Rest. tipico, Decoração rústica – ℗.

✗ O Camponés, ℰ 285 01 16, Rest. típico, Decoração rústica.

MANGUALDE 3530 Viseu 🅰🅱🅼 K 6 – 8 055 h. alt. 545 – ✿ 032.
Ver : Palácio dos Condes de Anadia★ (azulejos★★).
✦Lisboa 317 – Guarda 67 – Viseu 18.

⚘ **Onda** sem rest e sem ⊇, Rua Albertino de Macedo 1 ℰ 622 46 – 🖭 ⓞ Ⓔ ⓥⓘⓢⓐ. ❄
15 qto 1500/2500.

na estrada N 16 E : 2,8 km – ⊠ 3530 Mangualde – ✿ 032 :

🏛🏛 Senhora do Castelo ◈, Monte da Senhora do Castelo ℰ 633 15, Telex 53563, ≤ Serras da Estrela e Caramulo – 🖙 🍽 rest ☎ – 🄰. 🖭 ⓞ Ⓔ ⓥⓘⓢⓐ. ❄ rest
Ref 1500 – **85 qto** ⊇ 6000/7000.

RENAULT Av. da Liberdade 36 ℰ 622 50

490

MANTEIGAS 6260 Guarda **437** K 7 – 3 026 h. alt. 775 – 🌡 075 – Termas – Desportos de Inverno na Serra da Estrela : ⩵3.

Arred. : Poço do Inferno★ (cascata★) S : 9 km – S : Vale glaciário do Zêzere★★, ⩽★.

🖪 Rua 1° de Maio ℰ 471 29.

♦Lisboa 355 – Guarda 49.

em Caldas de Manteigas S : 2,5 km – ⊠ Manteigas – 🌡 075 :

🏨 **De Manteigas** ⟨⟩, ℰ 471 14, Telex 53923, ⩽, ⟨⟩ – ⧉ ☞ **P**. ⒶⒺ ⓞ **E** *VISA*. ⟨⟩ rest
Ref 1500 – **26 qto** ⊐ 6000/7500 – P 6750/9000.

na estrada de Gouveia N : 13 km – ⊠ 6260 Manteigas – 🌡 075 :

🏨 **Pousada de São Lourenço** ⟨⟩, ℰ 981 50, Telex 53992, ⩽ vale e montanha – ⟨⟩ **P**. ⒶⒺ
ⓞ **E** *VISA*. ⟨⟩
Ref 1800 – **12 qto** ⊐ 7700/8800 – P 11300/12400.

RENAULT Rua 1° de Maio ℰ 474 04

MARCO DE CANAVESES 4630 Porto **437** I 5 – 46 131 h. – 🌡 055.

♦Lisboa 383 – Braga 72 – ♦Porto 53 – Vita Real 83.

🏠 **Marco** sem rest, Rua Dr. Sa Carneiro 684 ℰ 520 13 – ⧉ ☞. ⟨⟩
20 qto ⊐ 2000/4000.

B.L.M.C. (AUSTIN-MORRIS) Rua 5 de Outubro 10   FIAT Rua 25 de Abril ℰ 533 30
ℰ 520 56   PEUGEOT-ALFA ROMEO Rua 5 de Outubro ℰ 520 56
CITROEN Rua das Portas Verdes 46 ℰ 528 28   RENAULT Rua 1° de Maio

MARINHA GRANDE 2430 Leiria **437** M 3 – 25 429 h. alt. 70 – 🌡 044 – Praia em São Pedro de Moel.

🖪 São Pedro de Moel ℰ 591 52.

♦Lisboa 143 – Leiria 12 – ♦Porto 199.

🏠 **Albergaria Nobre,** Rua Alexandre Herculano 21 ℰ 522 26 – ▤ rest ☞. ⒶⒺ *VISA*. ⟨⟩
Ref 1000 – **25 qto** ⊐ 4000/4500.

🏠 **Paris,** Av. Vitor Gallo 13 ℰ 521 21 – ☞
30 qto.

em São Pedro de Moel O : 9 km – ⊠ 2430 Marinha Grande – 🌡 044 :

🏨 **São Pedro,** Rua Dr Adolfo Leitão ℰ 591 20, Telex 18136 – ☞ **P** – 🛗
53 qto.

🏨 **Mar e Sol,** Av. Sa Melo ℰ 591 82, Telex 15529, ⩽ – ▤ rest ☞. **E** *VISA*
Ref *(fechado 2ª feira)* 1500 – **42 qto** ⊐ 5500/6500 – P 7500/10500.

DATSUN-NISSAN Av. 1° de Maio 45   TOYOTA Pataias ℰ 992 93
RENAULT Av. Vitor Galo ℰ 542 42

MARVÃO 7330 Portalegre **437** N 7 – 309 h. alt. 865 – 🌡 045 – ver alfândegas p. 14 e 15.

Ver : Local★★ – Aldeia★ (balaustradas★) – Castelo★ (⩽★★).

🖪 Rua Dr. Matos Magalhães ℰ 932 26.

♦Lisboa 226 – ♦Cáceres 127 – Portalegre 22.

🏠 Pousada de Santa Maria ⟨⟩, ℰ 932 01, Telex 42360, ⩽ vale, Santo António das Areias e
Espanha, Decoração regional – ▤ ☞
13 qto.

🏠 **D. Dinis** ⟨⟩, Rua Dr. Matos Magalhães ℰ 932 36 – ⒶⒺ ⓞ **E** *VISA*. ⟨⟩
Ref lista 1170 a 2350 – **8 qto** ⊐ 4400/4800.

MATOSINHOS Porto **437** I 3 – ver Porto.

MEALHADA 3050 Aveiro **437** K 4 – 3 097 h. alt. 60 – 🌡 031.

♦Lisboa 221 – Aveiro 35 – ♦Coimbra 19.

na estrada N 1 – ⊠ 3050 Mealhada – 🌡 031 :

🏨 **Motel Quinta dos 3 Pinheiros,** N : 1,5 km ℰ 223 91, Telex 53233, ⣿ – ▤ rest ⓣⓥ ☞ **P** –
🛗. ⒶⒺ ⓞ **E** *VISA*. ⟨⟩
Ref 1200 – **53 qto** ⊐ 4500/5800 – P 4900/6900.

✕ **Pedro dos Leitões,** N : 1,5 km ℰ 220 62, Leitão assado – ▤ **P**. ⟨⟩
fechado 2ª feira, 15 dias em Abrile, 15 dias em Setembro – Ref lista 1030 a 1950.

✕ **Boa Viagem,** S : 2 km ℰ 221 91 – ☞. ⒶⒺ ⓞ **E** *VISA*
fechado 4ª feira – Ref lista 1150 a 2500.

RENAULT Pedrinhas ℰ 221 56

MEIA PRAIA Faro **437** U 3 – ver Lagos.

MIRA 3070 Coimbra 437 K 3 – 13 023 h. – ⊙ 031 – Praia.
Arred. : Varziela : Capela (retábulo*) SE : 11 km.
♦Lisboa 221 – ♦Coimbra 38 – Leiria 90.

  na praia de Mira NO : 7 km – ⊠ 3070 Mira – ⊙ 031 :

🏠 **Do Mar,** Av. do Mar 🖉 471 44, ≤, 🍴 – 🅰🅴 **E**. 🎿 rest
Ref lista 1320 a 2250 – **14 qto** ⊑ 3000/4500.

MIRANDA DO DOURO 5210 Bragança 437 H 11 – 1 841 h. alt. 675 – ⊙ 073 – ver alfândegas p. 14 e 15.
Ver : Antiga Catedral (retábulos*)..
Arred. : Barragem de Miranda do Douro* E : 3 km – Barragem de Picote* SO : 27 km.
♦Lisboa 524 – Bragança 85.

  🏨 Pousada de Santa Catarina 🦢, 🖉 422 55, Telex 22388, ≤ – 🅿 **⊙** – **12 qto**.

MIRANDELA 5370 Bragança 437 H 8 – 8 192 h. – ⊙ 078.
♦Lisboa 475 – Bragança 67 – Vila Real 71.

🏠 Mira-Tua, sem rest, Rua da República 20 🖉 224 03 – 🛗 🚗 – **31 qto**.

🏠 **Globo,** Rua Dr. Trigo de Negreiros 🖉 227 11 – 🛗 🚗 ⟵ **⊙ E** **VISA**. 🎿 rest
Ref *(fechado Domingo)* 750 – **40 qto** ⊑ 1500/2500 – P 2500/2750.

  na estrada N 15 NE : 1,3 km – ⊠ 5370 Mirandela – ⊙ 078 :

🏠 **Jorge V** sem rest, 🖉 231 26 – 📺 🚗 ⟵ **⊙**
32 qto ⊑ 3500/5000.

DATSUN-NISSAN Rua da República 239 🖉 221 48   VW-AUDI Rua da República 239 🖉 221 48
RENAULT Rua da República 🖉 226 98

MOGADOURO 5200 Bragança 437 H 9 – 2 720 h. – ⊙ 079.
♦Lisboa 471 – Bragança 94 – Guarda 145 – Vila Real 153 – Zamora 97.

🏦 Estrela do Norte, Av. de Espanha 65 🖉 327 26 – 🚗 **⊙** – **27 qto**.

🏦 **São Sebastião,** Bairro de São Sebastião 🖉 321 76 – 🅰🅴 **⊙ E** **VISA**
Ref *(fechado Domingo)* 800 – **8 qto** ⊑ 3500/4000 – P 5000/6000.

✗ **A Lareira** com qto, Av. Nossa Senhora do Caminho 58 🖉 323 63
fechado Janeiro – Ref *(fechado 2ª feira)* lista 1050 a 1830 – **10 qto** ⊑ 1500/2500 – P 3150/3400.

PEUGEOT-ALFA ROMEO Largo Santo Cristo 🖉   TOYOTA Largo Santo Cristo
325 15   VOLVO São José 🖉 321 71

MOIMENTA DA BEIRA 3620 Viseu 437 J 7 – 1 987 h. – ⊙ 054.
♦Lisboa 352 – Guarda 83 – Vila Real 74 – Viseu 58.

🏦 **Novo Horizonte** sem rest e sem ⊑, Rua Dr. Sá Carneiro-Estrada N 226 🖉 524 32 – **⊙**. 🎿
10 qto 1000/1600.

VOLVO Av. 25 de Abril 🖉 525 55

MONÇÃO 4950 Viana do Castelo 437 F 4 – 2 687 h. – ⊙ 051 – Termas.
🛈 Largo do Loreto 🖉 527 57.
♦Lisboa 451 – Braga 71 – Viana do Castelo 69 – ♦ Vigo 48.

🏨 **Albergaria Atlântico** sem rest, Rua General Pimenta de Castro 13 🖉 523 55, Telex 33580 –
🛗 🚗. 🅰🅴 **⊙ E** **VISA**. 🎿
24 qto ⊑ 3500/5000.

🏠 **Mané** sem rest, com snack-bar, Rua General Pimenta de Castro 5 🖉 523 76, Telex 33580 –
🚗. 🅰🅴 **⊙ E** **VISA**. 🎿
8 qto ⊑ 2750/3750.

🏠 **Esteves** sem rest, Rua General Pimenta de Castro 🖉 523 86
22 qto ⊑ 2100/2500.

MONCHIQUE 8550 Faro 437 U 4 – 6 765 h. alt. 458 – ⊙ 082 – Termas.
Arred. : Estrada* de Monchique à Fóia ≤* – Percurso* de Monchique à Nave Redonda.
♦Lisboa 260 – Faro 86 – Lagos 42.

  na estrada da Fóia SO : 2 km – ⊠ 8550 Monchique – ⊙ 082 :

✗✗ **Estal. Abrigo da Montanha** 🦢 com qto, 🖉 921 31, ≤ vale, montanha e mar, 🍴, « Terraços floridos » – 🚗. 🅰🅴 **⊙ E** **VISA**. 🎿
Ref lista 1500 a 2400 – **8 qto** ⊑ 7700/8000.

  nas Caldas de Monchique S : 6,5 km – ⊠ 8550 Monchique – ⊙ 082 :

🏨 **Albergaria do Lageado** 🦢, 🖉 926 16, 🍴, 🏊, – 🚗. 🅰🅴 **E**. 🎿
15 Maio-Outubro – Ref 1000 – **20 qto** ⊑ 3500/5000 – P 5500/9000.

MONFORTINHO (Termas de) 6075 Castelo Branco 437 L 9 – 879 h. alt. 473 – ☎ 077 – Termas.

Arred. : Monsanto : Aldeia★, Castelo ※★★ NO : 23 km.

ℹ Termas de Monfortinho ☏ 442 23.

♦Lisboa 310 – Castelo Branco 70 – Santarém 229.

Astória ⛰, ☏ 442 05, Telex 53812, ⚘ – |♦| Ⓟ. AE ⓓ E VISA. ✂
Ref 1500 – **100 qto** ⊏ 4000/6200 – P 6100/7000.

Portuguesa ⛰, ☏ 442 21, ⛱ – E VISA. ✂ rest
Maio-Outubro – Ref 1050 – **64 qto** ⊏ 2500/3800 – P 4000/7000.

MONTARGIL 7425 Portalegre 437 O 5 – 4 587 h. – ☎ 042.

♦ Lisboa 131 – Portalegre 104 – Santarem 72.

✕ **A Panela,** Estrada N 2 ☏ 941 75, ≤ barragem, ☂, ⚘ – ▤ Ⓟ. ✂
fechado Natal – Ref lista 1250 a 2250.

MONTECHORO Faro 437 U 5 – ver Albufeira.

MONTE DO FARO Viana do Castelo 437 F 4 – ver Valença do Minho.

MONTE ESTORIL Lisboa 437 P 1 – ver Estoril.

MONTE GORDO Faro 437 U 7 – ver Vila Real de Santo António.

MONTEMOR-O-NOVO 7050 Évora 437 Q 5 – 6 458 h. alt. 240 – ☎ 066.

♦Lisboa 112 – ♦Badajoz 129 – Évora 30.

Sampaio, sem rest, Av. Gago Coutinho 12 ☏ 822 37 – ☎ – **7 qto**.

✕ Sampaio, Rua Leopoldo Nunes 2 ☏ 822 37, Decoração rustica regional – ▤.

na estrada N 4 O : 7,5 km – ✉ 7050 Montemor-o-Novo – ☎ 066 :

✕ **O Chaparral,** ☏ 824 84 – ▤ Ⓟ. AE ⓓ E VISA. ✂
fechado 2ª feira – Ref lista 1260 a 2140.

DATSUN-NISSAN Av. Gago Coutinho 15 ☏ 821 90
VOLVO Av. Gago Coutinho ☏ 829 11
TOYOTA Estrada N 4 - Lugar da Rata

MONTEMOR - O - VELHO 3140 Coimbra 437 L 4 – 27 274 h. – ☎ 039.

♦Lisboa 206 – Aveiro 61 – ♦Coimbra 29 – Figueira da Foz 16 – Leiria 77.

em Carapinheira - na estrada N 111 NE : 3,5 km – ✉ 3140 Montemor-o-Velho – ☎ 039 :

✕✕ O Castel dos Caiados, ☏ 684 97, ☂, « Agradável terraço » – ▤.

MONTE REAL 2425 Leiria 437 M 3 – 2 549 h. alt. 50 – ☎ 044 – Termas.

ℹ Parque Municipal ☏ 621 67.

♦Lisboa 147 – Leiria 16 – Santarém 97.

Flora, Rua Duarte Pacheco ☏ 621 21, Telex 16084 – |♦| ☎ Ⓟ – **53 qto**.

Monte Real, Parque das Termas ☏ 621 51, ⚘ – |♦| ☎ Ⓟ. ✂
Junho-Setembro – Ref 1300 – **103 qto** ⊏ 2800/4300 – P 5400/6610.

Santa Rita, Rua de Leiria ☏ 621 72, ⛱ – ☎ Ⓟ. ✂
10 Abril-Outubro – Ref 1000 – **40 qto** ⊏ 2700/3600 – P 3500/4000.

Colmeia, sem rest, estrada da Base Aerea 5 ☏ 625 33 – Ⓟ – **18 qto**.

em Ortigosa na Estrada N 109 SE : 4 km – ✉ 2425 Monte Real – ☎ 044 :

✕ **Sallon,** ☏ 634 38, Rest. típico, Decoração rústica – Ⓟ. AE E VISA
fechado do 15 ao 30 Outubro – Ref lista 1250 a 2070.

MONTE SÃO PEDRO DA TORRE Viana do Castelo 437 F 4 – ver Valença do Minho.

MURTOSA 3870 Aveiro 437 J 4 – 3 233 h. – ☎ 034 – Praia.

Arred. : Bico : porto★ SO : 2 km.

ℹ Praia da Torreira - Av. Hintze Ribeiro ☏ 482 50.

♦Lisboa 283 – Aveiro 30.

em Torreira NO : 10 km – ✉ 3870 Murtosa – ☎ 034 :

Estal. Riabela ⛰, ☏ 481 47, Telex 37243, ≤ ría de Aveiro, ⛱, ⚘ – ▤ rest ☎ Ⓟ. AE ⓓ E VISA. ✂
Ref 1250 – **35 qto** ⊏ 6400/6800.

na estrada N 327 SO : 15 km – ✉ 3870 Murtosa – ☎ 034 :

Pousada da Ria ⛰, ☏ 483 32, Telex 37061, ≤ ria de Aveiro, ☂, ⛱, ⚓, ⚘ – Ⓟ. AE ⓓ E VISA. ✂
Ref 1750/2150 – **19 qto** ⊏ 8400/9700.

NAZARÉ 2450 Leiria 四37 N 2 – 10 265 h. – 🏮 062 – Praia.

Ver : O Sitio ⇐** A, Farol : sitio marinho** A – Bairro dos pescadores* B.

🖪 Rua Mouzinho de Albuquerque 72 ☎ 511 20.

◆Lisboa 123 ② – ◆Coimbra 103 ① – Leiria 32 ①.

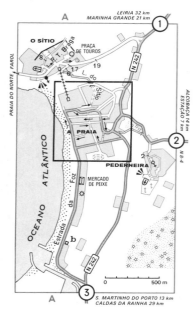

LEIRIA 32 km
MARINHA GRANDE 21 km

NAZARÉ

República (Av. da)		B
Sousa Oliveira (Pr.)		B 16
Sub-Vila (R.)		B
Vieira Guimarães (Av.)		B
Abel da Silva (R.)		A 2
Açougue (Trav. do)		B 3
Adrião Batalha (R.)		B 4

Azevedo e Sousa (R.)		A 6
Carvalho Laranjo (R.)		B 7
Dom F. Roupinho (R.)		A 8
Dr Rui Rosa (R.)		B 9
Gil Vicente (R.)		B 10
M. de Arriaga (Pr.)		B 12
M. de Albuquerque (R.)		B 14
Vasco da Gama (Pr.)		A 17
28 de Maio (R.)		A 19

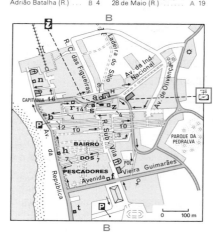

🏨 **Praia** sem rest, Av. Vieira Guimarães 39 ☎ 514 23, Telex 16329 – ▯▯ 🕪 🚗. ◱Ε ① Ε 𝚅𝙸𝚂𝙰
fechado 29 Novembro-29 Dezembro – **40 qto** ⌑ 7880/8250.   B **f**

🏨 **Da Nazaré,** Largo Afonso Zuquete ☎ 513 11, Telex 16116, ⇐ – ▯▯ 🕪. ◱Ε ① Ε 𝚅𝙸𝚂𝙰. 𝒮𝒮 rest
Ref 1250 – **52 qto** ⌑ 4200/5700 – P 5790/7140.   B **z**

🏨 **Dom Fuas,** Av. Manuel Remigio ☎ 513 51, Telex 13889, ⇐ – ▯▯ 🕪 🅿. ◱Ε ① Ε 𝚅𝙸𝚂𝙰. 𝒮𝒮 qto
Abril-Outubro – Ref *(só jantar)* 2000 – **35 qto** ⌑ 6000/8500.   A **b**

🏠 **Maré,** Rua Mouzinho de Albuquerque 8 ☎ 511 22, Telex 15245 – ▯▯. ◱Ε ① Ε 𝚅𝙸𝚂𝙰. 𝒮𝒮
Ref 1200 – **36 qto** ⌑ 7500/9000.   B **r**

🏠 **Ribamar,** Rua Gomes Freire 9 ☎ 511 58, Telex 43383, ⇐, Decoração regional – ◱Ε ① Ε 𝚅𝙸𝚂𝙰.
𝒮𝒮 rest
fechado do 20 ao 27 Dezembro – Ref 1320 – **23 qto** ⌑ 5000/7000.   B **b**

🏠 **A Cubata** sem rest, Av. da República 6 ☎ 517 06 – 🕪. 𝒮𝒮
21 qto ⌑ 4500/6000.   B **n**

🏠 **Central,** Rua Mouzinho de Albuquerque 85 ☎ 515 10 – 𝒮𝒮 rest
Ref 1100 – **20 qto** ⌑ 2700/4400 – P 4900/6600.   B **a**

✗ **Beira Mar** com qto, Av. da República 40 ☎ 514 58 – ◱Ε ① Ε 𝚅𝙸𝚂𝙰
Março-Novembro – Ref lista 920 a 1720 – **15 qto** ⌑ 6500/7000.   B **h**

✗ **Porto d'Abrigo,** Rua Mouzinho de Albuquerque 58 ☎ 512 24 – ◱Ε ① Ε 𝚅𝙸𝚂𝙰
Abril-Outubro – Ref *(fechado Domingo)* lista 760 a 2050.   B **s**

✗ Maresia, Av. Manuel Remigio ☎ 512 01 – ◱Ε ① Ε 𝚅𝙸𝚂𝙰   B **t**

RENAULT Estrada do Pinhal ☎ 510 48

NELAS 3520 Viseu 四37 K 6 – 3 339 h. alt. 441 – 🏮 032.

🖪 Largo Dr. Veiga Simão ☎ 943 18.

◆Lisboa 289 – Guarda 80 – Viseu 22.

pela estrada N 234 NE : 1,5 km – ✉ 3520 Nelas – 🏮 032 :

🏠 **São Pedro** 🐾, Bairro das Toiças - Rua 4 ☎ 945 85, Telex 53262 – ▯▯ 🍽 rest 🕪 🅿 – 🏛 Ε
𝚅𝙸𝚂𝙰 𝒮𝒮
Ref 850 – **69 qto** ⌑ 3550/5100.

RENAULT Pr. Dr. José Veiga Simão ☎ 942 45

494

ÓBIDOS 2510 Leiria **437** N 2 – 825 h. alt. 75 – 🌣 062.

Ver : A Cidadela★★ (muralhas★★, rua principal★) – Igreja de Sta Maria (túmulo★).

Arred. : Laguna de Óbidos ⬳★ N : 21 km.

🛃 Rua Direita 𝒫 952 31 – ◆Lisboa 92 – Leiria 66 – Santarém 56.

🏨 **Estal. do Convento** ⑊, Rua Dom João de Ornelas 𝒫 952 17, Telex 44906, 🍴, « Decoração estilo antigo » – 🕾 **E** 𝗩𝗜𝗦𝗔. 🦐 rest
Ref 1900 – **23 qto** ⊏⊐ 7000/8000 – P 7800/10800.

🏨 **Albergaría Josefa d'Óbidos,** Rua D. João de Ornelas 𝒫 952 28, Telex 44911 – 🕾. 𝖠𝖤 ⓪ **E** 𝗩𝗜𝗦𝗔.
Ref lista 1200 a 3400 – **20 qto** ⊏⊐ 4000/6000.

🏠 **Albergaría Rainha Santa Isabel** ⑊, sem rest, Rua Direita 𝒫 951 15, Telex 14069 – 🛗 🕾. 𝖠𝖤 ⓪ **E** 𝗩𝗜𝗦𝗔
20 qto ⊏⊐ 5000/6500.

🏡 **Martim de Freitas** sem rest, Estrada Caldas da Rainha 𝒫 951 85 – 🦐
6 qto ⊏⊐ 5000.

🏠🏠🏠 **Pousada do Castelo** ⑊, com qto, Paço Real 𝒫 951 05, Telex 15540, « Belas instalações nas muralhas do castelo - mobiliário de estilo » – 🍽 rest 📺 🕾. 𝖠𝖤 ⓪ **E** 𝗩𝗜𝗦𝗔. 🦐
Ref lista 2300 a 3100 – **9 qto** ⊏⊐ 13900/15600.

🍴 **Alcaide,** Rua Direita 𝒫 952 20, ⬳, 🍴 – 𝖠𝖤 ⓪ **E** 𝗩𝗜𝗦𝗔
fechado 2ª feira e Novembro – Ref lista 1140 a 1870.

🍴 **Dom João V,** Largo da Igreja do Sr. da Pedra - estrada de Caldas da Rainha 𝒫 951 34 – 🅿
𝖠𝖤 ⓪ **E** 𝗩𝗜𝗦𝗔
Ref lista 1600 a 2150.

OFIR (Praia de) Braga **437** H 3 – ver Fão.

OLHÃO 8700 Faro **437** U 6 – 34 573 h. – 🌣 089 – Praia.

🛃 Largo Martins Mestre 𝒫 739 36 – ◆Lisboa 313 – Faro 8 – Huelva 105.

🏠 **Ria Sol** sem rest, Rua General Humberto Delgado 37 𝒫 721 67, Telex 56923 – 🛗 🕾. ⓪ **E**
𝗩𝗜𝗦𝗔
52 qto ⊏⊐ 3960/6600.

RENAULT Av. Dr. Bernardina da Silva 𝒫 721 21

OLIVEIRA DE AZEMÉIS 3720 Aveiro **437** J 4 – 8 609 h. – 🌣 056.

🛃 Praça José da Costa 𝒫 644 63.

◆Lisboa 275 – Aveiro 38 – ◆Coimbra 76 – ◆Porto 40 – Viseu 98.

🏨 **Dighton,** Rua Albino dos Reis - 4° andar 𝒫 621 91, Telex 23343, « Rest. giratório com ☀ vila, vale e montanha » – 🛗 🍽 📺 🕾. 𝖠𝖤 ⓪ **E** 𝗩𝗜𝗦𝗔
Ref 1500 – **28 qto** ⊏⊐ 4850/6300 – P 7850/12300.

🍴🍴 **Diplomata,** Rua Dr. Simões dos Reis 125 𝒫 625 90.

pela estrada de Carregosa NE : 2 km – ✉ 3720 Oliveira de Azeméis – 🌣 056 :

🏨 **Estal. São Miguel** ⑊, parque de la Salette 𝒫 641 44, Telex 27969, ⬳ vila, vale e montanha,
« Num parque » – 🍽 📺 🅿. 𝖠𝖤 ⓪ **E** 𝗩𝗜𝗦𝗔. 🦐
Ref 1300 – **14 qto** ⊏⊐ 5800/7800 – P 8100/12300.

B.L.M.C. (AUSTIN-MORRIS) Av. Dr. António José Almeida 𝒫 631 96
CITROEN Rua Manuel José da Silva 𝒫 623 66
DATSUN-NISSAN Barrocas 𝒫 622 72
FORD Rua Frei Caetano Brandão 86 𝒫 620 57
G.M. - OPEL Av. Dr. António José d'Almeida 𝒫 620 61
MERCEDES-BENZ Rua Manuel José da Silva 𝒫 631 96

PEUGEOT-ALFA ROMEO Rua do Cruzeiro 𝒫 631 96
PEUGEOT-ALFA ROMEO Rua General Humberto Delgado 𝒫 640 41
RENAULT Rua dos Bombeiros Voluntarios 210 𝒫 620 37
SEAT Rua António Bernardo 40 𝒫 624 09

OLIVEIRA DO BAIRRO 3770 Aveiro **437** K 4 – 4 351 h. – 🌣 034.

◆Lisboa 233 – Aveiro 23 – ◆Coimbra 40 – ◆Porto 88.

🏠 **Paraiso** sem rest, Estrada N 235 𝒫 74 83 36, Telex 37177 – 🛗 🕾 🅿. 𝖠𝖤 ⓪ **E** 𝗩𝗜𝗦𝗔. 🦐
30 qto ⊏⊐ 2500/4300.

na estrada N 235 NO : 1,5 km – ✉ 3770 Oliveira do Bairro – 🌣 034 :

🏠 **A Estância,** 𝒫 74 85 14 – 🕾 🅿 **E** 𝗩𝗜𝗦𝗔. 🦐 qto
Ref *(fechado 3ª feira)* 1250 – **15 qto** ⊏⊐ 1800/3000.

OLIVEIRA DO HOSPITAL 3400 Coimbra **437** K 6 – 3 074 h. alt. 500 – 🌣 038.

Ver : Igreja Matriz★ (estátua★, retábulo★).

🛃 Edifício da Câmara 𝒫 525 22 – ◆Lisboa 284 – ◆Coimbra 82 – Guarda 88.

🏨 **São Paulo,** Rua Dr Antunes Varela 𝒫 523 61, Telex 53640, ⬳ – 🛗 🕾 🅿. 🦐 rest
Ref 1500 – **43 qto** ⊏⊐ 6300/6500 – P 6250/9300.

na Póvoa das Quartas - na estrada N 17 E : 7 km – ⊠ 3400 Oliveira do Hospital – ☻ 038 :

🏛 Pousada de Santa Bárbara ⑤, 𝒫 522 52, Telex 53794, ≤ vale e Serra da Estrela, ℀ – ❷ – **16 qto**.

RENAULT Catraie de São Paio 𝒫 527 77   TOYOTA Rua do Colégio 𝒫 525 41

ORTIGOSA Leiria – ver Monte Real.

PAÇO DE ARCOS Lisboa 𝟒𝟑𝟕 P 2 – ⊠ 2780 Oeiras – ☻ 01 – Praia.
♦Lisboa 18.

℀℀ **Os Arcos,** Rua Costa Pinto 47 𝒫 243 33 74, Peixes e mariscos – 🍽 🖸 ① **E** 𝘝𝘐𝘚𝘈. ℀
fechado 2ª feira – Ref lista 1580 a 2600.

DATSUN-NISSAN   Rua Visconde de Ovar 263   RENAULT Rua do Temido 𝒫 533 95
𝒫 546 05

PALMELA 2950 Setúbal 𝟒𝟑𝟕 Q 3 – 14 444 h. – ☻ 01.
Ver : Castelo★ (❄★), Igreja de São Pedro (azulejos★).
🛈 Largo do Chafariz 𝒫 235 00 89 – ♦Lisboa 43 – Setúbal 8.

🏛 **Pousada de Palmela** ⑤, no Castelo de Palmela 𝒫 235 12 26, Telex 42290, ≤, « Num convento do século XV, nas muralhas dum antigo castelo », 🏊 – 🛗 🖸 ❷. 🖸 ① **E** 𝘝𝘐𝘚𝘈. ℀ rest
Ref 3100 – **27 qto** ⊇ 13900/15600 – P 20100/28000.

PARADELA Vila Real 𝟒𝟑𝟕 G 6 – 214 h. – ⊠ 5470 Montalegre – ☻ 076.
Ver : Local★ – Barragem★.
♦Lisboa 437 – Braga 70 – ♦Porto 120 – Vila Real 136.

🏛 Pousadinha de Paradela ⑤ sem rest, 𝒫 561 65 – ❷ – **7 qto**.

PARCHAL Faro 𝟒𝟑𝟕 U 40 – ver Portimão.

PAREDE 2775 Lisboa 𝟒𝟑𝟕 P 1 – 19 960 h. – ☻ 01 – Praia.
♦Lisboa 22 – Cascais 7 – Sintra 15.

℀℀ Dom Pepe, Av. Marginal 𝒫 247 06 36, ≤ – 🍽.
RENAULT Largo 31 de Janeiro 7 𝒫 247 44 11   TOYOTA Av. da República

PAREDES DE COURA 4940 Viana do Castelo 𝟒𝟑𝟕 G 4 – ☻ 051.
🛈 Largo Visconde de Moselos 𝒫 921 05 (ext. 24).
♦Lisboa 427 – Braga 59 – Viana do Castelo 49.

em Resende S : 1 km – ⊠ 4940 Paredes de Coura – ☻ 051 :

🏛 **Joaquim Lopes** ⑤ sem rest, Estrada de Ponte de Lima N 306 𝒫 923 54, ≤ – ❷. 🖸 ① **E** 𝘝𝘐𝘚𝘈. ℀
16 qto ⊇ 1200/2500.

PENACOVA 3360 Coimbra 𝟒𝟑𝟕 L 5 – 3 732 h. alt. 240 – ☻ 039.
♦Lisboa 225 – ♦Coimbra 23 – Viseu 66.

🏛 **Avenida,** Av. Abel Rodrigues da Costa 𝒫 471 42, ≤ – 🚗
Ref 775 – **19 qto** ⊇ 1300/2700.

RENAULT Carvoeira 𝒫 474 43

PENAMACOR 6090 Castelo Branco 𝟒𝟑𝟕 L 8 – 9 524 h. – ☻ 077.
🛈 Estrada N 233 𝒫 343 16 – ♦Lisboa 306 – Castelo Branco 50 – Ciudad Rodrigo 110 – Guarda 67.

na estrada N 233 SO : 1,5 km – ⊠ 6090 Penamacor – ☻ 077 :

🏛 Estal. Vila Rica ⑤, 𝒫 343 11, Telex 52779, ≤, « Num edificio solarengo do final do século XIX » – ☎ ❷ – **10 qto**.

PENICHE 2520 Leiria 𝟒𝟑𝟕 N 1 – 15 267 h. – ☻ 062 – Praia.
Ver : O Porto : volta da pesca★ – **Arred. :** Cabo Carvoeiro (≤★) – Papoa (❄★) – Remédios (≤★, Nossa Senhora dos Remédios : azulejos★).
Excurs. : Ilha Berlenga★★ : passeio em barco★★★, passeio a pé★★ (local★, ≤★) 1 h. de barco.
🚢 para a Ilha Berlenga : Viamar, no porto de Peniche 𝒫 721 53.
🛈 Rua Alexandre Herculano 𝒫 722 71 – ♦Lisboa 92 – Leiria 89 – Santarém 79.

na estrada N 114 E : 2,5 km – ⊠ 2520 Peniche – ☻ 062 :

🏛 **da Praia Norte,** 𝒫 711 61, Telex 15541, ≤, 🏊 – 🛗 🖸 📺 ☎ ❷. 🖸 ① **E** 𝘝𝘐𝘚𝘈. ℀
Ref 1200 – **92 qto** ⊇ 5800/8000 – P 6600/8400.

CITROEN Estrada Nacional 𝒫 726 77   TOYOTA Av. 25 de Abril 𝒫 720 68

L. PENOUÇOS NOGUEIRA Braga – ver Braga.

PESO DA RÉGUA 5050 Vila Real **437** I 6 – 5 685 h. – ✪ 054.
🚉 Largo da Estação ℰ 228 46.
◆Lisboa 379 – Braga 93 – ◆Porto 102 – Vila Real 25 – Viseu 85.

  🏠 Império, sem rest, Rua Vasques Osório 8 (Largo da estação) ℰ 223 99, ≤ – 🕭 🚗 – **35 qto**.

  ✗ **Rosmaninho** com snack-bar, Av. de Ovar - Lote 3 ℰ 223 10 – 🗐. 🆎 ⓞ ⋿ 𝓥𝓘𝓢𝓐
    Ref lista 1330 a 2200.

  na estrada N 108 O : 1 km – ⊠ 5050 Peso da Régua – ✪ 054 :

  🏠 **Columbano** sem rest, Av. Sacadura Cabral ℰ 237 04, ≤, ⊥ – 🕭 ℗. ⋧
    70 qto ⊐ 3000/4000.

  ✗ **Arco-Íris,** Av. Sacadura Cabral ℰ 235 24 – 🗐 ℗. 🆎 ⓞ ⋿ 𝓥𝓘𝓢𝓐. ⋧
    Ref lista 1480 a 1850.

B.M.W. Av. do Tondela ℰ 224 44
RENAULT Largo da Estação ℰ 227 55

VOLVO Rua Ferreirinha ℰ 221 92
VOLVO Valdevinhas ℰ 230 92

PINHANÇOS Guarda – ver Seia.

PINHÃO 5085 Vila Real **437** I 7 – 831 h. alt. 120 – ✪ 054.
Arred. : N : Estrada de Sabrosa ≤★ – São João da Pesqueira (Praça Principal★) SE : 20 km.
◆Lisboa 399 – Vila Real 30 – Viseu 100.

  🏚 Douro, Largo da Estação ℰ 724 04 – **15 qto**.

PINHEL 6400 Guarda **437** J 8 – 3 237 h. – ✪ 071.
◆Lisboa 382 – ◆Coimbra 186 – Guarda 37 – Viseu 105.

  🏚 **Falcão** sem rest, Av. Presidente Carneiro de Gusmão ℰ 421 04 – 🕭 ℗
    22 qto ⊐ 1800/2400.

RENAULT Estrada N 221 ℰ 421 57

PINHEL Santarém **437** N 4 – ver Vila Nova de Ourém.

POMBAL 3100 Leiria **437** M 4 – 12 469 h. – ✪ 036.
🚉 Largo do Cardal ℰ 232 30.
◆Lisboa 153 – ◆Coimbra 43 – Leiria 28.

  🏨 **Do Cardal** sem rest, Largo do Cardal - 2° andar ℰ 230 06, Telex 53238 – 🛊 📺 🕭 🚗. 🆎
    ⓞ ⋿ 𝓥𝓘𝓢𝓐
    27 qto ⊐ 3000/4500.

  🏠 **Sra. de Belém** ⤢ sem rest, Av. Heróis do Ultramar - urb. Sra de Belém ℰ 231 85 – 🛊 🕭
    ℗. 𝓥𝓘𝓢𝓐
    27 qto ⊐ 2500/4500.

  na estrada N 1 – ⊠ 3100 Pombal – ✪ 036 :

  ✗ São Sebastião, com snack-bar, SO : 3 km ℰ 227 45 – ℗.

  ✗ **O Manjar do Marquês** com snack-bar, NO : 2 km ℰ 231 94, Telex 53951 – ℗. ⋧
    Ref lista 1150 a 1950.

DATSUN-NISSAN Meirinhas ℰ 230 07
FORD Zona Industrial da Formiga ℰ 230 68
RENAULT Flandes ℰ 223 97

TOYOTA Estrada N 1 - Flandes
VOLVO Av. Heróis do Ultramar 30 ℰ 228 19

PONTA DE SANTO ANTÓNIO Faro **437** U 7 – ver Vila Real de Santo António.

PONTE DA BARCA 4980 Viana do Castelo **437** G 4 – ✪ 058.
◆Lisboa 412 – Braga 32 – Viana do Castelo 40.

  🏠 **San Fernando** sem rest, Estrada de Braga N 101 ℰ 425 80 – 🕭 ℗. ⋧
    24 qto ⊐ 2800/3300.

  🏚 Fontainhas, sem rest, Rua António José Pereira - 1° andar ℰ 424 42 – **18 qto**.

PORTALEGRE 7300 ℙ **437** O 7 – 15 876 h. alt. 477 – ✪ 045.
Arred. : Pico São Mamede ☀★ – Estrada★ escarpada de Portalegre a Castelo de Vide por
Carreiras N : 17 km – Flor da Rosa (Antigo Convento★ : igreja★) O : 21 km.
🚉 Rua 19 de Junho 40 ℰ 218 15.
◆Lisboa 238 – ◆Badajoz 74 – ◆Cáceres 134 – Mérida 138 – Setúbal 199.

  ✗ Alpendre, Rua 31 de Janeiro 19 ℰ 216 11, 😤 – 🗐.

  ✗ **O Tarro,** Av. do Movimento das Forças Armadas ℰ 243 45 – 🗐. 🆎 ⓞ ⋿ 𝓥𝓘𝓢𝓐. ⋧
    fechado 2ª feira excepto feriados e 3ª feira quando 2ª feira feriado – Ref lista 1350 a 2250.

497

AUTOBIANCHI-LANCIA Estrada da Penha 🖉 226 15
B.L.M.C. (Austin-Morris) Rua Guilherme Gomes
Ferrandes 22 🖉 214 74
CITROEN Estrada N 18 - Assentos 🖉 234 45
DATSUN-NISSAN Estrada N 18 🖉 228 27
FIAT Estrada de Penha 🖉 226 15

FORD Rua 1° de Maio 94 🖉 235 40
G.M.-OPEL Rua Alexandre Herculano 102 🖉 216 74
PEUGEOT-ALFA ROMEO Av. Frei Amador Arrais,
lote 2 🖉 226 15
RENAULT Av. da Liberdade 14 🖉 972 55
TOYOTA Lugar da Boavista 🖉 225 13

PORTELO Bragança **437** G 9 – ver alfândegas p. 14 e 15.

PORTIMÃO 8500 Faro **437** U 4 – 26 172 h. – 🌐 082 – Praia.

Ver : ≤* da ponte sobre o rio Arade X.
Arred. : Praia da Rocha** (miradouro* Z A).
📷, 📷 Golf Club Penina por ③ : 5 km 🖉 220 51.
🛈 Largo 1° de Dezembro 🖉 236 95 e Av. Tomás Cabreira (Praia da Rocha) 🖉 222 90.
◆Lisboa 290 ③ – Faro 62 ② – Lagos 18 ③.

Plano página seguinte

🏨 **Globo,** Rua 5 de Outubro 26 🖉 221 51, Telex 57306, Fax 831 42, ≤ – 🛗 🖭 ⓞ E 𝕍𝕀𝕊𝔸. ⚓ rest — X **a**
    Ref (só jantar) lista aprox. 2000 – **71 qto** ⚏ 9950/11000 – P 9500/13950.

🏠 **Nelinanda** sem rest, Rua Vicente Vaz das Vacas 22 🖉 231 56 – 🛗 ⚓. 𝕍𝕀𝕊𝔸. ⚓ — X **d**
    32 qto ⚏ 4000/5000.

🏠 **Pimenta** sem rest, Rua Dr Ernesto Cabrita 7 🖉 232 03 – ⚓. 🖭 E 𝕍𝕀𝕊𝔸. ⚓ — X **f**
    35 qto ⚏ 4100/4500.

🏠 **Miradoiro** sem rest, Rua Machado Santos 13 🖉 230 11 – ⚓. ⚓ — X **n**
    26 qto ⚏ 5000/5250.

🏠 Mira Foia, sem rest, Rua Vicente Vaz das Vacas 33 🖉 220 11 – 🛗 ⚓ — X **e**
    25 qto.

🏠 Arabi, sem rest, Praça Manuel Teixeira Gomes 13 🖉 260 06 – ⚓ — X **t**
    17 qto.

🏠 Afonso III, sem rest, Rua Dr. Bento Jesús Caraça 7 🖉 242 82 — X **b**
    30 qto.

🏡 Do Rio, sem rest, Largo do Dique 20 🖉 230 41 – ⚓ — Y **r**
    11 qto.

✗✗ Alfredo's, Rua Pé da Cruz 10 🖉 229 54 – 🍽 — Y **k**
    Ref (só jantar).

✗ **Iemanjá,** Rua Serpa Pinto 9 🖉 232 33, Imitação grutas marinhas – 🍽. E 𝕍𝕀𝕊𝔸 — X **r**
    Ref lista 1740 a 3150.

✗ **The Old Tavern,** Rua Júdice Fialho 43 🖉 233 25 – 🖭 ⓞ E 𝕍𝕀𝕊𝔸. ⚓ — X **c**
    Ref lista 1845 a 3850.

na estrada de Alvor – ✉ 8500 Portimão – 🌐 082 :

✗✗ **Pôr-Do-Sol,** O : 4 km 🖉 205 05, 🌹 – 🅿. 🖭 ⓞ E 𝕍𝕀𝕊𝔸
    fechado 2ª feira e 26 Novembro-21 Dezembro – Ref lista 1550 a 3340.

✗✗ **O Gato,** O : 4 km urb. da Quintinha-Lote 10-R-C 🖉 276 74 – 🍽. 🖭 ⓞ E 𝕍𝕀𝕊𝔸
    Ref lista 2150 a 4800.

em Parchal por ② : 2 km – ✉ 8500 Portimão – 🌐 082 :

✗ **O Buque,** Estrada N 125 🖉 246 78 – 🍽. E 𝕍𝕀𝕊𝔸. ⚓
    fechado 3ª feira e Novembro – Ref lista 2000 a 3500.

✗ **A Lanterna,** Estrada N 125 - cruzamento de Ferragudo 🖉 239 48, Decoração rústica – 🍽. E 𝕍𝕀𝕊𝔸
    fechado Dezembro-25 Janeiro – Ref (só jantar) lista 1530 a 2680.

na Praia da Rocha S : 2,3 km – ✉ 8500 Portimão – 🌐 082 :

🏨 **Algarve,** Av. Tomás Cabreira 🖉 240 01, Telex 57347, Fax 859 99, ≤ praia, 🌊 climatizada, 🌹,
    ⚓ – 🛗 🍽 ☎ 🅿 – 🛗. 🖭 ⓞ E 𝕍𝕀𝕊𝔸. ⚓ rest — Z **y**
    Ref 3700 - Rest. **Amendoeiros e Grill Azul – 220 qto** ⚏ 20000/25000.

🏨 **Júpiter,** Av. Tomás Cabreira 🖉 220 41, Telex 57346, Fax 823 19, ≤, 🌊 climatizada – 🛗 🍽 ☎
    ⚓ 🅿 – 🛗. 🖭 ⓞ E 𝕍𝕀𝕊𝔸. ⚓ rest — Z **f**
    Ref lista 1420 a 1950 - Rest. **Apolo** Ref lista 1480 a 3020 – **180 qto** ⚏ 11500/14000 – P
    11850/17100.

🏨 **Bela Vista** sem rest, Av. Tomás Cabreira 🖉 240 55, Telex 57386, ≤ rochedos e mar, « Insta-
    lado numa antiga casa senhorial » – 🛗 📺 ☎ 🅿. 🖭 ⓞ E 𝕍𝕀𝕊𝔸. ⚓ — Z **u**
    14 qto ⚏ 17000/19000.

🏨 **Avenida Praia** sem rest, Av. Tomás Cabreira 🖉 858 72, Telex 56448, ≤ – 🛗 ☎. 🖭 ⓞ 𝕍𝕀𝕊𝔸.
    ⚓ — Z **s**
    61 qto ⚏ 10500/11000.

🏠 **Albergaría Vila Lido** sem rest, Av. Tomás Cabreira 🖉 241 27, ≤ – ⚓. ⚓ — Z **w**
    fechado 16 Dezembro-15 Janeiro – **10 qto** ⚏ 9500/9800.

🏠 Albergaría 3 Castelos, sem rest, Estrada da Praia do Vau 🖉 240 87 – 🅿 – **10 qto** — Z **b**

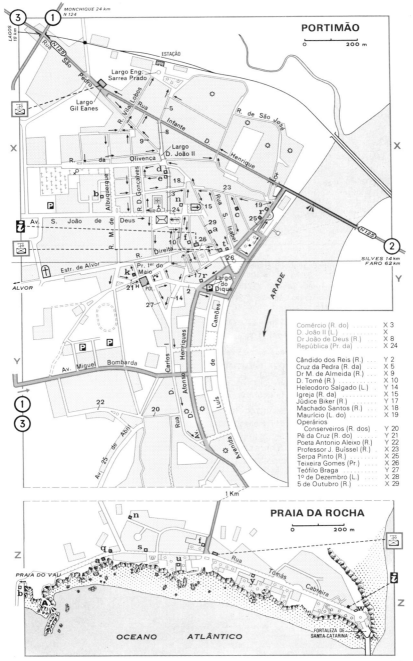

PORTIMÃO

0   200 m

MONCHIQUE 24 km
N 124

LAGOS 18 km

ESTAÇÃO

Largo Eng.
Sarrea Prado

Largo
Gil Eanes

R. de São José

Rua Vital Lobos

Rua Infante

D

Henrique

Largo
D. João II

R. da Olivença

R. D. Gonçalves

R. M. de Deus

Albuquerque

Av. S. João de Deus

R. Direita

Estr. de Alvor

Pr. 1er do Maio

POL

ALVOR

SILVES 14 km
FARO 62 km

ARADE

Largo
do
Diqué

Camões

Carlos

Henriques

Av. Miguel Bombarda

Rua

de

D. Afonso

Av. 25 de Abril

Luís

1 Km

PRAIA DA ROCHA

0   200 m

PRAIA DO VAU

Rua

Tomás

Cabreira

FORTALEZA DE
SANTA-CATARINA

OCEANO   ATLÂNTICO

499

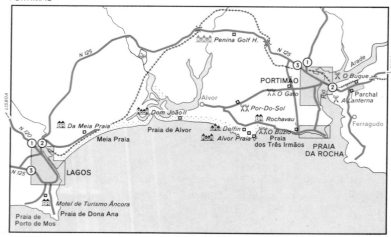

XX **Titanic,** Rua Engenheiro Francisco Bivar ℰ 223 71 – ▣. ◪ ① Ε 𝗩𝗜𝗦𝗔   Z **n**
fechado 26 Novembro-27 Dezembro – Ref lista 1720 a 3270.

X **Falésia,** Av. Tomás Cabreira ℰ 235 24, ⩽, 🍴 – ▣   Z **a**

X **Paquito,** Av. Tomás Cabreira ℰ 241 75, Telex 57691 – ▣. ◪ ① Ε 𝗩𝗜𝗦𝗔. 💥   Z **q**
Ref lista 1400 a 1800.

na Praia do Vau SO : 3 km – ⊠ 8500 Portimão – 🕿 082 :

🏨 Rochavau, sem rest, ℰ 261 11, Telex 57415, ⌇ – 🛗 ▣ 🕾 🚗 🅿 – **59 qto**.

na Praia dos Três Irmãos SO : 4,5 km – ⊠ 8500 Portimão – 🕿 082 :

🏨 **Alvor Praia** 🦢, ℰ 240 21, Telex 57611, Fax 271 83, ⩽ praia e baía de Lagos, 🍴, ⌇ climatizada, �, 💥 – 🛗 ▣ 📺 🕿 🅿 – 🔧. ◪ ① Ε 𝗩𝗜𝗦𝗔. 💥 rest
Ref 3500 - **Grill Maisonette** Ref lista 2250 a 5150 – **220 qto** ⊐ 17710/25300 – P 19650/24710.

🏨 **Delfim** 🦢, ℰ 271 71, Telex 57620, Fax 271 83, ⩽ praia e baía de Lagos, ⌇ climatizada, 💥 –
🛗 ▣ 🕿 🅿. ◪ ① Ε 𝗩𝗜𝗦𝗔. 💥 rest
Ref 2300 – **325 qto** ⊐ 8960/16000 – P 12600/13560.

XX **O Búzio,** aldeamento da Prainha ℰ 295 61, Telex 57314, ⩽, 🍴 – ▣. ◪ ① Ε 𝗩𝗜𝗦𝗔. 💥
Ref lista 1500 a 3700.

na Praia de Alvor SE : 5 km – ⊠ 8501 Portimão – 🕿 082 :

🏨 **Dom João II** 🦢, ℰ 201 35, Telex 57321, Fax 203 63, ⩽ praia e baía de Lagos, ⌇ climatizada,
�, 💥 – 🛗 ▣ 🅿 – 🔧. ◪ ① Ε 𝗩𝗜𝗦𝗔. 💥
Ref 2300 - Grill Pavelhão do Rei – **218 qto** ⊐ 11200/16000 – P 12600/15800.

na estrada N 125 por ③ : 5 km – ⊠ 8502 Portimão – 🕿 082 :

🏨 **Penina Golf H.,** ℰ 220 51, Telex 57307, Fax 220 51, ⩽ golfe e campo, ⌇, �, 💥 – 🛗 ▣ 🕿
🅿 – 🔧. ◪ ① Ε 𝗩𝗜𝗦𝗔. 💥 rest
Ref 4960 - **Grill** Ref lista 2400 a 4000 – **192 qto** ⊐ 21300/29400 – P 24350/30950.

AUTOBIANCHI-LANCIA Av. n° 2 do Dique ℰ 231 26
CITROEN Av. D. Afonso Henriques ℰ 222 28
DATSUN-NISSAN Pedro Mourinha ℰ 241 24
FORD Serro Ruivo - Estrada do Alvor ℰ 221 07
PEUGEOT-ALFA ROMEO Largo Eng. Sárreo Prado
1-2 ℰ 275 96

RENAULT Av. D. Afonso Henriques 3 ℰ 251 50
TOYOTA Rua do Comércio 55 ℰ 221 56
VW-AUDI Rua Mouzinho de Albuquerque 75 ℰ
827 71
VW-AUDI Rua n° 8 ℰ 830 11

In questa guida
uno stesso simbolo, uno stesso carattere
stampati in rosso o in **nero**, in magro o in **grassetto**
hanno un significato diverso.
Leggete attentamente le pagine esplicative (p. 36 a 43).

🏨 🏨

Karte **25**/45

PORTO 4000 ℗ 🔢 l 3 – 335 916 h. alt. 90 – ✪ 02.

Ver : Local★ – Avista★ – As Pontes (ponte da Maria Pia★) BCX – Igreja São Francisco★ (interior★★)
AZ – Sé (altar★) BZ **A** – Palácio da Bolsa (salão árabe★) AZ **B** – Igreja dos Clérigos (※★) BZ **C** –
Museu Soares dos Reis (primitivos★, obras de Soares dos Reis★) AYZ **M1** – Igreja Santa Clara
(talhas★) BZ **E** – Antigo Convento de Na Sra. da Serra do Pilar (claustro★) CX **K**.

Arred. : Leça do Balio (Igreja do Mosteiro★ : pia baptismal★) 8 km por ②.

🏌 Oporto Golf Club por ⑥ : 17 km 𝒫 72 00 08 Espinho – 🏌 Club Golf Miramar por ⑥ : 9 km
𝒫 762 20 67 Miramar.

✈ do Porto-Pedras Rubras, 17 km por ①, 𝒫 948 21 44 e 948 19 38 – T.A.P., Praça Mouzinho de
Albuquerque 105 - Rotunda da Boavista, ✉ 4100, 𝒫 69 60 41 e 69 98 41.

🚂 𝒫 56 41 41 e 56 56 45.

🛈 Rua do Clube Fenianos, ✉ 4000, 𝒫 31 27 40 – **A.C.P.** Rua Gonçalo Cristovão 2, ✉ 4000, 𝒫 292 72, Telex
22383.

◆Lisboa 314 ⑥ – ◆La Coruña 305 ② – ◆Madrid 591 ⑥.

Planos páginas seguintes

🏨 **Infante de Sagres,** Praça D. Filipa de Lencastre 62 𝒫 281 01, Telex 26880, Fax 31 49 37,
« Bela decoração interior » – 🛗 ≣ rest 📺 ⚞ ⓘ **E** 𝗩𝗜𝗦𝗔. ⋘ rest   BZ **b**
Ref 4000 – **84 qto** ⇌ 16500/19000 – P 17300/24300.

🏨 **Méridien Porto** Ⓜ, Av. da Boavista 1466, ✉ 4100, 𝒫 66 88 63, Telex 27301, Fax 66 71 54, 🍽
– 🛗 ≣ 📺 ☎ ⟷ – 🕍 ⚞ ⓘ **E** 𝗩𝗜𝗦𝗔. ⋘ rest   BV **a**
Ref lista aprox. 5400 – **232 qto** ⇌ 25000/28000.

🏨 **Porto Sheraton** Ⓜ, Av. da Boavista 1269, ✉ 4100, 𝒫 66 88 22, Telex 22723, Fax 69 14 67, ≤,
🔲 – 🛗 ≣ 📺 ☎ ⟷ – 🕍 ⚞ ⓘ **E** 𝗩𝗜𝗦𝗔   BX **e**
Ref 2500 – **253 qto** ⇌ 18000/20000.

🏨 **Porto Atlântico** Ⓜ, Rua Afonso Lopes Vieira 66, ✉ 4100, 𝒫 69 49 41, Telex 23159, Fax
66 74 52, 🔲, – 🛗 ≣ 📺 ⟷ – 🕍 ⚞ ⓘ **E** 𝗩𝗜𝗦𝗔   AV **z**
Ref (ver **Rest. Foco**) – **58 qto** ⇌ 15000/17000.

🏨 **Dom Henrique,** Rua Guedes de Azevedo 179 𝒫 257 55, Telex 22554, ≤ – 🛗 ≣ 📺 ☎ – 🕍.
⚞ ⓘ **E** 𝗩𝗜𝗦𝗔. ⋘   CY **b**
Ref 1900 – **112 qto** ⇌ 12500/14000.

🏨 **Ipanema** Ⓜ, Rua Campo Alegre 156, ✉ 4100, 𝒫 66 80 61, Telex 27212, Fax 633 39 – 🛗 ≣ 📺
☎ ℗ –. ⚞ ⓘ **E** 𝗩𝗜𝗦𝗔. ⋘   BX **s**
Ref 2450 – **150 qto** ⇌ 16600/17900.

🏨 **Grande H. da Batalha,** Praça da Batalha 116 𝒫 205 71, Telex 25131, Fax 224 68, ≤ – 🛗
≣ rest 📺 ⟷ ⚞ ⓘ **E** 𝗩𝗜𝗦𝗔. ⋘ rest   BZ **f**
Ref 1800 – **142 qto** ⇌ 7500/8800 – P 8000/11100.

🏨 **Porto Boega H.** sem rest, com coffee-shop, Rua do Amial 601, ✉ 4200, 𝒫 82 50 45, Telex
27108, 🔲 – 🛗 ≣ 📺 ⟷ ℗ – 🕍. ⚞ ⓘ **E** 𝗩𝗜𝗦𝗔. ⋘   CV **b**
120 qto ⇌ 8000/9000.

🏨 **Inca,** Praça Coronel Pacheco 52 𝒫 38 41 51, Telex 23816 – 🛗 ≣ 📺 ☎ – 🕍. ⚞ ⓘ **E** 𝗩𝗜𝗦𝗔. ⋘
Ref 1500 – **62 qto** ⇌ 8500/9000 – P 7500/11500.   BY **r**

🏨 **Castor,** Rua das Doze Casas 17 𝒫 57 00 14, Telex 22793, Mobiliário antigo – 🛗 ≣ 📺 ☎ –
🕍. ⚞ ⓘ **E** 𝗩𝗜𝗦𝗔.   CY **g**
Ref 1800 – **63 qto** ⇌ 8500/10000.

🏨 Grande H. do Porto, Rua de Santa Catarina 197 𝒫 281 76, Telex 22553 – 🛗 ≣ rest ⟷ – 🕍.
100 qto.   CZ **q**

🏨 Albergaria São José, sem rest, Rua da Alegria 172 𝒫 38 02 61 – 🛗 ⊛ ⟷   CY **a**
43 qto.

🏨 **Albergaría Miradouro,** Rua da Alegria 398 - 10° andar 𝒫 57 07 17, Telex 25368, Fax 67 08 49,
≤ cidade e arredores – 🛗 ≣ rest ⊛ ℗. ⚞ ⓘ **E** 𝗩𝗜𝗦𝗔. ⋘   CY **d**
Ref (ver **Rest. Portucale**) – **30 qto** ⇌ 5400/6300.

🏨 **São João** sem rest, Rua do Bonjardim 120 - 4° andar 𝒫 216 62 – 🛗 📺 ⊛. ⚞ ⓘ **E** 𝗩𝗜𝗦𝗔. ⋘
14 qto ⇌ 8500/10000.   BZ **r**

🏨 **Do Vice-Rei** sem rest, Rua Júlio Dinis 779 - 4° andar, ✉ 4100, 𝒫 69 53 71, Telex 25373 – 🛗
📺 ☎ – 🕍. ⚞ ⓘ **E** 𝗩𝗜𝗦𝗔. ⋘   BX **c**
45 qto ⇌ 5000/5500.

🏨 Corcel, sem rest, Rua de Camões 135 𝒫 38 02 68, Telex 26460 – 🛗 ≣ ⊛   BY **v**
60 qto.

🏨 Nave, Av. Fernão de Magalhães 247, ✉ 4300, 𝒫 57 61 31, Telex 22188 – 🛗 ≣ rest ⊛ ⟷   CY **m**
81 qto.

🏨 **Tuela,** Rua do Arquitecto Marques da Silva 200, ✉ 4100, 𝒫 66 71 61, Telex 25216 – 🛗
≣ rest ⊛ ⟷ – 🕍. ⋘   BX **f**
Ref 1300 – **197 qto** ⇌ 6500/6700.

🏨 **Antas,** Rua Padre Manuel da Nóbrega 111, ✉ 4300, 𝒫 48 50 00, Telex 27108 – 🛗 ⊛ ⟷.
⋘ rest   CV **n**
Ref (fechado Sábado e Domingo) (só jantar) 1500 – **15 qto** ⇌ 5200/5400.

🏨 **Malaposta** sem rest, Rua da Conceição 80 𝒫 262 78, Telex 20898 – 🛗 ⊛. ⚞ ⓘ **E** 𝗩𝗜𝗦𝗔. ⋘
37 qto ⇌ 4300/5300.   BY **e**

501

PORTO

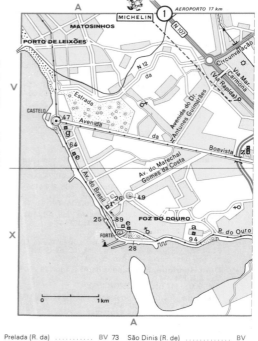

🏠 **Rex,** sem rest, Praça da República 117 ℰ 245 48, Antiga moradia particular conservando os bonitos tectos originais – 🛗 📞 🅿 BY **u**
21 qto.

🏠 **Escondidinho** sem rest, Rua de Passos Manuel 135 ℰ 240 79 – 🛗 📞 ⴱ ① 🇪 𝗩𝗜𝗦𝗔 CZ **w**
23 qto ⊠ 5500/6500.

🏠 **Girassol,** sem rest, Rua Sá da Bandeira 133 ℰ 218 91 – 🛗 📞 BZ **r**
18 qto.

🏠 **Solar São Gabriel** sem rest, Rua da Alegria 98 ℰ 32 39 82 – 🛗 📞 ⟸ ⴱ ① 🇪 𝗩𝗜𝗦𝗔. ⤫ CZ **k**
28 qto ⊠ 3300/4300.

🏠 **Pão de Açúcar** sem rest, Rua do Almada 262 ℰ 224 25 – 🛗 📞. ⤫ BY **s**
50 qto ⊠ 3360/3960.

XXX **Foco,** Rua Afonso Lopes Vieira 86, ⊠ 4100, ℰ 69 49 41, Telex 23159, Fax 66 74 52, Decoração moderna – 🍽 ⴱ ① 🇪 𝗩𝗜𝗦𝗔 AV **z**
Ref lista 3000 a 4000.

XXX **Portucale,** Rua da Alegria 598 - 13° andar ℰ 57 07 17, Telex 25368, Fax 57 08 49, ≼ cidade e arredores – 🍽 🅿. ⴱ ① 🇪 𝗩𝗜𝗦𝗔. ⤫ CY **d**
Ref lista 2500 a 5250.

XX **Orfeu** com snack-bar, Rua de Júlio Dinis 928 ℰ 643 22 – 🍽. ⴱ ① 🇪 𝗩𝗜𝗦𝗔 BX **a**
Ref lista 1410 a 4550.

XX Escondidinho, Rua Passos Manuel 144 ℰ 210 79, Decoração regional CZ **n**

XX Sabor e Arte, Alameda Eça de Queiroz 126, ⊠ 4200, ℰ 48 00 89, Decoração moderna – 🍽 CV **r**

XX **Chinês,** Av. Vimara Peres 38 ℰ 289 15, Rest. chinês – 🍽. ⴱ ① 🇪 𝗩𝗜𝗦𝗔. ⤫ BZ **y**
Ref lista 1510 a 2530.

XX King Long, Largo Dr Tito Fontes 115 ℰ 31 39 88, Rest. chinês – 🍽 BY **p**

XX **Mesa Antiga,** Rua de Santo Ildefonso 208 ℰ 264 32 – 🍽. 🇪 𝗩𝗜𝗦𝗔 CZ **x**
fechado Sábado – Ref lista 1190 a 2600.

XX Maia's, Av. da Boavista 1430, ⊠ 4100, ℰ 69 83 18 – 🍽 BV **a**

XX **Degrauchá,** Rua Afonso Lopes Vieira 180, ⊠ 4100, ℰ 69 87 64 – ⴱ ① 🇪 𝗩𝗜𝗦𝗔. ⤫ AV **z**
fechado Domingo e Agosto – Ref lista 1600 a 2350.

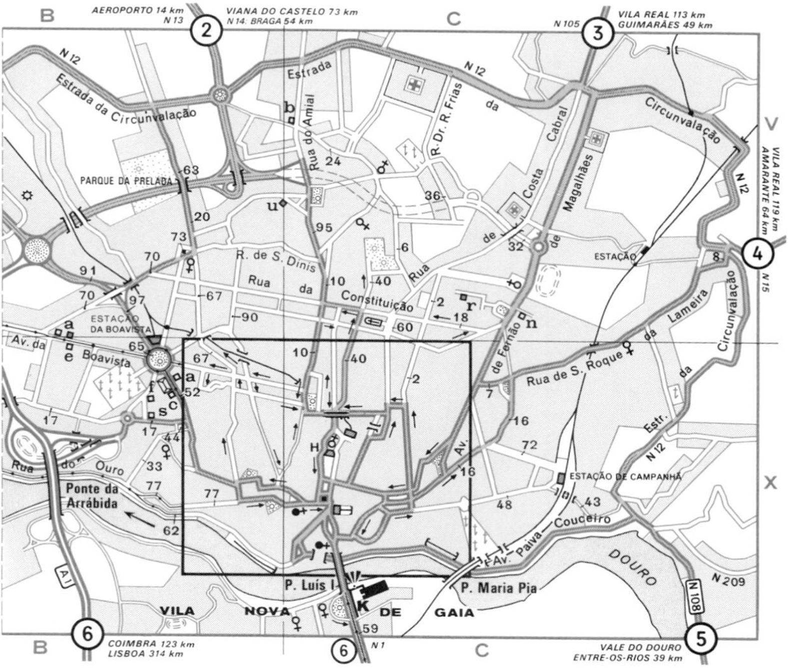

Senhora da Luz (R. da)	AX	89	Sidónio Pais (Av.)	BV	91	Vale Formoso (R. do)	CV	95
Serpa Pinto (R. de)	BV	90	Sobreiras (R. das)	AX	94	5 de Outubro (R. de)	BV	97

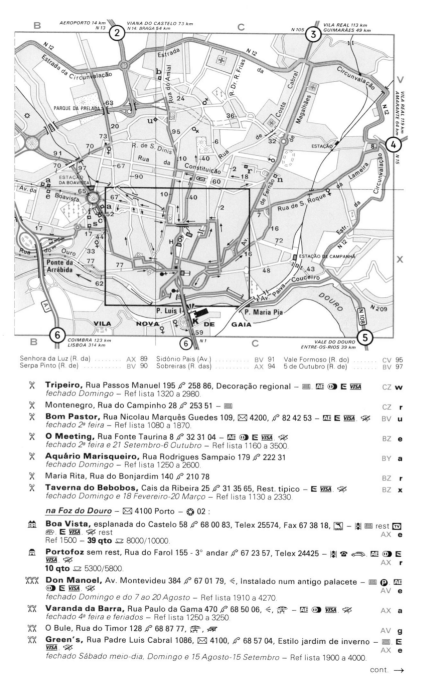

✕ **Tripeiro,** Rua Passos Manuel 195 ✆ 258 86, Decoração regional – ▤. AE ⓓ E VISA — CZ **w**
fechado Domingo – Ref lista 1320 a 2980.

✕ Montenegro, Rua do Campinho 28 ✆ 253 51 – ▤ — CZ **r**

✕ **Bom Pastor,** Rua Nicolau Marquês Guedes 109, ✉ 4200, ✆ 82 42 53 – AE E VISA. ✻ — BV **u**
fechado 2ª feira – Ref lista 1080 a 1870.

✕ **O Meeting,** Rua Fonte Taurina 8 ✆ 32 31 04 – AE ⓓ E VISA. ✻ — BZ **e**
fechado 2ª feira e 21 Setembro-6 Outubro – Ref lista 1160 a 3500.

✕ **Aquário Marisqueiro,** Rua Rodrigues Sampaio 179 ✆ 222 31 — BY **a**
fechado Domingo – Ref lista 1250 a 2600.

✕ Maria Rita, Rua do Bonjardim 140 ✆ 210 78 — BZ **r**

✕ **Taverna do Bebobos,** Cais da Ribeira 25 ✆ 31 35 65, Rest. típico – E VISA. ✻ — BZ **x**
fechado Domingo e 18 Fevereiro-20 Março – Ref lista 1130 a 2330.

na Foz do Douro – ✉ 4100 Porto – ✆ 02 :

Boa Vista, esplanada do Castelo 58 ✆ 68 00 83, Telex 25574, Fax 67 38 18, ⛱ – ⇅ ▤ rest TV ☎. E VISA. ✻ rest — AX **e**
Ref 1500 – **39 qto** ☕ 8000/10000.

Portofoz sem rest, Rua do Farol 155 - 3° andar ✆ 67 23 57, Telex 24425 – ⇅ ☎ 🚗. AE ⓓ E VISA. ✻ — AX **r**
10 qto ☕ 5300/5800.

✕✕✕ **Don Manoel,** Av. Montevideu 384 ✆ 67 01 79, ≤, Instalado num antigo palacete – ▤ P. AE ⓓ E VISA. ✻ — AV **e**
fechado Domingo e do 7 ao 20 Agosto – Ref lista 1910 a 4270.

✕✕ **Varanda da Barra,** Rua Paulo da Gama 470 ✆ 68 50 06, ≤, ⛱ – AE ⓓ VISA. ✻ — AX **a**
fechado 4ª feira e feriados – Ref lista 1250 a 3250.

✕✕ O Bule, Rua do Timor 128 ✆ 68 87 77, ⛱, ⛱ — AV **g**

✕✕ **Green's,** Rua Padre Luis Cabral 1086, ✉ 4100, ✆ 68 57 04, Estilo jardim de inverno – ▤. E VISA. ✻ — AX **e**
fechado Sábado meio-dia, Domingo e 15 Agosto-15 Setembro – Ref lista 1900 a 4000.

cont. ⟶

PORTO

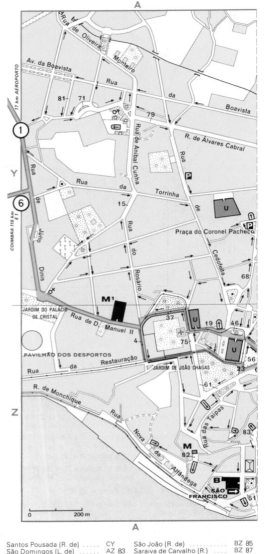

em Matosinhos NO : 9 km – ✉ 4450 Matosinhos – ☎ 02 :

✗ **O Gaveto** com snack-bar, Rua Roberto Ivens 826 ℰ 93 87 96 – ▤. 🆎 ⓪ ☲ 𝗩𝗜𝗦𝗔. ✸
fechado 3ª feira – Ref lista 1710 a 2900.

✗ **Esplanada Marisqueira Antiga,** Rua Roberto Ivens 628 ℰ 93 06 60, Peixes e mariscos –
▤ 🆎 ⓪ ☲ 𝗩𝗜𝗦𝗔. ✸
fechado 2ª feira – Ref lista 1250 a 2650.

✗ **Marujo** com snack-bar, Rua Tomaz Ribeiro 284 ℰ 93 37 32 – 🆎 ⓪ ☲ 𝗩𝗜𝗦𝗔. ✸
fechado 3ª feira – Ref lista 1450 a 4250.

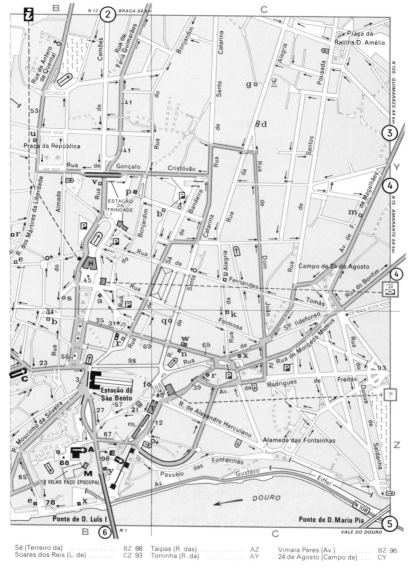

Sé (Terreiro da)	BZ 88	Taipas (R. das)	AZ	Vimara Peres (Av.) ... BZ 96
Soares dos Reis (L. de)	CZ 93	Torrinha (R. da)	AY	24 de Agosto (Campo de) ... CY

na estrada N 13 por ② : 10,5 km - ⊠ Leça do Balio 4465 – ⊠ São Mamede de Infesta – ☎ 02 :

XXX **Estal. Via Norte** com qto, ☎ 948 02 94, Telex 26617, ⌁ climatizada – ▤ rest 📺 ☎ ℗ – ⚿, AE ⓪ E VISA ⌁
Ref lista 2200 a 3700 – **12 qto** ⌁ 5200/6100.

em Leça da Palmeira NO : 11,5 km – ⊠ 4450 Matosinhos – ☎ 02 :

XXX **Garrafão,** Rua António Nobre 53 ☎ 995 16 60, Peixes e mariscos – ▤. ⌁
fechado Domingo – Ref lista 1350 a 3950.

em Guardeiras por ② : 12 km – ✉ 4470 Maia – ☻ 02 :

✗ **Estal. Lidador** com qto, na estrada N 13 🖋 948 11 09, 🏤 – 🕮 🅿 🖭 ⓞ 🇪 𝘝𝘐𝘚𝘈
Ref lista 1000 a 2950 – **6 qto** ↺ 2500/3750.

MICHELIN, Rua Delfim Ferreira 474, ✉ 4100 AV 🖋 67 30 53 e 67 20 13

AUTOBIANCHI-LANCIA Rua Santa Catarina 1232
🖋 48 81 23
AUTOBIANCHI-LANCIA Rua Latino Coelho 89 🖋
56 65 78
AUTOBIANCHI-LANCIA Rua Faria de Guimarães 883
🖋 49 99 52
B.L.M.C (AUSTIN-MORRIS) Rua Dr. Joaquim Pires
Lima 373 🖋 49 32 86
B.L.M.C (AUSTIN-MORRIS) Rua Gonçalo Cristovã
90 🖋 241 21
B.M.W. Rua da Constituição 1477 🖋 81 98 90
BMW Rua Engenhero Ferreira Dias 805 🖋 68 50 41
BMW Rua de São Brás 470 🖋 49 42 63
BMW Rua do Campo Alegre 690 🖋 67 70 21
CITROEN Travessa Anselmo Braancamp 40 🖋
55 54 05
CITROEN Rua Pinto Bessa 546 🖋 56 22 02
CITROEN Rua Aval de Cima 233 🖋 49 05 95
CITROEN Rua Cunha Júnior 128 🖋 48 01 56
DATSUN-NISSAN Rua Delfim Ferreira 192 🖋
67 61 71
DATSUN-NISSAN Rua Monte dos Burgos 628 🖋
69 19 80
DATSUN-NISSAN Rua Anselmo Braancamp 287
🖋 581 96
DATSUN-NISSAN Rua da Alegria 138 🖋 38 11 72
FIAT Rua de Santa Catarina 1232 🖋 48 81 23
FIAT Rua Faria de Guimarães 883 🖋 49 40 51
FIAT Rua Santos Pousadas 1101 🖋 56 80 56
FIAT Rua Latino Coelho 89 🖋 57 30 12

FIAT Rua da Boavista 868 🖋 651 14
FORD Rua do Heroísmo 291 🖋 541 55
FORD Rua Delfim Ferreira 118 🖋 67 20 23
FORD Rua Teodoro Sousa Maldonado 177
🖋 81 65 10
G.M. - OPEL Rua da Alegria 853 🖋 48 50 11
G.M. - OPEL Rua Manuel Pinto de Azevedo 574
🖋 67 40 61
G.M. - OPEL Rua Clemente Menéres 80 🖋 290 93
MERCEDES-BENZ Rua da Estrada - Crestins 🖋
948 36 49
PEUGEOT-ALFA ROMEO Rua Clemente Meneres
80 🖋 290 93
PEUGEOT-ALFA ROMEO Rua Sá da Bandeira 642
🖋 32 12 21
PEUGEOT-ALFA ROMEO Rua Delfim Ferreira 239
🖋 67 22 61
RENAULT Rua do Breiner 106 🖋 32 03 71
RENAULT Rua Serpa Pinto 185 🖋 48 60 74
RENAULT Rua do Heroismo 237 🖋 56 12 86
SEAT Rua da Alegria 853 🖋 48 50 11
TOYOTA Rua do Campo Alegre 690 🖋 66 70 21
VOLVO Vía Marechal Carmona 1637 🖋 67 32 41
VOLVO Rua Manuel Pinto de Azevedo 663 🖋 67 64 19
VOLVO Rua Alexandre Herculano 385 🖋 230 24
VW-AUDI Rua 5 de Outubro 400 🖋 69 97 98
VW-AUDI Av. da Boavista 1091 🖋 69 61 56
VW-AUDI Rua Fernandes Tomás 71 🖋 57 90 00
VW-AUDI Rua do Bolhão 128 🖋 31 65 35
VW-AUDI Rua da Restauração 335 🖋 69 29 48

PORTO MONIZ Madeira – ver Madeira (Arquipélago da).

PORTO SANTO Madeira – ver Madeira (Arquipélago da).

PÓVOA DAS QUARTAS Coimbra **437** K 6 – ver Oliveira do Hospital.

PÓVOA DE VARZIM 4490 Porto **437** H 3 – 23 846 h. – ☻ 052 – Praia – **Ver** : Porto de pesca★.
Arred. : Rio Mau : Igreja de S. Cristóvão (capitéis★) O : 12 km.
🖪 Av. Mouzinho de Albuquerque 160 🖋 62 46 09.
◆Lisboa 348 – Braga 40 – ◆Porto 30.

🏨 **Vermar** 🌊, Av. dos Banhos - NO : 1,5 km 🖋 68 34 01, Telex 25261, Fax 68 35 77, ≼, 🏊 climatizada, 🎾 – 🛗 🚪 📺 ☎ ⇦ 🅿 – 🔬 🖭 ⓞ 🇪 𝘝𝘐𝘚𝘈 🍽
Ref 2150 – **208 qto** ↺ 10600/11650 – P 9225/14000.

🏨 **Grande H.** sem rest, com snack-bar, Largo do Passeio Alegre 20 🖋 62 20 61, Telex 22406,
Fax 68 42 77, ≼ – 🛗 🕮 – 🔬 🖭 ⓞ 🇪 𝘝𝘐𝘚𝘈 🍽
99 qto ↺ 4750/6250.

🏠 **Costa Verde,** Av. Vasco da Gama 56 🖋 68 15 31, Telex 27698, ≼ – 🛗 🕮
Ref (ver Rest. Costa Verde) – **50 qto**

🏠 **Gett** sem rest, Av. Mouzinho de Albuquerque 54 🖋 68 32 06 – 🛗 📺 🕮. 🇪 𝘝𝘐𝘚𝘈 🍽
20 qto ↺ 3500/4500.

🏠 **Luso-Brasileira** sem rest, Rua dos Cafes 16 🖋 62 41 61, Telex 20030 – 🛗 📺 ☎ 🖭 ⓞ 🇪
𝘝𝘐𝘚𝘈 🍽
60 qto ↺ 4300/6000.

🏯 Avo Velino, sem rest, Av. Vasco de Gama 🖋 68 16 28 – 📺 🕮 – **10 qto**

✗✗ O Marinheiro, na estrada N 13 NO : 2 km 🖋 68 21 51, Decoração imitação dum barco, Peixes
e mariscos – 🍽 🅿

✗✗ **Euracini** 1° andar, Av. Mouzinho de Albuquerque 29 🖋 62 71 36 – 🍽. 🇪 𝘝𝘐𝘚𝘈 🍽
Ref lista 1650 a 4450.

✗ Costa Verde, Av. Vasco de Gama 64 🖋 68 14 89, Telex 27698.

✗ **Leonardo,** Rua Tenente Valadim 75 🖋 62 23 49, Peixes e mariscos – 🍽. 🖭 ⓞ 🇪 𝘝𝘐𝘚𝘈
Ref lista 1500 a 2975.

✗ Casa dos Frangos 2, na estrada N 13 - NO : 2 km 🖋 68 15 22, 🏤 – 🍽 🅿.

em Aguçadoura - pela estrada N 13 NO : 7 km – ✉ 4490 Póvoa de Varzim – ☻ 052 :

🏨 **Estal. Santo André** 🌊, 🖋 68 18 81, Telex 28339, ≼, 🏊 – 📺 🅿. 🖭 ⓞ 🇪 𝘝𝘐𝘚𝘈 🍽
Ref 1750 – **49 qto** ↺ 8250/9400 – P 8200/11750.

RENAULT Estrada N 13 A Ver-o-mar 🖋 686 78
TOYOTA Rua Tenente Valadim 20

VOLVO Gaveto R. do Século 🖋 62 02 20

PRAIA DA AGUDA Porto 437 I 4 – ver Vila Nova de Gaia.

PRAIA DA ALAGÔA Faro 437 U 7 – ver Altura.

PRAIA DA AREIA BRANCA Lisboa 437 O 2 – ver Lourinhã.

PRAIA DA BARRA Aveiro 437 K 4 – ver Aveiro.

PRAIA DA OURA Faro 437 U 5 – ver Albufeira.

PRAIA DA ROCHA Faro 437 U 4 – ver Portimão.

PRAIA DA SALEMA Faro 437 U 3 – ver Budens.

PRAIA DA SENHORA DA ROCHA Faro 437 U 4 – ver Armação de Pêra.

PRAIA DAS MAÇAS Lisboa 437 P 1 – 606 h. – ✉ 2710 Sintra – ☎ 01 – Praia.
♦Lisboa 38 – Sintra 10.

- **Oceano,** Av. Eugenio Levy ✆ 929 23 99 – ☎. AE ⓓ E VISA
  Ref 1200 – **26 qto** 6000/7500.
- **Real** sem rest, Rua Fernão de Magalhães ✆ 929 20 02 – AE ⓓ E VISA
  fechado do 4 Janeiro ao 26 Fevereiro – **13 qto** 5000/6000.

PRAIA DA VIEIRA Leiria 437 M 3 – ✉ 2430 Marinha Grande – ☎ 044 – Praia.
♦ Lisboa 152 – ♦ Coimbra 95 – Leiria 24.

- Estrela do Mar, sem rest, ✆ 654 04, ← – ☎ – **24 qto**.

PRAIA DE DONA ANA Faro 437 U 3 – ver Lagos.

PRAIA DE FARO Faro 437 U 6 – ver Faro.

PRAIA DE LAVADORES Porto 437 I 4 – ver Vila Nova de Gaia.

PRAIA DE MIRA Coimbra 437 K 3 – ver Mira.

PRAIA DE SANTA CRUZ Lisboa 437 O 2 – 615 h. – ✉ 2560 Torres Vedras – ☎ 061 – Praia.
♦Lisboa 70 – Santarém 88.

- Santa Cruz, Rua José Pedro Lopes ✆ 971 48, Telex 42509 – ☎ P – – **32 qto**.

PRAIA DO CARVOEIRO 8400 Faro 437 U 4 – ver Lagoa.

PRAIA DO MARTINHAL Faro 437 U 3 – ver Sagres.

PRAIA DO PORTO NOVO Lisboa 437 O 2 – ver Vimeiro (Termas do).

PRAIA DOS TRÊS IRMÃOS Faro 437 U 4 – ver Portimão.

PRAIA DO VAU Faro 437 U 4 – ver Portimão.

QUARTEIRA 8125 Faro 437 U 5 – 8 905 h. – ☎ 089 – Praia.
18 Club Golf de Vilamoura NO : 6 km ✆ 336 52 – 18 CLub Golf Dom Pedro.
Av. Infante Sagres ✆ 322 17.
♦Lisboa 308 – Faro 22.

- Atis, sem rest, Av. Dr. Sá Carneiro ✆ 343 33, Telex 56802, – ☎ – **57 qto**.
- **Zodiaco** sem rest, Estrada de Almansil ✆ 328 58, Telex 56703, , – ☎ P. AE ⓓ E VISA.
  Março-Novembro – **60 qto** 8500/9500.
- Alphonso's, Centro Comercial Abertura Mar ✆ 346 14, – .

em Vilamoura – ✉ 8125 Quarteira – ☎ 089 :

- **Vilamoura Marinotel** M , O : 3,5 km ✆ 333 10, Telex 58827, Fax 338 69, ←, climatizada, – TV ☎ P – . AE ⓓ E VISA.
  Ref 4000 - Grill Sirius – **387 qto** 19250/25850 – P 20925/27250.
- **Atlantis Vilamoura** M , O : 3 km ✆ 325 55, Telex 56838, Fax 326 52, ←, « Relvado repousante con », , – TV ☎ – . AE ⓓ E VISA.
  Ref 3500 – **313 qto** 17600/26000.

QUARTEIRA

🛏️ **Dom Pedro** 🦢, O : 3 km 🖉 354 50, Telex 56870, Fax 354 82, ≤, « Relvado repousante com
🍸 », ℀ – 🛗 🖵 📺 ☎ 🅿️ – 🛁 🕮 ⑩ 🗲 𝘝𝘐𝘚𝘈 ℀
Ref 2050 – Buffet Mimosa – **261 qto** 🍷 12800/16000 – P 11900/16700.

🛏️ **Dom Pedro Marina** 🦢, O : 3,5 km 🖉 332 22, Telex 56307, Fax 332 70, ≤, 🍴, 🍸 climatizada
– 🛗 🖵 📺 🅿️ 🕮 ⑩ 🗲 𝘝𝘐𝘚𝘈 ℀
Ref 2300 – **155 qto** 🍷 13000/16000 – P 12200/17200.

🛏️ **Vilamoura Golf** 🦢, NO : 6 km 🖉 323 21, Telex 56833, 🍸, 🏌️ – 🅿️ 🕮 ⑩ 🗲 𝘝𝘐𝘚𝘈 ℀
Ref 1500 – **52 qto** 🍷 6300/9150.

RENAULT Sítio do Semino 🖉 323 47

QUELUZ 2745 Lisboa **437** P 2 – 47 864 h. alt. 125 – 🕙 01.
Ver : Palácio Real★ (sala do trono★) – Jardins do Palácio★ (escada dos Leões★).
🏌️ Lisbon Sport Club 🖉 96 00 77.
♦Lisboa 12 – Sintra 15.

XXX Cozinha Velha, Largo do Palácio 🖉 95 02 32, « Instalado nas antiguas cozinhas do palácio ».
TOYOTA Rua D. Pedro IV n° 35-A 🖉 95 18 63   VOLVO Rua Consiglieri Pedroso 🖉 96 55 21

QUINTA DO LAGO Faro – ver Almansil.

QUINTANILHA Bragança **437** G 10 – ver alfândegas p. 14 e 15.

REBOREDA Viana do Castelo **437** G 3 – ver Vila Nova de Cerveira.

RESENDE 4660 Viseu **437** I 6 – 🕙 054.
♦ Lisboa 396 – ♦ Porto 142 – Vila Real 69 – Viseu 103.

🏛️ **California** sem rest, com snack-bar, Rua Dr. Sá Carneiro 🖉 972 52, ≤ – 🛗 ℀
30 qto 🍷 2000/2200.

RESENDE Viana do Castelo – ver Paredes de Coura.

RIBEIRA BRAVA Madeira – ver Madeira (Arquipélago da).

RIO DE MOINHOS Santarém **437** N 5 – 1 882 h. – ✉ 2200 Abrantes – 🕙 041.
♦Lisboa 137 – Portalegre 88 – Santarem 69.

X **Cristina**, na Estrada N 3 🖉 981 77 – 🅿️ 🗲 𝘝𝘐𝘚𝘈 ℀
fechado 2ª feira, do 1 ao 15 Março e do 1 ao 15 Setembro – Ref lista 1500 a 2600.

RIO MAIOR 2040 Santarém **437** N 3 – 10 793 h. – 🕙 043.
♦Lisboa 77 – Leiria 50 – Santarém 31.

🏠 **R. M.** sem rest, Rua Dr. Francisco Barbosa 🖉 920 87 – 🛗 📠
36 qto 🍷 3000/5000.

X **O Palhinhas** com snack-bar, Rua Serpa Pinto (Beco) 🖉 929 25
fechado Domingo – Ref lista 780 a 2540.

CITROEN Estrada Nacional 1 🖉 920 60   RENAULT Rua Prof. Manuel José Ferreira 7 🖉 920 13
FORD Estrada de Alcanede 🖉 921 54   SEAT Rua D. Afonso Henriques 🖉 922 55
PEUGEOT-ALFA ROMEO Rua Almirante Cândido   TOYOTA Rua D. Afonso Henriques
dos Reis 2 🖉 921 54

ROMEU 5370 Bragança **437** H 8 – 936 h. – 🕙 078.
♦Lisboa 467 – Bragança 59 – Vila Real 85.

X **Maria Rita**, Rua da Capela 🖉 931 34, Decoração rústica regional – 🍽️
fechado 2ª feira – Ref lista 980 a 1350.

SABUGAL 6320 Guarda **437** K 8 – 2 164 h. – 🕙 071.
♦ Lisboa 397 – Castelo Branco 82 – Guarda 33.

🏨 Palizhotel, Largo do Cinema 🖉 924 12, Telex 53755 – 🛗 🍽️ qto 📠 – **45 qto**.
DATSUN-NISSAN Estrada Nacional 🖉 921 31   RENAULT Estrada N 3 🖉 921 31

SABUGO 2715 Lisboa **437** P 2 – 🕙 01.
♦Lisboa 11 – Sintra 14.

em Vale de Lobos SE : 1,7 km – ✉ 2715 Lisboa – 🕙 01 :

🏨 **Vale de Lobos** 🦢, 🖉 927 46 56, Telex 44564, ≤, 🍸, 🍴, ℀ – 🛗 🍽️ rest ☎ 📠 🅿️ – 🛁 🕮
⑩ 🗲 𝘝𝘐𝘚𝘈 ℀
Ref 1500 – **51 qto** 🍷 6000/7500 – P 8500/12500.

508

SAGRES Faro 437 U 3 – 2 032 h. – ⊠ 8650 Vila do Bispo – ● 082 – Praia.

Arred. : Ponta de Sagres** (≤★) SO : 1,5 km – Cabo de São Vicente** (≤★).

🖪 Promontório de Sagres ℰ 641 25.

◆Lisboa 286 – Faro 113 – Lagos 33.

🏡 **Pousada do Infante** ॐ, ℰ 642 22, Telex 57491, ≤ falésias e mar, ⅃, ※ – 📺 ☎ ❷. 🖭 ◑
  ᗴ VISA. ※
  Ref 3100 – **23 qto** ⟷ 13900/15600 – P 14000/20100.

🏨 **Baleeira** ॐ, ℰ 642 12, Telex 57467, ≤ falésias e mar, ⅃, 🚤, ※ – 🍽 rest 🕿 ❷. 🖭 ◑ ᗴ
  VISA. ※ rest
  Ref 2000 – **118 qto** ⟷ 8000/9000 – P 8500/12000.

🏨 **Aparthotel Navegante** ॐ, Sitio da Baleeira ℰ 643 54, Telex 57179, ≤ falésias e mar, ⅃ –
  ⫞ 🍽 📺 ☎ ⟷ ❷. 🖭 ◑ ᗴ VISA. ※
  Ref 1450 – **55 apartamentos** ⟷11000.

  na Praia do Martinhal NE : 3,5 km – ⊠ 8650 Vila do Bispo – ● 082 :

🏮 **Motel Gambozinos** ॐ, ℰ 643 18, ≤ praia, falésias e mar, 🍴 – ❷. ᗴ VISA. ※ qto
  Ref *(fechado 4ª feira)*965 – **17 qto** ⟷ 9500.

  na estrada do Cabo São Vicente NO : 5 km – ⊠ 8650 Vila do Bispo – ● 082 :

✗ **Fortaleza do Beliche** ॐ com qto, ℰ 641 24, « Instalado numa fortaleza sobre uma falésia
  dominando o mar » – 🕿. ※
  Ref 2400 – **4 qto** ⟷ 7700/8800.

SAMEIRO Braga 437 H 4 – ver Braga.

SANGALHOS Aveiro 437 K 4 – 4 067 h. – ⊠ 3780 Anadia – ● 034.

◆Lisboa 234 – Aveiro 25 – ◆Coimbra 32.

🏨 **Estal. Sangalhos** ॐ, ℰ 74 16 48, Telex 37784, ≤ vale e montanha, ⅃, ※ – 🍽 rest 🕿 ❷.
  ᗴ VISA. ※ qto
  Ref 1280 – **33 qto** ⟷ 4500/7000.

SANTA BÁRBARA DE NEXE Faro 437 U 6 – ver Faro.

SANTA-CLARA-A-VELHA 7665 Beja 437 T 4 – 1 662 h. alt. 50 – ● 083.

◆Lisboa 222 – Beja 96 – Faro 115.

  na Barragem de Santa Clara SE : 5 km – ⊠ 7665 Santa Clara-a-Velha – ● 083 :

✗✗ **Pousada de Santa Clara** ॐ com qto, ℰ 982 50, Telex 56231, ≤ Barragem e montanhas,
  « Parque com árvores », ⅃ – 🕿 ❷. 🖭 ◑ ᗴ VISA. ※
  Ref 1800 – **6 qto** ⟷ 7700/8800 – P 8000/11300.

SANTA EULÁLIA 8200 Faro – ver Albufeira.

SANTA LUZIA Viana do Castelo 437 G 3 – ver Viana do Castelo.

SANTA MARIA DA FEIRA 4520 Aveiro 437 J 4 – 4 877 h. alt. 125 – ● 056.

Ver : Castelo★.

🖪 Câmara Municipal Praça da República ℰ 326 11.

◆Lisboa 291 – Aveiro 47 – ◆Coimbra 91 – ◆Porto 20.

  na estrada N I NE : 5,5 km – ⊠ 4520 Santa Maria da Feira – ● 056 :

✗ **Tigre** com snack-bar, Lugar de Albarrada - São João de Ver ℰ 338 68 – 🍽 ❷. 🖭 ◑ ᗴ VISA.
  ※
  Ref lista 1350 a 3450.

SANTA MARTA DE PENAGUIÃO 5030 Vila Real 437 I 6 – 11 194 h. – ● 054.

◆Lisboa 388 – ◆Porto 125 – Vila Real 16 – Viseu 94.

  🍸 Oasis, Estrada N 2 ℰ 915 32, ≤ – 🕿 ⟷ ❷
  14 qto.

SANTANA Setúbal 437 Q 2 – ver Sesimbra.

Pleasant hotels or restaurants are shown
in the Guide by a red sign
Please send us the names
of any where you have enjoyed your stay.
Your Michelin Guide will be even better.

🏨🏨🏨 ... 🏠

✗✗✗✗ ... ✗

SANTARÉM 2000 ℗ ⓭⓭⓷ O 3 – 20 034 h. alt. 103 – ✪ 043.

Ver : Miradouro de São Bento ✳ B F – Igreja de São João de Alporão (museu arqueológico★) B
M1 – Igreja da Graça (nave★) B **F.**

Arred. : Alpiarça : Museu★ (tapeçarias★, faianças e porcelanas★) 10 km por ②.

🛈 Rua Capelo Ivens 63 ℘ 231 40, Portas do Sol ℘ 231 41 e Estrada N III ℘ 276 43.

◆Lisboa 80 ③ – Évora 115 ② – Faro 330 ② – Portalegre 158 ② – Setúbal 130 ③.

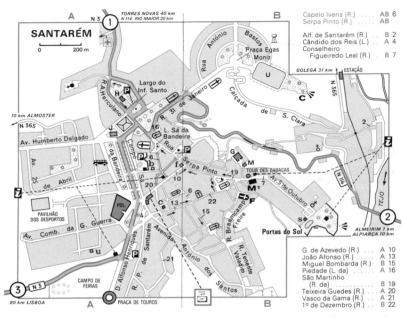

Capelo Ivens (R.)	AB 6
Serpa Pinto (R.)	AB
Alf. de Santarém (R.)	B 2
Cândido dos Reis (L.)	A 4
Conselheiro Figueiredo Leal (R.)	B 7
G. de Azevedo (R.)	A 10
João Afonso (R.)	A 13
Miguel Bombarda (R.)	B 15
Piedade (L. da)	A 16
São Martinho (R. de)	B 19
Teixeira Guedes (R.)	A 20
Vasco da Gama (R.)	A 21
1º de Dezembro (R.)	B 22

🏨 **Abidis,** Rua Guilherme de Azevedo 4 ℘ 220 17, Decoração regional – 🍽 rest 🕾   AB **f**
Ref 2500 – **28 qto** ⇆ 2250/5650.

🏨 **Victoria** sem rest, Rua 2° Visconde de Santarém 21 ℘ 225 73 – 📺 🕾. 🌿   A **u**
13 qto ⇆ 3000/4000.

🏠 **Muralha** sem rest, Rua Pedro Canavarro 12 ℘ 223 99 – 🕾. 𝘝𝘐𝘚𝘈. 🌿   A **b**
16 qto ⇆ 3000/5000.

✗ Solar, Largo Emilio Infante da Câmara 9 ℘ 222 39   A **c**

✗ Portas do Sol, no Jardim das Portas do Sol ℘ 231 41, 🍴, « Situado num agradável jardim »
– 🆎 ⓪ ⓔ 𝘝𝘐𝘚𝘈. 🌿   B **s**
fechado 2ª feira.

em Alto do Bexiga por ① : 2,5 km – ⌧ 2000 Santarém – ✪ 043 :

🏠 **Jardim** ॐ sem rest, com snack-bar, Rua Florbela Espanca 1 ℘ 271 04, Telex 18393 – 🍽 🕾.
𝘝𝘐𝘚𝘈
20 qto ⇆ 4000/6000.

AUTOBIANCHI-LANCIA   Largo da Piedade 8 ℘ 230 61
CITROEN   Estrada da Estação - Vale de Estacas ℘ 231 15
DATSUN-NISSAN   Rua Pedro de Santarém 47 ℘ 240 77
DATSUN-NISSAN   Largo da Piedade ℘ 240 77
DATSUN-NISSAN   Rua Luis Matoso 35 ℘ 240 77
FIAT   Largo da Piedade 8 ℘ 230 61
FORD   Av. D. Afonso Henriques 5 ℘ 241 25
FORD   Rua Guilherme Azevedo 33 ℘ 241 25
G.M. - OPEL   Rua Cidade da Covilhã 7 ℘ 240 33

MERCEDES-BENZ   Rua Pedro de Santarém 141 ℘ 227 91
PEUGEOT-ALFA ROMEO   Rua Pedro Canavarro 31 ℘ 220 49
RENAULT   Rua Duarte Pacheco Pereira 2 ℘ 220 57
SEAT   Av. D. Afonso Henriques 23 ℘ 220 77
TOYOTA   Praceta Alves Redol 4 ℘ 251 96
VOLVO   zona Industrial ℘ 276 31
VOLVO   Rua Vasco da Gama 23 ℘ 263 87
VW-AUDI   Rua Pedro de Santarém 111 ℘ 271 39
VW-AUDI   Av. D. Afonso Henriques 1 ℘ 273 57

Previna imediatamente o hoteleiro
se não puder ocupar o quarto que reservou.

SANTIAGO DO CACÉM 7540 Setúbal **437** R 3 – 6 777 h. alt. 225 – 🕲 069.

Ver : Á Saida Sul da Vila ≤★.

◆Lisboa 146 – Setubal 98.

🏨 **Albergaría D. Nuno** sem rest, Av. D. Nuno Álvares Pereira 88 ℰ 233 25, ≤ – 🛗 ☎ 🅿 . 🖭 ⓪ 🗉 𝕍𝕀𝕊𝔸 ✻
75 qto ⊇ 4000/7000.

🏠 **Gabriel** sem rest, Rua Professor Egas Moniz 24 ℰ 222 45 – ☎ 🅿 . ✻
23 qto ⊇ 3000/5000.

𝕏𝕏 **Pousada de Santiago** com qto, estrada de Lisboa ℰ 224 59, Telex 16166, ≤, 🖼 , Decoração regional, 🏊 , 🖛 – ☎ 🅿 ✻ rest
Com 2400 – **7 qto** ⊇ 7700/8800 – P 9200/12500.

CITROEN Estrada de Santo André 20 ℰ 221 36
FORD Rua Pedro Jorge de Oliveira 12 ℰ 228 46
RENAULT Estrada de Santa Cruz 59 ℰ 223 77

TOYOTA Rua Cidade de Setúbal 17
VW-AUDI Av. D. Nuno Alvares Pereira ℰ 224 85

SANTO AMARO DE OEIRAS Lisboa **437** P 2 – 32 195 h. – ✉ 2780 Oeiras – 🕲 01 – Praia.

◆Lisboa 18 – Cascais 12.

na praia pela estrada Marginal E : 0,5 km – ✉ 2780 Oeiras – 🕲 01 :

𝕏 **Saisa,** ℰ 243 06 34, ≤, 🖼 , Peixes e mariscos – 🖭 ⓪ 🗉 𝕍𝕀𝕊𝔸 . ✻
fechado 2ª feira – Ref lista 1110 a 2280.

SANTO TIRSO 4780 Porto **437** H 4 – 11 708 h. alt. 75 – 🕲 052.

🛈 Praça do Município ℰ 510 91 (ext. 33).

◆Lisboa 345 – Braga 29 – ◆Porto 22.

𝕏 **São Rosendo,** Praça do Município 6 ℰ 530 54 – 🖭 ⓪ 🗉 𝕍𝕀𝕊𝔸
fechado 2ª feira de Julho a Outubro – Ref lista 1000 a 2090.

B.L.M.C. (AUSTIN-MORRIS) Rua Ferreira Lemos 353 ℰ 539 51
B.M.W. Av. Sousa Cruz ℰ 526 30
DATSUN-NISSAN Rua D. Pedro V ℰ 429 92

FORD Largo do Centro Cívico ℰ 526 30
RENAULT D. Pedro Vco Moreira 14 ℰ 424 44
TOYOTA Rua Ferreira de Lemos ℰ 523 00
VW-AUDI Fontiscos ℰ 510 66

SÃO BRAS DE ALPORTEL 8150 Faro **437** U 6 – 7 499 h. – 🕲 089.

🛈 Rua Dr. Evaristo Sousa Gago ℰ 422 11.

◆Lisboa 293 – Faro 19 – Portimão 63.

na estrada de Lisboa N 2 : N : 2 km – ✉ 8150 São Brás de Alportel – 🕲 089 :

🏨 **Pousada de São Brás** ⌕ , ℰ 423 05, Telex 56945, ≤ cidade, campo e colinas, 🏊 – ▤ qto 📺 ☎ 🅿 . 🖭 ⓪ 🗉 𝕍𝕀𝕊𝔸 . ✻
Ref 1950 – **25 qto** ⊇ 10300/11500.

SÃO GREGÓRIO Viana do Castelo **437** F 5 – ver alfândegas p. 14 e 15.

SÃO JOÃO DA CAPARICA Setúbal **437** Q 2 – ver Costa da Caparica.

SÃO JOÃO DA MADEIRA 3700 Aveiro **437** J 4 – 16 239 h. alt. 205 – 🕲 056.

◆Lisboa 286 – Aveiro 46 – ◆Porto 32.

🏠 Solar São João, sem rest, Praça Luís Ribeiro 165 ℰ 226 64 – ☎ – **16 qto** .

𝕏𝕏 Mutamba, Rua Camilo Castelo Branco ℰ 283 80.

B.M.W. Rua da Liberdade 395 ℰ 279 44
DATSUN-NISSAN Estrada N I ℰ 240 71
DATSUN-NISSAN Rua Julio Dinis 35
FIAT Rua das Travessas 265 ℰ 222 19
FORD Rua Oliveira Júnior 137 ℰ 230 93

RENAULT Rua Oliveira Júnior ℰ 225 47
TOYOTA Av. dos Combatentes do Ultramar 101 ℰ 246 75
VW-AUDI Arrifana - Santa Maria da Feira ℰ 221 25
VW-AUDI Rua da Liberdade ℰ 233 92

SÃO JOÃO DO ESTORIL Lisboa **437** P 1 – ver Estoril.

SÃO LEONARDO Évora **437** Q 8 – ver alfândegas p. 14 e 15.

Hotéis e Restaurantes : ver Monsaraz NO : 15 km.

SÃO MARTINHO DO PORTO 2465 Leiria **437** N 2 – 2 318 h. – 🕲 062 – Praia.

Ver : ≤★ – 🛈 Av. 25 de Abril ℰ 981 10.

◆Lisboa 108 – Leiria 51 – Santarém 65.

🏨 **Parque** sem rest, Av. Marechal Carmona 3 ℰ 985 05, « Antiga casa senhorial rodeada dum jardim », ✻ – ☎ 🅿 . 🖭 ⓪ 🗉 𝕍𝕀𝕊𝔸 . ✻
36 qto ⊇ 4000/7000.

🏠 **São Pedro** sem rest, Largo Vitorino Fróis 7 ℰ 983 27, Telex 65470 – ☎ . 🗉 𝕍𝕀𝕊𝔸 . ✻
12 qto ⊇ 6700/7200.

𝕏 **A Casa,** Av. Marginal ℰ 986 33, ≤ – 🖭 ⓪ 🗉 𝕍𝕀𝕊𝔸
Ref lista 1390 a 2820.

SÃO PEDRO DE MOEL Leiria **437** M 2 – ver Marinha Grande.

SÃO PEDRO DE SINTRA Lisboa **437** P 1 – ver Sintra.

SÃO PEDRO DO SUL 3660 Viseu **437** J 5 – 3 513 h. alt. 169 – ❸ 032 – Termas.
🛈 Estrada N 16 ✆ 713 20.
♦Lisboa 321 – Aveiro 76 – Viseu 22.

   nas termas SO : 3 km – ✉ 3660 São Pedro do Sul – ❸ 032 :
   🏦 Das Termas 🦢, ✆ 723 33, Telex 53595, ← – 🛗 📺 ☎ ⇐ – **64 qto**.
   🏨 Lisboa, sem rest, estrada N 16 ✆ 710 87 – 🛗 – **40 qto**.
   🏨 Lafões, sem rest, Rua do Correio ✆ 716 16 – 🛗 – **24 qto**.
   🏠 David, ✆ 713 05 – **17 qto**.

SÃO VICENTE (Termas de) Porto **437** I 5 – ✉ 4575 Entre-os-Rios – ❸ 055 – Termas.
♦Lisboa 332 – Braga 66 – ♦ Porto 39.
   🏨 **São Vicente** 🦢, na estrada N 106 ✆ 622 03, ❨ – ❸. 𝕍𝕀𝕊𝔸. ❀
   Junho-Setembro – Ref 1300 – **76 qto** ⌑ 4300.

SÃO VICENTE Madeira – ver Madeira (Arquipélago da).

SARNADAS DE RÓDÃO Castelo Branco **437** M 7 – ver Castelo Branco.

SEGURA Castelo Branco **437** M 9 – ver alfândegas p 14 e 15.

SEIA 6270 Guarda **437** K 6 – 5 653 h. alt. 532 – ❸ 038.
Arred. : Estrada★★ de Seia à Covilhã (←★★, Torre ❅★★★, ←★) 49 km.
🛈 Largo do Mercado ✆ 222 72.
♦Lisboa 303 – Guarda 69 – Viseu 45.
   🏨 **Camelo,** Rua 1° de Maio ✆ 225 30, Telex 53630, ← – 🛗 📺 ☎ ⇐ ❸. 🅰🅴 ⓞ 🄴 𝕍𝕀𝕊𝔸
      Ref *(fechado do 10 ao 30 Outubro)* 1000 – **57 qto** ⌑ 4000/5000 – P 4200/5700.

   em Pinhanços na estrada N 17 NE : 9,5 km – ✉ 6270 Seia – ❸ 038 :
   🗙 Santa Luzia, ✆ 461 20, ←, 🍴 – ❸.
DATSUN-NISSAN Seia ✆ 220 77   VW-AUDI Ponte de Santiago ✆ 231 01
RENAULT Av. Afonso Costa 33 ✆ 226 61

SEIXAS Viana do Castelo **437** G 3 – ver Caminhã.

SERPA 7830 Beja **437** S 7 – 4 941 h. alt. 230 – ❸ 084.
🛈 Largo D. Jorge de Melo 2 e 3 ✆ 903 35.
♦Lisboa 221 – Beja 29 – Évora 111.
   🏦 Pousada de São Gens 🦢, S : 1,5 km ✆ 903 27, Telex 43651, « Terraço com ← oliveiras e
      campo », ⌇ – 🍽 🏧 ❸ – **18 qto**.
RENAULT Rua Eng. Fernandes de Oliveira ✆ 523 52

SERRA DE ÁGUA Madeira – ver Madeira (Arquipélago da).

SERTÃ 6100 Castelo Branco **437** M 5 – ❸ 074.
♦Lisboa 248 – Castelo Branco 72 – ♦Coimbra 86.
   🏠 **Cristina** sem rest e sem ⌑, Rua Cándido dos Reis 30 ✆ 612 25 – 🅰🅴 ⓞ 🄴 𝕍𝕀𝕊𝔸. ❀
      13 qto 1500/1850.
   🗙 **Lagar,** Rua 1° de Dezembro ✆ 615 41, 🍴, Rest. tipico instalado numa prensa de azeite –
      ❸
      fechado 3ª feira – Ref lista 800 a 1920.
DATSUN-NISSAN Av. Gonçalo Rodrigues Caldeira   RENAULT Alto de Carreira ✆ 615 67
✆ 614 80

SESIMBRA 2970 Setúbal **437** Q 2 – 8 138 h. – ❸ 01 – Praia.
Ver : Porto★.
Arred. : Castelo ←★ NO : 6 km – Cabo Espichel (local★) O : 15 km.
🛈 Av. dos Náufragos 17 ✆ 223 19 26.
♦Lisboa 43 – Setúbal 26.
   🏨 **Do Mar** 🦢, Rua Combatentes do Ultramar 10 ✆ 223 33 26, Telex 13883, ← mar, « Grande
      relvado com ⌇ rodeado de árvores », ❨ – 🛗 🍽 rest ❸ – 🅰. 🅰🅴 ⓞ 🄴 𝕍𝕀𝕊𝔸. ❀
      Ref 2800 – **119 qto** ⌑ 8600/13300 – P 11450/13400.
   🏨 **Espadarte,** Av. 25 de Abril ✆ 223 31 89, Telex 14699, ← – 🛗 🏧. 🅰🅴 ⓞ 🄴 𝕍𝕀𝕊𝔸. ❀
      Ref 1300 – **80 qto** ⌑ 4850/7000 – P 5700/7050.

512

✗ **Ribamar,** Av. dos Naufragos ☎ 223 31 07, 🍴, Peixes e mariscos – 🍽. **E** 𝗩𝗜𝗦𝗔
Ref lista 1760 a 2580.

✗ **O Pirata,** Rua Heliodoro Salgado 3 ☎ 223 04 01, ≤, 🍴 – 🍽. 🖭 ⓞ **E** 𝗩𝗜𝗦𝗔
fechado 4ª feira e Dezembro – Ref lista 1300 a 2300.

em Santana N : 3,5 km – ⊠ 2970 Sesimbra – 🕓 01 :

✗✗ **Angelus,** ☎ 223 13 40 – 🍽. 🍴
fechado 2ª feira, do 15 ao 30 Junho e do 15 ao 30 Novembro – Ref lista 1270 a 2780.

RENAULT Vendra Nova ☎ 223 23 40   VOLVO Rua Heliodoro Salgado 1 ☎ 223 32 29

SETÚBAL 2900 🅿 **437** Q 3 – 97 762 h. – 🕓 065.

Ver : Museu da Cidade✶ (quadros✶) M1 – Igreja de Jesus✶ A – Castelo de São Filipe ✸✶ por Rua São Filipe.

Arred. : Serra da Arrábida (estrada escarpada✶✶) por ② – Palmela (castelo✶ ✸✶ – Igreja de São Pedro : azulejos✶) por N 252 : 7,5 km – Quinta da Bacalhoa : jardins (azulejos✶) por ③ : 12 km.

🛇 Club de Golf de Tróia, Torralta Tróia ☎ 441 51.

🚢 para Tróia, cais de Setúbal 36 ☎ 351 01.

🛈 Rua do Corpo Santo ☎ 242 84.

♦Lisboa 55 ① – ♦Badajoz 196 ① – Beja 143 ① – Évora 102 ① – Santarém 130 ①.

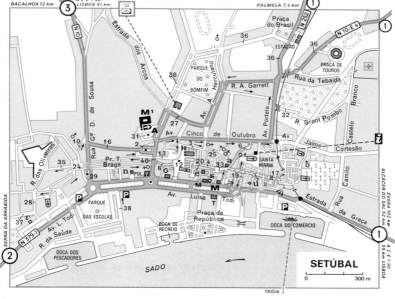

SETÚBAL

0   300 m

🏨 **Esperança,** Av. Luisa Todi 220 ☎ 251 51, Telex 17158, ≤ – 🛗 ☎. 🖭 ⓞ **E** 𝗩𝗜𝗦𝗔. 🍴 rest   **s**
Ref 1500 – **76 qto** ⊐ 5500/6500 – P 6250/8500.

🏨 **Bocage** sem rest, Rua de São Cristóvão 14 ☎ 215 98 – ☎. 🖭 ⓞ **E** 𝗩𝗜𝗦𝗔. 🍴   **e**
38 qto ⊐ 4600/4900.

🏨 **Mar e Sol** sem rest, Av. Luisa Todi 608 ☎ 330 16, ≤ – 🛗 ☎. 🍴   **r**
32 qto ⊐ 3200/4400.

✗ **A Roda,** Trav. Postigo do Cais 7 ℰ 292 64, 🏠 – 🍴. 🆑 ⓪ **E** _VISA_. ✸   u
   fechado Domingo – Ref lista 1000 a 2650.

✗ **O Beco,** Rua da Misericórdia 24 ℰ 246 17 – 🆑 ⓪ _VISA_   a
   fechado do 1 ao 15 Março e do 16 ao 29 Setembro – Ref lista 1300 a 2300.

✗ O Capote, Largo do Carmo 6 ℰ 202 98   n

   no Castelo de São Filipe O : 1,5 km – ✉ 2900 Setúbal – ⚙ 065 :

🏛 **Pousada de São Filipe** ⤜, ℰ 238 44, Telex 44655, ≤ Setúbal e foz do Sado, Decoração
   rústica, « Dentro das muralhas de uma antiga fortaleza » – 🍴 rest. 🆑 ⓪ **E** _VISA_. ✸
   Ref 2150 – **15 qto** ⌁ 12600/14400.

AUTOBIANCHI-LANCIA   Estrada do Alentejo 20 ℰ
331 11
B.L.M.C. (AUSTIN, MORRIS)   Av. Combatentes da
Grande Guerra 55 ℰ 344 23
B.M.W.   Rua Mártires da Patria ℰ 230 22
CITROEN   Estrada dos Ciprestes - Vale do Grou, Lote
5 ℰ 240 26
DATSUN-NISSAN   Estrada do Alentejo ℰ 331 11
FORD   Av. dos Combatentes da Grande Guerra 81
ℰ 231 31

G.M. - OPEL   Estrada da Graça 222 ℰ 290 12
PEUGEOT-ALFA ROMEO   Av. 5 de Outubro 37 ℰ
253 13
RENAULT   Rua António José Batista 1 ℰ 264 17
SEAT   Av. General Daniel de Sousa 12 ℰ 268 82
TOYOTA   Rua Mártires da Pátria ℰ 230 22
VOLVO   Estrada N 10 - Quinta da Alfarrobeira
ℰ 295 74
VOLVO   Estrada da Graça 350 ℰ 242 11
VW-AUDI   Rua Almeida Gerrett 48 ℰ 225 71

SINES 7520 Setúbal 🗓 S 3 – 12 206 h. – ⚙ 069 – Praia.
Arred. : Santiago do Cacém ≤★.

🛈 Av. General Humberto Delgado - Mercado Municipal loja 4 ℰ 63 40 12.
◆Lisboa 165 – Beja 97 – Setúbal 117.

🏨   **Búzio** sem rest, Av. 25 de Abril 14 ℰ 63 21 14 – 🕾. 🆑 ⓪ **E** _VISA_. ✸
     38 qto ⌁ 4000/5500.

FIAT   Zona Industrial Ligeira ℰ 63 44 44   VOLVO   Rua das Percebeiras ℰ 63 32 04
RENAULT   Zona Industial Ligeira 2 ℰ 63 27 35

☛   _Pour être inscrit au **guide Michelin** :_
    - _pas de piston,_
    - _pas de pot de vin !_

SINTRA 2710 Lisboa 🗓 P 1 – 20 574 h. alt. 200 – ⚙ 01.
Ver : Palácio Real★ (azulejos★★, tecto★★) Y.
Arred. : S : Parque da Pena★★ Z, Cruz Alta★★ (❄★★) Z, Castelo dos Mouros★ (≤★) Z, Palácio da
Pena ≤★ Z – Parque de Monserrate★ O : 3 km – Peninha ≤★★ SO : 10 km – Azenhas do Mar★
(local★) 16 km por ①.
🐓 Golf Estoril Sol por ④ ℰ 923 24 61.
🛈 Praça da República 3 ℰ 923 11 57.
◆Lisboa 28 ③ – Santarém 100 ③ – Setúbal 73 ③.

Plano página seguinte

🏨 **Tivoli Sintra,** Praça da República ℰ 923 35 05, Telex 42314, ≤ – 📶 🍴 📺 ☎ 🚗 🅿 – 🏛
   🆑 ⓪ **E** _VISA_. ✸   Y **d**
   Ref 2750 – **75 qto** ⌁ 9800/11800.

   em São Pedro de Sintra – ✉ 2710 Sintra – ⚙ 01 :

✗ **Solar São Pedro,** Largo da Feira ℰ 923 18 60 – 🍴. 🆑 ⓪ **E** _VISA_. ✸   Z **s**
   fechado 4ª feira – Ref lista 1960 a 3200.

✗ **Dos Arcos,** Rua Serpa Pinto 4 ℰ 923 02 64 – 🆑 ⓪ **E** _VISA_. ✸   Z **z**
   fechado 5ª feira, 31 Maio-14 Junho e do 4 ao 18 Outubro – Ref lista 1350 a 2750.

✗ **Cantinho de S. Pedro,** Praça D. Fernando II - 18 ℰ 923 02 67 – ✸   Z **b**
   fechado 2ª feira, 5ª feira noite e Setembro – Ref lista 1800 a 2900.

   na estrada de Colares pela N 375 – ✉ 2710 Sintra – ⚙ 01 :

🏯 **Palácio de Seteais** ⤜, Rua Barbosa do Bocage 8 - O : 1,5 km ℰ 923 32 00, Telex 14410, Fax
   923 42 77, ≤ campos em redor, « Luxuosas instalações num palácio do século XVIII rodeado
   de jardins », 🏊, ✸ – 📶 ☎ 🚗 🅿 🆑 ⓪ **E** _VISA_. ✸
   Ref 4100 – **18 qto** ⌁ 20500/22000.

🏯 **Quinta da Capela** ⤜ sem rest, O : 4,5 km ℰ 929 01 70, ≤ Serra, « Instalado numa bela
   quinta », 🌳 – 🅿 _VISA_
   11 qto ⌁ 9000/13000.

B.L.M.C. (AUSTIN,MORRIS)   Av. Dr. Francisco de
Almeida 37 ℰ 923 16 69
DATSUN-NISSAN   Av. Movimento das Forças
Armadas 40 ℰ 923 05 00
FORD   Av. Dr. Francisco de Almeida ℰ 923 23 53

RENAULT   Cabra Figa - Albarraque ℰ 925 93 52
RENAULT   Av. Bombeiros Voluntarios ℰ 929 10 78
RENAULT   Av. 29 de Agosto 228 ℰ 927 70 37
RENAULT   Av. Movimento das Forças Armadas 3
ℰ 293 25 58

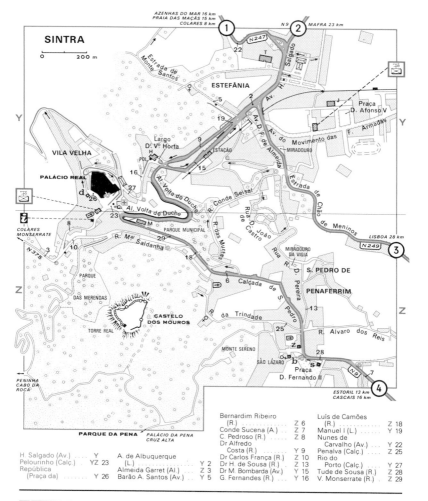

SINTRA

0   200 m

AZENHAS DO MAR 16 km
PRAIA DAS MAÇÃS 15 km
COLARES 8 km

N 9   MAFRA 23 km

ESTEFÂNIA

Praça
D. Afonso V

VILA VELHA

Largo
D. V° Horta

PALÁCIO REAL

MIRADOURO

F. Armadas

COLARES
MONSERRATE

LISBOA 28 km

PARQUE MUNICIPAL

MIRADOURO
DA VIGIA

PARQUE

S. PEDRO DE

DAS MERENDAS

PENAFERRIM

CASTELO
DOS MOUROS

TORRE REAL

Calçada de S. Pedro

da Trindade

R. Alvaro dos Reis

MONTE SERENO

SÃO LÁZARO

Praça
D. Fernando II

PENINHA
CABO DA
ROCA

ESTORIL 13 km
CASCAIS 16 km

PARQUE DA PENA   PALÁCIO DA PENA
CRUZ ALTA

H. Salgado (Av.)	Y	A. de Albuquerque		Bernardim Ribeiro (R.)	Z 6
Pelourinho (Calç.)	YZ 23	(L.)	Y 2	Conde Sucena (A.)	Z 7
República (Praça da)	Y 26	Almeida Garret (Al.)	Z 3	C. Pedroso (R.)	Z 8
		Barão A. Santos (Av.)	Y 5	Dr Alfredo Costa (R.)	Y 9
				Dr Carlos França (R.)	Z 10
				Dr H. de Sousa (R.)	Z 13
				Dr M. Bombarda (Av.)	Y 15
				G. Fernandes (R.)	Y 16
				Luís de Camões (R.)	Z 18
				Manuel I (L.)	Y 19
				Nunes de Carvalho (Av.)	Y 22
				Penalva (Calç.)	Z 25
				Rio do Porto (Calç.)	Y 27
				Tude de Sousa (R.)	Z 28
				V. Monserrate (R.)	Z 29

TÁBUA 3420 Coimbra **437** K 5 – 2 416 h. alt. 225 – ✆ 035 – ♦Lisboa 254 – ♦Coimbra 52 – Viseu 47.

🏠 **de Turismo** sem rest, Rua Profesor Dr. Caeiro da Mata ℰ 426 40 – 📶 ☎. 🖭 ⓞ 🗉 𝗩𝗜𝗦𝗔. 🚿 **30 qto** ⇆ 3600/5000.

em Gândara de Espariz S : 7 km – ⊠ 3420 Tábua – ✆ 035 :

✕ Tabriz, na estrada N 17 ℰ 911 53.

RENAULT Rua Dr. Francisco Beirão ℰ 422 41

TALEFE Lisboa **437** P 1 – ver Ericeira.

TAVIRA 8800 Faro **437** U 7 – 7 282 h. – ✆ 081 – Praia.

🚩 Praça da República ℰ 225 11 – ♦Lisboa 314 – Faro 31 – Huelva 72 – Lagos 111.

na estrada N 125 NE : 3 km – ⊠ 8800 Tavira – ✆ 081 :

🏨 **Eurotel Tavira,** Quinta das Oliveiras ℰ 220 41, Telex 56218, ≤, ⅀, ✕ – 📶 ℗. 🖭 ⓞ 🗉 𝗩𝗜𝗦𝗔. 🚿
Ref (só jantar) 1500 – **80 qto** ⇆ 8400.

RENAULT Rua das Salinas 4 ℰ 233 39

TERRUGEM Portalegre **437** P 7 – ⊠ 7350 Elvas – ✪ 068.
♦Lisboa 202 – ♦Badajoz 32 – Portalegre 60.

ᵡᵡ **A Bolota,** Quinta das Janelas Verdes ☞ 651 52 – ▦ **℗. E** 𝘝𝘐𝘚𝘈 . ✸
fechado 2ª feira – Ref lista 1800 a 3100.

TOLEDO Lisboa **437** O 2 – ver Vimeiro (Termas do).

TOMAR 2300 Santarém **437** N 4 – 14 821 h. alt. 75 – ✪ 049.
Ver : Convento de Cristo★★ : dependências do convento★ (janela★★), Igreja (charola dos Templários★★) – Igreja de São João Baptista (portál★).
Arred. : Barragem do Castelo do Bode★ (≤★) SE : 15 km – Atalaia (azulejos★) SO : 16 km.
🛈 Av. Dr Cândido Madureira ☞ 332 37.
♦Lisboa 145 – Leiria 45 – Santarém 65.

🏨 **Dos Templários,** Largo Cândido dos Reis 1 ☞ 321 21, Telex 14434, ≤, ⤫, ✸ – 🛗 ▦ rest
℗. 🄰🄴 ⓞ **E** 𝘝𝘐𝘚𝘈 . ✸ rest
Ref lista aprox. 1925 – **84 qto** ⊂⊃ 5300/8000.

🏨 **Trovador** sem rest, Rua Dr. Joaquim Ribeiro ☞ 315 67 – 🛗 📺 ☞. 🄰🄴 ⓞ **E** 𝘝𝘐𝘚𝘈 . ✸
33 qto ⊂⊃ 6000/7000.

ᵡ Bela Vista, Fonte do Choupo 6 - na ponte velha ☞ 328 70, 🏛.

em Castelo do Bode SE : 14 km – ⊠ 2300 Tomar – ✪ 049 :

🏨 Pousada de São Pedro ◔, ☞ 381 59, Telex 42392 – ▦ rest ☞ ℗ – **15 qto**.

AUTOBIANCHI-LANCIA Av. D. Nuno Álvares Pereira 69 ☞ 339 55
DATSUN-NISSAN Av. D. Nuno Álvares Pereira 8 ☞ 339 37
FIAT Av. D. Nuno Álvares Pereira 69 ☞ 339 55
FORD Av. D. Nuno Álvares Pereira 9 ☞ 338 44
G.M. - OPEL Rua de Coimbra 2 ☞ 319 37
PEUGEOT-ALFA ROMEO Av. D. Nuno Álvares Pereira 86 ☞ 321 79

PEUGEOT-ALFA ROMEO Av. D. Nuno Álvares Pereira 25 ☞ 324 44
RENAULT Rua de Coimbra
TOYOTA Av. Norton de Matos 22 ☞ 320 38
VOLVO Alameda 1° de Março ☞ 315 28
VW-AUDI Av. Cond. D.Nuno Álvares Pereira 2 ☞ 331 05

TONDELA 3460 Viseu **437** K 5 – 3 346 h. – ✪ 032.
♦Lisboa 271 – ♦Coimbra 72 – Viseu 24.

🏨 **Tondela** sem rest, Rua Dr Simões de Carvalho ☞ 824 11 – ℗
29 qto ⊂⊃ 2000/3000.

ᵡ O Solar, Av. do Tiatro ☞ 828 76, 🏛.

RENAULT Pendão ☞ 822 65

TORRÃO 7595 Setúbal **437** R 5 – ✪ 065.
♦Lisboa 140 – Beja 51 – Évora 46 – Setúbal 85.

no Vale do Gaio - junto da barragem Trigo de Morais pela estrada N 5 SO : 13,6 km –
⊠ 7595 Torrão – ✪ 065 :

🏨 **Pousada do Vale do Gaio** ◔, ☞ 661 00, Telex 15118, ≤, ☞ – ▦ ☞ ℗. 🄰🄴 ⓞ **E** 𝘝𝘐𝘚𝘈 . ✸
Ref 2400 – **6 qto** ⊂⊃ 7700/8800 – P 9200/12500

TORREIRA Aveiro – ver Murtosa.

TORRES NOVAS 2350 Santarém **437** N 4 – 37 399 h. – ✪ 049.
♦Lisboa 118 – Castelo Branco 138 – Leiria 52 – Portalegre 120 – Santarém 38.

🏨 **Albergaría Dos Cavaleiros** sem rest, Praça 5 de Outubro ☞ 224 20, Telex 61238 – 🛗 ☎
☞. 🄰🄴 ⓞ **E** 𝘝𝘐𝘚𝘈
60 qto ⊂⊃ 5500/6500.

TORRES VEDRAS 2560 Lisboa **437** O 2 – 10 997 h. alt. 30 – ✪ 061 – Termas.
⛳ Club Golf Vimeiro NO : 16 km ☞ 981 57.
🛈 Rua 9 de Abril ☞ 230 94.
♦Lisboa 55 – Santarém 74 – Sintra 62.

🏨 **Imperio Jardim,** Praça 25 de Abril ☞ 259 53, Telex 61445 – 🛗 ▦ rest ☎ ☞. 🄰🄴 ⓞ **E** 𝘝𝘐𝘚𝘈.
✸
Ref 1500 – **26 qto** ⊂⊃ 3000/4500 – P 5250/6000.

🏨 Dos Arcos, sem rest, Bairro Arenes - pela Estrada do Cadaval ☞ 324 89 – 🛗 ☎ ☞ – 🔧 –
28 qto

🏨 **Aparthotel S. João** sem rest, Rua Dr. Afonso Costa ☞ 240 03, Telex 42016, ✸ – 🛗 ☞ ℗.
🄰🄴 ⓞ **E** 𝘝𝘐𝘚𝘈
37 qto ⊂⊃ 2900/4500.

🏨 **Moderna** sem rest e sem ⊂⊃, Av. Tenente Valadim 18 ☞ 231 46 – ✸
28 qto 2500/4000.

ᵡ **Barrete Preto,** Rua Paiva de Andrada 7B ☞ 220 63 – 🄰🄴 **E** 𝘝𝘐𝘚𝘈. ✸
fechado 5ª feira e Setembro – Ref lista 1050 a 1900.

AUTOBIANCHI-LANCIA Av. 5 de Outubro 1 ✆ 230 46
B.L.M.C. (AUSTIN - MORRIS) Av. General Humberto
Delgado ✆ 250 75
CITROEN Av. Circular ✆ 230 82
DATSUN-NISSAN Barrio Vila Morena - Estrada N 8
✆ 229 66
FIAT Av. 5 de Outubro 16 ✆ 230 47
FORD Praça 25 de Abril ✆ 220 21

G.M. - OPEL Av. Circular ✆ 229 94
G.M. - OPEL Av. 5 de Outubro 47 ✆ 230 82
PEUGEOT-ALFA ROMEO Rua 9 de Abril 56 ✆ 220 81
RENAULT Rua Cândido dos Reis 62 ✆ 220 81
SEAT Av. 5 de Outubro 45 ✆ 230 82
TOYOTA Rua Cândido dos Reis 2
VOLVO Av. 5 de Outubro 47 ✆ 230 82
VW-AUDI Av. General Humberto Delgado ✆ 250 75

TRÓIA Setúbal **437** Q 3 – ⊠ 2900 Setúbal – 🟢 065 – Praia.
🏌 Club de golf de Tróia ✆ 441 51.
⛴ para Setúbal, Ponta do Adoxe ✆ 443 24.
♦Lisboa 181 – Beja 127 – Setúbal 133.

   no Clube de Golf - estrada N 253-1 S : 1,5 km – ⊠ 2900 Setúbal – 🟢 065 :

XXX Bar Golf, ✆ 441 51, ≤, 🏤, « Ao pé do campo de golf, agradavél terraço » – 🖿 🅿.

TUIDO - GANDRA Viana do Castelo – ver Valença do Minho.

VAGOS 3840 Aveiro **437** K 3 – 🟢 034.
♦Lisboa 233 – Aveiro 12 – ♦Coimbra 43.

   🏠 **Sant'Iago** sem rest, Rua Padre Vicente Maria da Rocha ✆ 79 11 73 – 🛗 🕿. 🕮 ⓪ E 𝑉𝐼𝑆𝐴. 🎇
        24 qto ⊊ 2900/3900.

VALADARES 4405 Porto **437** I 4 – ver Vila Nova de Gaia.

VALE DA TELHA 8670 Faro **437** U 3 – ver Aljezur.

VALE DE GAIO Setúbal **437** 94 – ver Torrao.

VALE DE LOBOS Lisboa – ver Sabugo.

VALE DO GROU Aveiro **437** K 4 – ver Águeda.

VALE DO LOBO Faro **437** U 5 – ver Almansil.

VALENÇA DO MINHO 4930 Viana do Castelo **437** F 4 – 2 474 h. alt. 72 – 🟢 051 – ver alfândegas
p. 14 e 15.
Ver : Fortificações★ (≤★).
Arred. : Monte do Faro ※★★ E : 7 km e 10 mn a pé.
🅑 Estrada N 13 ✆ 233 74 – A.C.P. Estrada N 13 ✆ 224 68.
♦Lisboa 440 – Braga 88 – ♦Porto 122 – Viana do Castelo 52.

   🏨 **Lara** sem rest, São Sebastião ✆ 223 48, Telex 33363 – 🛗 🖿 🕿. 🕮 ⓪ E 𝑉𝐼𝑆𝐴. 🎇
        54 qto ⊊ 4500/6900.

   🏠 **Val - Flores**, sem rest, Esplanada ✆ 224 31 – 🛗
        21 qto.

   🏩 **Ponte Seca** sem rest, Av. Tito Fontes - estrada Monte do Faro ✆ 225 80 – E 𝑉𝐼𝑆𝐴
        10 qto ⊊ 3400/3950.

   XXX **Pousada de São Teotónio** 🦢 com qto, ✆ 222 42, Telex 32837, ≤ vale do Minho, Tuy e
        montanhas de Espanha, 🐎 – 🖿 rest 🕮. 🕮 ⓪ E 𝑉𝐼𝑆𝐴
        Ref lista 2250 a 4600 – **15 qto** ⊊ 9400/10600.

        na estrada N 13 S : 1 km – ⊠ 4930 Valença do Minho – 🟢 051 :

   🏨 Valença do Minho, Av. Miguel Dantas ✆ 222 11, Telex 33470, 🌊 climatizada – 🛗 🖿 rest 📺
        🕿 🚗 🅿
        36 qto.

        em Tuido-Gandra S : 3 km – ⊠ 4930 Valença do Minho – 🟢 051 :

   XX **Lido**, Estrada N 13 ✆ 226 31, Telex 32852, Aos sábados música ao jantar – 🖿 🅿. 🕮 ⓪ E
        𝑉𝐼𝑆𝐴. 🎇
        Ref lista 1070 a 2300.

        no Monte do Faro E : 7 km – ⊠ 4930 Valença do Minho – 🟢 051 :

   X Monte do Faro 🦢 com qto, alt. 600, ✆ 224 11, 🏤, « Num parque » – 🅿
        6 qto.

        em Monte-São Pedro da Torre SO : 7 km – ⊠ 4930 Valença do Minho – 🟢 051 :

   🏠 **Padre Cruz** sem rest, Estrada N 13 ✆ 292 39 – 🅿. 🎇
        20 qto ⊊ 2500/3500.

17   517

Ver : Praça da República★ B – Museu Municipal (azulejos★) A M.

Arred. : Monte de Santa Luzia ✳★★ N : 6 km – Ponte de Lima : Igreja - Museu São Francisco★ (forros de madeira★) por ① : 23 km.

🛈 Rua do Hospital Velho ℘ 226 20.

◆Lisboa 388 ② – Braga 53 ② – Orense 154 ③ – ◆Porto 74 ② – ◆Vigo 83 ③.

Cândido dos Reis (R.)		B 2
Capitão Gaspar de Castro (R.)		B 3
Carmo (R. do)		B 4
Conde da Carreira (Av. da)		A 7
Dom Afonso III (Av.)		B 8
Gago Coutinho (R. de)		B 10
Humb. Delgado (Av.)		A 14
J. Tomaz da Costa (L.)		B 15
Luís de Camões (Av.)		B 16
Sacadura Cabral (R.)		B 21
Santa Luzia (Estr.)		A 23
São Pedro (R. de)		B 24
Bandeira (R. da)		B
C. da Grande Guerra (Av. dos)		B 6
República (Pr. da)		B 19

🏨 **Do Parque,** Parque da Galiza ℘ 241 51, Telex 32511, ≤, ⤢, 🦌 – 🕸 🅿 – 🔬. 🆎 ⑪ 🄴 𝘝𝘐𝘚𝘈. 🍽   B **h**
Ref 2750 – **123 qto** ⊡ 9750/11750.

🏨 **Afonso III,** Av. Afonso III - 494 ℘ 241 23, Telex 32599, ≤, ⤢ – 🕸 ▦ rest. 🆎 ⑪ 🄴 𝘝𝘐𝘚𝘈. 🍽
Ref 2000 – **89 qto** ⊡ 8000/11000 – P 8550/10300.   B **k**

🏨 **Viana Sol,** Largo Vasco de Gama ℘ 263 23, Telex 32790, ▤ – 🕸 ⊛ – 🔬. 🆎 ⑪ 🄴 𝘝𝘐𝘚𝘈. 🍽
Ref 1500 – **65 qto** ⊡ 7500/10000.   B **f**

🏨 **Rali** sem rest, Av. Afonso III - 180 ℘ 221 76, ▤ – 🕸 ⊛ 🅿. 🄴 𝘝𝘐𝘚𝘈   B **d**
39 qto ⊡ 3500/5500.

🏨 **Albergaría Calatrava** sem rest, Rua José Espregueira ℘ 220 11, Telex 33331 – 📺 ⊛. 🆎 ⑪ 🄴 𝘝𝘐𝘚𝘈. 🍽   B **n**
15 qto ⊡ 4305/7360.

🏨 **Jardim,** sem rest, Largo 5 de Outubro 68 ℘ 274 70, ≤ – 📺 ⊛   B **c**
20 qto.

🏨 **Aliança,** sem rest, Av. dos Combatentes da Grande Guerra ℘ 230 01, ≤   B **e**
29 qto.

🏨 **Laranjeira** sem rest, Rua General Luís do Rego 45 ℘ 222 61 – 🆎 ⑪ 🄴 𝘝𝘐𝘚𝘈. 🍽   B **a**
27 qto ⊡ 2500/4000.

🏨 **Viana-Mar** sem rest, Av. dos Combatentes da Grande Guerra 215 ℘ 230 54 – ⊛. 🆎 ⑪ 🄴 𝘝𝘐𝘚𝘈   B **b**
36 qto ⊡ 3000/5000.

✕ **Alambique** com qto, Rua Manuel Espregueira 86 ℘ 238 94, Decoração rústica regional – 🆎 ⑪ 🄴 𝘝𝘐𝘚𝘈   A **e**
Ref *(fechado 3ª feira)* lista 1300 a 2000 – **24 qto** ⊡ 3000/3900.

✕ **Os 3 Potes,** Beco dos Fornos 7 ℘ 234 32, Telex 32429, Decoração rústica regional – ▤. 🄴 𝘝𝘐𝘚𝘈   B **s**
fechado 2ª feira e 29 Novembro-28 Dezembro – Ref lista 1220 a 2145.

em Santa Luzia N : 6 km – ✉ 4900 Viana do Castelo – ✪ 058 :

🏨 **Santa Luzia** ⤸, ℘ 221 92, Telex 32420, « Bela situação com ≤ mar, vale e estuário do Lima », ⤢, 🦌 – 🕸 🅿. 🆎 ⑪ 🄴 𝘝𝘐𝘚𝘈. 🍽
Ref 2700 – **47 qto** ⊡ 9000/10500 – P 9150/12900.

B.L.M.C. (AUSTIN-MORRIS) Rua de Aveiro 156 ℘ 249 63
DATSUN-NISSAN Rua de Aveiro 156 ℘ 248 63
FIAT Lugar do Meio - Areosa ℘ 227 20
FORD Av. Rocha Pâris 146 ℘ 221 37
MERCEDES-BENZ Urb. de Monserrate ℘ 259 51
PEUGEOT-ALFA ROMEO Av. dos Combatentes da Grande Guerra 236 ℘ 251 38

RENAULT Areosa ℘ 254 10
SEAT Zona Industrial S. Romão do Neiva ℘ 285 13
TOYOTA Rua de Gontim 56 ℘ 233 28
VOLVO Quinta de Monserrate ℘ 266 65
VOLVO Av. Afonso III - 440 ℘ 274 47
VW-AUDI av. Camões 25 ℘ 220 92
VW-AUDI Rua do Gontim 109

VIEIRA DO MINHO 4850 Braga **437** H 5 – 2 229 h. alt. 390 – ☏ 053.
♦Lisboa 402 – Braga 34 – ♦Porto 84.

em Caniçada - na estrada N 304 SO : 2 km – ✉ 4850 Vieira do Minho – ☏ 053 :

🏛 **Pousada de São Bento** ⍉, ℘ 571 90, Telex 32339, ≤ serra do Gerês e rio Cávado, ⤳, 🍴, ℅ – 🅿, 亜 ⓞ 🎫 *VISA*. ℅
Ref 1950 – **18 qto** ⇌ 10300/11500.

em Cerdeirinhas - na estrada N 103 NO : 5 km – ✉ 4850 Vieira do Minho – ☏ 053 :

🏠 Mosteiro, ℘ 577 77 – ⍉ 🅿 – **18 qto**.

🏠 Aldeamento Turístico da Pedra Verde ⍉ sem rest, ℘ 574 44, ≤ barragem da Caniçada e serras do Gerês e Amarela, « Em moradias independentes num agrádavel recinto florido », ⤳ – ⍉ 🅿 – **10 qto**.

VILA BALEIRA Madeira – ver Madeira (Arquipélago da).

VILA DO CONDE 4480 Porto **437** H 3 – 20 245 h. – ☏ 052 – Praia.
Ver : Mosteiro de Santa Clara★ (tumulus★).
🛈 Rua 25 de Abril 103 ℘ 63 14 72.
♦Lisboa 342 – Braga 40 – ♦Porto 27 – Viana do Castelo 42.

✗ Regata, Av. Marquês Sá da Bandeira - junto ao posto Náutico ℘ 63 17 81, ≤.

em Azurara pela estrada N 13 SE : 1 km – ✉ 4480 Vila do Conde – ☏ 052 :

🏛 **Motel Sant'Ana** ⍉, ℘ 63 19 94, Telex 27695, ≤, 🔲 – ⍉ 🅿. 亜 ⓞ 🎫 *VISA*. ℅
Ref 1500 – **34 qto** ⇌ 8000/9000.

B.L.M.C. (AUSTIN-MORRIS) Rua 5 de Outubro 19 ℘ 63 10 50
CITROEN Rua 5 de Outubro 284 ℘ 63 14 80

FIAT Av. Baltazar do Couto ℘ 64 48 53
MERCEDES-BENZ Rua 5 de Outubro ℘ 63 12 73
RENAULT Lugar de Pereira ℘ 927 16 20

VILA FRANCA DE XIRA 2600 Lisboa **437** P 3 – 19 823 h. – ☏ 063.
♦Lisboa 31 – Évora 111 – Santarém 49.

🏠 **Flora,** Rua Noel Perdigão 12 ℘ 231 27 – ▤ rest. 亜 ⓞ 🎫 *VISA*. ℅
fechado Setembro – Ref *(fechado Domingo)* 1250 – **21 qto** ⇌ 3500/4700.

✗✗ **O Redondel,** praça de Touros, Estrada de Lisboa ℘ 229 73, Debaixo das bancadas da praça de touros – ▤. 亜 ⓞ 🎫 *VISA*. ℅
Ref lista 1300 a 2700.

pela estrada do Miradouro de Monte Gordo N : 2 km – ✉ 2600 Vila Franca de Xira – ☏ 063 :

🏠 **São Jorge** ⍉, Quinta de Santo André ℘ 221 43, ≤, « Bela decoração », ⤳, 🍴 – ⇨ 🅿. 亜 ⓞ 🎫 *VISA*. ℅
Ref (só jantar) 1000 – **8 qto** ⇌ 4000/8000.

B.L.M.C. (AUSTIN, MORRIS) Rua Dr. Manuel de Arriaga 36 A ℘ 228 13
CITROEN Rua António Lúcio Baptista 1 ℘ 231 22
DATSUN-NISSAN Cais dos Povos ℘ 243 47
FIAT Rua Alves Rebol ℘ 221 27

FORD Av. Combatentes da Grande Guerra 53A ℘ 329 29
PEUGEOT-ALFA ROMEO Rua Joaquim Pedro Monteiro 29 ℘ 225 29
RENAULT Rua Palha Blanco 78 ℘ 251 06
TOYOTA Rua Noel Perdigão ℘ 237 81

VILAMOURA Faro **437** U 5 – ver Quarteira.

VILA NOVA DE CERVEIRA 4920 Viana do Castelo **437** G 3 – 1 034 h. – ☏ 051.
🛈 Praça da Liberdade.
♦Lisboa 425 – Viana do Castelo 37 – ♦Vigo 46.

🏛 Pousada de Dom Diniz ⍉, praça da Liberdade ℘ 956 01, Telex 32821, « Instalações dentro dum conjunto amuralhado » – ▤ ☎ – **29 qto**.

em Reboreda estrada N 13 NE : 3 km – ✉ 4920 Vila Nova de Cerveira – ☏ 051 :

🏠 Calisto, sem rest, ℘ 95561 – 🅿 – **36 qto**.

em Gondarem pela estrada N 13 SO : 4 km – ✉ 4920 Vila Nova de Cerveira – ☏ 051 :

🏛 **Estal. da Boega** ⍉, quinta do Outeiral ℘ 952 31, ≤ rio Minho, « Antiga casa senhorial rodeada duma quinta », ⤳, 🍴, ℅ – 🅿. ℅
Ref 1500 – **30 qto** ⇌ 5500/6000.

VILA NOVA DE FAMALICÃO 4760 Braga 437 H 4 – 4 201 h. alt. 88 – ⚙ 052.
♦Lisboa 350 – Braga 18 – ♦Porto 32.

🏠 **Francesa**, sem rest, Av. General Humberto Delgado 🖉 230 18 – 🛗 🕿 – **37 qto**.

XX **Iris**, Rua Adriano Pinto Basto 🖉 220 01, Telex 25533 – 🗏. *VISA*. 🎇
fechado Domingo e Agosto – Ref lista 1130 a 2950.

X **Tanoeiro**, Campo Mouzinho de Albuquerque 207 🖉 221 62
fechado domingo.

na estrada N 206 E : 1,5 km – ⊠ 4760 Vila Nova de Famalicão – ⚙ 052 :

🏦 **Moutados**, 🖉 741 91, Telex 27954 – 🛗 🗏 rest 🕿 ❷ – 🔬. 🕮 ⓞ 🛂 *VISA*. 🎇
fechado 24 e 25 Dezembro – Ref lista aprox. 1750 – **57 qto** ⊐ 3500/4950.

X Moutados de Baixo, 🖉 222 76, 🍽 – ❷.

CITROEN Rua Alves Roçadas 161 🖉 233 07	RENAULT Av. 25 de Abril 370 🖉 221 15
FIAT Rua Narciso Ferreira 26 🖉 233 07	TOYOTA Lugar de Painções 🖉 228 50
FIAT Rua Alves Roçadas 169 🖉 736 19	

VILA NOVA DE GAIA 4400 Porto 437 I 4 – 63 177 h. – ⚙ 02 – Praia.
🔋 Jardim do Morro 🖉 30 92 78.
♦Lisboa 316 – ♦Porto 2.

Ver plano de Porto aglomeração

na praia de Lavadores O : 7 km – ⊠ 4400 Vila Nova de Gaia – ⚙ 02 :

XX **Casa Branca**, av. Beira Mar 413 🖉 781 02 69, Telex 20811, ≤ mar, Interessante colecção de estatuetos de terracota – 🕮 ⓞ 🛂 *VISA*. 🎇
Ref lista 1750 a 3600.

em Valadares na estrada N 109 SO : 8 km – ⊠ 4405 Valadares – ⚙ 02 :

X Braseiro do Norte, com snack-bar, 🖉 762 41 96, Telex 24475, « Esplanada ajardinada » – ❷.

na Praia da Aguda SO : 13 km – ⊠ 4405 Valadares – ⚙ 02 :

XX **Dulcemar**, 🖉 762 40 77 – 🕮 ⓞ 🛂 *VISA*
fechado 4ª feira – Ref lista 1600 a 3300.

B.L.M.C. AUSTIN-MORRIS Rua do Moçambique 28 🖉 39 41 54	RENAULT Rua Parque da República 90 🖉 39 30 03
FORD Av. da República 754 🖉 39 78 52	RENAULT Rua Central de Olival 501 🖉 982 31 24
PEUGEOT-ALFA ROMEO Av. da República 1 076 🖉 39 83 87	TOYOTA Av. da República 698 🖉 39 70 88
	VOLVO Estrada N 109 - Porto Espinho 🖉 71 56 79

VILA NOVA DE OURÉM 2490 Santarém 437 N 4 – 4 466 h. – ⚙ 049.
🔋 Praça do Municipio 🖉 421 94.
♦Lisboa 140 – Leiria 25 – Santarém 63.

em Pinhel O : 3 km – ⊠ 2490 Vila Nova de Ourém – ⚙ 049 :

X **Cruzamento**, 🖉 423 52 – ❷. 🛂 *VISA*. 🎇
Ref lista 850 a 1460.

DATSUN-NISSAN Rua Dr. Silva Neves 🖉 428 71	MERCEDES-BENZ Quinta da Sapateira 🖉 426 95
DATSUN-NISSAN Av. D. Nuno Alvares Pereira 🖉 434 99	RENAULT Caxarias Norte 🖉 442 06
	TOYOTA Quinta da Sapateira 🖉 422 95

VILA PRAIA DE ÂNCORA 4915 Viana do Castelo 437 G 3 – 3 801 h. – ⚙ 058 – Termas - Praia.
🔋 Rua Miguel Bombarda 🖉 91 13 84.
♦Lisboa 403 – Viana do Castelo 15 – ♦Vigo 68.

🏦 **Meira**, Rua 5 de Outubro 56 🖉 91 11 11, Telex 32619, ⊐ – 🛗 🗏 rest 🕿 ❷. 🕮 ⓞ 🛂 *VISA*. 🎇 rest
fechado 20 Outubro-12 Dezembro – Ref 1100 – **45 qto** ⊐ 4000/6000 – P 5200/6200.

RENAULT Rua 31 de Janeiro 🖉 911 196

VILA REAL 5000 ℗ 437 I 6 – 13 876 h. alt. 425 – ⚙ 059.
Ver : Igreja de São Pedro (tecto★).
Arred. : Mateus★ (solar★ dos Condes de Vila Real : fachada★★) E : 3,5 km – Estrada de Vila Real a Amarante ≤★ – Estrada de Vila Real a Mondim de Basto (≤★, descida escarpada ★).
🔋 Av. Carvalho Araujo 🖉 228 19.
♦Lisboa 400 – Braga 103 – Guarda 156 – Orense 159 – ♦ Porto 119 – Viseu 108.

🏦 **Mira Corgo** sem rest, Av. 1º de Maio 🖉 250 01, Telex 27725, ≤, ⊠ – 🛗 📺 🕿 ❷. 🕮 ⓞ 🛂 *VISA*. 🎇
76 qto ⊐ 7200/10200.

🏦 **Albergaria Cabanelas**, Rua D. Pedro de Castro 🖉 231 53, Telex 24580 – 🛗 🗏 qto 📺 🕿 🚗. 🕮 ⓞ 🛂 *VISA*. 🎇
Ref 1800 – **24 qto** ⊐ 3300/5500 – P 5350/5900.

X Espadeiro, 1º andar, Av. Almeida Lucena 🖉 223 02, 🍽.

AUTOBIANCHI-LANCIA Pr. Diogo Cão 🖉 230 35
B.L.M.C. (AUSTIN, MORRIS) Av. 1° de Maio 317 🖉 248 57
CITROEN Av. D. Dinis,14 A 🖉 237 34
DATSUN-NISSAN Av. Marginal 🖉 220 66
FIAT Praça Diogo Cão 🖉 230 35
FORD Rua Visconde de Carnaxide 26 🖉 221 51
G.M. - OPEL Av. Almeida Lucena 🖉 231 42
MERCEDES-BENZ B. do Marrão - Mateus 🖉 250 50

PEUGEOT-ALFA ROMEO Timpeira 🖉 231 38
PEUGEOT-ALFA ROMEO Rua Santa Sofia 51 🖉 228 82
RENAULT Rua Madame Brouillard 🖉 244 10
SEAT Av. 1° de Maio 🖉 719 14
TOYOTA Av. da Noruega 🖉 234 28
VOLVO Av. 1° de Maio 80 🖉 718 16
VOLVO Rua Visconde Carnaxide 268 🖉 222 00
VW-AUDI Rua Marechal Teixeira Rebelo 17 🖉 230 07

VILA REAL DE SANTO ANTÓNIO 8900 Faro 🗺️ U 7 – 13 379 h. – ⬤ 081 – Praia - ver alfândegas p. 14 e 15.

⛴️ para Ayamonte (Espanha), Av. da República 115 🖉 431 52.

🛈 Av. da República 🖉 432 72 e Av. Infante Dom Henrique 🖉 444 95 (em Monte Gordo).

◆ Lisboa 314 – Faro 53 – Huelva 50.

🏨 **Apolo** sem rest, Av. dos Bombeiros Portugueses 🖉 444 48, Telex 56902 – 📶 🕾 🅿️ 🆎 ⓞ 🇪 **VISA**
  42 qto ⇌ 7500/8000.

  em Monte Gordo O : 4 km – ✉️ 8900 Vila Real de Santo António – ⬤ 081 :

🏨 **Alcazar** 🦢, Rua de Ceuta 🖉 421 84, Telex 56028, ≤, Decoração árabe-algarvia, ⅀ – 📶 ▤ 🆎 ⓞ 🇪 **VISA** ⚸
  Ref 1600 – **95 qto** ⇌ 8750/13000.

🏨 **Dos Navegadores,** 🖉 424 90, Telex 56054, Fax 448 72, ≤, ⅀, ◫ – 📶 🕿 🆎 ⓞ 🇪 **VISA** ⚸
  Ref 1500 – **346 qto** ⇌ 9000/11500.

🏨 **Casablanca Inn,** Rua 7 🖉 424 44, Telex 56939, 🍽️, ⅀, ◫ – 📶 🕿 🆎 ⓞ 🇪 **VISA** ⚸
  Ref 1500 – **42 qto** ⇌ 9500/11000.

🏠 **Paiva** sem rest, Rua Onze 🖉 441 87 – 🕾
  fechado 15 Novembro-15 Janeiro – **25 qto** ⇌ 4950/5800.

✗ **Panorama,** Av. Infante Dom Henrique 🖉 430 51, 🍽️, Grelhados – 🆎 ⓞ 🇪 **VISA** ⚸
  Ref lista 2400 a 2650.

✗ **Copacabana,** Av. Infante Dom Henrique 13 🖉 424 62, Telex 56054, 🍽️, Grelhados – 🆎 ⓞ 🇪 **VISA** ⚸
  Ref lista 2250 a 3200.

  na Ponta de Santo António S : 1 km – ✉️ 8900 Vila Real de Santo António – ⬤ 081 :

✗ **Don Jotta,** 🖉 431 51, Telex 56054, ≤, 🍽️, Decoração típica – 🆎 ⓞ 🇪 **VISA** ⚸
  Ref lista 1380 a 1700.

RENAULT Rua Eça de Queirós 8 🖉 430 92

VILAR FORMOSO Guarda 🗺️ K 9 – 2 426 h. – ✉️ 6350 Almeida – ⬤ 071 – ver alfândegas p. 14 e 15 – 🛈 Posto de Fronteira 🖉 522 02 – A.C.P. Estrada Nacional 16 🖉 522 01.

VILA VERDE DA RAIA Vila Real 🗺️ G – ver alfândegas p. 14 e 15.

  Hoteis e Restaurantes ver : Chaves S : 7 km.

VILA VERDE DE FICALHO Beja 🗺️ S 8 – ver alfândegas p. 14 e 15.

VIMEIRO (Termas do) Lisboa 🗺️ O 2 – 1 146 h. alt. 25 – ✉️ 2560 Torres Vedras – ⬤ 061 – Termas.

🛴 na Praia do Porto Novo 🖉 981 57 – ◆Lisboa 67 – Peniche 28 – Torres Vedras 12.

🏠 **Das Termas** 🦢, Maceira 🖉 981 03, ⅀ de água termal, ✼ – 📶 🕾 🅿️ – **88 qto**.

🕾 **Rainha Santa** sem rest, Quinta da Piedade - Estrada de A.Dos-Cunhados 🖉 982 34 – 🅿️ 🆎 ⓞ 🇪 **VISA** ⚸
  fechado Outubro – **20 qto** ⇌ 3000/4000.

  na Praia do Porto Novo O : 4 km – ✉️ 2560 Torres Vedras – ⬤ 061 :

🏨 **Golf Mar** 🦢, 🖉 981 57, Telex 43353, ≤, ⅀, ◫, ✼, 🛴 – 📶 🅿️ – 🏛️ 🆎 ⓞ 🇪 **VISA** ⚸
  Ref 2300 – **278 qto** ⇌ 7300/9700.

  em Toledo - na estrada de Lourinhã NE : 2,5 km – ✉️ 2530 Lourinhá – ⬤ 061 :

✗ **O Pão Saloio,** 🖉 983 55, Rest. típico, Grelhados – ▤ ⚸
  fechado 2ª feira e 20 Setembro-20 Outubro – Ref lista 1100 a 2620.

VISEU 3500 🄿 🗺️ K 6 – 21 454 h. alt. 483 – ⬤ 032.

Ver : Cidade Antiga★ : Museu Grão Vasco★★ Y **M** (Trono da Graça★, primitivos★★) – Sé★ Y **A** (liernes★, retábulo★★) – Adro da Sé★ Y – Igreja de São Bento (azulejos★) Y **F**.

🛈 Av. Gulbenkian 🖉 279 94.

◆Lisboa 292 ④ – Aveiro 96 ① – ◆Coimbra 92 ④ – Guarda 85 ② – Vila Real 108 ①.

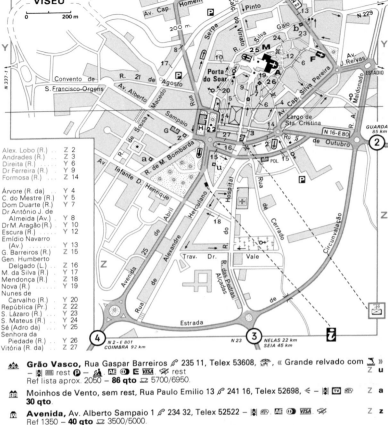

VISEU

0   200 m

Grão Vasco, Rua Gaspar Barreiros ✆ 235 11, Telex 53608, 🍴, « Grande relvado com 🏊 » – |🛗| 🗄 rest 🅿 – 🔥 🎗 ⚠️ ✵ rest   Z u
Ref lista aprox. 2050 – **86 qto** ⛁ 5700/6950.

Moinhos de Vento, sem rest, Rua Paulo Emilio 13 ✆ 241 16, Telex 52698, ≼ – |🛗| 📺 📞   Z a
30 qto.

Avenida, Av. Alberto Sampaio 1 ✆ 234 32, Telex 52522 – |🛗| 📞 ⚠️ ① 𝘝𝘐𝘚𝘈 ✵   Z z
Ref 1350 – **40 qto** ⛁ 3500/5000.

✗ **Trave Negra**, Rua dos Loureiros 40 ✆ 261 38 – 🗄   Y b

✗ **O Cortiço**, Rua Augusto Hilário 43 ✆ 238 53, Rest. típico   Y f

na estrada de Coimbra N 2 - bairro de Santa Eulália por ④ : 1,5 km – ⊠ 3500 Viseu –
☎ 032 :

✗ **Churrasqueira Santa Eulália**, ✆ 262 83.

na estrada N 16 por ② : 4 km – ⊠ 3500 Viseu – ☎ 032 :

Maná, via Caçador ✆ 261 43, Telex 53444 – |🛗| 📞 🅿 – 🔥 ⚠️ ① 𝙴 𝘝𝘐𝘚𝘈 ✵ rest
Ref 1030 – **47 qto** ⛁ 4500/6900.

AUTOBIANCHI-LANCIA   Rua 5 de Outubro 79 ✆
239 05
B.L.M.C.   (AUSTIN,   MORRIS)   Av.   Capitão Silva
Pereira 137 ✆ 411 51
BMW   Av. Emidio Navarro ✆ 237 25
CITROEN   Estrada Nacional 2 - Repezes ✆ 260 63
DATSUN-NISSAN   Zona Industrial de Abravezes ✆
234 11
FIAT   Rua da Ponte de Pau 17 ✆ 239 81
FIAT   Abraveses - Estrada Viseu-Lamego ✆ 296 32
FORD   Av. António José de Almeida 137 ✆ 235 61
G.M. - OPEL   Rua Pedro Alvares Cabral 228 ✆ 234 56
G.M. - OPEL   Av. da Bélgica ✆ 411 61

MERCEDES-BENZ   Av. da Bélgica 52 ✆ 251 51
PEUGEOT-ALFA ROMEO   Rua Pedro Alvares Cabral
288 ✆ 234 56
PEUGEOT-ALFA   ROMEO   Viso - Rio de Loba ✆
263 27
PEUGEOT-ALFA ROMEO   Rua Capitão Silva Pereira
20 ✆ 251 55
RENAULT   Av. Pedro Alvares Cabral 288 ✆ 234 56
SEAT   Rua Pedro Álvares Cabral 288 ✆ 234 56
TOYOTA   Rua Nova do Hospital ✆ 260 05
VOLVO   Rua 21 Agosto 185 ✆ 270 91
VW-AUDI   Av. Emidio Navarro ✆ 237 25

NOTES

MANUFACTURE FRANÇAISE DES PNEUMATIQUES MICHELIN
Société en commandite par actions au capital de 875 000 000 de francs
Place des Carmes-Déchaux — 63 Clermont-Ferrand (France)
R.C.S. Clermont-Fd B 855 200 507
© Michelin et Cie, propriétaires-éditeurs, 1989
Dépôt légal 3-89 — ISBN 2.06.006.398-1

Printed in France, 2-89-90
Photocomposition : S.C.I.A., La Chapelle-d'Armentières — Impression : ISTRA à Strasbourg — n° 9/00550

MAPAS REGIONALES

1 : 400 000

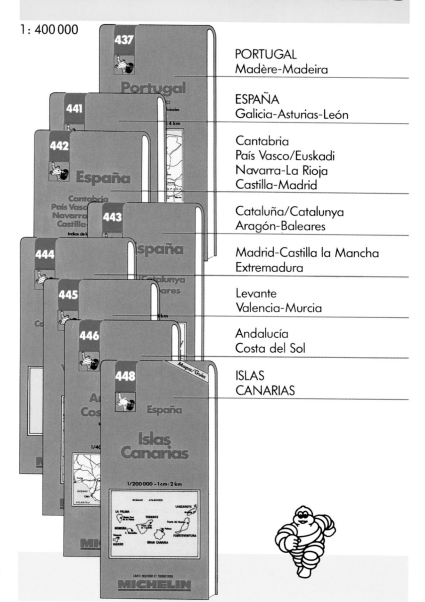

PORTUGAL
Madère-Madeira

ESPAÑA
Galicia-Asturias-León

Cantabria
País Vasco/Euskadi
Navarra-La Rioja
Castilla-Madrid

Cataluña/Catalunya
Aragón-Baleares

Madrid-Castilla la Mancha
Extremadura

Levante
Valencia-Murcia

Andalucía
Costa del Sol

ISLAS
CANARIAS

MAPA DE LAS PRINCIPALES CARRETERAS

1/1 000 000

990

España
Portugal
Espagne

1/1 000 000 – 1cm : 10 km

MICHELIN